UN ‘HOMBRE DE BIEN’

Saggi di lingue e letterature iberiche in onore di Rinaldo Froldi

II

Presentazione di Maurizio Fabbri

a cura di
Patrizia Garelli e Giovanni Marchetti

e con la collaborazione di
Livia Brunori, Luigi Contadini, Cristina Fiallega,
Marco Presotto, Patrizio Rigobon, Roberto Vecchi

Edizioni dell’Orso

Volume pubblicato con il contributo del Consiglio Nazionale delle Ricerche e del Dipartimento di Lingue e Letterature Straniere Moderne dell'Alma Mater Studiorum Università di Bologna

15100 Alessandria, via Rattazzi 47
Tel. 0131 - 25.23.49 - Fax 0131 - 25.75.67
E-mail: info@ediorso.it
http://www.ediorso.it

Impaginazione a cura di ZV4ML

ISBN 88-7694-612-8

UN 'HOMBRE DE BIEN'

Saggi di lingue e letterature iberiche
in onore di Rinaldo Froldi

II

INDICE

SAGGI

Narrare Lorca

Francesco Guazzelli

Giorno di ferragosto del 2000*.

Sono le cinque del mattino. L'idea del rimbombo informativo, identico a se stesso da oltre trent'anni, mi riempirà durante tutto il giorno le orecchie di code inaudite sulle strade, di città svuotate, e farà balenare visioni spumeggianti delle belle fontane italiche, increspate dai pediluvi ameni di qualche stralunato vichingo.

L'insonnia di sempre mi pare oggi accettabile, la colpa dei miei inopportuni risvegli non resterà orfana.

* In tale periodo, negli anni '90, ero solito andare a trovare a Volterra Ada e Rinaldo. La pacata serenità con cui ricevevano Guido Mancini, mia moglie Angela e il sottoscritto, la cortesia, per niente accademica, e la disponibilità a prestare attenzione ai progetti altrui, mi convinsero, sul finire della decade, di chiedere il loro affettuoso aiuto. Stavo scrivendo un romanzo. La mia protagonista era, per l'appunto, volterrana come Ada che, all'epoca dei fatti raccontati, doveva avere più o meno la stessa età di Neva, il mio personaggio. Dovevo saperne di più; sui luoghi, sui nomi, sulle atmosfere ed anche su un vecchio trenino a cremagliera che, sino a tutti gli anni cinquanta, triturava le impervie balze della capitale etrusca. Lui e Ada mi fornirono preziosi suggerimenti, non solo da investigatori di cognomi e palazzi, ma anche come animatori di quel mio sogno giovanile. Oggi, voglio dedicare a tutti e due una primizia (non è certo la qualità che la fa tale) dello strano libro che narra la potenza liberatrice della vita e la battaglia dell'uomo contro le mostruosità reclamizzate di un mondo che alcuni vorrebbero privato della biologia "matrigna", quella stessa che anima l'eroismo, i martiri e le tragiche privazioni dei personaggi e della vita di Lorca. Vorrebbero, i nostri apprendisti stregoni, un mondo perfetto, biodegradabile e bioriaggiustabile, un mondo simile agli *astros imbéciles*, le palline inerti che vagano per il cielo temuto da Federico. Astri che non propiziano la morte, come si è detto per la Luna lorchiana, ma l'inesistenza: il perire è, infatti, per Lorca, un atto di vita e rappresenta la semina del sangue, dell'umanità redenta in senso cristologico. Qualche anno fa, dichiarando a Rinaldo il mio lavoro di narratore, mi tagliavo la possibilità di abortire il progetto; oggi, cominciando a stampare l'avventura del professor Filippo, non potrò che comportarmi da gentiluomo: terminare il libro, e dire ancora grazie a Rinaldo Froldi e, da laico convinto, prestare il fianco agli ipocriti di sempre, gli inconsapevoli aiutanti degli stregoni.

L'irrefrenabile polemica, figlia del giorno impiccato al ramo del risaputo, lascia cadere la ribellione nella botola irriverente del disgusto. Ogni anno coltivo l'illusione di ergermi a diga e, piccolo assurdo vivente, contro-propongo ed escogito maniere barocche per fuggire quella fatalità che avrà comunque ragione di me e di ogni mio patetico sforzo.

Mentre a tentoni guadagno la porta del bagno, avverto l'informe: mi viene subito da pensare alle polpe inutili e maleodoranti che rivestono i frutti, abbandonati a marcire in cassette affastellate nella festa puzzolente dei supermercati.

Lascio al cesso quanto di diritto gli appartiene e mi dirigo, senza deciderlo, verso il computer. Appena lo intravedo, l'apparente casualità dei miei passi acquista un senso. Cerco, ironia, l'evasione in un'altra macchina, diversa sì, ma pur sempre della stessa natura di quelle che, con il loro rumoroso risveglio, intasano gli spazi e scuotono "estas malditas adelfas que saltan por los muros[1]" della vicina A14.

Il rituale dell'accensione della mia macchina stamani è più rumoroso e più lungo del solito. Sinistri tric-trac rompono il silenzio come volessero offrirmi in anteprima i botti che preparano gli ormai prossimi astri iridescenti e artificiali della notte di mezza estate marina. L'aurora sullo schermo tarda ancora a farsi apprezzare nelle sue opalescenze lunari. Meglio avvantaggiarsi, e accendere la fiamma sotto la caffettiera irrigidita nell'attesa.

Ogni avvio ha la luce, l'alba e il calore che si merita.

[*Salto a piè pari buona parte della pigra ouverture del risveglio*]

Come un automa, cammino rispondendo ad ipotetiche confutazioni di forma e di merito sulle ultime cose che credo di avere scritto.

Nel file salvato, *Lorcandia*, questo il suo nome, troverò, una volta esauritosi il rito del caffè, la risposta a tanto sproporzionato e solipsistico ardore polemico? Lo spero, anche se non ricordo su cosa stessi armeggiando l'altra sera. La mia fiducia risiede nel gran numero di cartelle che ho già dato in pasto al ventre del computer. Tutte contenevano, almeno credo, una precisa chiave di lettura o, meglio ancora, erano il resoconto di un viaggio attraverso il macrote-

[1] F. García Lorca, *Así que pasen cinco años*, in "Obras Completas", ed. de M. García Posada, Barcelona, Galaxia Gutemberg, 1997, vol. II, p. 389. Le opere di Lorca saranno citate tutte da questa edizione. Si fa presente che il vol. I, *Poesía*, è stato edito nel 1996. Gli altri (vol. II, *Teatro*; vol. III, *Prosa*; vol. IV, *Primeros escritos*) sono stati editi, invece, tutti nel 1997. Per economicità, là dove nel testo compare chiaramente l'indicazione del tipo di scritto e il suo titolo, si rimanda solo al volume: I; II; etc.

sto lorchiano, in cui una minuscola bussola di latta, di quelle che si compravano nelle fiere paesane di sorpassate fanciullezze, può fungere da filo d'Arianna: impossibile non scorgere quella povera e desueta copia del nobile strumento.

Juguetes di un tempo artigianale, la *hojalata* riflette ed argenta le luci più tenui; colpisce gli sguardi più ingenui e sensibili; attira i bambini, sino a evocare, negli occhi dell'oggi, il tempo dello ieri interpretato come sincronia o, se si vuole, come figlio bastardo di Cronos. Tutto come in alcuni dei personaggi di Lorca: "Lo que más miedo me ha dado ha sido el lobo de cartón y las cuatro serpientes en el estanque de hojalata[2]"; "Yo también iba ¡ay gata chata, barata naricillas de hojadelata![3]".

E quel *juguete de hojalata*, lo ricordavo, ne ero certo, aveva, nella rotondità silenziosa del sestante, due soli contrassegni: il Nord e il Sud.

Il primo indicava l'universo degli Astri; il secondo quello delle Creature. Ricordavo che proprio in aula, mentre stavo commentando *Así que pasen cinco años*, riconobbi, incalzato dalle domande, il paradigma di collegamento che traduceva in schema poetico quanto in me non aveva ancora forma critica:

¡Gata!
te comerán las patitas y el bigote.
Vámonos; de casa en casa,
llegaremos donde pacen
los caballitos del agua.
No es el cielo. Es tierra dura,
con muchos grillos que cantan,
con hierbas que se menean,
con nubes que se levantan,
con hondas que lanzan piedras
y el viento como una espada.
¡Yo quiero ser niño! ¡un niño![4]

Mentre confuto, confronto e, cito a memoria, avanzo, tazza in mano, nella stanzina senza finestre che qui, al Cinquale di Montignoso, funge da pensatoio e studio. Prima di arrivare alla mia solita postazione davanti alla tastiera, m'imbatto, sullo spigolo del tavolo, in un volumetto aperto a capanna. Lo prendo tra le mani come si farebbe con un ventaglio già aperto.

[2] F. García Lorca, *El público*, II, p. 315.
[3] F. García Lorca, *Así...*, II, p. 342.
[4] Ivi, p. 344.

Si tratta di Apollinaire, *Le poète assassiné*, in una buona traduzione spagnola. Seguo il percorso tracciato dalla matita, e leggo ad alta voce:

Es el Aburrimiento y la Desgracia, el monstruo enemigo del hombre, el Leviatán viscoso e inmundo, el Behemot manchado de estupros, de violaciones, y de la sangre de maravillosos poetas. Es el vómito de las Antípodas. Sus milagros no engañan más, a los clarividentes, de lo que los milagros de Simón el Mago engañaban a los apóstoles. Marselleses, marselleses, ¿por qué vosotros, cuyos antepasados vinieron del país más ricamente lírico, os habéis solidarizado con los enemigos de los poetas, con los bárbaros de todas las naciones? ¿Conocíais el milagro más sorprendente del alemán vuelto de Australia? Es el de haberse impuesto al mundo y haber sido un instante más fuerte que la misma creación, que la poesía eterna.

Pero Tograth, que se había podido escabullir, se alzó, sucio de polvo y ebrio de rabia, y preguntó:

-¿Quién eres?

Y la turba gritó:

¿Quién eres? ¿Quién eres?

El poeta se volvió hacia oriente y habló con voz exaltada:

-Soy Croniamantal, el más grande de los poetas vivos. A menudo he visto a Dios cara a cara. He soportado el esplendor de Dios que mis ojos humanos contemplaban. He vivido la eternidad. Pero habiendo llegado la hora, he venido a alzarme ante ti. Tograth acogió con una terrible carcajada estas últimas palabras. Las primera filas de la masa, al ver reír a Tograth rieron también, y la risa, en carcajadas, a borbotones, a trinos, se comunicó en seguida a todo el populacho, a Paponat y a Tristouse Ballerinette. Todas las bocas abiertas se encaraban a Croniamantal que perdía los estribos. Gritaron entre risas:

-¡Al agua el poeta!...¡Al fuego Croniamantal!...¡A los perros el amante del laurel!

Un hombre de la primera fila que llevaba un grueso garrote asestó con él un golpe a Croniamantal, cuya mueca de dolor hizo redoblar las risas de la muchedumbre. Una piedra hábilmente lanzada vino a dar en la nariz del poeta, haciendo brotar la sangre. Una pescadera surgió de la masa, y luego, plantándose delante de Croniamantal, le dijo:

-¡Uu! ¡Cuervo! Te reconozco, botarate, ¡eres un policía que se ha hecho poeta! ¡Toma, bestia! ¡Toma, trolero!

Y le atizó una formidable bofetada a la vez que le escupía a la cara [...]

Las mujeres se apartaron rápidamente y un hombre que balanceaba un enorme cuchillo en la mano abierta lo lanzó de tal manera que fue a dar en la boca abierta de Croniamantal. Otros hombres hicieron lo mismo. Los cuchillos se hincaron en el vientre, en el pecho, y pronto no hubo en el suelo más que un cadáver cubierto de púas como la envoltura de un erizo de mar[5].

Mi sorprendo e mi emoziono per le analogie. Mi accade ogni qualvolta rileggo questo o altri brani del *Poète* ....

Stavo forse inserendo una citazione di Apollinaire?

Non ne sono certo; escludo comunque di averlo potuto fare per conferire un qualche appoggio emotivo alla biografia di Federico. Detesto le biografie. Forse ero interessato al rapporto tra la poesia e il sud. La Provenza e l'Andalusia, nel loro aspetto di luoghi sacri del martirio della poesia, potrebbero avermi convinto ad inserire la "lapidazione" dell'illusione sognatrice, voluta da una società onnivora, geograficamente uniforme: un globo sospeso nel vuoto, senza nemmeno la miseria di una coda che faccia pensare al mistero di una cometa o a filamenti che rassomiglino a radici. Un astro come tanti, non la nostra terra, con il suo bravo emisfero boreale e australe, con un sopra e un sotto. Un globo che rotola sul campo del cielo sospinto dalla forza degli affari e insofferente ad ogni virtualità e virtuosità poetica (non viene forse dagli Antipodi, il tedesco Tograth, il tristo mandante dell'assassinio).

Il relativismo geografico è misterioso: esistono centinaia di sud che sono nord, e viceversa; eppure, la caratteristica dominante del cosiddetto mezzogiorno si ripercuote in puntualissime coincidenze.

Non importa, infatti, che Cronamantial, di natali fiamminghi e di cultura franco-italiana, abbia poco a che vedere con l'embrione sudista, ciò che assume rilievo è l'antonomasia data del luogo, il "*Midi*", costruita da Apollinaire a imperitura memoria del grembo che diede i più illustri natali alla poesia romanza.

Come i pellerossa esecrati nei "pidocchietti" domenicali di troppi anni fa, stavo galoppando a pelo intorno ai carri disposti in cerchio dei conquistatori. La tazza non bruciava più, e io non ardevo ancora dal desiderio di confrontarmi seriamente con quanto avevo scritto il giorno prima. Ne provavo forse timore?

Come escluderlo!, il mio peregrinare era sospetto, almeno quanto la sbadataggine, o mancanza di concentrazione nel ricucire ordinatamente il discorso. Procedevo alla cieca, per successive illuminazioni di memorie non ordinate in paragrafi e capitoli.

Intanto, per rompere il silenzio del mio imbarazzo di professore, smazzavo il testo di Apollinaire, come un croupier le carte o un bancario le mazzette. Le pagine arieggiavano la calura estiva ed esibivano, nel loro veloce scorrere,

[5] G. Apollinaire, *El poeta asesinado*, trad. R. Sender, Barcelona, Editorial Fontamara, 1981, pp. 133 e 134.

qualche ferita che, in tempi diversi, avevo loro procurato con la punta del lapis. Il movimento s'inceppò a pagina 17, proprio dove inizia il terzo capitolo, *Gestación*.

Davvero curiosa la circostanza che poneva davanti ai miei occhi la terribile sentenza:

"Condeno a muerte a este embrión[6]".

Ero certo di non essermi soffermato la sera prima su quel sinistro verdetto. L'avrò annotato in altra circostanza e con altri fini, mi dissi, ma in questi giorni escludevo tassativamente di averne fatto un materiale per la costruzione del 'mio' Lorca.

Aveva pronunziato quelle parole Macarée, la bruna di facili costumi, concessasi sul bordo d'una strada a Viersélin Tigoboth, esibendo "sus senos, semejantes a culos de ángeles, y cuya auréola era de color blanco como las nubes rosas del ocaso[7]". Messa di fronte all'inopportuna maternità, frutto dell'episodico incontro con il musico errante, l'ignaro padre del futuro Croniamantal, quella era stata la sua prima reazione; questo, però, il successivo commento "Tonterías […], el deber de las mujeres es tener niños[8]" che, messa da parte la ragione, ripiega sulla declinazione biologica del femminile.

Magnifico!, gridai, spaventando la mia certosina che, non vista, si era intanto frapposta tra me e la tastiera.

La coincidenza mi parve delle più fortunate: andava digitata subito. Ancora biologia, ancora una presenza dello "estimadísimo vientre", omaggiato da Tigoboth dal "gran ramo de hojas de helecho y de iris color de luna", proprio mentre Macarée enfatizzava la sostanza dei suoi provvidi fianchi:

Son color de luna

Y redondos como la Rueda de la Fortuna[9]

Una frenesia che m'invade, dolce, davanti al monitor in lutto: ma non paiono di Lorca questi due versi!

[6] Ivi, p. 17. Tutte le cinque pagine, 17-21, di cui si compone il capitoletto *Gestación* andrebbero citate. Nel testo definitivo, il libro promesso, il professore le richiamerà in vari momenti dei suoi seminari.

[7] Ivi, p. 14.

[8] Ivi, p. 18.

[9] Ivi, p. 14.

Com'è lugubre il salvaschermo, senza immagini…

Che fine aveva fatto la foto della mia Lei?…

Quando niente risponde ai tuoi desideri, prova con i comandi, mi aveva suggerito una persona cara che non c'è più. Smanetto, ma la macchina permane inerte.

Sono contrariato. Ogni giorno ce n'è una nuova, maledette siano le cabine elettriche dei paesini che vivono solo le estati dei ricchi.

Il tavolo di legno continua a ruminare, ma lo schermo ha abiurato e si è convertito all'iconoclastia. Faccio proprio quello che non va fatto in questi momenti: sudare a garganella; versarsi addosso il caffè; interrompere la procedura d'avvio e riprovare a dar vita all'inerzia con un tocco delicato, un solfeggio teso ad imitare l'atto della creazione musicale.

La vita gorgoglia ingigantita dall'eco prodotta dal tavolo privato dei libri che la mia Lei ha riallineato negli scaffali per onorare il rito pagano della Feria d'Agosto.

Le grido mentalmente ogni vituperio. Eppure devo molto a Lei. La comprensione, ad esempio, per *cotejo* fisico, di alcune immagini della donna-natura, come quella della *Margarita morena,/sobre un fondo de viejos olivos*[10] che Lorca sovrappone alla Margherita di Goethe, fondendola con la Elena della II parte del *Faust*.

Nonostante ciò, sono sicuro che la responsabile è Lei: avrà di certo fatto cadere il portatile. Nel parquet cerco le prove del suo misfatto (frammenti di plastica del portatile intonso?), ma non le trovo.

Senza assassino, la colpa non può che essere mia o del fato, che poi è la stessa cosa. Riprendo a sudare e a riprovare: sono una rumorosa fontana senza funzione refrigerante.

Dovevo salvare il lavoro, riconosco, infine, con biasimevole onestà tardiva.

[Segue viaggio verso l'epilogo del disastro informatico. Da questo momento, un narratore, più o meno sapiente, si prenderà cura di raccontare avvenimenti e ricadute didattiche e scientifiche di questo strano modo di fare critica che è il mio *Narrare Lorca*. Da adesso, tutti i testi citati dal professore appaiono in italiano, in originale nelle note. Il mutato punto di vista esige, a detta dello scrittore, un riequilibrio tra prima e terza persona: con il degradare del coinvol-

[10] F. García Lorca, *Libro de poemas*, I., p. 126.

gimento dell'io che dice, prende corpo un altro sé, che vuole esprimersi, interpretando prima il verso o la prosa, quasi fossero delle didascalie di supporto]

Trentacinque chilometri, quelli tra il Cinquale e Pisa, sormontati dal ricordo del rumore, crac-crac-crac, della macchina imbelle che non aveva voluto riconsegnare le memorie, le pagine già scritte su Lorca. L'imprevidente professore aveva sentore di viaggiare su una vecchia automobile degli anni cinquanta, quelle che sbiellavano non appena calava di un nulla il livello dell'olio. Un nulla – pensava – un cucchiaio appena, quanto ne occorre per condire un'insalata qualsiasi. Lo stesso lasco ciotolio di ferraglie che aveva gorgogliato qualche ora prima dentro l'involucro di plastica.

No, non può essere così, si ripeteva ostinato come i cento semafori rossi del lungomare. I *chips* e tutte le altre diavolerie elettroniche informatiche, se e quando muoiono, rilasciano sibili, ultrasuoni, lamenti verticali dove "trema aggrovigliata l'oscura radice del grido[11]".

Non aveva idea da dove gli derivasse quell'ostinata convinzione, ma era sicuro che la volgarità del rumore meccanico fosse prerogativa del mondo affumicato delle officine e delle incudini. E queste, non avevano nulla a che vedere con le raffinatezze informatiche del *medium* a cui aveva affidato il suo discorso. Era improbabile che due mondi contrapposti potessero convivere sotto un unico segno ed essere mediati dall'inconsistenza di un desiderio:

Su nel cielo della strofa
S'affaccia la luna nera
sopra delle nubi viola.

E nel suolo della strofa
l'incudine nera tenta
d'offrire fuoco alla luna[12].

Anche adesso, nonostante l'ansia per il responso d'un paziente samaritano dell'informatica che, ritardando la celebrazione del rito collettivo del ferragosto, lo stava attendendo a Pisa; anche in questo penoso frangente, parte di ciò che si era volatilizzato nella scatola magica riaffiorava beffardo, scisso dalla sua immaginazione. Sorrise. Per dare una coloritura di speranza al rumore trop-

[11] [donde tiembla enmarañada/la oscura raíz del grito], cit., *La casa de Bernarda Alba*, II, p. 475.

[12] [En el cielo de la copla/asoma la luna negra/sobre las nubes moradas.//Y en el suelo de la copla/hay yunques negros que aguardan/poner al rojo la luna], *Poesía varia*, I, p. 723.

po meccanico che lo aveva congelato quella mattina, non aveva trovato di meglio che recitarsi gli ultimi due versi di *Bodas de sangre* e *Luna negra*, una delle composizioni espunte dal *Poema del cante jondo*. Pareva volersi convincere che la tecnologia non emette i presuntuosi e volgari frastuoni delle fucine. Il grido che le si confà è di oscura ascendenza e trema, semmai, tra inestricabili roveti, simili all'habitat nuvoloso della luna nera.

Queste le associazioni del nostro professor Filippo.

Via Santa Maria, meta del pellegrinaggio, gli si presentò, verso le dieci, sotto forma di due marciapiedi disabitati. Dal caldo reale e dai disperati sudori di Filippo avrebbero potuto essere però le dodici.

L'enorme e sgraziato portone della Facoltà di Lingue è laccato marrone-angoscia, mentre quello posto, al di là della strada che collega l'Arno alla Torre, ha un colore intriso di un signorile e decaduto mordente castagno-nostalgia. L'uno e l'altro, in agosto, fungono da inchiavardati presidii di gioventù evaporate nel miraggio.

Allineate, le vetrine delle caffetterie mostrano i trafori geometrici delle saracinesche, sgallate anch'esse come gli zincati senza occhi delle copisterie.

Il negozio, una garitta con Marco lì ad attenderlo, gli apparve paradossale. Sul viso-occhi del venditore di computer si disegnò, disperato, il sarcasmo; mentre, in secondo piano, il viso-bocca farfugliò untuose promesse di redenzione:

-Ma non lo sa che di Ferragosto non si lavora, porta male!

Il professore trascinò nell'antro cavi, cavetti, spine e riduttori che, pendendo dal suo portatile, rotolavano sull'asfalto, come barattoli nuziali trascinati dalle automobili *yankee*. Filippo inciampò, rischiando di dare soluzione definitiva ai suoi problemi o, in subordine, a qualche articolazione, precocemente usurata. Annodato tra i cordoni elettrici, sudato e umiliato dal sarcasmo del suo salvatore, dovette confessare allo stesso che la sua vita dipendeva dalla sapienza di quei minuscoli cacciaviti apprestati sul bancone. Incuranti di ogni personale e disgustoso melodramma, le loro rosse impugnature girarono laiche e prepotenti. Non si soffermarono davanti a nessuna edicola, vera o presunta, della *via crucis* di Filippo, perennemente in groppa al "baio" dei suoi tremori e al "sauro" delle sue aspirazioni.

[*Segue il verdetto fatale (rottura meccanica del disco rigido). Due studenti lo incontrano e, qualche giorno dopo, gli fanno pervenire gli appunti delle lezioni e dei seminari. Filippo non decifra una parola dai fogli inseriti nei faldoni. Del resto, non riesce a leggere nemmeno la sua scrittura; di qui, lo strapotere del computer. Ma il disegno di quei graffiti, insieme ad altri elementi iconici del paratesto, fungono da semofori affettivi. Il professore rivive gli incontri in aula, almeno secondo il narratore che segue, a volte ironico o addirittura sarcastico, il film di quella esperienza irripetibile in cui il docente, per soddisfare le attese di un gruppo di giovani affascinati dalle tematiche proposte, si illude di essere lui il protagonista, e spesso travalica i limiti che il tavolo di lavoro gli consiglia con pedanteria quasi giornaliera*]

-Signorina, la prego, si sieda anche lei. Sì, naturalmente, prenda una sedia e venga qui, vicino a me. Saremo in due a fare da capitavola, del resto non può mica restare in piedi per due ore.

Patrizia, circospetta e imbarazzata, fece quanto il professore le aveva ordinato, o concesso?, senza dare mostra della timidezza che l'invadeva.

Le altre quindici persone, tredici ragazze e due ragazzi, abbassarono lo sguardo sul grande tavolo rettangolare, dove i fogli bianchi, tra penna e matita, assomigliavano ai coperti dei ristoranti. Né mancavano i bicchieri. La loro plastica rumorosa si associava al contemporaneo quartino di salubre acqua minerale.

Prima che tutto fosse apparecchiato, passò qualche minuto. Per nulla disturbato, Filippo fu anzi contento di quelle interferenze organizzative. Se gli studenti esprimono la prima lezione dell'anno con il bianco immacolato dei loro quaderni, il professore materializza il suo nervosismo nella supposta povertà della scaletta che ha davanti agli occhi. La stessa che solo il giorno prima pareva una miniera pressoché inesauribile di spunti. E questo, per il prof. Filippo almeno, valeva trenta anni fa come adesso.

Imprevisto, udì quel giorno un tramestio che lo sovrastava. Non sapeva di che si trattasse. Avrebbero potuto essere i suoi pensieri in fuga disordinata, come un rumore reale del soffitto. Guardò in su, verso la volta crepata e a lungo trascurata dall'Ufficio tecnico, dalla quale, sovente, filtrava di tutto: resti di pioggia, bestioline, pipì di topo e albumi di uova violate dei tanti piccioni che nidificano tra tetto e solaio dei vecchi palazzi. Gli studenti lo seguirono in quell'alta escursione.

– Perché no? – si disse, mentre cominciava ad intonare i versi che avrebbero dovuto fungere da lemma del suo corso, intitolato, con compiaciuta enfasi, *Le stelle senza vita di F.G .Lorca*:

Una vaga astronomia
di pistole inconcrete[13]

[13] [una vaga astronomía/de pistolas inconcretas], *Primer romancero gitano*, I, p. 441.

Seguì una pausa più lunga del necessario, prima che si decidesse a scandire il *tertium comparationis* della sua tesi:

Vaghe stelle dell'Orsa, io non credea
tornare ancor per uso a contemplarvi[14]

-Vi dicono qualcosa questi versi?– sussurrò e aggiunse, serio – non solo in ordine all'appartenenza culturale dei poeti in questione, ma anche sotto qualsiasi altro aspetto che voi individuiate.

I giovani si guardarono stupiti. Uno riconobbe nel primo distico, ma era un "quadriennalista" di spagnolo, qualcosa che aveva a che fare con García Lorca; altri furono illuminati da una luce di soddisfazione, e risposero senza indugio che il secondo era una parte del titolo di un qualche film di Visconti. Gabriele, lo studente alto, che sedeva sul lato lungo alla sua sinistra, riconobbe non solo la *Elegía de la guardia civil* di Lorca, nei primi, ma anche l'*incipit* delle *Ricordanze* di Giacomo Leopardi, nei secondi. Tuttavia, dichiarò ironico di non vedere quale rapporto potesse esistere tra quelle due coppie di distici, decontestualizzati e dalla loro lingua e dal loro specifico corpus.

Filippo, mentre guardava assente gli appunti incomprensibili e i nitidi monti pisani coperti di antenne televisive, non ricordava quali fossero state le esatte parole del suo allievo. Ma, sorridendo, si rammentò che, per voglia di strafare, il ragazzo era incorso nel marchiano errore di amplificare le distanze temporali: –Senza contare, che tra Leopardi e Lorca ci corrono più di duecento anni.

Il professore non stette a sottilizzare. Se una persona anche più colta di Gabriele non si fosse soffermata sul recente centenario della nascita di entrambi (1798 Giacomo e 1898 Federico), avrebbe forse potuto incorrere anche lui in analoghi svisamenti temporali. Il tempo, si sa, in quanto legato alla velocità e all'accelerazione, ha durate diverse.

Fu contento di quella risposta, la polemica eleva il livello d'attenzione e, prima o poi, il gioco dialettico elargisce frutti e a chi si arrampica a coglierli, e a chi, in basso, li custodisce nei canestri di vimini.

Fu così che, senza averlo previsto, tirò fuori dal borsone un tascabile color vernaccia, curato per Adelphi dal suo amico Silvano Peloso, e che stava divorando in quei giorni. Dalle *Pagine esoteriche* di Fernando Pessoa, lesse quanto aveva già sottolineato ad altri fini:

[14] G. Leopardi, *Le Ricordanze* in "Canti", (ed. cura di E. Peruzzi) Milano, Rizzoli, 1981, p. 467.

Si è sempre pensato che gli insegnamenti impartiti dalle religioni dovessero essere adattati alla mente di coloro che li ricevono e, poiché molti di essi – questa è l'opinione degli iniziati – sono di ordine tale che il popolo in genere non li capirebbe, e capendoli in modo distorto ne sarebbe turbato, si pensò allora di dividere tali insegnamenti in due categorie: essoterici o profani, quelli esposti in modo da poter essere impartiti a tutti; esoterici o occulti, quelli che, essendo più veri o del tutto veri, è opportuno che siano impartiti solo a individui previamente e gradualmente preparati a riceverli[15].

-Queste parole di Fernando Pessoa mi serviranno a esplicitare il senso, se ce n'è uno, dei rimandi intertestuali che il vostro compagno ha appena garbatamente contestato. Prima di tutto, vorrei sottolineare, per tranquillizzare Gabriele, che Lorca e Pessoa vissero, anno più anno meno, la stessa temperie storico-culturale.

La risata fu di quelle che non fanno male a nessuno, ma creano invece intimità tra degli sconosciuti gerarchizzati, e Filippo questo lo aveva imparato col mestiere.

-Subito dopo, sarà bene che notiate come un semplice fonema, che forma parte del tema della parola, voglio dire che non ne è una semplice appendice morfologica, come i suffissi o i prefissi privativi e/o oppositivi. Ebbene, dicevo, che anche una parte minima e di sfuggevole rilievo può assumere funzioni semantiche di enorme portata.

Dopo essersi assicurato se sapessero distinguere il significato di 'esoterico' da quello di 'essoterico' e averne ricevuto dei no sbigottiti, il professore volle rassicurarli: lui non era né un docente di lingua, né di filosofia. Dovevano, disse, non dare peso eccessivo alle loro carenze. Se è vero, come era vero, che anche dei coltissimi letterati avevano confuso, nel sette e nell'ottocento, i due termini, usando il secondo per il primo, come dire il fuori per il dentro.

I ragazzi rifiatarono e le loro belle facce parvero a Filippo delle rassicuranti pianure primaverili, variegate dai papaveri dei loro rossori.

-L'ambiguità derivava da un duplice esito etimologico– aggiunse comprensivo – e questo è responsabile degli opposti che si sfiorano. Una geminata, il raddoppio del fonema 's', mette in competizione la fratellanza di senso: 'ékso' ed 'éso', 'fuori' e 'dentro', più il suffisso 'teros'.

-Quando leggeremo poesia – confidò con aria sospettosa, come avrebbe fatto Pessoa con degli "individui previamente e gradualmente preparati" –, dovremo fare attenzione ad ogni più piccolo segno distintivo. Un poeta va a nozze

[15] F. Pessoa, *Pagine esoteriche*, (a cura di S. Peloso) Milano, Adelphi, 1999, pp. 51 e 52.

con simili giochetti, anzi sono proprio le casualità che lo stimolano e gli danno l'impressione di poter creare concetti mai espressi prima di lui. Uno scopo del nostro corso sarà appunto quello dell'iniziazione visiva, uditiva e concettuale, vale a dire di quella sensibilizzazione esoterica o connotativa, di cui abbiamo letto, contrapposta all'enunciato essoterico o denotativo, che non va comunque mai perso di vista.

Le "pistole inconcrete", a rigore, non denotano nulla; come le "vaghe stelle dell'Orsa" designano, come itineranti, in una *lectio difficilior* delle particolari stelle, quelle dell'Orsa, che invece sono sì mobili, ma al pari di tutte le altre. E allora? Fissiamo il segno, e procediamo oltre.

Chiara, seduta sul lato corto di fronte a Patrizia, obbedendo al suo nome, non volle muoversi di lì, e obbiettò:

-Ma Pessoa non alludeva forse solo agli insegnamenti "impartiti dalle religioni"? Cosa c'entrano le opere letterarie e la poesia?

Filippo la guardò per la prima volta. La ragazza aveva un volto intenso, occhi scuri ed un incarnato che gli fece pensare ad una fotografia di donna sefardita. Le sue domande gli fecero subito intendere che avrebbe avuto, in lei e negli altri ragazzi, attenti e rispettosi dell'apparente polemica, un vero uditorio. Li aveva in pugno, e loro avevano preso per mano lui: avvertì un brivido di panico insieme all'angoscia di non poterli più deludere nei giorni a venire, che erano tanti, troppi.

Oggi, con Pessoa, non sarebbe successo: la risposta gliela forniva lo stesso Pessoa, il quale, dopo aver citato il *Kubla Kahn* di Coleridge e la preveggenza religiosa che ivi si instaurerebbe tra sogno, opera e rivelazione, così argomentava:

Quanto c'è di più alto in questo mondo parla, che lo si voglia o meno, un linguaggio simbolico, capito da pochi con la vera chiave ermetica, l'intelligenza, e dai più con l'istinto che bisogna capire, cioè con l'intuizione. I primi sono, nel caso dell'opera letteraria, coloro che conoscono la lingua in cui l'opera è scritta, perché è la loro madre lingua; gli altri quelli che non la conoscono altrettanto bene o non la conoscono affatto, ma che, pur non conoscendo la lingua, sono tuttavia in grado di capire l'opera.

Ma c'è di più, e di più strano. Possiamo, per intuizione o con quel che sia, figurarci l'anima e la vita di un'opera poetica di cui non sappiamo niente, o di cui, nella migliore delle ipotesi, conosciamo solo una versione in prosa, che è un'altra forma più complessa dello stesso niente [...] È come se ci fosse in noi una parte superiore dell'anima che per natura conoscesse tutte le lingue e avesse letto tutte le opere[16].

[16] Ivi, pp. 36 e 37.

Qualcuno guardò l'ora? Filippo, seduto davanti ai suoi monti pisani, sentì un frastuono di sedie. Stava ricordando, o sognando? Come saperlo, i resoconti hanno false durate e le lezioni non finiscono, ma piuttosto svaniscono nel domani.

-Domani – promise – ci addentreremo nell'opera di Federico, le cui idee estetiche sono solo apparentemente più morbide e controllate di quelle di Pessoa. Qualcuno, uscendo, domandò se i due si fossero conosciuti. Filippo, che amava chiudere il determinato con l'indeterminato, rispose: – i grandi poeti si riconoscono sempre tra di loro. Tutti uscirono e tutti, lo so per certo, dimenticarono nel panino dell'una e mezza che il professore era stato evasivo.

Arrivò volutamente con cinque minuti di ritardo. Era curioso di vedere se il numero degli studenti fosse sempre lo stesso. Giungere in anticipo l'avrebbe messo sullo stesso piano dell'attore che occhieggia tra quinta e velluti le sedie ancora vuote della sala.

Tra tutti, Chiara aveva difeso Filippo da qualche critica di eccessivo esoterismo. Gabriele ne fu seccato, ora non era poi così sicuro che il suo metro e novanta ben distribuito avesse fatto colpo su tutte le tredici ragazze. Sbagliava, tutte e tredici se lo sorseggiavano con gli occhi, insieme, naturalmente, all'ultima panacea consigliata dal partito unico, quello dei dietologi: acqua, purezza fisica e ideologica, salutismo di destra e di sinistra, purché venda e faccia vendere.

Tutti erano seduti nello stesso posto, nella stessa sedia, nella medesima attitudine. Solo Patrizia si era messa in modo tale che uno spigolo del tavolo non poteva che conficcarsi nel suo grembo: non voleva godere di privilegi non meritati, pensò Filippo entrando, e la invitò, per evitare una sicura peritonite, a sedersi, per oggi ancora, accanto a lui. Poi, senza guardare in alto, esordì senza esordio:

-Dunque, il 16 maggio del 1917 per il diciannovenne Federico il firmamento, lungi da essere inteso come una vaga astronomia di pistole, rappresenta ancora il topico sconcerto del minimo, l'uomo, davanti all'enormità, l'universo. Le stelle e la terra sono due modi, due occhi diversi, due punti di vista rivolti o verso il paesaggio, o verso l'aldilà. Cito dalla *Mística que trata de nuestra pequeñez y del misterio de la noche*: "Le stelle sono occhi vuoti rivolti verso l'aldilà, e la pianura è un'immensa pettorina di miele ricamata di granate. Le luci lontane oscillano nel vento come se fossero stelle e gli alberi del bosco conservano tra i rami il grande mistero. La notte…, un conservano tra i rami il grande mistero. La notte..., un bosco, un roseto... e l'uomo, cos'è?[17]".

Quello che sembrerebbe un 'cromo' di maniera, e che per tanti aspetti pittorici lo è, nasconde una prima capitale differenziazione: la terra non è vista dalle stelle, queste non ne hanno infatti la capacità. Sono occhi vuoti e, come se non bastasse, quegli occhi sono rivolti dalla parte opposta, verso l'aldilà. La descrizione della pianura come immensa pettorina di miele e anche il paragone tra le luci in lontananza e le stelle deriva da un punto di vista interno alla terra, tanto interno da essere tradotto addirittura con una metafora definitoria (la pianura è).

Mi sembra interessante che la prima poesia di Lorca, *Granada: elegía humilde*, quella da lui licenziata per la rivista *Renovación* di Granada nel maggio di due anni dopo, prospetti una situazione analoga nella giustapposizione dei due elementi segnalati, le stelle e la pianura. La prima strofa di alessandrini recita così:

> La dicono le stelle, Granada un'elegia,
> Perforando dal cielo, il tuo cuore oscuro.
> La dice l'orizzonte della tua vasta piana,
> La ripete solenne l'edera che si spiana
> Alla muta carezza del vecchio tuo bastione[18].

Qui le stelle non vedono, dicono. Tuttavia, la loro espressione non è affidata alle parole o alle immagini affettuose del terzo, quarto e quinto verso, quanto piuttosto agli atti ostili diretti al cuore stesso della città, oggetto dell'elegia funebre. Sembra quasi che con la scelta del verbo 'horadar', dal latino tardo, forare, mediante vai passaggi, si voglia accentuare l'azione di passare da parte a parte il cuore mistico (vedi Santa Teresa) di Granada. Tanto più che ad *explicit* dell'elegia vi è una ripresa tematica che riporta al campo semantico dell'ostilità:

> Voglio che fra i tuoi ruderi s'addormenti il mio canto

[17] [Las estrellas son ojos vacíos que dan al más allá, y la llanura es un inmenso pectoral de miel bordado de granates. Las luces lejanas oscilan con el viento como si fueran estrellas y los árboles del bosque tienen el gran misterio entre sus ramas. La noche...un bosque, un rosal... y el hombre, ¿Qué es?], F. García Lorca, I, p. 554.

[18] [Tu elegía, Granada, la dicen las estrellas/Que horadan desde el cielo, tu negro corazón./Lo dice el horizonte perdido de tu vega,/La repite solemne la yedra que se entrega/A la muda caricia del viejo torreón], ivi, p. 37.

Come uccello ferito da cacciatore astrale[19]

Ma, in quello stesso 16 maggio del 1917, nella *Mística en que se trata de una angustia suprema que no se borra nunca*, il giovane prosatore rinuncia per qualche momento al decorativismo della prosa tardosimbolista cui affida le sue giovanili espressioni, tutto preso a delineare la descrizione di una duplice tipologia umana:

Gli uomini che [...], nonostante siano consunti dalla carne e s'affratellano con la natura e sono in essa come essenza delle rose, sono gli sconsolati e per essi è il regno dell'amarezza... Gli uomini che con il petto pieno d'amore verso un altro amore ideale passeggiano per i campi guardando le enigmatiche stelle impossibili, essi sono gli extraumani e sono loro che forse raggiungeranno l'unica verità...[20]

Accanto ad una normale ed idealistica ripartizione dell'uomo in carne e spirito, ancora strettamente legata alla tradizionale concezione religiosa in cui è stato educato, Lorca comincia a far rientrare gli indicatori gerarchicamente di più nobile livello, le stelle appunto, in un campo semantico ambiguo, i cui valori positivi, enunciati dal possibile riferimento all'astratta verità (l'unica verità), paiono essere messi in crisi dalla doppia aggettivazione scelta per qualificare quelle stelle: enigmatiche e impossibili loro e, allo stesso tempo, extraumani quegli uomini che forse raggiungeranno l'unica verità.

Il successivo attardarsi su un Dio che "non ha mai potuto essere uomo perché noi siamo troppo piccoli" e la folgorazione di un Cristo, "figlio della dolce Maria e del vecchio falegname[21]" conferiscono un senso pieno alla struttura del brano, ricalcato sul modello delle beatitudini e delle maledizioni bibliche.

Di fianco alle prime, riservate alle anime, Lorca conclude con l'inno-maledizione della carne, riservato agli uomini che pur nella consunzione del loro corpo s'affratellano:

Me maledetto, poiché serbo un amore irrealizzabile, che è morte nelle mie notti senza fine. Maledetto me, poiché m'incamminerò verso la fine, pieno di timore per la

[19] [Quiero que entre ruinas se adormezca mi canto/Como un pájaro herido por astral cazador], ivi, p. 38.

[20] [Los hombres [...], aunque están [sic] destrozados por la carne, que se hermanan con la naturaleza y son en ella como las esencias de las rosas, ésos son los desconsolados y de ellos es el reino de la amargura... Los hombres que con el pecho pleno de amor a otro amor ideal se pasean por los campos mirando a las enigmáticas estrellas imposibles, ésos son los extrahumanos y ellos alcanzarán la quizá única verdad...], ivi, p. 558.

[21] [Hijo de la dulce María y el viejo carpintero], ivi, p. 563.

carne in agguato. [...] Maledetto me tra i maledetti, poiché nelle mie notti senza fine sogno un amore per la mia stessa carne che non arriverò mai ad ottenere...[22]

Il germe è ormai posto, i mondi sono due: quello delle stelle, extraumano, e quello terreno dei più, simbolizzato dalla trasmissione biologica del figlio dell'uomo. Non è casuale che la sventura delle sventure aggredisca chi non avrà la possibilità di amare, nel figlio, la propria stessa carne.

Ancora senza una precisa cognizione del disegno che comincia ingenuamente a tracciare, il giovane Federico avverte l'interrelazione di due universi distinti, tanto che, nella *Mística de amor infinito y de abandono dulce*, scopriamo "In mezzo alle fiamme, atterrito, un bambino bianco come il latte e soave come la madreperla attende, spaventato, che i mostri se lo divorino[23]".

Questo bambino, in attesa di essere divorato ancor prima di esistere, sarà un tema costante nell'opera di Lorca, così come l'astralità tutta che, nella fervente visione mistica di quegli anni, s'incarica di sopportare l'ingravido peso che l'anima acquisterà, con il tempo, delle valenze negative già inconsciamente presenti in queste pagine o, per meglio dire, imputabili all'arbitrio di un Dio terribile:

E quelle dita che erano vita in Beethoven! E quelle labbra che erano diamanti e sangue! E quell'oro della capigliatura, un fiume di soavità! In quale verme, in quale pietra, in quale fiore staranno adesso? Terra! Terra! Terra! Come le rose, come gli uccelli, come i metalli....Nella notte ci riempiamo di strani terrori, crediamo di vedere fantasmi neri da tutte le parti e, se gridiamo, le nostre stesse voci ci rispondono spaventate nel silenzio. E poi, gli oggetti e gli alberi s'agitano senza che siano baciati da vento alcuno, le rane e i rospi sono tonalità intimorite, le stelle appaiono e scompaiono nell'azzurro e l'inquietudine dissemina le sue vaghe nubi nella solitudine. Il silenzio è una costante e tremenda risata di disprezzo rivolta all'umanità[24].

[22] [Malaventurado yo, que tengo un amor irrealizable que es muerte en mis noches sin fin. Malaventurado yo, que caminaré hacia el fin lleno de temores y de asechanza de la carne. [...] Malaventurado de malaventurados, que en mis noches sin fin sueño con un amor que es mi misma carne y que nunca conseguiré alcanzar], ibidem.

[23] [En medio de las llamas y aterrado, un niño blanco como la leche y suave como la nácar espera con espanto a que los monstruos lo devoren], ivi, p. 567.

[24] [¡Aquellos dedos que eran vida de Beethoven! ¡Aquellos labios que eran sangre y diamantes! ¡Aquellos oros de cabellera, río de suavidades! ¿En qué gusano, en qué piedra, en qué flor estarán? ¡Tierra! ¡Tierra! ¡Tierra! Como las rosas, como los pájaros, como los metales... En la noche nos llenamos de terrores extraños, creemos ver espectros negros por todas partes y, si gritamos, nuestras mismas voces nos contestan asustadas en el silencio. Luego los objetos y los árboles se mueven sin que el aire los bese, las ranas y los sapos son tonos miedosos, las estrellas apa-

Tanta glacialità ha poche probabilità di tradurre, come forse vorrebbe, il disprezzo schopenaueriano per la volontà (la sessualità è l'eterna preoccupazione e la causa dei terribili mali della società), in specie se la confrontiamo con l'ardente trasporto che il poeta dedica alle reali pene dell'uomo. Anche l'entusiasmo per l'impossibile ritorno alla mitica età dell'oro (se gli uomini vivessero nudi e si rifugiassero nei boschi circondati da donne di tutti...), suona effimero e volatile come un fioretto nel mese mariano. Tanto più che in un'altra mistica di quella primavera i rimproveri alla volta stellata sono duri e circostanziati:

Dolore è l'azzurro e gli astri che ivi girano sempre, sempre, senza che noi si sappia perché... – Oh, quale meraviglia – esclamano gli uomini – vi è nel potere di Dio che fa sì che gli astri girino, girino senza mai scontrarsi. Sì, sì, meraviglioso è il potere di Dio, ma che fanno gli astri nel loro incessante girare? Cosa indusse il Creatore a creare un fenomeno di tal fatta? A quanto se ne sa, se nella terra esistono, infatti, degli uomini per essere giudicati, negli altri mondi, non esiste nulla: non saremo per caso stati creati come dei pupazzi per far divertire Dio?[25]

Subito dopo, chiamerà quegli stessi astri *imbéciles*.

Filippo portò la sua mano destra sul mento. Il libro che ne era sostenuto schiaffeggiò il cristallo del tavolo, prima di spazzare il pavimento. Risero tutti d'affetto per la sua ispirata goffaggine, ma lui pareva come imbambolato e non si curò nemmeno di raccogliere il libro che anzi, senza volere, calpestò.

-Unamuno, sempre lui. Eppure, leggi qui, leggi là, trovi sempre associato al suo nome, a quello di Lorca intendo dire, Góngora e altri magnifici poeti, scuole, movimenti che hanno un decimo della consonanza che Miguel e Federico intrattennero, pur senza palesarlo, nei loro spartiti poetici e ideologici.

Un giorno ne riparleremo, ma per adesso limitatevi a sottolineare il brano del pupazzo creato forse per far divertire Dio.

Gabriele, e fu la prima volta, guardò gli occhi del suo contendente senza l'aggressività naturale del capobranco, mentre una studentessa "erasmista" di

recen y desaparecen en el azul y la inquietud esparce sus nieblas vagas por la soledad. El silencio es una constante y tremenda carcajada de desprecio a la humanidad], ivi, p. 566.

[25] [Dolor es el azul y los astros que giran en él siempre siempre, sin que sepamos para qué...-¡Oh!– exclaman los hombres-, qué maravilloso es el poder de Dios, que hace que los astros giren y giren sin que choquen jamás.– Sí, sí, muy maravilloso es el poder de Dios, pero ¿qué hacen los astros con tanto girar? ¿Qué causas movieron al Creador para crear tal cosa? Porque a lo que se ve, si en la tierra existen los hombres para ser juzgados y en lo demás mundos no existe nada, ¿no pudiera ser que fuéramos creados para servir de juguete al Altísimo?], ivi, p. 574.

Zaragoza insisteva per entrare subito in argomento. Ma Filippo non volle perdere il filo del discorso, si scusò, promise, ma non abdicò:

-Non esiste dunque nulla negli altri mondi, negli astri, nelle stelle, nella luna? E questo nulla, influenza la natura viva? Sarebbe vano cercare esplicite risposte nel giovane Lorca edito o inedito. Tuttavia, si può dire che non vi sia libro di poesia, opera di teatro che non proponga, in una maniera o nell'altra, un tramite, un significante, tra i due piani dell'universo, la cui tacca non si possa leggere sull'asse verticale che misura la distanza tra lo spazio sidereo e quello infero, in relazione alla funzione biologica che viene esercitata nei rispettivi ambiti.

El maleficio de la mariposa, lo sfortunato esordio teatrale di Federico (1920), ebbe come primo titolo *La estrella del prato*. Nel prologo, il poeta-drammaturgo esordisce così: "Signori, la commedia a cui assisterete è umile e inquietante, commedia sdrucita di chi vorrebbe graffiare la luna e graffia invece il suo cuore[26]". Quindi, dopo avere rievocato la mitica età dell'oro (l'amore passava di padre in figlio), si narra come il protagonista della storia, un insetto, "volle un giorno andare più in là dell'amore, catturato da una visione troppo estranea alla sua vita...[27]". Immediata la sentenza: "La poesia che si domanda il perché del muoversi delle stelle è estremamente dannosa per le anime semplici...[28]". Poi, per giustificare il teatrino di umili insetti che propone, annuncia ciò che un Silfo, lo stesso che scappò dal *Sogno d'una notte di mezza estat*e di Shakespeare, gli confidò: "Tra non molto s'instaurerà il regno degli animali e delle piante[29]". A tale proposito va detto che quel regno aggredirà davvero qualcosa e qualcuno, Lorca e Nueva York dieci anni dopo. Ma continuiamo, e, per onestà critica, devo aggiungervi che qui il vitalismo sprigionato da ogni elemento della natura è esteso, in un crescendo totalizzante, anche alla stella lontana che vibra con lo stesso ritmo della foglia, dondolando al vento. Ricordate, però, che il punto di vista che osserva è quello del Silfo, mentre, all'interno dei personaggi lorchiani, così si confida, la Curiana [scarafaggio] negromante duettando con la vicina, nel primo dialogo della pièce:

Ho l'alma pien di tristezza, vicina!

[26] [Señores: la comedia que vais a escuchar es humilde e inquietante, comedia rota del que quiere arañar a la luna y se araña su corazón], ivi, *El maleficio de la mariposa*, p. 168.

[27] [Pero un día...hubo un insecto que quiso ir más allá del amor. Se prendó de una visión de algo que estaba muy lejos de su vida], ibidem.

[28] [La poesía que pregunta por qué se corren las estrellas es muy dañina para las almas sin abrir], ibidem.

[29] [Muy pronto llegará el reino de los animales y de las plantas], ivi, p. 169.

Che ier sera m'ha detto una rondine:
"Tutte le stelle si vanno spegnendo"
Dio si è addormito, e nel querceto
Ho visto una stella rossa e tremante
Che si sfogliava come un'enorme rosa.
L'ho vista perire
E ho sentito cadere
Dentro al tuo cuore
Il frusciar della notte
"Amiche cicale – gridai –, vedete le stelle?"
"Una fata è morta", risposero quelle.
Andai verso i tronchi del vecchio querceto
La vidi morta la fata del campo e del mare[30].

Se queste sono le pre-visioni della negromante, altrettanto significativo mi sembra il commiato dalla farfalla che non vede e non sente:

Tu con gli occhi morti e il cuor ferito
Te ne vai verso i regni dove l'amor si gela[31].

Quei regni sono per l'appunto quelli astrali che non permettono il realizzarsi del sogno biologico della farfalla-stella.

Questa, ridestandosi nel prato, monopolizza l'intera scena III, con un monologo di 35 versi dolenti:

Volerò sul filo d'argento.
I miei figli m'aspettano
Là nei campi lontani
Filando la lor rocca.
Io son lo spirito
Della seta.
Vengo da un'arca misteriosa
E vado verso la nebbia.

[30] [Mi alma tiene gran tristeza ¡vecina!/Me dijo ayer tarde una golondrina:/"Todas las estrellas se van a apagar"./Diós está dormido, y en el encinar/Vi una estrella roja toda temblorosa/Que se deshojaba come enorme rosa./La vi perecer/Y sentí caer/En tu corazón/Un anochecer./"Amigas cigarras-grité-, ¿veis las estrellas?"/"Un hada se ha muerto", respondieron ellas./Fui junto a los troncos del viejo encinar/Y vi muerta el hada del campo y del mar], ivi, p. 171.

[31] [Tú con los ojos muertos y el corazón herido/Te vas hacia los reinos donde el amor se hiela], ivi, p. 199.

Che canti il ragno
Nel suo buco.
Che mediti l'usignol la mia leggenda
Che la goccia di pioggia si spaventi
Scivolando sulle mie ali morte,
Filai il mio cuore sulla mia carne
Per pregare nelle tenebre,
E la morte mi diede ali bianche,
ma lei cecò la fonte della seta.
[……..
………]
Le canzoni del fumo nel mattino
Le cantano le radici sotto terra.[32]

Parlavo, prima di addentrarmi nel fatale maleficio delle citazioni, di un asse verticale che misura la distanza tra lo spazio sidereo e quello infero, in relazione alla funzione biologica che viene esercitata nei rispettivi ambiti. Spero che le mie allusioni si vadano progressivamente chiarendo: la vita è detta e dettata dalla radici della terra (Le canzoni del fumo nel mattino/Le dicono le radici sotto terra), mentre la non vita, l'attesa inutile del figlio carnale (Volerò sul filo d'argento./I miei figli m'aspettano/Là nei campi lontani) è patrimonio delle stelle, "i regni dove l'amor si gela", nelle parole della Curiana negromante. Ed è anche il territorio dove la morte fa sì che "l'uomo si senta sempre più un animale bipede"[33]

Ho voluto ripercorrere l'esilissimo filo serico della Stella del prato, immaginata dal giovane Lorca, rischiando così le ovvie incertezze, le esitazioni e le contraddizioni dei suoi primissimi scritti. Sono, infatti, convinto che qualsiasi ipotesi di lettura vada saggiata proprio a partire dal terreno meno assestato, o più cedevole, decidete voi!, per provarne poi la consistenza nell'intero *corpus* che facciamo oggetto del nostro studio.

Tutto ciò ha naturalmente un senso quando crediamo, o ci illudiamo, di avere individuato il filo d'Arianna che ci conduca fuori dal meraviglioso labi-

[32] [Volaré por el hilo de plata./Mis hijos me esperan/Allá en los campos lejanos,/hilando en sus ruecas./Yo soy el espíritu/De la seda./ Vengo de un arca misteriosa/Y voy hacia la niebla./Que cante la araña/En su cueva./Que el ruiseñor medite mi leyenda./Que la gota de lluvia se asombre/Al resbalar sobre mis alas muertas./Hilé mi corazón sobre mi carne/Para rezar en las tinieblas,/Y la Muerte me dió dos alas blancas,/Pero cegó la fuente de mi seda./…/Las canciones del humo en la mañana/Las dicen las raíces bajo tierra], ivi, pp. 200 e 201.

[33] [En la muerte es cuando el hombre se siente más animal bípedo], ivi, p. 103.

rinto in cui ogni scrittore che si rispetti misura, traendoci all'interno degli innumerevoli percorsi, il suo e il nostro amore, condivisi dal comune progetto di dar soluzione al mistero dell'espressione multiforme, cacciata, nuda e vergognosa, dal paradiso delle certezze immobili, dall'Eden.

Quella mattina, Filippo avrebbe volentieri fatto a meno di andare sotto le volte della comunicazione affettuosa. Il giorno prima, uno stupidissimo equivoco-contrattempo aveva dato stura a dei misteriosi repressi esistenziali di un suo collega. L'esoterismo che, per anni, aveva guidato i due vecchi compagni in sinceri, questo aveva per lo meno creduto sino ad allora Filippo, avvicinamenti, alternati a improvvisi e mai spiegati distanziamenti, sbottò in palese e sguaiato essoterismo. Lui non ne poteva davvero più di quel balletto. Espresse ciò che doveva essere stato già detto, e non solo suggerito dai gesti pacificatori e da tutti gli altri espedienti dei sacerdoti dell'occulto. Soffrì molto nel farlo.

Il problema quel mattino non era però dovuto allo strascico emotivo dello sfogo domenicale, quanto alla sostanza stessa del suo lavoro: con quale faccia avrebbe, infatti, potuto raccomandare ancora ai suoi studenti la cura maniacale, iniziatica, del livello connotativo, quando poi la realtà li avrebbe disillusi dietro l'angolo in cui la vita, una delle due strade, è spada che cade perpendicolare sulla letteratura, l'altra via, un piccolo viottolo, che forma l'angolo di cui si diceva. L'effervescente Filippo, benché esperto di cose del mondo, non si rassegnava mai alla doppia verità averroista, e dunque ispanica, che per tutti era palese: da una parte la poesia, dall'altra i nostri interessi, bassi, medio-alti o infimi, poco importava. Nobili, comunque, mai, si stava ripetendo, neghittoso, il docente. Il quale, per non diventare il suo opposto, non avendo la concentrazione auspicata per un nuovo tema, ne riprese uno già introdotto qualche lezione prima:

-Tuttavia, si può dire che non vi sia libro di poesia, opera di teatro, scritto in prosa che non proponga, in una maniera o nell'altra, un tramite, un significante tra i due piani dell'universo la cui tacca non si possa leggere sull'asse verticale che misura la distanza tra lo spazio sidereo e quello infero, in relazione alla funzione biologica che viene esercitata nei rispettivi ambiti – Ricordate? Oggi parleremo di un libro o, meglio ancora, di quei poemi che fanno parte del periodo tra il 1929 e il 1930. Lorca, sollecitato da amici, si era recato nella primavera del '29 in America: prima a Nueva York, poi nel Vermont, quindi dopo aver soggiornato ancora nella "grande mela" fece rotta per terre ispaniche, prima di tornare a Granada.

Il libro che ritrasmette gran parte dei versi scritti in quel lungo soggiorno è, grosso modo, individuabile con *Poeta en Nueva York*.

Molti di voi lo conosceranno di nome, potenza del turismo; pochi sapranno, invece, che Federico stava preparando più di un libro "americano".

Non starò ora ad addentrarmi nelle polemiche che la tesi dottorale del critico francese Eutimio Martín scatenò tra gli addetti ai lavori, tanto più che ormai le acque si sono chetate. Lì si voleva dimostrare che Federico aveva, in realtà, già confezionato per le stampe un altro libro, *Tierra y Luna*, oltre a quello ormai universalmente noto.

Nella ricostruzione di testi che hanno dovuto sopportare incredibili traversie (guerre, diritti d'autore, gelosie, particolarismi e chiacchiericci d'ogni tipo), e il nostro è uno di quelli, tutto è opinabile. Per il mio discorso, però, il fatto certo e incontrovertibile è che quanto trovò Martín, nel retrofoglio del manoscritto d'una poesia del periodo americano vergato dalla caratteristica grafia caotica di Federico, ha un valore enorme. Lì, il poeta indicava una testata, *Tierra y Luna*, e, spaziati, si potevano anche leggere i singoli titoli di tutti i brani che avrebbero dovuto comporre la raccolta. Si tratta di diciassette poemi. Già scritti da Federico, quei poemi ebbero in seguito una diversa sorte: tre furono destinati, sicuramente dallo stesso Lorca, ad entrare in *El diván del Tamarit*, dieci sono ormai tradizionalmente parte integrante del *Poeta en Nueva York*. I quattro rimanenti restarono a fluttuare tra le poesie non racchiuse in sillogi strutturate.

Quanto mi sta a cuore sottolineare è che Lorca, anche se solo per un tempo limitato, aveva pensato di titolare così, con quei referenti, il progettato volume e che l'ordine dei singoli microtesti ha ottime probabilità di essere proprio quello che Federico avrebbe voluto vedere impresso: *Tierra y Luna* era la titolatura del tutto, ma anche quella del primo lungo poema, mentre *Omega* quella dell'ultimo. Il resto è opinabile, ma l'atto di volontà, anche fosse stato espressione di un solo giorno, resta. Noi, oggi, possiamo leggere, in quella sequenza autoriale, i segni di testi, i fantasmi didascalici di ciò che poteva anche mutare nel *fieri*, ma che aveva oltre all'indicazione, seppure dispersa, anche una propria corporalità.

E, in quella, la Luna rappresentava non solo se stessa come individualità, ma anche, per via metonimica, la volta immobile, "los astros imbéciles", l'assenza di biologia, il glaciale spazio privato del tempo, l'assenza di profondità, di verticalità interna alla sua scorza, l'impossibilità di "entrañas", di viscere, di uteri sofferenti, di morti grandiose e di orridi martìri, di cancrene e di putrefazioni, che concimano i germogli di altre vite, sofferenti quanto si vuole, ma vere e proprie degli animali bipedi che siamo. L'ambito astrale sta, come Dio, al di qua o al di là delle nostre esistenze storiche. La creatura più piccola e mostruosa possiede in sé un orologio che il nulla celeste invano rincorre nelle sue orbite capricciose. La terra è, al contrario, profonda almeno quanto le radici che affondano in essa per aggredire il nutrimento che la morte elargisce. La morte, la morte sempre e in tutti i suoi aspetti, quella che sorvolano gli insetti e i vermi scavano, quella che è privilegio concesso solo ai terrestri, un privilegio cui non seppe rinunciare nemmeno Dio, in uno dei suoi tre nomi:

Per il nome del Padre, roccia, luce e movimento,
Per il nome del Figlio, fiore e sangue versato
nel fuoco visibile dello Spirito Santo
Eva si brucia le dita imbrattate di mela.

Eva grigia e graffiata, la porpora rotta
ricoperta dal miele e da un rumore d'insetti.
Eva, un tutto di giugulari e muschi bavosi
nel primo impulso ottuso dei pianeti[34].

Sono versi tratti dalla IV parte dall'*Oda al Santísimo Sacramento*, quella composta in America e coeva con il poema *Vaca*, il nono brano di *Tierra y Luna*:

Giacque rigida la vacca.
Alberi e fiumi ne scalavano le corna.
E il muso sanguinava al cielo.

Il muso suo d'api
sotto il mustacchio lasso della bava.
L'urlo guerresco e bianco allertò il mattino.

Le vacche morte e quelle vive,
rossa luce o miele di stalla,
belavano con occhi sbalorditi.

[34] [Por el nombre del Padre, roca, luz y fermento,/Por el nombre del Hijo, flor y sangre vertida,/en el fuego visible del Espíritu Santo/Eva quema sus dedos teñidos de manzana.//Eva gris y rayada con la púrpura rota/cubierta con las mieles y el rumor del insecto./Eva de yugulares y de musgo baboso/en el primer impulso torpe de los planetas], I, p. 468.

Sappiano le radici
e quel bimbo che affila il suo coltello
che è già tempo di mangiarsi la vacca.

Lassù si fanno pallide,
e luci e giugulari.
Tremano quattro zoccoli nel vento.

Sappia pure la luna
e questa notte di rocce giallastre
che se n'andò la vacca cinerina.

Se n'andò belando
nello sfacelo rigido dei cieli,
dove la morte è merenda d'ubriaco[35].

Eva, che nel primo impulso ottuso dei pianeti appariva intrisa di sangue e di placenta, è qui una vacca che ostenta, da morta, 'pezuñas' e ... 'pezones', zoccoli e capezzoli. Questi ultimi, suggeriti dalla posizione e dall'omofonia dei significanti, imparentano la morte arrovesciata (Tremano quattro zoccoli nel vento) al segno del bianco fluire della vita. Diverse nello stato transitorio, le vacche belano insieme, accomunate e sbalordite esse stesse dalla loro insostituibile funzione che si confronta con un mondo altro in rigido sfacelo (Se n'andò belando/ nello sfacelo rigido dei cieli). La flessuosità contrapposta alla rigidità e il rosso del sangue delle creature al rosso del vino, suggerito dall'immagine morte=merenda di ubriachi (dove la morte è merenda d'ubriachi), sono, a mio modo di vedere, indicatori forti della coppia vita/non vita che Federico assegna ai due sistemi di riferimento, sempre presenti nella sua opera.

Il qui della terra attiva la fame delle radici e consiglia i bambini a mangiarsi la vacca (Sappiano le radici/e quel bimbo che affila il suo coltello/che è già tempo di mangiarsi la vacca). Solo nella comunione della carne, l'opzione biologica verrà soddisfatta.

[35] [Se tendió la vaca herida./Árboles y arroyos trepaban por sus cuernos./Su hocico sangraba en el cielo.//Su hocico de abejas/bajo el bigote lento de la baba./Un alarido blanco puso en pie la mañana.//Las vacas muertas y las vivas,/rubor de luz o miel de establo,/balaban con los ojos entornados.//Que se enteren las raíces/y aquel niño que afila su navaja/de que ya se pueden comer la vaca.//Arriba palidecen/luces y yugulares./Cuatro pezuñas tiemblan en el aire.//Que se entere la luna/y esa noche de rocas amarillas/que ya se fue la vaca de ceniza.//Que ya se fue balando/por el derribo de los cielos yertos, donde meriendan muerte los borrachos], ivi, pp. 543 e 544.

Il lì delle stelle non avrà comunioni di sorta, esso non potrà cibarsi di carne: il pallore delle sue sfere gelate vorrebbe addirittura nullificare il rosso acceso delle giugulari materne.

Quel mondo di sofferenza che Federico aveva intravisto nella *Mística* del 16 maggio del 1917 (Gli uomini [...] nonostante siano consunti dalla carne, s'affratellano con la natura e sono in essa come essenza delle rose sono gli sconsolati e per essi è il regno dell'amarezza) e dal quale aveva tentato maldestramente di evadere, in quanto poeta, continua ad agitarsi e a prendere coscienza di sé. Ormai chi canta vede nella radice amara della terra l'unico ancoraggio possibile. Un'ancora che si afferra alle nostre stesse carni e che strazia nel martirio della morte, ma che ritarda il nulla, storicizzando il trascorrere delle creature sopra e sotto la terra.

Il poema numero nove di *Tierra y Luna*, *Amarga*, quello che diventò, nel *Diván del Tamarit*, la *Gacela de la raíz amarga*, canta proprio l'evanescenza delle mille possibilità che il cielo pare offrire e le paragona all'angustia che la radice amara ci causa. Angustia però necessaria. La scelta proposta sta, infatti, tra un cielo di apparenze livide e quella radice amara. Ma, vediamo di decifrare questi versi:

C'è una radice amara
E un mondo, mille terrazze.

Non v'è mano tanto piccola
Che arresti la porta dell'acqua.

Dove vai, per dove, e dove?
C'è un cielo, mille finestre
– battaglia di livide api –
e c'è una radice amara.

Amara.

Duole nella pianta del piede
La cavità della faccia,
E duole nel tronco fresco
La notte appena recisa.

Amore, nemico mio!,

mordi la radice amara[36].

La doppia possibilità offerta in modo equanime nel primo distico è subito sperequata dal secondo, che allude all'impossibilità di interrompere il flusso degli umori succhiati dalla terra. L'interrogativa che apre la prima quartina ripropone la scelta iniziale, con qualche sostanziale variazione, quella del fuori, la essoterica per intenderci. In particolare, il mondo delle terrazze si qualifica come cielo delle finestre, il che starebbe ad indicare un preciso invito ad entrare dentro a quel mondo-cielo. Ma, con una metafora appositiva introdotta dai trattini, gli stipiti delle finestre?, chi ha invitato schiude improvvisamente l'interno, l'esoterico.

E quale spettacolo presenta quel dentro? Una battaglia di api livide, vale a dire un insieme di rotte private del senso: tale ci appare, infatti, il volo d'uno sciame di api. Ma perché sono livide? Non sarà perché le api solo eccezionalmente hanno la possibilità d'accoppiarsi? E non sarà che tra quei gelidi mondi astrali, che esse rappresentano nel loro volare rischioso, solo la nostra terra è pensata come unica ape regina? Madre, la madre per antonomasia.

Il ritorno è amaro come il verso unico che introduce alle profondità dolenti del sottosuolo e all'amore impossibile (per chi si rivolge al tu del mondo?)

L'esclamativa finale traccia la linea del disinganno singolo, "nemico mio", ma non interrompe il flusso doloroso della vita.

Filippo sudava. I suoi occhi parvero trapassare le volte, poi, inorriditi, si piantarono, dopo aver scavalcato i vetri, nell'aiuola prospiciente la Facoltà di Lingue.

Gli studenti non si alzavano, e Filippo li invitò a fare un piccola ricerca:

-Ricordate l'esordio? I versi di Lorca sull'astronomia delle pistole e quelli di Leopardi sulla stelle dell'Orsa? Bene, prendete questo appunto: leggere il dialogo *Platón y Safo* e tutto il *Poema de la carne*, pp. 691-695 del quarto volume delle Opere complete di Lorca, curate da García Posada. Tenete pure il libro e fatevi le fotocopie di rito. Leggete anche, oltre alle *Ricordanze*, l'*Ultimo canto di Saffo* del Leopardi e dalle *Operette morali* il *Dialogo della Terra e della Luna*. Domani vi farò trovare questi testi, poche pagine, tranquilli!, in biblioteca. Riflettete sul diverso, se è diverso, modo di intendere il rapporto tra

[36] [Hay una raíz amarga/y un mundo de mil terrazas.//Ni la mano más pequeña/quiebra la puerta del agua.//¿Dónde vas, adónde, dónde?/Hay un cielo de mil ventanas//-batalla de abejas lívidas-/y hay una raíz amarga.//Amarga.//Duele en la planta del pie/el interior de la cara,/y duele en el tronco fresco/de noche recién cortada.//¡Amor, enemigo mío,/muerde tu raíz amarga!], ivi, p. 595.

gli astri e la terra in Lorca e in Leopardi. Avete tempo, ogni giorno è buono per chiedermi qualche spunto esoterico o essoterico, fate voi.

Disse, e fuggì via come un ladro.

Urraca si chiamava l'erasmista di Zaragoza.

El modelo periodístico del "Diario de Barcelona" de finales del siglo XVIII

María R. Lacalle Zalduendo

1. La introducción.

El largo y, a veces, abrupto camino del "Diario de Barcelona" (DdB) concluía el año pasado los miles de páginas impresas en sus doscientos años de historia (1792-1993); la antigüedad del diario ha impulsado una buena parte de los estudios realizados sobre el mismo, en los que su relación indisoluble con la ciudad que lo albergaba ha constituido casi siempre el mayor foco de interés. Sin disminuir en absoluto la importancia de algunas de las aportaciones sobre los orígenes del DdB y sobre la figura de su fundador, Pedro Pablo Usson de Lepazaran[1], echamos en falta una referencia más detallada al propio diario (a su contenido, pero en relación a su formato), que nos permita entender mejor por qué salió indemne (aunque, eso sí, modificado) de los avatares de la historia en los complejos últimos años del siglo de las luces y por qué constituye a posteriori una de las expresiones que tan bien caracterizan el espíritu de esa época.

Creemos que la mayor fortuna que tuvo el DdB respecto a una buena parte de sus coetáneos (los diarios de Valencia, Sevilla, Murcia, Zaragoza etc.) se debió sin duda a las favorables condiciones de la Barcelona de finales del siglo XVIII, y su conjunción con una serie de factores que se dieron cita en ese período, pero también al carácter de modelo periodístico de su propuesta. Un modelo cuyas propiedades genéricas se asientan principalmente en una buena de-

[1] Sobre la biografía y las diferentes versiones de los apellidos del fundador del DdB véanse J. Álvarez Calvo, *Historia del Diario de Barcelona 1772-1938*, Barcelona, La Neotipia, 1940 y L. Falzone, *Pedro Pablo Husson de Lepazaran, fundador del 'Diario de Barcelona' y su proceso de depuración*, en "Quaderni Iberoamericani", 29 (1963) Recordemos que Usson editó el DdB de 1792 a 1810, fecha en que fue destituido por el gobierno invasor.

finición del formato del diario, que establece las pautas de lectura y determina, por tanto, la relación del mismo con su lector.

A grandes rasgos podemos decir que un género se origina a partir de la interdependencia entre la temática y el plano formal del texto, pero también es "síntoma de una cultura y del status social que lo produce, acoge y difunde"[2], por lo que la reflexión sobre la noción de competencia de los destinatarios desempeña un papel fundamental en la construcción de la genericidad. Sin embargo, en los textos destinados al consumo masivo, la instancia productiva tiende a identificar *lector modelo* y *lector empírico*[3], una de las posibles consecuencias aberrantes de la "conversión" del público en audiencia que los medios de comunicación llevan a cabo, con lo que la noción de competencia del destinatario se traduce, en este caso, en un simulacro de su presencia casi-física en el texto. Sin ignorar el abismo que separa el diario de Usson de los modelos periodísticos actuales, creemos que –al igual que en tantos productos massmediáticos de nuestros días– el DdB no trataba únicamente de prefigurar un *modelo* de lector al que a continuación cabría capturar (como había ocurrido en la prensa literaria o especializada y en los primeros diarios de la segunda mitad del siglo XVIII), sino que previamente tenía que introducir en el texto al lector *empírico* al que se dirigía.

De forma semejante a los otros diarios de la época, el DdB nace para responder a la demanda previa de quienes necesitaban estar al corriente de los nuevos conocimientos científicos y técnicos y de todas aquellas "noticias" relacionadas con el creciente desarrollo de la ciudad. El "contacto directo" que nuestro editor iba a establecer con sus lectores queda estatuido en las "dos partes" del diario que se anuncian en el "Prospecto", en donde la colaboración del público parece gozar del mismo rango que las grandes unidades temáticas. En efecto, se nos dice que la primera parte tratará de "asuntos científicos", "secretos útiles y curiosos" y "cuantos papeles se nos comuniquen dignos de la luz pública", mientras que la segunda recogerá las "Noticias particulares de Barcelona" (movimientos del puerto, ventas, pérdidas, teatro, etc.) y será "tan interesante para la común utilidad como la primera para la general instrucción". Las numerosas colaboraciones que el diario recibe en esa época (desde las informaciones relativas al puerto y las dietas hasta las réplicas bien documentadas so-

[2] M. Corti, *Principi della comunicazione letteraria*, Milano, Bompiani, 1976 (*Géneros literarios y codificaciones*, en *Principios de la comunicación literaria*, México, Edicol, 1978, pp. 156-157).

[3] Tomamos los conceptos de lector modelo y lector empírico de U. Eco, *Lector in fabula*, Milano, Bompiani, 1979 (*Lector in fabula*, Barcelona, Lumen, 1981).

bre educación o los feroces ataques contra Voltaire, por poner algún ejemplo), van construyendo una estructura dialógica[4] en la que se entrecruzan la comunicación entre lectores (polémicas suscitadas, respuestas, etc.), los continuos apelos que el editor lanza al lector ("deseosos de ser útiles", "que nuestro periódico sea útil") y la reiterada sanción que este último manifiesta ("Vd. es amante de todos", "Vds. se esmeran por complacer", etc). Desde una perspectiva textual, la pluridiscursividad es, junto a la estabilidad del formato, el distintivo más importante del período 1792-1793 del diario de Usson.

Sin embargo, la admiración que esta fase suscita generalmente entre los estudiosos, se troca repentinamente en desencanto al examinar los años siguientes (sobre todo de 1796 a 1810), concluyendo, no sin razón pero quizás demasiado deprisa, que a principios del siglo XIX el DdB se había convertido en "una mera hoja de avisos" y que, con la expansión de la ciudad, ya "no le daba para cultura"[5]. En cualquier caso, la innegable decadencia que progresivamente se manifiesta en el DdB, no sólo se ve ampliamente justificada por las determinaciones del *contexto* en el que se edita (como bien demuestran los trabajos de J. Aguilar, J. Pujadas, A. Galí y L. Falzone[6]), sino que, paradójicamente, representa la capacidad del diario de adaptarse a las mutaciones políticas y socio-econonómicas de su entorno, a fin de poder cumplir así con las exigencias del lector.

2. El contexto.

El acuerdo entre los estudiosos del periodismo en España es prácticamente unánime al destacar la importancia del papel llevado a cabo por la prensa en la Ilustración española[7]. A las aportaciones de J. Sarrailh y R. Herr[8], que tanto han

[4] Sobre la dialogicidad y la pluridiscorsividad véase M. Bajtín, *Voprosy literatury i estetiki*, 1975 (ed. consultada *La parola nel romanzo*, en *Estetica e romanzo*, Torino, Einaudi, 1979).

[5] L. Domergue, *Tres calas en la censura diciochesca (Cadalso, Rousseau, prensa periódica)* Toulouse, Université de Toulouse-Le Mirail, Institute d'Etudes Hispaniques et Hispanoamericaines, 1981, p. 106.

[6] Además de las ya mencionadas aportaciones de J. Calvo Aguilar y L. Falzone, hemos de destacar las observaciones de J. Carrera i Pujal, *La Barcelona del segle XVIII*, Barcelona, Bosch, 1951, II, y A. Galí, *Rafael d'Amat i Cortada, Baró de Maldá. L'autor. L'ambient*, Barcelona, Aedos, 1954.

[7] Véase, por ejemplo, F. Aguilar Piñal, *La prensa española en el siglo XVIII. Diarios, revistas y pronósticos*, Madrid, CSIC, 1978, p. VIII.

[8] J. Sarrailh, *L'Espagne eclairée de la deuxième moitié du XVIII° siècle*, París, Imprimerie Nationale (*La España ilustrada de la segunda mitad del siglo XVIII*, México, F.C.E. 1957) y R.

influenciado los estudios posteriores sobre el siglo de las luces, les debemos entre otras cosas el haber reivindicado para España una Ilustración cuyo significado equivale al del resto de Europa[9] aunque, en nuestro país, se haya de interpretar a la luz de los siglos precedentes[10]. Sólo entonces se puede explicar la ambivalencia de estos años, en los que mientras se recoge la fructífera cosecha de la Ilustración, se va viendo como se disipan –entre los estertores de tres guerras consecutivas– muchos de los logros acumulados durante el absolutismo benéfico de Carlos III[11], cuyo reinado (1759-1788) identifica Sarrailh con el período de la Ilustración española.

Entre los cambios más sobresalientes de la época ilustrada destaca el papel preponderante que va a adquirir la periferia española respecto al centro en el terreno económico. La liberalización del comercio con América convierte a algunos de los puertos del país (Cádiz, Málaga, Valencia, Barcelona, Gijón, Ferrol, Coruña etc.) en activos núcleos de negocios, en los que la rápida acumulación de riqueza va a acelerar el crecimiento demográfico y a multiplicar la actividad económica. En Barcelona, esos factores, unidos a la disminución de trabas para el comercio con el resto del Reino (al desaparecer las aduanas interiores), la renuncia por el Tratado de Utrecht de las posesiones de Cerdeña y Sicilia (fuentes importantes de producción industrial para el principado) y la progresiva aplicación de algunas medidas proteccionistas por parte de los Borbones, harían que, en un período de tiempo relativamente breve, se consolidase en esta área geográfica un verdadero tejido industrial[12].

Herr, *The Eighteenth Century Revolution in Spain*, Princeton, Princeton University Press, 1958 (*España y la revolución del siglo XVIII*, Madrid, Aguilar, 1964).

[9] Al respecto, véase el clarificador artículo de R. Froldi, *Apuntaciones críticas sobre la historiografía de la cultura y de la literatura españolas del siglo XVIII*, en "Nueva Revista de Filología Hispánica", XXXIII, 1 (1984) pp. 58-72.

[10] En los mismos términos se expresa J. A. Maravall, *Espíritu burgués y principio de interés personal en la Ilustración española*, en "Hispanic Review", 47 (1979) p. 308. J. M. Tresserres también destaca la continuidad en la historia del periodismo, señalando que las Gacetas del s. XVIII eran "colecciones sintéticas de los géneros y temas consagrados (protoperiodismo) en el siglo anterior", en *Els orígens dels impresos periodics als Països Catalans*, en "Periodística", 5 (1992) p. 62.

[11] Recuérdese que el miedo a la propagación de la Revolución francesa llevó a Floridablanca a prohibir todos los periódicos el 7 de febrero de 1791 (excepto la "Gaceta de Madrid", el "Mercurio de España" –periódicos oficiales– y el "Diario de Madrid"). Sobre las desastrosas consecuencias para Catalunya de la guerra con Inglaterra véase J. Carrera Pujal, *Aspectos de la vida gremial barcelonesa de los siglos XVIII y XIX*, Madrid, CSIC, 1949.

[12] Para una descripción de la economía barcelonesa del período que nos interesa véanse J. Mercader Riba, *Barcelona durante la ocupación francesa (1808-1814)*, Madrid, CSIC, 1949 y P.

A consecuencia del desarrollo y de los consiguientes cambios sociales experimentados por Catalunya a lo largo del siglo XVIII (consolidación más rápida de una burguesía creciente, además del aumento demográfico al que aludíamos), se fue gestando una mutua dependencia entre economía y prensa periódica que tanto incidiría en la historia y evolución del periodismo. En este sentido, la consolidación de la prensa diaria constituye uno de los aspectos más emblemáticos de la Ilustración y el DdB un ejemplo paradigmático del lazo indisoluble entre Despotismo ilustrado, Ilustración, crecimiento del desarrollo y desarrollo de la prensa[13].

Como bien señalan Laguna, Martínez y Rius[14], en el nacimiento de los distintos diarios de finales del siglo XVIII se dan demasiadas coincidencias como para no hablar con propiedad de una "especie nueva", a saber: 1) la estructura del "Diario de Madrid", será sucesivamente copiada por el de Valencia, Sevilla y Barcelona; 2) los objetivos del plan de edición de dichos diarios son el fomento del mercado y la extensión de las "luces"; 3) el acuerdo entre los distintos periódicos para la suscripción en sus respectivas ciudades del resto de los diarios; 4) la presencia reiterada de directores franceses (J. Thévin, J. Lacroix y P. P. Usson respectivamente).

Los tres primeros factores se ponen de manifiesto en el "Prospecto" del DdB, y la promesa de "instruir" y contribuir a la "utilidad" y al "bien" común (los principales objetivos ilustrados) se ve corroborada al examinar los contenidos de los primeros años de vida del diario. Respecto al origen francés de algunos editores, se explica fácilmente si tenemos en cuenta que es en este período cuando se pasa del "publicista" de los periódicos anteriores al "hombre de negocios"[15] que dirige los nuevos diarios, por lo que nuestros editores sólo esta-

Vilar, *Transformaciones económicas, impulso urbano y movimiento de los salarios: la Barcelona del siglo XVIII*, en *Crecimiento y desarrollo*, Barcelona, Ariel, 1964.

[13] Sobre la incidencia del desarrollo económico en la evolución de la prensa véanse, además de las citadas aportaciones de Sarrailh, Herr, Piñal y Vilar, las siguientes: P. Gómez Aparicio, *Historia del periodismo español*, Madrid, Editora Nacional, 1967; P. J. Guinard, *La presse espagnole de 1737 a 1791. Formation et signification d'un genre*, París, Centre de Recherches Hispaniques, 1973; J. Torrent y R. Tasis, *Historia de la prensa catalana*, Barcelona, Bruguera, I, 1966; M. D. Saíz, *Historia del periodismo en España*, Madrid, Alianza, I, 1983 y P. Vilar, *Assaigs sobre la Catalunya del segle XVIII*, Barcelona, Curial, 1793.

[14] *Razones de un nacimiento. El 'Diario de Barcelona'*, en "Treballs de comunicaciò", 4 (1993) pp. 162-163.

[15] P. Guinard, *La presse espagnole...*, cit., p. 92. F. Aguilar Piñal detecta por primera vez el término "periodista" en 1788; véase *Ilustración y Periodismo*, "Estudios de Historia Social", 52-53 (1989) p. 14 y *Un escritor ilustrado: Cándido María Trigueros*, Madrid, CSIC, 1987, p. 281.

ban probando a este lado de los Pirineos lo que ya había sido abundantemente experimentado en el otro. El periódico diario no es una "especie nueva" sólo en relación a las exigencias del "mercado" que lo solicita[16], sino también por las propias necesidades del editor, quien desde entonces podría dedicarse plenamente a la profesión (Usson) o ejercer como empresario contratando periodistas (Thévin), pero para quien el periodismo era principalmente un negocio. De todas formas, tampoco podemos olvidar que las reducidas dimensiones que aún presenta la "empresa periodística" hacen que de la figura del editor dependa en buena parte no sólo la adecuada relación entre formato y contenido, sino también el éxito o el fracaso del diario[17].

3. El texto.

Al estudiar la prensa de Barcelona, con frecuencia se suele realizar un corte demasiado radical entre los primeros "Diarios" de P.A. de Tarazona[18] y el DdB de Usson. En nuestra opinión, la verdadera ruptura se produjo más bien entre el primer "Diario Curioso" de Tarazona de 1762 y el de 1772, en el que ya se prefigura netamente el modelo de los diarios de finales del siglo XVIII (aunque todavía nos hallemos ante una expresión bastante rudimentaria). El carácter "arcaico" del "Diario Curioso" de 1762 se pone en evidencia en el "Prospecto", principalmente a causa de la excesiva dosis de "erudición" y la "magnitud" de las promesas que nos hacen[19]. A lo largo de los cuatro meses en los que

Véase también J. Álvarez Barrientos, *El periodista en la España del siglo XVIII y la profesionalización del escritor*, en "Estudios de Historia Social", 52-53, (1990) pp. 29 y ss.

16 A. Laguna, *Historia del periodismo valenciano*, Valencia, Generalitat Valenciana, 1990, p. 33.

17 Sin olvidar en ningún momento el papel crucial que la política y la censura desempeñaron en la historia de la prensa. Junto a la bibliografía de la nota 13, véanse las siguientes aportaciones de L. Domerge, *Tres calas...*, cit.; *La prensa periódica y la censura en la segunda mitad del siglo XVIII*, en "Estudios de Historia Social", 52/53 (1990) y *La censura en los orígenes de la prensa periódica. El caso del 'Diario de Madrid'*, en A. Laguna y A. López (eds.) *Dos-cents anys de premsa valenciana*, Valencia, Generalitat Valènciana, 1992.

18 Recordemos que Tarazona publica en 1762 su "Diario Curioso, Moral, Histórico, e Instructivo"; en junio de 1772 lanza un "Diario Evangélico, Histórico, Político" que se convierte en séptimo día en el "Diario Curioso, Histórico, Erudito y Comercial"; éste pasaría a ser desde 1793 un "Semanario Curioso", en el que publicaba la fantástica historia de los condes de Barcelona del franciscano E. Barrelles y la *Crónica de Cataluña* de Pujadas.

19 Sobre los diarios de Tarazona véase A. Duran i Sampere, *El 'Diario Curioso' de Pedro Angel de Tarazona, precursors del periodisme a Barcelona*, en *Barcelona i la seva historia. L'Art i la Cultura*, Barcelona, Curial, 1975.

el periódico se publicó, se constata una creciente inestabilidad que no le permitiría a Tarazona realizar un diseño firme del mismo, ni mucho menos construir un modelo. Este desequilibrio afecta tanto a *substancia* (la manifestación visual) como a la *forma* (léase organización formal) de la *expresión* del diario (que por comodidad llamamos aquí formato)[20].

La inestabilidad de la manifestación visual del diario se refleja en la imposibidad de identificar los recursos tipográficos utilizados (caracteres de la escritura, separación gráfica de las distintas secciones etc.) con otros tantos géneros, que tampoco cuentan con un claro límite espacial con el que configurar el formato (la última página se utiliza casi siempre de modo parcial y en proporción variable). Por otro lado, no se constata ningún tipo de principio o regularidad en la continua aparición/desaparición de las distintas secciones anunciadas (por ejemplo, con frecuencia falta la parte "económica", que en el prospecto prometía ser la más importante"), ni de otras nuevas que igualmente aparecen/desaparecen sin ninguna razón evidente (por ejemplo, la sección "geografía"), lo que todavía acentúa más la indefinición del diario. El editor corregirá en buena parte estas deficencias en el "Diario Curioso" de 1772, cuyo parentesco con el de Usson ya es bastante evidente, pero, por desgracia, esta relación no se podrá constatar mucho más allá de los primeros números, consecuencia del "fracaso comercial" que una vez más experimentaban las propuestas de Tarazona y le obligaba a abandonar, una tras otra, todas las fórmulas que probaba. Su audacia y su capacidad de anticiparse a su tiempo fueron probablemente los mayores errores que cometió.

La relación privilegiada de Usson con la Corte (estaba casado con la hija del barbero del Rey), su experiencia como periodista de la "Gaceta de Madrid" y sus conexiones con ambientes "afrancesados" de Barcelona[21] sin duda tuvieron mucho que ver con el diseño de su periódico. Ante todo resalta la coherencia entre lo que promete en el "Prospecto" y lo que nos ofrecerá a lo largo de los años en que editó el DdB. En segundo lugar, el diario se presenta lo bastante bien definido desde el principio como para que la única modificación relevante del formato que sufrirá no afecte en absoluto al conjunto. En efecto, desde el 12 de diciembre de 1792, el DdB registraba el movimiento y los cambios de algunos puertos que desempeñaban un papel clave en la economía catalana (Cádiz,

[20] Consideramos que el diario es una estructura comunicativa semiótica, compuesta por dos planos (expresión y contenido), cada uno de los cuales se articula a su vez en una forma y una substancia. Véase L. Hjelmslev, *Omkring Sprogteriens Grundlaeggelse*, 1943 (*Prolegómenos a una teoría del lenguaje*, Madrid, Gredos, 1969).

[21] Véase L. Falzone, *Pedro Pablo...*, cit.

Málaga, Veracruz, etc.). Estas noticias, que durante algún tiempo aparecerían en la sección "Noticias particulares de Barcelona", a partir del 9 de abril de 1793 se convierten en un espacio autónomo (pero no cotidiano), introducido por el nombre de la ciudad cuyos movimientos portuarios se presenten en primer lugar ("Cádiz", "Málaga", etc.). El papel dependiente del contenido respecto al formato se pone de relieve al observar que esta sección va a funcionar como un género pero es, en realidad, tan sólo una estructura vacía, susceptible de ser rellenada con cualquier tema que no se considere ni "general instrucción" ni "noticia particular de Barcelona": comunicados oficiales de la Corte, avisos procedentes del "Diario de Madrid" e incluso las listas de premiados en los innumerables sorteos de la "Olla Pública" durante los difíciles años de la guerra contra Inglaterra[22].

La definición del formato impide, además, que las variaciones de contenido se constituyan en variantes genéricas (con la única excepción de la sección sobre el movimiento de algunos puertos a la que acabamos de referirnos), eliminado así el riesgo de disgregación que ello implicaría. El sistema se contiene mediante el uso de un abanico temático, suficientemente flexible como para acoger nuevos temas (subgéneros) cuando sea necesario, a los que se identifica con un género: ("Décimas", "Memoria", "Novela", "Reflexiones", etc., en la primera parte del diario y "Dietas", "Hallazgos", "Sirvientes", etc., en la segunda). La "modernidad" de la propuesta de Usson y el merecido lugar que el DdB ocupa en la historia del periodismo español, deriva principalmente de la identificación entre género y espacio textual que se lleva a cabo, al que sucesivamente se acomoda el contenido. Identificación que, como en los modelos periodísticos actuales, funciona perfectamente como un conjunto de expectativas para el autor[23] y como un horizonte de espera para el lector[24], las dos razones más importantes de la existencia del género.

Pero ese lector empírico, que se puede incluso palpar en las páginas del DdB, no se limita a deslizarse por entre las pautas de lectura que le ofrece el

[22] Al respecto, también hay que señalar que la sección "Noticias particulares de Barcelona", organizada rigurosamente también a partir de etiquetas temáticas ("Dietas", "Pérdida" "Libros", "Teatro", etc.) cuenta desde el principio con apartados como "Varios" o "Noticia suelta", que acogen todo aquello que no se ajuste a ninguna de las etiquetas temáticas disponibles (anuncio del comienzo del curso en el Real Colegio de Cirujía, un capitán busca cargo para completar su barco, etc.).

[23] J. Kitses, *Horizon West*, Londres, Times & Hudson, 1969, p. 26.

[24] T. Todorov, *L'origine des genres*, en *La notion de la littérature et autres essais*, Paris, Seuil, 1987 (*El origen de los géneros*, en *Teoría de los géneros literarios* (ed. M. A. Garrido Gallardo) Madrid, Arco/Libros, 1988, p. 30).

formato, sino que también colabora activamente en la cotidiana construcción del diario, aunque, eso sí, su esfera de acción se tenga que limitar al plano del contenido. Las numerosas aportaciones de los lectores (poesías, reflexiones teóricas, conocimientos prácticos etc.), tan abundantes entre 1792 y 1793, representan el perfecto entendimiento entre una ciudad en expansión que necesitaba un diario y un editor en grado de servir al lector. El desmoronamiento del comercio marítimo, como consecuencia de la guerra contra Inglaterra, y las graves repercusiones que tuvo en la producción industrial del Principado van aniquilando poco a poco la presencia "física" del lector en las páginas del DdB, hasta que hacia finales de 1796 se vea reducida prácticamente a un nombre en las listas de los premiados en los sorteos de la Casa de la Caridad, de los titulares de vales reales o de los miembros de los gremios que se alternaban en la guardia de la ciudad.

La completa ausencia de testimonios contra Usson en el proceso de depuración al que fue sometido en 1814, obligó al tribunal a buscar en sus diarios las pruebas de sus "delitos". Si lo absolvieron fue porque lo único que se pudo "probar" consistió en constatar que, si bien había publicado cuantos papeles oficiales le facilitaba el ejército invasor a partir de 1808, también había servido de tribuna a los mensajes antirrevolucinarios y antifranceses entre 1793 y 1795 (guerra con Francia). Tarazona no había podido contactar con su público y fracasó; el público, que al parecer nunca abandonó a Usson, no consiguió librarlo del trágico final. Como le ocurrío en 1814 a D. Pedro de Vergara, el periodista de la "Gaceta de Madrid" y protagonista de la novela de Gabriel y Galán, su incapacidad de decantarse acabó por atraer contra él a las dos partes de la contienda[25].

[25] J.A. Gabriel y Galán, *El bobo ilustrado*, Madrid, Aguilar, 1983 (Madrid, Alfaguara, 1993, p. 12).

Ramón de la Cruz, personaje de teatro

Francisco Lafarga

En el epígrafe del capítulo XII y último de su clásico y riquísimo estudio sobre Ramón de la Cruz, Emilio Cotarelo anuncia un apartado sobre "D. Ramón de la Cruz como personaje literario o poético", aunque luego la referencia se reduce a una nota en la que alude al tratamiento dado al personaje en distintas obras literarias, mencionando expresamente *Pan y toros*, *Pepe Hillo* y *D. Ramón de la Cruz*[1].

A las tres piezas debe añadirse otra posterior a la época de D. Emilio, *El maestro de hacer sainetes* de Tomás Luceño, de 1920.

Aparte quedan las representaciones –más o menos veladas– de Cruz en las obras polémicas de su tiempo, en especial las que escribió su enemigo Francisco Mariano Nipho. La más evidente es la que se refleja en el entremés *La sátira castigada por los sainetes de moda*, publicado en 1765[2]. En él puede adivinarse a Ramón de la Cruz en los rasgos atribuidos al personaje del Ingenio, que, según el reparto, es "cualquiera que sea vano". El Ingenio es acusado de calumnia ante el alcalde por una dama, un caballero, un petimetre, unos padres y otros personajes, los cuales se consideran ridiculizados en sus sainetes. El autor es

[1] "Don Ramón de la Cruz como personaje poético ha sido introducido en muchas novelas, todas malas, y en algunas obras de teatro como las zarzuelas *Pan y toros* (no figura en persona, pero se habla de él, aludiendo a su muerte en casa de un carpintero), y *Pepe Hillo*, donde se le hace ir a la sopa de un convento; y en dramas como el de *D. Ramón de la Cruz* de D. Emilio Álvarez, en que aquél aparece en escena para morirse de hambre y decir...cuatro cosas ridículas": E. Cotarelo y Mori, *Don Ramón de la Cruz y sus obras. Ensayo biográfico y bibliográfico*, Madrid, Perales y Martínez, 1899, p. 233, nota 2.

[2] *Entremés nuevo. La sátyra castigada por los saynetes de moda.* Por Don Francisco Mariano Nipho. En Madrid, en la Imprenta de la Viuda de Manuel Fernández. Año de 1765. Se refieren a esta obrita, en el contexto de la polémica entre Cruz y Nipho, E. Cotarelo, *op. cit.*, pp. 87-89, y M. Coulon, *Le sainete à Madrid à l'époque de don Ramón de la Cruz*, Pau, Publications de l'Université de Pau, 1993, pp. 273-276.

tratado de necio, loco y asno, y al final, tras descartar otras posibilidades más duras exigidas por los demandantes, es condenado por el alcalde a estudiar mejor la sociedad y a ser más discreto en lo futuro.

Contrariamente a lo que sucede en el entremés de Nipho, en otra obra dramática aparece un D. Ramón de la Cruz que sólo el nombre tiene en común con el sainetero. En efecto, en el vodevil de Théophile Gautier y Paul Siraudin *Un voyage en Espagne* (París, 1843), se halla un personaje con ese nombre, noble carlista, autoritario y muy pagado de sí mismo, que interviene en un enredo que mezcla intereses políticos y líos amorosos. A pesar de la distancia temporal y moral entre el personaje del vodevil y real, no cabe pensar en una simple coincidencia de nombres: buen conocedor de la cultura española, Gautier pudo haber retenido en su memoria el nombre sonoro y que le debía parecer muy castizo de Ramón de la Cruz[3].

La zarzuela *Pan y toros* se estrenó en el teatro de la Zarzuela de Madrid el 22 de diciembre de 1864[4]. Era el fruto de la colaboración del libretista José Picón y del compositor Francisco Asenjo Barbieri[5]. La zarzuela, que en sentir del P. Blanco García es un "libro lleno de naturalismo y vida, de contrastes estudiados y escenas al aire libre y en el que hay algo que recuerda los sainetes de D. Ramón de la Cruz, subido de punto por la maravillosa interpretación de Barbieri"[6], fue prohibida por la censura en 1867, en el transcurso de las convulsiones políticas y sociales que sacudieron los últimos tiempos del reinado de Isabel II, aunque la prohibición se levantó por expreso deseo de la reina, tras conceder una audiencia al autor[7].

[3] No parece haber reparado en ello Cl. M. Book en su estudio *Réalité et fantaisie dans "Un voyage en Espagne"*, en "Revue d'Histoire du Théâtre", XXIV (1972) pp. 36-45.

[4] *Pan y toros.* Zarzuela en tres actos y en verso, original de Don José Picón, música del maestro D. Francisco Asenjo Barbieri, Madrid, Centro General de Administración, 1864.

[5] José Picón (1829-1873) escribió libretos para zarzuelas de éxito, la mayoría originales, como *Memorias de un setentón*, *La isla de San Balandrán*, *La corte de los milagros* o *Gibraltar en 1890*, y algunas adaptadas de Scribe (*El médico de las damas*, *El hábito no hace al monje*). Fue tío del escritor Jacinto Octavio Picón. Francisco Asenjo Barbieri (1823-1894) compuso la música de numerosas zarzuelas de éxito, en colaboración con afamados dramaturgos, como Luis Mariano de Larra, Ventura de la Vega, Ramos Carrión, Mariano Pina, Puente y Brañas, etc. Algunas (*El barberillo de Lavapiés*, *Los diamantes de la corona*, *Jugar con fuego*) han permanecido en el repertorio.

[6] P.F. Blanco García, *La literatura española en el siglo XIX*, Madrid, Sáenz de Jubera, 1891, p. 236.

[7] Así lo cuenta con multitud de detalles J.O. Picón, *Prohibición de «Pan y toros» en tiempo de Isabel II*, en "Revue Hispanique", XL (1917) pp. 1-46.

La pieza toma su título de una sátira contra los toros –aunque con alusiones políticas entre líneas-, atribuida durante mucho tiempo a Jovellanos, que circuló manuscrita a partir de 1796 y se publicó en 1812. Se trata de un complicado enredo en la época de la guerra entre España y la República francesa, con una conspiración contra Godoy, el destierro y regreso de Jovellanos, la presencia de Goya, así como de Pepe Hillo y otros toreros. Ramón de la Cruz no es propiamente personaje de la zarzuela, aunque en el curso de la misma se alude a su muerte por boca de la cómica la Tirana, ante Goya y otros personajes:

Y en tanto que así se ocupa
la aristocracia española
don Ramón de la Cruz Cano,
autor de trescientas obras,
don Ramón el sainetero
como Lavapiés le nombra,
que presentir ha sabido
la comedia filosófica
y a Iriarte y a Moratín
mostró una senda gloriosa,
ha muerto casi olvidado
....
en casa de un carpintero
recogido de limosna.

Goya. ¡Oh patria de pan y toros
te reconozco en tus obras!
En cada pueblo edificas
plaza de toros suntuosa
cuando a Calderón y a Lope
no das una estatua sola. (II, 6)

Tir. Al saber tan triste nueva
hemos cambiado de ropa
Máiquez, Rita Luna y yo
y con cuatro o seis personas
de la fiesta hemos salido.

Aparte de las referencias teatrales –elogio de Cruz como creador de la comedia filosófica, actores-, conviene notar que en esta obra se insiste en el final triste y lastimoso del sainetero, sumido en la pobreza y recogido en casa de un carpintero.

A los pocos años, el 1º de octubre de 1870, se estrenó en Madrid, en el teatro de los Bufos Arderius, *Pepe Hillo*, otra zarzuela que contaba entre sus personajes a Ramón de la Cruz[8]. La letra era de Ricardo Puente y Brañas y la música de Guillermo Cereceda[9]. La acción de la zarzuela transcurre en Madrid en 1801 (hacía siete años que había muerto Cruz); aunque el sainetero ocupa un lugar de honor en el reparto, inmediatamente después del torero protagonista, sus apariciones son episódicas. Así, en el acto I vemos a Ramón de la Cruz dirigiéndose a San Francisco el Grande a por la sopa boba y lamentándose de la situación de necesidad en que se halla:

> Desde que perdí el destino
> de oficial mayor de Penas
> de Cámara, y en verdad
> que ya va larga la fecha,
> no logré comer tres días
> seguidos. Mas me consuela
> que a pesar de su apellido
> tampoco come... Comella.
> Mis buenos días pasaron [...] (I, x)

Sorprendido por Pepe Hillo, le dice que ha ido a la iglesia a copiar del natural, como suele, para sus sainetes; es ocasión para hacer una descripción de la variedad y viveza de los asuntos tratados por Ramón de la Cruz en sus obras:

> Sabe usted que en mis sainetes
> al natural se presentan
> las costumbres populares
> de la gente madrileña.

[8] *Pepe Hillo,* zarzuela en cuatro actos y seis cuadros, original y en verso de Don Ricardo Puente y Brañas, música de Don Guillermo Cereceda, Madrid, J. Rodríguez, 1870; hubo una 2ª ed. en 1873.

[9] Ricardo Puente y Brañas (1835-1880) se inició como periodista y fundó varios diarios en La Coruña y Tarragona. Su primer gran éxito en el teatro lo obtuvo en 1859 con *El hongo y el miriñaque*, a la que siguieron unas 50 zarzuelas, comedias y pasillos cómicos (*Adriana Angot*, *La mina de oro*, *Violetas y girasoles*, *Ropa blanca*). Al final de su vida desempeñó varios cargos políticos. Guillermo Cereceda (1844-1919) musicó textos de los más afamados libretistas de su tiempo, como Miguel Pastorfido, José Jackson Veyán, Salvador Mª Granés o Miguel Ramos Carrión.

Los que van por San Isidro
a almorzar a la pradera;
los que conocen el Rastro,
las animadas verbenas,
las casas de vecindad,
los bailes y las tabernas
digan si son o no copias
de aquellas varias escenas
mis sainetes del *Sarao*,
La falsa devota Petra,
El fandango de candil,
Las majas, y más de treinta
que la verdadera historia
de nuestros días encierra. (I, xi)[10]

Pero el torero, que se ha percatado de la necesidad de Cruz, lo invita a comer y luego a los toros. En el acto II, estando a la puerta del coso taurino, R. de la Cruz es abordado por un grupo de majas, que le piden que las invite, a lo que el sainetero responde con la pintura de su penosa situación, matizada, sin embargo, por un toque de dignidad y de ingenio:

Esta capa que me tapa,
tan pobre y raída está
que sólo porque se va
se conoce que es-capa[11].
....
Ya veis y oís mi retrato:

[10] Hay en estas palabras un eco de las escritas por Cruz en el prólogo a la edición de su *Teatro o colección de los sainetes y demás obras dramáticas*, Madrid, Imprenta Real, 1786-1791, 10 vols. En el I, pp. lv-lvi, puede, en efecto, leerse: "Los que han paseado el día de San Isidro por su pradera; los que han visto el Rastro por la mañana, la plaza Mayor de Madrid la víspera de Navidad, el Prado antiguo por la noche y han velado en las de San Juan y de San Pedro; los que han asistido a los bailes de todas clases de gentes y destinos; los que visitan por ociosidad, por vicio o por ceremonia... en una palabra, cuantos han visto mis sainetes reducidos al corto espacio de veinticinco minutos de representación [...] digan si son copias o no de lo que ven sus ojos y de lo que oyen sus oídos; si los planes están o no arreglados al terreno que pisan y si los cuadros no representan la historia de nuestro siglo".

[11] E. Cotarelo (*op. cit.*, p. 231) se indigna contra quienes han querido ver un retrato de Cruz en estos versos de *La duda satisfecha*, que Agustín Durán incluye en su edición de los sainetes de Ramón de la Cruz (*Colección de sainetes, tanto impresos como inéditos*, Madrid, Yenes, 1843), cuando en realidad es de José López de Sedano.

juzgad, pues, de mi caudal.
Diré sólo por final,
pues de terminarlo trato,
que tan sin dicha he nacido
y de cruces tan cargado,
que hasta quiso darme el hado
una cruz por apellido.
Pero digo a todo ¡zape!
que no hay burla que me hinche
ni manolo que me pinche
ni buscona que me atrape.
Conque aquí no busqueis luz,
que aunque sin galas ni alhajas
más majo que veinte majas
es don Ramón de la Cruz. (II, xiii)

En su tercera aparición, muy rápida, Ramón de la Cruz se limita a comunicar a Pepe Hillo que ha sabido que unos gitanos traman un plan contra él.

La imagen que Puente y Brañas ofrece del sainetero, dejando a un lado la utilización de los citados versos de *La duda satisfecha*, de cuya autoría no tenía por qué dudar, no es tan alejada de la realidad como pretende Cotarelo. Su indigencia no era tanta que lo obligara a acudir a la beneficencia pública, pues vivía de la beneficencia privada de la condesa-duquesa de Benavente, en cuya casa de la calle de Alcalá pasó los últimos tiempos y murió el 5 de marzo de 1794. Y es sabido que no le quedó a su viuda ni para sufragar los gastos del funeral. Por otra parte, sus facultades poéticas habían mermado notablemente y, en el momento de su muerte, hacía más de dos años que no escribía para el teatro[12]. Encontramos en *Pepe Hillo* a un Ramón de la Cruz digno en su pobreza, orgulloso de su obra y todavía con fuerzas para enfrentarse al más pintado.

A poco del estreno de *Pepe Hillo* los espectadores de Madrid pudieron contemplar el cuadro histórico *Don Ramón de la Cruz*, representado el 15 de septiembre de 1871 en el "Español"[13]. Su autor, Emilio Álvarez[14], centró la acción de la pieza en los últimos instantes de la vida del sainetero. Hay en la obra,

[12] Véase E. Cotarelo, *op. cit.*, pp. 228-230.

[13] *Don Ramón de la Cruz,* cuadro histórico en un acto y en verso, original de Don Emilio Álvarez, Madrid, J. Rodríguez, 1871.

[14] Emilio Álvarez (1833-1900) escribió numerosos dramas, comedias, libretos de zarzuela y obras menores (*La buena causa*, *En la piedra de toque*, *Café-teatro y restaurant-cantante*), así como adaptaciones de comedias de Lope y Calderón.

junto a Ramón de la Cruz, oculto bajo la denominación Hombre 3º, otros dos personajes notables: el Hombre 1º, que resulta ser Jovellanos, y el Hombre 3º, que es Goya. La presencia de Cruz no se produce hasta la escena IX y última. Estando en la calle, se siente repentinamente enfermo y es acogido en una casa de vecindad: nadie sabe quién es. Aparecen los otros dos personajes que relatan sus peripecias sin decir sus nombres. Por fin el Hombre 3º, algo repuesto, habla de sí mismo:

para vivir sólo cuento
con unos cuadros que invento
como este que va conmigo.
Ellos a decir verdad
apenas si nos mantienen;
y eso que es fama que tienen
ingenio y moralidad.
La vida en ellos vertí
y al par que fama alcancé
las costumbres retraté
de este pueblo en que nací.
Y la ambición a que aspira
mi alma, tan cumplida dejo,
que ya son el claro espejo
en donde el pueblo se mira.
....
Llego afanoso al corral...
y nada; acudo al librero,
doile el manuscrito, espero
en vano: ni un real. (escena IX)

Es identificado inmediatamente por el Hombre 1º, o sea, Jovellanos, quien exclama:

Ciegos, contemplad la luz,
Rezad, que allí muere un hombre.
Descubríos ante el nombre
de Don Ramón de la Cruz.

Saluda luego a Goya y es reconocido por éste; llaman a los médicos, que acuden enseguida y atienden a Cruz, aunque en vano. Goya empieza a retratar al dramaturgo, mientras Jovellanos manda abrir las puertas de la casa para que el pueblo pueda ver a Cruz:

Pronto, esas puertas abrid
y estos míseros despojos
a sus pies puesto de hinojos
contemple absorto Madrid.
(entra el pueblo)
Entre ese pueblo a su vez,
y vea en dolor profundo
como acaban en el mundo
el talento y la honradez.

(El pueblo prorrumpe en himnos y, mientras pasa en derredor de Don Ramón de la Cruz, va depositando coronas y flores a sus pies. Cuadro. Todos permanecen inclinados y descubiertos ante D. Ramón de la Cruz. Goya continúa retratándole.)

Con este cuadro concluye la pieza. La historia se ha violentado en ella en beneficio de los efectos dramáticos: el encuentro entre los tres grandes hombres y, sobre todo, la muerte de Cruz casi en la calle. Pero en ningún momento hay ridiculización del personaje, ante bien, la afirmación de sus valores como dramaturgo y como persona. El cuadro final aparece como un homenaje adelantado en el tiempo al que le tributaría oficialmente el Ayuntamiento de Madrid. Por otra parte, tanto *Pepe Hillo* como *Don Ramón de la Cruz* coinciden con la época en que Pérez Galdós publicó en la "Revista España" sus dos artículos largos sobre *Don Ramón de la Cruz y su época*[15].

La imagen que se halla en la última de las obras aquí consideradas, *El maestro de hacer sainetes*, es totalmente distinta[16]. Su autor, Tomás Luceño[17], le da a Cruz el papel estelar precisamente en un sainete; es quien conduce toda

[15] Véase, por ejemplo, J.A. Ríos Carratalá, *Ramón de la Cruz en la obra crítica de Galdós*, en *Actas del III Congreso de Estudios Galdosianos*, Las Palmas, Cabildo Insular de Gran Canaria, 1989, pp. 65-72.

[16] *El maestro de hacer sainetes o Los calesines.* Sainete de Tomás Luceño, publicado con el sainete *Un tío que se las trae*, del mismo Luceño, en la colección *Los contemporáneos*, año XII, nº 572 de 1º de enero de 1920.

[17] Tomás Luceño (1844-1931) empezó en el teatro dando sainetes (*Cuadros al fresco*, *El corral de las comedias*, *La niña del estanquero*). Solo o en colaboración escribió numerosas zarzuelas, refundiciones de comedias del Siglo de Oro (de Rojas, Lope y Calderón) y alguna adaptación del francés (Molière).

la trama y el primero en aparecer, presentándose a los espectadores con estas palabras:

Yo soy Ramón de la Cruz,
aficionado a las letras,
autor de varias obrillas
que el público me celebra.
Cuando me aplaude agradezco
en el alma sus finezas,
y cuando me silba inclino
con humildad mi cabeza
y aquella noche mi pluma
otro sainete enjareta;
que yo moriré vencido
pero moriré en la brecha,
porque el luchar es decoro
y el huir es desvergüenza. (pp. 3-4, sin numerar)

Asistimos en la pieza a la ficción en la ficción, pues Cruz, para dar un escarmiento a un amigo suyo muy avaro, urde un engaño con la colaboración de algunos cómicos (la Tirana, Chinita), y le hace creer que una rica heredera quiere casarse con él y efectivamente se casan, aunque la boda forma parte del engaño. Tan bien ha salido la treta, que Cruz anuncia su intención de escribir un sainete sobre el tema:

Y como a la perfección
pude llevar el enredo
he de escribir un sainete
con este mismo argumento.
Si me lo silban, paciencia,
si no, servirá de ejemplo
a los tacaños que creen
que la dicha es el dinero. (p. 13, sin numerar)

La imagen de Cruz que destila este sainete es la del creador brillante e ingenioso de situaciones y enredos, modesto en su trato con el público, luchador hasta el final, decente en sus costumbres y moralizador en sus piezas.

La relación de Tomás Luceño con Ramón de la Cruz no se limita a esta obra: en otro de sus sainetes, titulado *¿Cuántas, calentitas, cuántas?*, de 1910, que se presenta, según la portada, como "Segunda parte de *Las castañeras pi-*

cadas de D. Ramón de la Cruz", imita el autor con mucha gracia el estilo de Cruz en el sainete citado[18].

Al cumplirse este año de 1994 el bicentenario de su fallecimiento, Ramón de la Cruz ha saltado de nuevo a la actualidad literaria. Los textos presentados en este breve trabajo demuestran que durante la segunda mitad del siglo XIX y el primer tercio del actual no sólo no había caído en el olvido, sino que su figura y su personalidad resultaban lo suficientemente conocidas e interesantes para hacer de él un personaje teatral.

[18] Gregorio (el Gorito de *Las castañeras*) ya está casado con Javiera, mujer rica y mayor que él, y se lamenta del trato que le da su mujer, que él considera vejatorio. Aprovechando una función casera, en la que tiene que recitar, se lo echa en cara, a lo que Javiera replica airada, reprochándole su despilfarro. A todo esto llega la Temeraria, castañera novia de Gorito en el sainete de Cruz, con un chiquillo que presenta como hijo de éste, lo que provoca gran alboroto entre la concurrencia. Al final los ánimos se calman y cada mochuelo regresa a su olivo. La vinculación con *Las castañeras picadas* es tanto a nivel de los personajes (varios repiten papel) como del estilo, llegando incluso a pequeños detalles: así, en el sainete de Cruz Gorito alude a ciertos vestidos y alhajas que su pretendienta Javiera le ha prometido si se casa con ella; en el de Luceño, la esposa le recrimina el que se los haya empeñado para vino.

La noche más caliente di Daniel Sueiro

ROSANNA LEGITIMO CHELINI

L'avvertimento del narratore "Las cosas ocurrieron aproximadamente así", che introduce la *Noche más caliente*, sembra fornire indicazioni precise circa la natura del romanzo. Questo sarebbe dunque una sequenza di fatti di cronaca, una registrazione impersonale di avvenimenti, indipendenti da qualsiasi intrusione da parte di chicchessia. Nessun sistema ideologico dell'autore dovrebbe intervenire a modificare la *ratio* della storia.

Un'avvertenza, dunque, che pare suggerire una chiave di lettura prammatica e straniata.

E, sotto vari aspetti, *La noche más caliente* si presenta davvero come un romanzo-cronaca: la cronaca di ciò che accade in una calda notte d'estate, a Cebreros, un piccolo paese della provincia di Ávila[1]. Una storia qualunque, in uno scenario rurale agitato da personaggi di *fiction* e protagonisti veri; un racconto in bilico tra realtà e fantasia, dove l'ambientazione, la Spagna della subcultura franchista del dopoguerra, determina la storia in un incalzante succedersi di azioni che fanno precipitare gli eventi, guidati solo da un cieco determinismo di sapore naturalista, dove la non scelta esistenziale dei protagonisti è, verosimilmente, metafora della illiberalità del regime, mentre il modo di veicolare il messaggio è filiazione del rigore della censura del tempo[2].

[1] D. Sueiro, *La noche más caliente*, Barcelona, Plaza & Janés, 1972, pp. 245. La 1ª edizione, a cura dello stesso editore, è del 1965.

[2] A partire dal '60, la censura spagnola si fa più indulgente, concedendo maggior libertà d'espressione. Ciononostante, alcuni contenuti decisamente critici, riguardo fatti della guerra civile e naturalmente del regime che da questa prese spunto, non sono tollerati nemmeno in quegli anni di relativa apertura. È per questo, ad esempio, che la casa editrice Seix Barral, vista l'impossibilità di pubblicare in Spagna un altro romanzo di Sueiro, *Estos son tus Hermanos*, decide di far pubblicare in Messico, nel 1965, l'opera dalla casa editrice Era.

Del resto, l'opera s'inserisce, sebbene tardivamente, in quella vasta produzione narrativa che, negli anni '50, prese il nome di realismo sociale [3].

Con *La noche más caliente*, Sueiro recupera però anche delle tecniche peculiari del così detto 'tremendismo'[4] degli anni '40. La scellerata storia che propone, il linguaggio espressionista, ecc.., ne sono una palese testimonianza e, al tempo stesso, sono indizio di un accumulo di tensione ideologica repressa che solo il grido sguaiato può allentare. E la censura di quel grido non sa che farsene, l'importante è che la voce non manifesti con chiarezza lo scontento sociale o la palese ribellione politica. La censura, si sa, difficilmente si impegna in letture accurate, intelligenti. Se poi l'ideologia dell'autore riesce a mimetizzarsi nel contingente e nel quotidiano e se lo scrittore dichiara che "se trata de escribir para hoy y no para mañana"[5], i burocrati di regime son ben lieti di pacificare le loro sospettose coscienze.

Anche la maniera tremendista denuncia, è vero, ma le sue denuncie traggono spunto da storie al limite del credibile, sono per lo più favole nere, che si collocano in uno spazio per così dire fantasociale, e perciò poco interessante come terreno di confronto con la realtà di tutti i giorni: il loro, nella migliore delle ipotesi, è un "hablar de lo que no se habla"[6].

Vi è da aggiungere che le speranze di trasformare il sociale, insite nella strategia di tali procedimenti letterari, non sortirono gli effetti sperati. La curiosità per la '*nueva oleada*' della narrativa spagnola presto si ridusse d'intensità e l'esuberanza e l'anticonformismo di quel gruppo di giovani scrittori coincise e si scontrò ben presto con altre euforie sociali ed intellettuali.

Qualche tempo dopo, lo stesso Sueiro osserverà sconsolato: "La gente para la que escribimos, a la que creemos conocer y que consideramos urgentemente necesitada de saber, generalmente no nos ha leído, entretenida por otros cuentos que les hacen escuchar con mucho más ruido y cotidianamente, o bien francamente cansada de nosotros... Resulta que no nos hemos sabido contarlo, o no hemos podido contarlo todo, o no nos han dejado"[7].

[3] Nati tra il 1922 e il 1936, i coltivatori del romanzo sociale da Goytisolo a Caballero Bonald, appartengono come Sueiro alla cosiddetta 'generazione del 50'.

[4] López Molina non vede nel 'tremendismo' soltanto una modalità spagnola contemporanea, ma un fenomeno costante in Spagna, a partire da Quevedo. Cfr., L. López Molina, *El tremendismo en la literatura española actual*, in "Revista de Occidente", 54 (1967) pp. 372 e segg.

[5] A. Nuñez, *Encuentro con Daniel Sueiro*, in "Insula", 235 (1966) p. 4.

[6] *Ibidem*.

[7] D. Sueiro, *Silencio y crisis de la joven novela española*, in "Prosa novelesca actual", agosto 1968, p. 165.

Come si vede, una constatazione amara ed anche un'ammissione di fallimento, almeno per quanto concerne l'efficacia della scrittura come mezzo di utilità sociale[8]. Tuttavia ne *La noche más caliente* la strategia che articola il messaggio non soffoca la narrazione, e questa ha dunque una autonomia che può tranquillamente prescindere da ogni fine utilitario. L'efficacia della tecnica narrativa fa sì che l'opera non appaia come ulteriore e tardiva testimonianza di un genere ormai morto e seppellito, ma riesca a travalicare i confini di quel codice, tanto da porsi al lettore moderno come dotata di una sua intrinseca validità, al di fuori dei coinvolgimenti e condizionamenti contenutistici della poetica neorealista[9].

La struttura superficiale del romanzo di Sueiro, pur ricorrendo alla tradizionale divisione in capitoli, si avvale prevalentemente, per indicare le varie sequenze narrative, di spazi bianchi. I tre capitoli che articolano *La noche más caliente* si possono allora considerare come gli atti di un dramma, e non solo per ragioni esterne di tipo analogico. L'azione, che è unitaria, si svolge nell'arco di una notte e, se si eccettuano alcuni spostamenti, tutti comunque effettuati nel limitato spazio delle campagne di Cebreros, possiamo affermare con tranquillità che anche l'unità di luogo viene sostanzialmente rispettata. Indizi, questi, che, insieme alla preponderanza del dialogato rispetto all'affabulato, fanno ritenere che Sueiro volesse costruire un'opera molto vicina al dramma popolare o alla tragedia rurale.

Il tema del romanzo ed il suo sviluppo sono elementari, come si conviene al genere ipotizzato: sei amici, dopo avere assistito ad un matrimonio celebrato ad Ávila, rientrano a Cebreros, ubriachi e stipati in una macchina impregnata dai fumi dell'alcol. In paese, continuano a bere senza freno per tutta la notte. Il crescere dell'esaltazione li porta ad una litigiosità diffusa. Si beccano tra di loro e con quanti incontrano nei bar che visitano. A poco, a poco, riaffiorano in due di loro, Tomás e Mariano, vecchi e sopiti rancori. Sia Tomás, dirigente politico

[8] "Nada se ha perdido, pero tampoco se ha ganado todo; realmente, no se ha ganado casi nada, se ha avanzado muy poco". Cfr., D. Sueiro, *Silencio y crisis...*, cit., p. 165.

[9] Basanta osserva, e con lui la mggior parte della critica, che: "aquel equilibrio artístico entre testimonio social y esmerada elaboración literaria alcanzado en la novela neorrealista se quiebra en la mayoría de las narraciones del realismo social a causa de una mayor preocupación social por el contenido de la denuncia en perjuicio de la coherencia formal y de la expresión lingüística". Cfr. A. Basanta, *Literatura de la postguerra: La narrativa*, Madrid, Cincel, 1981, p. 45. Sempre Basanta, salva per qualità letterarie *La noche más caliente*, oltre a qualche altro romanzo, pochi per la verità, neorealista. Sueiro, da parte sua, non fu insensibile ai cambiamenti che toccarono la Spagna a partire dal '60, come sottolinea D. Villanueva nel prologo alla raccolta dei *Cuentos completos*, Madrid, Alianza, 1988.

screditato, che Mariano, piccolo proprietario terriero, sono uomini violenti e tracotanti, '*caciques*' di bassa lega, insomma antieroi conclamati.

Quello che un tempo si indicava come il contenuto del romanzo è senz'altro affidato al tema del cainismo, in tutte le sue possibili varianti, dall'affermazione paesana al rancore politico, ereditato dalla guerra civile. Tuttavia, esistono altre chiavi di lettura, che arrichiscono il testo e lo liberano dalle pastoie avare di un lavoro a tesi. La più importante, origina proprio dal titolo. Il caldo opprimente, sia esso atmosferico o veicolato dall'alcol, che si respira quasi in ogni riga de *La noche más caliente*, indica la volontà di creare un ambiente sordido ed estremo che favorisca ogni contraddizione esistenziale dei protagonisti. Un clima che ricorda il sud di Faulker o le ambientazioni di taverna di Hemingway[10].

Le sequenze del romanzo di Sueiro, oltre che al dramma o alla tragedia rurale, sono anche riconducibili naturalmente al mezzo cinematografico. Certe descrizioni, come quella iniziale dell'arrivo della macchina nel paese, sono come proiettate sull'improvvisato schermo della carta, sono immagini visive stampate[11].

Tre bar, una piazza, due strade con qualche casupola e, subito a ridosso, la campagna. Sono questi gli sfondi dell'azione, pretesto del *climax* ascendente che ritma il tempo della parossistica circostanza umana dei sei amici. I quali, sempre più ebbri, si muovono, prigionieri, in quegli spazi ridotti, oppressi dalla calura, dall'alcol ma, soprattutto, dalle frustrazioni e dalla loro noia esistenziale. La litigiosità e l'ossessione sessuale producono linguaggio senza pause, sino a che la morte non interviene a ristabilire il silenzio, in attesa che il nuovo giorno ricostruisca altre impalcature sceniche, altri sfondi provvisori per nuove tragedie:

> Mariano cayó de bruces sobre la acera de la plaza, con las piernas y los brazos extendidos y abiertos, y Thomás murió cara arriba en una actitud bastante grotesca, con una pierna y un brazo torcidos debajo del cuerpo.

[10] Secondo Villanueva, ricorda specialmente *The Last Night of Summer*, di Caldwell. Cfr. *Cuentos...*, cit., p. X.

[11] Sueiro fu autore anche di sceneggiature cinematografiche. S. Beser nel suo articolo, *La narrativa de Daniel Suero*, in "Destino", 6 dicembre 1969, segnala alcune analogie tra *La noche...* ed il film di Saura *La caza*. A.M. Navales in, *Cuatro novelistas españoles*, Madrid, Fundamentos, 1974, trova delle analogie tra il testo di Suero e il film di Saura "en el procedimiento de concentración temporal y en el progresivo clima de violencia que se va forjando, pero no en el asunto", p. 177.

A su lado estaban los postes y las tablas de las barreras de la plaza de toros, que se iba a empezar a montar para las corridas de las fiestas del pueblo...

Empezaba a clarear, al fondo de la calle, más allá del pueblo y de la sierra, el nuevo día. También iba hacer un día bueno de calor[12].

Si è accennato all'ossessione sessuale come ad un referente di primo piano del romanzo; sarà ora opportuno aggiungere che il tema non ha sviluppi di nessun genere. È un topico, un dato di fatto, una fotografia stereotipata della Spagna franchista e contadina. Il sesso di cui parlano i protagonisti è un emblema mascolino privo di coloriture psicologiche, è senza fantasia, da caserma. La donna esiste in quanto *hembra*, femmina, ricettacolo della supposta potenza virile. La sua quotidiana razionalità è dileggiata, e comunque sempre inascoltata. Quando si esprime lo fa flebilmente, tra amarezze, rancori e sdegni che cadono nel vuoto. Solo la prostituta, quella che Mariano ha portato da Madrid, ha titolo per tener testa al gruppo di amici, anche se di lei il narratore offre una descrizione generica e convenzionale:

Era una mujer delgada y joven, menuda de cuerpo, con poco pecho y amedrentada[13].

con sentimenti anch'essi comuni a tutte le donne:

Veía el álbero desde lo alto, la tierra por entre las hileras de vides, del mismo color irreal de la luna. Al alzar la cabeza para mirarla, brillaron en sus ojos los destellos de las lágrimas[14].

Donna come tutte, la prostituta acquista una valenza mitica nell'esercizio del suo triste ufficio. La sua diventa una cerimonia rituale, lei, e solo lei, è la sacerdotessa del sesso che domina l'animo maschile. Il suo linguaggio, in cerca di un decoro ieratico che simpatizzi con la sfera mitica, sfocia nel verso:

La española, cuando besa,
es que quiere de verdad,
y a ninguna le interesa
besar por frivolidad[15].

[12] *La noche...*, cit, pp. 244 e 245.
[13] *Ibidem*, p. 158.
[14] *Ibidem*, p. 157.
[15] *Ibidem*, p. 158.

Le forze della natura si esprimono nella profondità culturale di un metro, l'ottosillabo, e di una strofa, la *cuarteta*, che sgorgano spontaneamente dall'intimo femminile, ed è traduzione degli automatismi ancestrali che lo scongiuro d'amore evoca.

Di fronte alla realtà volgare del suo adepto, in questo caso Mariano, essa riacquista la sua natura animalesca e pretende almeno il rispetto dei patti.

Ma è il romanzo, nella sua globalità, che fa sempre leva su due registri, quello della bestialità umana, rappresentato dal paese, e quello della delicatezza, delle luci e dei colori, che ha come referente la campagna. Da una parte, il dialogo, sostenuto da un lessico sciatto, ingiurioso, raccapricciante, domina incontrastato. Privo di un indirizzo logico, fluttua tra sospensioni, interrogazioni vane ed esclamazioni continue, ed è ricco di equivoci concettuali e verbali: il suo realismo sconfina continuamente nell'espressionismo tremendista.

Dall'altra, la voce narrante che si intenerisce al contatto della natura. In questi casi, si colgono brevi ed intensi passaggi che parlano quando di una luna sospesa, mobile e decrescente nei suoi giuochi di luci ed ombre, quando del canto dei grilli sotto quella stessa luna, quando dei gridi dei bambini tra i sugheri e i castagni, nel fuoco del tramonto:

> gritando como pájaros por lo alto de las ramas de los alcornoques y los castaños, a aquella hora en que el sol caía y dejaba rastros anaranjados, casi sangrientos, en los cristales de las casas y en el fondo del cielo[16].

Delicatezza di chi sta fuori, e violenza di chi vive prigioniero del suo ineluttabile destino: letteratura e cronaca. E la distanza tra le due rappresentazioni deve, a mio avviso, misurarsi in quel lungo avverbio, *aproximadamente*, il quale interrompe la certezza cronachistica dell'enunciato, *Las cosas ocurrieron... así*, che precede il romanzo. L'approssimazione è il luogo del narratore, il suo spazio franco, a cui, per nessuna ragione al mondo, la voce onnisciente deciderà di rinunciare. Quella voce sa bene di non poter intervenire nel tragico crescendo di autoannullamento e morte dei suoi personaggi, ma sa anche, o lo spera, che la molteplice realtà umana non è tutta soggetta al determinismo. La coscienza individuale, l'uomo singolo, è ancora in grado di cogliere gli aspetti di una natura non compromessa dalle istituzioni sociali. Dentro il branco, l'uomo procede inarrestabilmente per sentieri prestabiliti, vuoi dalla sua collocazione ambientale, vuoi dalle regole non scritte della microsocietà a cui appartiene; fuori, ha tempo e modo per soffermarsi sugli elementi naturali, sulle corrispondenze

[16] *Ibidem*, p. 11.

che questi paiono osservare con gli eventi, ecc.. E lo scrittore occupa appunto questo secondo spazio. Il suo luogo è quello dello *aproximadamente*, vale a dire della libertà.

Si è detto all'inizio di alcune somiglianze tra la scrittura de *La noche más caliente* ed il naturalismo, sarà ora forse opportuno aggiungere che tali somiglianze cessano quando il narratore reclama per sé l'approssimazione ai fatti, che sono stati lo spunto del racconto. Così come si attenua il realismo dello stesso, nel momento in cui una puttana intona, in situazione bucolica, la sua canzone d'amore. Nemmeno gli spunti tremendisti sopportano l'approssimazione della voce narrante. Ne è prova evidente la conclusione dell'opera, senza invettive, ma anzi densa di calda aspettativa, se non proprio di speranza:

Empezaba a clarear, al fondo de la calle, más allá del pueblo y de la sierra, el nuevo día.

Algunos aspectos narrativos en un fragmento de *La ciudad de los prodigios*, de Eduardo Mendoza

DANTE LIANO

La narrativa española de la posguerra ha dado obras de gran importancia para la literatura europea contemporánea. Algunos novelistas, no obstante el poco tiempo que, en la historia de la literatura, significan 50 años, resultan imprescindibles, incluso clásicos del género. La aspereza hiperrealista de *La familia de Pascual Duarte,* el Madrid funambólico y prismático de *La colmena,* confieren a Camilo José Cela la calidad de un punto de referencia indispensable en el periodo. Por su parte, Luis Martín Santos realiza el prodigio de crear, con una sola novela, *Tiempo de silencio,* un estilo y un modo de narrar. Se trata de narradores poderosos, cuya fuerza se nutre de la autobiografía y de la impregnación en la realidad social. También, su aspiración de adoptar y experimentar las técnicas literarias más contemporáneas, sin abandonar la corriente subterránea de la gran tradición española, produce novelas como *El Jarama,* de Rafael Sánchez Ferlosio, audaz seguimiento caligráfico, enfocado en un pequeño grupo visto bajo la lupa del lenguaje. Clásico es, sin lugar a dudas, el adjetivo que se adecua a Miguel Delibes, cuya experiencia e imaginación se vierten en un español de léxico riquísimo, último testimonio de una España rural en vías de modernización. Son obras densas, complejas, articuladas, cuya sedimentación crea el precedente necesario para toda indagación narrativa de una cierta calidad. Se trata, también, de obras que surgen de un sustrato muy amplio, con una producción vasta y rica, con novelas como las de Laforet, Goytisolo, Fernández Santos, Carmen Martín Gaite, y tantos otros[1].

[1] Para una visión general del fenómeno, cf. G. Sobejano, *Novela española de nuestro tiempo,* Madrid, Editorial Prensa Española, 1975. Como en la mayoría de obras de este tipo, el lector puede encontrar allí una extensa descripción de los narradores contemporáneos, una especie de guía de orientación para ordenar los autores por producción y época.

Cuando un narrador como Eduardo Mendoza, nacido en Barcelona en 1943, se lanza a la aventura de la publicación, en 1975, con *La verdad sobre el caso Savolta*[2], está trabajando con la ventaja de caminar en un sendero ya explorado y bien asentado por sus seguros antecesores, y, al mismo tiempo, está osando entrar en un terreno que tiene altas cimas para igualar. Declaro, de inmediato, que considero a Mendoza uno de los más importantes narradores españoles contemporáneos, por la seriedad y el rigor de su compromiso literario. En la evolución de su producción se nota la inquietud de la búsqueda, sea de un estilo que dé una estructura eficiente para las historias que se le ocurre contar. Se nota, también, una observación muy atenta de la construcción de la novela, a la formalización de un género cuyas leyes resultan muy severas.

Esta primera novela relata la investigación sobre el asesinato de Domingo Pajarito de Soto, un idealista que vive en la Barcelona de primeros de siglo. El protagonista, Javier Miranda, lleva a cabo su inquisición hasta descubrir no sólo a los asesinos sino una maquinosa conjura de tráfico de armas.

La verdad sobre el caso Savolta se destaca por la singularidad de su sintaxis narrativa. Mendoza se sitúa fuera de la tradición, realista, y, en lugar de un seguimiento lineal de la anécdota, coloca las piezas del conjunto de la narración en forma aparentemente desordenada. Así, al primer texto con que se abre la novela, fechado en 1917, sigue otro de diez años después, a caso cerrado y concluido. La primera parte del relato, más que la segunda, alterna continuamente segmentos temporales discontinuos, fragmentarios, despedazados, que poco a poco van conformando varias líneas narrativas con una coherencia interna. Toca al lector el armado del rompecabezas, y este juego cómplice forma parte del placer de la lectura.

La fragmentación del tiempo se corresponde con la fragmentación del punto de vista. A la aparente objetividad del documento se mezcla un diálogo casi teatral, y a estos dos, las reflexiones de Javier Miranda, cuyo recuerdo va hilando, con la fuerza de la subjetividad, la visión de los hechos. Es como si la materia narrada cobrara cuerpo, y fuera ofrecida al lector como una escultura, que sólo puede ser apreciada al girar a su alrededor. Esta fragmentación del *yo narrativo* es un punto de ruptura con otra de las grandes tradiciones modernas: la pintura de la individualidad como punto fuerte de la psicología del personaje. Aquí, la indagación psicológica baja muchos escalones en la jerarquía de valores de la novela: importan los hechos presentados tal y como se ofrecerían en la realidad. La única psicología puesta en juego es la del propio lector.

[2] E. Mendoza, *La verdad sobre el caso Savolta,* Barcelona, Seix Barral, 1975.

Mendoza hace gala de un virtuosismo lingüístico que se pone al servicio de los dos puntos señalados anteriormente. El autor demuestra un talento natural para la imitación de los diversos registros del habla, desde la conversación chocarrera hasta la conversación fingidamente delicada y cursi de las señoras de la alta sociedad. Un ejemplo de este caso se encuentra al inicio. Dos señoras conversan sobre el futuro de una de sus hijas:

-Rosa, con la mano en el corazón, dime la verdad: estás pensando en casar a tu hija.

-¿Casar a María Rosa? Qué cosas se te ocurren, Neus!

-Y no sólo eso: has elegido al candidato. Anda, dime que no es verdad, atrévete.

La señora de Savolta se ruborizó y ocultó su confusión tras una risita queda y prolongada.

-Huy, Neus, un candidato. No sabes lo que dices. ¡Un candidato! Jesús, María y José...[3]

Frente a esta conversación pudibunda, hay una escena de burdel, pocas páginas más adelante, en la que un marinero arroja los restos de bocadillo sobre una pésima cantante, como muestra crítica de su disgusto estético. La otra lo cubre con improperios, dignos del ambiente en que se encuentran, y el escándalo que se arma hace reflexionar, sentenciosamente, a una de las prostitutas:

-Esto es un vertedero ahora –comentó-, pero en otro tiempo hubo aquí cosa buena.[4]

Tales ejercicios de virtuosismo escritural encuentran su plenitud en el uso del *pastiche*[5]. Mendoza presenta toda una serie de documentos apócrifos, en donde parodia los diferentes niveles de escritura que pueden estar presentes en la burocracia, en el periodismo o en el lenguaje formal epistolar. La intención parodística es notable por el respeto a la forma externa del documento y, al mismo tiempo, por su contenido frecuentemente humorístico, que revela la intención burlona de Mendoza. Un buen ejemplo de ello puede ser la "Carta de Nemesio Cabra Gómez al Comisario Vázquez de la misma fecha dando cuenta de su triste situación". Texto y título de la carta, no solamente parodian una determinada forma de escribir, sino que aluden muy claramente a la literatura clásica española, en particular a la novela picaresca. Veamos un fragmento:

[3] E. Mendoza, *op. cit.*, p. 21 .

[4] *Ibid.*, p. 55.

[5] Cf. P. Jameson, Il *postmoderno,* Milano, Garzanti, 1989, p. 35.

Dulcificada mi alma y serenado mi espíritu me decido a escribir esta carta para que sea usted partícipe, como lo es Dios Nuestro Señor, de las grandes calamidades que por mis pecados me persiguen. Pues sepa usted, señor comisario, que advertidos aquellos doctos hombres que me había yo curado de mis dolencias por la intercesión del Espíritu Santo, me dejaron volver a los senderos del Señor, donde el trigo y la cizaña tan mezclados andan. Y es así que por mi culpa y ceguera fui a dar en un mal paso que a estas prisiones me ha traído como antes fui a parar a la nauseabunda celda que usted ya conoce y que sólo con la ayuda del Altísimo me fue posible abandonar[6].

La fragmentación del discurso narrativo nos propone un problema acerca de la mímesis en el relato que tiene mucho que ver con el mayor o menor alejamiento del realismo. Como bien es sabido, realismo y naturalismo planteaban la necesidad de "fotografiar" la realidad, de recrear, en el texto literario, las condiciones espacio-temporales análogas a las condiciones espacio-temporales de la realidad, determinada, esta última, por la situación social circunstante. La técnica del *pastiche,* con su imitación de registros lingüísticos, de documentos de todo tipo, de puntos de vista disímiles y hasta contradictorios, no es más que una exasperación del proceso mimético inaugurado por el realismo. Se trata de una imitación *del discurso de la realidad* para crear un *efecto de realidad.* Por tanto, se trata de una desviación del realismo solamente en apariencia, en verdad, nos encontramos delante de una exasperación del principio realista de imitación de la realidad[7].

El discurso que nosotros conocemos como "realista" no es más que un simulacro del discurso histórico tradicional. El concepto aristotélico de la "intriga" consiste en la ordenación de los hechos, según un determinado esquema (introducción, nudo y desenlace), diferentemente a como los hechos sucedieron en la realidad. Como señala Hayden White, los acontecimientos, por sí mismos, no tienen ninguna significación. Simplemente se dan, "son", en el caos desordenado del fenómeno. Para que los acontecimientos se hagan históricos necesitan adoptar la forma clásica narrativa, que confiere a los hechos una trama, un principio organizador que deviene significación[8]. Con esto se quiere decir que el narrador tradicional, al estilo de Balzac, no hace más que aplicar un concepto de la mímesis; el quiebre de esa tradición, como en el caso de John Dos Passos

[6] *Ibid.*, pp. 178-179.

[7] Cf. E. Hauser, *Historia social de la literatura y el arte,* Vol. III, Madrid, Guadarrama, 1968, pp. 21-76.

[8] H. White, *El contenido de la forma. Narrativa, discurso y representación histórica*, Barcelona, Paidós, 1992, pp. 17-39.

o Virginia Woolf (y, por lo que nos interesa, de Eduardo Mendoza), sería simplemente otro concepto, el concepto platónico, según la expresión de Ricoeur:

> Da Platone ricaviamo il senso metafisico conferito alla *mimesis,* in raccordo con il concetto di partecipazione, grazie al quale le case imitano le idee, e le opere d'arte imitano le cose. Mentre la *mimesis* platonica pone, tra l'opera d'arte e il modello ideale che ne è il fondamento ultimo, una distanza di secondo grado, la *mimesis* di Aristotele ha un solo ambito: il fare umano, le arti di composizione[9].

Ello significa que la composición narrativa de Mendoza, en *La verdad sobre el caso Savolta,* es todavía más apegada a la intención de copiar la realidad que la composición narrativa tradicional. Su aparente caos retrata el aparente caos de la realidad y cumple con aquella función del arte que Platón estigmatizó como "simulacro del simulacro".

Las dos novelas sucesivas de Mendoza, en cambio, señalan un viraje importante en la concepción de la narrativa. Se trata de *El misterio de la cripta embrujada*[10] y de *El laberinto de las aceitunas*[11]. Ambas son parodias de la novela policial norteamericana y el tono parodístico se extiende a toda la armazón de las novelas: personajes, situaciones, diálogos y el conjunto mismo de la trama resienten de esta propuesta. El protagonista de ambas es un loco al que las autoridades sacan del manicomio cada vez que tratan de resolver un caso particularmente intrincado. El lector que acepta semejante pacto narrativo debe inmediatamente tomar por buenas las delirantes aventuras de un chiflado que, según la mejor de las tradiciones, resulta más lúcido que el común de los mortales. Se trata de libros experimentales en los que Mendoza da rienda suelta a diferentes pulsiones narrativas que había tenido bajo control en su primera novela. El gusto por lo grotesco se redobla y se transforma en una búsqueda continua de comicidad, no siempre lograda. Así, al principio de *El misterio de la cripta embrujada,* el efecto cómico se obtiene a través del contraste entre "fui apeado" y "de un preciso puntapié":

> Fui apeado, cuando más embelesado estaba contemplando el bullicio de una Barcelona de la que había estado ausente cinco años, de un preciso puntapié ante la fuente de Canaletes, de cuyas aguas clóricas me apresuré a beber alborozado[12].

[9] P. Ricoeur, *Tempo e racconto,* Vol. I, Milano, Jaca Book, 1986 (*Temps et récit*, Tome I, Paris, Editions du Seuil, 1983).

[10] E. Mendoza, *El misterio de la cripta embrujada*, Barcelona, Seix Barral, 1979.

[11] E. Mendoza, *El laberinto de las aceitunas,* Barcelona, Seix Barral, 1982.

[12] E. Mendoza, *op cit.*, p. 29.

O, más adelante, la descripción de un allanamiento policial:

-¡Policía! ¡Abran o derribamos la puerta!
Frase que demuestra el mal uso que hacen de las conjunciones nuestras fuerzas del orden, ya que, a la par que tal decían, procedieron los policías en número de tres, un inspector de paisano y dos números uniformados, a derribar la endeble puerta, a entrar en tromba blandiendo porras y pistolas y a exclamar casi al unísono:
-¡No moverse! ¡Quedáis ustedes detenidos!
Términos inequívocos ante los que optamos por obedecer levantando los brazos hasta que los dedos quedaron atrapados en las telarañas que a manera de baldaquín pendían de las vigas[13].

Sin embargo, la soltura y la fluidez que caracterizan este período de Mendoza a veces provocan caídas de tono:

Bastará, para dilucidar este punto, echar una hojeada a los libros mayores y menores, que los comerciantes ocultan con igual celo que las mujeres los labios homónimos[14].

Ambos libros adolecen de esta búsqueda continua del efecto cómico, de una complacencia no controlada en el chiste, que contrasta efectivamente con el refinamiento literario demostrado por Mendoza en el resto de su obra.

La imitación de la manera de hablar de los diferentes tipos sociales resulta uno de los hallazgos más relevantes en esta etapa del novelista. Detrás del aparente descuido y hedonismo de estos relatos, se encuentra una visión rigurosa y moral de la sociedad. Quizá por esto, el registro discursivo evita toda prédica, toda consideración que no sea paradójica, sorteando sentimentalismo y solemnidad, como dos peligrosas trampas retóricas. En las dos novelas policiales de Mendoza, la guasa y el humor negro predominan, con mucho, sobre el resto de características. Excepto una: la perfecta construcción de las tramas, que nada tiene de experimental, y que se coloca en el otro extremo de La *verdad sobre el caso Savolta*. En las dos novelas en cuestión, Mendoza sigue una trama lineal, un punto de vista más o menos estable, y un desarrollo sin tropiezos de la narración. Su interés mayor reside en la continua experimentación de lo que podríamos llamar, si la expresión poco técnica nos es permitida, una cierta soltura del lenguaje. De todas maneras, podemos decir que el autor demuestra una habilidad fuera de lo común en la construcción de sus tramas.

[13] E. Mendoza, *op. cit.*, pp . 48-49.
[14] *Ibid.*, p. 171.

Lo había demostrado en su primera obra y lo confirma en *La ciudad de los prodigios*[15], la novela que lo ha confirmado como uno de los narradores contemporáneos más valederos. En esta última narración se recoge toda la experiencia anterior con un propósito ambicioso: la interpretación de la ciudad de Barcelona a través de un cierto período de su historia. Salen a flote sus mejores virtudes: la trama resulta de una perfección admirable, no obstante la infinidad de personaje y la variedad de tramas secundarias; la atmósfera de la Barcelona de esos años se convierte en algo fantástico, como el título de la novela lo anuncia, sin que sea hiperbólico o mágico, las infinitas transformaciones, travestimentos, mascaradas, equívocos y carnavaladas que pueblan la novela le dan un ambiente chaplinesco, la comicidad resulta incontenible, y, por ende, la novela se lee con gusto. A veces, algunos personajes sufren de su aspecto esperpéntico y quedan como puras marionetas; otras, la comicidad, aunque siempre eficaz, corre el riesgo de sentirse forzada. Mucho se ha hablado de la ironía de Mendoza. En su narrativa, quizá resulte más justo hablar de humorismo, de gracia.

Hay una cuestión estilística y una cuestión de contenido, recurrentes ambas, en Mendoza. La cuestión estilística tiene que ver con el tratamiento de los personajes. Da la impresión de que el autor se "extrañe" de ellos: una especie de titiritero sádico, que, una vez creada la marioneta, se burla de sus torpes tentativas de moverse por el mundo. El lector recaba la impresión de que Mendoza evita, por principio, la simpatía hacia su personaje, o, dicho de una forma un poco melodramática, de que el autor se encuentra imposibilitado de establecer relaciones pasionales con sus criaturas.

La cuestión del contenido se encuentra en la época elegida. Los primeros años del siglo coinciden con la vertiginosa urbanización de Barcelona, con la migración del campo a la ciudad, con la instalación de grandes fábricas, con el punto más alto de prestigio que haya alcanzado el mito del progreso. Es un fenómeno que Auerbach ha descrito muy bien[16]. Esta nueva situación crea nuevas relaciones sociales. Me parece entender, en las obras de Mendoza, que la llegada de dichas nuevas relaciones sorprenden impreparado a su protagonista: al ciudadano de una metrópoli. Responde con argucia, con hábiles y astutas maniobras de acomodamiento, pero, en resumidas cuentas, no logra dominar completamente el pasaje a la era industrial. Se resienten, por tanto, las relaciones

[15] E. Mendoza, *La ciudad de los prodigios,* Barcelona, Seix Barral, 1986.

[16] E. Auerbach, *Mimesis: la realidad en la literatura,* México, Fondo de cultura económica, 1950, pp. 493-521. (Ed. original: *Mimesis*: *Dargestelle Wiklichkeit in der Abendlandischen Literatur,* Berna, A. Francke AG., 1942).

entre los hombres, que no logran verse entre sí con la plenitud y la profundidad necesarias, sino, al contrario, se contemplan como funciones sociales, como estereotipos, como puras máscaras: el gran teatro del mundo se ha vuelto una función de títeres. De aquí el tratamiento que el novelista da a sus personajes. Y de aquí, también, otra de sus características fundamentales: la comicidad. El clima farsesco de sus novelas (más en las últimas que en la primera) proviene, me parece, de la situación misma de los personajes que no pueden actuar de otra manera.

Uno de los más grandes aciertos de Mendoza se encuentra en el tratamiento del tiempo. Mientras que, en *La verdad sobre el caso Savolta,* la fragmentación del tiempo (que es pareja a la fragmentación del discurso) implica una mímesis del tiempo histórico, del tiempo cronológico; en cambio, en *La ciudad de los prodigios,* la *imitación del discurso histórico* crea la ilusión de un tiempo mítico. La felicidad de los títulos se demuestra también aquí: "la verdad" sobre el caso Savolta resulta una mentira (desde el punto de vista del tiempo narrativo), lo prodigioso, lo más prodigioso en "la ciudad de los prodigios" resulta ese tiempo fuera del tiempo real en que todo transcurre. Quizá, como repetidas veces lo afirma, Mendoza no hace una búsqueda de tipo "moral" o "de contenido". Lo que sí trata de establecer, como una verdadera obsesión, es el tipo de conocimiento que se puede obtener cuando uno se sitúa en el lindero que separa y une el tiempo histórico con el tiempo de la memoria.

Quisiera hacer resaltar un episodio de *La ciudad de los prodigios* que nos muestra la habilidad técnica del autor. Se trata de un "relato-dentro-del-relato", de importancia secundaria para el conjunto, pero que, como ocurre frecuentemente, pone al desnudo algunas de las características fundamentales del narrador. Es una historia bastante breve[17], cuya "totalidad" estructural le da las dimensiones de un cuento. Ocurre que el protagonista, Onofre Bouvila, debe abandonar precipitadamente Barcelona a causa del advenimiento de la dictadura de Primo de Rivera. Busca refugio en el pueblo natal, en casa de su hermano Joan. Este es el alcalde, el cual "despachaba los asuntos de la alcaldía con astucia y deshonestidad"[18].

Juan vive con una viuda, la cual pronto adquiere una importancia mayor que la que inicialmente parecía tener. Por otra parte, el hermano del protagonista se mantiene en perpetuo estado de ebriedad, sin que alcoholismo, barraganería y deshonestidad administrativa escandalicen mayormente. Los primeros días en el pueblo transcurren en la natural alegría de la novedad, hasta que el prota-

[17] E. Mendoza, *La ciudad de los prodigios,* Barcelona, Seix Barral, 1986, pp. 319-329.
[18] *Ibid.*, pp. 324-325.

gonista va descubriendo, paulatinamente, los defectos profundos de la provincia. Los personajes principales: el rector, el médico, el veterinario, el farmacéutico y los dueños del colmado y de la taberna se creen en la obligación de rendirle untuoso homenaje, en virtud de su fama de rico. Dicha actitud repele al protagonista, quien se toma una pequeña venganza al burlarse continuamente de las ideas religiosas del rector. Una noche se emborracha, y al despertar al día siguiente, se da cuenta de haber dormido con la mujer de su hermano. Busca refugio en el campo, y cree haber hallado una paz bucólica cuando descubre, entre la vegetación, el cadáver del rector, fulminado por un escopetazo. Al sentir que las sospechas del asesinato pueden recaer en él, decide huir del pueblo y regresar a la ciudad.

Lo que debía haber sido una relajada vida en el campo se transforma en un sustituto de la frenética vida de la ciudad. Nos encontramos, pues, delante de un manejo de los espacios que se convierte, en virtud del manejo de los elementos narrativos, en un manejo de símbolos. El espacio del "pueblo" se carga de significaciones por oposición al espacio de la "ciudad" y, en medio de ambos, el espacio del "campo" (el único espacio no civilizado), funciona como agente intermediario de la narración.

Sin salirnos de las páginas analizadas, podemos obtener una imagen bastante precisa del "espacio del pueblo", a través de las anotaciones, a veces feroces, que hace el narrador. Al principio, el protagonista comienza a enunciar todos los lugares comunes del ciudadano respecto de la provincia:

> Qué lento es todo aquí, siguió pensando Onofre. En la mitad del tiempo que llevaba en aquella casa había hecho a veces transacciones importantísimas. Aquí, en cambio, el tiempo no tiene ningún valor[19].

Un momento antes, había sentido un gran alivio al ver que existía, en su pueblo, agua corriente. Los primeros días de su estadía transcurren gratos y somnolientos: paseos par el campo, horarios a su antojo, vida solitaria. Pero pronto se van introduciendo, en esta imagen bucólica, los elementos que dibujan mejor la aparente placidez del espacio pueblerino: su hermano Joan "nunca había intentado hacer de su cargo otra cosa que un medio de vivir sin trabajar"[20] y las llamadas "fuerzas vivas" de la población son definidas como "pillos de vuelo corto"[21], o "parásitos obsequiosos"[22].

[19] *Ibid.*, pp. 320-321.
[20] *Ibid.*, p. 323.
[21] *Ibid.*

No obstante ello, el espacio del pueblo continúa siendo agradable, en cuanto opuesto y especular al espacio de la ciudad. Los periódicos de provincia se ocupan, en primer lugar, de los acontecimientos locales, y a Onofre se le hace especialmente difícil localizar las noticias políticas que le interesan. Al cabo del tiempo,

> empezó a pensar que tal vez aquel orden de prioridades no fuera tan desatinado como le parecía al principio. Ahora, en cambio, era él quien consideraba fútil todo lo que hasta hacía poco le había parecido importantísimo[23].

En el espacio del pueblo se encuentra otro elemento de indudable positividad: la memoria infantil. Porque los escondites reales son miserables y sin importancia, resalta la importancia de la mitologización operada por la memoria: en ella, se habían convertido en "lugares encantados, preñados de peligros y maravillas"[24].

Sin embargo, ello no quita que la realidad actual del pueblo sea completamente mezquina y reducida.

Hay un trozo que es revelador de la visión final del Protagonista respecto del "espacio del pueblo". Mientras más avanza en la intimidad con la mujer, ésta le revela las pequeñas miserias del lugar, de manera que puede concluir con una pintura absolutamente negativa:

> bajo la armonía ficticia que imperaba en el pueblo hervían pasiones bajas y odios arraigados de antiguo, envidias y traiciones; según ella, los campesinos de aquel valle eran seres degradados por enfermedades congénitas, seres fríos y desalmados que dejaban morir de inanición a los ancianos, practicaban el infanticidio y torturaban por puro placer a los animales domésticos[25].

El "espacio del campo", en cambio, es el único que da tranquilidad al protagonista. Allí recupera, de manera auténtica, el espacio maravilloso de la infancia. Mientras que la dura realidad del pueblo le hace descubrir que sus recuerdos pertenecen a una sublimación de la infancia, pues los recovecos son o "impracticables"[26] o "pequeños y miserables"[27].

[22] *Ibid.*, p. 324.
[23] *Ibid.*, p. 324.
[24] *Ibid.*, p. 324.
[25] *Ibid.*, p. 326.
[26] *Ibid.*, p. 324.
[27] *Ibid.*

En cambio, el riachuelo y el campo abierto reconcilian recuerdo con realidad. Al riachuelo iba con su padre, recién regresado de Cuba, y tal y como entonces:

> Ahora tampoco pasaba día sin que acudiese al riachuelo: se sentaba en una piedra y miraba discurrir el agua y saltar las truchas y escuchaba aquellos ruidos claros, que siempre parecían estar a punto de ser palabras[28].

Es muy clara la carga simbólica de "origen", de "vida" (las truchas que saltan) y de inocencia (los ruidos claros del agua, un pre-lenguaje, una imitación del balbuceo infantil) con que se carga al arroyo. En el contexto, esta nostalgia de ingenuidad contiene un signo positivo en un personaje, como Onofre Bouvila, que ha hecho del cinismo el instrumento de intercambio con sus semejantes. No cabe duda que es un momento de debilidad del personaje, pues semejante sentimentalismo sólo puede permitírselo en un espacio lejano al de la ciudad, pero también al del pueblo, en donde sigue ejerciendo un agnosticismo autocomplaciente. En la ciudad, con los negocios que lo han enriquecido; en el pueblo, con sus juegos dialécticos al discutir con el inexperto rector. Sólo frente al arroyo, el personaje se desarma y queda desnudo, abierto a la sugerencia casi lingüística del curso de agua.

El campo mismo aparece descrito con notas semejantes. Apenas más allá del riachuelo se extiende el campo abierto, el escenario de sus paseos en libertad. El espacio de ese campo abierto comienza en donde hay unas sábanas extendidas: "allí se secaban al sol, que resaltaba su blancura sobre el fondo oscuro de los arbustos"[29].

Nos encontramos de nuevo con la simbolización de la inocencia o de la ingenuidad, concentrado, el símbolo, en las sábanas blancas, metáfora no oculta de lo inefable: el nacimiento y la muerte, blancos espacios de pasaje entre la tiniebla y la luz, entre lo no-dicho y lo dicho. A la fuerza visiva del campo, se une la sensación olfativa. El olor del campo es el olor de los recuerdos, que es identificado con el olor de la vida: "aquí, oler y respirar eran una misma cosa"[30].

El protagonista había buscado, en el pueblo, los recuerdos perdidos. Como se ha visto, no los encuentra. En cambio, en el espacio del campo, halla toda la dimensión mnemónica que le faltaba:

[28] *Ibid.*
[29] *Ibid.*
[30] *Ibid.*

El camino que llevaba al riachuelo estaba ya cubierto de hojas secas y al pie de los árboles crecían setas de muchos colores y formas: era el otoño. Onofre se dejaba invadir por estas sensaciones que le traían recuerdos muy distantes e imprecisos; estos recuerdos cruzaban fugazmente su memoria, como sombras de pájaros en vuelo. Cuando quería seguir la pista de uno cualquiera de estos recuerdos se encontraba perdido en una niebla densa; entonces tenía una especie de ensoñación recurrente: creía reconocer la mano de su madre o de su padre que se esforzaban por guiarlo hacia un punto más luminoso y seguro[31].

Todos los sentidos entran en juego para definir la positividad del espacio del campo: la blancura de las sábanas, el olor del campo, el rumor de las hojas, la misma vista de ellas. La sinestesia induce el recuerdo a niveles muy altos: en efecto, el narrador habla inclusive de "ensoñación", de "estar perdido" dentro de una densa niebla y casi toca la alucinación cuando cree ver la mano paterna o materna en medio del transporte al que lo ha conducido el mundo de los recuerdos. Se tiene la impresión de que el Protagonista se quedaría toda la vida en ese lugar, si ese lugar hubiese conservado sus características intactas. Pero no es así. En primer lugar, la sombra del incesto (el haber dormido con la mujer de su hermano), si bien lejana, mancha pronto el idilio campestre; y, sobre todo, la sombra de un crimen, manchan para siempre la ilusión de paz y perfectibilidad que habían caracterizado el campo. Desilusionado, el protagonista regresa al "espacio de la ciudad" de donde provenía.

El "espacio de la ciudad" nos es dado de reflejo (en el trozo específico que estamos examinando, pues en el contexto se da de manera explícita). Así, pronto entendemos que la ciudad es "campo" y "pueblo" en negativo. Por si no fuera claro algunas frases sueltas funcionan como indicios de las características del espacio que se ha dejado atrás:

Sólo ahora empezaba a vislumbrar el carácter verdadero de la sociedad brutal en la que se movía con tanta autoridad y tanta soltura aparente. El cinismo cándido de los años mozos era ahora reemplazado por el pesimismo horrorizado de la madurez[32].

Los adjetivos usados para caracterizar la ciudad contrastan con fuerza con la imagen trazada del "espacio del campo". Si la sociedad es "brutal", el oxímoron del "cinismo cándido", espléndido y equívoco, se explicita en el "pesimis-

[31] *Ibid.*
[32] *Ibid.*, p. 322.

mo horrorizado" que no deja lugar a males entendidos. Mucho más explícita es su reflexión comparativa entre la vida que hubiese podido llevar en el campo y la vida que efectivamente llevó en la ciudad: "si no hubiera optado en su día por la vida aventurera que había llevado, habría podido disfrutar de una vida rica en afectos y ternura"[33].

Resulta claro, por oposición, que la vida en la ciudad está cargada de una simbolización negativa, cuya señal mayor es la carencia de afectividad.

Los tres espacios simbólicos que hemos delineado resultan opuestos y graduales: el espacio del campo es el de la memoria, el de la ensoñación, de la pureza, de la ingenuidad, de la inocencia; apenas sutilmente separado se encuentra el espacio del pueblo, aparentemente positivo mas íntimamente degradado, en donde degeneración e hipocresía, falsedad y cortesía enmascaran una realidad de envidias y rencores; en el extremo opuesto se encuentra el espacio totalmente negativo de la ciudad, en donde la caracterización es la brutalidad y el cinismo, el horror y el pesimismo, la total ausencia de afectos. Se trata, por supuesto, de un lugar común de la literatura urbana, cuyas raíces no muy lejanas se encuentran en la visión de la vida de provincia que debemos a Flaubert. Mendoza opera una sutil separación, en la utopía del retorno a la naturaleza, entre la provincia y el campo abierto, dejando intacta la positividad bucólica al "espacio del campo". Sobre todo porque, después del naturalismo decimonónico, cualquier exaltación de la provincia resulta improponible. Hay un moralismo de fondo en la fustigación de las relaciones sociales, sea en la ciudad que en la provincia.

A veces se hace explícito, casi un sermón, como en el caso del comentario del narrador a la resignación del pueblo ante la deshonestidad de su alcalde: "A este estado de cosas se había resignado la gente del pueblo. Consideraban que esto era el progreso y procuraban que les afectase lo menos posible"[34].

El tono sentencioso esconde al crítico de las costumbres, pues pasa, de contrabando, normativa por sabiduría. Por ejemplo, la ya citada reflexión sobre los olores en la ciudad y el campo: "En la ciudad, los olores, como las personas le parecían individualistas y agresivos... En el campo, por el contrario, los olores más diversos se mezclaban para formar un solo olor..."[35].

[33] *Ibid.*, p. 325.
[34] *Ibid.*, p. 323.
[35] *Ibid.*, p. 324.

O sobre las mujeres: “la facultad femenina de saber sin habérselo propuesto cosas que los hombres siempre ignoran por más que se hayan afanado por desentrañar”[36].

Sobre los pobres (aunque, como advierte inmediatamente el narrador, el Protagonista es rico): “Los pobres sólo tenemos una alternativa, se decía, la honradez y la humillación o la maldad y el remordimiento”[37].

La sabiduría narrativa de Mendoza se puede observar en el armado de este pequeño *excursus* a la historia que está contando. Podría formar, por sí sólo, una especie de pequeño relato. Sus personajes están muy bien definidos, sea por sus acciones individuales que por sus relaciones entre sí. Y la coherencia de su estructura semántica se revela en toda su solidez, aún bajo una lectura de superficie. Si realizamos un análisis de las transformaciones narrativas que conforman el fragmento, veremos que se cumplen todos los pasajes necesarios para la realización de una narración. Tenemos, ante todo, un sujeto de estado, el Protagonista Onofre Bouvila que se encuentra, al inicio de este trozo, en una relación de simpatía y conjunción con su pueblo natal. Lo que va a ocurrir de allí en adelante no es más que un conjunto de acciones necesarias para que este sujeto pase del estado inicial a un estado opuesto: el de aborrecimiento y definitivo alejamiento, llevado por su convicción personal y por los acontecimientos que se precipitan.

El marco de la narración lo hemos descrito a través de la ubicación de los espacios narrativos. Las fronteras espaciales (y simbólicas) están muy bien delimitadas: Pueblo y Ciudad tienen como frontera el camino. Pueblo y Campo tienen como frontera el riachuelo, y como puerta de entrada esas “sábanas blancas” que son como un letrero de pureza delante del espacio que está por abrirse.

El estado inicial en el que se encuentra el sujeto de la narración puede denominarse bajo el lema del “retorno”. Todo lo que pasará tendrá como finalidad hacer pasar al sujeto de esa situación a la situación opuesta, la de “fuga”. Para que ello ocurra, hay necesidad de que dos hechos complementarios, dos transacciones narrativas que conducirán al sujeto de estado por dos transformaciones.

Ambas transacciones tienen como finalidad dotar al sujeto de la competencia necesaria para efectuar su transformación principal: el pasaje del estado inicial, de simpatía y conjunción con su pueblo natal al estado final de aborrecimiento y definitivo alejamiento, sea por una convicción personal que por los acontecimientos que precipitan.

[36] *Ibid.*, p. 326.
[37] *Ibid.*, p. 327.

Para que el protagonista pueda llegar de ese estado inicial (retorno) al estado final (huida), tienen que ocurrir dos hechos que lo pondrán en las condiciones de hacer ineluctable su decisión. El primer hecho tiene como agente a la mujer, convivente de su hermano y ya viuda de otro hombre, desconocido para el Narrador. La mujer opera por seducción, y sus pasos son muy claros, desde la inicial indiferencia hasta la aparentemente pasiva relación carnal, que se convierte en una revelación sobre la naturaleza verdadera del pueblo.

Después de haber violado la hospitalidad de su hermano y de haber conocido, a través de esta violación, en qué consiste el Pueblo, al protagonista no le queda más que abandonar ese espacio. Pero como ha encontrado un espacio intermedio (el "espacio del campo"), en donde se cumplen todas las potencialidades, un segundo agente lo obliga a renunciar también a ese sueño, esta vez no por seducción sino por conminación. Dicha conminación le proviene del cadáver del rector: su hallazgo no sólo lo compromete gravemente, sino que mancha irreversiblemente el espacio idílico que había creído encontrar. El segundo agente, pues, es un asesino, que no sólo no vamos a conocer (pues no importa para los fines del relato, lo importante es que el Protagonista abandone el Pueblo) sino que quedará en un reino ambiguo, en donde la primera sospechosa es esa "mujer tenebrosa" que está presente en casi todo el fragmento estudiado. Cumplidas estas dos premisas narrativas, el Protagonista se encuentra en condiciones para irse del pueblo, sin ningún remordimiento y más bien con alivio: el hecho de que lo dejen irse sin oponer resistencia le confirma que todas las sospechas recaen sobre él. Su hermano lo saluda con la mayor inexpresividad.

La ciudad de los prodigios sigue siendo la obra más ambiciosa de nuestro autor. Es aquí en donde toda su producción anterior encuentra, sobre todo a nivel de técnica narrativa, la madurez y la culminación. Sin embargo, resiente bastante de un planteamiento contenudístico, el cual, aunque filtrado sabiamente, no deja de incidir sobre la fluidez de la narración. En el texto que hemos estudiado, me parece que ha demostrado, por una parte, la riqueza expresiva del autor, que se presta a diferentes análisis, más o menos profundos, y, por otra, su carga moralista, que no es ajena a la tradición literaria española. En todo caso, como ya hemos afirmado, nos encontramos con uno de los más válidos narradores de la España contemporánea.

Los últimos días de la Residencia de Estudiantes

LUIS DE LLERA

La Residencia de Estudiantes representa el lugar neurálgico de la cultura española durante su Edad de Plata. Fundada en 1910 alcanzó su apogeo durante los años 20 y 30. Allí se dieron cita buena parte de la elite cultural del país, exceptuando, aunque no del todo, a los catalanes que gozando de las oportunidades culturales de Barcelona no necesitaban ir a la capital para poder publicar y darse a conocer.

La Residencia, en efecto, formó parte del mejor resurgir cultural de la España del primer tercio del siglo XX; uno de los pilares y símbolos del europeísmo cientifista, vanguardista y tolerante de aquella cultura de elite, tan distanciada del resto de la nación. En una España pobre y culturalmente atrasada no podía no resultar paradójico un colegio mayor donde residían poetas vanguardistas y científicos de primera talla, con una sala de conferencia anfitriona de los mejores apellidos en todos los campos del saber, de las ciencias blandas y de las ciencias duras. Oasis de refinamiento social, de buen gusto, de modales europeos. Música clásica, tenis, sala de té, lenguas europeas eran de casa en la Residencia. Los conciertos de primer orden se alternaban a conferencias donde tomaron la palabra poetas como Louis Aragón, Teixeira de Pascoaes, Eugenio de Castro, Claudel, Valery, Marinetti, Max Jacob y Paul Eluard. El ambiente propiciaba tan ilustres llegados, pues allí residieron y mantuvieron una tertulia vivaz e ininterrumpida García Lorca, Alberti, Alonso, Prados, Moreno Villa, Guillén, Salinas, Celaya y, naturalmente, Juan Ramón Jiménez.

No sólo ni principalmente de lírica se vivía en la institución. Filósofos como Bergson o científicos como Einstein eligieron la Residencia para exponer sus novedades al público español[1]. No olvidemos igualmente que el filósofo por

[1] Para información general ver la ya clásica monografía de M. Sáenz de la Calzada, *La Residencia de Estudiantes*, Madrid, CSIC, 1986. Innumerables hoy las memorias de ex-residentes.

excelencia de la España de entonces, José Ortega, era asiduo, y, con frecuencia, la visitaban Unamuno y d'Ors. La física estaba admirablemente representada por Blas Cabrera, infatigable conferenciante y coordinador de seminarios en la Residencia.

Este templo cultural, elegante y severo, elitista y austero, cerró sus puertas en 1936 con el estallido de la Guerra Civil. Mucho había sido realizado pero numerosos proyectos quedaron en el aire y la institución cultural pasó a ser un recuerdo fértil del pasado. Cuando años después la Residencia llegó a ser objeto de estudio su imagen ha pasado a la historia con connotaciones políticas que en ningún modo reflejan fielmente la realidad.

La imagen a la que nos referimos ha querido representar una institución centro de la cultura progresista, republicana e, incluso, de izquierdas, cerrada por el franquismo a causa de su espíritu e ideología. Sin embargo, tal interpretación, convertida en lugar común, choca, como veremos, con la verdadera historia del centro y, concretamente, con el episodio final, el del verano de 1936.

La Residencia, naturalmente, no quiso ser – y no fue – ni de izquierdas ni de derechas. No podía serlo el lugar de encuentro de una elite cultural hija de la buena o media burguesía, europeísta, tolerante, tendencialmente democrática y de espíritu liberal. Por lo general – dejando a un lado casos personales – los intelectuales de la Residencia tuvieron pocos problemas con la Dictadura de Primo de Rivera y con la República. En el fondo ambos regímenes se apoyaron más en la burguesía que en el proletariado, más en las elites – distintas entre sí – que en las masas. Ninguno de los dos individuaron en la Colina de los Chopos – apelativo lírico usado por Jiménez – un centro de peligro. Al contrario, reconociendo en los residentes a potenciales colaboradores, favorecieron, por lo general, sus proyectos. Efectivamente no siempre fue así, pero ello se debió a las intolerancias que acompañan a todos los regímenes y sobre todo a exponentes determinados.

Los problemas con la Dictadura nos los cuenta el que fuera su director desde su apertura hasta su cierre definitivo, Alberto Jiménez Fraud:

> los ataques (al inicio) eran diarios, unos graves y otros ridículos. Se emplearon todas clases de armas: acusaciones continuas para mantener un estado de inseguridad e inquietud y provocar alguna solución indiscreta; análisis minuciosa de la contabilidad de la Residencia desde su fundación; frecuentísimas visitas de inspección, reuniones quin-

Para restringirnos al campo de la poesía, recordamos R. Alberti, *La arboleda perdida*, Buenos Aires, Compañía General Fabril Editora, 1959.

cenales del Patronato, agobiadosamente largas, en las que pedían motivarse de palabra y por escrito cada una de mis decisiones; descortesía estudiada y amenazas solapadas.

El texto sigue explicando cómo tales insidias no consiguieron alterar la marcha regular de la institución. No se trataba de suerte sino de la amistad del director con el ministro primorriverista de Instrucción Pública y, sobre todo, con tres miembros del Patronato: el marqués de Palomares, el marqués de Silvela y el duque de Alba. Del primero dice Jiménez Frau:

Colaborador tan asiduo mío que, en los veintiséis años que duró la vida de la Residencia asistió diariamente a mi despacho para ayudarme con sus afectuosos y siempre discretos consejos. Era un hermano mayor, cuya dirección y dictamen solicitaba constantemente[2].

Es más, en 1928, y por iniciativa del mismo Primo de Rivera el ministerio de Instrucción Pública adquirió nuevos terrenos para la Residencia, visitándola, incluso, días después. Su director comentó así la presencia del dictador:

Dejó el general una impresión agradable, pero se notaba su satisfacción al realizar un acto que estimaba bueno, y de ofrecerse oportunidad, hubiera estado dispuesto a entusiasmarse con nuestra institución[3].

No existieron tampoco choques importantes con la institución monárquica ni con Alfonso XIII. De la relativa frecuencia del rey en la Residencia nos da cuenta un huésped ilustre, republicano apasionado, como Luis Buñuel:

Estoy asomado a la ventana de mi habitación de la residencia. Bajo el sombrero de paja, el pelo planchado con fijador. De pronto, delante de la ventana, para el coche del rey, con el chófer, el ayudante y otra persona (de joven, yo estaba enamorado de la reina, la bella Victoria). El rey se apea del coche y me hace una pregunta. Busca una dirección. Yo, aunque en aquellos momentos me consideraba teóricamente anarquista, me azaro y contesto con gran cortesía y hasta le llamo 'Majestad'. Cuando el coche se aleja, me doy cuenta de que no me he quitado el sombrero. El honor está a salvo[4].

[2] Este texto y el precedente en A. Jiménez, *Historia de la Universidad española*, Madrid, Alianza, 1971, pp. 464-465.

[3] *Íbidem*, p. 468.

[4] *Mi último suspiro*, Barcelona, Plaza y Janés, 1987, p. 72.

La llegada de la República no cambió fundamentalmente su línea educativa, ni el espíritu libre ni minoritario de la Institución[5]. Algunos catedráticos del P.S.O.E., por lo general pertenecientes a su alma moderada y reformista frecuentaron la casa, manteniendo relaciones de amistad y simpatía con D. Alberto. Nos referimos, entre otros, a Fernando de los Ríos y a Julián Besteiro. El primero, desde la cartera de Instrucción Pública, apoyó los proyectos de la Residencia. Por su parte la Residencia de Señoritas aumentó sus plazas con la adquisición de un nuevo edificio en la calle Fortuny 53. Por ejemplo, "En 1932 por iniciativa de María de Maeztu, la Junta para Ampliación de Estudios hizo un homenaje a Susan Huntington Vernon, en el cual se dio su nombre a la Residencia de Señoritas de Fortuny 53. El subsecretario de Instrucción Pública, Rodolfo Llopis, ofreció el homenaje, debido a la ausencia de Madrid del ministro Fernando de los Ríos"[6].

Sin embargo también con la Segunda República surgieron problemas. No todos los políticos socialistas –y no sólo ellos – simpatizaban con la Institución Libre de Enseñanza, precedente ideológico-pedagógico de la Residencia de Estudiantes. Hay que recordar a este propósito, como escribe A. Sáez de la Calzada, la consideración que "al ser la Residencia organismo oficial, nacido bajo signo monárquico, viose también atacada porque había elegido una vía media"[7]. D. Alberto Jiménez, su director, no atacó explícitamente en *Historia de la Universidad Española* (ya citado) el régimen de 31. Según Cacho Viu no lo hizo por no dividir aún más a los republicanos en exilio. Motivos no faltaban, pues "hasta los socialistas moderados le hacían reproches por el ambiente de burguesía acomodada que prevalecía en Pinar; cosa del todo inevitable cuando la igualdad de oportunidades educativas sonaba en España poco menos que a utopía (...). La lista de casi 500 socios (...) comprende una impresionante muestra de aristócratas –con claro predominio femenino – y de intelectuales, pero tam-

[5] La austeridad y el espíritu de trabajo no se contraponían al hecho de que la Residencia fuese un lugar privilegiado en la España del tiempo y que para conseguir una plaza se hiciese necesaria la recomendación. Los testimonios son abundantes: "finalmente, confiesa Buñuel, gracias a la recomendación de un senador, don Bartolomé Esteban, me inscribieron en la Residencia de Estudiantes" (*Mi último suspiro*, ob. cit., p. 65). Lorca debió su plaza de residente a la recomendación de su pariente Fernando de los Ríos. En cambio, como ha escrito A. Sánchez Vidal, "la instalación de Salvador Dalí en la Residencia, se debió a la recomendación del dramaturgo Eduardo Marquina, casado con una Pitxot (familia de artistas muy relacionada con los Dalí), y cuyo hijo, Luis Marquina, trabajaría en 1935 a las órdenes de Buñuel en la productora cinematográfica Filmófono" (*Buñuel, Lorca, Dali. El enigma sin fin*, Barcelona, Planeta, 1988, p. 32).

[6] C. de Zulueta y A. Moreno, *La Residencia de señoritas. Ni convento ni college*, Madrid, CESIC, 1993, p. 192.

[7] *Ob. cit.*, p. 146.

bién de artistas, profesionales liberales y empresarios, de familias institucionalistas de siempre y de un selecto grupo de extranjeros vinculados al comercio, al mundo diplomático y a la Casa Real"[8].

Don Alberto Jiménez defendió siempre, con la delicadeza y finura de ánimos que le caracterizaban, un nuevo liberalismo, contrario a los dogmatismos ideológicos del marxismo y del fascismo, superador también de la pura competencia económica y la simple afirmación de principios individuales del viejo liberalismo decimonónico. Se necesitaban correcciones importantes en el orden social para alcanzar una mayor autonomía entre las regiones y las clases. En esta línea el imperio económico-político de las clases medias – la mesocracia – tendría que dejar espacio a un sistema político de libertades en concordancia con las necesidades de toda la sociedad. Esta elevación de la cualidad de la vida no vendría solamente de la mano de la política, sino de una concepción española, nacional, de humanismo integral, más allá de los intereses individuales y de clase; más allá también de interpretar la democracia como gobierno despótico del partido o de la coalición más votada. Se requería para todo ello elevación cultural, desinterés económico y capacidades ideológicas y técnicas para llevar a cabo el proyecto. D. Alberto estaba convencido, al igual que Ortega, que tal empresa era tarea de las minorías selectas:

> No es extraño que apoyada la Residencia por poetas que intuían nuestra obra, y por científicos, filósofos, literatos, profesionales, políticos y personalidades sociales que la informaban, animaban y apoyaban, se lanzase en esa difícil empresa de la educación liberal de una minoría directora, en los comienzos del siglo XX, precisamente cuando la política liberal del siglo XIX estaba fracasando para aferrarse a la doctrina de la sociedad atomística y por su incapacidad para iniciar un movimiento de coordinación social, dando por terminado el sistema de libre concurrencia. Las clases medias, cuya importancia había ido aumentando desde el siglo XVI, eran individualistas y sólo pedían el orden necesario para poder ejercer sus actividades individuales[9].

Por eso, explica Jiménez Fraud:

> sólo escogidas minorías pueden tomar sobre sí la urgentísima misión de iniciar la vuelta al buen camino perdido, y de hacer de nuevo sana y fecunda la relación entre la conciencia individual y el poder del Estado[10].

[8] *Prólogo* al vol. de M. Sáez de la Calzada, *ob. cit.*, pp. 19-20.
[9] *La Residencia de Estudiantes*, Barcelona, Ariel, 1972.
[10] *Íbidem*, p. 77.

La explosión de la Guerra Civil, como victoria de los opuestos extremismos, significó en la teoría y en la práctica la disolución de toda esperanza y el fracaso, al menos por el momento, de todo el trabajo realizado por D. Alberto y sus amigos.

Seguramente la Residencia habría cerrado sus puertas y algunos de sus huéspedes habrían sido perseguidos si en Madrid hubiese ganado la sublevación militar encabezada por el general Fanjul. Pero, como se sabe, la historia no fue así. La Residencia quedó prácticamente disuelta al iniciar la guerra porque le faltó la protección del gobierno frentepopulista, y no continuó sus actividades porque los gobiernos que dirigieron las suertes de lo que quedaba de la Segunda República no tuvieron interés en hacerlo. Para el Frente Popular la Residencia, en el mejor de los casos, había sido un colegio mayor de señoritos cultos, algunos de ellos, incluso, peligrosos y enemigos de la República – o, al menos, de lo que ellos entendían por tal.

Los testimonios de algunos de sus residentes demuestran en modo difícilmente refutable cuanto afirmamos. Probablemente ni el ministro de Instrucción Pública no logró imponer el orden o el miedo le impidió intentarlo. Fuese lo que fuese, la victoria del gobierno izquierdista en la capital supuso, desde el primer momento, la fuga de la mayoría de los residentes y el pánico para los pocos que allí quedaron[11].

[11] El hecho de que fuesen pocos los residentes en julio de 1936 se debió al inicio del período estivo, poro también al ambiente de la guerra civil que desde hacía ya tiempo (1934) se vivía en Madrid; ambiente agravado por el asesinado de Calvo Sotelo, líder de la minoría monárquica, a manos de un grupo integrado por miembros de la fuerza pública y militante de PSOE. Por eso hay que preguntarse más que por el exiguo número de residentes al inicio de la guerra por el hecho de que aún quedase algún residente el 18 de julio de 1936. La respuesta nos la ofrecen las memorias de aquellos pocos intelectuales que eligieron la Residencia como fatal demora en aquellos días del terror y de la sangre, en un Madrid donde las milicias del PSOE o de la FAI entraban en competencia con los sindicalistas de la UGT o de la CNT en la carrera de la bestialidad y de la anti-humanidad.

Los historiadores de izquierda que han concedido veracidad a la crueldad desatada en el Madrid republicano han defendido, sin embargo, a los ministros y demás cargos públicos inocentes de cualquier tipo de responsabilidad por la real impotencia en el controlar a las milicias rojas durante los primeros días de la guerra. Ante tal lugar común, carente de ética y de ecuanimidad, nacido de la justificación de parte y mantenido en conserva por irreflexión, ignorancia o mala fe, hay que contestar afirmativamente sobre la culpabilidad de los políticos que permitieron complacidos o nauseados tanta barbarie, ya que sin ellos la España frentepopulista no hubiera podido contar con el apoyo internacional, y en pocos días aquellos reinos de taifas, abrían terminado por desaparecer. Tal razonamiento, *mutatis mutandis*, equivaldría a deresponsabilizar a la Junta de Defensa – órgano máximo del poder en la zona nacional desde el 24 de julio hasta el 1 de octubre de 1936 – de los crímenes cometidos en la España sublevada aduciendo que cada ejército – el del

José Moreno Villa, poeta e historiador además de íntimamente unido a D. Alberto Jiménez después de tantos años codo con codo con él en la Residencia, ha contado la situación con la que se toparon los pocos huéspedes al día siguiente de iniciada la guerra:

> Estalla la rebelión militar e inmediatamente se produce un cambio de actitud en la servidumbre de la Residencia de Estudiantes: unas cuantas mujeres aleccionan a las demás y comienzan a mirarnos como a burgueses dignos de ser arrastrados (...). Huyeron las chicas americanas, huyeron los estudiantes en casi su totalidad[12].

Difícilmente se puede negar la posición prorrepublicana del poeta malagueño. Su vida de exiliado muerto en el destierro lo confirma, pero también lo declaran sus escritos: "La República tuvo conmigo tres atenciones: cambiarme de puesto, pasándome de la Biblioteca de la Facultad de Farmacia a la Dirección del Archivo de Palacio Nacional, antes real; nombrarme el año 33 para dar unas conferencias en Buenos Aires con motivo de la Exposición del Libro Español y hacerme miembro de una Junta Cultural encargada de editar, rica y profusamente, nuestros clásicos"[13]. Moreno Villa correspondió con lealtad el régimen: "En Madrid voté por los republicanos y socialistas desde que tuve voto"[14]. Y a pesar de formar parte de esa minoría laica y culta, liberal y progresista, contrapuesta, naturalmente, al despotismo comunista, Moreno Villa llega en algún momento a compartir, si bien momentáneamente, las simpatías por el bolchevismo. A propósito de la polémica político-literaria sobre si el vanguardismo artístico se acoplaba mejor al fascismo, como el futurismo, o al marxismo, como el surrealismo, Moreno Villa, quizás influenciado por ciertos extremismos, escribe que con la vanguardia:

> La imaginación entraba en juego por vez primera en la historia del arte (...). Picasso le soltó la imaginación (...). Lo que para Ortega fue Deshumanización, para mi fue Liberación de lo más oprimido del hombre. Por algo coincide el movimiento llamado

Norte (Mola) y el del Sur (Queipo de Llano) y el de las columnas (Franco) – gozaba de autonomía militar y jurídica.

La historia de España no logrará superar el negro pasado de la guerra civil hasta que sus historiadores no asuman colectivamente la historia, en su negatividad y en su grandeza. La nación, ya traicionada por la lucha fratricida, espera todavía la asunción de culpas para liberarse del pasado y encarar el presente desde la perspectiva de una historia colectivamente vivida y hurgada.

[12] Ver su autobiografía, *Vida en claro*, Madrid, Fondo de Cultura Económica, 1976, p. 211.

[13] *Íbidem*, p. 173.

[14] *Íbidem*, p. 170.

moderno con la Revolución rusa y con los hallazgos de Freud. El hombre quería acabar con opresiones y fórmulas viejas. El pintor, como el obrero, estaba oprimido por la sociedad que no le permitía, ni le permite aún de buen grado, salirse del modo de ser tradicional, enrarecido y podrido[15].

Sin embargo por Moreno Villa sabemos tantas noticias que evidencian el clima de miedo y venganza vividos en la zona llamada republicana. Los intelectuales no comprometidos hasta la médula con el Frente Popular o sin carnet de partido o sin la protección de algún destacado jefe de milicias, estuvieron expuestos al ambiente descrito. Por ejemplo, del historiador Sánchez Cantón recuerda que más de una vez estuvo a punto de ser fusilado[16].

Volviendo a los primeros días de la guerra –y los últimos de la Residencia – Moreno Villa testimonia que:

La situación se fue haciendo cada vez más violenta y enrarecida en aquella nuestra casa (...). Todas las noches oíamos descargas de fusilamiento en las cercanías, y cuando nos levantábamos oíamos contar a las criadas cómo eran las víctimas de los famosos 'paseos'. 'El de hoy era un señorito fascista, tenía zapatos de charol y estaba envuelto en la bandera monárquica. El de ayer era un pobre de alpargatas' (...). Después de oír esto me iba al archivo y me recibía el portero con una noticia espeluznante: Le dieron el paseo al mozo Tal de la Biblioteca. Hoy apareció muerto en la Cuesta de las Perdices el administrador Sr. Anguiano. Hoy se llevaron de su vivienda al Sr. Casas, lo llevaron a la Checa[17].

Pocos días le bastaron a Moreno Villa para comprender que su vida, de republicano simple, corría peligro. Por consejo del lingüista Tomás Navarro Tomás terminó por afiliarse a las milicias de la FETE. Por cierto que aquel paseo al descubierto le pudo haber costado la vida:

Me encontré de pronto –cuenta Moreno Villa – en la Plaza de las Cortes al tiempo que pasó un auto, volado, lleno de forajidos que asomaban sus escopetas por las ventanillas y me miraron con sospecha. Si hubieran podido contener la velocidad excesiva que llevaban o la prisa que tenían y me hubieran reclamado papeles de identificación a estas horas sería polvo en cualquier derrumbadero madrileño[18].

[15] *Íbidem*, p. 169.
[16] *Íbidem*, p. 98.
[17] *Íbidem*, p. 212.
[18] *Íbidem*, p. 213. A parte de *La vida en claro* puede servir al interesado en los datos biográficos de Moreno Villa su propia obra *Autores y actores*, Madrid, Fondo de Cultura Económica,

Moreno Villa compartió los últimos días de la Residencia – convertida en cuartel de Guardias de asalto – con otros ilustres intelectuales, republicanos puros y desilusionados ya antes de estallar la guerra. Entre ellos José Ortega y Gasset, fundador de la Asociación al Servicio de la República pero por entonces totalmente desencantado con el nuevo régimen. Incluso antes de estallar la guerra la familia Ortega abandonó su residencia habitual. D. José comprendió que el asesinato del líder monárquico José Calvo Sotelo, el 13 de julio de 1936, comprometía irreparablemente la situación política. Sin embargo el nuevo alojamiento no resultó tampoco un lugar seguro[19]. De aquí la idea de trasladarse a la Residencia de Estudiantes, donde, pensaba, sería más difícil la entrada a milicianos incontrolados.

La idea de trasladarse, en principio, fue buena, pero los tiempos difícilmente dejaban espacio a la libertad. Por aquellos días las autoridades del Frente Popular, de acuerdo con los intelectuales más extremistas, preparaban una declaración de fidelidad al régimen, en términos duros y sin posibilidad real de rechazar la propuesta; en suma se trataba prácticamente de una declaración típica de los regímenes totalitarios, parecida a las efectuadas en Rusia o Alemania. Nos lo cuenta un hijo del mismo Ortega, Miguel, testigo también de los últimos días de la Residencia:

> Un día en que estaba mi padre en la cama, con fiebre, en la Residencia de Estudiantes se presentó un grupo de extremistas para exigirle que firmase un manifiesto redactado por los 'escritores antifascistas'. En aquel texto se atacaba a grupos y gentes. Mi padre recibió en la cama a aquellos individuos, a los que dijo que se negaba firmar un manifiesto de aquella naturaleza; que estaba dispuesto a firmar tres líneas en las que no se atacase a nadie y que hubiese podido firmar lo mismo uno o dos años antes. Aquellos escritores se indignaron tanto que, incluso, temimos una represalia inmediata. En efecto, el diario "Claridad" arremetió contra mi padre diciendo que 'su filosofía es donde se han alimentado las mentes fascistas'. Esto equivalía a ser fusilado en un plazo de no más de cuarenta y ocho horas[20].

1976. Y la Introducción de Rosa Romojaro a *Antología Poética* (Moreno Villa), Sevilla, Biblioteca de la Cultura Andalusa, 1993.

[19] Para los Ortega el miedo aumentó cuando fueron informados que el tristemente conocido anarquista García Atadell había registrado su casa. La noticia no quedó totalmente confirmada pero de cualquier modo se sabía que el anarquismo era contrario a la Segunda República considerada burguesa y, por supuesto, a los intelectuales moderados y de extracción alta como Ortega. La confusión de la guerra produjo situaciones contradictorias. Por ejemplo mi padre Antonio – es la primera vez que lo cuento – debe su vida a García Atadell que lo salvó de una checa organizada por las Juventudes Socialistas.

[20] M. Ortega, *Ortega y Gasset, mi padre*, Barcelona, Planeta, 1983, pp. 131-132.

Ayudado por amigos y por el hermano, Eduardo[21] Ortega, acompañado de su familia, consiguió marcharse a Francia, donde se dieron cita obligada gran parte de sus amigos, muchos de ellos integrantes de lo que se ha llamado posteriormente Generación del '14: Marañón, Pérez de Ayala, Gómez de la Serna, Menéndez Pidal, además de Azorín, Baroja y otros privilegiados. Entre ellos otros nombres conocidos por la crítica literarias como Miguel Pérez Ferrero.

Las familias Marañón y Menéndez Pidal marcharon de Madrid a Alicante donde embarcaron para Marbella. El primero fue requerido por el gobierno francés con el pretexto de ser Marañón doctor honoris causa por la Sorbona[22].

Don Ramón Menéndez Pidal se encontraba también en la Residencia, invitado por su director en vista de la situación de descontrol existente en Madrid. El gobierno Casares Quiroga había dimitido y sustituido por otro de Martínez Barrio que obtuvo la misma suerte. Un tercer gobierno en pocas horas, el de José Giral, sería incapaz de controlar la situación. Mientras tanto a la Residencia llegaban niños huérfanos, víctimas de aquellos momentos de bestialidad inhumana. Un residente, Prieto Bances, liberal y republicano al igual que los otros componentes de la presente minihistoria, es requerido por un grupo de milicianos para darle el "paseo". Don Ramón, escondido detrás de un árbol del jardín de la Residencia, oye repetir su propio nombre a uno de los milicianos. Menéndez Pidal se encontraba en Madrid con su mujer, María, desde el día 17 de julio. Obligado por las circunstancias firmó, como habían hecho Ortega, Marañón y Pérez de Ayala, el famoso manifiesto de los intelectuales antifascistas. Parece ser que ante la negativa de Ortega, desde la Residencia, a firmar el primero modificaron el texto. El periódico "Mundo Obrero" del 31 de julio ponía en boca del entonces ministro de Cultura, el comunista Jesús Hernández, la siguiente declaración: "Confío en que el señor Menéndez Pidal acepte la presidencia del Consejo Nacional de Cultura". Fue entonces cuando decidió refugiarse en la Embajada de México. Desde allí, y no obstante la situación tan apurada, Menéndez Pidal intentó salvar, sin éxito por medio del socialista Indalecio Prieto, al ensayista de Acción Española Ramiro de Maeztu.

[21] Eduardo Ortega y Gasset había sido gobernador civil de Madrid durante la República y diputado del Partido Radical Socialista Independiente. Durante la guerra desempeñó el cargo de fiscal de la República. Dimitió a finales de 1937 por contraste con algún líder de la C.N.T. Tuvo, en fin, que exiliarse para salvar la vida. Estas noticias se pueden leer en M. Rubio Cabeza, *Diccionario de la Guerra Civil Española*, Barcelona, Planeta, 1987, II, p. 588. Como nota curiosa recordamos que durante la República los de derecha distinguían en el lenguaje coloquial entre Ortega el bueno, José, y Ortega el malo, Eduardo.

[22] Mayor información en M. Gómez-Santos, *Vida de Gregorio Marañón*, Barcelona, Plaza y Janés, 1987^2, pp. 391 y ss.

Una vez apurado los riesgos en caso de permanecer en la España republicana y sin ninguna intención de pasar a la nacionalista, Don Ramón, de acuerdo con Marañón, decide escapar a Francia. Como informa J. Pérez Villanueva:

> Entre las dificultades que necesitan vencer están las inherentes a la edad militar de sus respectivos hijos, Gonzalo y Gregorio. Gonzalo y su novia, Elisa Bernis, logran el permiso de salida celebrando su matrimonio civil en el Quinto Regimiento ante el comandante Líster, Marañón, el capitán de milicias Ángel Ganivet y el arquitecto Sánchez Arcos (el matrimonio canónico se celebró en Francia a los pocos días). Emprendieron el viaje en dos coches durante la semana de Navidad (...). Marañón se dirige a París y don Ramón a Burdeos[23].

Moreno Villa, Ortega, Marañón, Pidal participaron todos, en modos diferentes, de la vida de la Residencia, encarnando lo mejor del espíritu de la institución. Ellos formaron parte de lo más granado de la intelectualidad española; de aquella inspirada en la tradición nacional y en contacto renovador con la crema de las letras europeas. Todos ellos pagaron su independencia y su clase, sofocados por el aire irrespirable de la demagogia y del rencor, prisioneros entre dos fuegos de opuestos extremismos que separaron a España del progreso y el desarrollo con los que el primer tercio del siglo XX había regado ampliamente la península.

A esta pequeña cita de la presente breve historia faltan dos nombres símbolos de la institución: el director de la Residencia, Alberto Jiménez Fraud, y su inspirador, José Castillejo. Sus respectivas aventuras no distan mucho, ni en la esencia ni en la forma, de las narradas anteriormente. El espacio concedido por este artículo toca a su fin. Sin embargo se necesitarían muchas páginas para contar de las dificultades de los intelectuales liberales en la zona republicana. No podía ser de otra manera. Durante los años de la República, sobre todo a partir de octubre de 1934, diferentes fuerzas de izquierda habían asociado al burgués con el fascista, a las minorías selectas con el señoritismo intelectual. Cuando estallaron la sublevación y la revolución resultó imposible – tanto que ni siquiera se intentó – explicar a las masas proletarias, al español de a pie, las diferencias entre los republicanos pro y anti frentepopulistas. Desde los periódicos, la radio, las sedes de los partidos, las casas del pueblo se había insistido demasiado sobre odio de clases, revolución irreversible, poder al pueblo, vivas a Rusia, como para esperar que, a guerra iniciada, el entusiasta obrero o jornalero respetase a los que siempre había considerado como

[23] Ver: *Ramón Menéndez Pidal. Su vida y su tiempo*, Prólogo de Rafael Lapesa, Madrid, Espasa Calpe, 1991, pp. 342-343.

lero respetase a los que siempre había considerado como enemigos suyos, enemigos de clase[24].

De toda aquella gran obra institucionista poco o nada quedó en zona republicana. Desapareció la I.L.E., el Centro de Estudios Históricos, la Junta para la Ampliación de Estudios, y cambió la Residencia, transformada primero en orfanotrofio, cuartel de guardias de asalto hasta marzo de 1937. En junio del mismo año, en un estado de total degradación, se convirtió en Hospital de Carabineros.

En 1937, desde Londres, José Castillejo, alumno privilegiado del fundador de la I.L.E. y amigo íntimo del director de la Residencia, escribía:

> Los ideales liberales de Giner han sido desterrados y no habrá lugar para ellos mientras resuene el eco de la revolución o de la política totalitaria.
>
> El advenimiento de la República atrajo a la política a muchos de los líderes intelectuales preparados por la Junta. No han mostrado instinto político o sentido de responsabilidad social, cualidades que no se consiguen en los laboratorios, y su deserción de éstos ha roto el marco científico todavía débil del país. Las persecuciones revolucionarias o reaccionarias al final los echarán de España y quizá América Hispana recogerá parte de la cosecha cultivada en la Madre Patria[25].

Se comprende que el desengaño de los intelectuales no comprometidos fuese enorme. Habían sido ellos, hombres de orden y de razón, los que trajeron la República, cansados de una Monarquía agotada, vieja, incapaz de recoger y expresar políticamente los vientos de modernidad y de eficiencia provenientes de Europa. La República de los intelectuales pretendió con el nuevo régimen un replanteamiento eficaz del Estado en la dirección marcada por exigencias históricas. Quiso ser progresista, tolerante y respetuosa. Sin embargo estos propósitos no se consolidaron hasta el punto que algunos de sus simpatizantes – aquellos meses enfangados en los odios desencadenados y, por tal, más libres – llegaron a preguntarse si la experiencia valió o no la pena. En primer lugar por-

[24] Confirma lo que decimos Moreno Villa al escribir que "Quienes llamaron aristócratas a los nuevos grupos eran pues unos despistados o unos felones. E hicieron su daño como pudo verse al estallar la revolución de '36. Entonces la hola demagógica quiso acabar con las instituciones citadas, coincidiendo en esto con el franquismo que acabó con ellas y las modificó de raíz. Ni una demagogia ni otra pudo comprender o admitir que el propósito de tales 'aristócratas' era enderezar lo torcido y llevar la educación y la enseñanza por las vías mejores para la mejora de todos y todo" (*Los autores como actores*, ob. cit., p. 51).

[25] José Castillejos, *Guerra de ideas en España*, Madrid, Revista de Occidente, 1976, p. 136. Sobre las vicisitudes del eminente istitucionalista ver: L. Palacios Bañuelos, *José Castillejos. Última etapa de la Institución Libre de Enseñanza*, Madrid, Narcea, 1979.

que, independientemente de quien tirase la primera piedra, portó a la Guerra Civil. Y también interrogarían si el régimen mismo, tal y como fue puesto en práctica, hubiese significado un objetivo mejoramiento político. Así se lo preguntaron también algunos institucionistas y amigos de la Residencia, entre ellos José Castillejo:

> La República española se ha permitido algunos de los métodos políticos de los peores periodos de la monarquía e incluso sus medidas de justicia han estado a veces teñidas por el espíritu de la venganza[26].

[26] *Guerra de ideas en España*, ob. cit., p. 137.

Los textos de primera necesidad en la España del siglo XVIII

FRANÇOIS LOPEZ

I. El terremoto a que se asemejó el nuevo Reglamento de la Imprenta y la Librería españolas, dictado por Fernando VI en 27 de noviembre de 1752, fue seguido pocos años más tarde por un período de bonanza, y no tardaron en manifestarse los saludables efectos deseados por el legislador[1]. En la obligación de hacer imprimir en España lo que anteriormente, desde tiempos inmemoriales, solían traer de países extranjeros, constituyeron unos mercaderes de libros aliados a dos tipógrafos, primero, y, cinco años más tarde, bajo el reinado de Carlos III, los "Impresores y Libreros del Reino", una compañía industrial y comercial que había de tener larga vida y cuyas primeras décadas han sido historiadas por Diana M. Thomas en un estudio pacientemente elaborado con la documentación conservada en el Archivo Histórico Nacional[2]. Fecha y ordena la autora de este libro los sucesos y las realizaciones que marcaron durante unos treinta años el desarrollo de dicha Compañía. Denso, breve, dada la abundancia de los documentos utilizados o utilizables, pero sustancial y concebido en una perspectiva económica, será dicho trabajo un punto de partida para quien emprenda una historia de la imprenta y la librería madrileñas en los siglos XVIII y XIX.

Lo que nos proponemos en estos apuntes es compaginar dos de los enfoques que pueden adoptarse en cualquier investigación sobre la historia del libro: el económico, tan sólo soslayable en un estudio de bibliografía material, y, predominantemente, claro está, el sociocultural, manteniendo el rumbo que hemos tomado en una serie de trabajos sobre la educación y las lecturas de los españoles en la Edad moderna.

[1] F. López, "La edición española bajo el reinado de Carlos III". *Actas del Congreso Internacional Carlos III y la Ilustración*, Madrid, Siglo XXI editores, 1989, pp. 201-234.

[2] D.M. Thomas, *The Royal Company of printers and booksellers of Spain:1763-1794.* New York, The Whitston Publishing Company, Troy, 1984.

Revolviendo como Diana M. Thomas unos legajos clasificados en distintas series del AHN, nos hemos fijado en unos documentos muy aleccionadores para quien desea vislumbrar la historia profunda de la cultura española, historia que no se deja encerrar en los límites de un siglo.

El primero de estos documentos ya hubiera sido suficiente para justificar y alimentar el estudio que va a seguir. Se presenta de esta manera: «Memoria de los libros que necesita imprimir la Compañía para que con su producto pueda ayudar a costear las obras mayores: Curia Philipica – Centellas práctica de ayudar a bien morir –Calepino de Salas – Belarmino Doctrina christiana – Catón christiano – Espejo de cristal fino – Obritas de Palafox – Thesauro de Requejo –Catecismo del P. Ripalda – Id. de Astete – Ramillete de flores –Manogito de flores – Aritmética de Taboada – La Pequeña Regla de San Benito para niños – Galmace llave de la lengua francesa – Núñez Gramática francesa – Trincado Compendio histórico de los Soberanos– Isla Compendio de la Historia de España – Pleun Cathecismo histórico – Gramática – Fábulas de Isopo – Fábulas de Fedro – Cicerón Epístolas – Id. Selectas – Epístolas de San Gerónimo – Vocabulario de Nebrija – Vocabulario Ecclesiástico – Cejudo Libro 4° y 5° - Valerio Máximo – Exercicios de San Ignacio – Kempis Imitación de Jesu Cristo – Villacastín Exercicios – Concilio Tridentino – El mismo con notas de Gallemart – Fineza de Jesus Sacramentado –Luz de verdades católicas – Potesta Suma moral – Luz de la fe y de la ley».

No viene fechada esta Memoria, pero como la Compañía de Impresores y Libreros no se contituyó hasta el año 1763, le podemos asignar este *terminus ab quo.* Una representación adjunta permite además deducir que no es muy posterior a dicho año. Empieza el texto así:

Señor, Los Apoderados y Directores de la Compañía General de Impresores y Libreros de estos reynos. A L. P. de V. M. con el mayor rendimiento Dicen: que hallándose este Arte tan deplorable en España como floreciente en los reynos extranjeros por el comercio que éstos han disfrutado generalmente en los vastos dominios de V. M., surtiéndolos, no sólo de obras de sus autores, si también (*sic*) de las de nuestros regnicolas naturales, y de todos los breviarios, diurnos, missales y demás libros del Rezo Divino ecclesiástico, secular y regular, con lo que extraían crecidas sumas de dinero anualmente, enriqueciéndose y fomentando sus imprentas y comercio, con conocido perjuicio y decadencias (*sic*) de las de España, sin poder éstas lograr adelantamiento alguno por estar sus dueños precisados a ser unos mercenarios de las comunidades religiosas y de las que se dicen manos muertas, quienes con el pretexto de ser los libros de mayor despacho escritos por hijos de la religión obtenían privilegio privativo para su impresión y venta, por lo que buscaban quien se los imprimiese a precio ínfimo, en papel basto y letra muy gastada, todo en desdoro de las imprentas de España y sus profesores, sin atender más que a sus ganancias los autores en la satisfacción de que, no vendiéndolos otro, lograban su despacho por precesión (*sic*), siendo una librería de comercio cada portería de los conventos de Madrid...[3].

En nuestra opinión, bastan estas líneas para situar cronológicamente este documento con suficiente precisión. Efectivamente, en una Real orden de 22 de marzo 1763, en que se barajaban varios asuntos importantes e inconexos, sobre los que más valiera legislar por separado, se disponía, entre otras cosas, que quedaba prohibido "conceder en adelante privilegio exclusivo de impresión a nadie sino al autor del libro y que por esta regla se negara a toda comunidad secular o regular, cesando desde aquel día los privilegios que hubiere concedido"[4].

Bien puede suponerse que tan revolucionaria medida, en cuya aplicación se hubiese manifestado con brío el "despotismo ilustrado" había de estrellarse contra unas montañas de intereses creados y que el Gobierno tuvo bien pronto que echarse atrás, dictando, el 20 de octubre 1764, otra ley que vino a eximir de la anterior ... a las comunidades o manos muertas. Parece razonable pensar que el tono de la representación que venimos comentando no hubiera podido ser tan acusatario y vehemente tras el abandono – no total, hay que decirlo – de la gran reforma ideada. Si cejó el Gobierno, es de creer que al punto aflojaron también los miembros de la Compañía, muy necesitados del real amparo y de los encargos de la Iglesia, volteándose, como era aconsejable y piadoso, hacia otras ganancias.

Más firmeza manifestaron las autoridades civiles por las mismas fechas haciendo aplicar el Real decreto de 14 de noviembre 1762 por el que quedaba abolida la tasa de los libros, los cuales, en adelante pudieron venderse con absoluta libertad al precio que los autores y libreros quisiesen poner. Sabido es que quien decidió esta medida no fue el Juez de Imprenta, Juan Curiel, sino Campomanes[5]. Parece que al respecto se opusieron dos tendencias: una, caracterizada por el deseo de aplicar al libro los principios generales de una economía liberal; otra, en que se manifestaba a las claras el temor de que la tan ponderada libertad de comercio llevara, de hecho, a la constitución de nuevos monopolios,

[3] Archivo Histórico Nacional. Consejos, leg.5529, n° 5.

[4] J.E. de Eguizábal, *Apuntes para una historia de la legislación española sobre imprenta*, Madrid, 1879, p. 27.

[5] A. González Palencia, *El sevillano Don Juan Curiel, Juez de Imprentas*, Sevilla, Imprenta de la Diputación Provincial de Sevilla, 1945, pp. 97-127.

ya que entre los profesionales del libro se daban enormes disparidades de fortuna y que mucho mediaba del poderoso mercader de libros, que hasta la fecha había sido gran importador (práctica que patrióticamente denuncian en su Memoria los ahora desmemoriados comerciantes), al simple librero, cuyo negocio se limitaba a la pobre producción nacional, y no menos de los impresores, de muy humilde condición en su gran mayoría, a los impresores libreros, entre los que no escaseaban los sujetos con muy buenos caudales y no pocas influencias. La libertad, en tal caso, lejos de ser el sumo bien, podía redundar tan sólo en provecho de los poderosos que se comerían, como siempre, a todos los demás.

Esta segunda tendencia se refleja nítidamente en varias cartas conservadas en otra serie del Archivo Histórico Nacional, y pudo inspirar a un magistrado del Consejo de Castilla o a un representante de la Compañía de Libreros e Impresores un curioso documento que viene así encabezado: "Lista de los Libros que se consideran precisamente necesarios y conducentes para la instrucción y educación del Pueblo, en los quales no se deve escusar la Tasa que siempre se les ha dado por el Consejo[6]". No vamos a reproducirlo *in extenso* puesto que los títulos indicados son en gran parte los mismos que tan al desgaire se apuntaron en el anterior. Baste decir que el orden no es el mismo y que se mencionan no pocas obras que no figuran en el otro. Así, después de señalar los catecismos de Astete y Ripalda, añadió ese desconocido hombre de buena voluntad:

> Y todos los demás cathecismos de que se sirven común y respectivamente en las escuelas de Primeras letras de estos Reynos. Esto se entiende de los que son pequeños y que sólo contienen el texto y corta explicación de Doctrina christiana para los Niños pero no de los explicados para instrucción de los párrocos y sacerdotes". Precisa que las *Fábulas* de Esopo y Fedro son las impresas en latín. En vez de "Cejudo Libro 4° y 5°", explicita: "La explicación del Libro 4° y 5° de Nebrija: Géneros y Pretéritos, y demás quadernos que llaman Platiquillas, y demás Libros que sirven para la constitución de las Escuelas de Gramática.

Pero además, y ésta es la mayor diferencia, amplía desmesuradamente su lista vertiendo a montón lo siguiente:

> El Flobotomía para sangradores – El Martínez. Examen de Cirujanos – Pharmacopea Matriense (*sic*) – Colón. Instrucción de Escrivanos –Todos los Libros que para la Philosophia, Theología, Jurisprudencia, Medicina y demás Artes y Ciencias se imprimen en estos Reynos para leer y explicar en los Estudios públicos y son comunes y necesa-

[6] Archivo Histórico Nacional. Consejos, leg. 11275, sin n°.

rios para la enseñanza de todos los Discípulos de cada Escuela o de cada facultad – Los Libros de la Recopilación y Leyes del Reyno Reales Pragmáticas ; Instrucciones ; Ordenanzas, y otras qualesquiera Ordenes que son comunes para la Instrucción de todo el Reyno y necesarias a todos los Vasallos – Los Kalendarios, Lunarios, fiestas de Corte y otros que sirven a la instrucción del Público en todo el Reyno, a los que se deverá dar la Tasa por donde respectibamente correspondiere, como hasta de presente se ha ejecutado. Y últimamente aquellos Libros que en adelante se imprimieren o reimprimieren en estos Reynos, y el Consejo estimare por precisamente necesarios y conducentes para la instrucción y educación del Pueblo según las novedades que puede ofrecer el tiempo

Por fin escribió la misma mano:

Los Misales, Brebiarios, y todo el rezo ecclesiástico se tasa por Cruzada, y aunque no hay Libros más precisos para todo el Clero, median Privilegios del Monasterio del Escorial, sobre que ha havido en tiempo sus questiones, por lo que no devo informar, ni puedo instruirme para ello por falta de antecedentes.

Fueron de parecer los superiores de este individuo (¿El mismo Curiel o uno de sus agentes?) que en su concepción de lo "precisamente necesario" se había pasado de celoso, que no todos los libros por él señalados eran precisamente necesarios para la instrucción del pueblo y que, por lo que a ésta se refería, convenía tener bien claro que sólo se trataba de las escuelas de primeras letras y de gramática. Lo que se pretendía y ejecutó, en suma, era abolir la tasa con alguna justa excepción. Eximir a cuantos libros podían ser considerados, en mayor o menor grado, instructivos, de las primeras letras a las enseñanzas universitarias, de los manuales de práctica, a las leyes del Reino y a los calendarios y lunarios, etc. era ignorar o pisotear el espíritu de las leyes. Por este rasero, sólo las comedias, novelas y poesías iban a beneficiarse de los nuevos aires del liberalismo. Así opinaron varios magistrados y el docto Francisco Pérez Bayer, gran partidario y campeón de la libertad de la literatura. De modo que en la farragosa cantidad de textos sobre los que se pretendía mantener la tasa, acordó el Consejo hacer una parsimoniosa elección, señalando un magistrado con una cruz en el documento citado, los que realmente cualquier niño que aprendiese a leer debía manejar y destrozar, en los reinos de Castilla (y también en los demás, aunque sin uniformidad, con diferencias, y en varios idiomas peninsulares) para ir haciendo trabajosamente sus primeras lecturas y oraciones.

Referir por menudo las diversas consultas que, sobre este asunto casi siempre entrecruzado con otros de muy distinta índole, se pidieron y expidieron hasta llegar a un acuerdo sobre los libros (textos, sería la palabra adecuada) "de primera necesidad", sólo tendría un interés anecdótico y nos llevaría demasiado tiempo. Preferimos volver al primer documento, que ya tiene a la vista el lector, para completarlo y comentarlo en la perspectiva definida al principio de este estudio.

II. La identificación de los textos que quería imprimir la Compañía para tener asegurados los ingresos que le permitirían costear obras mayores no es dificultosa, pero sorprende un poco que unos profesionales del libro hayan enviado al Consejo de Castilla una lista de referencias tan someras. ¿Supusieron acaso que eran de sobra familiares a cualquier español instruido los títulos garapateados, y por tanto que las reconocerían inmediatamente el Juez de Imprentas y sus subalternos? ¿Pensaron que tendría buena acogida su solicitud sin que nadie se tomara el trabajo de examinar el documento que la acompañaba? Todo es posible, pero lo cierto es que en él no dieron muestra los libreros e impresores de su pericia bibliográfica. Menos mal que, teniendo que pedir, para la reimpresión de cada uno de los cuarenta y un títulos que figuran en la lista, una licencia por separado, presentaron sus solicitudes al Consejo, nombrando (no siempre por el apellido más útil) a los autores de las obras y transcribiendo además de forma menos abreviada los títulos. Gracias a esta documentación posterior, cuyos datos esenciales vienen recogidos en el libro de Diana M. Thomas[7], es posible reunir unas referencias mínimas a partir de las cuales, acudiendo a los actuales instrumentos bibliográficos, el estudio de la fortuna editorial de cada texto, de su finalidad y su destinatario colectivo, sólo requiere un poco de paciencia.

Examinemos pues nuestro documento. Si a primera vista tiene más de cajón de sastre que de bibliografía sistemática, hay reagrupaciones que con toda claridad aparecen en seguida. El núcleo del surtido lo constituyen en efecto unos textos escolares que se usaban en las escuelas de primeras letras y en las de gramática. Podrían además reunirse unos impresos que en una clasificación somera figurarían en la categoría de las obras de devoción. Y a eso se suman unos cuantos libros de gran consumo, para juristas y eclesiásticos fundamentalmente.

1. CURIA PHILIPICA. El título de esta obra de Juan de Hevia Bolaños, cuya primera edición, según la *BLH* de José Simón Díaz, es de 1603, desarrollado en la segunda, de 1605, bien dice a qué público iba dirigida: *Curia philippica donde breve y comprehendioso se trata de lo juyzios mayormente forenses ecclesiasticos y seculares con lo*

[7] D. M. Thomas, *op. cit.* p. 26.

sobre ello hasta ahora dispuesto por derecho. resuelto por Doctores antiguos y modernos y practicable...

La *Curia philippica* se encuentra naturalmente en muchas bibliotecas de juristas de los siglos XVII XVIII. Una segunda parte, publicada en 1617 bajo el título de *Laberinto de Comercio terrestre y naval*, se compuso para unos utilizadores distintos: los negociantes, pero a partir de 1644 las dos partes de la obra se reunieron a menudo, teniendo frecuentes reediciones hasta mediados del siglo XIX.

2. CENTELLAS PRACTICA DE AYUDAR A BIEN MORIR. Léase Fr. Baltasar Bosch de Centellas y Cardona. Según José Simón Díaz, sería la primera edición de 1687. Pero lo que reza el titulo de ésta: *Practica de visitar enfermos y ayudar a bien morir. Segunda parte,* postula una o varias ediciones anteriores. Hubo a principios del siglo XVIII reediciones en Amberes (hecho confimado en Peeters-Fontainas, n° 156) y Caller. No menciona Simón Diaz más reediciones del siglo XVIII, pero las hubo, y numerosas, hasta en el siglo XIX. V. Palau.

3. CALEPINO DE SALAS. Pedro de Salas. *Compendium latino-hispanum utriusque lingua veluti lumen. quo Calepini. Thesauri Gurici Stephani. Antonii Nebrissensis. Nizolii. P. Barholomaei Bravo atque omnium optimae notae authorum labores et lucubrationes perspicua brevitate continentur.* Hubo ediciones de 1671 a 1832.

4. BELARMINO DOCTRINA CHRISTIANA. Roberto Belarmino.

Declaración copiosa de la Doctrina Christiana. publicada por el P. Cristóbal Ximénez. Es un libro de más de doscientas páginas. Hubo ediciones de 1612 (o 1610).

5. CATON. Jerónimo Rosales. *Catón christiano*. Para uso escolar y piadoso en toda España. Hubo ediciones desde 1673 hasta muy entrado el siglo XIX.

6. ESPEJO DE CRISTAL FINO. Pedro Espinosa. *Espejo de cristal fino y Antorcha que aviva el alma*. Para uso escolar y piadoso. Hubo ediciones desde 1625 (cuando menos) hasta el siglo XIX.

7. OBRITAS DE PALAFOX. Debe de tratarse, en particular, de los *Ejercicios devotos* del venerable Juan de Palafox y Mendoza (ediciones de 1752 a 1807).

8. THESAURO DE REQUEJO. Es *el Thesaurus hispano-latinus utriusque linguae* de Bartolomé Bravo, completado por Pedro de Salas y luego aumentado por el P. Valeriano Requejo. Hubo reediciones hasta 1827. En 1728 ya, se mencionan las adiciones de Requejo.

9. CATHECISMO DEL PADRE RIPALDA. Gerónimo de Ripalda. *Doctrina Christiana. con una exposición breve*. La primera edición conocida de este Catecismo es de 1591. Dicha obrita fue también de las más difundidas desde fines del siglo XVI. Era de las que hacía imprimir en Castilla la Hermandad de libreros de Madrid. Hubo ediciones hasta nuestros días y se vertió a varios idiomas peninsulares y americanos.

10. ID. DE ASTETE. Fue jesuita, como Ripalda, Gaspar Astete, autor de este *Cathecismo de la Doctrina Christiana*. Se desconoce la fecha de la primera edición. Lo más probable es que viniera imprimiéndose desde fines del XVI, cosa que afirma B. Bartomé en la *Historia de la Educación en España y América* (Buenaventura Delgado Criado coordenador, Madrid, Ediciones SM-Ediciones Morata, S.L., II, pp. 190-191). Las frecuentes menciones que se hacen de este catecismo en los papeles de la Hermandad de libreros de Madrid pueden ser de alguna ayuda para fechar otras ediciones. (V. el estudio de L. Resines, *Catecismos de Astete y Ripalda*, Madrid, BAC, 1987).

11. RAMILLETE DE FLORES. Bernardo de Sierra. *Ramillete de divinas flores escogidas en los libros de muchos Santos. y mejores Autores*. Libro voluminoso cuyo título, como señala Palau, hubo que cambiar, ya que lo de "muchos Santos, y mejores autores" podía dar pie a chistes pecaminosos. Hubo ediciones de 1670 a 1859.

12. MANOGITO DE FLORES. Juan Nieto. *Manogito de flores. cuya fragancia descifra los Mysterios del Oficio Divino y Missa: da esfuerço a los moribundos...* Libro también, con ediciones de 1699 a 1789.

13. ARITMETICA DE TABOADA. Juan Antonio Taboada y Ulloa. *Antorcha Aritmética. Práctica provechosa para tratantes y mercaderes*. Ediciones de 1728 a 1795.

14. LA PEQUEÑA REGLA DE SAN BENITO PARA NIÑOS. Traducción del latín. La *Regla* ha venido publicándose de 1569 a nuestros días. Aquí se trata de unos fascículos o compendio.

15. GALMACE LLAVE DE LA LENGUA FRANCESA. Antonio Galmace. *Llave Nueva y Universal para aprender ... la lengua Francesa sin auxilio de Maestro... Su Autor Monsieur Antonio Galmace*. Una sola referencia (en el artículo Núñez) da Palau, de una edición sin año. Pero el libro está descrito en varios tomos de Bustamante, y reza la portada de un ejemplar "Séptima edición, Andrés Ortega. –1780". La más antigua de la que tenemos noticia es la de Madrid, Gabriel Ramírez, 1748.

16. NUÑEZ GRAMATICA FRANCESA. José Núñez de Prado. *Gramática de la lengua francesa. dispuesta para el uso del Real Seminario de Nobles*. Libro voluminoso, con ediciones de 1676 a 1798 según Palau. Repárese en la fecha de la más antigua.

17. TRINCADO COMPENDIO HISTORICO DE LOS SOBERANOS. Manuel Trincado. *Compendio histórico. geográfico y genealógico de los Soberanos de la Europa*. Ediciones de 1755 a 1775.

18. ISLA COMPENDIO DE LA HISTORIA DE ESPAÑA. Compendio de la Historia de España. Escrito en francés por el R. P. Duchesne... Traducióle en castellano el R. P. Francisco de Isla. Dos ediciones de Amberes en 1754 y 1754-58, luego se reedita frecuentemente el libro en España. Bibliografía en Aguilar Piñal.

GRAMATICA. Si esto es título, no hay quien pueda identificar la obra. Pero pensamos que la palabra no hace sino encabezar la serie de libros que vienen después (partir del número 20) y se usarían en las escuelas de gramática.

19. FLEURI CATHECISMO HISTORICO. Claudio Fleury. *Catecismo histórico*. La primera edición en español es la de París, por Pedro Witte, 1717, 2 vois. Numerosas reediciones hasta el siglo XX. Uno de los grandes éxitos del siglo. Apunta Palau: "Adoptado como texto escolar, este *Catecismo* obtuvo ... reimpresiones de escaso aprecio comercial, especialmente las del siglo XIX".

20. FABULAS DE ISOPO. Son muchas las ediciones corrientes en latín. Puede señalarse una reedición de la versión castellana de Simón Abril ("duodécima impresión") hecha en Madrid, Imprenta de la Viuda de Juan Núñez, 1761 (Palau).

21. FABULAS DE FEDRO. Como las anteriores, en latín, según indica el segundo documento que hemos citado.

22. EMBLEMAS DE ALCIATO. En latín. Puede sorprender la presencia de los *Emblemas* en una lista de libros "de primera necesidad" de la segunda parte del siglo XVIII. Pero Palau da las referencias de cuatro ediciones españolas (en latín) de esa época y en inventarios de bibliotecas privadas aparecen también frecuentemente ediciones no identificables de la obra.

23. OBIDIO. En latín, así como
24. VIRGILIO.
25. QUINTO CURCIO.
26. CICERON EPíSTOLAS.
27. ID. SELECTAS.

28. EPíSTOLAS DE SAN GERONIMO. En latín, probablemente, aunque había ediciones en español.

29. VOCABULARIO DE NEBRIJA. El *Dictionarium.*

30. VOCABULARIO ECCLESIASTICO. Rodrigo Fernández de Santa Ella. *Vocabulorium seu Lexicon Eclesiasticum.* "Conocido también por Maese Rodrigo", apunta Bustamante.

31. CEJUDO LIBRO 4° y 5°. Podría tratarse de: Jerónimo Martín Caro Cejudo. *Refranes y modos de hablar castellanos con latinos.* (ediciones de 1675 a 1799).

32. VALERIO MAXIMO. En latín.

33. EXERCICIOS DE SAN IGNACIO. Los *Ejercicios espirituales* de San Ignacio.

34. KEMPIS IMITACION DE JESU CRISTO. *De la imitación de Cristo* era uno de los libros más leídos en la España del siglo XVIII. Había ejemplares en todas las librerías medianamente surtidas y, desde luego, aparece el título con mucha frecuencia en inventarios de bibliotecas privadas.

35. VILLACASTIN EXERCICIOS. Thomás de Villacastín. *Manual de exercicios espirituales*. Ediciones de 1610 o 1611 a nuestros días.

36. CONCILIO TRIDENTINO. *Canones et Decreta Sacrosancti Oecumenici et Generalis Concilii tridentini.* Posteriormente se publicaron varias ediciones de *El Sacrosanto y Ecuménico Concilio de Trento.* Traducido al idioma Castellano por Don Ignacio López de Ayala.

37. EL MISMO CON NOTAS DE GALLEMART. El mismo, en efecto, pero léase "ex ultima recognitione Joannis Gallemand".

38. FINEZA DE JESUS SACRAMENTADO. Fr. Juan Joseph de Santa Teresa. *Finezas de Jesus Sacramentado para con los hombres e ingratitudes de los hombres para con Jesus Sacramentado escrito en Lengua Toscana y Portuguesa ... Y traducido en Castellano por don Iñigo Rosende. Presbitero* ("El P. Antonio Mourin", apunta Palau). Ediciones de 1738 a 1857.

39. LUZ DE VERDADES CATHOLICAS. Juan Martínez de la Parra. *Luz de verdades catholicas y explicación de la doctrina cristiana.* Hubo ediciones de 1691 a 1793.

40. POTESTA SUMA MORAL. Felix Potesta. *Examen Ecclesiasticum ad auctum completens Tomos...* (ediciones de 1728 a 1774).

41. LUZ DE LA FE Y DE LA LEY. Jaime Barón y Arias. *Luz de la Fey de la Ley.* Ediciones de 1717 a 1828.

Breve y provisional comentario. Habrá podido notarse que de las cuarenta y una obras enumeradas, muy escasas son las que se publicaron por vez primera en el siglo XVIII. Y aun cuando sucede esto, no se distinguen los libros por su carácter moderno, ya que se trata de los *Ejercicios espirituales* de Palafox, de la *Antorcha aritmética* de Taboada, de dos compendios históricos (el de Trincado, el de Duchesne traducido por el P. Isla). La presencia de lo francés, que se manifiesta en las gramáticas (la de Galmace, la de Núñez muy anterior, del siglo XVII), el éxito de Duchesne, y sobre todo el del *Catecismo histórico* de Fleury es lo único que permite situar este fondo en un borroso siglo XVIII que va prolongándose en el XIX.

Son evidentemente los libros de los que esperaba la Compañía de Impresores y Libreros un pronto y jugoso despacho. Los había para gente instruida y para niños analfabetos. Hicieron bien quienes propugnaron la abolición de la tasa en considerar que los únicos que resultaban realmente de primera necesidad eran los textos para instrucción y catequización del pueblo. Como ya señalamos muy someramente en otra ocasión[8], los estudiosos que desean saber cuáles eran los textos más leídos en España, no sólo en el siglo XVIII, ya que una centuria es demasiado breve para encerrar una historia profunda, deben acudir, por lo que concierne a la buenas lecturas, a la Real orden de 22 de marzo de 1763, cuyo objeto fue el determinar ya de una vez los "libros" (de hecho, no eran libros, sino humildes impresos de otra categoría, según nuestros criterios) que habían de quedar sujetos a tasa y eran los siguientes: "Catón cristiano– Espejo de cristal fino– Devocionario del Santo Rosario-Via-crucis y los demás de esta clase– Las cartillas de Valladolid– Los catecismos del padre Astete y Ripalda– Y los demás que estén en uso en las escuelas de primeras letras– Preparatorios para la sagrada confesión y comunión– Acción de Gracias– Examen diario de conciencia– Meditaciones devotas para el día– Todas las novenas– Y otras devociones semejantes[9]."

[8] F. López, "La difusión de la literatura popular en el Antiguo Régimen", en *Leer y escribir en España. Doscientos años de alfabetización*, (bajo la dirección de Agustín Escolano), Madrid, Fundación Sánchez Ruipérez, 1992, pp. 263-280.

[9] J.E. de Esguizábal, *op. cit.* p. 26.

Ahora bien, el pueblo, cuando podía, solía tener por otra parte malas, pésimas lecturas, recreándose con narraciones y cuentos indecentes que ofendían a una el recato y la decencia pública, con violencias, milagros supuestos, patentes estupros y otras muchas abominaciones. De estas lecturas hemos tenido que ocuparnos en otros trabajos, porque alguna documentación al respecto nos ha sido conservada, y porque, en criterio de la gente inculta, muy opuesto al del Gobierno y de los ilustrados, también fueron la "coplería", la "romancería" y las "historias" textos de primera necesidad[10].

[10] F. López, *Antonio Samz, Imprimeur du Roi et l'édition populaire sous l'Ancien Régime*, en "Bulletin Hispanique", 95, 1 (1993) pp. 349-378.

Autor, actor, refundidor: *El pastelero de Madrigal* de Cañizares a Solís. Técnica de una refundición «teatral»

RAFAEL LOZANO MIRALLES

El 27 de febrero de 1812 la compañía de Isidoro Máiquez pone en escena en el teatro del Príncipe de Madrid *El pastelero de Madrigal* «nuevamente arreglada y dividida en cinco actos». Se trata con toda probabilidad del estreno de la refundición efectuada por Dionisio Solís[1]. Es *El pastelero de Madrigal* una de las primeras obras de José de Cañizares[2], escrita en los primeros años del XVIII (en 1706 hay constancia del pago a Cañizares de 800 reales por una «comedia nueva»). Se imprimió varias veces (las principales ediciones son: Madrid, 1746; Valencia, 1765) y se representó sin interrupción durante todo el

[1] No es abundante la bibliografía específica sobre Dionisio Solís, seudónimo de Dionisio Villanueva y Ochoa, 1774-1834, a pesar de la cantidad e interés de su obra (cfr. la lista de piezas originales y refundidas en el monumental trabajo de J. Herrera Navarro, *Catálogo de autores teatrales del siglo XVIII*, Madrid, Fundación Universitaria Española, 1993). Al clásico J.E. Hartzenbusch, *Noticias sobre la vida y escritos de D. Dionisio Solís*, en "Revista de Madrid" (1839) pp. 488-97, se añade con provecho S.A. Stoudemire, *Dionisio Solís's 'refundiciones' of Plays (1800-1834)* en "Hispanic Review", 8 (1940) pp. 305-310. Se pueden señalar también la tesis inédita de H. L. Ballew, *The Life and Works of Dionisio Solís*, Chapel Hill, University of North Carolina, 1957, y la tesina inédita de S. Moral Scossa-Baggi, *El teatro de Dionisio Solís*, Madrid, Universidad Complutense, 1982. Sin embargo, quien mejor se ha ocupado recientemente del autor, sacándolo del olvido, es D.T. Gies con *Hacia un catálogo de los dramas de Dionisio Solís*, en "Bulletin of Hispanic Studies", 68 (1991) pp. 197-210; y con *Dionisio de Solís, entre dos/tres siglos*, en: E. Caldera y R. Froldi (eds.), *Entre/Siglos*, Roma, Bulzoni, 1993, pp. 163-170. A este último artículo me remito para una bibliografía más completa.

[2] Para un panorama completo sobre la pieza, la atribución y la historia textual, véase mi introducción a: J. de Cañizares, *El pastelero de Madrigal*, ed. R. Lozano Miralles, Parma, Edizioni Zara, 1995. El estudio más completo sobre el dramaturgo está en: P. Mérimée, *L'art dramatique en Espagne dans la premiére moitié du XVIIIe siécle*, Toulouse, France-Ibérie Recherche, Université de Toulouse-Le Mirail, 1983, especialmente pp. 81-170. Muy útil también la introducción de J. Alvarez Barrientos en su edición de *El anillo de Giges*, Madrid, C.S.I.C. (Anejos de la revista "Segismundo", 9 (1983).

XVIII y principios del XIX, convirtiéndose en una de las clásicas piezas de repertorio de las varias compañías que actuaron a lo largo del siglo. En el último decenio se convirtió en pieza de repertorio de la compañía encabezada por Máiquez y la Prado. La clave de su éxito reside ciertamente en que Cañizares ya da en esta obra con la fórmula de la llamada «comedia de teatro» – basada en una escenografía rica y aparatosa, con personajes de alta extracción que permiten una trama muy variada y fuera de lo común – que prevalecerá en el gusto del público más popular durante todo el XVIII y de la cual será el máximo intérprete[3].

El objetivo del presente artículo no es otro que el de presentar de manera gráfica la técnica de una operación de refundición. Sin embargo, conviene referirse previamente a algunas cuestiones generales para lo cual partiremos de E. Caldera, que a los refundidores dedicó un capítulo en su volumen sobre el drama romántico en España[4]. Señalaba Caldera que «non sarà dunque errato affermare che le *refundiciones* che invasero la scena spagnola negli ultimi decenni del Settecento e nei primi dell'Ottocento si inserivano pienamente nella tradizione di rifacimenti, rielaborazioni, gareggiamenti artistici e morali che costituisce una costante delle lettere ispaniche, almeno a partire dal secolo XVII. [...] Ma è peraltro evidente che il *refundidor*, nel momento stesso in cui si accinge a rifare la commedia antica, parte dal presupposto che essa sia più o meno gravemente difettosa; anzi, talvolta, nelle prefazioni, sottolinea in modo esplicito tali difetti. [...] La matrice di questa posizione è certamente reperibile negli ideali neoclassici e cartesiani di chiarezza, di compostezza, di linearità» (pp.16-18).

Las palabras de Caldera expresan perfectamente un concepto muy asentado en la historiografía que es el de la matriz literaria de la actividad de refundi-

[3] Como ha dicho R. Andioc, *Teatro y Sociedad en el Madrid del siglo XVIII*, (Madrid, Castalia, 1987, 2ªed.): «las comedias áureas, esencialmente calderonianas, que producen todavía recaudaciones relativamente interesantes tienen a ser cada vez más las que presentan *características análogas a las de las comedias de teatro del XVIII*, es decir las que necesitan o pueden ocasionar una puesta en escena importante y variada y poseen protagonistas de alta esfera, con los consiguientes lances fuera de lo común en los que no suele intervenir un mero galán de comedia de capa y espada" (p. 123, la cursiva es mía). Sigue Andioc: «El caballero ha descendido las gradas de la escala social para confundirse con la idea que de él se forma el conjunto del público. De ahí la importancia que van cobrando paralelamente, por lo menos en la primera mitad del siglo, los aventureros y los forajidos de las comedias de guapo, pues en el fondo son idénticas sus hazañas. Gabriel de Espinosa, en *El pastelero de Madrigal*, de Cañizares, aspira a subir al trono de Portugal haciéndose pasar por el rey don Sebastián, y para lograr sus fines se muestra tan valiente y noble como los verdaderos nobles a quienes burla» (p. 134).

[4] E. Caldera *Il dramma romantico in Spagna*, Pisa, Università di Pisa, 1974.

ción. Es decir, se atribuye la operación de refundición de un texto a una adecuación a los códigos y cánones literarios de la poética neoclásica. Las numerosísimas obras refundidas que acaparan buena parte de la actividad teatral de los dos últimos decenios del siglo serían pues consecuencia directa de las violentas polémicas sobre/contra el teatro (barroco o barroquizante) que caracterizan este período[5].

Andioc ha ampliado netamente tal enfoque: «No siempre podemos afirmar que en tal o cual representación de comedia antigua en el XVIII se declamase el texto íntegro: además de las podas de la censura oficial, algunas de ellas podían sufrir varias modificaciones estructurales, o dar lugar a una puesta en escena "de teatro", de donde se originaban a veces alteraciones e incluso añadiduras. El extremo a que podía llegar una adaptación a los gustos dominantes es la llamada refundición». Y distingue «dos clases» de refundiciones: unas realizadas por partidarios más o menos declarados de la estética patrocinada por varios gobernantes ilustrados», otras por dramaturgos «populares», es decir, aquellos cuya "preocupación esencial es agradar al gran público»[6].

Creo que conviene sistematizar tales delimitaciones, especialmente considerando la labor de Solís, en general, y, en particular, el caso de *El pastelero de Madrigal*. El mismo Andioc recuerda un concepto fundamental, a menudo pasado por alto: «entre el público que tiende a asimilar, a confundir las hazañas del caballero y las del forajido o del guapo, y el dramaturgo ansioso de ofrecerles sus héroes predilectos, existe un intermediario cuya importancia no debe infravalorarse en la medida en que su papel constituye justamente en *encarnar* los personajes, en *prestarles su personalidad*, como en expresar la que el poeta les da, y esto tanto más cuanto que *varios actores eran al mismo tiempo drama-*

[5] Véase el libro de Andioc, *cit.*, que en su primera versión se titulaba *Sur la querelle du théâtre au temps de Leandro Fernández de Moratín*, Tarbes-Burdeos, 1970. También F. Aguilar Piñal, *La polémica teatral de 1788*, en "Dieciocho" 9 (1986) pp.7-23. No puede chocar en este contexto la virulencia de una reseña de *El pastelero de Madrigal* (versión original) aparecida en el "El Memorial Literario" refiriéndose a la representación en el teatro de la Cruz en febrero de 1794: «Con mucha razón la llamamos fabulosa, pues todo su contenido lo es; y a la verdad, no sabemos si acaso se escribió para manchar la memoria de los altos personajes que con ella hacen relación, y ridiculizar a la nación portuguesa [...]. ¿Podrá idearse un carácter de juez y de causa más propios para hacer sospechosa esta justicia, y denigrar la opinión de uno de nuestros monarcas más famosos, y de nuestros magistrados? ¿Podrá darse mayor tropel de verisimilitudes, necedades y maldades, que las que encierra esta composición? ¿Podrá en fin creerse que en nuestros teatros se permiten tales representaciones, sólo buenas para extender opiniones falsas, cuentos ridículos, y hacer menospreciable la memoria de sujetos por otra parte dignos de respeto?» (pp. 313-315).

[6] *Op. cit.* (1987), pp. 402-403 y 409.

turgos»[7]. Se puede completar tal afirmación indicando que, en el caso de la obra que nos ocupa, existen *por lo menos dos intermediarios* cuyo papel es esencial para llegar a la refundición.

Recorriendo las páginas de la biografía de Cotarelo dedicada al actor Isidoro Máiquez[8] leemos lo siguiente: «Habíase también distinguido algún tiempo antes en la ejecución de la comedia de D. Jerónimo de Cuéllar, *El pastelero de Madrigal*, tanto que ya por entonces iba unida, no a su nombre, pues aún no lo tenía, sino a su persona. Decíase, con efecto, hablando de esta comedia entre los asiduos concurrentes al teatro, que *El pastelero de Madrigal* "solamente lo desempeña bien *el marido de la Prado*". Máiquez aún no era nada» (p. 54). La cita se refiere al año 1796 y recoge la tradicional atribución de la obra a Cuéllar[9]. Se deduce fácilmente que *El pastelero de Madrigal* era obra de repertorio representada a menudo[10] y que entre los intérpretes ya descollaba uno que atraía la atención de los espectadores. Refiriéndose a la temporada teatral 1802-1803 señala Cotarelo: «Algunos días después hizo Máiquez *El pastelero de Madrigal* como él sabía hacerlo, con sus alternativas de picardía y majestad» (p. 148)[11].

Si Máiquez es, pues, el primer intermediario, el segundo es evidentemente Solís, en especial si se considera que desde 1793 hasta 1819 fue primer *apuntador* de la compañía y amigo-consejero del gran actor[12]. Es decir, no podemos considerarlo ajeno ni a la representación ni a la recitación del texto de Cañizares, ya desde mucho antes de la refundición. En la Biblioteca Histórica de Madrid (Biblioteca Municipal) se conservan los «apuntes», es decir, las sueltas de

[7] *Ibidem*, p. 141 (cursiva en el original).

[8] E. Cotarelo y Mori, *Isidoro Máiquez y el teatro de su tiempo*, Madrid, Imprenta de José Perales y Martínez, 1902.

[9] La comedia *El pastelero de Madrigal* circuló anónima hasta que C.A. De la Barrera en su *Catálogo bibliográfico y biográfico del teatro antiguo español. Desde sus orígenes hasta mediados del siglo XVIII*, Madrid, 1860, la atribuyó a Jerónimo de Cuéllar. Esta atribución ha pervivido en los estudios hasta que Mérimée, *op. cit.* demostró la autoría de Cañizares. Cfr. también mi edición *cit.*

[10] A.M. Coe, *Catálogo bibliográfico y crítico de las comedias anunciadas en los periódicos de Madrid desde 1661 hasta 1819*, Baltimore, John Hopkins Press, 1935, p. 176.

[11] La "Minerva" de 1807 (pp. 166-167) da una opinión más desapasionada respecto de la del "Memorial literario" (cfr. nota 5): «La comedia se separa muy poco de la historia, sólo disfraza el estado de Fr. Miguel por la debida decencia y respeto; el carácter del alcalde es poco decoroso, y el pastelero muestra más dignidad de la que parece corresponder a un embustero embaucador, aunque por otra parte en tanto que se verifica su soñado reino, se entretiene en traer engañadas y enredadas a dos mozas, a las que corteja muy a lo grande cual ejecuta todas sus acciones».

[12] Sobre esta intensa amistad y relación artística, cfr. Cotarelo, *op. cit.*

la pieza impresas en Madrid en 1746 y en Valencia en 1765, que una o varias compañías utilizan como guiones. Los «apuntes» son muy interesantes porque permiten vislumbrar, interpretando las marcas y los signos que los cubren, algunas de las características del texto representado. En efecto, los párrafos y las escenas marcados o aislados, los versos corregidos o tachados, etc. sugieren ya en la representación una severa labor de, por lo menos, reducción del texto, si bien manteniendo la estructura y disposición del original[13]. No se puede afirmar que estas intervenciones sobre la pieza de Cañizares sean obra de Solís pero el paso para llegar a una efectiva refundición ya estaba en el aire. Indica Cotarelo: «La ardorosa y elocuente declamación de Máiquez había impulsado a remozar los héroes de nuestras antiguas comedias, pues la mayor parte de las refundiciones que entonces se hicieron fue pensando en él, y quizá por él aconsejadas. Tal parece el resultado a que se llega al ver, por ejemplo, que en este año se ejecutaran por Máiquez otras dos refundiciones de comedias muy estimadas y muy representadas antes de esta fecha. Fue la primera *El astrólogo fingido* de Calderón [...] y la segunda *El pastelero de Madrigal*, también «nuevamente arreglada y dividida en cinco actos», que puso en escena el 27 de febrero del año doce. Ambas refundiciones pertenecen al ya citado D. Dionisio Solís» (p. 322). La refundición de *El pastelero de Madrigal*» adquiere así una nueva dimensión pues la actividad de Solís, como ha subrayado Gies, es «el eje central en torno al cual gira el teatro español entre los dos siglos que aquí nos interesan. Es el traductor y refundidor más activo de este período, sin cuyos esfuerzos el repertorio teatral habría sufrido un declive mortal»[14].

El recorrido que acabo de esbozar permite afirmar que entre la refundición literaria y la refundición popular – es decir, entre la refundición fundada en una precisa conciencia estética (y por lo tanto producto intelectual con un objetivo estético-ideológico preciso) y la refundición cuyo objetivo es simplemente

[13] Sería muy interesante poder cotejar minuciosamente texto original, «apunte» y refundición. Por otra parte, la investigación del *corpus* de «apuntes» permitiría reconstruir la historia y composición de las compañías pues en casi todos ellos aparecen listas o nombres sueltos de actores, el papel que representaban, etc. Así por ejemplo, en una de las sueltas de *El pastelero de Madrigal* van apareciendo en el texto los nombres de Briones, Roldán, Antolín, Casanova, Ríos, etc.; en otra aparece un listado de actores (después tachado) donde se leen los nombres de Fermín Máiq[uez], Valenzuela, Prado, Eusebio, Pantino, Monzín, Camas.

[14] *Op. cit.* (1993) p. 164. Y refiriéndose al período 1820-1850 remacha Gies: «sus refundiciones llegaron a alcanzar un total de casi 600 representaciones, esto es, más representaciones que todos sus competidores juntos» (p. 165).

'comercial', o sea, satisfacer y suscitar el aplauso del gran público[15] – se inserta un tercer tipo, que llamaría teatral, extremadamente fructífero en cuanto producto de las modificadas necesidades o condiciones dramáturgicas de la época en que se efectúa. *El pastelero de Madrigal* parece colocarse netamente en esta tercera clase, es decir, no se parte tanto de la voluntad ¿neoclásica? de adecuar una comedia al código poético contemporáneo cuanto de adecuar el texto efectivamente representado a las exigencias de puesta en escena y novedad que surgen desde el teatro mismo (también de código se trata, pero mucho más dramático que poético). Y puesto que este tipo de refundición desde "dentro" (o «de teatro» no puede prescindir de configurarse siguiendo los cánones dominantes y las perspectivas estéticas o ideológicas del momento, su labor de revivificación y de modernización le hacen asumir una función privilegiada en la evolución del teatro.

Si en la refundición literaria se constituye una escala de intervención sobre el texto que coloca en primer lugar el lenguaje, seguido por la estructura y la moralidad[16], al contrario en la teatral el primer lugar lo ocupa la estructura, seguido por la moralidad, con el lenguaje en último término. Cabe advertir cómo la intervención sobre la estructura, con una notable actividad de supresión, condiciona fuertemente la modificación en sentido moral e ideológico de la obra, es decir, si se considera inmoral un momento determinado de la relación entre dos personajes, el cortar una o varias escenas se sitúa perfectamente en el ámbito de las modificaciones estructurales, que la mayor parte de las veces tienden a simplificar la trama, eliminando intrigas y enredos amorosos que resultaban dispersivos en la economía general de la pieza representada. En este sentido, uno de los objetivos alcanzados por la labor de los refundidores es indudablemente el de concentrar la acción y la atención sobre el protagonista.

En el caso de *El pastelero de Madrigal*, además de la acostumbrada subdivisión en 5 actos que permite una mayor adhesión a las unidades de lugar y tiempo[17], las operaciones efectuadas por Solís se pueden encuadrar en cuatro ti-

[15] Como ejemplo de refundición literaria se puede aducir el caso ya clásico analizado por Andioc y por Caldera de la refundición de Trigueros *Sancho Ortiz de las Roelas* (efectuada sobre la comedia de Lope *Estrella de Sevilla*) y a su vez refundida por Hartzenbusch con el mismo título, cfr. Andioc, *op. cit.* (1987), pp. 404-407 y Caldera, *op. cit.*, pp. 41-58. Como modelo de refundición popular véase la comedia estudiada por Andioc (*ibidem*, pp. 409-414) *Lo cierto por lo dudoso* de Lope, refundida por Vicente Rodríguez de Arellano.

[16] Ha sido Caldera quien ha identificado los tres aspectos sobre los que operan los refundidores: moralidad, estructura y lenguaje, cfr. *op. cit.*, pp.18-41.

[17] Dice Caldera, *op. cit.*, pp.28-29: «Questo scopo, tuttavia, non si manifesta, in genere, come gratuita adesione alle norme delle poetiche; esso nasce soprattutto da una più intima esigenza

pologías: a) supresión de escenas o de versos; b) desplazamiento de escenas y más raramente de versos; c) añadidura de escenas y de versos, originales o inspirados en el texto refundido; d) reelaboración o modificación de versos, y más raramente de escenas.

a) Por lo que se refiere a la supresión, Solís ha intervenido de manera contundente: ha eliminado un tercio de los versos de Cañizares. Me parece significativo que en los «apuntes» estudiados en la Biblioteca Histórica de Madrid, el conjunto de las partes marcadas sobre las sueltas que utilizaban las compañías como guión (aunque no hay correspondencia entre las partes marcadas y las partes suprimidas en la refundición), equivale también a casi un tercio del conjunto de los versos. Evidentemente las necesidades temporales de la representación imponían reducir la duración del texto original. La supresión afecta a escenas enteras, generalmente las que constituyen los enredos e intrigas amorosas de los protagonistas masculinos y femeninos, graciosos, etc., mientras que la supresión de versos afecta esencialmente a las tiradas largas, en algunos casos por razones de normalización o moralización político-ideológica. En este caso, la labor más intensa de supresión se efectúa al final de la obra.

b) El desplazamiento de escenas tiene una función casi puramente estructural, es decir después de la supresión se trata de buscar un equilibrio y una distribución en 5 actos de las partes en función de las unidades de tiempo y lugar. El desplazamiento de versos suele estar motivado por razones de engarce entre partes suprimidas y/o desplazadas.

c) La añadidura de versos y escenas suele tener la función de engarce entre las partes después de las precedentes operaciones de supresión y desplazamiento.

d) En cierta medida estrechamente relacionada con la anterior, es en la reelaboración de versos y escenas donde mejor se constata la intervención del refundidor por lo que se refiere a la moralización y adecuación político-

di rigore strutturale che si esprime prevalentemente nel rifiuto di tutto ciò che è frondoso e convenzionale e che pertanto turba il lineare svolgimento dell'opera [...] La preoccupazione dei *refundidores* per l'unità dell'opera li condusse a scoprire praticamente (anche se non dimostrarono di averne coscienza teorica) questi convenzionalismi e a sbarazzarsene ogni volta che si imbattevano in essi. Si può dire che la loro prima operazione fosse appunto quella di sfrondare ed essenzializzare seguita immediatamente da ritocchi atti a legare meglio e a riequilibrare le varie vicende; così almeno ci informa Trigueros circa il lavoro da lui compiuto nel rifare *Los melindres de Belisa*: "excluir una o dos escenas, y algunos razonamientos y versos, sustituyendo muy pocos más para unir unas cosas, para prevenir otras, y para dar su verdadera extensión a algunos pasajes" (*La Melindrosa: Advertencia*)". Sobre el sentido y el alcance ideológico de las reglas neoclásicas, véase el capítulo que Andioc les dedica, *op. cit.*, pp. 513-539.

ideológica; esto es perceptible en la modificación de versos con fuerte valor normalizador durante la instrucción del proceso y en la reelaboración del final, donde se proclama de manera rotunda la falsedad e impostura de Gabriel pero, al contrario que en el original, no se le ejecuta sino que se le remite a juicio para reafirmar los conceptos de vuelta a la legalidad y de sumisión a la autoridad central.

En las páginas que siguen he intentado representar gráficamente la técnica de la operación que efectúa Solís sobre la obra de Cañizares, disponiendo en dos columnas paralelas los textos. En la columna izquierda tenemos la obra de Cañizares[18], en la derecha la refundición de Solís[19]. Me ha parecido oportuno, para facilitar la comparación de las estructuras narrativas subdividir jornadas y actos en escenas. Entre corchetes aparecen los números de los versos correspondientes a las escenas. En cursiva aparecen las añadiduras narrativas de Solís, ya en función de engarce, ya como modificación importante del texto. Al final de cada escena de la refundición se indica entre barras la correspondencia con las de Cañizares, y las principales operaciones de supresión, desplazamiento y reelaboración.

[18] Utilizo el texto por mí fijado en la edición crítica: J. de Cañizares, *El pastelero de Madrigal*, ed. di R. Lozano Miralles, Parma, Edizioni Zara, 1995.

[19] En la Biblioteca Histórica de Madrid (Biblioteca Municipal) se conservan tres ejemplares manuscritos anónimos (signatura 137-2) con el título *Gabriel de Espinosa o el pastelero de Madrigal*. He utilizado el que lleva como año de censura 1818: los tres primeros actos están escritos por una mano, los dos últimos escritos por otras dos manos distintas; todos tienen abundantes correcciones y tachaduras, algunas debidas seguramente a actores o apuntadores, otras quizá intervención directa del censor fray Fernando García y Carrillo que firma: «Nada hallo, omitiéndose lo rayado, y diciendo lo emendado, que se oponga a nuestra Sagrada Religión y buenas Costumbres. La Victoria de Madrid, a 15 de abril de 1818». Existe otro ejemplar manuscrito anónimo en la Biblioteca del Institut del Teatre (colección Sedó), Barcelona, cuyo título es *El Pastelero de Madrigal*. Sobre el ejemplar utilizado (1818) se basan los demás, pues copian fielmente las variantes y sobre todo el nuevo final impuesto por la censura. Cabe entonces suponer que hasta 1818 la refundición se representaba con el final que se puede leer al trasluz por debajo de la robusta tachadura del ejemplar que he usado como texto de referencia. Margherita Bernard, investigadora de la Universidad de Bérgamo (Italia) me ha comunicado que prepara la edición de la refundición. A ella habrá que referirse en el futuro. La tesis inédita de P. Marani, *Una "refundición" inedita de "El pastelero de Madrigal": trascrizione e analisi*, Università di Parma, 1991, se basa sobre el ejemplar de la colección Sedó.

El pastelero de Madrigal y rey don Sebastián fingido José de Cañizares	*Gabriel de Espinosa o El pastelero de Madrigal* Dionisio Solís
JORNADA I 1-1022	ACTO I 1-425
[1-68] Un grupo de hombres vestidos de campesinos vitorean a Gabriel, vestido de labrador rico, que agradece con modestia. Don Fadrique hace profesión de amistad, indicando que bajo la humilde apariencia de pastelero, ha de haber un caballero.	[1-64] Un grupo de hombres vestidos de campesinos vitorean a Gabriel, vestido de labrador rico, que agradece con modestia. Don Fadrique hace profesión de amistad, indicando que bajo la humilde apariencia de pastelero, ha de haber un caballero. /suprimidos 49-52/
	[65-68] *Fadrique yéndose con los hombres les ordena que se disfracen pues a Madrigal va a llegar don Rodrigo*.
[69-171] Al quedarse solos Gabriel y Moscón, el criado preferido, se dedican a comentar elogiosamente las hazañas realizadas por ése, introduciendo la semejanza con las realizadas por el desaparecido rey Sebastián. Mientras se aproximan a casa, Moscón comunica a Gabriel que está de acuerdo con Inés, criada de doña Leonor para permitirle el acceso a la casa, y le interroga sobre cómo ha conseguido enamorar a la dama y sobre sus intenciones respecto de Clara, con la que Gabriel ha tenido una relación cuyo fruto es una niña. Moscón se admira de los complicados enredos de Gabriel. Se dirigen a casa.	[69-171] Al quedarse solos Gabriel y Moscón, el criado preferido, se dedican a comentar elogiosamente las hazañas realizadas por ése, introduciendo la semejanza con las realizadas por el desaparecido rey Sebastian. Mientras se aproximan a casa, Moscón comunica a Gabriel que está de acuerdo con Inés, criada de doña Leonor para permitirle el acceso a la casa y le interroga sobre cómo ha conseguido enamorar a la dama y sobre sus intenciones respecto de Clara, con la que Gabriel ha tenido una relación cuyo fruto es una niña. Moscón se admira de los complicados enredos de Gabriel. Se dirigen a casa *para buscar a Miguel.* /modificado 171/

[172-220] Llegados a la casa, se oyen dentro los litigios de Catuja, la criada de Gabriel encargada de la pastelería, con los aldeanos; cuando sale, se los narra.	[172-220] Llegados a la casa, se oyen dentro los litigios de Catuja, la criada de Gabriel encargada de la pastelería, con los aldeanos; cuando sale, se los narra.
	[221-223] *Sale Miguel y Gabriel despide a los criados.* /reelabora parcialmente 226-228/
[220-238] Siguen las escaramuzas verbales entre Catuja y Moscón, hasta que Gabriel los despide, pues Miguel le comunica la llegada de los tres portugueses que esperaban.	* Suprimida
[239-256] Maravete y Rodelos ayudan a Gabriel a cambiarse de ropa, vistiéndole de noble portugués, mientras éste se incita para tener buen éxito en la representación.	* Parcialmente desplazada a III, 881-924
[257-523] Don Sancho (padre de Leonor) y los otros dos portugueses identifican a Gabriel como el rey Sebastián y se lanzan en dolorosos lamentos sobre la desgracia del monarca. Gabriel narra por extenso a los tres los episodios de su derrota, fuga, desaparición de Portugal y vicisitudes hasta la llegada a Madrigal, el encuentro con Miguel de los Santos y con doña Ana de Austria (monja prima de Felipe II y de Sebastián); luego comunica a sus vasallos la intención de volver a Portugal para recobrar, con su ayuda, el trono, lo cual suscita el entusiasmo de éstos.	* Desplazada a III, 925-1088
[524-582] Gabriel dispone que los portugueses vean a su hija, cuyo porte real asombra tanto a los presentes que cuando se retira provoca elogios y felicitaciones.	* Desplazada a III, 1088-1146
[583-624] Al marcharse los portugueses, Miguel y Gabriel comentan el buen éxito de la representación; Miguel asegura a	* *Parcialmente desplazada a I, 300-342 y a III, 1179-1222*

Gabriel, que había expresado alguna duda sobre la empresa, subrayando sus conocimientos y la perfección de la trama. Aunque Miguel le aconseja ir a ver a doña Ana, Gabriel decide ir antes a casa de Leonor.	
[625-694] Se asiste a la conversación entre Leonor y Clara (antigua amante de Gabriel, ahora al servicio de Leonor), y aquélla expresa todo su afecto por Clara y sus sufrimientos (el abandono del amante); después le cuenta el cortejo de Fadrique, aunque ella se ha enamorado perdidamente de otro hombre conocido como Juan de Silva (en realidad Gabriel) cuyo oficio no declara por rubor.	* *Desplazada a II, 426-517*
[695-732] La conversación es interrumpida por Fadrique que se lanza a expresar sus sentimientos y sus pretensiones amorosas, siendo éstas rechazadas por Leonor.	* *Suprimida*
[733-774] Llega Sancho con una carta y Fadrique se esconde. La carta consiste en el tratado de casamiento de Leonor con don Rodrigo Santillana, alcalde de casa y corte. La decisión del padre sorprende a Leonor y turba al escondido Fadrique.	* *Suprimida, con algunos versos que pasan a II, 426-517*
[775-794] La situación se complica enormemente, pues Fadrique tiene que salir sin ser visto, mientras entran Gabriel y Moscón.	* Suprimida
[795-858] Una vez salido Fadrique gracias a una artimaña de Moscón, Gabriel acusa a Leonor de falsedad.	* Suprimida
[859-938] Mientras discuten vuelve Sancho que al principio no reconoce a Gabriel embozado, y le desafía, pero cuando Gabriel se descubre cae arrodillado a sus pies, lo cual provoca el asombro de Leonor. Gabriel justifica su presencia por necesidades regias y sale acompañado	* Suprimida, con algunos versos del final que pasan a II, 779-787.

por Clara, a la que Leonor confiesa su galanteo con él.	
[939-1022] Los dos se reconocen y se acusan mutuamente, pero acaban abrazados en señal de reconciliación; el abrazo lo interrumpe Leonor y Gabriel abandona la casa.	* Desplazada a II, 788-866
JORNADA II 1023-1971	
[1023-1128] Miguel comunica a Gabriel que doña Ana le ha dado joyas para financiar la causa. Gabriel lo reprende y discuten sobre el engaño y los graves riesgos que los amenazan. Gabriel expresa de nuevo su perplejidad. Miguel intenta de nuevo asegurarle aduciendo ejemplos históricos de personajes de baja extracción social que consiguieron el poder y subrayando su enorme parecido con Sebastián. Gabriel se tranquiliza.	[224-299] Miguel comunica a Gabriel que doña Ana le ha dado joyas para financiar la causa. Gabriel lo reprende y discuten sobre el engaño y los graves riesgos que los amenazan. Gabriel expresa su perplejidad. Miguel intenta asegurarle aduciendo *un* ejemplo histórico de personaje de baja extracción social que consiguió el poder y subrayando su enorme parecido con Sebastián. Gabriel se tranquiliza. /suprimidos 1023-1024, 1087-1092, 1097-1118/ [300-342] Miguel asegura a Gabriel que había expresado alguna duda sobre la empresa subrayando sus conocimientos y la perfección de la trama. Aunque Miguel le aconseja ir a ver a doña Ana, Gabriel decide ir antes a casa de Leonor, *pues Moscón le anuncia que le ha preparado la entrada*. /proceden de 593-620/
[1129-1137] En un aparte, Miguel comunica que ya está preparando la muerte de Gabriel en cuanto la rebelión triunfe para dar el trono a don Antonio.	[323-337] *En un aparte Miguel comunica que ya está preparando la muerte de Gabriel en cuanto la rebelión triunfe para dar el trono a don Antonio.* /completamente reelaborada/
[1138-1160] Marchándose Miguel a despachar unos memoriales, Gabriel le ordena que invite a una compañía de cómi-	* *Parcialmente desplazada a III, 867-880*

cos para amenizar la cena.	
[1161-1208] Aparece Clara, con Moscón, trayendo un mensaje de Leonor. Gabriel le hace de nuevo profesión de amor pero acepta contestar a la misiva.	* Suprimida
[1209-1268] Mientras Clara está preguntando a Moscón por su hija, les irrumpe Catuja que se pone a reñir con el criado, hasta que vuelve Gabriel, que indica a Clara que verá a Leonor en su presencia.	* *Suprimida*
[1269-1302] Se oyen ruidos de pelea y voces pidiendo auxilio para la justicia; Gabriel va en su ayuda; Moscón narra lo que está ocurriendo; aparecen Fadrique y sus criados embozados perseguidos por Gabriel que los ahuyenta.	[343-368] Se oyen ruidos de pelea y voces pidiendo auxilio para la justicia; Gabriel va en su ayuda; Moscón narra lo que está ocurriendo; aparecen Fadrique y sus criados embozados perseguidos por Gabriel que los ahuyenta. *￼/suprimidos 1292-1302/*
[1303-1354] Don Rodrigo agradece a Gabriel su ayuda y le felicita por su coraje y nobleza, pero éste se marcha y no obtiene respuesta cuando le pregunta su nombre. Lo mismo ocurre con Moscón. Rodrigo revela las razones de su venida a Madrigal: una orden secreta del rey y el casamiento con Leonor.	*[369-425] Don Rodrigo agradece a Gabriel su ayuda y le felicita por su coraje y nobleza, pero éste se marcha y no obtiene respuesta cuando le pregunta su nombre. Lo mismo ocurre con Moscón. Rodrigo revela las razones de su venida a Madrigal: una orden secreta del rey y el casamiento con Leonor.*
[1355-1450] Clara da la carta a Leonor y le comunica el resultado de su encuentro con Gabriel. Sancho que asiste a la escena se enfada y se preocupa por su honor, decidiendo acelerar la boda.	* Suprimida
	ACTO II 426-866
	[426-517] Se asiste a la conversación entre Leonor y Clara (antigua amante de Gabriel, ahora al servicio de Leonor), y aquélla expresa todo su afecto por Clara y sus sufrimientos (el abandono del amante); después le cuenta el cortejo de Fadrique, aunque ella se ha enamorado perdidamente de otro hombre conocido como Juan de Silva (en realidad Gabriel) cuyo

	oficio no declara por rubor. *Añade que su preocupación es aún mayor porque su padre ha dispuesto que se case* con don Rodrigo de Santillana, alcalde de casa y corte, *recién llegado a Madrigal.* */procede de 625-694, añade versos nuevos y los integra con los desplazados 751-754/*
[1451-1580] Entra Gabriel que se deshace en elogios hacia Leonor pero también de forma ambigua hacia Clara. Luego sugiere a Leonor que se case con Rodrigo pues él oficialmente no es más que un pobre pastelero y pide a Clara una opinión sobre la boda, aunque afirma que él puede obligar a don Sancho a cambiar su voluntad. Se esconden Gabriel y Moscón al entrar Sancho, Rodrigo y Fadrique.	*[518-597]* Entra *Gabriel que se deshace en elogios hacia Leonor. Luego sugiere a Leonor que se case con Rodriguo pues él oficialmente no es más que un pobre pastelero, aunque afirma que él puede obligar a don Sancho a cambiar su voluntad. Se esconden Gabriel y Moscón al entrar Sancho, Rodrigo y Fadrique.* *versos iniciales de engarce, supresión de 1451-1454, 1459-1463, sustitución de 1475-1490, supresión de 1515-1522, 1535-1550, reelaboración de 1551, supresión de 1571-1574, reelaboración de 1575, supresión de 1579-1580/*
[1581-1688] Rodrigo dirige sus elogios, no bien acogidos, hacia Leonor provocando los celos de Fadrique; después, requerido, narra el ataque al coche, la defensa de Gabriel y la situación sospechosa que se ha creado. Llega un ministro con unos pliegos oficiales y Rodrigo se retira a leerlos.	[598-692] Rodrigo dirige sus elogios, no bien acogidos, hacia Leonor provocando los celos de Fadrique; después, requerido, narra el ataque al coche, la defensa de Gabriel y la situación sospechosa que se ha creado. Llega un ministro con unos pliegos oficiales y Rodrigo se retira a leerlos. */supresión de 1587-1590, reelaboración de 1591, supresión de 1614-1616, 1660-1661, 1669-1672/*
[1689-1732] Al oir decir a Sancho que Leonor se casará esa misma noche, Fadrique declara su leal amor no correspondido, y sus celos.	*[693-736] Al oir decir a Sancho que Leonor se casará esa misma noche, Fadrique declara su leal amor no correspondido, y sus celos.*
[1733-1780] Preocupadísimo por su honor, Sancho manda a Leonor que se vista para la boda, pero es interrumpido	[737-778] Preocupadísimo por su honor, Sancho manda a Leonor que se vista para la boda, pero es interrumpido por Gabriel

por Gabriel que le ordena suspenderla pues ha decidido que se case en Portugal. Sancho obedece.	que le ordena suspenderla pues ha decidido que se case en Portugal. Sancho obedece. /suprimidos 1736-1741, 1780/
	[779-787] Gabriel sale acompañado por Clara, a la que Leonor confiesa su galanteo con él. /versos de engarce, escena procedente de 928-938, supresión de 933-936, reelaboración de 937-938/
	[788-866] Los dos se reconocen y se acusan mutuamente, *reclamando Clara a su hija,* pero acaban abrazados en señal de reconciliación; el abrazo lo interrumpe Leonor y Gabriel abandona la casa. */procedente de 939-1022, supresión de 942-943, reelaboración de 945-956, supresión de 968-975, añadidura de 17 versos, supresión de 1018, 1020-1022/*
[1781-1807] Sancho acaba declarando su absoluta confusión cuando Leonor le revela que el don Juan de Silva con quien se quiere casar es la misma persona que ese Gabriel que Sancho cree que es el rey Sebastián.	* *Suprimida*
	ACTO III 867-1314
	[867-880] *Gabriel ordena a Miguel que invite a una compañía de cómicos para amenizar la cena, y también que vaya a buscar a los portugueses que esperan en casa de Sancho.* /procede de 1145-1160 con integración de 235/
	[881-924] Maravete y Rodelos ayudan a Gabriel a cambiarse de ropa. *Cuando regresa Miguel, Gabriel le expresa sus recelos por la llegada de Rodrigo, pero acaba incitándose para llevar a cabo la farsa.*

	/procede parcialmente de 239-256/ [925-1088] Don Sancho (padre de Leonor) y los otros dos portugueses identifican a Gabriel como el rey Sebastián y se lanzan en dolorosos lamentos sobre la desgracia del monarca. Gabriel narra por extenso a los tres los episodios de su derrota, fuga, desaparición de Portugal y vicisitudes hasta la llegada a Madrigal, el encuentro con Miguel de los Santos y con doña Ana de Austria (monja prima de Felipe II y de Sebastián); luego comunica a sus vasallos la intención de volver a Portugal para recobrar, con su ayuda, el trono, lo cual suscita el entusiasmo de éstos. /proceden de 257-523, con supresión de 281-284, 317-337, 339-342, 351-352, 355-364, 371-376, 385-396, 415-420, 431-440, 446-447, 456-463, 490-494, 498-499, 551-512, 519-523, reelaboración significativa de 422, 424/ [1089-1146] Gabriel dispone que los portugueses vean a su hija, cuyo porte real asombra tanto a los presentes, que cuando se retira provoca elogios y *felicitaciones*. */procede de 524-582, con reelaboración de 530-532, supresión de 560-561, 573-576, añadidura de versos de engarce/*
[1808-1833] Aparece Gabriel leyendo unos memoriales, que confirman la adhesión a la rebelión, que le presentan ceremoniosamente los dos caballeros portugueses.	*[1147-1178]* Aparece *Gabriel leyendo unos memoriales, que confirman la adhesión a la rebelión, que le presentan ceremoniosamente los dos caballeros portugueses.*
[1834-1890] Aparejan una rica mesa, entra la niña y los músicos se ponen a cantar una canción. Esta suscita la ira de Gabriel, provocando admiración y miedo en los comensales.	[1179-1222] *Gabriel ordena que saquen la cena, se oye una primera canción, elogiada, y luego otra* canción. Esta suscita la ira de Gabriel, provocando admiración y miedo en los comensales. *Gabriel despide a los portugueses y a Sancho, y comenta con Miguel el* éxito de la representación, *aunque sigue planteándose dudas*

	e incertidumbres. /versos iniciales de engarce, reelaboración de 1834-1851, supresión de 1877-1879, 1884-1890, añadidura de 587-590, reelaboración de 585-586, 591-592/
[1891-1907] La justicia llama, los portugueses se marchan rápidamente, retiran la mesa y Gabriel se cambia de traje, pensando que viene por la pendencia con los embozados. Derriban la puerta.	[1223-1254] *La justicia llama y Gabriel piensa que viene por la pendencia con los embozados.* Derriban la puerta. /completamente reelaborada excepto 1904-1907/
[1908-1971] Aparece Rodrigo seguido de sus ministros. A pesar de las protestas de Gabriel, el alcalde ordena el registro de la casa, la incautación de joyas y papeles y el arresto de todos los presentes (Gabriel, Miguel, los varios criados, así como la niña) y su conducción a la cárcel.	[1255-1314] Aparece Rodrigo seguido de sus ministros. A pesar de las protestas de Gabriel, el alcalde ordena el registro de la casa, la incautación de joyas y papeles y el arresto de todos los presentes (Gabriel, Miguel, los varios criados, así como la niña) y su conducción a la cárcel. /supresión de 1924-1927/
JORNADA III 1972-3031	ACTO IV 1315-1770
[1972-2005] La escena se desarrolla en una especie de tribunal. Rodrigo expresa sus dudas sobre un caso donde todos los indicios, incluida la declaración de doña Ana llevan a la identificación de Gabriel con el rey Sebastián. Decide interrogar a todos los testigos.	[1315-1336] La escena se desarrolla en una especie de tribunal. Rodrigo expresa sus dudas sobre un caso donde todos los indicios, incluida la declaración de doña Ana llevan a la identificación de Gabriel con el rey Sebastián. Decide interrogar a todos los testigos. */supresión de 1988-1999/*
[2006-2057] Rodelos abunda en la caracterización de Gabriel como un misterioso noble, y señor generoso, jurando que es el rey Sebastián.	[1337-1392] Rodelos abunda en la caracterización de Gabriel como un misterioso noble, y señor generoso, jurando que es el rey Sebastián. */añadidura de 4 versos/*
[2058-2095] Maravete confirma la opinión de Rodelos y describe los encuentros secretos de Gabriel con algunos nobles, que le trataban de majestad, y también jura sobre su realeza.	[1393-1426] Maravete confirma la opinión de Rodelos y describe los encuentros secretos de Gabriel con algunos nobles, que le trataban de majestad, y también jura sobre su realeza. */reelaboración de 2072-2083/*

[2096-2246] Moscón y Catuja declaran: ésta sobre la pastelería como fachada y sobre el comportamiento principesco de la niña; él sobre la madre de la criatura, y sobre los amores de Gabriel, incluyendo el enamoramiento de Leonor, lo cual provoca una reacción en Rodrigo; confirma la identificación del pastelero como el rey Sebastián. La escena se cierra con la petición de Catuja de obligar a Moscón a casarse con ella para sacramentar una unión de hecho.	[1427-1574] Moscón y Catuja declaran: ésta sobre la pastelería como fachada y sobre el comportamiento principesco de la niña; él sobre la madre de la criatura, y sobre los amores de Gabriel, *excluyendo mencionar* a Leonor, lo cual provoca una reacción en Rodrigo; confirma la identificación del pastelero como el rey Sebastián. La escena se cierra con la petición de Catuja de obligar a Moscón a casarse con ella para sacramentar una unión de hecho. */supresión de 2195-2198, 2201, añadidura de 1 verso/*
[2247-2267] Estas declaraciones aumentan el convencimiento de Rodrigo de que Gabriel es más de lo que aparenta, también porque un hombre de baja condición no podría servir y amar a su prometida Leonor. Decide interrogar a Miguel.	[1575-1591] Estas declaraciones aumentan el convencimiento de Rodrigo de que Gabriel es más de lo que aparenta. Decide interrogar a Miguel. /supresión de 2251-2254/
[2268-2360] Miguel afirma que Gabriel es el rey Sebastián, y comunica a Rodrigo las razones de su convicción, y las vicisitudes de la fuga del rey después de la derrota militar. Amenaza a Rodrigo con el juicio divino, que se dirige a los calabozos.	[1592-1678] Miguel afirma que Gabriel es el rey Sebastián, y comunica a Rodrigo las razones de su convicción, y las vicisitudes de la fuga del rey después de la derrota militar. Amenaza a Rodrigo con el juicio divino. /supresión de 2299-2302, 2358-2360/
[2361-2389] En el calabozo Gabriel está preguntando a Moscón los términos de su declaración.	* Suprimida
[2390-2481] Hay un intercambio de agudezas verbales entre Gabriel y Rodrigo, que concluye con la afirmación de Gabriel de que el rey (Felipe II) lo conoce bien. Rodrigo interroga a Gabriel sobre las joyas y los documentos hallados en su casa, así como el trato majestad a un pastelero. Ante un insulto de Rodrigo, Gabriel reacciona con tal autoridad que el alcalde queda tan aturdido que acaba admitiendo la nobleza de Gabriel, antes de abandonar la escena.	[1679-1770] Hay un intercambio de agudezas verbales entre Gabriel y Rodrigo, que concluye con la afirmación de Gabriel de que el rey (Felipe II) lo conoce bien. Rodrigo interroga a Gabriel sobre las joyas y los documentos hallados en su casa, así como el trato majestad a un pastelero. Ante un insulto de Rodrigo, Gabriel reacciona con tal autoridad que el alcalde queda tan aturdido que acaba admitiendo la nobleza de Gabriel, antes de abandonar la escena.

[2482-2509] La escena se traslada a casa de Sancho. Aparece Fadrique que se excusa con él por su ardor amoroso. Este asiente perdonándolo por su juventud y le comunica su decisión de dejar a Leonor la elección del marido.	* Suprimida
[2510-2528] Entran Leonor y Clara que concuerdan con Sancho en su aflicción por la detención de Gabriel.	* Suprimida
[2529-2561] Entra Rodrigo que, además de elogiar a Leonor, afirma su obligación de servir al rey y pide interrogar a Clara. Sancho lo autoriza y Leonor asiste escondida al interrogatorio.	* Suprimida
	ACTO V 1771-2156
	[1771-1791] *Rodrigo convoca a Sancho, que obedece inmediatamente para* servir al rey, *y a Clara para interrogarla.* /escena nueva con inserción de 2548/
[2562-2616] Con Leonor escondida, la información que Rodrigo recaba de Clara confirma la relación de ésta con Gabriel y el hecho de que tuvieron una hija. Clara indica que Gabriel afirmaba no poder casarse con ella por diferencias sociales. Rodrigo declara que él se hace cargo de la niña, suscitando el agradecimiento de Clara, a la que recomienda silencio.	[1792-1849] *A solas con Clara* la información que Rodrigo recaba de ésta confirma la relación de ésta con Gabriel y el hecho que tuvieron una hija. Clara indica que Gabriel afirmaba no poder casarse con ella por diferencias sociales. *Rodrigo insiste para que diga la verdad.* Rodrigo declara que él se hace cargo de la niña, suscitando el agradecimiento de Clara, a la que recomienda silencio. /la supresión de Leonor implica muchos ajustes; supresión de 2568, 2575-2577, 2581, 2589, 2592-2595, 2609-2610, añadidura de 5 versos, cambios de orden/
[2617-2637] A Sancho, Rodrigo le encarga la custodia de Clara, y a Leonor le insinúa la falsa identidad de Juan de Silva.	* Suprimida

[2638-2671] Rodrigo, ante la sorpresa de Sancho, le comunica que tiene órdenes reales de hacer de Gabriel justicia en cuanto se haya concluido la instrucción del caso. Las airadas y doloridas protestas de Sancho sosteniendo que no se puede ejecutar a un rey, no consiguen modificar la decisión de Rodrigo, que no procede contra él por su hija Leonor.	[1850-1879] Rodrigo, ante la sorpresa de Sancho, le comunica que tiene órdenes reales de *remitir a* Gabriel *a la Corte* en cuanto se haya concluido la instrucción del caso. Las airadas y doloridas protestas de Sancho sosteniendo que *no se puede condenar a un* rey, no consiguen modificar la decisión de Rodrigo, que no procede contra él por su hija Leonor. /versos de engarce, supresión de 2649-2650, 2652-2655, reelaborados 2645, 2658, 2661, supresión de 2669-2671/ [1880-1911] *Aparecen Leonor y Fadrique, preocupados por Sancho. Un ministro comunica que Miguel quiere confesar la verdad. Leonor consiente que Fadrique declare su amor por ella a Rodrigo.*
[2672-2706] Una sombra misteriosa habla a Miguel y le incita a confesar la verdad ante la inminencia de su muerte. Miguel, despavorido, acepta el consejo para salvar el alma y llama a Rodrigo que convoca a todos los testigos del caso.	[1912-1920] Una voz en el sueño convence a Miguel y le incita a confesar la verdad ante la inminencia de su muerte. Miguel decide salvar el alma y llama a Rodrigo que convoca a todos los testigos del caso. /supresión de 2672-2687, 2692-2701/
[2707-2723] Traen también a Gabriel que ya estaba en capilla para ver si, siguiendo el ejemplo, confiesa. Gabriel, en un aparte, reafirma su decisión e insiste sobre el hecho de que el rey lo conoce, diciendo que él es más de lo que parece.	[1921-1934] Gabriel, en un aparte, reafirma su decisión e insiste sobre el hecho de que el rey lo conoce, diciendo que él es más de lo que parece. *Leonor se compadece de él.* /supresión de 2710-2715/
[2724-2815] Miguel confiesa y narra su rabia, sus proyectos de restauración, cómo le vino la idea de la suplantación, cómo se desarrollaron los hechos, la participación incauta de doña Ana y su propósito de desembarazarse de Gabriel apenas estuviera consumada la rebelión.	[1935-2013] Miguel confiesa y narra su rabia, sus proyectos de restauración, cómo le vino la idea de la suplantación, cómo se desarrollaron los hechos, la participación incauta de doña Ana y su propósito de desembarazarse de Gabriel apenas estuviera consumada la rebelión. /supresión de 2764-2767, 2788-2795/

[2816-2895] Gabriel le interrumpe acusándole de vileza, pues sin su confesión nada hubieran podido probar. Decide entonces declarar sus orígenes, su vida pasada, sus oficios y ocupaciones. Pide perdón a todos y solicita que le lleven a morir. Rodrigo acepta.	[2014-2075] Gabriel le interrumpe acusándole de vileza, pues sin su confesión nada hubieran podido probar. Decide entonces declarar sus orígenes, su vida pasada, sus oficios y ocupaciones. Pide perdón a todos y solicita que le lleven a morir. *Rodrigo dice que aún no está pronunciada la sentencia.* /supresión de 2838-2839, 2846-2847, 2865-2880/
[2896-2904] Gabriel siembra dudas sobre la validez de su confesión, y reitera que todos quedan engañados, pues la verdad la conocen sólo Dios y el rey que la diría si le viera, ya que él es más de lo que parece.	[2076-2084] Gabriel siembra dudas sobre la validez de su confesión, y reitera que todos quedan engañados, pues la verdad la conocen sólo Dios y el *pastelero, que la dirá en su presencia*, ya que él es más de lo que parece.
[2905-2923] Antes de la ejecución, Rodrigo ordena a Gabriel que se case con Clara para reparar el daño al honor y dispone la libertad de todos los presos, exceptuando a Miguel, que se dirigen al lugar del patíbulo. Sancho sigue incrédulo sobre la culpabilidad de Gabriel.	[2085-2112] Rodrigo manda a Gabriel que se case con Clara para reparar el daño al honor y dispone la libertad de todos los presos, exceptuando *a Gabriel y Miguel, que ordena conduzcan a los calabozos, antes de remitirlos a la Corte.* *Interpelado por Rodrigo, Sancho se arrepiente de su credulidad.* /versos de engarce, reelaboración de 2906-2915/
[2924-2973] Sancho va al encuentro de los portugueses que venían a participar a Gabriel los buenos resultados de la agitación. Sancho les comunica la condena del rey Sebastián y les insta a que se vayan para salvar la vida.	* Suprimida
[2974-3001] Rodrigo y Fadrique comentan el prodigioso valor de Gabriel, que antes de ser ahorcado llamó al alcalde dos veces emplazándolo ante Dios. Rodrigo confirma su certeza de la impostura, la temporánea suspensión de la pena de muerte a Miguel, el castigo a doña Ana y la reclusión de Clara en un con-	[2113-2126] *Un ministro comunica que Gabriel desde el calabozo ha emplazado a Rodrigo ante Dios, lo cual no preocupa al alcalde pues está convencido de la culpabilidad de Gabriel.* /escena nueva con inclusión de versos reelaborados 2984-2985, 2987-2988/

vento.	
[3002-3031] Se concluye la pieza con Leonor que pide a Rodrigo que la disculpe y que le permita casarse con Fadrique, el cual la ama y la sirve desde hace mucho tiempo, a lo cual accede el alcalde; aprovechando la ocasión, Moscón pide la mano de Catuja y Rodelos la de Inés.	[2127-2156] *Se concluye la pieza con Fadrique que pide a Rodrigo que no fuerce a Leonor a casarse, pues él* la ama y sirve desde hace tiempo, a lo cual accede el alcalde. /versos de engarce, reelaboración de 3010-3021, supresión de 3022-3027, 3030-3031/ N.B.: la versión censurada de 1818 tacha completamente esta escena y concluye con los siguientes versos pronunciados por Rodrigo: *y así / tenga efecto la sentencia / de su suplicio, y al mundo / de ejemplo con su cabeza*, que modifican profundamente el sentido "legal" de la refundición de Solís.

Lengua y *civilisation* en la disputa dieciochesca sobre América

GIOVANNI GENTILE G. MARCHETTI

Entre los temas que opusieron Clavijero a Cornelius De Pauw, considerado por el jesuita prototipo de *philosophe*, destaca particularmente el de la lengua (parte de un amplio ensayo dedicado a la 'cultura' entre los antiguos mexicanos)[1].

Había escrito De Pauw, en la I Sección de la V Parte de sus *Recherches philosophique sur les Américains*[2], que:

> […] al llegar los españoles al Nuevo Mundo no existía un solo americano que supiera leer o escribir y que, en sus días, todavía, no se encontraba ninguno que supiese pensar[3];

[1] Principalmente, las polémicas, explícitamente formuladas, se concentran en las *Disertaciones*, añadidas a la H*istoria antigua de México*, del Veracruzano (IV y último tomo de la edición de Cesena, en italiano, de 1780-1781: *Storia antica del Messico, cavata da' migliori storici Spagnuoli, e da' manoscritti e dalle pitture antiche degl'Indiani: divisa in dieci libri, e corredata di carte geografiche, e di varie figure; e dissertazioni sulla terra, sugli animali, e sugli abitatori del Messico*, ed. Gregorio Biasini). Otros temas a los que apunta el interés de Clavijero en las *Disertaciones* son: la población de América; los animales de México; la constitución física y moral de los indios; la religión y, cuestión por cierto muy curiosa, el origen del mal que ya nuestro jesuita llama, desde luego, *francés*, y que De Pauw tilda, en cambio, de *mal américain*, mientras compromisoria aparece la denominación de "mal napolitano".

[2] C. De Pauw, *Recherches Philosophiques sur les Américains ou Mémoires interéssants pour servir à l'Histoire de l'Espèce Humaine, avec une Dissertation sur l'Amérique et les Américains, contre les Recherches Philosophiques de Mr. De Pauw, par Dom Pernety*, a la cual sigue una *Défense des Recherches Philosophiques sur les* Américains, por el mismo De Pauw, 3 vols, Londres, sin ed., 1771. Esta es la edición a la que haré referencia citando, pero, originalmente las *Recherches* habían aparecido en Berlín, en sólo 2 vols., *apud* G. J. Decker, en los años 1768-1769.

[3] C. De Pauw, *op. cit.*, II, pp. 141-142. He traducido directamente del texto original.

y que no entendían los indios el valor de los sacramentos cristianos; no podían entenderlos porque, contrariamente a lo que había supuesto Montesquieu, no lograban asimilar los dogmas y los misterios de la fe cristiana, por que contienen demasiada Metafísica para sus cortas capacidades intelectivas – como muy bien lo había observado Th. Gage, (*missionnaire de son métier*, según De Pauw)[4].

Había afirmado, insistiendo sobre el concepto, que las lenguas de América son tan limitadas, tan pobres de palabras, que es imposible expresar por medio de ellas un sentido metafísico y, afirmación en contra de la cual reacciona muy resentido Clavijero,

> […] il n'y a aucune de ces langues dans laquelle on puisse compter au de là de trois[5].

Había también sostenido que la falta de palabras abstractas es indicio de falta de ideas, que, a su vez, demuestra que los indios americanos nunca salieron del estadio infantil: ellos siguen tercamente – sostiene De Pauw – corriendo por los bosques, en vez de erradicarlos para dejar, en su lugar, *campagnes riantes et fertiles*[6] (por otra parte, en su arquitectura no han progresado más que los castores).

Finalmente, completando su pensamiento en torno al lenguaje como medida para juzgar el grado de civilización de un pueblo, había sostenido que:

> Cuando un pueblo llega a tener filósofos, quiere decir que ya tiene artes y que su lengua se ha enriquecido con una cantidad infinita de términos aptos para expresar nociones morales, ideas metafísicas, el [dinamismo] de las pasiones y todos los matices de los sentimientos. Ahora bien, esta creación de palabras abstractas supone el esfuerzo de muchos grandes hombres y una larga serie de siglos[7].

Los unos y los otros, por supuesto, faltaron, según De Pauw, a la América antigua.

De forma muy parecida, en el artículo *Amérique*, publicado en el I tomo de los suplementos a la *Encyclopédie* de Diderot y D'Alembert, explicaba como la *pauvreté de leur langues, dont le dictionnaire pourroit être écrit en une page* (p. 352), no permitía a los indios americanos (a los peruanos, en este caso) expresarse según sus necesidades: a pesar de haber logrado reunirse en una especie de sociedad política, no habían llegado a inventar palabras que pudieran de-

[4] *Ibid.*, p. 151.
[5] *Ibid.*, p. 153.
[6] *Ibid.*, p. 150.
[7] *Ibid.*, p. 185.

signar *êtres métaphysiques* y *qualités morales* que, solas, pueden distinguir al hombre de la bestia, es decir: *justicia, gratitud, misericordia*. La misma *virtud* no tenía nombre.

La cuestión, exquisitamente filosófica, de la lengua en cuanto 'civilómetro' no parece muy tratada por los especialistas del siglo XVIII, fuera de la ocasión polémica a que se ha aludido. Prevalecen sí las preocupaciones taxonómicas y descriptivas, pero fundadas en criterios muy diferentes a los anteriormente expuestos y encaminadas hacia el establecimiento de jerarquías científicas que nada tienen que ver con el propósito discriminatorio asumido por De Pauw.

En busca "del origen de las naciones", el jesuita español Lorenzo Hervás, en Italia, desterrado después de la expulsión de la Compañía, reúne un excepcional caudal de informaciones en su *Catálogo de las lenguas de las naciones conocidas*[8], con razón considerado punto de arranque de la lingüística histórica y comparada[9].

La obra de Hervás es fuente de inestimable valor, sobre todo en relación con las lenguas de América, acerca de las cuales pudo obtener noticias fiables de sus compañeros jesuitas que, hasta la expulsión, habían vivido en casi todos los territorios americanos y que se encontraban en Italia, como él. Los dos que más influyeron sobre su clasificación de las lenguas amerindias fueron Felipe Salvador Gilij[10] y Francisco Javier Clavijero, "a quien no reconozco alguno que

[8] Lorenzo Hervás, *Catálogo de las lenguas de las naciones conocidas, y numeración, división, y clases de éstas según la diversidad de sus idiomas y dialectos*, 6 vols., Madrid, Atlas, 1979, edición facsímil de la de 1800-1805 (Madrid, Imprenta de la Administración del Real Arbitrio de Beneficiencia). La edición española de 1800-1805 mueve de la italiana de los volúmenes XVII-XXI, los últimos, de su obra enciclopédica *Idea dell'Universo, che contiene la Storia della Vita dell'Uomo, Elementi Cosmografici, Viaggio Estatico al Mondo Planetario, e Storia della Terra*, 21 vols., Cesena, Gregorio Biasini, 1778-1787. Con el vol. XVII, *Catalogo delle lingue conosciute, e notizia delle loro affinità e diversità*, 1785, empezaba Hervás a ocuparse de las lenguas del mundo, prosiguiendo su investigación – y retomando y revisando la obra italiana – en la sucesiva edición española.

[9] Véase Antonio Tovar, "El lingüísta español Lorenzo Hervás", en Lorenzo Hervás, *Catalogo delle lingue conosciute, e notizia delle loro affinità e diversità*, edición facsímil, al cuidado de Jesús Bustamante, de la de 1785 (Cesena, Gregorio Biasini), estudio y selección de obras básicas de Antonio Tovar, Madrid, Sociedad General Española de Librería, 1986, pp. 18-71.

[10] Felipe Salvador Gilij, misionero en la región del Orinoco, autor de un *Saggio di Storia Americana*, 4 vols., Roma, 1780-1784, traducido por Antonio Tovar (*Ensayo de Historia Americana*, 3 vols., Caracas, Academia Nacional de la Historia, 1965).

se aventaje en el conocimiento de todos los asuntos en que se pueden interesar la atención y curiosidad sobre la América Septentrional"[11].

Las lenguas de América forman objeto del I Tratado, que también constituye el I Volumen del Catálogo; en la parte inicial expone Lorenzo Hervás sus convencimientos, dando razón del esfuerzo emprendido. Elocuente es el título del II Artículo, donde las lenguas, *distintivo claro de las naciones*, son consideradas *el mejor medio para clasificarlas*. Los principios "distintivos" de las naciones, a través de sus lenguas, apoyan, según él, sobre tres elementos sustanciales: las palabras, el artificio y la pronunciación[12]. El "artificio gramatical" es *el principal medio para conocer la afinidad o diferencia de las lenguas conocidas y reducirlas a determinadas clases*[13]. Pero ese artificio no depende de la invención humana, no es fruto del capricho: *es propio de cada lengua de la que forma el fondo*. Por cuanto hayan sido bárbaras o civiles las naciones, *nunca mudan el fondo del artificio gramatical de sus respectivas lenguas*[14].

Los descubrimientos de Hervás a través de sus trabajos comparativos van hacia una dirección opuesta, como se ve, a la que toma De Pauw, impulsado por el prejuicio ideológico. Hasta, afirma el jesuita, puede una nación que siempre se ha considerado bárbara, como la araucana, hablar una lengua provista de un artificio gramatical *desmedidamente más ingenioso* que el de una nación que siempre se ha reputado civil. El hecho es que *las naciones no han inventado el artificio particular de sus respectivos idiomas, mas lo han recibido y conservado*[15].

La teoría de Lorenzo Hervás, no tan lejana de las ideas de Wilhelm von Humboldt (que tuvo ocasión de conocerlo estando en Roma, en representación del Rey de Prusia, y asombrarse frente a la riqueza de los materiales reunidos por el jesuita[16]), no deja espacio, pues, a las discutibles opiniones de De Pauw,

[11] Lorenzo Hervás, *Catálogo de las lenguas de las naciones conocidas*, cit., vol. I, p. 285.

[12] *Ibid*., p. 11 y p. 15.

[13] *Ibid*., p. 23

[14] *Ibidem*.

[15] *Ibid*., p. 24.

[16] Léanse al respeto las interesantes páginas de Miguel Batllori, "El archivo lingüístico de Hervás en Roma y su reflejo en Wilhelm von Humboldt", cap 11 de su: *La cultura hispano-italiana de los jesuitas expulsos. Españoles – Hispanoamericanos – Filipinos. 1767-1814*, Madrid, Gredos, 1966, pp. 201-274. Sobre las relaciones entre Hervás y Wilhelm von Humboldt y los juicios, no siempre generosos, que éste expresó acerca del jesuita y sus estudios lingüísticos véanse también los trabajos de Antonio Tovar, cit., y Jesús Bustamante, "Apéndice con algunas notas complementarias", pp. 73-87, en la igualmente citada edición del *Catalogo delle lingue conosciute*.

del cual únicamente dice que *habla de América con tanta ignorancia, como podía hablar del mundo lunar*[17].

La respuesta que Clavijero anuncia en el libro VII, cap. 41, de su *Storia antica del Messico* y que luego confía a la VI disertación, acepta, podríamos decir, el terreno impuesto por el adversario. Mientras Hervás (a cuya obra nos referimos por su importancia en relación con la historia lingüística de América, por su cercanía al mismo Clavijero y por ser, en la época de la *querelle*, la obra más considerable acerca del tema en discusión), indirectamente, quita fundamento a la argumentación del autor de las *Recherches*, el historiador veracruzano se deja arrastrar por la polémica y contesta la veracidad de las afirmaciones de De Pauw: "[…] los más altos misterios de nuestra religión – afirma – se hallan bien explicados en mexicano, sin haber sido necesario mendigar vocablos de otra lengua"[18].

Corregida la equivocada opinión, manifestada por Acosta, de que los antiguos mexicanos no tuvieran vocablo para nombrar a Dios[19], Clavijero advierte que dará, en la sexta Disertación, "una lista de los autores que han escrito en mexicano de la religión y moral cristiana, otra de los nombres numerales y otra de voces significativas de seres metafísicos y morales para disipar los errores del insolente y mordaz autor de la obra intitulada *Recherches Philosophiques sur les Américains*"[20]. También rechazará otra afirmación de De Pauw, quien había sostenido que era tan rudo el idioma azteca como para impedir su pronunciación a español alguno.

Ofreciendo una sintética descripción de la lengua mexicana, hace Clavijero una importante afirmación en la perspectiva que aquí nos interesa:

> En la copia de verbales y de nombres abstractos excede sin duda la lengua mexicana a cuantas conocemos; *porque apenas hay verbo de que no se formen muchos y dife-*

[17] Lorenzo Hervás, *Catálogo de las lenguas de las naciones conocidas*, cit., vol. I, p. 71.

[18] Citamos, aquí, de la edición Porrúa al cuidado de Mariano Cuevas, *Historia antigua de México*, México, col. "Sepan Cuantos…" 29, 1964, p. 239.

[19] Explica Clavijero que los misioneros no hicieron uso del *teotl* mexicano porque *había servido a la significación de los falsos dioses que adoraban* (*Ibid.*, p. 240). En este sentido se había claramente expresado Bernardino de Sahagún, quien mucho temía la conmistión entre cristianismo y cultos antiguos (véase la "Adición sobre supersticiones" puesta en apéndice al libro XI de su *Historia general de las cosas de Nueva España*, edición de A. M. Garibay, México, Porrúa, Col. "Sepan Cuantos…" 300, 1975.

[20] *Ibidem.*

rentes verbales, y casi no hay nombre o sustantivo o adjetivo de que no se formen abstractos[21].

La Disertación, tratado el tema de los numerales, demostrando fácilmente lo que cualquier docto sin prejuicio podía directamente apreciar en tantas obras impresas y en el *Vocabulario* de Molina señaladamente[22], llega al asunto de las palabras abstractas.

Las ideas expuestas por De Pauw las atribuye Clavijero, en gran parte, a La Condamine que, dice, *sabía tanto de la lengua americana como Paw y tomó sin duda este informe de algún hombre ignorante*. La Condamine había afirmado que: "*Tiempo, duración, espacio, ser, sustancia, materia, cuerpo* […] y otras muchas [palabras] no tienen voces equivalentes en sus lenguas [de los amerindios], y no sólo los nombres de los seres metafísicos, pero ni aun de los seres morales, pueden explicarse por ellos sino impropiamente y por largos circunloquios[23]."

Replica Clavijero que, por lo que atañe materia, sustancia, accidente y otros semejantes conceptos, tampoco las lenguas de los filósofos europeos las tenían y habían tenido que acudir al latín y, sobretodo, al griego para "filosofar". El mismo Cicerón, sostiene, había luchado, en sus obras filosóficas, para encontrar palabras que expresaran aquellos contenidos y al final tuvo que adaptar, a remolque, las griegas. Se puede, pues, excusar que los antiguos mexicanos no hayan:

> […] inventado voces para explicar aquellas ideas, pero no por esto es tan escasa su lengua en términos significativos de cosas metafísicas y morales […] antes aseguro que no es tan fácil encontrar una lengua más apta que la mexicana para tratar las materias de la metafísica pues es difícil de encontrar otra que abunde tanto en nombres abstractos pues pocos son en ella los verbos de los cuales no se formen verbales correspondientes a los en *io* de los latinos, y pocos son también los nombres sustantivos o adjetivos de los cuales no se formen nombres abstractos que significan el ser o, como dicen en las escuelas, la *quiditad* de las cosas, cuyos equivalentes no puedo encontrar en hebreo, ni en griego, ni en latín, ni en francés, ni en italiano, ni en inglés, ni en español, ni en portu-

[21] *Ibidem*. El subrayado es mío.

[22] Aludo a la interesante disertación sobre la "Cuenta numeral, en lengua castellana y mexicana" que Alonso de Molina pone en medio a las dos partes de su *Vocabulario en lengua castellana y mexicana y mexicana y castellana* (edición facsímil de la de 1571, con estudio preliminar de Miguel León-Portilla, México, Porrúa, 1970).

[23] Francisco J. Clavijero, *Historia antigua de México*, cit., p. 545.

gués, de las cuales lenguas me parece tener el conocimiento que se requiere para hacer el cotejo[24].

Como ya se observó anteriormente, Clavijero hace alusión a las *potencialidades* de la lengua, pero prosigue, para *complacer a la curiosidad de los lectores*, dando una lista de palabras demostrativas y, encareciendo la riqueza del idioma *mexica*, afirma:

La excesiva abundancia de semejantes voces ha sido la causa de haberse expuesto sin gran dificultad en la lengua mexicana los más altos misterios de la religión cristiana y haberse traducido en ella algunos libros de la Sagrada Escritura, y entre otros los de los Proverbios de Salomón y los Evangelios, los cuales, así como la *Imitación de Cristo,* de Tomás Kempis, y otros semejantes trasladados también al mexicano, no pueden ciertamente traducirse a aquellas lenguas que son escasas de términos significativos de cosas morales y metafísicas[25].

La lista incluida en la Disertación es la siguiente[26]:

Tlamantli: Cosa.
Seliztli[27]: Esencia.
Cualloti[28]*:* Bondad.
Neltiliztli: Verdad.
Cetiliztli: Unidad.
Ometiliztli: Cualidad.
Teitiliztli: Trinidad, etc.
Teotl: Dios.
Teoiotl: Divinidad.
Neiolnonotzaliztli: Reflexión.
Tlachtopaittaliztli: Previsión.
Neioltzotzonaliztli: Duda.
Tlalnamiquiliztli: Recuerdo
Tlacahualiztli: Olvido.
Tlazotlaliztli: Amor.
Naniotl: Maternidad.
Tlalcicpactlacoiotl[31]*:* Humanidad.
Teiolia: Alma.
Teixtamatlia[32]*:* La mente.
Tlamatiliztli: Sabiduria.
Ixtlamachiliztli[33]: Razón.
Ixaxiliztli: Comprension
Tlaiximatiliztli: Conocimiento.
Tlanemiliztli: Pensamiento.
Necocoliztli: Dolor.
Neoltequipacholiztli[34]: Arrepentimiento.
Ellehuitliztli[35]*:* Deseo.
Cualtihuani[36]: Virtud.
Tectihuani[37]: Virtud.
Acuallotl[38]*:* Malicia.

[24] *Ibid.*, p. 546.
[25] *Ibid.*, p. 547.
[26] Es obvio que los errores de los cuales se dará cuenta en las sucesivas notas no son imputables a Clavijero. No es difícil imaginar que en el pasaje a la imprenta algunas palabras hayan sido incorrectamente interpretadas. La lista lleva el título de "Voces mexicanas que significan conceptos metafísicos y morales". En la edición citada, se encuentra entre las pp. 546 y 547.
[27] Léase *Yeliztli.*
[28] Debe leerse *Cuallotl*, más correctamente escrito *Quallotl.*

Tlacocoliztli: Odio.
Tlamauhtiliztli: Temor.
Netemachiliztli: Esperanza.
Tloque Nalucaque[29]*:* El que tiene en sí todas las cosas.
Ipalnemoani: Aquel por quien se vive.
Amacicacaconi: Incomprensible.
Cemicacieni: Eterno
Cenmancanjeliztli: Eternidad.
Cahuitl: Tiempo.
Ceniocoiami: Criador de todo.
Oenhuelitini[30]*:* Omnipotente.
Cenhueliciliztli: Omnipotencia.
Tlacatl: Persona.
Tlacaiotl: Personalidad.
Taiotl: Paternidad.
Tolchicahualiztli: Fortaleza.
Tlaixieiecoliztli: Templanza.
Iollomachiliztli: Prudencia.
Tlamelahuacachicahualiztli: Justicia.
Iolhueiliztli: Magnanimidad.
Tlapaccaihjohuiliztli: Paciencia.
Tlanemactiliztli: Liberalidad.
Peccanemiliztli[39]*:* Mansedumbre.
Tlatlacaiotl: Benignidad.
Necnomatliliztli[40]*:* Humildad.
Tlaxocamatiliztli[41]*:* Gratitud.
Nepohualiztli: Soberbia.
Teoiehuacatiliztli: Avaricia.
Nexicoliztli: Envidia.
Tlatzihualiztli: Pereza.

Tiene razón Clavijero en defender la grande labor de los evangelizadores, cuyos nombres compendia de memoria en un "Catálogo de autores europeos y criollos que han escrito de doctrina y moral cristiana, en lenguas de la Nueva España", que pone al final de su sexta Disertación, *así para confirmar cuanto decimos como para manifestar nuestra gratitud a sus fatigas*[42]. Es verdad que son tantos los libros publicados en mexicano - y los diccionarios y las gramáticas de lenguas indígenas - como él afirma. Sin embargo, nos queda la duda de que algo los religiosos hayan añadido al vocabulario de los idiomas nativos y que Clavijero nos ilustre una lengua mexicana ya producto de los cambios impuestos por la extraordinaria y merecedora aportación de los misioneros y de

[29] Léase *Nahuaque.*
[30] Léase C*enhuelitini.*
[31] Seguramente *Tlalticpactlacaiotl.*
[32] Debe leerse *Teixtlamatia.*
[33] Más común la forma *Ixtlamatiliztli.*
[34] Léase *Neyoltequipacholiztli.*
[35] Léase *Ellehuiliztli.*
[36] *Qualtihuani.*
[37] Debe leerse Y*ectihuani.*
[38] *Aquallotl.*
[39] Entiéndase *Paccanemiliztli.*
[40] Debe leerse *Necnomatiliztli.*
[41] *Tlaçocamatiliztli.*
[42] Francisco J. Clavijero, *Historia antigua de México*, cit., p. 547.

cuantos, europeos, se han aplicado para estudiar, describir y rescatar las lenguas amerindias.

Hemos querido comprobar la existencia, en el México prehispánico, de los vocablos reseñados por Clavijero a través de un chequeo electrónico entre los textos recogidos por Bernardino de Sahagún. Consideramos estos textos fiables, pues el franciscano estuvo redactando testimonios en lengua mexicana o nahuatl, rendidos por informantes indígenas más o menos a la mitad del siglo XVI, sobre todas las materias, "divinas y humanas". También sabemos que la *Historia* de Bernardino – los textos nahuas de la *Historia* - tenía por objeto recoger información sobre la cultura indígena y, por lo tanto, no contiene sino en mínima parte (la confutación de la idolatría puesta en apéndice del L. I es el único caso en toda la obra) textos para la conversión.

El análisis del *corpus* de documentos reunidos por Sahagún confirma pronto la primera impresión[43]: de las 60 expresiones reseñadas por Clavijero, 40 no aparecen ni una sola vez: *amacicacaconi*, *cemicacieni*, *cenhueliciliztli*, *cenhuelitini*, *ceniocoiami*, *cenmancanjeliztli*, *cetiliztli*, *iolhueiliztli*, *iollomachiliztli*, *ixaxiliztli*, *ixtlamachiliztli*, *neiolnonotzaliztli*, *neioltzotzonaliztli*, *netemachiliztli*, *nexicoliztli*, *neyoltequipacholiztli*, *ometiliztli*, *paccanemiliztli*, *quallotl*, *teiolia*, *teitiliztli*, *teixtlamatia*, *teoiehuacatiliztli*, *tlacahualiztli*, *tlaçocamatiliztli*, *tlacocoliztli*, *tlachtopaittaliztli*, *tlaiximatiliztli*, *tlalnamiquiliztli*, *tlalticpactlacaiotl*, *tlamauhtiliztli*, *tlamelahuacachicahualiztli*, *tlanemactiliztli*, *tlanemiliztli*, *tlapaccaihjohuiliztli*, *tlatlacaiotl*, *tlatzihualiztli*, *tlazotlaliztli*, *tolchicahualiztli*, *yeliztli*.

Para algunas de estas palabras, sin embargo, existen, a veces numerosas, formas vinculadas etimológicamente con ellas: no se encuentra en el *corpus* de textos recogidos por Bernardino *tlalticpactlacaiotl*, que Clavijero traduce con «humanidad», pero sí *tlalticpactlaca*, de sentido bastante próximo: «los habi-

[43] Los resultados obtenidos a través de la elaboración de la base de datos, por mí constituida, se ven prácticamente confirmados por los índices del *Códice florentino* publicados por Marc Eisinger y Marc Thouvenot. ("Cf_INDEX, Index lexical du texte nahuatl du CODEX DE FLORENCE", 1994, http: //www.sup-infor.com/sources/liste-nahuatl.htm). Hay que advertir que las grafías a veces cambian mucho, no sólo de manuscrito a manuscrito sino dentro de un mismo documento. Por ejemplo, en el *Códice florentino*, *cauitl*, «tiempo» o, como quizás mejor dice Molina, «espacio de tiempo», se encuentra escrito también *caujtl* y *cavitl*; se podría suponer che *ellehuiliztli* no se encuentre, pero *eleviliztli*, que es sin duda la misma palabra, ocurre seis veces; *nepohualiztli* está representado como *nepoaliztli* y, para no hacer demasiado larga esta casuística, no se puede excluir de las ocurrencias *tlaxocamatiliztli* hasta que no se haya controlado las formas *tlaçocamatiliztli* y *tlazocamatiliztli*.

tantes del mundo»; tampoco está *tlaiximatiliztli*, traducido con «conocimiento», pero se encuentran *tlaiximati*, «conocer cosas», y *tlaiximatini*, «conocedor de cosas»; aun, no están *tlamauhtiliztli*, «temor», *paccanemiliztli*, «mansedumbre», *ixtlamachiliztli*, «razón», pero sí están *tlamauhtia*, «temer algo», *paccanemiliziotl*, sustantivo derivado, como el anterior de *pacca+nemi*, «vivir felizmente, regocijadamente, alegremente», y que, por lo tanto, podemos interpretar, aplicando la abstracción que supone el sufijo, como: «felicidad, gozo, alegría», *ixtlamatiliztli*, que, quizás más cumplidamente, significa «razón», reenviando *ixtlamachia* más al sentido de «prudencia».

De las otras veinte voces de la lista de Clavijero, *necocoliztli*, *qualtihuani*, *tlaixieiecoliztli*, *yectihuani*, aparecen solamente una vez; *aquallotl*, *necnomatiliztli, neltiliztli,* dos veces; llegan a tres: *naniotl*, *nepohualiztli* (en la forma *nepoaliztli*), *teoiotl* (en las formas *teuiotl*, 2, y *teoiutl*, 1) y *tlamatiliztli*; cuatro ocurrencias cuenta *tlacaiotl*, seis *ellehuiliztli*, diez *taiotl*. Los siete últimos y más recurrentes lemas tienen todos particular relevancia en el sistema cultural indígena: *cauitl*, 39 (entre el 0,01 y el 0,02 por ciento del total de las palabras del *corpus*) *tlamantli*, 77 (0,03%), que es empleado también en la formación de numerales, *teotl*, 127 (0,05%) *tloque nahuaque*, 166 (0,06%) al que hay que añadir *ipalnemoani*, 27 (0,01%), puesto que las dos expresiones son atribuciones del dios Tezcatlipoca, y *tlacatl*, «persona, hombre» 358 (0,14%) que es, entre las reportadas por Clavijero, la palabra que más ocurre en los textos compilados por Bernardino[44].

Este recorrido por el corpus nahua de la *Historia universal de las cosas de Nueva España* demuestra, por si fuera necesario, que la lengua de los antiguos mexicanos tenía una gran flexibilidad y admitía la formación estructural de palabras abstractas, de las cuales ya existía un importante, aunque limitado, vocabulario antes de la llegada de los españoles. Por otra parte, el pequeño glosario de Clavijero muestra la aceptación, al rojo vivo de la polémica, de un relativamente conspicuo número de lemas que son claramente fruto del proceso de evangelización. En el afán de contradecir a De Pauw, Clavijero no considera la posibilidad de otras formas de abstracción, más propias a la cultura indígena, como son, por ejemplo, las diptologías que Garibay llamó “difrasismos” y que

[44] Hay que observar que *quallotl* (como, por otra parte, *aquallotl*) deriva del adjetivo *qualli*, «bueno», muy frecuente en el *corpus* bernardiniano, así como *nelli*, «verdadero», del cual se origina *neltiliztli*. Muchas palabras, algunas de las cuales se encuentran en la lista de Clavijero, se originan, luego, de formas verbales de gran uso, como *mati*, *machtia*, *notza*, etc.

salpican los *huehuetlatolli* (discursos de los ancianos) confiriendo a la lengua de los antiguos mexicanos un raro encanto poético. Recordaré tan solo las que se pueden leer en el discurso que, según la tradición nahua recibida por Bernardino de Sahagún, pronunció Motecuhzoma delante de Cortés[45]. La ciudad, el centro urbano (en este caso Mexico-Tenochtitlan), viene representada como "in atl, in tepetl", «el agua, el monte», "in matzin, in motepetzin mexico", «tu aguita, tu montecillo, México»; el poder político se expresa a través de "in mopetlatzin, in mocpaltzin", «tu petatillo, tu estimada silla»; el lugar inconocible, misterioso, de donde han inexplicablemente llegado extraños seres de tez blanca se significa con "in mjxtitlan in aiauhtitlan", «entre, con las nubes, entre, con la bruma».

No se trata de meras figuras retóricas, aunque innegablemente lo sean. Se trata, más bien, de una forma típica y depositada de expresión. Revelan, sencillamente, distintos caminos de representación y abstracción.

[45] Bernardino de Sahagún, *Historia universal de las cosas de Nueva España*, ms. 218-220 de la Colección Palatina (*Códice florentino*), Biblioteca Medícea Laurenziana de Florencia, Libro XII, cap. XVI.

Gru e cicogne: ancora una nota stravagante (a proposito del sonetto 466 di Quevedo)

ALESSANDRO MARTINENGO

1. Prendendo lo spunto, in un recente articolo, dai commenti che critici e editori hanno dedicato ad un passo del *Médico de su honra* di Calderón

(... Humilde
estoy, señor, a tus pies.
Seré el pájaro que fingen
con una piedra en la boca"),

Ignacio Arellano ha limpidamente delineato la storia, letteraria e iconografica, di un motivo di origine classica, quello dell'uccello raffigurato con un sassolino nel becco: la disamina delle fonti antiche, dei bestiari medievali e dell'emblematica rinascimentale (cui presta particolare attenzione) consente allo studioso di sceverare dall'intrico dei motivi affini e concorrenti la linea di sviluppo che trasforma una nozione, o credenza, tramandata dai naturalisti antichi, in un simbolo di virtù, la virtù (non sempre tale, tuttavia) del silenzio[1].

Le conclusioni dell'analisi di Arellano possono (con qualche integrazione) riassumersi così:

a) l'uccello cui allude Calderón è l'oca, come correttamente ha sostenuto – fra gli altri – l'editore Cruickshank, rinviando, come a precedente più immediato, ad un emblema di Juan de Horozco y Covarrubias[2], nel quale la raffigurazione dell'uccello con la pietra nel becco appare preceduta dal motto "Silentium vita" e corredata da

[1] I. Arellano, *Piedras y pájaros: ilustración extravagante a un pasaje del 'Médico de su honra', de Calderón*, in "Bulletin Hispanique", 92 (1990) n. 1, pp. 59-69. La cit. dal *Médico* è tratta dall'ed. di D.W. Cruickshank, Madrid, Clásicos Castalia, 1981, vv. 2176-79.

[2] J. Horozco y Covarrubias, *Emblemas morales*, Segovia, Juan de la Cuesta, 1589, III, *emblema* XLI, fol. 183r.

un'esplicazione in versi in cui si legge come le oche, attraversando a volo il Monte Tauro infestato dalle aquile, ricorrano a quell'artificio onde evitare che involontarie strida di terrore rivelino il loro passaggio;

b) nelle fonti antiche e contemporanee (ma soprattutto in queste ultime, bestiari ed emblematica, preciso io), "se producen con cierta frecuencia contaminaciones (a veces confusiones)" fra il ruolo dell'oca e quello della gru, in relazione appunto al tratto del sassolino nel becco: la confusione, o lo scambio – che ridonda a tutto vantaggio della gru e ne delinea un vivace protagonismo, del quale (e sia pure a spese di un altro pennuto) intendo dar qui una prova ulteriore – avviene per esempio, documenta Arellano, nelle *Empresas morales* di Juan de Borja (Praga, 1581), nella *Centuria tertia dei Symbolorum et emblematum ex volatilibus et insectis desumtorum* di Joachim Camerarius (Norimberga, 1597), nel *Persiles* di Cervantes[3];

c) la confusione o scambio di ruoli fra i due uccelli deriva forse dal fatto che alla gru le fonti antiche attribuiscono una pluralità di "habilidades líticas", come spiritosamente si esprime Arellano[4], documentate già in Plinio: per esempio, quella di ingurgitare sabbia e/o di stringere una pietra nella zampa per garantirsi maggiore stabilità nel lungo volo migratorio ("Certum est, Pontum transvolaturas primum omnium angustias petere inter duo promuntoria..., mox saburra stabiliri; cum medium transierint, abici lapillos e pedibus, cum attigerint continentem, et a gutture harenam", *Nat. hist.*, X, 60) o quella di reggere una pietra nella zampa sollevata, ma questa volta da ferme, quando in funzione di sentinelle notturne vogliono garantirsi dall'esser sorprese dal sonno ("Excubias habent nocturnis temporibus lapillum pede sustinentes, qui laxato somno et decidens indiligentiam coarguat; caeterae dormiunt, capite subter alam condito alternis pedibus insistentes", *Nat. hist.*, X, 59). Ora, poiché nella crescente voga del didatticismo, favorita dall'emblematica, si venivano insistentemente attribuendo significati etici e religiosi a tali abilità litiche della gru (la virtuosa *medietas* nell'emblema XVII di Alciato, più spesso la vigilanza e la prudenza, come per esempio negli *Hieroglyphica* di Pierio Valeriano)[5], era naturale che anche il tratto della pietra nel becco, solitamente

[3] I. Arellano, *art. cit.*, pp. 61, 65-66 e 67-68 (l'emblema di Camerarius cui allude Arellano è il n. XII della *Centuria tertia*. Per il passo del *Persiles* v. l'ed. di J. Avalle-Arce, Madrid, Clásicos Castalia, 1969, p. 331).

[4] *Ivi*, p. 60.

[5] Sugli *Hieroglyphica* di Pierio Valeriano, *ivi*, p. 65. Anche i testi del *Siglo de oro* privilegiano, entro la complessa simbologia relativa alla gru, il riferimento alla vigilanza: agli esempi addotti da Arellano nella sua ed. de *Los sueños* di Quevedo, Madrid, Cátedra, 1991, p. 402, a commento di un passo dedicato al cornuto Diego Moreno – che "siete durmientes era con los ricos y grulla con los pobres" – ne aggiungerò uno solo (ma sarebbe facile moltiplicarli): "¿Qué me dirás si con su mano alçada,/ haziendo la noturna centinela,/ la grulla de nosotros fue engañada?" (Garcilaso de la Vega, *Obras completas*, ed. E.L. Rivers, Madrid, Castalia, 1964, p. 92). Credo che rinvii allo stesso insieme di significati il termine *grullo* (interpretabile come

riconosciuto ad altri uccelli, tendesse ad essere attratto nell'ambito delle prerogative di un volatile tanto grato ai moralisti, come appunto la gru;

d) limitatamente infine al più specifico filone iconografico-moraleggiante in cui si inserisce – e va interpretata – l'immagine del *Médico* calderoniano, mi sembra inoppugnabile la sintesi che propone Arellano:

> En algunas ocasiones se les atribuye a las grullas la piedra en el pico que generalmente corresponde al ánsar, pero son más abundantes los casos en los que la grulla se caracteriza por el ininterrumpido grito, y por su beligerancia respecto de las águilas, – que son los enemigos de quienes el ánsar quiere protegerse con el silencio –. Esta frecuencia del rasgo del grito en el vuelo <separa> a las grullas de la emblematización del silencio (con la piedra en el pico) que se atribuye... a los ánsares...[6].

2. La lucida individuazione, compiuta da Arellano, di un tratto oppositivo caratterizzante fra l'"ininterrumpido grito" delle gru in volo e il silenzio timoroso delle oche mi ha suggerito di riprendere in esame l'*incipit* di un sonetto di Quevedo, d'ispirazione amorosa e di ambientazione primaverile, che avevo studiato altrove[7] accettando l'interpretazione tradizionale – risalente alla *princeps* – che vi vedeva espressi i tratti distintivi di due diversi uccelli, la gru e la cicogna questa volta. In relazione (e a contrasto) con le conclusioni appena sintetizzate, mi pare di vedere ora, in luogo di tratti distintivi, piuttosto una contaminazione o confusione di tratti, che, di nuovo, ridonderebbe a vantaggio della gru, ribadendone il protagonismo figurativo e simbolico.

Il sonetto cui mi riferisco è il n. 466 dell'edizione di Blecua; reca un titolo allusivo all'antitesi petrarchista su cui si regge il discorso ("Goza el campo de primavera templada y no el corazón enamorado") e comincia con i versi che qui appunto interessano:

> Ya tituló al verano ronca seña,
> vuela la grulla en letra, y con las alas
> escribe el viento;...[8]

'alguacil'), che ricorre in una *jácara* di Quevedo (*Obra poética*, ed. J.M. Blecua, Madrid, Castalia, 1969-1981 <=BL>, III, n. 856, v. 20).

[6] *Art. cit.*, pp. 62-63. L'unico punto che mi crea difficoltà è il riferimento alla "beligerancia" delle gru nei confronti delle aquile, di cui non trovo traccia nelle fonti antiche né in quelli che mi sono stati accessibili fra i *Bestiari* cui rinvia Arellano.

[7] *Prehistoria e historia del 'garabato de la cigüeña' machadiano*, in *Hispanic Studies in Honour of Geoffrey Ribbans* (A.L. Mackenzie-D. S. Severin ed.), in "Bulletin of Hispanic Studies", Special Homage Volume (1992) pp. 205-214.

[8] BL I, pp. 653-54. Ristabilisco la punteggiatura della *princeps* (*El Parnasso español*..., 1648, p. 278), in particolare la virgola (invece del punto e virgola) alla fine del primo verso, perché mi preme mettere in luce, come si vedrà, la continuità logica e sintattica del discorso.

Nella prima edizione, questi versi sono corredati da tre annotazioni dell'erudito ellenista González de Salas, amico del poeta e curatore dell'edizione postuma dei versi di lui (1648). Delle tre annotazioni due interessano particolarmente. La prima, apposta all'avverbio *ya* del primo verso, dice così:

Entiende a la cigüeña, expresando aquí un elegantísimo lugar de Publio Siro, mimógrafo, como en infinitas ocasiones hace lo mismo, trayendo a nuestra lengua frases excelentes de toda la antigüedad, que algún erudito con más ocio conferirá algún día. El verso de Publio Siro dice: *Avis exul hyemis, titulus tepidi temporis*;

mentre la terza, che si riporta al sintagma *la grulla* del secondo verso, è del seguente tenore:

También la grulla es título de la primavera, como de Aristóteles lo enseña Cicerón, l. 2 *De Nat. Deor*. La letra, empero, que forme volando, es muy contenciosa entre los gramáticos antiguos y modernos. Marcial, llamándola Ave de Palamedes, ayudó a esta duda habiendo sido inventor, no de una letra, sino de cuatro del alfabeto griego.

Nell'articolo citato, trascrivevo i due passi, di Publilio Siro (così va corretto il nome) concernente la cicogna, e di Cicerone concernente la gru, ai quali fa riferimento González de Salas[9]. Aggiungevo – a proposito del trattamento letterario del volo delle gru nel sonetto – che era opportuno, per presuntuoso che potesse apparire, integrare alquanto il commento dell'erudito secentesco. È indubbio infatti che Quevedo abbia tenuto presente la descrizione di Cicerone; ma poiché questi parla di una formazione di volo a triangolo, e non secondo lettere dell'alfabeto, don Francisco avrà pensato anche (o piuttosto) ad alcuni epigrammi del suo ammirato Marziale, in primo luogo (come lo

[9] Il testo di Publilio Siro ci è giunto frammentario, attraverso il *Satiricon* di Petronio Arbitro (Pétrone, *Le Satiricon*, texte établi et traduit par A. Ernout..., Paris, "Les Belles Lettres", 1967, 6ª ed., p. 52). Il passo che qui interessa è il seguente: "Ciconia etiam, grata peregrina hospita/pietaticultrix, gracilipes, crotalistria,/auis exul hiemis, titulus tepidi temporis,/nequitiae nidum in caccabo fecit modo" ("La cigogne ellemême, cette étrangère si chèrement accueillie, ce modèle de piété filiale, aux pattes grêles, au bruit de crécelles, l'oiseau qu'exile l'hiver, annonciateur des jours attiédis, fait maintenant son nid dans le chaudron de la débauche". Si fa allusione alla moda, diffusasi a Roma durante l'impero, di mangiare le cicogne; v. il commento, *ivi*). Il passo che interessa di Cicerone, ripetuto infinite volte dagli autori successivi, come attestano i commenti, è il 2, 125 del *De natura deorum* (si veda l'ed. di A.S. Pease, New York, Arno Press, 1979, II, pp. 869-72): "... Illud vero (ab Aristotele animadversum, a quo pleraque) quis potest non mirari: grues cum loca calidiora petentes maria transmittant trianguli efficere formam; eius autem summo angulo aer ab iis adversus pellitur, deinde sensim ab utroque latere tamquam remis ita pinnis cursus avium levatur; basis autem trianguli quam efficiunt grues ea tamquam a puppi ventis adiuvatur; eaeque in tergo praevolantium colla et capita reponunt; quod quia ipse dux facere non potest, quia non habet ubi nitatur, revolat ut ipse quoque quiescat, in eius locum succedit ex his quae adquierunt, eaque vicissitudo in omni cursu conservatur".

lascia supporre del resto lo stesso González de Salas), il n. 75 del libro XIII, intitolato "Grues", nel quale si fa appunto allusione ad una lettera dell'alfabeto tracciata nel cielo dal volo di questi uccelli, menzionati come "Palamedis aves". Né credo che Quevedo dubitasse (come insinua il suo editore) di che lettera si trattava, dal momento che non poteva essergli sfuggito un altro epigramma del poeta bilbilitano (il n. 12 <13> del libro IX) composto in onore del coppiere di Diocleziano, Flavio Earino, il cui nome – è detto nel primo verso – "teneri... tempora nuncupat anni", e è degno – continua il settimo verso – che "pinna scribente grues ad sidera tollant": di fatto, senza contare che la frase quevedesca "con las alas/escribe el viento" è direttamente ricalcata sullo stilema di Marziale "pinna scribente", nell'epigramma vien suggerita la lettera che le gru formano col volo, come sottolineano i commentatori moderni, per esempio: "Palamedes was said to have invented the Greek Y (the Latin V) by observing the formation of cranes in flight. V begins *ver* (spring) and represents Earinos" (gr. ἔαρ = ver)[10].

Le precisazioni richiamate mi erano parse indispensabili per sottolineare come a Quevedo il volo delle gru e la forma da esso tracciata nel cielo (e noto adesso come già allora la posizione della cicogna mi apparisse, nel contesto indicato, secondaria e ancillare) interessavano perché tale volo è visibile in primavera, è segno, o "titolo", della primavera (come appunto precisa González de Salas): Quevedo privilegiava insomma, all'interno della ricca simbologia tradizionalmente collegata con la gru, quell'aspetto che gli consentiva di trasformarla in un dato essenziale (cui altri si aggiungeranno nel seguito del sonetto, di carattere mitologico e iconografico), della segnaletica primaverile.

3. A questo punto sono tentato – nuovo e più grave atto di presunzione – non più di integrare, ma addirittura di contraddire González de Salas, giudicando fuorviante il suo riferimento alla cicogna, a proposito del primo verso del sonetto. Non dubito che Quevedo si sia ricordato di Publilio Siro, adattandone l'"elegantísimo lugar" (nelle parole del suo chiosatore) a forgiare lo stilema "ya tituló al verano"; ma credo che non abbia inteso andare oltre, abbia anzi automaticamente convogliato e dissolto un'eventuale, labile autonomia della cicogna nel protagonismo segnaletico della gru[11].

[10] Martial, *Epigrams*, with an English translation by W.C.A. Ker, London-Cambridge Mass., Heinemann-Harvard U.P., 1947-1950, II, pp. 416 e 78-79. Nell'*Anacreón castellano*, "BL" IV, p. 316, vv. 11-12, Quevedo si raffigura infatti per l'appunto come una lettera la formazione delle gru in volo: "Mira las grullas, que con leyes viven,/cómo, volando, en letra el aire escriben"; e si cfr. la *Soledad primera* di Góngora (New York, Hispanic Society of America, 1921, II, p. 72, vv. 603-11): "Qual en los Equinoccios surcar vemos/Los piélagos de el aire libre algunas/Volantes no galeras,/Sino grullas veleras,/.../Caracteres tal vez formando alados/En el papel diaphano del cielo/Las plumas de su buelo".

[11] In un articolo di qualche anno fa, ricco di importanti puntualizzazioni sulla cultura classica di Quevedo e sui modi del suo impiego a fini espressivi, F. Lechi (*Quevedo e il volo delle gru: reminiscenze classiche e procedimenti allusivi*, in "SI" (1977) pp. 61-67), ha acutamente formulato l'ipotesi che il primo verso

Me lo fanno pensare la scelta del sintagma “ronca seña” e la stretta relazione in cui esso si colloca (grazie alla virgola che lo segue nella prima edizione) con il defatigante volo delle gru[12]. Di queste, come sappiamo, la tradizione evoca l’abitudine di emettere ininterrotte strida per tutta la durata della trasmigrazione. Afferma Plinio:

> Quando proficiscantur consentiunt; volant ad prospiciendum alte, ducem quem sequantur eligunt, in extremo agmine per vices qui adclament dispositos habent et qui gregem voce contineant (*Nat. hist.*, X, 58);

cantano Stazio e Claudiano, rispettivamente:

> ..Illae <le gru>, clangore fugaci,
> umbra fretis arvisque volant.
> (*Theb.*, V, 13-14)

e

> ingenti clangore grues aestiva relinquunt

del sonetto 466 possa alludere alla gru, abbia cioè nella cicogna un “referente inespresso”; e di conseguenza toccherà al lettore “apprezzare l’*incipit* del sonetto come dotta citazione allusiva” (p. 65).

[12] Il sintagma *ronca seña* ricorre quest’unica volta (mi servo naturalmente di: S. Fernández Mosquera-A. Azaústre Galiana, *Indices de la poesía de Quevedo*, Barcelona, Universidad de Santiago de Compostela, PPU, 1993) nella poesia di Quevedo. In combinazione con altri sostantivi, l’agg. *ronco* ricorre invece con relativa frequenza, indicando per lo più un suono arrochito per natura o a causa del suo perdurare. Così può avvenire per la voce umana (’ronca la voz’, BL I, n. 366, 11; ‘voz ronca’, BL III, n. 862, 96; si aggiunga ‘voz ronca’ nel *Buscón*, III, 8, ed. F. Lázaro Carreter, Salamanca, Ediciones Universidad de Salamanca, 1980, 2[2], p. 250), talvolta allusa metonimicamente, per es. nel caso di personaggi di vecchie (’vejecilla ronca’, BL III, n. 772, 86; ‘con sus silbos roncos’, BL III, n. 774, 24 <e si cfr. come la ‘cabellera’ di Satana ‘silbe ronca’, BL I, n. 192, 168>), oppure di marinai in pericolo (’los roncos marineros’, BL I, n. 66, 6; ‘roncos votos’, BL I, n. 138, 24; ‘turba ronca y amarilla’, BL I, n. 123, 5). *Ronco* può essere anche uno strumento musicale o un canto: ‘mi cítara... ronca’, BL III, n. 853, 38; ‘con ronco son de cítara doliente’, BL III, n. 875, I, 774; ‘del metal ronco fabricó clarines’, BL I, n. 252, 5 (si aggiungano due esempi riportati da *Aut.*, s.v.: ‘el pecho ronco/de dar aliento al clarín’ e ‘cantando al son de flautas roncas y destempladas’; inoltre il gongorino ‘ronca les salteó trompa sonante’, ed. cit., II, p. 111, che ha il suo modello nel ‘rauco suon de la tartarea tromba’ di *Ger. lib.*, IV, 3; e si cfr., nella poesia moderna, il nerudiano ‘cantando roncamente’ riferito a García Lorca, *Residencia en la tierra*, ed. H. Loyola, Madrid, Cátedra, 1987, p. 277). *Ronco*, sempre per Quevedo, può essere il mormorio di un ruscello o del mare (’gime el mar ronco’, BL I, n. 112, 7; ‘óyele ronco <al Océano>’, BL I, n. 145, 82; ‘lleva con ronco son sus vados fríos’, BL III, n. 875, I, 795), oppure la voce di un animale (’con...mustia y ronca voz tórtola amante’, BL I, n. 349, 9-10; ‘los roncos perros’, ‘ladró Cerbero ronco’, BL I, n. 192, 62 e 175). Finalmente, con l’agg. *ronco* Quevedo crea talvolta, diciamo così, degli ‘effetti speciali’, riferendosi ora ad un temporale (’suena/ronca y rota la nube’, BL I, n. 183, 1-2), ora al brusio della folla che accoglie Gesù a Gerusalemme (’el ruido ronco/deste recibimiento’, BL I, n. 35, 1-2); ora alla guerra (’el ruido ronco de la guerra inquieta’, BL I, n. 258, 13); e si cfr., con allusione alla vita sulle galere, il gongorino ‘al ronco son/de el remo i de la cadena’, *ed. cit.*, I, p. 51.

Thracia, cum tepido permutant Strymona Nilo.
(*Bell. Gild.*, I, 435-36)

Né sarà da dimenticare Dante:

E come i gru van cantando lor lai,
faccendo in aere di sé lunga riga...
(*Inf.*, V, 46-47);

come non va trascurata la proiezione del motivo nei bestiari e nell'emblematica, per esempio nel *Livre du Trésor* di Brunetto Latini (dove inoltre tocca forse al suo culmine la lettura in chiave militare e cavalleresca della formazione delle gru in volo):

Les grues sont des oiseaux qui volent en troupes rangées à la manière de chevaliers qui vont au combat: et il y en a toujours une qui précède les autres à la manière d'un gonfalonier, et en tant que leur guide: elle les mène et les conduit, et les commande de la voix. Et toutes suivent celle-ci et obéissent à ses ordres. Et quand celle qui est le chef est enrouée et que la voix lui manque tout à fait, elle n'a pas honte qu'une autre soit mise à sa place...[13];

4. Abbiamo visto prima come al clamore ininterrotto delle gru in volo la tradizione letteraria e iconografica soglia contrapporre il silenzio prudente ed interessato delle oche. Ma a questo punto si riaffaccia, inopinatamente, la cicogna perché non è difficile seguire, nelle pieghe degli stessi testi, la traccia di una parallela –sebbene assai meno appariscente – opposizione: precisamente fra la solita gru dalle prevaricanti prestazioni atletiche e la cicogna, posta in evidente difficoltà dalla sua imbarazzante disabilità canora. Per Plinio la cicogna è addirittura priva di lingua ("Sunt qui ciconiis non inesse linguam confirmant", *Nat. hist.*, X, 62), e Ovidio non ci nasconde gli ineleganti suoni emessi dal pennuto, quando riferisce la metamorfosi della principessa troiana Antigone, che Giunone per vendetta

in volucrem vertit, nec profuit Ilion illi
Laomedonve pater, sumptis quin candida pennis
ipsa sibi plaudat crepitante ciconia rostro
(*Met.*, VI, 95-97);

[13] B. Latini, *Livre du Trésor*, in P. de Beauvais-G. le Clerc-R. de Fournival-B.L.J. Corbechon, *Bestiaires du Moyen âge*, mis en français moderne et présentés par G. Bianciotto, Paris, Stock-Moyen âge, 1980, p. 205.

mentre per una più esatta terminologia concernente, oltre ai suoni emessi da tanti altri animali, anche il verso della cicogna, dovremo ricorrere ai frammenti di Svetonio:

Gruum <est> gruere... Ciconiarum crotolare...[14],

e per una descrizione più puntigliosa del curioso fenomeno consultare Brunetto Latini:

La cigogne est un oiseau dépourvu de langue, et c'est pourquoi les gens disent qu'elle ne chante pas; mais elle claque du bec, et mène grand tapage[15].

Penso, per concludere, che creando l'immagine "ronca seña" Quevedo abbia inteso piuttosto trasporre in spagnolo l'illustre e classico *clangor* delle gru, arrochite per il lungo volo, che non camuffare, con dubbia operazione nobilitante, l'indecoroso *tapage* delle cicogne; a meno che il poeta non puntasse a riscattare in qualche modo il disprezzato pennuto, ricuperando al castigliano, oltre al sintagma *titulus tepidi temporis*, anche la gentile immagine della crotalistria ("danzatrice a suon di crotalo"; cfr. Properzio, IV, 8, 39) di cui Publilio Siro gratifica l'uccello, e ostentando d'ignorare che esso era in ogni caso destinato a finire in casseruola[16].

[14] C. Svetoni Tranquilli praeter Caesarum libros Reliquiae, edidit Augustus Reifferscheid..., Lipsiae, sumptibus et formis B. G. Teubneri, MDCCCLX, pp. 250-51 (nel relativo commento, pp. 249-51, vengono riuniti numerosi sinonimi in uso fra i Latini per indicare il verso della cicogna, come: gortolare o grottolare, grattulare, glottorare o critalare, ecc.). L. Charbonneau-Lassay, *Le bestiaire du Christ* <1940, 2a ed.>, ed. facs. Milano, Archè, 1980, dopo aver fornito numerosi esempi delle funzioni simboliche della gru e della cicogna nell'emblematica, e anche nell'araldica (pp. 586-603), annota (p. 604) a proposito del verso della cicogna: "Les anciens Latins tournant en ridicule le 'craquellement' singulier que les cigognes produisent avec leur bec firent de cet oiseau l'un des emblèmes de la dérision; et ils attachèrent son nom à des attitudes équivoques et moqueuses dont parle saint Jérôme" (San Gerolamo, ep. CXXV "ad Rusticum monachum", PL XXII, col. 1082, con evidente riferimento alla satira di Persio, I, 58-60, allude ad un gesto di scherno chiamato 'ciconia' e consistente nel figurare con la mano, dietro le spalle di qualcuno, il gesto della cicogna che becca).

[15] B. Latini, *op. cit.*, p. 202.

[16] La poesia moderna, come in parte credo mostri il mio precedente articolo, cit., è più benigna dell'antica nei riguardi della cicogna. Persino lo sgradevole rumore che fa l'uccello con il becco trova grazia presso un poeta come Manuel Machado se, come mi par lecito intendere, vi allude con questi versi: "Se oye/cercano el río. La campana deja/en el aire su doble./Oculta su carraca/la cigüeña en la torre..."; versi appartenenti a un testo intitolato *Entre dos luces...* (*Viñeta sevillana*), pubblicato in "ABC" nel 1946, e ora riproposto da R. Alarcón Sierra, *Manuel Machado, revisitado. '¿Poesías completas?'*, in " Insula", n. 563 (1993) p. 6.

Schede spagnole per Anton Giulio Brignole Sale

GIUSEPPE MAZZOCCHI

Il codice B. S. 104. E della Biblioteca Berio non si può dire sconosciuto. Descritto e valorizzato dalla dottoressa Laura Malfatto, direttrice della sezione di conservazione della Civica genovese[1], ha già offerto a vari studiosi preziosi materiali[2]. Per comodità del lettore sarà appena il caso di precisare che ci si sta occupando di un grosso scartafaccio, in folio, attualmente di 158 carte (molte altre sono state strappate), rilegato in pergamena morbida, che servì da quaderno di appunti per il proprio lavoro letterario al grande scrittore genovese Anton Giulio Brignole Sale (1605-1662), una delle figure di spicco delle lettere liguri nell'età della Repubblica Aristocratica[3]. Ambasciatore in Spagna dal 1644 al 1646[4], autore, fra l'altro, di un celebre romanzo, *La storia spagnuola*, tratta li-

[1] L. Malfatto, *L'inventario della biblioteca di Anton Giulio Brignole Sale*, in "La Berio", XXVIII (1988) 1, pp. 5-34. Sulle vicissitudini del codice, in rapporto alla storia della biblioteca Brignole Sale-De Ferrari si veda della stessa *La biblioteca Brignole Sale-De Ferrari: note per una storia,* in *I duchi di Galliera*, Genova, Marietti, 1991, pp. 935-989. La nostra trascrizione del codice è diplomatica salvo che per la separazione delle parole, l'accentazione e l'uso dei grafemi *v* e *u*.

[2] R. Gallo Tomasinelli, *Il passaggio a Genova del Cardinale Infante Ferdinando d'Austria,* in "La Berio", XXX (1990) 1, pp. 3-21 (trascrive e studia le cc. 74v-75r, in cui lo scrittore dà una relazione del suo incontro con Fernando de Austria avvenuto nel 1633 al largo di Loano). Anche D. Eusebio, nella sua recente edizione della *Maria Maddalena peccatrice e convertita*, il fortunato romanzo agiografico del Brignole (Parma, Guanda, 1994), fa riferimento al manoscritto (pp. XL-XLI, LXXXV, CXIII). Quanto al passaggio del Cardinale Infante, è anche descritto ampiamente, con particolare attenzione per gli apparati, ai capitoli 4-6 dela relazione di Diego de Aedo y Gallart, *Viaje del Infante Cardenal Don Fernando de Austria...*, Anversa, Juan Cnobbart, 1635 (il nome del Brignole non compare).

[3] Per un quadro aggiornato della bibliografia e degli studi critici (che hanno subito un forte incremento negli ultimi anni) si veda la *Nota bio-bibliografica* che Delia Eusebio appone all'ed. cit. della *Maria Maddalena* (pp. LXXIX-CIX).

[4] Sull'ambasciata madrilena del Brignole si veda R. Gallo Tomasinelli, *La corrispondenza tra Anton Giulio Brignole Sale e il Senato genovese. Una "vittoria" degli innovatori: la legge*

beramente dall'*Abencerraje*[5], traduttore (dopo che, rimasto vedovo, ebbe lasciato i fasti del mondo per abbracciare la vita religiosa– morì gesuita) del padre Nieremberg[6], Anton Giulio ci appare per più legami vincolato alla Spagna e alla cultura spagnola, e certo un grande interesse ha per gli ispanisti, frugare in questo zibaldone, cui lo scrittore, con l'elenco dei libri della sua biblioteca, affida raccolte di concetti e sentenze tratte dalle più diverse letture, e persino abbozzi delle proprie opere. Queste note, scritte in omaggio affettuoso e riconoscente a Rinaldo Froldi, siano un complemento al lavoro intelligente e curato di Luisa Malfatto, cui spetta non solo il merito di aver riscattato il codice dall'oblio, ma anche di averne individuato l'autore e l'importanza.

In modo schematico, le carte del codice che ci interessano si possono presentare così:

1r-6r e 10 r-v: sotto la rubrica "Concetti" ricca scelta di brevi passi spagnoli, provenienti sia da testi in prosa sia da testi in versi, selezionati per il loro accentuato carattere metaforico e la spiccata acutezza;

39v-40r: sotto la rubrica "Sentenze" scelta di massime, tutte spagnole;

88r-92r: riassunti in prosa di commedie spagnole;

92v-94r: raccolta di citazioni quevediane;

109r: battute di commedia (continuano al verso);

109v: riassunto de *La ilustre fregona*[7];

157r: fra appunti e abbozzi di testi d'ogni genere quattro distici spagnoli endecasillabici a rima baciata sull'*abanico*;

c. 158v: elenco di titoli di commedie spagnole sotto la rubrica "Accomodabili in hore 24".

*dell'11 marzo 1645,*in "La Berio", XXXIV (1994) 2, pp. 3-32; e inoltre la tesi di laurea discussa presso la Facoltà di Scienze Politiche dell'Università di Pavia dal mio allievo Gian Luca Motta nell'a.a. 1994-95.

[5] Si veda *La novela morisca y su relación con la novela barroca italiana: Anton Giulio Brignole Sale y la 'Storia Spagnuola'*, in "Revista del Departamento de Filología moderna" (Universidad de Castilla – La Mancha), V (1994) pp. 163-181.

[6] Più precisamente dell'operetta intitolata *De la diferencia entre lo temporal y lo eterno* (la *princeps* della traduzione è genovese, e risale al 1653; per le successive ristampe ed edizioni v. J. Simón Díaz, *Bibliografía de la literatura hispánica*, Madrid, CSIC, 1994, XVI, pp. 429-439).

[7] La commedia attribuita a Lope (contenuta nella parte XXIV, stampata nel 1641, ma che potrebbe aver circolato precedentemente in qualche *suelta*), o la novella cervantina? Propendo nettamente per la seconda ipotesi perché certi dettagli del riassunto (il cognome – Carriazo – del padre di Costanza, il fatto che raggiunge la donna che seduce senza essere visto da alcuno) non hanno riscontro nel testo teatrale, almeno come esso ci è noto, e corrispondono invece alla novella. Resta anche che il riassunto del Brignole è piuttosto confuso e inesatto.

A rendere ancora più appetitoso questo menù, si aggiunga che alle cc. 140v-145r abbiamo l'inventario dei libri posseduti dallo scrittore intorno al terzo decennio del secolo[8], e alle cc. 146r e 148v-149r l'elenco dei libri prestati (a due terzi circa di c. 148v compare anche la data "1629 a 31 D.bre").

Proprio a partire da qui possiamo iniziare la nostra esplorazione del codice, che, come si può facilmente intuire, ci offre una documentazione di prima mano, quasi intima, sulla componente iberica della cultura dello scrittore; campione circoscritto, certo, ma prezioso, visto che i luoghi comuni che vogliono il nostro Seicento letterario profondamene ispanizzato, spesso non bastano, in particolare per le capitali culturali del Nord, a definire i modi di tale ispanizzazione e a documentarla.

Quali libri spagnoli possedeva il Brignole Sale? L'inventario della sua biblioteca appare interessante e deludente nello stesso tempo. Interessante, se si considera il filtro culturale spagnolo con cui anche i classici e la teologia vengono letti; deludente, perché l'unica opera letteraria che vi troviamo registrata sono le "Comedie di Lope de Vega in 4°". Tuttavia, accanto a questo isolato, se pur prezioso, segnacolo di letteratura spagnola, compaiono appunto i pilastri della perizia filologico-didattica gesuitica spagnola: i commenti virgiliani del padre La Cerda ("Virgilius Cerde tomi 3 distincti in f."[9]) e la grammatica latina dell'Álvarez ("Grammatica Emanuelis in 4°"); nonché i testi fondamentali della spiritualità controriformistica, il "Camino di perfezione della Madre Teresa in 4°", l' "Aggionta al memoriale del Granata in 4°", la "Guida de' peccatori del Granata in 4°"[10], e ancora il "Tacito spagnolo illustrato in f."[11], il "Sánchez de

[8] È trascritto da L. Malfatto, *L'inventario*, cit., pp. 17-34.

[9] Su cui si veda *Los comentarios virgilianos del Padre Juan Luis de La Cerda*, in *Estado actual de los estudios sobre el Siglo de Oro. Actas del II Congreso Internacional de Hispanistas del Siglo de Oro*, Salamanca, Universidad de Salamanca, 1993, pp. 663-675.

[10] Impossibile determinare di che edizione disponesse il Brignole, essendo molte le stampe, prevalentemente cinquecentesche, ma anche secentesche, di queste opere fortunatissime (specialmente la *Guida*). Né ingannino i titoli in italiano: tutti e tre gli scritti erano stati resi nella nostra lingua, ma non si può escludere che l'inventario, nella sua approssimazione, rechi in italiano i titoli spagnoli.

[11] È il *Tácito español ilustrado con aforismos, por Don Baltasar Álamos de Barrientos*, di cui si ebbe una sola edizione (Madrid, Luis Sánchez, 1614). Le stampe del 1613 e 1634 alla Biblioteca Nacional di Madrid (segnature 2-6321 e R-16431) sono fantasmi catalografici: in entrambi i casi si è avuta infatti un'erronea schedatura di altrettanti esemplari dell'edizione del 1614. Sull'opera e sull'autore si veda F. Sanmartí Boncompte, *Tácito en España*, Barcelona, CSIC, 1951, in particolare pp. 31-34, 72-84 e 119-122. Fa certi dell'identificazione, oltre al titolo, l'indicazione del formato: tutte le edizioni spagnole di Tacito sono in quarto o in ottavo, mentre quella di Álamos de Barrientos è "en cuarto mayor" (Sanmartí), e l'esemplare meno rifilato di

matrimonio in 2 tomos distinctus in f."[12], e le "Moline opera in 3 tomos distincta in f."[13]. Fra le opere politiche si trovano il "Principe christiano Ribera in 4°"[14], la "República y policía cristiana in 8°"[15]; e fra i libri storici una "Conquista del Peru in 4°"[16], la "Vita del gran capitano in 8°"[17], il "Viaggio di spagnoli e francesi in 8°". Si comprende bene come il Brignole, probabilmente educato nel collegio genovese della Compagnia[18], ne traesse la consuetudine a certi testi canonici per l'apprendimento del latino, ai grandi trattati dei teologi gesuiti (Luis de Molina e il Sánchez, appunto), e al loro antimachiavellismo, ma anche come approfondisse alcuni interessi, in particolare la lettura di Tacito (di cui possiede anche diverse edizioni in italiano), sulla scorta dei suoi commentatori più agguerriti. Non si dimentichi che il suo *Tacito abburattato* (1643) è uno dei più importanti testi del cosiddetto antitacitismo politico (se pure, in questo caso, alquanto pretestuoso).

Certo, sorprende che l'inventario non registri opere *stricto sensu* letterarie, oltre le *partes* di Lope. Dovremo pensare che lo scrittore che possedeva Petrarca in vari commenti, il Tasso, il *Decameron*, il Sannazaro, e insomma tutti i classici italiani necessari, avesse della letteratura spagnola una conoscenza superficiale e di seconda mano, magari segnata dal complesso di superiorità che, a

quelli posseduti dalla Nacional di Madrid misura 29, 3 cm. di altezza. Per quanto ci riguarda più da vicino, è significativo che il Brignole possieda l'opera in spagnolo, e non nella traduzione italiana stampata a Venezia più volte a partire dal 1618.

12 È naturalmente il *De sancto matrimonii sacramento* del gesuita Tomás Sánchez. La *Bibliothèque de la Compagnie de Jésus* del Sommervogel registra solo, per il XVII sec., edizioni in tre volumi. Non si dimentichi che il terzo volume dell'opera, che trattava i temi più scabrosi, fu anche all'*Indice* per ragioni extradottrinarie dal 1627, il che spiegherebbe la sua assenza (o la sua mancata registrazione) nell'inventario brignoliano. Non è raro che le biblioteche possiedano l'opera del Sánchez scompleta proprio dell'ultimo volume.

13 Si tratta del gesuita Luis de Molina.

14 Come già suggerisce la Malfatto, si tratta con ogni probabilità del *Tratado de la Religión y virtudes que deve tener el Príncipe Christiano* del gesuita Pedro de Ribadeneyra (anche quest'opera circolava in traduzione italiana). Brignole doveva conoscerne anche altre opere: il *Flos sanctorum* è ad esempio fra le fonti della *Maddalena* (ed. cit., p. XXV).

15 Opera del francescano Juan de Santa María: *Tratado de República y policía christiana* nella *princeps* del 1615; quindi semplicemente *República y policía christiana* nelle edizioni del 1617, 1621 e 1624. Era anche stata tradotta in italiano (due edizioni veneziane del 1619 e del 1621).

16 Probabilmente *La verdadera relación de la conquista del Perú y provincia de Cuzco* (1534) di Francisco de Jerez, che fu anche tradotta in italiano (stampe del 1534 e 1535, quindi nei *Viaggi* del Ramusio).

17 Probabilmente quella scritta in latino da Paolo Giovio e volgarizzata da Lodovico Domenichi: ebbe anche una traduzione spagnola a cura di Pedro Blas Torrellas.

18 Si veda l'ed. cit. della *Maria Maddalena*, a p. LXXXV.

torto o a ragione, è dato di percepire in molti scrittori italiani del suo secolo e del precedente? Sarebbe una conclusione affrettata. L'inventario ha tutta l'aria di raccogliere i libri più preziosi, e, specialmente, prestigiosi posseduti da Anton Giulio; soprattutto i suoi strumenti di lavoro. I libri di buona lettura, specie se contemporanei, non vi spesseggiano; neppure quelli italiani. E che l'inventario sia incompleto è dimostrato dall'elenco dei "Libri imprestati" per cui già la Malfatto, che non lo trascrive, dichiara "la maggior parte dei volumi compresi nei libri prestati risulta nell'inventario, ma la corrispondenza non è completa"[19]. Del resto, come sempre di fronte ad ogni inventario di libri la prudenza è d'uopo; bisogna infatti "tener presente che l'inventario fotografa soltanto una fase definita dello sviluppo della biblioteca privata di Anton Giulio, che essa potrebbe non comprendere tutti i libri da lui posseduti e che esso senz'altro non comprende tutte le sue letture"[20].

A c. 146r si registra appunto il prestito di "Dittionarii spag. li al d.o [P. Penta]"[21], e dell'"Ipolito y Aminta al P. Marino"[22], di "Comedie a Marinetto [?]". Quindi, a c. 148v, in apertura d'elenco, un "Boscan" prestato a Paolo Andrea Doria[23], "un tomo di novelle spagn.le a Giacomo Grimaldo", "Un tomo del Granata a Maria Mad.na Durazza"[24], "Due tomi delle guerre di Granata a Girolamo de Franchi"[25]. Poi, seguendo l'ordine dell'elenco, ed omettendo i libri non

[19] *L'inventario*, cit., p. 10.

[20] *Ibidem*, p. 15.

[21] Con sicurezza il vocabolario di Lorenzo Franciosini (*princeps*: Roma 1620), in due volumi (si noti che il dizionario bilingue cinquecentesco di Cristóbal de las Casas comprendeva un unico volume, e che nelle cc. successive si parla sempre di "due" dizionari).

[22] Si tratta della fortunata *Historia de Hipólito y Aminta* di Francisco de Quintana, sorta di romanzo bizantino, stampata per la prima volta nel 1627 (B. Ripoll, *La novela barroca. Catálogo bio-bibliográfico 1620-1700*, Salamanca, Universidad de Salamanca, 1991, pp. 132-135). Importante, per la storia del romanzo italiano, questa presenza spagnola, e specialmente l'interesse che il libro, prestato più volte, evidentemente suscitava.

[23] Nel 1633 fu con il Brignole e altri gentiluomini all'incontro di Loano con Fernando de Austria (M. De Marinis, *Anton Giulio Brignole Sale e i suoi tempi*, Genova, Apuana, 1914, pp. 52-53). Sulla sua attività come senatore cf. C. Bitossi, *Il governo dei magnifici. Patriziato e politica a Genova fra Cinque e Seicento*, Genova, Ecig, 1990, pp. 255 e 258.

[24] Si tratta della sorella di Anton Giulio, andata in sposa nel 1620 a Giacomo Filippo Durazzo, cui pure vengono prestati libri; fu donna di eccellente cultura letteraria (M. De Marinis, *op. cit.*, pp. 12-13). Il Durazzo fu designato come ambasciatore a Madrid prima del Brignole, ma declinò il gravoso e oneroso incarico; sul suo peso politico v. C. Bitossi, *op. cit.*, passim.

[25] Dovrebbe trattarsi delle due *partes* delle *Guerras civiles de Granada* di Pérez de Hita (princeps: 1595-1619; quindi numerose ristampe). Escluderei invece che si tratti della *Guerra de Granada* di Diego Hurtado de Mendoza, che non era mai stata edita in due volumi. Se l'ipotesi è esatta, certo è assai interessante la presenza di Pérez de Hita nella biblioteca di un rielaboratore

di interesse ispanistico, "Un tomo di Comedie Spagn.le a Giovan Urban Giust.no" e (subito dopo) "Uno a Pier Fran.co Goano"[26] e "Uno a Maria Mad.na Durazza", "Tre tomi di Virgilio della Cerda a Imp.le"[27], "Due tomi di Lope de Vega a detto" (Agostino Grimaldo), "Un tomo dell'historia Pontificale spagn.la a Filippo Durazzo"[28], "Due dittionarij spag.li al sig.r Giac.o Filippo Durazzo", "Due dittionarii spag.li. Bodas de la incansable malcasada a Gio. Batt.a Manzini"[29], "Opere di D. Fr.co Quevedo a ms. Colombano", "un tomo di Lod.co Vives a d.o" (Giovan Sante Ranzini), "Due dittionarij spagn.li al S.re Gio. ant.o Brig.le", "Ipolito y Aminta al S.r Gio. Antonio Brig.le", "Tutti i tomi dell'Istorie di Spagna al Padre Pombino"[30], "Tre tomi di Comedie di Lope de Vega al Sr Filippo Sp.la e due altri libretti spag.li", "Ippolito y Aminta a Gasparo Franzone. D.o ad Franco Merello"[31], "Un tomo di Lope a Bartolomeo Lesetto

dell'*Abencerraje*, senza che per questo mi senta di modificare quanto osservavo nel lavoro citato alla nota 5 sulla profonda differenza che intercorre fra le *Guerras civiles* e il fortunato romanzo del Brignole, la *Storia spagnuola*. Quanto al De Franchi, si tratta probabilmente di Geronimo de Franchi, dei "mal afectos alla Spagna" secondo la relazione dell'ambasciatore spagnolo a Genova Francisco de Melo (C. Bitossi, *op. cit.*, pp. 230, 232, 234, 245).

[26] Nel gennaio 1636 pronunciò l'orazione in occasione della benedizione in San Lorenzo del doge appena eletto, che era Francesco Brignole, il padre di Anton Giulio (M. De Marinis, *op. cit.*, p. 180).

[27] Forse Bartolomeo Imperiale, amico del Brignole, che gli dedicò anche testi poetici (M. De Marinis, *op. cit.*, pp. 77 e 158), e fu con lui "personaggio di punta" dell'Accademia degli Addormentati (R. Tomaselli Gallo, *Anton Giulio Brignole Sale e l'Accademia degli Addormentati*, in "La Berio", XIII (1973) 2-3, pp. 65-74, a p. 66; e C. Costantini, *La Repubblica di Genova*, Torino, UTET, 1986, pp. 291-292).

[28] Si tratta della *Historia Pontifical y Católica* di Gonzalo de Illescas che ebbe molteplici edizioni, e non fu mai tradotta in italiano.

[29] Le *Bodas de la incansable malcasada* sembrerebbero dal titolo commedia o romanzo, ma non ne trovo traccia né nel *Catálogo bibliográfico y biográfico del teatro antiguo español* di C. La Barrera (Madrid, Rivadeneira, 1860), né nella bibliografia di B. Ripoll. Senza successo anche la consultazione del *Diccionario bibliográfico de pliegos sueltos poéticos (Siglo XVI)* del Rodríguez Moñino (Madrid, Castalia, 1970); e di María Cruz García de Enterría, *Sociedad y poesía de cordel en el Barroco*, Madrid, Taurus, 1973. G. B. Manzini, importante romanziere bolognese, fu molto amico del Brignole (M. De Marinis, *op. cit.*, passim). Rilevo qui, una volta per tutte, l'utilità che per la ricerca bibliografica sui testi teatrali maneggiati dal Brignole ha avuto M.G. Profeti, *La collezione "diferentes autores"*, Kassel, Reichenberger, 1988.

[30] La *Historia general de España* del Mariana (varie edizioni in due tomi)? Lo scrittore gesuita è citato a c. 147r con altri, dopo due appunti su crediti riscossi nell'ottobre 1633 e nel gennaio 1634. Oppure la *Corónica general de España* di Ocampo e Ambrosio de Morales, che comprendeva effettivamente diversi volumi?

[31] Il Franzone era senatore nel primo semestre del 1648 (C. Bitossi, *op. cit.*, p. 270).

[?]", "Parte decima e decima quarta ad agost.no Passano", "Parte ventesima a Tobia di Negrone", "Comedie spag.le di varij a Stefano Feretto".

Di grande interesse l'indagine dettagliata, che va lasciata ai cultori di storia ligure e andrebbe estesa a tutto l'elenco dei libri prestati, su chi riceveva questi ultimi. Si intravedono comunque tre gruppi fondamentali: i religiosi, i parenti, i letterati amici. L'elenco, in cui molto alto è in percentuale il numero dei volumi spagnoli o d'interesse iberico, dà comunque un'immagine molto meno aleatoria delle letture spagnole del Brignole, un'immagine che per altro i fogli spagnoli dello zibaldone confermano: le *Opere* di Quevedo, ad esempio, non potevano mancare vista la raccolta di citazioni delle cc. 92v-94r. A questo proposito bisogna naturalmente tener presente la consuetudine gesuitica della composizione letteraria, e strumenti di lavoro che, nelle scuole della Compagnia, erano di uso corrente per la composizione latina (sia in prosa sia in versi), fino a creare un abito mentale che passava alla composizione italiana. Chi poteva ricavare *excerpta*, naturalmente nella previsione che potessero tornare utili, persino dalle *Confessioni* di Agostino[32], che meraviglia fa che ne estraesse dai *Sueños* di Quevedo (in successione "Dal sogno del giudizio finale", "Dal Alguazil endemoniado", "Dal sogno del Inferno", "Dal mundo por de dentro")?[33] Se i titoli sono sia in italiano sia in spagnolo, le citazioni sono tutte in spagnolo (il che conferma quanto si osservava sull'approssimazione del catalogo). Da Quevedo il Brignole fissa specialmente micro-narrazioni satirico-moralistiche, fondate sul gioco linguistico: "Vi a un juez que lo avía sido que estava en medio de un arroyo lavándose las manos, y hazía muchas vezes. Lleguéme a preguntarle por qué se lavava tanto: y díxome que, en vida sobre ciertos negocios se las avían untado y que estava porfiando allí por no parecer con ellas de aquella suerte delante la universal residencia" (c. 92v); o semplicemente sulla battuta e il doppio senso: "Dezía en el Infierno una muger lasciva: 'Si los ladrones se condenan por tomar lo ageno, por qué se condena la muger por dar lo suyo?" (c. 94r). Particolare attenzione è anche posta alla descrizione della dannazione dei rappresentanti delle diverse professioni. Infine, il ligure Brignole registra le malevole caratterizzazioni dei suoi concittadini[34]: "Llegaron tres, o quatro Ginoveses ricos pidiendo assientos, y dixo un Diablo: 'Piensan ganar pues esto es lo

[32] Si vedano (cc. 23v-24r) i *Concetti cavati dalle Confessioni di S.to Agostino*, bell'esempio di fruizione barocca di un classico.

[33] Si noti che i titoli corrispondono alle stampe precedenti i *Juguetes* del 1631.

[34] L'"attenzione" dei genovesi è luogo comune anche negli scrittori spagnoli: si veda ad esempio M. Damonte, *Cervantes y Génova*, in *Actas del segundo coloquio internacional de la asociación de cervantistas*, Madrid, Anthropos, 1991, pp. 301-306.

que les mata. Esta vez han dado mala cuenta, y no ay donde se assienten porque han quebrado el banco de su crédito" (c. 92v); "En España los misterios de las cuentas de los Ginoveses son dolorosos para los millones que vienen de las Indias, y que los cañones de sus plumas son de batería contra las bolsas, y no ay renta que se la cojen en medio el tajo de sus plumas, y el jarrama de su tinta no la ahoguen. Hombre de éstos ha ydo al infierno que viendo la leña y el fuego, que se gasta ha querido hazer estanque de la lumbre, y otro quiso arrendar los tormentos" (c. 93r)[35].

Le cc. 1r-6r e 10r-v raccolgono invece, come si è accennato, materiali eterogenei. Accanto a citazioni immediatamente riconoscibili (come quelle garcilasiane e boscaniane di c. 1v e c. 2v rispettivamente)[36], altre appaiono di più difficile identificazione. Molte, in prosa, sembrano appartenere, per i nomi dei personaggi ed i temi, ad una narrazione pastorale. Si vedano, ad esempio, queste di c. 1 r, che sono trascritte l'una di seguito all'altra: "Diana mirava Celia, y bolvía las lágrimas desde los ojos al corazón llegando sobre él lo que fuera en el rostro a estar más solía", "Un manso arroyo, que con mil lazos de plata bañava el suelo"; "Al tiempo que sobre la blanca tela del alva resplandeciente, con pura carmesí, y azul finiss.o"; "No me pesa morir por ti, pero pésame que si muero agora no espero ver hermosura, que al cielo er[...][37] porque en el Infierno, ni en el campo elisio no queda alma sin tus partes celestiales, que roban mi[s] espíritus vitales". A c. 2 r compare, in più frammenti, il nome "Isbella" (amante di un Anfriso) che neppure il repertorio di Iventosch[38] registra. Altri nomi pastorali: Delio (c. 2r), Amarilis (c. 3r), Belisarda (c. 3r), Selvagia e Silvano (c. 6r).

In certi casi sono invece trascritte battute di commedia: un frammento di c. 4 r presenta un'abbreviazione Hor. che credo indichi il nome di un personaggio. Ha tutta l'aria di provenire da una commedia anche la seguente, poche righe più sotto: "Da la gloria que me prometistes a D. García antes que entre los dos la partes, que en no querer que se parta podrás conocer que es mía". Le battute di c. 3v ("Mientras el Rey os tormenta Lucinda, pienso que es demonio, pues el

[35] Le citazioni dai *Sueños* presentano alcune omissioni che talora le rendono poco trasparenti.

[36] Dai sonetti 9 (*Señora mía, si yo de vos ausente*), 11 (*Hermosas ninfas que en el río metidas*) e 13 (*A Dafne ya los brazos le crecían*) di Garcilaso; e dal *Leandro y Hero* di Boscán (vv. 325-337).

[37] Margine esterno della c. lacero.

[38] H. Iventosch, *Los nombres bucólicos en Sannazaro y la pastoral española*, Madrid, Castalia, 1975.

alma me castiga"[39]; e, di seguito, "Amo tanto a Lucinda que no creo que en otro centro hallarás mi deseo"[40]) provengono dalla *Lucinda perseguida* (v. *infra*). A c. 4 v si trascrive anche un giudizio teatrale (ci sarà da pensare alla presentazione di qualche *parte*, o alla lettera di invio di qualche commedia?): "Por un malo autor de comedias. aquella apariencia de ángeles, que V.M. introduxo en la postrera jornada la avía de aver puesto en la primera porque la sirvieran de ángeles de guarda; pero V. M. quiso dilatallos a lo último porque se dixesse que pues havía acabado en manos de ángeles no se avía condenado". Altri frammenti, ancora, sembrano rimandare a una tradizione burlesca, e riportano anche, del *chascarrillo* copiato, la rubrica: "Por una lavandera que se casó con un borracho: Mencia si tu marido supiesse que metías los más días las manos en el agua nunca él te la diera de esposo. Aun no podrás llorar antes del tu desdicha, porque se ofenderá de ver lágrimas que son agua" (c. 4v).

La distribuzione delle citazioni ora appare casuale, ora esse sembrano organizzate tematicamente. Alle cc. 5r-6r, ad esempio, troviamo diversi frammenti che trattano delle pieghe psicologiche dell'animo femminile; e a c. 10r varie figurazioni grottesche e satiriche, nonché appunti dalla pagina di un anticultista che elenca "Aquestas modernas vezes que a la Católica lengua son opuestos ugonotes".

Il lavoro di ricerca sulle fonti è assai complesso, anche perché le citazioni (come dimostrano quelle di cui si è individuata la provenienza) sono spesso inesatte e lacunose. I pochi indizi e i pochi elementi trascritti che abbiamo dato sono comunque sufficienti a mostrarci un Brignole avido annotatore delle sue letture spagnole, pronto a depredarle, in questa fase, senza preoccuparsi delle intenzioni molto diverse dei testi e degli autori che scorreva.

In questo senso l'individuazione dell'origine di ciascun frammento passa in secondo piano, ed emerge con forza il carattere di repertorio pronto a ogni evenienza (ed effettivamente utilizzato, come indicano le crocette sul margine destro, e specialmente le numerose cassature che accompagnano varie citazioni ricopiate, evidentemente ad evitare il rischio di un loro riutilizzo). Più ancora che l'ispanista, a questi testi dovrebbe accostarsi l'italianista, per le sue glosse dei testi brignoliani. Basti qui segnalare, a mo' di esempio, la frequenza con cui ci si imbatte nell'analisi del pianto e delle lacrime, tanto praticata dal Brignole, come ora ha messo in luce il commento attentissimo alla *Maddalena* di Delia

[39] "Pero a que piense me obliga/con tan claro testimonio/que debe de ser demonio/pues el alma me castiga" (Lope de Vega, *Obras publicadas por la Real Academia Española*– nueva edición –, Madrid, Tipografía de Archivos, 1930, VII, p. 331).

[40] "Es esfera de mi llama/y centro de mi deseo" (*ibidem*, p. 338).

Eusebio. Le carte del codice genovese mostrano la spigolatura nei testi spagnoli dei figuranti per le lacrime (fonti, perle, sangue, acque correnti...) che abbondano nel romanzo agiografico, dove sono essenziali per la rappresentazione dei moti psicologici della peccatrice pentita[41].

Osservazioni non molto diverse vanno fatte per le "sentenze" delle cc. 39r-40r. Qui il Brignole raccoglie effettivamente pensieri, di carattere gnomico ("el que no quiere oyr oye menos mientras más le llaman" c. 39v), ma specialmente amoroso; si tratta di massime scontate di comportamento, che analizzano specialmente le possibilità dell'amore infelice, e paiono quasi tutte trascritte da testi in versi, propenderei a credere drammatici, e tutte molto idonee per un impiego concettoso nelle prose.

Il teatro, come già si è potuto vedere, occupa uno spazio particolare fra gli interessi dello scrittore, né ci deve sfuggire che i libri più prestati della biblioteca privata di Anton Giulio sono proprio tomi di *partes* di commedie lopesche o di altri autori. Il codice ci tramanda anche una serie di sunti di commedie spagnole, generalmente piuttosto ampi (spesso di circa 25 righe), in vista, con ogni probabilità, di un adattamento italiano (pratica molto frequente, nel nostro Seicento, che sfruttò ampiamente i testi spagnoli, sempre però adattandoli al gusto locale). Più precisamente abbiamo (riproduco l'intestazione di ciascun riassunto):

El sembrar en buena tierra c. 88r
L'amante agradecido goffa c. 88v
La vengança venturosa c 89r
Quien ama no haga fieros c. 89v
El desposorio encubierto c. 90r
El renegado de amor. La Scena è in Corsica c. 90r
El valor de las mugeres c. 90v
La prisión sin culpa c. 91r
El premio de la trayción c. 91v
La correspondencia honnra *c. 92r*

Si tratta di commedie di Lope de Vega, ad eccezione di *El renegado de amor*, *El premio de la traición* e *La correspondencia honra* che non compaiono nel *Catálogo* del La Barrera. Le commedie di Lope furono stampate nelle parti

[41] *Op. cit.*, pp. LV-LIX: "Le lagrime, grande tema barocco, sono l'elemento unificante della rappresentazione letteraria della nostra eroina penitente" (p. LV). Si veda anche la voce *lagrime* dell'*Indice dei nomi propri e dei temi*.

VIII (*La prisión sin culpa*), X (*El sembrar en buena tierra*, *La venganza venturosa*), XIII (*El desposorio encubierto*), XVIII (*Quien ama no haga fieros*, *El valor de las mujeres*). Basta ciò ad escludere l'idea di un Brignole che frettolosamente compili i suoi riassunti a partire da uno o due volumi di commedie spagnole: le raccolte di commedie (cui si dovevano accompagnare anche *sueltas* e manoscritti) che il Brignole maneggiava erano certamente numerose, come emerge anche dall'elenco dei libri prestati. Lo conferma anche l'elenco di titoli di c. 158v (su due colonne) che di seguito si trascrive:

Accomodabili in hore 24
Lucinda perseguida Par. 17
Laura perseguida 17
Los melindres de Belisa
El Dómine Lucas p. 17
La Pastoral de Jacinto 18
Quien hama no haga fieros p. 18 ord.ria
El ausente en el lugar p. 9[42]
La fuerza del interés en el Norte
El mercader amante en el Norte
La vengadora de las mugeres p. 15 ord. ria
El marido asegurado en el Norte
Santiago el uerde pr.te trezena
Los embustes de Zelauro
El desposorio encubierto
El ualor de las mugeres
La discreta vengança Par. 20
Amor secreto hasta celos Parte 19[43]
De cosario a cosario Parte 19
Lo cierto por lo dudoso Parte 20
La industria i la suerte de D. Juan de Alarcon beliss. a
Las paredes oyen de D. Juan de Alarcón beliss.a
vi sono di belle scene, ma non tutte
El semejante a si mismo de Alarcón
più che bellissima
Mudarse por mejorarse Assai bella (soprascritto: "bellissima")
Todo es ventura– de Alarcón. bella

[42] Il numero "9" è preceduto da un "19" cassato.
[43] Nell'interlinea superiore si legge "beliss.a".

El dedichado en fingir. de Alarcón.

La trascrizione della pagina (la c. è mutila del quarto inferiore sinistro) è integrale e rispetta gli a capo (si omettono solo diverse firme autografe sparse qui e là, un vezzo di cui c'è traccia anche in altre carte del codice, e un appunto sulla consegna di un libro (di conti?) a Stefano Piccaluga da parte di "Patron Gio. Costa Mezzana di Porto Venere". Si notino la presenza di commedie di cui il codice conserva anche il riassunto, e i giudizi di merito su certi testi ("bellissima", "ordinaria"), nonché l'indicazione delle *partes* lopesche (sempre esatta). L'indicazione "En el Norte" rimanda al *Norte de la poesía española ilustrado del sol de doce Comedias (que forman segunda parte) de Laureados Poetas valencianos...* del 1616 (Valencia, Felipe Mey) dove in effetti compaiono *La fuerza del interés* (è la quinta commedia), *El mercader amante* (terza), *El marido asegurado* (seconda), attribuite a Gaspar de Aguilar le prime due, e a Carlos Boil l'ultima[44]. La provenienza degli altri testi può facilmente essere indicata, anche senza l'ausilio del suggerimento brignoliano. Provengono dalle *partes* di Lope *Los embustes de Celauro* (IV), *Los melindres de Belisa* (IX)[45], *El desposorio encubierto* (XIII), *El valor de las mujeres* (XVIII). Dopo *Lo cierto por lo dudoso* si indicano sei commedie di Ruiz de Alarcón, tutte contenute nella sua *Parte primera* (Madrid, Juan González, 1628), che di drammi ne conteneva otto (sono rimasti esclusi dall'elenco del Brignole *Los favores del mundo* e *La cueva de Salamanca*).

L'esame di queste cc. del manoscritto ci mostra nel concreto, voglio dire al di là dell'astrazione di un Brignole genericamente interessato di letteratura spagnola in quanto scrittore secentesco, che il grande teatro barocco iberico affascinava lo scrittore. La predilezione per Lope si spiega perfettamente intorno al 1630, se si tien conto sia del fatto che l'astro calderoniano non ha raggiunto il suo zenit (soprattutto se osservato dall'Italia) sia degli interessi teatrali del Brignole, e, in particolare, del suo gusto spiccato per la commedia d'intreccio e di ambiente, voracemente propensa a carpire il variabile mondo.

[44] Cf. J. Simón Díaz, *Bibliografía de la literatura hispánica*, Madrid, CSIC, 1955, IV, pp. 238-240.

[45] Questa commedia è pure menzionata nel *Carnovale* (Gotil Vanno Salliebregno=Anton Giulio Brignole Sale, *Il carnovale*, Venezia, Pinelli, 1639, p. 71), all'inizio della Veglia II : "Guatate bene per vostra fé. Non vi pare che ella si somigli tutta a quella comediante che rappresentò in Madrid, non son due mesi, la comedia intitolata *Los Melindres de Belisa* con tanto garbo?"

Viene infatti da chiedersi quale influsso spagnolo si possa vedere nelle opere teatrali del nostro[46]. Limitandoci alla produzione sicura[47], che comprende *I due anelli simili* (1637)[48], *I comici schiavi* (1666)[49] e *Il geloso non geloso* (1639)[50] possiamo certo osservare il rapporto con la tradizione rinascimentale italiana a partire dall'uso della prosa e dal numero degli atti (cinque nei *Due anelli* e nei *Comici schiavi*; tre, secondo il precetto lopesco ma anche l'uso invalso nella commedia dell'arte, solo nel *Geloso non geloso*) nonché nella piacevole *causerie* che sorregge il dialogo, certo lontana dalla mirabile stilizzazione del parlato che pluralità di livelli, retorica e ritmo del verso danno alla *comedia nueva*. Anche la preoccupazione costante per l'unità di tempo (l'azione del *Geloso* si svolge da notte a notte; quella dei *Due anelli simili* e dei *Comici schiavi* da mattina a mattina), cui rimanda evidentemente la dicitura "Accomo-

[46] Cf. in generale A.I. Ricci, *Intorno al teatro di A G. Brignole-Sale*, in "Resine", 20 (1977) pp. 45-54; F. Vazzoler, *Equivoci della politica, equivoci della scena nella Genova barocca. Appunti sul teatro di Anton Giulio Brignole Sale*, in *Il valore del falso: errori, inganni, equivoci sulle scene europee in epoca barocca*, a cura di S. Carandini, Roma, Bulzoni, 1994, pp. 193-214; infine l'eccellente tesi di laurea di A. Di Nuzzo, *Le commedie di Anton Giulio Brignole Sale (1605-1662)*, Università Cattolica del Sacro Cuore, a. a. 1991-1992.

[47] Per una rassegna completa delle opere attribuite si veda la cit. ed. della *Maria Maddalena*, pp. XCIC-C; e per i problemi relativi anche l'introduzione all'ed. cit. dei *Due anelli simili* (pp. 29-32). Mi sembra poco sostenibile l'attribuzione dei *Due anelli simili* a Giacinto Andrea Cicognini, che risulta solo da una stampa, e a cui indulge in una certa misura il Vazzoler, senza tener conto del codice di Chiavari; su quest'ultimo a ragione si sofferma il Di Nuzzo per sostenere la paternità brignoliana. Dolorosa per gli ispanisti la perdita della *Finta pazza savia*, che intriga sia per la definizione di "tragicommedia" con cui la etichettano anche gli *Elogi dei liguri illustri* del Grillo, sia per il titolo, ispirato al celebre libretto del melodramma rappresentato anche a Genova nel 1647? Su quest'ultimo si veda in ogni caso L. Bianconi-T. Walker, *Dalla 'Finta pazza' alla 'Veremonda': storie di Febiarmonici*, in "Rivista Italiana di Musicologia", X (1975) pp. 379-454; A. F. Ivaldi, *Gli Adorno e l'Hostaria-teatro del Falcone di Genova (1600-1680)*, in "Rivista Italiana di Musicologia", XV (1980) pp. 87-152. Il lavoro dell'Ivaldi è fondamentale per la ricostruzione della vita teatrale genovese nel Seicento; documenta fra l'altro il passaggio di compagnie spagnole (pp. 105-106). Si veda infine M. De Marinis, *op. cit.*, p. 222: "Il Brignole cava i suoi soggetti un po' dalla sua fantasia, e molto dalla traccia di Flaminio Scala dal quale trasse forse anche l'argomento per la tragicommedia, *La finta pazza*, ricordata dai biografi" (un canovaccio di questo titolo è alle cc. 25v-27v della *princeps*: *Il teatro delle favole rappresentative, overo la ricreatione comica, boschereccia e tragica*, Venezia, Pulciani, 1611).

[48] Edizione di R. Tomasinelli Gallo (Genova, SAGEP, 1980). Si vedano anche le importanti recensioni apparse su "Esperienze letterarie", VI (1981) pp. 112-117; e in "La Rassegna della Letteratura Italiana", LXXXV (1980) pp. 655-659.

[49] Utilizzo la stampa di Cuneo, Strabella, 1666 (l'autore è indicato con lo pseudonimo anagrammatico di Gabriele Antonio Lusino).

[50] Utilizzo la *princeps*, contenuta in Gotil Vanno Salliebregno (=Anton Giulio Brignole Sale), *Il carnovale*, Venezia, Pinelli, 1639, pp. 196-339.

dabili in hore 24" che precede l'elenco di titoli di c. 158v, dimostra la tenacia, in un drammaturgo italiano, della precettistica aristotelica[51]. A Genova, d'altronde, tale preoccupazione sembra essere stata propria delle Accademie, che svolgevano un'intensa attività teatrale con attori dilettanti, spesso nobili, aspirando ad un teatro meno irregolare e più severo di quello delle compagnie professioniste[52].

Altri aspetti appaiono però almeno bifronti: il carattere plurilingue dei *Due anelli simili* (dove si mescolano al toscano vari dialetti, e anche lo spagnolo, fondamentale per atteggiare la figura del *miles gloriosus* ispanico[53]) rimanda ad una tradizione ben consolidata del teatro italiano, ravvivata dal gusto barocco per le diverse lingue, ma non può non connettersi anche, una volta dimostrato il posto privilegiato che fra i suoi autori Brignole lascia a Lope de Vega, al vistoso plurilinguismo di quest'ultimo[54]. L'uso del termine "tragicommedia", che compare talora nei testimoni delle *pièces* teatrali del Brignole, fa pensare alla commedia lopesca, anche se, come documenta il Di Nuzzo nella sua tesi, fu frequente nel teatro italiano secentesco per indicare drammi scarsamente regolari. Per il trattamento del tema del marito che mette a prova la fedeltà della moglie che compare nel *Geloso non geloso*, il Vazzoler[55], significativamente suggerisce il modello cervantino (che andrebbe esteso al di là del Quijote) e quello machiavellico. A ben guardare, poi, tutta la struttura metateatrale dei *Comici schiavi* (che rappresenta sulla scena la vita di una compagnia, e continui travisamenti fra finzione della scena e realtà della vita) dimostra un'acuta coscienza della teatralità dell'esistere ("Pareze que todo el mundo sea comedia desta manera" osserva –p. 193 – il capitano spagnolo Relampatrueno, che fa da *pendant* a quello dei *Due anelli simili*): si tratta di un sentimento pan-europeo

[51] Si veda la trattazione del teatro secentesco svolta da Franca Angelini per la *Letteratura italiana Laterza*: *Il Seicento. La nuova scienza e la crisi del Barocco*, Bari, Laterza, 1974, II, pp. 1-322, *passim*. È la precettistica cui scherzosamente allude Graziano nei *Comici schiavi* (IV-2, p. 124) giustificando il secondo prologo che pronuncia con la presenza nell'opera dell'artificio del teatro nel teatro: "quand se fa comedia in comedia, se ne può far dù senza far tort ai precetti".

[52] Cf. F. Vazzoler, *Comici professionisti, aristocratici dilettanti e pubblico nella Genova barocca*, in *Genova nell'età barocca* (catalogo della mostra del 1992), Bologna, Nuova Alfa, 1992, pp. 516-520. Dello stesso Vazzoler si veda il capitolo sul teatro in *La letteratura ligure. La repubblica aristocratica (1528-1797)*, Genova, Costa & Nolan, 1992, I, pp. 230-245 (con la felice sottolineatura, p. 243, del "contesto tragico-romanzesco" in cui si muove il teatro brignoliano).

[53] Si parte sempre da B. Croce, *La Spagna nella vita italiana durante la Rinascenza*, Bari, Laterza, 1968[5], pp. 219-222.

[54] Per cui si veda E. Canonica-de Rochemonteix, *El poliglotismo en el teatro de Lope de Vega*, Kassel, Reichenberger, 1991.

[55] *Equivoci della politica*, cit., pp. 200-201.

(si pensi a certi noti capolavori del teatro francese, o a un gioiello come *Le due comedie in comedia* di Giovan Battista Andreini), ma particolarmente acuto nei drammaturghi spagnoli. Da essi discende tutta una serie di elementi di complicazione del gioco scenico che tra fine '600 e inizio del '700 una sensibilità critica ancora pronta a cogliere il proprio della cultura iberica percepiva come transpirenaici[56]. Mi riferisco al travestimento (anche dell'uomo in donna, p. 43) e all'abbondanza dei monologhi, oltre alle già citate e continue allusioni metateatrali. È "l'arte de nodi e delle rivolutioni" di cui il falso comico Filandro parla (p. 81). Sono gli elementi che (accanto a stratagemmi –quali l'*agnitio*, o caratterizzazioni –i servi– tanto rinascimentali) troviamo anche nel *Geloso non geloso*, dove pure abbondano i monologhi, le indicazioni metateatrali, accanto all'equivoco prodotto dalle lettere che i personaggi si scambiano.

Tutto ciò, credo, ci permette di concludere che il progetto di *refundición* di commedie spagnole che il codice genovese ci mostra (non sappiamo se realizzato e da chi: è molto plausibile pensare che il Brignole approntasse intrecci per altri, magari per i membri di qualche accademia), si giustifica pienamente non solo nella temperie culturale, ma anche nelle scelte di gusto dell'autore. Quest'ultimo, è certo, non aveva bisogno di attingere alla letteratura spagnola per sviluppare una propria coerente ricerca letteraria (i legami, ma sarebbe meglio dire i ripensamenti, con la tradizione italiana, e gli scrittori contemporanei sono in Brignole continui); e non è meno certo che l'eccesso di retorica e di concetti riceve da lui spesso la qualificazione di "spagnolo"[57]; ma è pur vero, come le carte del privato zibaldone ci confermano, che la letteratura spagnola

[56] Penso a questo passo del trattato *Della perfetta poesia italiana* del Muratori (III, 5, p. 53 del vol. II della *princeps* del 1706):"Né pure è molto da commendarsi l'uso costante ne' drammi di cangiar le scene; sì perché non rade volte in luoghi inverisimili ed impropri, disavvedutamente o per forza, s'introducono i personaggi, come ancora perché la perfezione delle tragedie richiede per quanto si può l'unità del luogo, ed una sola scena. Che se volessimo entrare in un vasto pelago, potremmo considerare i moltissimi e sconci inverisimili che si commettono, e si sono commessi ne' drammi, da che vi ebbero luogo gli equivochi de' ritratti, delle lettere, degli abiti, delle spade, e altre sì fatte cose. Pare oggidì che più non abbia credito cotal mercatanzia, benché essa dopo essere passata dalla Spagna in Italia si fosse renduta non poco padrona del teatro sì nelle tragedie, come nelle commedie prosaiche". Sui rapporti fra questa visione del teatro barocco spagnolo e Carlo Maria Maggi, maestro del Muratori, si veda *L.A. Muratori e la letteratura spagnola*, in "Il Confronto Letterario", IV (1987) pp. 3-31 (in particolare a p. 24); mentre su tutta la problematica è ricco di spunti interessanti, *Il valore del falso*, cit.

[57] Si veda M. Corradini, *La parabola letteraria di Anton Giulio Brignole Sale*, in "Aevum", LXIV (1990) pp. 395-430, *passim* (poi in M. Corradini, *Genova e il Barocco*, Milano, Vita e pensiero, 1994, pp. 247-308). La percezione del carattere "spagnolesco" degli eccessi di retorica è, a quest'altezza cronologica, singolare, visto che si è piuttosto propensi a circoscriverla alla fine del secolo, e quindi alla critica settecentesca.

occupò uno spazio non trascurabile della sua biblioteca, e quindi della sua cultura[58].

[58] Per contrasto, la biblioteca del padre di Anton Giulio, Giovan Francesco, mostra evidenti propensioni in senso classicheggiante e francese, almeno a giudicare dai tre elenchi di libri recentemente editi: L. Malfatto, *Alcuni acquisti di libri effettuati da Gio. Francesco Brignole tra il 1609 e il 1611*, in "La Berio" (XXXIV) 1994, 2, pp. 33-66.

"Tristana" *uno, due, tre e quattro*

ALESSANDRA MELLONI

Chiunque si accosti a un libro del passato, anche se non remotissimo, non ignora di dover affrontare un complesso processo di interpretazione del testo, prodotto in un'epoca e in una cultura diverse e veicolato da una lingua le cui caratteristiche rivelano molte delle mutazioni più o meno profonde insorte con il tempo non solo nel suo uso idiomatico, ma anche più in generale a livello delle convenzioni grammaticali e delle regole pragmalinguistiche e culturali[1].

L'atto di lettura si complica ulteriormente se si tratta di un'opera letteraria e se il lettore che non conosce la lingua del testo originario (TLO) è costretto a recepirlo in traduzione (TLT), presumibilmente nella propria lingua materna. Se poi il testo in questione è un romanzo e da esso è stato tratto un film (TFO), lo spettatore che si trovi nelle condizioni del lettore di cui sopra, finisce per vedere sullo schermo una storia in versione doppiata (TFD), in generale assai distante dal testo di partenza, non solamente per i processi traduttivi intersemiotici, per dirla con Jakobson[2], messi in atto nell'adattamento cinematografico di un'opera letteraria, ma soprattutto per i vincoli che condizionano l'operazione del doppiaggio, attinenti sia ad aspetti di traduzione interlinguistica che a codici

[1] Per un approfondimento di questo importante tema, relativo al legame fra la lingua e il tempo, cfr. G. Steiner, *Después de Babel*, Madrid, FCE, España, 1981, pp. 32 e ss.

[2] R. Jakobson, *Aspetti linguistici della traduzione*, in *Saggi di linguistica generale*, Milano, Feltrinelli, 1966, p. 57: "la traduzione *intersemiotica* o trasmutazione consiste nell'interpretazione di segni linguistici per mezzo di sistemi di segni non linguistici", mentre "la traduzione *interlinguistica* o traduzione propriamente detta consiste nell'interpretazione dei segni linguistici per mezzo di un'altra lingua". Jakobson accenna esplicitamente alla possibilità di "trasposizione intersemiotica di un sistema di segni ad un altro: per esempio dall'arte del linguaggio alla musica, alla danza, al cinematografo o alla pittura" (*ibid.*, p. 64): beninteso, non dobbiamo dimenticare che nella "traduzione" cinematografica si conserva anche la parola.

di diversa natura coinvolti nella trasposizione. Ben puntualizza Maria Pavesi[3] che il doppiaggio, più che "traduzione totale"[4], andrebbe definito "traduzione vincolata", "proprio per la sua schiavitù nei confronti di codici non verbali predeterminati e del mondo che viene rappresentato sullo schermo".

Dopo questa brevissima premessa risulterà più chiaro al lettore l'oggetto delle riflessioni che seguiranno, quale viene schematizzato nel titolo del nostro lavoro, che non vuol essere il tentativo di creare un modello a quattro posti attorno allo stesso testo, ma l'occasione di occuparsi delle varianti eterogenee generate dal romanzo di Pérez Galdós, visto qui oltre che nella lettura filmica buñueliana e nella sua versione doppiata in italiano, anche dal versante della sua fortuna in Italia, dove suscita molteplici commenti e appare in ben tre traduzioni, segno evidente che non è solo la letteratura a influire sul cinema.

È noto infatti che il successo del film omonimo di Buñuel nel 1970 produce il rilancio internazionale del romanzo, in verità poco popolare nei decenni che lo separano dalla data della sua pubblicazione, 1892, e provoca intorno ad esso in Spagna e in altri paesi un interessante dibattito critico, praticamente inesistente nel periodo anteriore[5], arricchito in molti casi dall'indagine del suo rapporto con il film, spesso nell'ambito di studi sul cinema del maestro aragonese o sulla relazione fra cinema e letteratura. La bibliografia critica galdosiana è sterminata e numerosissime le letture di *Tristana*, ancora più vasta quella su Buñuel e abbondanti le analisi del TFO in questione: ma non è l'idea di aggiungere l'ennesima interpretazione dell'uno o dell'altro testo, o del loro rapporto, a spingerci a focalizzare l'attenzione su *Tristana*, bensì un interesse ampliato anche alla ricezione dei due testi in Italia. È importante pertanto in primo luogo orientare il lettore succintamente su questo circuito comunicativo intertestuale.

In Italia, il film di Buñuel esce in versione doppiata nell'autunno dello stesso 1970, e contemporaneamente viene pubblicata una traduzione del *Tristana* galdosiano ad opera di Italo Alighiero Chiusano per i tipi di Adelphi, che passa nel 1975 agli "Oscar Mondadori" per riapparire più recentemente negli

[3] M. Pavesi, *Osservazioni sulla (socio) linguistica del doppiaggio*, in *Il Doppiaggio. Trasposizioni linguistiche e culturali*, a cura di R. Baccolini-R.M. Bollettieri Bosinelli-L. Gavioli, Bologna, CLUEB, 1994, p. 129.

[4] Come sostiene E. Cary, citato da G. Mounin, *Teoria e storia della traduzione*, Torino, Einaudi, 1965, p. 162.

[5] Cfr. Introduzione di V. Galeota a B. Pérez Galdós, *Tristana*, Traduzione e note di A. Guarino, Venezia, Marsilio, 1991, pp. 22-23. Sulla ripercussione del film sul romanzo si veda anche A. Lara, *Lectura de "Tristana", de Luis Buñuel, según la novela de Galdós*, in *La imaginación en libertad (homenaje a Luis Buñuel)*, Edición preparada por A. Lara, Madrid, Editorial de la Universidad Complutense, 1981, p. 244.

"Struzzi" Einaudi, preceduta nelle varie edizioni dalla medesima introduzione di Angela Bianchini[6]. Se si considera che la presenza della grande e fertilissima produzione narrativa di Pérez Galdós è limitata in Italia alle traduzioni di *Misericordia*, *Trafalgar* e *La de Bringas* (con il titolo *La donna di denari*), stupisce davvero che il pubblico italiano abbia potuto godere di una curiosa scelta editoriale che moltiplica l'offerta di un romanzo come *Tristana*, ripubblicato vuoi nel 1991, in traduzione di Augusto Guarino nella collana "Dulcinea" di Marsilio, con l'Introduzione di Galeota citata, vuoi nel 1992 nella collana "I grandi libri Garzanti", con Introduzione e traduzione di Irina Bajini.

Questa dovizie di proposte editoriali è dovuta solo al fatto che dopo il film di Buñuel il *Tristana* galdosiano è diventato di moda, come suggerisce Antonio Lara, oppure alla stravaganza di certi ammiccamenti dell'industria culturale italiana nei confronti della letteratura spagnola, insieme a inspiegabili assenze nell'importazione della cultura del paese iberico in Italia[7]? O forse alla modernità di questo romanzo 'minore' di Galdós, secondo le interpretazioni suggerite dai prefatori? Cogliamone in breve le idee essenziali.

Angela Bianchini vede questo racconto d'amore e perversione come una sorta di lunga cerimonia di autodistruzione, crudelmente lenta, che trascina i protagonisti fino alla radicale trasformazione finale: la grande fantasia sognatrice ha abbandonato la fanciulla mutilata che dimostra quarant'anni invece dei venticinque che ha, cammina con le stampelle perché non sopporta la gamba ortopedica, si priva anche della musica per dedicarsi piamente alle pratiche religiose, vizia e compiace don Lope, il vecchio libertino ormai diventato suo marito. L'ultima pagina del romanzo sorprende lui a occuparsi del pollaio e la zop-

[6] Non è irrilevante che la fascetta che avvolge il volume nell'ed. Adelphi esibisca un fotogramma di Tristana-Catherine Deneuve e Horacio-Franco Nero ripresi nello studio del pittore, con la scritta: "Da questo romanzo è stato tratto il film di Buñuel con Catherine Deneuve". Nella recente edizione Einaudi del 1991, in chiusura della consueta presentazione del romanzo nella quarta di copertina viene riportato l'ultimo paragrafo dell'introduzione della Bianchini, che rileva il legame ormai indissolubile: "Non è un caso che l'eredità galdosiana sia stata raccolta, pur attraverso spostamenti di tempo e di spazio, da un altro grande visionario del quotidiano, Luis Buñuel. Anch'egli, come Galdós, seppe spostarsi, grazie alla sua carrellata, sulla terra di nessuno del sogno-realtà, erotismo-religione, Spagna del passato-Spagna del presente, dove emergono alcuni segni indicatori, alcuni feticci dell'immaginazione umana. Il diabolico, ambiguo «forse» galdosiano si trasforma, per Buñuel, nella storia di *Tristana* ripassata, nel finale ferocemente surrealista, in *flashes* di chiaro significato onirico".

[7] Cfr. M.G. Profeti, *Importare letteratura: Italia e Spagna*, in "Belfagor", XLI (1986) pp. 365-379; ora nel volume dallo stesso titolo, Alessandria, Edizioni dell'Orso, 1993, pp. 9-23.

petta tutta dedita all'arte della pasticceria[8]. Enigmatico e a dir poco, problematico (anche se a nostro avviso non "diabolico", come reputa la Bianchini) l'*excipit* galdosiano: "¿Eran felices uno y otro?...Tal vez"[9].

Per Vito Galeota, l'ambiguità e l'indipendenza di quest'opera all'interno della produzione galdosiana sono i due tratti distintivi del romanzo: "vicenda circoscritta a una dinamica triangolare di rapporti umani che danno vita a un complesso e raffinato gioco di seduzioni psicologiche ed erotiche di cui è protagonista e vittima Tristana", basata su uno schema melodrammatico senza tuttavia aver niente a che fare con il melodramma (ciò che conta è ciò che non accade), storia in cui gli eventi «mancati» assumono un'importanza pari a quelli narrati, anticipatamente impregnata di elementi di modernità che l'avvicinano non poco al romanzo del Novecento per l'ambiguità che deriva dal contrasto dell'accaduto con l'in-accaduto e per la problematicità del personaggio di Tristana, creatura tutta letteraria che non esiste al di fuori del testo stesso, a differenza di don Lope, figura strettamente legata a modelli e miti della tradizione culturale spagnola[10].

Dopo aver sottolineato che *Tristana* non è un grande romanzo mancato sulla condizione di dipendenza morale della donna, come pretendeva la Pardo Bazán, e che il suo tema principale non è la schiavitù della donna e il suo desiderio di liberazione, secondo quanto riteneva Casalduero[11], osserva Irina Bajini che l'obiettivo di Galdós sembra essere la realizzazione da parte delle donne di una piena autonomia morale dall'uomo, senza per questo affrontare il problema della condizione femminile in termini sociali, come d'altronde conferma lo stesso sviluppo del racconto.

Tristana è una vittima, eppure, sebbene non ne abbia coscienza, è incantata dal vecchio tutore-seduttore-tiranno. Secondo la Bajini, non si è tenuto conto sufficientemente del suo "disperato velleitarismo" e della sua "paranoica immaginazione", in cui è possibile ravvisare un'intenzione satirica da parte di Galdós. L'ambizione di Tristana è segnata in modo inequivocabile dal delirio di grandezza, accompagnato da una totale mancanza di autocritica: assai volubilmente e senza dubitare neppure per un attimo delle proprie capacità, crede di poter diventare ora un'artista ora una grande scrittrice, un'attrice illustre o una

[8] B. Pérez Galdós, *Tristana*, Torino, Einaudi, 1991: Introduzione di A. Bianchini, pp. XV-XVII.

[9] Per il TLO citiamo da ora in avanti, con la sigla: Galdós, *Tristana*, dall'edizione con testo a fronte già riportata nella nota 5, p. 402.

[10] Introduzione di V. Galeota, cit., pp. 9-16, cit. testuale, p. 10.

[11] J. Casalduero, *Vida y obra de Galdós*, Madrid, Gredos, 1951, pp. 104-108.

famosa musicista. Emblematica la fiducia illimitata nelle sue doti per il palcoscenico, espressa in una delle esaltate e talora deliranti lettere che scrive all'amato Horacio:

> La esfinge de mi destino desplegó los marmóreos labios y me dijo que para ser libre y honrada, para gozar de independencia y vivir de mí misma, debo ser actriz. Y yo he dicho que sí; lo apruebo, me siento actriz. Hasta ahora dudé de poseer las facultades del arte escénico; pero ya estoy segura de poseerlas. Me lo dicen ellas mismas gritando dentro de mí. ¡Representar los afectos, las pasiones, fingir la vida! ¡Jesús, qué cosa más fácil! ¡Si yo sé sentir no sólo lo que siento, sino lo que sentiría en los varios casos de la vida que puedan ocurrir! Con esto, y buena voz, y una figura que..., vamos, no es maleja, tengo todo lo que me basta[12].

Solo alla fine, per la Bajini, l'autore abbandona ogni sarcasmo e stende un velo di pietà sulla sua eroina, poco "prima che una cappa di nebbia inghiottisca i personaggi e faccia precipitare la conclusione «in minore»". Se Tristana è affetta da megalomania e bovarismo, don Lope, invece, con il suo equivoco e immorale comportamento ora *caballero* ora *galán*, ora probo galantuomo ora vile seduttore, ora padre ora amante, si dibatte fra il mito chisciottesco e quello di don Giovanni, anche se, a differenza del *burlador*, racconta con piacere le proprie gesta, forse più sognate che realizzate. Ma ciò che conta è che Tristana ci crede, e con lei l'ingenuo e quasi invidioso Horacio. È comunque don Lope il personaggio più solido e coerente, anche quando, in un finale che è un "non-finale", rinuncia ai suoi laici principi e accetta di sposarsi per garantire una vita sicura e tranquilla a Tristana[13]. Ed è anche l'unico personaggio che mantiene quasi completamente la sua fisionomia nel film di Buñuel, se si escludono le più accentuate caratteristiche di anticlericalismo e liberalismo antiautoritario di cui l'ha dotato il regista, in consonanza con la mutata collocazione temporale

[12] Galdós, *Tristana*, p. 268.

[13] B. Pérez Galdós, *Tristana*, Milano, Garzanti, 1992; introduzione e traduzione di I. Bajini, pp. XVI-XXI, cit. testuali, pp. XVIII, XIX, XXI.

Una lettura del romanzo più incentrata sulla questione del rapporto incestuoso fra un padre posticcio e l'ingenua Tristana, e del potere patriarcale dominante nella prigione claustrofobica del matrimonio borghese, la offre l'interessante studio di B.A. Aldaraca, *El ángel del hogar: Galdós y la ideología de la domesticidad en España*, Madrid, Visor, 1992, pp. 181-200. Questa ideologia produce effetti dannosi per la donna che non riesce a realizzare i suoi sogni artistici, sostanzialmente per "falta de fe" –in parole del narratore– e per un mancato sviluppo psicosociale della sua personalità che impedisce in lei una ribellione completa all'autorità di don Lope: e alla fine, Tristana "desaparecerá por completo dentro del tópico del ángel del hogar obediente y sumiso que reparte las horas entre la Iglesia y la cocina" (*ibid.*, p. 190).

della storia nei convulsi anni '30 e l'ambientazione, invece che nella capitale spagnola, nella provinciale e labirintica Toledo, ai cui moti operai del 1931, soffocati dalla *guardia civil*, si assiste sullo schermo. Ma non si tarda a rendersi conto che le idee apparentemente progressiste del contradditorio don Lope buñueliano, il suo disprezzo per il lavoro e per il denaro e la ripulsa del matrimonio fanno parte di una morale personale cara a molti spagnoli del suo tempo, in fondo prigioniera di convenzioni sociali conservatrici, che garantiscono comunque all'azzimato *caballero* rispettabilità e prestigio nel mondo borghese in cui vive.

Nella sua gioventù Buñuel non si era sentito particolarmente attratto da Galdós, che gli appariva:

> ...anticuado y un poco farragoso. Fue más tarde, en el exilio, cuando empecé de verdad a leerlo, y entonces me interesó. Encontré en sus obras elementos que podríamos incluso llamar «surrealistas»: amor loco, visiones delirantes, una realidad muy intensa con momentos de lirismo[14];

parlando con Max Aub, giunge ad affermare che "es la única influencia que yo reconocería, la de Galdós, así en general, sobre mí"[15], mettendo quindi in secondo piano altri influssi importanti nella sua opera: quello di Sade, per esempio. Sebbene solo *Nazarín* e *Tristana* siano direttamente tratti da romanzi galdosiani, sono molti i temi, i motivi, le situazioni, i personaggi presenti in altri film del periodo messicano di Buñuel e nell'unico altro film 'spagnolo' dell'autore, *Viridiana*, che evocano l'universo del grande narratore realista[16]. In quanto a *Tristana*, Buñuel afferma esplicitamente que "es una de las peores novelas de Galdós, género: «te amo, pichonchita mía», muy cursi. Sólo me interesaba el detalle de la pierna cortada"[17], riferendosi probabilmente in quel suo giudizio tagliente al linguaggio usato fra i due innamorati e soprattutto ostentato nel carteggio che si scambiano Tristana e Horacio[18], durante la prolungata assenza di questi da Madrid.

[14] T. Pérez Turrent-J. de la Colina, *Buñuel por Buñuel*, Madrid, Plot, 1993, p. 104.

[15] M. Aub, *Conversaciones con Buñuel*, Madrid, Aguilar, 1984, p. 118.

[16] Cfr. V. Fuentes, *Buñuel: cine y literatura*, Barcelona, Salvat, 1989, pp. 120-125.

[17] T. Pérez Turrent-J. de la Colina, *op. cit.*, p. 155.

[18] Sul loro particolare modo privato ed esclusivo di comunicare, cfr. G. Sobejano, *Galdós y el vocabulario de los amantes*, in *Forma literaria y sensibilidad social*, Madrid, Gredos, 1967, pp.105-138. Lo scambio dialogico fra i due "mezcla locuciones chocarreras con palabras de otro idioma; usa formas de lenguaje sugeridas por anécdotas, chascarrillos, pasajes graves y versos célebres; pone motes en lugar de nombres; sazona el diálogo con terminachos grotescos y con ex-

Nella stessa intervista il cineasta rivendica l'autonomia delle sue creazioni, anche di quelle "inspiradas en" Galdós (come recitano i titoli di testa dei due film), e non gli importa che quelli prescelti non siano dei grandi romanzi, anzi:

Cuando filmo una novela, me siento más libre si no es una obra maestra, porque así no me cohíbo para transformar y meter todo lo que quiero. En las grandes obras hay un gran lenguaje literario ¿y cómo hace usted pasar eso a la pantalla?[19]

In realtà, il suo *Tristana* è molto di più e di diverso da un «adattamento»: infatti, nonostante gli innumerevoli elementi di corrispondenza con il testo fonte letterario, il racconto filmico è talmente segnato e vivificato dal tocco Buñuel da renderlo nuovo, personale, radicalmente sovversivo, percorso da una vena surrealista e da un *humor negro* inconfondibili, impregnato di significati altri, distanti dall'universo narrativo del romanzo[20].

A livello macrostrutturale fino a un certo punto la storia sembra la stessa: don Lope, un anziano gentiluomo piuttosto povero, accoglie in casa sua l'innocente, dolce e bella Tristana, rimasta orfana. Il sornione tutore finisce per circuirla e sedurla, facendole ingannevolmente credere di essere libera di fare quello che vuole. Tristana è cosciente di essere in trappola e quando conosce e si innamora di un attraente giovane pittore, coglie l'occasione per lasciare don Lope e fuggire con Horacio. (Nel romanzo è quest'ultimo ad andarsene, e di qui nasce il motivo del prolungatissimo scambio di lettere fra i due, che ovviamente Buñuel ha eliminato). Due anni più tardi Tristana si ammala in modo grave e desidera ritornare a Toledo, in quella che considera la sua casa, dove è accolta amorevolmente e circondata di ogni conforto da parte di don Lope, che nel frattempo ha ereditato un cospicuo patrimonio. Il tumore alla gamba degenera ed esige un'amputazione che trasforma radicalmente il carattere e l'atteggiamento della ragazza: da dominata ad acida dominatrice, rifiuta definitivamente Hora-

presiones líricas" (*ibid.*, p. 108), è assai variabile, manifesta tendenze al bamboleggiamento infantile, al popolarismo, alla comicità, all'invenzione, al forestierismo e alla letterarizzazione.

[19] T. Pérez Turrent-J. de la Colina, *op. cit.*, p. 104.

[20] Per il particolare rapporto della poetica cinematografica di Buñuel con la letteratura e il suo personale trasgressivo concetto di adattamento di opere letterarie, cfr. A. Monegal, *Luis Buñuel de la literatura al cine. Una poética del objeto*, Barcelona, Anthropos, 1993, *passim*, e in particolare su *Tristana*, pp. 121-127, 137-143, 172-181, 212-215. Un'interpretazione sottile del film in questione, basata sull'idea della predilezione di Buñuel per un umorismo privato, cupamente sacrilego, è quella di C. Eidsvik, *Dark Laughter. Buñuel's Tristana (1970) from the novel by Benito Pérez Galdós*, in *Modern European Fimmakers and the Art of Adaptation*, ed. by A. S. Horton and J. Malgretta, New York, F. Ungar Publishing Co., 1981, pp. 173-187.

cio e accetta di sposare l'odiato benefattore-tiranno, ormai arrendevole e facile preda del suo autoritarismo e delle blandizie dei preti, divenuti assidui frequentatori della casa. Sempre più sola nel suo progressivo mutismo, Tristana sembra comunicare morbosamente solo con il sordomuto Saturno, il figlio della domestica di don Lope, al quale mostra da un balcone il suo nudo corpo mutilato. E alla fine compirà spietatamente la sua vendetta, lasciando morire il marito in una fredda notte d'inverno.

Sappiamo che il film non termina così. Lasciamo parlare lo stesso Buñuel:

> El final de Galdós no me parecía bien, pero tampoco me gustaba el mío. Me molestaba mucho que terminase con la muerte de don Lope, me parecía melodramático, pero no podía ver otro final sino ése. Ella se venga de don Lope: él tiene un ataque de corazón y ella finge que llama al médico. Después abre la ventana: está nevando. Es un final con «coleta», me desagrada. Tal vez por eso metí una serie rápida de imágenes retrospectivas[21].

Immagini che sembrano passare per la mente di Tristana, ad evocare i momenti più drammatici e importanti della sua vita, a ritroso, "como si el sufrimiento hubiera roto el hilo del relato y éste siguiera girando alocadamente sobre el carrete"[22].

Diversità di collocazione spaziale e temporale della vicenda, fuga degli amanti e ritorno di Tristana da don Lope a seguito della malattia, trasformazione della giovane dopo l'amputazione della gamba, novità del suo rapporto con Saturno, inesorabilità tragica del finale: ecco, schematicamente, le principali differenze nel racconto del film rispetto a quello del TLO. Dal momento che non intendiamo in questa sede occuparci né del problema dei due linguaggi in gioco, vincolati a istanze pragmatiche e statuti tecnico-formali diversi, né dell'analisi delle operazioni di 'traduzione' di un sistema semiotico in un altro, operante con una materia espressiva disomogenea, ci limitiamo a osservare che la maggiore divergenza fra i due testi si sostanzia nel personaggio di Tristana.

"Sorprendentemente intellettuale", colta e con idee avanzatissime per la sua epoca, intelligente, sensibile e pura nel sentire, incapace di odiare, la protagonista del romanzo è la vittima innocente di don Lope e degli avvenimenti. La Tristana del film è invece un "maliziosa figura erotica", vittima di circostanze avverse della vita più che dell'anziano seduttore, al quale cede consapevolmente; è intelligente e riflessiva, ma non intellettuale né dominata dalle aspirazioni

[21] T. Pérez Turrent-J. de la Colina, *op. cit.*, p. 160.
[22] V. Fuentes, *op. cit.*, p. 139.

artistico-culturali della Tristana di Galdós; dopo la mutilazione si indurisce, diventa vendicativa, sessualmente corrotta e crudele. La Tristana del romanzo è dunque un personaggio tutto letterario, la cui problematicità alla fine dell'Ottocento poteva essere recepita solo da un ristretto circolo di lettori intellettuali e liberali. La Tristana del film è più "reale", più credibile agli occhi dello spettatore cinematografico di questo secolo[23].

Ci si è soffermati a delineare per sommi capi alcuni percorsi di lettura del TLO e del TFO e ad accennare ai principali tratti distintivi dei protagonisti della storia nei due testi perché risultano elementi imprescindibili di conoscenza se si vuole rendersi conto dell'*humus* culturale che ha dato vita a queste forme espressive, vincolate oltre che a livello della sintagmatica narrativa, dallo stesso codice linguistico. Ed è proprio dell'aspetto verbale che si deve trattare ora per non perdere di vista i nostri obiettivi. Cominciamo dunque con l'osservare che in quanto al trasferimento nei dialoghi del film della prosa galdosiana, non si riscontra totale coincidenza nei giudizi critici espressi finora: vi è chi ritiene che l'eredità diretta sia massiccia, anche per l'abbondanza di parole vecchie, proverbi, espressioni desuete, attinti dal romanzo con scarsissime varianti[24].

È indubbio che si potrebbero riportare numerosi brandelli di frasi e costrutti molto simili, estrapolati dal romanzo e dalla sceneggiatura[25] del film, ma proprio il confronto puntuale fra questi due testi ci ha fatto constatare che non una gran parte dei dialoghi ma un numero piuttosto limitato di paragrafi sono tratti direttamente dal TLO, come peraltro ha riscontrato Andrés Amorós in un suo studio[26], elencandone tredici, a cui, da parte nostra, potremmo aggiungerne al-

[23] Abbiamo ripreso parzialmente le osservazioni sul personaggio Tristana dall'acuto, esauriente studio di V. Galeota, *Galdós e Buñuel. Romanzo, film, narratività in Nazarín e Tristana*, Napoli, Istituto Universitario Orientale, 1988, pp. 146-149, cit. testuali, pp. 146, 147. Ad esso rimandiamo per un'approfondita analisi della struttura narrativa dei due testi, delle corrispondenze, interferenze e differenze «scritturali » fra TLO e TFO e per le originali proposte interpretative su entrambi i sistemi testuali.

[24] A. Lara, *op. cit.*, pp. 230, 233.

[25] Il *guión*, scritto in collaborazione, come già era avvenuto per *Viridiana* ed altri film del periodo messicano, con Julio Alejandro, nell'edizione da cui citiamo (L. Buñuel, *Tristana*, Barcelona, Aymá, 1971) "extraído directamente del film por E. Ripoll-Freixes", presenta invece alcune piccole differenze rispetto ai dialoghi del TFO che abbiamo sanato all'occorrenza. Ci riferiremo a questo testo come: *Guión*.

[26] A. Amorós Guardiola, *Tristana, de Galdós a Buñuel, Actas Primer Congreso Internacional de Estudios Galdosianos*, Madrid, Cabildo Insular de Gran Canaria, 1977; da noi consultato in *Galdós en la pantalla*, ed. a cargo de C. Utrera, Filmoteca Canaria, 1989, p. 92. Per l'elenco dei casi annotati, cfr. pp. 92-93.

meno altrettanti, senza che ciò modifichi sostanzialmente la valutazione generale. Quindi, si domanda Amorós:

> ...¿de dónde viene, entonces, la impresión de que las citas de la novela son continuas? Muy sencillo: de que los guionistas han escogido un lenguaje lleno de frases castizas, que, al no familiarizado con la novela, dan la impresión de ser galdosianas (...) En el conjunto del guión abundan mucho más y poseen mayor peso específico estas frases castizas (escritas por un exiliado nostálgico, no lo olvidemos) que los escasos párrafos tomados directamente de Galdós[27].

Esemplifichiamo per ora solo alcuni casi, scelti fra gli uni e gli altri, particolarmente significativi perché li vedremo in rapporto con la loro resa nel TFD in italiano, il che ci consentirà di entrare nel vivo dei problemi a cui si accennava all'inizio.

In due delle poche scene comuni al romanzo e al film, don Lope, insospettito dall'andirivieni e dall'atteggiamento sempre più distaccato e ribelle di Tristana, cerca di farle confessare i suoi amori, la minaccia, assume autoritariamente il ruolo di padre protettivo, la blandisce, ma lei respinge le sue effusioni e mantiene il suo segreto. Isoliamo e giustapponiamo naturalmente soltanto frammenti delle battute di don Lope nel romanzo, nel *guión* e nel TFD, perché è a brevi enunciati, talora solamente a espressioni colorite di poche parole che si riducono le citazioni testuali del testo fonte letterario nel film, e quasi sempre congiunte in modo diverso:

> (1) TLO: Soy perro viejo y sé que toda joven de tu edad, si se echa diariamente a la calle, tropieza con su idilio. (...) Ignoro cómo es tu hallazgo; pero no me lo niegues, por tu vida.
>
> ... y si otra cosa no te gusta, me declaro padre, porque como padre tendré que tratarte si es preciso (...), no te asombres de que yo me defienda. Nadie me ha puesto la ceniza en la frente todavía.
>
> «No me teme ya. Ciertos son los toros». (Galdós, *Tristana*, pp. 164; 166, 168; 178).
>
> TFO: Tristana, yo soy perro viejo, y sé que cuando una joven de tu edad se echa diariamente a la calle es porque ha encontrado un hueso. Ignoro qué clase de hueso es ése, ¡pero no me lo niegues, por tu vida!

[27] *Ibid.*, p. 93. Lo studioso aveva premesso che Buñuel "ni en palabras ni en escenas sigue a la novela, pero sí nos da lo esencial de ella" (p. 88) e riferisce che la ricognizione sulle scene del film ha palesato che di 35, ben 28 (cioè l'80%) sono totalmente nuove (p. 92).

A mí, ¡óyeme bien!, nadie me ha puesto la ceniza en la frente. Y si otra cosa no te gusta, me declaro tu padre y te exijo la cuenta de tus actos.

Muy valiente te veo. ¡Ciertos son los toros! (*Guión*, pp. 85, 85-86, 88).

TFD: Tristana, io ho una grande esperienza e so che quando una giovane della tua età esce tutti i giorni di casa è perché ha qualche interesse. Non so che genere di interesse sia il tuo, ma non negarlo, almeno con me.

A me, ascolta bene, nessuno ha mai potuto darla a bere, e se hai qualcosa in contrario, mi dichiaro tuo padre ed esigo che tu mi renda conto.

Quanto coraggio! Allora è proprio amore il tuo! (Trascrizione nostra).

Proseguiamo nell'esemplificazione, riservandoci il commento per un poco più avanti.

Quando Tristana ritorna a Toledo e i terribili dolori alla gamba la rendono depressa e disperata, don Lope non esita a mentirle pur di farle coraggio:

(2) TLO: Conque anímate, que dentro de un mes ya podrás brincar y hasta bailar unas malagueñas (Galdós, *Tristana*, p. 276).

TFO: ¡Vamos, vamos, anímate! Ya verás que dentro de unos días podrás brincar, y hasta bailar unas malagueñas (*Guión*, p. 104).

TFD: Andiamo, su, coraggio, fra un mese potrai camminare e perfino ballare, se vorrai! (Trascrizione nostra).

Fra gli esempi di costrutti ed espressioni che non compaiono nel romanzo ma hanno un sapore galdosiano, è indimenticabile, e molto buñueliana, la prima apparizione in scena dell'anziano dongiovanni in gustosa interazione con una bella ragazza che passa per la via:

(3) TFO: Don Lope: ¿A dónde va la gracia de Dios?

Muchacha: A buscar novio.

Don Lope: Pues ya lo has encontrado, preciosa.

Muchacha: ¿Tan viejo?

Don Lope: ¡No tanto, no tanto que esté muerto el diablo! (*Guión*, pp. 24-25).

TFD: Don Lope: Ma dove va tanta grazia di Dio?

Ragazza: A cercarmi un fidanzato.

Don Lope: Ormai lo hai trovato.

Ragazza: Così vecchio?

Don Lope: Non tanto, non tanto da non tirare più! (Trascrizione nostra).

O si pensi al detto popolare che evoca don Lope per giustificare la segregazione in casa di Tristana oppure al vigore descrittivo dell'espressione che usa Saturna per riferirsi a un'immagine fotografica:

(4) TFO: La mujer honrada, pierna quebrada y en casa (*Guión*, p. 46).
TFD: La donna onesta tutto l'anno in casa resta (Trascrizione nostra).
(5) TFO: Era una señora de mucho ringorrango (*Guión*, p. 31).
TFD: Era una signora di altissimo rango (Trascrizione nostra).

Nel 1982 Buñuel ha detto: «Sólo *Tistana* es un film español ciento por ciento, los otros pude haberlos filmados en cualquier lado, hasta en Polonia»[28], e anche se l'affermazione ha l'aria di essere soprattutto provocatoria (e *Las Hurdes*? e *Viridiana*? potrebbero mai essere stati girati in Polonia?), è vero che nel film in questione viene fatto un ritratto magistrale dell'ambiente familiare e della vita provinciale spagnola ormai in via di estinzione negli anni 70, ma vivi nello sguardo nostalgico del regista che non casualmente ha ambientato la storia in quell'epoca che conosceva tanto bene e in una Toledo che molto amava, dove certi usi e costumi erano ancora presenti: le *tertulias* al caffè, il *chocolate* con *azucarillos* e *picatostes* intorno alla *mesa camilla*, la *ruleta* del *barquillero*. Non casualmente ha utilizzato quel linguaggio così sobriamente *castizo*, pieno di echi letterari ma anche popolari, e non per caso, come giustamente è stato osservato:

...es muy fiel a ese costumbrismo esencial de la novelística galdosiana; costumbrismo tan ligado a nuestro realismo desde Cervantes y Velázquez, y que en el arte de éstos, y del de Larra y Galdós, nos ha dejado, a través del tejido de costumbres y caracteres, una profunda visión de la naturaleza humana y de la vida y verdad españolas[29].

È possibile 'travasare' questo sapore d'epoca, questo tessuto culturale così spagnolo nell'italiano della versione doppiata di *Tristana*?

[28] V. Fuentes, *op. cit.*, p. 134.

[29] *Ibid.*, p. 135. Sul profondo legame della maggior parte dei film di Buñuel (a prescindere da dove li abbia girati) con la tradizione, la cultura e l'idiosincrasia spagnola (le radici sono nella picaresca, in Quevedo e Goya, ma anche in Gracián e R. Gómez de la Serna), cfr. V. Pineda, *Influencias españolas en Buñuel*, in *Luis Buñuel*, Venezia, XLI Mostra Internazionale del Cinema, 1984, pp. 87-93; J. L. Guarner, *Españolidad de Don Luis Buñuel*, ibid., pp. 99-104; A. Sánchez Vidal, *Luis Buñuel*, Madrid, Cátedra, 1991, pp. 271-278.

Il dialoghista e il direttore del doppiaggio[30] si sono trovati, come sempre, di fronte alla necessità di adattare il dialogo originale in modo da renderlo non solo comprensibile al pubblico italiano, ma anche aderente all'immagine in movimento nella lunghezza delle frasi, nelle pause e nel sincronismo delle labiali (per lo meno nei piani ravvicinati). Questo delicato e complesso processo di adattamento interculturale oltre che interlinguistico, che porta a una vera e propria ricostruzione del testo, risponde all'obiettivo primario di conservare quanto più è possibile il senso dell'originale, di coglierne il tono complessivo. E non si può dire che i responsabili del doppiaggio di *Tristana* globalmente non ci siano riusciti, perché chiunque lavora in questo campo così come chiunque si occupi dei particolari processi traduttivi implicati nel doppiaggio cinematografico sa che, anche nei migliori dei casi, è praticamente impossibile una costante resa fedele del significato dei singoli enunciati, è inevitabile un appiattimento espressivo della lingua di partenza, è scontata una manipolazione talora massiccia quando non una totale soppressione di tutti quei riferimenti contestuali linguistici ed extralinguistici che potrebbero non essere recepiti in modo adeguato dallo spettatore italiano medio, ben poco familiarizzato con le cose di Spagna e anche con ciò che sta dietro ad ogni testo filmico ed è stato chiamato "lo sfondo etnico della lingua: contesto culturale, sociale, etico, storico e geografico"[31], sulla cui traducibilità da una lingua a un'altra è legittimo dubitare.

Osserviamo ora per un momento gli esempi riportati sopra: in (1), si nota nel TFD una perdita della ricchezza metaforica dell'immagine del *perro viejo* e dell'*hueso* nel TFO, o della colorita frase idiomatica *ciertos son los toros*, che il dizionario d'uso della lingua spagnola definisce "expresión con la que se comenta la confirmación de la noticia de algo que se temía o de que se hablaba" (María Moliner), e il bilingue traduce "certo, è vero (ciò che si diceva o temeva)" (Carbonell): ma in bocca a don Lope che non riesce a tener testa all'atteggiamento ribelle dell'infuriata Tristana, la battuta della versione doppiata ci sembra piuttosto efficace. In (2), invece, il riferimento al canto e ballo popolare della provincia di Malaga costituiva certamente un ostacolo sia per la resa traduttiva in italiano che per una eventuale soluzione conservativa del forestierismo e allora è stato liquidato, e sostituito, al fine di mantenere la misura

[30] Non sono noti, giacché l'unica generica informazione che si riceve dai titoli di coda del TFD è che il doppiaggio è stato eseguito dalla SAS. (Società Attori Sincronizzatori); solo di recente i professionisti del settore responsabili vengono obbligatoriamente nominati con i doppiatori nei titoli finali dei film stranieri doppiati in Italia.

[31] A. Licari, *Eric Rohmer in lingua italiana*, nel volume dallo stesso titolo, a cura di A. Licari, Bologna, CLUEB, 1994, p. 22.

della frase, da un uso fatico del "se vorrai" conclusivo, d'intonazione confortante. In (3), nell'ultima battuta si rileva, oltre alla perdita metaforica nell'ingegnoso *piropo callejero* allusivo ma garbato, anche uno scarto di registro nella triviale espressione gergale italiana usata[32], non adatta a un personaggio come don Lope, associato d'altronde in parecchi luoghi del film all'immagine diabolica, non solo per il mantello nero foderato di rosso che talora lo avvolge, ma grazie a richiami frequenti alla creatura luciferina[33].

Sorvolando sulla banalità della soluzione trovata per il grafico e densamente connotato detto popolare di (4), vorremmo far notare che in (5), probabilmente per la coincidenza del movimento delle labbra del personaggio fra "mucho ringorrango" e "altissimo rango", si è sacrificato il significato dell'espressione spagnola, senza neppure supportare l'enunciato in italiano con un'intonazione ironica: *ringorrango* è "adorno exagerado y de mal gusto en cualquier cosa" (María Moliner), "fronzolo" in italiano. Perché non mantenerlo in bocca a Saturna, facendole dire "Era una signora piena di fronzoli!" oppure "Quanti fronzoli aveva quella signora!"?

In un altro caso, invece, l'omonimia interlinguistica fra spagnolo e italiano ha provocato un'interpretazione errata: si tratta dei "falsi amici" *sotana*: *abito talare* e *sottana* : *falda*. Sono i preti che vorrebbe evitare don Lope al funerale della sorella, non le sue amiche beghine!

(6) TFO: ¡Será una carnevalada de sotanas! (*Guión*, p.97).
TFD: In mezzo a tutte quelle vecchie pettegole! (Trascrizione nostra).

Occorre riconoscere che sono pochi i luoghi nei quali si riscontrano arbitrarie e vistose alterazioni del senso su cui si avrebbe di che eccepire [34], se non si vuole insistere sugli effetti talora negativi della resa di frasi fatte e costrutti *castizos* (scarti di registro, neutralizzazioni, perdite di senso), ma nemmeno, a

[32] "Tirare", nell'accezione di "estar cachondo, dar morbo" figura solo in un recentissimo dizionario di neologismi ed espressioni colloquiali (Calvi-Monti, *Nuevas palabras parole nuove*).

[33] Dice di lui Saturna: "Mejor que el señor no lo hay, pero, en cuanto ve unas faldas, ¡le apuntan los cuernos y la cola!"; dopo l'incubo notturno di Tristana che ne vede la testa mozzata oscillare al posto del batacchio della campana della cattedrale, don Lope accorre al suo capezzale osservando: "¡Chillabas como si hubieses visto al diablo! Recuerdo que, cuando eras pequeña, al verme, comenzabas a chillar..., exactamente como ahora..." (*Guión*, pp. 31, 38).

[34] Esemplari ci sembrano: "cambia de cara como de camisa" (*Guión*, p. 76): "però disprezza la religione e la morale" nel TFD; "En cuanto se adoba, se envalentona. Vuelven a salirle las plumas" (*Guión*, p. 80) : "Quando è azzimato, riprende coraggio, ma niente da fare, perde le penne!" nel TFD.

onor del vero, sulle buone soluzioni traduttive inventate dal dialoghista, non scarse. Assai diffuse si sono rivelate invece alcune caratteristiche del doppiato che possono riassumersi nella tendenza, da un lato, ad *aggiungere* parole, a *completare* il senso di una battuta con qualcosa che non c'è nell'originale, a rendere più esplicito ciò che nel TFO è rimasto sospeso/ambiguo/aperto a diverse interpretazioni del ricevente o solo suggerito[35]; e dall'altro, a *togliere* quello che nell'originale caratterizza, riflette il contesto culturale in cui si muove la storia, ricorrendo spesso all'uso dell'espressione generica o dell'iperonimo al posto del termine più specifico o dotato di una maggior densità metaforica nel TFO. Nell'ambito dei riferimenti a cibi e bevande, non irrilevanti se si pensa al peso dell'ossessione gastronomica nel cinema di Buñuel in generale e alle connotazioni di cui sono impregnati nel contesto del film in questione[36], basti accennare a termini come *garbanzos* e *acelgas* (misero abituale pasto dell'indigente famiglia spagnola di allora), resi con *verdura*; *ensaimadas*, tradotto non si sa perché con *panini* e *azucarillos*, nell'enunciato "Los azucarillos, por favor, don Joaquín" (*Guión*, p. 130), sostituito da "Mi passa quel *piatto*, per favore, don Joaquín", battuta nella quale, oltre a tutto, il nome proprio viene pronunciato all'italiana [Ioakín]. Si tratta della stupenda scena dell'idillio di don Lope con tre melliflui rappresentanti del clero, in estasi davanti a una tazza fumante di denso e succulento *chocolate*, esaltato come un tesoro della tradizione culinaria spagnola[37]. In un altro momento del film, all'uscita da un ristorante, il compiaciuto commento sulle squisite pernici che don Lope e l'amico hanno appena gustato viene totalmente eliminato e sostituito con battute formali sulla salute di Lope, reduce da una forte costipazione:

TFO: Don Lope: ¡Has comido como un cadete!
Don Coste: Pues tú también...
Don Lope: Es que las perdices estaban estupendas.

[35] "Y cuando se trata de faldas..." (*Guión*, p. 76) : "E quando si tratta di donne, non conosce limiti" nel TFD; "Y más hoy, Saturna..." (*Guión*, p. 79): "Specialmente oggi, che sono felice" nel TFD; "Me estás recordando al sinvergüenza ese. Hablas como él" (*Guión*, p. 90): "Parli come un'oca, peggio ancora, come quel farabutto" nel TFD.

[36] A. M. Torres (*Diccionario del cine español*, Madrid, Espasa Calpe, 1994, pp. 463-465), partendo dalla premessa che *Tristana* è uno dei film in cui si mangia più spesso, si fanno costanti riferimenti ai pasti e talora si cucina pure, puntualizza per noi tutti i luoghi in cui appaiono cibi, bevande e costumi legati a questo aspetto, particolari capaci di rendere più umani gli abitualmente disumanizzati personaggi buñueliani.

[37] "¡Vaya aroma! Ante este manjar exquisito, ¿no son de compadecer aquellos pueblos que tienen que contentarse con el té?" (*Guión*, p. 129), e l'elogio non si ferma qui.

Don Coste: ¡Riquísimas! Además, muy bien servidas (*Guión*, p. 61).
TFD: Don Coste: Allora, come stai?
Don Lope: Molto meglio, grazie.
Don Coste: Ti capisco, figurati.
Don Lope: Non mi par vero di uscire.
Don Coste: Sembrano delle sciocchezze...

La brevissima scena si svolge sotto il portico di una bella piazza, ripresa in panoramica, mentre i due personaggi avanzano, conversano, s'incontrano con un terzo amico e dopo convenzionali forme di saluto, entrano nell'abituale caffé. La carrellata della macchina da presa mantiene una certa distanza dai personaggi, le voci giungono da lontano, le battute sostituite nel doppiaggio stupiscono solo, per l'immotivata operazione effettuata, chi come noi mette a confronto TFO e TFD.

Nella versione doppiata emerge dunque dominante la *sostituzione*, a volte di interi enunciati, a volte di segmenti frasali brevi, con la tendenza prevalente a rielaborare, anche se solo in parte, soprattutto le battute lunghe[38].

Come si è visto, l'adattamento si gioca in prevalenza a livello lessico-semantico giacché, per quanto attiene al tessuto sintattico, i dialoghi spagnoli non presentano particolari difficoltà di resa in italiano, tenuto conto anche delle analogie strutturali fra le due lingue e di un elemento non trascurabile: quello che si parla nel film di Buñuel è uno spagnolo più vicino alla lingua scritta che alle caratteristiche del parlato, e ciò non sorprende se si pensa che si tratta di un film del 1970, ambientato negli anni '30 e ispirato a un romanzo del 1892. Altrettanto fluido e ben costruito è l'italiano della versione doppiata, complessivamente aderente al ritmo dell'eloquio originale e parlato da voci di bravi attori, non molto diverse da quelle del TFO.

Ma qual è il contesto sonoro del film di Buñuel? Va rilevato che non è stato girato con il suono in presa diretta, ma sonorizzato dopo il montaggio e che è già una versione doppiata nella quale gli attori spagnoli (Fernando Rey, Lola Gaos e gli altri) nella fase di postsincronizzazione hanno doppiato se stessi e i due stranieri, Catherine Deneuve e Franco Nero, sono stati necessariamente doppiati in lingua spagnola. Se a questo si aggiunge che nel film non vi è commento musicale né presenza di effetti sonori speciali (si odono solo rintocchi di

[38] Possiamo solo riportare tre brevi esempi: "Tristana, triste Ana" nel TFO (per la precisione, nel *Guión*, p. 98, "Tristana, Tristana"): "Tristana, vita mia" nel TFD; "¡Me habrá tomado por una tonta o una estúpida!" (*Guión*, p. 66): "Mi avrà preso per una idiota o, peggio ancora, una svergognata!" nel TFD; "Lo peor es que en muchas cosas tiene razón. En ésta, por lo menos" (*Guión*, p. 90): "Purtroppo in molte cose ha ragione, ed è tutt'altro che scemo, credimi" nel TFD.

campane, il suono di un piano, pochissimi rumori di fondo, eccetto quelli sordi delle stampelle di Tristana)[39], non stupisce che già l'originale susciti una certa impressione di 'irrealtà', a cui peraltro non è estraneo lo spettatore di una buona parte dei film di Buñuel, prescindendo dalla lingua nella quale sono parlati. Il pubblico medio è turbato dalle immagini silenziose del maestro aragonese, che cerca la semplicità massima, l'assenza di trucchi tecnici e procedimenti insoliti, ed elimina quanto possa rivelare la presenza della macchina da presa, qualunque indizio di cinematografica[40].

Come ha osservato Aranda, il suo stile così personale in *Tristana* "rozaba el manierismo, (...) había eliminado el concepto de espectáculo, distanciando al espectador. Un melodrama quedaba ahora en una fórmula algebraica, una destilación de laboratorio"[41]. Questa intenzionale 'estraneità' di cui è permeato il racconto filmico si sposa bene con lo «stile colloquiale» del dialogo che, si è visto, ha saputo artificiosamente contagiarsi dell'espressività e vivacità del linguaggio galdosiano.

Ma lo spettatore attuale del film, sia nella versione originale che italiana, avverte la distanza non solo dal parlato reale ma anche da quello del doppiaggio a cui ci si è abituati in questi ultimi anni, più mimetico nei confronti dei meccanismi tipici della lingua parlata (interruzioni, ripetizioni di parole, sovrapposizioni di battute, enunciati lasciati incompleti, abbondante uso di riempitivi, pause e titubanze, autocorrezioni e rettifiche da parte degli interlocutori, ecc.). Al di là dell'apparente immediatezza più o meno pittoresca dei dialoghi, peraltro mantenuta nel TFD, si percepisce una certa uniformità e impersonalità di uno spagnolo e un italiano medio privi di qualsiasi caratterizzazione sociolinguistica, in realtà inesistenti: insomma, si ha spesso l'impressione che i personaggi parlino un po' troppo "come dei libri stampati"[42], senza tuttavia raggiungere mai gli eccessi di stilizzazione e asetticità o pseudoletterarietà che hanno caratterizzato per lungo tempo soprattutto i dialoghi di molti film americani

[39] Come si è suggerito, "la mancanza del commento musicale extradiegetico, elemento integrante del codice narrativo del cinema sonoro, viene avvertita come *non procedimento*, come *assenza significativa* che complica l'organizzazione significante del discorso" (V. Galeota, *Galdós e Buñuel,* cit., p. 177).

[40] Cfr. A. Lara, *op .cit.*, pp.205-206.

[41] J.F. Aranda, *Luis Buñuel biografía crítica*, Barcelona, Lumen, 1975, p. 311.

[42] Cfr. N. Maraschio, *L'italiano del doppiaggio*, in AA.VV., *La lingua italiana in movimento*, Firenze, Accademia della Crusca, 1982, p. 140.

doppiati in italiano ed anche in spagnolo, in Spagna e nei paesi ispanoamericani[43].

Dalla nostra se pur sommaria analisi delle varianti eterogenee generate dall'opera galdosiana rimane necessariamente escluso qui il TLT, il *Tristana* n. 2, giacché un esame delle tre traduzioni del romanzo disponibili per il lettore italiano e le riflessioni prodotte dalla comparazione fra gli esiti del lavoro del traduttore letterario e i forti vincoli a cui costringe l'operazione del doppiaggio cinematografico, richiederebbero uno spazio che l'obbligata brevità di questo contributo ci sottrae. Rimane aperta comunque una feconda prospettiva di indagine, finora quasi inesplorata, che potrebbe dare un apporto non insignificante alla ricerca traduttologica.

[43] Cfr. N. Izard, *La traducció cinematogràfica*, Barcelona, Generalitat de Catalunya, 1992, pp. 90-91. Sull'italiano del vecchio modello libresco di lingua e il nuovo orientamento che si registra in generale nel doppiaggio in Italia, ultimamente, si veda N. Maraschio, *op. cit.*, pp. 139 e ss.

¿Es *La niña que riega la albahaca y el príncipe preguntón* realmente de Lorca?

PIERO MENARINI

En la Edición del Cincuentenario (1986) de las obras de Lorca se incluyó, algo apresuradamente y junto con otras obras recién sacadas del olvido, el texto de la farsa para títeres *La niña que riega la albahaca y el príncipe preguntón*[1], al parecer milagrosamente rescatada por el titerero César Linari en la Argentina casi 60 años después de su estreno granadino[2]. Algo apresuradamente, he dicho, porque la lectura de este texto y de la nota introductoria que lo precede, suscitan no pocas dudas acerca de su autoría y su atribución a Federico. Y ello aunque se acepte la existencia de las manipulaciones típicas de toda transmisión (en este caso sólo supuesta) de los guiones para títeres.

En primer lugar, este descubrimiento tardío supondría que alguien poseía el manuscrito autógrafo, o copia fiel del mismo, pero que durante decenios lo tuvo ocultado por razones que se desconocen, puesto que el acontecimiento de aquel lejano 5 de enero de 1923 es tan conocido que no se explica que alguien no supiese qué tenía entre manos. En segundo lugar, el texto, tal como nos es dado conocerlo ahora, no puede ser una copia del desaparecido original de Lorca, puesto que tiene todas las características de un guión para representarse *hoy* y muchos rasgos lingüísticos típicos de Hispanoamérica. Sólo explicaría este estado textual el hecho de haberse efectivamente representado y haber sufrido una transmisión escrita u oral: pero – dejando aparte la dudosa y única fuente que es la nota introductoria a la mencionada revista – no tenemos ninguna noti-

[1] Federico García Lorca, *Obras completas*, Edición de Arturo del Hoyo, Madrid, Aguilar, 1986, II, págs. 61-70.

[2] La farsa fue publicada por primera vez en: "Un texto inédito para títeres, de Federico García Lorca", *Títere*, Madrid, n°. 23, enero de 1982. Dos años después reeditó el texto Luis T. González-del-Valle, en *Anales de Literatura Española Contemporánea*, 9, 1984, págs. 1-15, luego reimpreso en *offprint* por la Society of Spanish and Spanish-American Studies, New York, 1985.

cia cierta de que ello haya ocurrido así, hecho muy raro dada la importancia y el clamor que hubiera suscitado tal estreno.

Pero hay más elementos dudosos. En primer lugar, el texto del guión ofrece una especie de antología poética lorquiana, en general de obras posteriores a la fecha de composición (1922)[3]: es evidente, pues, que las citas no pertenecen a Lorca. Pero de hecho sin ellas desaparecerían por completo algunas escenas y la farsa resultaría demasiado corta para representarse: por lo tanto hay que considerarlas más bien estructurales que añadidas posteriormente a un modelo original. En segundo lugar, el texto sigue demasiado fielmente el argumento de la farsa tal como lo había recordado pocos años antes Francisco García Lorca, incluyendo también todos los versos, diálogos y detalles escenográficos (el árbol del sol y el árbol de la luna) citados por el hermano del poeta[4].

En la citada presentación de la revista *Títere* (cuyo autor podría ser Francisco Porras), entre otras cosas se lee: "Este texto, hasta ahora inédito, fue entregado en Alta Gracia (Argentina) por Falla al Director del Teatro de la Ciudad de Buenos Aires, Roberto Aulés, a petición de éste para su estreno en el "Teatro de los Niños". Allí se representó, con actores y para público infantil en 1962, en el Primer Festival para Niños de Nicochea. [...] La obra fue grabada por el titerero César Linari, y posteriormente representada por este artista – desde el año '65 – en Bahía Blanca, en Buenos Aires, en Mar de la Plata [...]. Ahora César Linari se encuentra, esperamos que definitivamente, en Granada, y estrenará la obra en Madrid en el III Festival de Títeres para Adultos que se celebrará este año en el Parque del Retiro. En honor a la publicación de este inédito de García Lorca [...]".

Las informaciones que ofrece esta nota, quizá debidas al mismo Linari, son importantes, aunque en parte incorrectas, y ofrecen varios elementos que parecen apoyar las dudas antes expuestas. Dejando de un lado el detalle cronológico acerca de la fecha del estreno – que no es 1962 sino 1960, como luego veremos –, el primer elemento cuestionable es la supuesta entrega del texto de Lorca a Aulés de parte de Manuel de Falla. Al que redactó la nota introductoria posiblemente no se le ocurrió recordar que el Maestro murió en Alta Gracia el 14 de

[3] En diciembre de este año la farsa estaba ya terminada, como se desprende de una carta de Lorca a Melchor Fernández Almagro. Cf. mi artículo "Federico y los títeres: cronología y dos documentos", en *FGL. Boletín de la Fundación Federico García Lorca*, Madrid, III, junio de 1989, 5, pág. 115.

[4] Francisco García Lorca, "La niña que riega la albahaca", *El País*, Suplemento Artes y Pensamiento, 24.XII.1977, pág. V. Véase también, del mismo, *Federico y su mundo*, Edición y prólogo de Mario Hernández, Madrid, Alianza, 1980 (1981^2), págs. 269-275.

noviembre de 1946. ¿Cómo es posible, entonces, que Aulés le pidiera el manuscrito (o copia del mismo) en 1946 "para su estreno en el Teatro de los Niños", estreno que tuvo lugar sólo en 1960? Y, si realmente ocurrió lo que se afirma, ¿por qué razón se quedaría Aulés con un texto tan importante, y por él mismo solicitado, casi 15 años antes de representarlo? Además, tampoco es cierto que Manuel de Falla llevase consigo al exilio el manuscrito de Federico. No sólo este hecho no tendría sentido alguno, sino que no hay ninguna prueba de ello[5]. Pero aún admitiéndolo, debería pensarse que después de 1960 (¿o de 1946?) se perdió otra vez constancia del paradero del autógrafo (el cual sería la única prueba concreta acerca de la verosimilitud de todas las aserciones anteriores).

La nota aclara que "la obra [puesta en escena por Aulés] fue grabada por el titerero César Linari, y posteriormente representada por este artista, desde el año 1965". También en este caso las fechas parecen muy descabelladas. Al llegar a España lo primero que hace nuestro titiritero es anunciar que posee un inédito lorquiano, lo que me parece lógico (si fuera la verdad) para quien debe lanzarse en un mercado tan difícil. Pero, ¿cómo es posible que haya representado a lo largo de 17 años una obra desconocida de Lorca sin que nadie se enterara de ello? La única explicación es que sólo en España Linari haya declarado que el texto de la *Niña* que él tenía en su repertorio era la obra que se creía perdida. Efectivamente, gracias a la versión perteneciente a Aulés y recién rescatada, resulta evidente que Linari no podía tener copia del original de Lorca (el que "grabaría"), porque también lo desconocía por completo Aulés. En efecto este último había escrito una obra original suya como homenaje a Lorca y en ningún momento había declarado haber tenido ni visto el manuscrito. Así pues, fue el mismo Linari quien realizó la versión de la *Niña* luego publicada, que es, como veremos, refundición del texto de Aulés[6], y se la atribuyó a Lorca.

Para evitar confusiones, de ahora en adelante llamaré *NiñaX*$_1$ la obra desconocida de Lorca; *NiñaX*$_2$ la reconstrucción del simple guión de la misma

[5] Por su parte Maribel Falla de García de Paredes, sobrina del músico, niega la posibilidad que su tío viajara a Argentina con manuscritos de Federico. En efecto, hubiera tenido más sentido llevar consigo el borrador de *Lola la comedianta*, mucho más importante para el maestro, que en cambio dejó en Granada.

[6] Ya Hernández había definido *refundiciones* los textos de Aulés y Linari. Cf. Mario Hernández, "Falla, Lorca y Lanz en una sesión granadina de títeres (1923)", en Dru Dougherthy-M. Francisca Vilches de Frutos (eds.), *El teatro en España entre la tradición y la vanguardia (1918-1939)*, Madrid, CSIC-Fundación FGL-Tabapress, 1992, pág. 230.

hecha de memoria por Francisco García Lorca con la ayuda de su hermana Concha; *NiñaA* la versión de Aulés y *NiñaB* la refundición de Linari[7].

Hasta aquí, pues, todo parece apuntar a que Linari no utilizó ningún texto de Lorca guardado cautelosamente por Falla y luego rescatado por Aulés, sino que adaptó él mismo el conocidísimo cuento popular, basándose en la versión de Aulés y en el artículo o en el libro del hermano del poeta. Pero, aunque las perplejidades antes expuestas permiten dudar de que se trate de la farsa de Lorca, y por consiguiente animar a descartarla de las *Obras completas* del poeta, la exclusión definitiva no puede fundarse sino en el cotejo con la anterior versión

[7] De César Linari sabemos muy poco. "Argentina, otoño de 1957. Desde entonces y en una imparable actividad, el teatro de hilos de César Linati ha ofrecido más de 8.000 representaciones de marionetas para niños y adultos, en plazas, hospitales, atrios de catedrales, universidades, televisión, plazas de toros y en los más importantes teatros y festivales de América, Europa y Asia. Imparten cursillos para niños, jóvenes y mayores (cuerdas, varillas, sombras, máscaras, gigantes, teatro, etc.). Desde 1983 organizan el "Concurso Internacional de Obras para Teatro de Marionetas y Títeres", cuyos premios se otorgan el 3 de agosto. Han colaborado con numerosas compañías de muñecos e instituciones ("Los Muñecos de El Principito" para la cadena de TV americana ABC)". (Datos tomados del *Anuario de Títeres y Marionetas-1989*, Centro de Documentación de Títeres, Bilbao, 1988, pág. 70).

En 1981 Linari se traslada a España, Granada, donde, en la temporada 1985-86, dirige una compañía llamada "Las marionetas de hilo de César Linari". En su repertorio de aquellos años figuran, además de la *Niña*, otras representaciones y montajes lorquianos: *Federico, Federico*, "recreación sobre la infancia de García Lorca en su pueblo de Fuente Vaqueros. 23 marionetas en escena", del mismo Linari (1983); *El cante, el amor y la muerte*, "con poemas y canciones de F.G.L.", del mismo (1985); *La zapatera prodigiosa*, "adaptación para marionetas. 50 marionetas en escena"; *El amor de Don Perlimplín con Belisa en su jardín*, "adaptación para marionetas, con música de Manuel de Falla". En cuanto a nuestro texto, se lo describe así: "*La niña que riega la albahaca y el príncipe preguntón*, de F. García Lorca. Antiguo cuento andaluz con poemas y canciones de García Lorca. Público preferente: infantil". (Datos sacados de *Cartelera. Temporada 85-86. Otoño-Invierno*, Suplemento del Periódico mensual de Teatro, Centro de Documentación Teatral, Instituto Nacional de las Artes Escénicas y de la Música (INAEM), Madrid, Ministerio de Cultura, 1985, pág. 25). Como se notará, en 1985 la autoría ya no es atribuida a Lorca.

En 1988 nuestro titiretero parece haberse trasladado a Cataluña, donde tiene dos domicilios: "César Linari. Teatro de Marionetas de Hilos", con domicilio en Viladecans, Barcelona, y "Asociación Cultural César Linari", ubicada en Hospitalet del Llobregat, Barcelona. Nótese que por estas fechas la *Niña* ya no aparece en su repertorio. (Cf. *Anuario*, cit., pág. 70).

Después de la publicación del texto de la *NiñaB* en 1982, otras compañías españolas y americanas han puesto en escena la obra en la versión presentada por Linari. Véanse, por ejemplo, la compañía española "Arbolé" (ex "La Oca" y "Pajarola"), de Zaragoza, que estrenó la farsa en 1982 (cf. *ibidem*, pág. 37), y el Taller de Teatro de Títeres "Pierrot", de San Miguel de Tucumán, Argentina, que tenía planeado el estreno de la obra en 1989 (cf. *Panorámica del títere en Latinoamérica-1990*, Centro de Documentación de Títeres, Bilbao, 1990, pág. 63). Es importante notar que en la Argentina la obra ha sido representada por otras compañías sólo después de su publicación en la revista *Títere*, y no desde 1965.

de Aulés (puesto que el manuscrito, como ya se ha repetido, se desconoce, si es que existe). Y en efecto, cualquier duda desaparece ante la reciente aparición de una copia mecanografiada de la *NiñaA*[8]. La portada de este texto es ya de por sí suficiente para aclararlo todo:

"LA NIÑA QUE RIEGA LA ALBAHACA Y EL PRÍNCIPE PREGUNTÓN"
Adaptación escénica en dos actos, el primero dividido en dos cuadros, de
ROBERTO AULÉS
de un viejo cuento popular español con poemas y canciones de
FEDERICO GARCÍA LORCA
en homenaje a la infancia de FEDERICO GARCÍA LORCA.
Estrenada el 2 de abril de 1960 por "El Teatro de los niños"
en el Teatro Presidente Alvear.

Como se puede notar, en ningún lugar Aulés afirma que se trata de la obra de Lorca; al contrario, queda muy claro que el autor de la farsa es él mismo. Cabe además apuntar que tampoco se sugiere que Falla le entregara algo relacionado con la *NiñaX*$_1$ (a saber: un argumento, un guión, un borrador, unos recuerdos, etc.), lo que sería por lo menos raro, teniendo en cuenta la fama del maestro en el mundo entero y en Alta Gracia en particular. En cambio aparece dos veces el nombre de Federico: la primera para declarar que la adaptación ha sido enriquecida con textos poéticos lorquianos; la segunda para subrayar que se trata de un homenaje a la infancia de Lorca. El poeta no es pues el autor, sino el móvil de esta obra.

Hay que decir que el homenaje es muy inteligente y acertado, porque para conmemorar a Lorca, Aulés no escenifica tan sólo poemas suyos (hecho demasiado común, casi trivial), sino que re-escribe él mismo la obra perdida, adaptando el mismo cuento popular utilizado por el poeta en 1923 para la *NiñaX*$_1$. Es decir, Aulés realiza el mismo recorrido que Lorca, cosa posible dada la difusión del cuento de *La mata de albahaca* en todo el orbe, especialmente en el mundo hispánico.

En efecto, la mayoría de las divergencias entre la *NiñaA* por una parte, y la *NiñaX*$_2$ y *NiñaB* por otra, dependen del hecho que el cuento popular en cuestión tiene una cantidad enorme de variantes, incluso en la misma área geográfica. Es pues evidente que la utilización de una tradición oral en vez de otra produce discrepancias, nunca estructurales, por supuesto. Por otra parte, nuestro cuento

[8] Ejemplar mecanografiado de 2 hojas sin numerar y 23 numeradas. Quiero expresar mi agradecimiento a la Fundación Federico García Lorca por haberme facilitado fotocopia del texto.

pertenece a la categoría que se llama "de adivinanzas", pero también incluye rasgos de los cuentos llamados "acumulativos", es decir en los que cualquier "narrador" puede añadir detalles. Esto explica, por ejemplo, por qué las hijas son tres, y no una, como se supone en la adaptación de Lorca (*NiñaX$_1$*), o por qué sólo en la *NiñaA* el final se complica con las tres dificilísimas tareas que el Príncipe le manda realizar a Irene.

Pero vamos a ver más en detalle la estructura y las variantes conocidas del cuento llamado *La mata de albahaca*: ello nos ayudará a descifrar cómo pudo nacer la obra de Aulés independientemente de la de Lorca[9].

1) Un rey o príncipe encuentra a tres hermanas regando una mata de albahaca y a cada una le pregunta:

> Señorita/Niña/Muchacha que riegas la albahaca,
> ¿cuántas hojas/itas tiene la mata?

Las tres jóvenes contestan con otra, doble pregunta:

> ¿Cuántas estrellas/itas hay en/tiene el cielo
> y arenas/itas en el/la mar?

[9] Para el estudio de las versiones españolas peninsulares de *La mata de albahaca* y de sus variantes he utilizado sobre todo: Aurelio M. Espinosa, *Cuentos populares españoles recogidos de la tradición oral de España*, Madrid, CSIC, 1964, 3 vols., y José A. Sánchez Pérez, *Cien cuentos populares*, Madrid, 1942. Espinosa analiza 38 versiones recogidas por él mismo a finales de los años Cuarenta, además de las muchas publicadas por Johannes Bolte y George Polívka (*Anmerkungen zu den Kinder-und Hausmärchen der Brüder Grimm*, Leipzig, 1913-1932, 5 vols.) y Jan De Vries (*Volksverhalen uit Oost-Indië*, Zutphen, 1925-1928, 2 vols.). En cuanto a las versiones españolas de América, véanse: Manuel J. Andrade, *Folk-lore from the Dominican Republic*, New York, 1930; Rafael Ramírez de Arellano, *Folklore portorriqueño,* Madrid, 1926; Rodolfo Lenz, "Cuentos de adivinanzas corrientes en Chile", en *Revista de Folklore Chileno*, II, 1912, págs. 337-383 y III, 1914, págs. 267-313; Howard True Wheeler, *Folk Tales from Jalisco*, New York, 1943. Para Europa en general, sigue siendo interesante Fernando Palazzi (ed.), *Enciclopedia della fiaba*, Milano-Messina, Principato, 1941-1955, 4 vols. Finalmente, para Italia véase Italo Calvino, *Fiabe italiane*, raccolte dalla tradizione popolare durante gli ultimi cento anni e trascritte in lingua dai vari dialetti da I. C., Torino, Einaudi, 1956.

En su estupendo artículo "Una fiesta íntima de arte moderno en la Granada de los años veinte" (en A. Soria Olmedo, ed., *Lecciones sobre Federico García Lorca. (Granada, mayo de 1986)*, Granada, Comisión Nacional del Cincuentenario, 1986, págs. 147-178), Andrés Soria Olmedo, además de ofrecernos la descripción hasta ahora más detallada e inteligente del acontecimiento granadino de 1923, analiza las relaciones entre la tradición popular del cuento y el texto de la *NiñaB* (cf., en particular, las págs. 174-175). Desde luego en 1986 aún no había aparecido la versión de Aulés y se creía verosímil que el texto fuese de Lorca, a pesar de que su "lenguaje tiene flagrantes americanismos coloquiales, que hacen pensar se trata de un guión auxiliar, susceptible de improvisaciones orales y donde es posible hayan sido sustituidos términos lorquianos" (pág. 173).

El rey/príncipe no dice nada y se marcha a su palacio, avergonzado.

Las variantes más frecuentes son la reducción de tres niñas a una sola (raramente dos) y la dignidad social del joven, que a veces es simplemente un señor o un caballero.

En *NiñaA* las muchachas son tres (Adelina, Isabel e Irene); en *NiñaX*$_2$ y *NiñaB* una sola (Irene).

También se señalan variantes con respecto a la respuesta de la/las niña/niñas, especialmente en las versiones de Hispanoamérica. Por ejemplo, en Méjico, Chile y Puertorico:

Señor Príncipe Preguntón,
¿cuántos rayos tiene el sol?

NiñaA continúa esta tradición, mientras que *NiñaX*$_2$ y *NiñaB* prefieren la primera, al parecer más peninsular, si bien reducida:

¿Cuántas estrellitas tiene el cielo?[10]

2) El rey/príncipe desea vengarse; al día siguiente vuelve a la casa de la joven, disfrazado de mercader y le vende alguna mercancía (las más veces, fruta) a cambio de uno o varios besos. Vuelve el rey/príncipe a visitar a la joven y le hace la misma pregunta de antes. Cuando la joven también le hace a él la pregunta de antes, el rey/príncipe le dice:

Y el beso que me dio
¿qué tal le gustó?

La joven no contesta y se mete en su casa, avergonzada.

La única variante algo frecuente es que el rey/príncipe envía a otro a vender algo a la joven por un beso.

En *NiñaA* es el inédito personaje del Negro el que se disfraza de uvatero y que pronuncia los versos citados; en *NiñaX*$_2$ y *NiñaB* es el Príncipe. Cabe añadir que en *NiñaX*$_2$ no se menciona al raro personaje del Negro, como en ninguna de las versiones populares recogidas. En efecto su función de *speaker* sería imposible en un cuento oral en el que hay un narrador de carne y hueso. En cambio, sí que está en *NiñaB*: otra prueba evidente que Linari tenía a vista el texto de Aulés[11].

[10] Acerca de las variantes de preguntas y respuestas que tienen más difusión, véase A.M. Espinosa, *op. cit.*, II, págs. 74-75.

[11] El análisis de las cabezas (colección de Enrique Lanz Durán, Granada) y de los trajes (Fundación Federico García Lorca, Madrid) de la representación lorquiana de 1923, que se han

3) La más joven de las tres hermanas oye decir que el rey/príncipe ha enfermado; se disfraza de médico y va a curarle. A menudo, en la tradición hispánica del cuento, ella hace que, para remedio, le metan un nabo o un rábano en el recto o que le bese el trasero a una mula que trae consigo, atada a una larguísima cuerda. Sana el rey/príncipe y otra vez va a visitar a la joven. Ocurre otra vez toda la serie de preguntas y respuestas, pero ahora es la joven la que sale ganando, pues termina preguntándole al rey/príncipe:

Y el nabo/rábano por el culo,
¿estuvo blando o estuvo duro?

O bien, en el segundo caso:

Y el beso que le dio a mi burro,
¿estuvo malo o estuvo bueno?

Hay también versiones en las que los elementos vulgares del nabo/rábano o del beso están suprimidos, y otras pocas en que la joven se presenta al rey/príncipe disfrazada de muerte, de San Antonio o de diablo.

En *NiñaA* el Príncipe tiene que besarle la cola a la burra de Irene, disfrazada de Don Torrijos, el sanalotodo. Cuando más tarde se repite el duelo de preguntas y respuestas, Irene concluye diciendo:

Usted que besó el rabo a mi burro,
¿cuántos rayos tiene el sol?

En *NiñaX*$_2$ y *NiñaB* el remedio para curar al Príncipe es que se case con la Niña; al aceptar el joven la cura, Irene se quita el disfraz. No hay pues la expansión del cuento que hemos analizado antes.

Nótese en fin que el elemento del nabo/rábano, es decir de la introducción en el recto de algún ejemplar botánico para sanar (¿serían supositorios populares?), aparece también, además que en los cuentos, en algunos guiones italianos para títeres (pero es raro). Yo recuerdo haber asistido, en mi infancia, a un episodio similar (¿se trataba de un pimiento?) en una farsa en la que, además, la muchacha estaba disfrazada de médico.

4) En general, cuando el rey/príncipe sana, perdona a la niña que riega la albahaca, y los dos se casan. Pero en muchas de las versiones europeas estudiadas por De Vries, y menos en las hispánicas recogidas por Espinosa, el remate

guardado hasta hoy, permite desconfiar de la posibilidad que el personaje del Negro fuera un invento de Lorca. Isabel García Lorca –que no recuerda exactamente *como fue* la obra, pero sí *como no fue* (conversación de diciembre de 1993)– lo niega rotundamente.

del cuento se complica, según el modelo típico de los cuentos de adivinanzas y acumulativos: antes de reconciliarse y luego casarse con la niña, el rey/príncipe quiere vengarse de las humillaciones recibidas de la lista muchacha. La venganza se concretiza obligando a la pícara a contestar a tres preguntas absurdas o a realizar tres tareas aparentemente imposibles de llevar a cabo. Pero es evidente que la joven es más lista y conseguirá salir a ganancia también en esta ocasión.

En este caso las variantes, como es fácil de imaginar, son muy numerosas. Vamos a analizar sólo las que se refieren al segundo caso, puesto que el episodio ocupa el final del acto I y buena parte del II de la *NiñaA*. Las tareas más frecuentes que el rey/príncipe le impone a la joven son que vaya a su palacio: vestida y desnuda, a pie y a caballo, por el camino y fuera de él, ni de día ni de noche, con regalos y sin ellos, por el camino y fuera de él, con hambre y saciada, calzada y descalza, etc.[12].

En la *NiñaA* efectivamente el Príncipe le exige a Irene que se vaya a palacio bañada y no bañada, peinada y no peinada, a caballo y no a caballo. La joven se presentará "Tiznada de medio lado/y el otro bien refregado"; "Media cabeza enmarañada/y la otra hasta trenzada", y finalmente "montada sobre un caballito de juguete en forma de mecedora". En *NiñaX*$_2$ y *NiñaB* no aparece el episodio.

Según hemos podido demostrar, Aulés no necesitaba en absoluto conocer ni directa ni indirectamente la farsa de Lorca para escribir su texto. El cotejo anterior prueba que el autor argentino conocía muy bien una o varias versiones del mismo cuento adaptado por Federico casi cuarenta años antes, y para hacer un homenaje al escritor granadino adaptó *ex novo* ese cuento popular, llamándolo (eso sí que es lorquiano) *La niña que riega la albahaca...*, en vez de *La mata de albahaca*.

Es posible que Linari haya utilizado el texto de Aulés a partir de 1965, como se afirma en la nota introductoria de la revista *Títere*, pero es cierto que su versión, tal como se publicó en 1982, no pudo haberse compuesto sino después del artículo recordatorio de Francisco García Lorca (1977) o de su libro *Federico y su mundo* (1980). En efecto, en ella se han introducido y desarrollado todos los elementos que recuerda el hermano del poeta, desde la organización del argumento hasta los diálogos e incluso el decorado de la escena final: "Un jardín fantástico con el árbol del sol y el árbol de la luna, que es una de las decoraciones de la obra que conervamos en nuestra casa de la Huerta de San

[12] Cf. A.M. Espinosa, *op. cit.*, II, págs. 63-65.

Vicente"[13]. Linari, que desconocía (como todos) tanto el texto de Federico como la citada decoración, y por lo tanto no podía ni imaginarse la escena original, remató su obra con esta acotación: "(No se sabe si brilla más el sol o la luna)", que francamente no tiene ningún sentido. Pero en este caso la ingenuidad y fidelidad a todas costas del titerero al artículo me parecen constituir una prueba más de que su texto debe muchísimo a la reconstrucción hecha por don Francisco.

En cuanto a la derivación de la *NiñaB* (Linari) de la *NiñaA* (Aulés), no cabe la menor duda. El siguiente cotejo entre las dos versiones lo probará.

NiñaA	*NiñaB*
ACTO PRIMERO	ESTAMPA PRIMERA
Cuadro primero	
[...]	
NEGRO Vendo cuentos. Vendo cuentos. Les voy a vender un cuento. Había una vez un zapatero pobre, muy pobre, requetepobre...	NEGRO (*Viene desde lejos.*) Vendo cuentos... Vendo cuentos... Les voy a vender un cuento... Había una vez... Había una vez un zapatero pobre, muy pobre, ¡requetepobre!
ZAPATERO (*Saliendo y sentándose a trabajar en su banquillo.*) Zapatero, tero, tero, clava la lezna en el agujero.	ZAPATERO (*Cantando.*) Zapatero, tero, tero, ¡clava la lezna en el agujero!
NEGRO Vivía frente a palacio de un príncipe rico, muy rico, requeterrico... (*Dirigiéndose hacia palacio.*) Señor Príncipe, ¿quiere Ud. salir? Estamos en las presentaciones.	NEGRO Vivía frente al palacio de un Príncipe rico, muy rico, ¡requeterrico! Señor Príncipe, ¿quiere usted salir? ¡Estamos en las presentaciones!
PAJE (*Saliendo por puerta de palacio.*) Nuestro Príncipe y señor os ruega que lo dispenséis. Está haciendo pipí.	PAJE (*Se escuchan tres golpes.*) Su majestad, el Príncipe, os ruega que lo perdonéis, pero no puede salir, porque está haciendo pipí.

[13] Francisco García Lorca, *art. cit.*, pág. V.

NEGRO (*El Zapatero irrumpe con una canción.*) Como habéis oído el Zapatero tiene el duende de la canción en el alma.
ZAPATERO Ah, mi mujer sí cantaba...
NEGRO Debemos decir que el Zapatero es viudo.
ZAPATERO (*Triste.*) Ya van para cuatro años, dos meses y cinco días.
NEGRO No se asome Ud. al banquillo de los tristes recuerdos, don Gayferos.
ZAPATERO (*Dirigiéndose al público.*) Porque han de saber Uds. que me llamo don Gayferos, como aquél del romance que dice:
Caballero, si a Francia ides
por Gayferos preguntades.

[...]

NEGRO Ya podemos devanar la madeja del cuento. Están hechas las presentaciones. Don Gayferos, el zapatero; Isabel, Adelina e Irene, sus tres niñas, y aunque el Príncipe no pudo salir... (*El Zapatero carraspea.*) lo damos por presentado. (*De pronto sale Irene.*)

[...]

NEGRO Un día como el de hoy, a la hora en que... un gallo canta y otro gallo cantó y otro y otro y otro, la mayor de las niñas salió al balcón a

[...]

NEGRO Debemos decir que el Zapatero tiene el duende de la canción en el alma.

ZAPATERO ¡Ah! Mi mujer sí que cantaba.
NEGRO Debemos decir que el Zapatero es viudo.
ZAPATERO Van para cuatro años.

NEGRO Vamos, don Gaiferos, ¡no abra usted el cajoncillo de los tristes recuerdos!
ZAPATERO ¡Porque han de saber que me llamo don Gaiferos.

[...]

NEGRO Ya están hechas las presentaciones: el señor Zapatero y su hija Irene, y aunque el señor Príncipe no pudo salir porque estaba haciendo pipí, también está presentado.

[...]

NEGRO Una mañana de sol, a la hora que un gallo cantó y otro gallo cantó y otro y otro, temprano, muy tempranito, la niña-niña salió a regar la maceta de

regar la maceta de albahaca. Al tiempo... abrióse el balcón del Príncipe a quien esa mañana se le habían pegado las sábanas.	albahaca y al mismo tiempo salió el Príncipe y Señor a tomar el fresquito de la mañana.
[...]	[...]
PRINCIPE Niña, niña que riegas la albahaca, / ¿cuántas hojitas tiene la mata? IRENE Señor Príncipe Preguntón, / Usted que está en el balcón, / ¿cuántos rayos tiene el sol? (*Cierra la ventana [...]. El Príncipe, desconcertado, se ha quedado con los codos apoyados en el balcón.*) PRINCIPE ¿Cuántos rayos tiene el sol? / ¿Cuántos rayos tiene el sol? / ¿Cuántos rayos tiene el sol? [...] Hola, paje. ¿Cuántos rayos tiene el sol?	PRINCIPE Niña que riegas la albahaca, / ¿cuántas hojitas tiene la mata? NIÑA Dime, rey zaragatero, / ¿cuántas estrellitas tiene el cielo? (*La Niña cierra la ventana y el Príncipe se queda entristecido.*) PRINCIPE ¿Que cuántas estrellitas tiene el cielo? ¿Cuántas, cuántas estrellitas? (*Llamando.*) ¡Paje!
[...]	[...]
IRENE ¿Ha oído Ud., padre? El negro cambia uva por besos. ¡Qué barato! [...] Quiero cuatro pampanitos. Uno para el padre, que se le hace agua la boca. Otro para mi hermana la mayor y dos más, uno para Adelina y otro para mí.	IRENE ¿Así que tú cambias uva por besos? [...] Dame dos, uno para mi padre, que se le hace agua la boca, y otro para mí.
[...]	[...]
Cuadro Segundo MINISTRO [...] No quiere regar más la maceta de albahaca. [...] Está	ZAPATERO La niña no quiere salir, porque está ofendida por lo del uvatero.

ofendida por la broma del negro.

[...]	[...]
MINISTRO Ay, nuestro Príncipe y Señor enfermó de amor.	NEGRO Y así nuestro Príncipe y Señor enfermó de melancolía.
[...]	[...]
ACTO SEGUNDO	ESTAMPA TERCERA
[...]	[...]
IRENE Cuando estemos casados, ¿me contarás el cuento de la gallinita con traje de cola y sombrero amarillo?	NIÑA ¿Me enseñarás por las mañanas el gallito que todo lo canta?
[...]	
PRINCIPE Y también te contaré que en el año 1917 tuve la suerte de ver un hada...	PRINCIPE ¡Y te enseñaré dónde vive el duende del corazón!
TODOS Oh...	NIÑA ¡Ohhhhh!
PRINCIPE ...en la habitación de un niño pequeño, primo mío.	PRINCIPE Sí, vive debajo de la almohada de un niño puro. [...] ¡Sí, puro como las cosas tontas con lechuguillas del alma!!
[...]	
NEGRO Claro, la vio como se ven las cosas puras [...]. Esas cosas se ven con la fe arraigada que solamente tiene el poeta, el niño y el tonto puro.	

La que precede no es sino una reducida muestra de las analogías o identidades que existen entre los dos textos. Pero creo que el análisis efectuado hasta aquí es suficiente para demostrar lo que había afirmado al principio: es decir que el texto de *La niña que riega la albahaca y el príncipe preguntón* publicado en las *Obras completas* no es de Lorca sino de Linari y que este último elaboró su versión (quizá en dos momentos diferentes) refundiendo la de Aulés y encajándola en la estructura trazada por Francisco García Lorca, sin desechar ningún detalle, según el siguiente *stemma*:

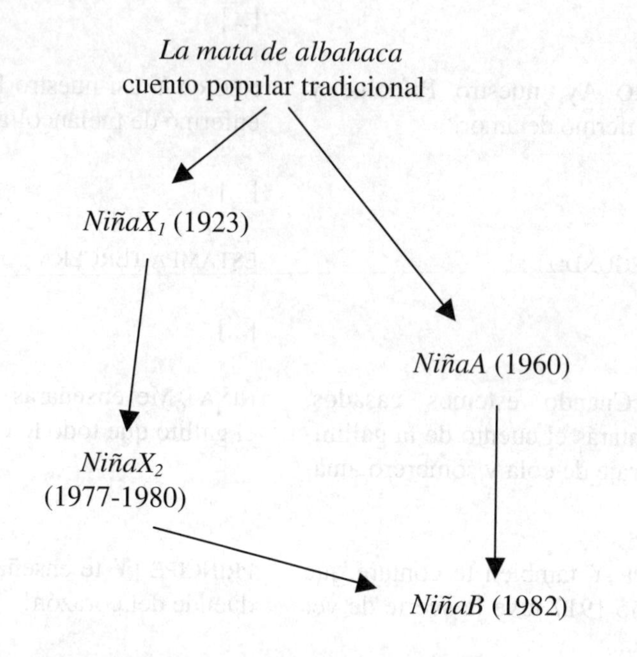

NiñaX$_1$: texto perdido de Lorca.
NiñaX$_2$: reconstrucción del simple guión según los recuerdos de Francisco García Lorca con la ayuda de su hermana Concha.
NiñaA: versión de Aulés.
NiñaB: refundición de Linari de la obra de Aulés.

Giovanni Stiffoni e i suoi trent'anni di studi ispanici

FRANCO MEREGALLI

Dovendo partecipare all'omaggio a Rinaldo Froldi, nato nel 1924, da me conosciuto alla Facoltà di Lettere della Statale di Milano negli ultimi anni quaranta, ho pensato di occuparmi di Giovanni Stiffoni, nato nel 1934, da me conosciuto alla Ca' Foscari, a Venezia, alla fine degli anni cinquanta: diversi d' età e di formazione, ambedue hanno dedicato molte ricerche al Settecento spagnolo.

Stiffoni (nel frattempo defunto: agosto 1994) si caratterizzò in quanto le sue ricerche riguardarono il pensiero storiografico e politico, e più tardi i rapporti diplomatici, piuttosto che la vita letteraria, oggetto dell'attenzione prevalente degli "ispanisti" nel senso in cui lo siamo Froldi ed io. Egli si laureò a Padova nel I959 con una tesi sull'illuminista francese Gabriel Bonnot de Mably. Relatore ne fu Umberto Campagnolo, che nel 1950 aveva fondato a Venezia la "Société Européene de Culture", la cui lingua ufficiale era, non incidentalmente, il francese, e che aveva per obiettivo di elaborare una "politica della cultura" e di realizzarla ovunque: nel 1950 il Congresso della Società ebbe luogo in Spagna; nel 1970 nell' Unione Sovietica. La personalità dominante di Campagnolo fu senza dubbio presente, in modi che non è qui il luogo di, e comunque non è facile, chiarire, nello svolgimento della coscienza di Stiffoni.

Nella tesi su Mably la Spagna è del tutto assente; ma nell'anno 1959-60 Stiffoni fu borsista. presso l'Istituto di Studi Storici di Napoli. Ricordo quanto egli si riferisse a Croce nelle sue conversazioni con me, a quei tempi (credo anche prima dell'esperienza napoletana).

Ma, se esaminiamo la sua produzione notiamo che Benedetto Croce è quasi assente: eppure questi portava quello specifico interesse per la Spagna che Stiffoni non poteva trovare in Campagnolo. Napoli poneva direttamente il problema della presenza spagnola in Italia; ma tale presenza non appare un tema caratteristico di ciò che pur possiamo chiamare l'ispanismo dell'italiano Giovanni Stiffoni.

Determinante fu invece il fatto che a Napoli egli incontrò una signorina di Valencia, lei pure borsista dell'Istituto di Studi Storici: Marisa Alares, che divenne sua moglie e madre dei suoi due figli. Ci sarebbe stato il trentennio di studi ispanici di Stiffoni se Marisa fosse stata a Napoli un anno prima o un anno dopo Giovanni? Così è la vita. Stiffoni fu nel 1960-61 a Parigi, dove studiò i manoscritti del 'suo' Mably; fu poi assistente volontario di Campagnolo a Venezia, e dal 1966 al 1970 insegnò italiano all'università di Siviglia. Dal 1964 appunto ebbero inizio i suoi studi sulla storia della storiografia spagnola, continuati poi dopo il ritorno a Venezia, dove fu professore di Storia presso la Facoltà di Lingue e letterature straniere. La sua collocazione nel pensiero storiografico italiano vien da lui stesso delineata in due occasioni. Nel 1984 raccolse in un volume intitolato *La guida della ragione e il labirinto della politica. Studi di storia di Spagna* (Roma, Bulzoni, 294 pp.) quattordici scritti.

Premetteva una *Prefazione* che risulta una riflessione sui vent' anni passati da quando, nel 1964, aveva pubblicato su *Comprendre*, la rivista della "Societé Européene de Culture", una recensione su un libro di Julián Marías, il suo primo scritto di tema spagnolo. Affermava che la sua ricerca era stata "sorretta da un'unità metodologica e problematica nel prodotto unitario": il libro che presentava. Rilevava che gli studi storici italiani riguardanti la Spagna si riferiscono tradizionalmente alla presenza spagnola in Italia, piuttosto che alla Spagna stessa. Questo egli invece aveva fatto, "senza farsi tentare dalla dimensione esistenziale di una storiografia "personalista" alla Américo Castro", e tuttavia senza "distanziare eccessivamente l'oggetto". Aveva studiato le strutture interne della Spagna, una "realtà che è composta da varie facce e ha ritmi diversificati".

Dei quattordici scritti raccolti in *La guida della ragione* otto erano. stati pubblicati in *Nuova rivista storica*, tra il 1965 e il 1982: per lo più recensioni di libri spagnoli. Su di essi spiccano uno studio del 1969 sugli 'afrancesados' e uno del 1978 su *Il liberalismo spagnolo nell'emigrazione*. Nel primo Stiffoni esamina studi di storici spagnoli che pongono in rilievo l'affinità culturale tra i collaboratori di Giuseppe Bonaparte e non pochi dei rappresentanti delle *Juntas*: nel complesso gli pare che, seguendo le "trite tesi" di Menéndez Pelayo si sia esagerato il coefficiente patriottico dell'opposizione ai napoleonici, e critica l'interpretazione tradizionale di Jovellanos, persona "molto studiata, ma sempre con una sottile intenzione apologetica". Osserva che Carlo Marx rilevò che "la rivalità col governo intruso aveva esercitato un' influenza salutare nelle decisioni delle Cortes" di Cadice. A me sembra che Stiffoni, la cui ottica è fortemente francese, trascuri un po' l'incidenza dell'entusiasmo antinapoleonico, particolarmente di inglesi e tedeschi, nella valutazione della lotta spagnola contro Giuseppe Bonaparte. Nel giovane Menéndez Pelayo degli *Heterodoxos*, cui Stiffoni si riferisce, incide tale entusiasmo, che alimentò l'esaltazione romantica della Spagna. Agli spagnoli Giuseppe risultava inaccettabile come invasore straniero, e in questo potevano coincidere le tendenze centraliste madrilene con quelle dei sostenitori dei *fueros*; e l'intervento inglese, la "Peninsular War", si appoggiava su tali reazioni. Possiamo ammettere che nelle politiche sociali. il regime di Giuseppe Bonaparte potesse contribuire ad una dialettica positiva; ma esso ledeva sentimenti d'orgoglio nazionale. In Spagna, in Germania ed altrove.

Stiffoni realizza comunque il suo programma di comprendere la Spagna dal di dentro anche in un'altra dimensione: egli è attentissimo alla produzione storiografica spagnola sui problemi strutturali spagnoli: già in questo scritto precoce. Nel secondo, sul liberalismo spagnolo nell'immigrazione, tale carattere viene confermato; in esso appare con particolare spicco l'opera di José María Jover, che forse lo aveva già invitato o stava per invitarlo a collaborare alla *Historia de España* fondata da Menéndez Pidal: alla fine degli anni settanta, a giudicare dalla bibliografia citata, sembrano infatti risalire, in sostanza, i tre capitoli riguardanti *Intelectuales, Sociedad, y Estado*, redatti da Stiffoni, del volume secondo del. tomo XXIX di tale storia, benché esso sia apparso soltanto nel 1985: una lunga esperienza mi dice che se vogliamo ricostruire la storia del pensiero e della ricerca di una persona, non dobbiamo fidarci troppo delle date di pubblicazione, soprattutto se si tratta di collaborazioni ad opere monumentali. In quegli anni era già presente nella riflessione e nella ricerca storiografica spagnola Antonio Mestre, che tuttavia era solo agli inizi della sua grandiosa impresa ecdotica, la pubblicazione degli scritti di Gregorio Mayans. Stiffoni aveva ragioni di specifico interesse per l'ambiente valenzano; ma risulta chiaro che Mayans gli riusciva più estraneo di quanto gli risultasse Feijoo; trovava in Mayans "falta de conciencia del contexto real" nel quale il suo operato potesse realizzarsi, e un rigorismo ed un aristocraticismo che giudicava in qualche modo sterili. Questo atteggiamento restò in lui fino alla fine, anche dopo l'assimilazione dei testi pubblicati de Mestre. Ancora in uno dei suoi ultimi scritti, *Progetti culturali nella Spagna del Settecento*, pubblicato nel 1991 nella *Rivista storica italiana*, diretta da Franco Venturi, egli, pur trattando prevalentemente di Mayans, trova che "si illude di poter praticare la politica al di là delle strutture statuali" che "il suo chiudersi a riccio trasforma le sue inquietudini intellettuali in un fatto meramente esistenziale del suo privato vivere" (p. 136 del fasc. I). Forse di necessità uno storico letterario e un 'comparatista' come lo scrivente vede le cose da un'altra angolazione. Gli ampi rapporti internazionali, estesi anche all'Inghilterra e alla Germania aprirono all' Europa la tradizione letteraria spagnola; negli studi su Cervantes la *Vita* di Cervantes di Mayans, stimolata da un corrispondente inglese, ebbe una funzione decisiva; Mayans pubblicò il *Diálogo de la lengua* di Juan de Valdés. Anche da un punto di vista etico, la sua fierezza nei confronti del potere poté essere un esempio. È certo più frequente il caso di chi si adegua per prosperare che il caso di chi vuole realizzare quel che considera importante colle sue sole forze, o comunque senza servilismi.

Si direbbe che Stiffoni avesse una sua idea precisa della funzione dell'intellettuale nella società, e giudicasse gli 'intellettuali' del passato in funzione di essa, prescindendo quindi dall'autonomia e dalla specifica prospettiva di essi: cosa che del resto è, al limite, inevitabile, poiché siamo costretti a giudicare in base ai nostri criteri, anche se ci sforziamo di capire altri punti di vista.

È certo comunque che Feijoo corrispondeva maggiormente ai criteri di Stiffoni. Nel 1986 questi pubblicò, o vide pubblicata, una sua antologia del *Teatro crítico* di Feijoo (Madrid, Castalia, 477 pp.), che nelle intenzioni (cf. p. 72) doveva essere seguita da un'analoga delle tardive *Cartas eruditas* dello stesso. Si tratta di Feijoo "simplemente en los términos de su función dentro del marco del transformarse de las significaciones culturales del siglo de las luces", como ''punto de referencia de su entera parábola evolutiva" (pp. 10-11), e sceglie accortamente i "discursos" che meglio dimostrano la grazia con cui Feijoo sa collocarsi nell' ambiente 'reazionario' e sa modificarlo; delinea la dinamica vitale di Feijoo in un modo che risulta o mi risulta particolarmente felice. Talora, e non a caso, sono gli scritti più 'divulgativi', se riferiti a un autore congeniale, che realizzano al meglio la prosa di uno studioso.

Feijoo fiorì nella prima metà del Settecento; a questa si riferì la collaborazione di Stiffoni alla *Historia de España*; e ad essa si rivolse ancora nel libro che pubblicò nel 1989, l'opera che probabilmente gli costò maggior sforzo: *Verità della storia e ragioni del potere nella Spagna del primo Settecento* (Milano, Angeli, 333 pp.): libro rivolto soprattutto alle strutture sociopolitiche e alla storiografia che ad esse spiccatamente si riferiscono. Stiffoni risale a Nicolás Antonio e ad Antonio de Solís, cioè a prima della guerra di successione spagnola; colloca in questa una produzione storiografica poco nota, come quella dei valenzani Miñana e Martí, punti di riferimento del pure valenzano Gregorio Mayans. Consultando il tomo III della *Historia de la historiografía española* di Sánchez Alonso, quasi ignorate da Stiffoni, ci rendiamo conto di quanto questi abbia approfondito lo studio di molti storici e cronisti, ed anche quanto personale sia il suo modo di studiarli.

Non meno importante della *Prefazione* al volume *La guida della ragione* per comprendere come Stiffoni si collocasse nel contesto della attività storiografica italiana è il panorama degli studi storico politici sulla Spagna che pubblicò (ed aveva redatto qualche mese prima) nel numero di *Arbor*, la rivista del Consejo Superior de Investigaciones Científicas (ag.-sett. 1986), dedicato a *El hispanismo italiano* (in gran parte riguardante, in conformità con la tradizione, ma anche per decisione dello scrivente e di Manuel Sito Alba che lo organizzavano alla storia letteraria, Stiffoni vi rilevava quanto poco gli Italiani si fossero occupati della storia, della storia senza aggettivi, della Spagna, a differenza dei francesi e degli inglesi. Croce e dopo di lui storici illustri come Villari, Galasso, Chabod, ed anche altri si riferiscono sempre alla presenza spagnola in Italia. L'italocentrismo della storiografia italiana viene superato da Franco Venturi, anche a proposito della Spagna, anche se Venturi non si occupò specificamente della storia di questa. *Settecento riformatore* è il suo 'capolavoro': un'opera che "nessuno storico spagnolo può ignorare".

Un caso a parte è l'America latina, dove vivono forti minoranze d' origine italiana.

Un'occasione di ripensare e sintetizzare i suoi precedenti studi Stiffoni ebbe quando lo invitai a collaborare alla *Storia della civiltà spagnola* che diressi per la UTET. Egli redasse tre settori del capitolo riguardante l'epoca di Filippo V e di Fernando VI: *Circostanze e caratteri*, *La letteratura di riflessione ed erudizione*, *La storiografia*; la sezione *Storiografia* del capitolo riguardante l'epoca di Carlo III e Carlo IV; e le sezioni *Circostanze e caratteri* e *Storiografia* dell'epoca dal 1808 al 1869. Non è facile individuare maturazioni metodologiche in questi nuovi contributi; certo appare l'assimilazione di testi d'epoca prima non considerati e di nuova letteratura secondaria, con una maggior presenza dei problemi riguardanti le Indie. Più che da tali sintesi, è possibile rilevare il procedere di esperienze problematiche ed informative dalle numerose recensioni che Stiffoni pubblicava, dal 1978 particolarmente nella *Rassegna iberistica*.

Comunque all'esperienza maturata nella redazione della collaborazione alla *Storia* della UTET si ricollega in qualche modo uno scritto, intitolato *Appunti sul problema della periodizzazione del Settecento spagnolo* (in "Rassegna iberistica", 46, marzo 1993, pp. 151-166). Stiffoni comincia affermando che l'idea di una soluzione di continuità coincidente con la nuova dinastia borbonica non ha più alcun seguito; conferma il suo riferimento a Venturi; assimila considerazioni di Javier Herrero sul "pensiero reazionario spagnolo"; si riferisce a José Antonio Maravall, e conclude che "la situazione si presenta alquanto intricata". "È la insicura operazione delle necessarie soluzioni di continuità che mette in crisi la politica delle riforme e apre il fianco agli attacchi di coloro che, con una certa miopia, vedevano solo l'aspetto di ribaltamento della tradizione storica di una Spagna che, se ben si guarda, si costruisce solo con la rottura operata dall'arrivo dei Borboni della monarchia cattolica degli Asburgo" (p. 166). Stiffoni va ben al di là del mio problema della periodizzazione di una storia della cultura letteraria, cui sembra riferirsi il titolo. Deplora che i Borboni non abbiano fatto vincere le Luci; prevalse o sopravvisse la reazione. Questa linea ideologica mi pare immanente in tutta l'opera sua.

Ma già quando, nel 1960, andò a Parigi, borsista dell' "Ecole pratique des Hautes Études", egli aveva un programma di ricerca archivistica, in quell'occasione applicato allo stesso Mably cui si riferiva ideologicamente. Questa dimensione della sua attività, più o meno strumentale in confronto dell'altra, sembra accentuarsi col passare degli anni. In uno degli scritti raccolti nel volume *La guida della ragione* ed inizialmente pubblicato nella *Nuova rivista storica*, (1982), col titolo *Un' analisi veneziana delle rivolte del 1766*, Stiffoni afferma che, benché la ricerca fosse di sua iniziativa, essa fu poi incoraggiata da "una simpatica conversazione con Vilar in proposito". Sembra che tale incoraggiamento risultasse particolarmente efficace in lui, perché si infittiscono scritti provenienti da ricerche analoghe (mi risulta che di questo tipo erano anche delle ricerche che non riuscì a portare a termine).

Nel 1951 fu pubblicato *Venezia e Spagna a confronto nei dispacci del marchese di Squillace*; nel 1987 *Per una storia dei rapporti diplomatici tra Venezia e Spagna nel Settecento*; nel 1988 *La scoperta dell'America nelle relazioni degli ambasciatori* veneziani; nel 1990 *Nápoles bajo los Austríacos en unas cartas inéditas*; nello stesso anno *Relazioni degli ambasciatori veneziani in Spagna e degli ambasciatori spagnoli a Venezia negli anni della Scoperta*; ancora nel 1990 *Gli ultimi anni del marchese di Squillace a Venezia*; del 1992 *La fine della repubblica nei dispacci dell'ultimo ambasciatore spagnolo a Venezia*. Si tratta dunque di un filone per certi aspetti nuovo della ricerca di Stiffoni, di un tipo di ricerca riguardante rapporti internazionali e facilmente riferibile ad epoche ed avvenimenti diversi da quell'Illuminismo cui Stiffoni aveva dedicato tanta parte della vita. Certo questo filone si affianca a, non sostituisce, la problematica fondamentale. Quasi simboleggia questo affiancamento uno scritto pubblicato nel 1992 nella *Nuova rivista storica* (fasc. II, pp. 217-230): studia rapporti internazionali sulla base di ricerche d'archivio, ma riguarda appunto Mably: *La fortuna di Mably in Spagna tra Illuminismo e rivoluzione borghese*. In Spagna si traducono, di Mably, gli *Entretiens de Phocion*: le proposte illuministiche, "corrette da una presa di distanza critica dal radicalismo dei philosophes", vi si trovano coniugate con la tradizione classica, e ciò piace agli intellettuali spagnoli educati da Feijoo. Poi, con la rivoluzione francese, il "panico di Floridablanca" si rivolge a Mably. Prende le distanze da questo Jovellanos. Mably viene collocato tra gli illuministi più pericolosi.

Nota bibliografica

La bibliografia degli scritti di Giovanni Stiffoni fino al 1992 risulta nel *Repertorio bibliografico degli Ispanisti italiani* di Paola Elia, Chieti, Università D'Annunzio 1993, pp. 229-332, dove non si menziona lo scritto pubblicato nel 1986 da *Arbor*. Altri scritti da me citati sono posteriori alla bibliografia di P. Elia. Non citati né in questa né nel mio testo: rec. G. Mayans, *Epistolario*, X, in *Rassegna iberistica*, 40 (sett. 1991), pp. 43-45; *Un documento inédito sobre los exiliados españoles en los dominios austríacos después de la guerra de sucesión*, in *Estudios*, Universidad de Valencia, n. 17, 1991, pp.7-55; rec. J. Demerson, *J. J. de Lanz*, in *Archives intern. d'Histoire des Sciences*, 1991, pp.1990-91; rec. *I. Luzán, Obras raras*, in *Rassegna iberistica*, 45 (dic. 1992), pp. 72-74; *L'illuminismo religioso dei discorsi utopici de "El Censor"*, in *El Girador. Studi offerti a G. Bellini*, Roma, Bulzoni, 1993, pp. 987-997; rec. J. M. Estelles, *Sagunt. Antigüedad e Ilustración*, in *Rassegna iberistica*, 49 (febbr. 1994), pp. 74-80; *Giambattista Conti e l'ambiente politico della Madrid di Carlo III*, in AA.. VV., *Spagna e Italia a confronto nell'opera letteraria di G.B. Conti*, a cura di M. Fabbri, Lendinara/Noventa Padovana, Ed. Panda, 1994, pp. 109-133.

Erasmo nella genesi dell'epigrafe letteraria

DONATELLA MONTALTO CESSI

"L'invenzione e lo sviluppo della stampa a caratteri mobili produsse la trasformazione più radicale nelle condizioni della vita intellettuale della storia della civiltà occidentale. Essa aprì nuovi orizzonti all'istruzione ed alla comunicazione delle idee; i suoi effetti, presto o tardi, si fecero sentire in ogni ramo dell'attività umana"[1]. "L'avvento della stampa incoraggiò la diffusione dell'alfabetizzazione, proprio mentre cambiava il modo in cui i testi scritti erano usati da *elites* già istruite"[2]. La stampa rappresenta, con la sequela di mutamenti che ha comportato in moltissimi campi, un tassello importante nella ricostruzione della nascita dell'epigrafe letteraria .

In uno studio precedente[3] un primo nucleo veniva individuato nel mondo medievale e, più precisamente, nell'impresa che era posta sulla parte bassa dello scudo o sul cimiero o sulla veste, in luoghi sempre ben visibili, con il compito di imprimersi nella memoria. L'immagine e la frase che componevano l'impresa rappresentavano il modo di comunicare il senso e il valore della propria esistenza così come il fine delle proprie azioni, "una linea di condotta (ciò che si vuole imprendere o intraprendere)"[4]. Nasceva quindi da un imperativo che l'individuo imponeva a sé o da una aspirazione ad un modo di vita, ma non aveva un valore intimo o intimistico, al contrario era sentito come sociale, quasi un impegno del singolo nei confronti degli altri, canale di comunicazione con l'esterno. La sua caratteristica precipua era dunque l'esibizione, l'ostentazione;

[1] M.P. Gilmore, *Il mondo dell'umanesimo. 1453-1517*, trad. it., Firenze, La Nuova Italia, 1977, pp. 230-231.

[2] E.L. Eisenstein, *La rivoluzione inavvertita. La stampa come fattore di mutamento*, trad. it., Bologna, Il Mulino, 1985, p. 7.

[3] D. Montalto Cessi, *Uno specchio per i testi: l'epigrafe letteraria in Pío Baroja*, Milano, Marcos y Marcos, 1990, pp. 17-31.

[4] M. Praz, *Studi sul concettismo*, Firenze, Sansoni, 1946, p. 64.

la sua funzione quella di un primo rapporto fra l'individuo e la società. L'impresa cavalleresca dalla sua terra di provenienza, la Francia, nel XV secolo al seguito delle spedizioni di Carlo VIII e di Luigi XII penetrò in Italia dove ebbe grande fortuna. In questo periodo si ampliarono i campi dai quali si traevano le parti scritte delle imprese e degli emblemi. Alle sentenze dei classici latini e greci, al Vecchio e Nuovo Testamento, fonte esclusiva delle imprese medievali, si aggiunsero poesie e opere di letterati; alla lingua latina, la sola fino ad allora impiegata, si accostarono composizioni in lingua nazionale. Nel '500 questa produzione artistica ebbe tanto successo da creare la necessità di realizzarne collezioni come pure di disquisirne. Andrea Alciato, considerata la loro diffusione, ne compilò una raccolta intitolata *Emblematum Liber* che, pubblicato ad Augusta nel 1531, aprì la strada ad un lavorio di espressione emblematica e destò tanto interesse da avere più di 150 edizioni in differenti lingue in poco tempo. Anche in Spagna trovò un rapido riscontro prima nella versione latina, poi nella traduzione di Daza Pinciano del 1549[5]. Nella seconda metà del Cinquecento e nel Seicento imprese ed emblemi si trasformarono gradualmente arricchendosi di significati, complicando il linguaggio espressivo, acquistando e sviluppando toni di enigmatica allusività: da sottigliezza di spirito, da gioco dell'intelligenza o sfoggio di arguzia, come lo erano stati nella prima parte del XVI secolo, si trasformarono in opere investite di significati metafisici. I viaggi di Carlo V e di Filippo II in Italia aiutarono la penetrazione della letteratura emblematica in Spagna a partire dal 1548, quando a Pavia padre e figlio incontrarono il giurista Andrea Alciato. La letteratura emblematica, passando nella penisola iberica, assunse un prevalente carattere di insegnamento morale; l'intendimento era quello di proporre una verità attraverso una forma intuitiva, senza chiarire troppo: l'immagine era deputata a rendere intelligibile ad ogni persona asserzioni etiche e religiose, l'immagine aveva quindi una funzione didattica e doveva stimolare l'esercizio delle virtù, la parte verbale era costituita da componimenti che bene si inscrivevano nella letteratura moralistico-religiosa. L'oscurità della parte verbale invitava alla concentrazione, alla riflessione, alla rielaborazione personale per avvicinarsi ad una corretta interpretazione, giacché "A más dificultad, más fruición del discurso en topar con el significado cuando está más oscuro"[6], usando parole di Baltasar Gracián.

[5] Sulle traduzioni e sul successo dell' *Emblematum Liber* di Alciato in Spagna si vedano: K.L. Selig, *The Spanish Translations of Alciato's Emblemata*, in "Modern Languages Notes", 1955, pp. 354-359; S. Sebastián (a cura di), *Alciato. Emblemas*, Madrid, Akal, 1985, pp. 7-26.

[6] B. Gracián, *Agudeza y arte de ingenio*, Buenos Aires, Espasa Calpe, 1945, p. 263.

Per comprendere a pieno l'origine della epigrafe letteraria in questo percorso di ricostruzione storica bisogna inserire l'invenzione della stampa. Il torchio e i caratteri mobili che, insieme alla polvere da sparo e alla bussola "have changed the appearance and state of the whole world"[7], come sostenne Francis Bacon, cambiarono molte cose e non solo nella direzione di una maggiore diffusione del libro e della conseguente alfabetizzazione, ma stravolsero completamente il rapporto fra autore e opera, fra autore e lettore, fra fruitore e testo. Un cambiamento cruciale e profondo avvenne tra il volume scritto dall'amanuense e quello stampato, non tanto dovuto alla differenza degli strumenti di produzione, quanto alla diversità nella ricezione. Infatti l'opera copiata a mano (o scritta sotto dettatura) si rivolgeva prevalentemente a un pubblico uditore giacché "le composizioni letterarie erano 'pubblicate' leggendole a voce alta, anche la cultura dei libri era governata dalla parola parlata, producendo un'ibrida cultura mezzo orale mezzo scritta"[8]. Con l'aiuto dell'immaginazione possiamo vedere la sala del palazzo o del castello, l'aula dell'università o il luogo di riunione del convento, dove una persona con un manoscritto sotto gli occhi leggeva, mentre tutti gli astanti ascoltavano; lettura quindi comunitaria, a voce alta, in cui in realtà uno solo era il lettore e la gran maggioranza erano uditori. Questo implicava che chi leggeva si faceva interprete del libro sia attraverso l'intonazione della voce, trasformandosi in attore, sia, forse, selezionando le parti ritenute più importanti. Il lettore poteva anche farsi esegeta del testo perché, quando nel pubblico nascevano dei dubbi o anche semplicemente non si capiva un passo, chi aveva sotto gli occhi il manoscritto era sicuramente facilitato nel dare spiegazioni: il lettore era un tramite, un filtro fra il testo e il fruitore. Se si guarda poi all'uditore, si può presumere, in ciò aiutati dagli studi sui mezzi di comunicazione di massa, che non riuscisse a cogliere tutto ciò che veniva letto, proteso a comprendere il significato generale, a seguire il pensiero di fondo o la trama; si rafforzava così il ruolo di mediazione del declamatore. Per un lasso non breve di tempo dopo Gutemberg questa consuetudine proseguì; infatti, come sostiene Hirsch,"i tipografi continuarono a stampare libri che potevano essere usati sia per la declamazione, che per la lettura silenziosa; il *Golden Spiegel* di Ingold (Augsburg, 1472; H. 9187) fu indirizzato, come afferma nel colofone, a 'quelli che leggono e a quelli che ascoltano"[9].

[7] F. Bacon, *Novum Organum*, Chigago, The University of Chicago, 1952, p. 135.

[8] E. L. Eisenstein, *op. cit.*, p. 25.

[9] R. Hirsch, *Stampa e lettura fra il 1450 e il 1550*, in A. Petrucci (a cura di), *Libri, editori e pubblico nell'Europa moderna. Guida storica e critica*, Bari, Laterza, 1989, pp. 42-43. A riprova che il libro anche posteriormente alla stampa veniva dagli autori concepito per l'ascolto, Hirsch in

Dopo gli esordi della stampa quando si reiterarono i modelli dei manoscritti, si comprese che, perché questa nuova tecnica si affermasse, si doveva allettare il lettore favorendone la comodità: l'incunabolo si trasformò, si curarono i frontespizi, si cercò di produrre caratteri sempre più chiari e di usare corpi differenti, di corredare il libro con note e indici che facilitassero il reperimento dei capitoli e delle diverse parti. Il "libretto da mano" di Aldo Manuzio compì un nuovo passo nella direzione di un cambiamento radicale e profondo del rapporto del lettore con il libro. La maggior maneggevolezza del volume insieme alla facilità della riproduzione della stampa crearono una nuova figura: il lettore solitario. "Via via che la tipografia gutemberghiana riempì il mondo, la voce umana si tacque. La gente cominciò a leggere silenziosamente"[10] e, come sostiene Mc Luhan, il mondo della scrittura rappresentò una sorta di estensione di un unico senso: la vista, potenziando la funzione visiva del linguaggio. Il lettore di fronte al proprio volume poteva leggere a voce alta o poteva seguire con lo sguardo le lettere, poteva comunque soffermarsi ogniqualvolta lo ritenesse necessario, ripercorrendo quanto già letto, quando non gli fosse chiaro un concetto, poteva gestire il rapporto con il testo a differenza di quanto avveniva generalmente con lo scritto dell'amanuense. La sostituzione della declamazione con la scansione muta cambiò l'idea del libro: da bene comune destinato alla lettura più o meno pubblica passò ad essere un bene privato e il rapporto con il destinatario si fece sempre più personale, individuale. Infatti "Per sua stessa natura, un pubblico di lettori non solo era più disperso, era anche più atomistico e individualistico rispetto a un pubblico di ascoltatori"[11].

L'autore, che nell'"età dell'orecchio" scriveva pensando ad una lettura collettiva, ad un fruitore al plurale, nell'"età dell'occhio" creava riferendosi ad un rapporto diretto con il lettore, il quale era messo nella condizione di compiere una lettura più meditata e profonda. "Ma tosto si rivelarono le possibilità del nuovo sistema e i suoi effetti rivoluzionari. La stampa, infatti, rendendo i testi più facilmente accessibili, conferì loro una forza di penetrazione incomparabile con quella dei manoscritti"[12]. Il libro uscito dalle stamperie, a differenza del "manoscritto [...] lento da leggere e lento nel muoversi, nel circolare"[13], non soltanto ebbe la capacità di riprodursi più velocemente, di diffondersi più estesa-

nota aggiunge: "Avvertimenti simili sono presenti in parecchi libri, ad es. Eyb, *Ob einem Mann zu nehmen sei ein Weib* (1478); *Von den sieben weisen Meistern* (1478); *Pontus et Sidonia* (1483)".

[10] M. Mc Luhan, *Galassia Gutemberg*, trad. it., Roma, Armando, 1991, p. 328.

[11] E. L. Eisenstein, *op. cit.*, p. 143.

[12] L. Febvre, H. J. Martin, *La nascita del libro*, trad. it., Bari, Laterza, 1992, p. 315.

[13] M. Mc Luhan, *op. cit.*, p. 183.

mente, ma fece acquistare rilevanza, quanta prima non ne possedeva, all'autore, al creatore dell'opera. Gli studiosi e gli uomini di lettere del Medioevo non furono mai molto preoccupati dalla identità degli autori di cui si interessavano, così come non importava loro citare quel materiale che veniva estrapolato da altri libri o indicarne la fonte; accadeva pure che gli scrittori si astenessero dal firmare le opere: quello a cui si guardava maggiormente era al contenuto. L'interesse si spostava quindi dal libro al lettore; chi creava lo faceva pensando al fruitore e alla relazione che si sarebbe stabilita con tanti individui. Infatti l'affermazione della stampa consentiva di rivolgersi a moltissime persone non riunite nello stesso luogo, ma sparse nelle loro dimore, pronte a scambi intimi con il libro, ricettive al messaggio o ai messaggi che venivano dall'autore [14]. "Il lettore della stampa si trova [...] in una posizione completamente diversa dal lettore del manoscritto. La stampa gradualmente rese inutile la lettura ad alta voce e accelerò l'atto di leggere fino al punto in cui il lettore potè sentirsi "nelle mani del suo autore"[15]. Quest'ultimo, per conquistare il suo pubblico, sentì il bisogno di creare dei tramiti fra il libro e il lettore. Quel ruolo che al tempo del manoscritto veniva assolto dal declamatore, con la stampa veniva assunto dall'epigrafe che, in aggiunta al titolo, dava la chiave di lettura, indirizzava il fruitore. L'autore voleva caratterizzare la sua opera con uno strumento attraente, che richiamasse l'attenzione, e, mentre compiva questa operazione, inseriva la propria produzione nel mondo della letteratura, giacché l'epigrafe al principio del suo impiego era una citazione, in genere in latino, proveniente dai testi dei classici o dalla Bibbia.

Se si considera l'invenzione della stampa e le trasformazioni che ha comportato nella lettura e nell'idea stessa di libro quale elemento fondamentale per spiegare la nascita dell'uso delle citazioni liminari, è legittimo chiedersi perché si dovette attendere quasi un secolo e mezzo per trovarne l'applicazione. Una prima spiegazione può venire dal fatto che "passò molto tempo prima che il li-

[14] Intorno a questo argomento scrive Mc Luhan: "Non è del tutto ovvio oggi che la tipografia sia stata lo strumento e l'occasione per la nascita all'interno della società dell'individualismo e dell'espressione di sé. Che essa sia stata lo strumento dal quale ricevettero stimolo molte forme di 'recinzione', tra cui la proprietà privata e l'intimità personale, forse appare più chiaramente. Ma la cosa più ovvia è il fatto della pubblicazione a stampa come strumento per il conseguimento della popolarità e della fama perpetua. [...] Abbastanza stranamente, è proprio una cultura orientata verso il consumatore che maggiormente si preoccupa di determinare l'autore e di fornire etichette di autenticità. La cultura manoscritta era orientata verso i produttori, quasi intieramente una cultura do-it-yourself, fatta in proprio, e ovviamente più che alle fonti si interessava al significato e all'utilità di ciò che produceva" (M. Mc Luhan, *op. cit.*, pp. 182-183).

[15] *Ibid.*, p. 174.

bro a stampa venisse riconosciuto come qualcosa di più di una semplice scrittura meccanica, una sorta di manoscritto più accessibile e portatile"[16]; bisognò attendere il Cinquecento perché la trasformazione dell'incunabolo fosse compiuta, perché il libro a stampa si affermasse e soppiantasse quello manoscritto[17]. Solamente il trascorrere degli anni rese gli scrittori coscienti dei cambiamenti profondi che il torchio e i caratteri mobili avevano comportato nella riproducibilità dell'opera, nei rapporti con il lettore e con il libro stesso; probabilmente solo allora si interiorizzò l'avvenuto mutamento del libro e dell'idea di esso. Per comprendere ciò non è neppure necessario guardare alle modificazioni delle attitudini mentali, all'omogeneizzazione degli schemi mentali che sarebbero state apportate dalla stampa all'uomo del Rinascimento e della Riforma, secondo quanto sostiene Mc Luhan. Il volume a stampa acquisiva una sua tipologia, fissava dei codici creando in questo modo dei modelli: "La tipologia del libro a stampa quattro-cinquecentesco [...] costituì una chiave interpretativa da non trascurare, in quanto il fenomeno della scelta del tipo, investendo prima il produttore-editore e poi il consumatore-lettore, assumeva il valore di un canale di trasmissione di messaggi fra i due poli e finiva per fissare l'oggetto prodotto e consumato entro schemi d'uso e di appropriazione ben determinati e quindi, almeno da un certo punto in poi, difficilmente modificabili"[18]. La realizzazione cosciente da parte degli autori della nuova, fortemente diversa e fissa forma del

[16] *Ibid.*, p. 181. "Si sostiene che la stampa a caratteri mobili sarebbe sorta per soddisfare le esigenze di un nuovo e più vasto pubblico di lettori; in realtà la produzione del libro manoscritto era, almeno per alcuni settori (quali quello scolastico-universitario, quello tecnico-scientifico e quello umanistico-letterario), sufficiente sul piano numerico e sul piano qualitativo, in quanto sin dall'inizio del Quattrocento l'esistenza di grandi centri laici di produzione e anche la scoperta di nuovi sistemi di impostazione dell'opera scrittoria [...] permettevano la contemporanea produzione di un gran numero di libri" (A. Petrucci, *Introduzione* a L. Febvre, H.J. Martin, *op. cit.*, p. XIX).

[17] Febvre e Martin confermano che solo ai primi del '500 la stampa si imponeva: "Verso il 1500-1510, la stampa ha vinto. Nelle biblioteche, i libri a stampa relegano sempre più in secondo piano i manoscritti; intorno al 1550, questi sono consultati soltanto dagli eruditi. Un cambiamento siffatto si spiega soltanto con l'enorme attività dei torchi, che moltiplicano i testi a stampa con ritmo sempre più rapido: da trentamila a trentacinquemila edizioni diverse, anteriori al 1500, giunte fino a noi, che rappresentano, s'è detto, da quindici a venti milioni di esemplari. Ma ancor più nel Cinquecento: per rendersene conto, basta ricordare alcune cifre [...]: a Parigi, più di venticinquemila edizioni pubblicate nel secolo XVI; a Lione, forse tredicimila; in Germania, circa quarantacinquemila; a Venezia, quindicimila, nei Paesi Bassi più di quattromiladuecento per la prima metà del secolo; in Inghilterra, ventiseimila in inglese fino al 1640, di cui circa diecimila nel secolo XVI" (L. Febvre-H. J. Martin, *op. cit.*, p. 333).

[18] A. Petrucci (a cura di), *op. cit.*, p. XVII.

libro può aver contribuito, insieme alle altre trasformazioni d'uso, alla volontà di arricchire il testo con le epigrafi.

Erasmo, che aveva definito la stampa "strumento quasi divino"[19] e che aveva tratto una enorme fama dalla divulgazione in serie, seguiva da vicino le edizioni delle sue opere non solo perché le voleva corrette, ma anche perché desiderava sorvegliare la scelta del carattere e l'impostazione della pagina. "La certezza che il libro stampato avrebbe presentato a migliaia di persone lo stesso testo perfettamente uguale, costituiva per lui una consolazione che era mancata alle generazioni preecedenti", come afferma Huizinga[20]. Erasmo aveva, a solo mezzo secolo dai primi esperimenti, già compreso perfettamente le enormi possibilità offerte da questo nuovo strumento e aveva valutato le capacità espressive dell'uso del corpo e del carattere. Una prova di questo interesse si ha nelle diverse edizioni delle *Adagiorum Chiliades*, silloge di citazioni latine riunite dal giovane Erasmo a scopo didattico. Fin dalla prima comparsa a Parigi nel 1500 il detto sentenzioso era impresso con un carattere diverso da quello del commento che seguiva. Nelle pubblicazioni successive aumentò il numero delle citazioni[21], a quelle latine se ne aggiunsero di greche e crebbe la parte esplicativa fino a diventare, nelle edizioni di Basilea, a tutti gli effetti saggi di trattatistica politica o di meditazione etico-religiosa. Il detto sentenzioso con il passare del tempo venne sempre più apprezzato da Erasmo per la sua estensibilità semantica tanto da diventare la fonte ispiratrice per esprimere il proprio pensiero

[19] In una lettera del 23 febbraio 1519 indirizzata a "Misobarbaris atque iisdem philomusis omnibus", Erasmo scrisse: "Si laudem haudquaquam vulgarem meruerunt olim qui Origeni et Hieroymo notarios ac membranas suppeditarunt, quantum vero laudis debetur typographorum officinis quae nobis cotidie bonorum voluminum effundunt examina, idque minimo pretio! [...] Atque huius quidem laudis praecipua portio debetur huius diuini dixerim opificii repertoribus" (P.S. Allen (a cura di), *Opus Epistolarum Des. Erasmi Roterodami*, Oxford, Clarendon Press, 1906-1958, III, epistola 919, p. 494).

[20] J. Huizinga, *Erasmo*, trad. it., Torino, Einaudi, 1941, p. 101.

[21] Il successo di questo florilegio fu consistente e immediato tanto che alla prima edizione di Parigi del 1500 che raccoglieva 818 adagi, ne seguì una seconda, sempre a Parigi, nel 1505 di 838; nel 1508 presso Aldo Manuzio a Venezia gli adagi divennero 3260 e nel 1515 a Basilea Froben ne stampò 3410 e nuove edizioni si ebbero, ancora presso Froben, nel 1533 e nel 1536, come attesta Bainton: "Cominciò con ottocento proverbi nella edizione del 1500 e terminò con più di cinquemila. All'inizio fece poco più che raccogliere i detti corredandoli di brevi spiegazioni. Finì col prenderne alcuni come titoli per veri e propri saggi. All'inizio non era in condizione di andare molto più in là degli autori latini. In seguito aggiunse abbondante materiale dai greci. La maggior parte delle massime veniva dai classici, alcune dalla Bibbia. La raccolta completa dispiega una visione panoramica del mondo antico, pagano e cristiano." (R.H. Bainton, *Erasmo della cristianità*, trad. it., Firenze, Sansoni, 1970, pp. 46-47). Per le edizioni e traduzioni degli *Adagia* si veda la parte introduttiva di M. Mann Phillips, *The Adages of Erasmo*, Cambridge, 1964.

intorno ai temi che più gli stavano a cuore. La massima latina, greca o proveniente dalla Bibbia rappresentò il pretesto per dare voce alla sua reazione di uomo e di cristiano di fronte alle iniquità della politica di potenza dei principati europei. Il rapporto fra la sentenza e il testo era rovesciato rispetto all'uso che ne verrà fatto dall'epigrafe, in quanto quest'ultima offrirà una direzione di lettura e non il motivo ispiratore. Gli *Adagia* costituirono una miniera e un'opera di consultazione esemplare per quegli scrittori che pensarono di coronare la propria produzione con citazioni liminari. L'adagio dunque prefigurò, sia per la posizione che occupava nella pagina, sia per la fonte, che veniva sempre citata, l'epigrafe letteraria. Il proverbio, il detto per esemplarità e paradigmaticità poteva suggerire, divenire lo spunto per ampliare la trattazione ad altri temi, l'adagio riassumeva, concentrava in sé significati più ampi e tutto ciò lo faceva già potenziale padre dell'epigrafe.

Lo stesso Erasmo presentì la possibilità di impiego di un verso o di una breve frase fuori dal testo per ampliare la comunicazione, per esprimere qualcosa che non avrebbe trovato una collocazione adeguata all'interno del libro, ma che, posta al di fuori, si caricava di significato e di importanza. L'umanista infatti per rispondere a chi, per invidia o per irrisione, disprezzava gli *Adagia*[22] mise sul retro del frontespizio delle due ultime edizioni frobeniane, da lui stesso riviste, il seguente distico:

"Haud nego, sed durum est scribere chiliadas"[23]. Non si può considerare a tutti gli effetti una epigrafe giacché rappresenta una *excusatio* e non una indicazione di lettura, però sembra importante rilevare la scelta del luogo dove venne collocata, che sarà quello deputato ad accogliere le citazioni poste in esergo alle opere.

Il Batavo riuscì a cogliere la forza dell'impatto visivo della parola stampata, la capacità di esaltazione del suo significato nonché la funzione di attrazione sul lettore. La scrittura tipografica non aveva bisogno dell'ausilio della figura né per catturare l'attenzione, né per arricchire il pensiero. Infatti Erasmo, che "sosteneva l'importanza dei sussidi visivi per l'educazione"[24], avendone valutato positivamente l'impatto sull'immaginazione e sull'intuizione, non ritenne di

[22] In merito scrisse Erasmo: "Indocti negligunt, semidocti rident, docti (si paucos exceperis, praecipuos quidem illos, sed tamen paucos) partim invident, partim morosius carpunt" (*Adagiorum Chiliades tres, ac centuriae fere totidem*, Venetiis MDVIII, f.1881).

[23] *Adagiorum Opus Des. Erasmi Roterodami per eundem exquisitiore quam antehac unquam cura recognitum, cui praeter multa in medio vel utiliter addita vel vigilanter emendata, accesserunt ferme quinque centuriae [...]*, Basilae ex Officina Frobeniana, An. MDXXXIII; e An. MDXXXVI.

[24] R.H. Bainton, *op. cit.*, p. 45.

servirsene per illustrare gli *Adagia*. Si potrebbe obiettare che non abbia pensato a questa opportunità, dato che le edizioni delle *Chiliades* precedettero quasi tutte la pubblicazione degli *Emblemata* di Andrea Alciato, ma ciò non è sostenibile, essendo le due edizioni frobeniane successive.

D'altra parte un saggio dell'applicabilità del proverbio ad una immagine trova espressione nell'adagio 1001 "Festina lente", inserito nell'edizione aldina per tessere le lodi della stamperia di Manuzio. La marca tipografica dell'editore veneziano, il delfino che si intreccia all'ancora, si trasformavano nel simbolo della attività del grande Aldo, l'ancora rappresentando la lentezza che contraddistingue ogni lavoro accurato, il delfino la celerità dell'esecuzione.

Erasmo aveva ben presente già nel 1508 la associabilità di parola e immagine che si potevano chiarire vicendevolmente integrandosi e potevano accrescere il valore semantico. Pur con tale consapevolezza si affidò alla sola capacità espressiva della parola anche nell'*Elogio della Pazzia* che aveva un antecedente illustrato, in quel tempo di notevole successo, ne *La Nave dei Folli* di Sebastian Brant, pubblicato a stampa nel 1494[25]. Il filologo amava, studiava la parola e ne conosceva i risvolti più nascosti, l'umanista rinascimentale al proprio arsenale culturale associava la convinzione della forza di impatto del segno linguistico visivo della scrittura stampata; non serviva l'immagine per colpire la fantasia del lettore, il potere evocativo della grafica era sufficiente; la parola non era solo la somma di significante e significato, ma era anche suono, il segno poteva suscitare un disegno mentale che produceva riverberi.

Anche il disseminare il testo latino di termini greci è forse riconducibile alla valorizzazione dell'effetto visivo di una scrittura differente. L'uso di lemmi o di intere proposizioni qualche volta può essere giustificato come citazione di proverbi o detti provenienti da quel mondo, qualche altra come parole che in latino avevano conservato il suono greco, sempre come disinvolto impiego di chi si sapeva esprimere nelle due lingue; a queste ragioni è possibile accostarne un'altra che nasce dall'insoddisfazione delle precedenti. Pochi esempi saranno sufficienti a chiarire. Nel secondo paragrafo dell'adagio *Sileni Alcibiadis* si legge "Verum in hoc cane divinum quiddam animadverterat Alexander Magnus, principum ut videbatur omnium Κορυφαῖος et alpha, cum animi magnitudinem admiratus, optaturum se diceret ut, ni Alexander esset, Diogenes esset,

[25] Nel 1514 in un viaggio dai Paesi Bassi a Basilea, dove doveva seguire la pubblicazione delle sue ricerche patristiche e bibliche presso Froben, fece sosta a Strasburgo dove fu ricevuto dal Circolo dei letterati che includeva anche Sebastian Brant. In una lettera a Wimpheling Erasmo descriveva l'accoglienza che gli venne riservata (P.S. Allen, a cura di, *op. cit.*, II, epistole 302 e 305).

cum hoc magis optare debuerit Diogenis animum, quod Alexander esset"[26]. Era proprio indispensabile il termine greco? Il latino offriva molti sinonimi di alpha e la scelta di Κορυφαῖος trova una spiegazione nella grafia diversa che balzava agli occhi del lettore, che risuonava nella mente in modo differente (l'effetto potrebbe essere quello provocato dall'aumento del tono della voce dell'attore), che concentrava su di sé l'attenzione, che faceva ancor più grande Alessandro Magno e tutta la sfera significativa che gli ruotava intorno. In una lettera a Vives del 27 dicembre 1524 scriveva: "Urgeor vtrinque, dici vix potest quam odiose, sed in vtraque parte video futuros intolerabiles, si vincant. Hic res plane spectat ad seditionem, et aliquot δυνασταί me conantur volentem nolentem huic inuoluere negocio, nihil profecturum nisi ut vtranque partem in me prouocem. A tanto Rege, a tali Regina laudari vehementer gratum est; sed quid istuc προς τ' ἄλφιτα"[27]. Δυνασταί e προς τ' ἄλφιτα diventavano due poli di attrazione, due casse di risonanza, il carattere greco doveva far concentrare Juan Vives su queste "potenze" dell'una e dell'altra parte (cattolici e luterani) che lo volevano coinvolgere e sul problema del denaro. L'impiego del greco, nella sua evidente diversità, rendeva più importante la parola, era come se la gonfiasse anche per gli effetti interni che poteva risvegliare nel lettore.

Basteranno quindi interventi tecnici quali la collocazione distanziata dal resto del testo, l'uso di un carattere o/e di un corpo diverso perché quanto scritto assuma rilevanza semantica, visiva e uditiva: il segno tipografico avrà potere evocativo quanto e come il di-segno. Per questa ragione Erasmo scelse di non corredare nessuna sua opera di illustrazioni nella convinzione che non servissero, anzi le immagini avrebbero potuto disturbare, avrebbero potuto distrarre sollecitando la fantasia con il loro grande potenziale evocativo.

Già nell'edizione aldina gli *Adagia* si trasformarono in un modello concreto per la nascita dell'epigrafe perché ne racchiudevano tutte le caratteristiche: occupavano nella pagina un luogo separato dal commento che seguiva, avevano un carattere di stampa diverso dal testo, provenivano dalla cultura classica latina o greca, veniva citata la fonte, infine in quanto sentenze erano fortemente significative e di facile applicabilità.

L'Inghilterra[28] e la Spagna usarono epigrafi già alla fine del 1500, quasi un secolo prima della Francia dove si dovette attendere fino al 1688 quando La

[26] Erasmo da Rotterdam, *Adagia*, Torino, Einaudi, 1980, p. 64.

[27] P.S. Allen (a cura di), *op. cit.*, V, epistola 1531, p. 612.

[28] La prima comparsa in Inghilterra di una citazione liminare si ebbe nel 1584 in *Arbasto* di Robert Green che pose nella pagina del titolo : "Omne tulit punctum, qui miscuit utile dulci Lectorem delectando, pariterque monendo " (*Omne tulit punctum.* From Horace, *De Arte Poeticae*,

Rochefoucauld premise a *Caractères*: "Admonere voluimus, non mordere; prodesse, non laedere; consulere moribus hominum, non officere" di Erasmo, come precisa Genette[29]. Il fatto che la citazione fosse tratta dall'umanista olandese attesta il perdurare della sua fama in tutta Europa, mentre la nascita tanto precoce delle epigrafi in quelle due nazioni trova la sua ragion d'essere nel successo del suo pensiero tanto da poter parlare di gruppi erasmisti che si formarono ancora in vita Erasmo. Se per l'Inghilterra ciò può essere spiegato dai ripetuti soggiorni nell'isola e dai rapporti di amicizia con i maggiori intellettuali del tempo che diffusero la sua opera, in Spagna, luogo nel quale mai visse né che mai visitò, il primo riferimento diretto si ebbe nel 1516, quando l'Abad de Husillos scrisse al Cardenal Cisneros perché lo invitasse a collaborare alla *Biblia Poliglota* che si stava elaborando ad Alcalá: "Ya V. S .R., según me scriuen, ha visto a Erasmo y su traducción sobrel Nueuo Testamento cotejada con el griego y, aunque yo alcanço asaz poco, también le he algo reuisto. Y a la verdad, en todas las partes de buen teológo y de ser harto doto en griego y hebraico y ser elegante latino, parecido ha a muchos y a mí que es excelente persona, y de otras obras suyas lo sabíamos primero"[30]. Nel maggio 1517, quando già era consigliere di Carlo V, il Cardenal Cisneros inviò quell'invito che però non venne accettato[31]. La fama di Erasmo in Spagna era già consolidata nel 1516, anno della pubblicazione della *Institutio Principis Christiani*. La penetrazione nella penisola iberica del pensiero dell'umanista avvenne probabilmente attraverso quegli spagnoli che,

343-344). Non si può parlare di una vera e propria epigrafe perché la stessa venne apposta anche a *Penelope Web* (1587), a *Pandosto* (1588), a *Perimedes* (1588), a *Menaphon* (1589) e a molte altre opere, sia di teatro sia di poesia. Green usando i medesimi versi per distinti testi mostra come non li sentisse legati ad una commedia o ad una poesia in particolare, quanto piuttosto come una generica affermazione, in ciò più vicina all'impresa medievale. John Marston premise a *The Malcontent*: "Vexat censura columbas", pubblicata nel 1603, che riprese in *The Fawn* (1606) nella forma più estesa: "Dat veniam corvis /vexat censura /columbas", mentre fece precedere *The Dutch Courtesan* (1605) da: "Turpe est difficiles habere nugas", dimostrando ancora qualche incertezza nell'impiego. Con Ben Jonson l'uso dell'epigrafe è ormai sicuro. Antepose a *Volpone* (1605): "Simul & iucunda, & idonea dicere vita" (Horat); a *Catiline* (1611): "His non plebecula gaudet, / Verum equitis quoque jam migravit ab aure voluptas / Omnis ab incertos oculos et gaudia vana" (Horat.); a *Seianus is Fall* (1616): "Non hic Centauros, non Gorgonas, Harpyasque / Inuenies: Hominem pagina nostra sapit" (Mart.).

[29] G. Genette, *Soglie. I dintorni del testo*, trad. it., Torino, Einaudi, 1989, p.142.

[30] Cit. in M. Bataillon, *Erasmo y España*, trad. sp., México-Madrid-Buenos Aires, Fondo de Cultura Económica, 1976, p. 72.

[31] Come riferisce Bataillon, da Lovanio Erasmo il 10 luglio scrisse a Thomas More a proposito della lettera del Cardenal Cisneros: "Non Placet Hispania", e il 23 agosto scrivendo a Beatus Renanus di nuovo sostenne: "Cardinalis Toletanus nos invitat; verum non est animus" (M. Bataillon, *op. cit.*, p.77).

al seguito della Corte, si recavano nelle Fiandre[32]. Il suo pensiero si affermò in Spagna fra gli uomini interessati a un rinnovamento intellettuale e religioso. Lo stesso Vives, che conosceva l'umanista e intrattenne con lui un lungo rapporto epistolare, ripose molte speranze in un futuro cambiamento della sua patria sotto l'impulso e l'influenza della sua dottrina[33]. Inoltre segretari e ministri di Carlo V, nei primi anni del suo regno, considerarono il governo dell'imperatore come una grande opportunità per l'affermazione di una pace universale che, secondo il pensiero di Erasmo, sarebbe stata la base dalla quale partire per la palingenesi del mondo cristiano. Con la dottrina del grande umanista passò in Spagna il suo entusiasmo per la stampa e per le potenzialità in esso implicite. Come acutamente rileva Bataillon: "Erasmo es el hombre en quien se ve entonces, mejor que en ningún otro el nuevo poder del libro. Nada tiene de extraño que lo encontremos intímamente vinculado con el esfuerzo que realiza la imprenta española por elevarse a una función de alta cultura"[34]. La sua influenza continuò negli anni in cui gli erasmisti potevano essere denunciati al Santo Uffizio di illuminismo o di luteranesimo e, in modo sotterraneo, proseguì anche quando le opere del maestro vennero proibite nel 1559[35].

Per comprendere la genesi dell'epigrafe letteraria bisogna prendere in considerazione anche il notevole interesse per sentenze e detti memorabili

[32] Scrive Bataillon: "Si los españoles llegados con la Corte apreciaron en su verdadero valor al campeón de la libertad religiosa fue, más que por otra cosa, por la irradiación de su influencia en los medios ilustrados de las grandes ciudades flamencas. En Gante, la gloria de Erasmo tiene por heraldo a su viejo amigo Antonio Clava, miembro del Consejo de Flandes, señor de Praet [...]. En Amberes, la capital cada día más indiscutida del comercio internacional, el erasmismo reina en el ayuntamiento de la ciudad gracias al celo de Pierre Gilles y de Cornelio Schryver [...]. (En Brujas) Vergara o Hernán Colón, al llegar de España, respiran al punto una atmósfera erasmiana, sea que tengan que tratar con el Doctor Cranevelt [...], sea que hablen con ciertos sabios canónigos de Saint-Donatien, como Jean Fevyn y Marc Laurin" (M. Bataillon, *op. cit.*, pp. 100-101).

[33] Il 16 luglio 1524 Vives scrisse ad Erasmo: "Nihil audivi multis diebus gratius quam opera tua nostris quoque Hispanis esse cordi. Spero fore ut illis et similibus assuefacti mansuescant, exuantque barbaricas aliquot de vita opiniones, quibus acuta quidem ingenia, sed ignoratione humanitatis, sunt imbuta: quas alii aliis velut per manus tradunt" (P.S. Allen, *op. cit.,* V, epistola 1455, p. 475).

[34] M. Bataillon, *op. cit.*, pp.163-164.

[35] Già nel primo quarto del secolo accanto ai sostenitori di Erasmo si trovarono degli oppositori, ma gli uni e gli altri non fecero che accrescerne la fama. "En estos días – scrive Bataillon – todos se lanzan sobre los libros de Erasmo, por muy superficiales que sean sus conocimientos de latín. La masa que apenas sabe leer en su lengua materna también quiere tenerlas. Las mujeres mismas, sin exceptuar a las que viven enclaustradas, quieren saber qué hay en ellos" (M. Bataillon, *op. cit.*, p. 218).

dell'antichità che si sviluppò nel '500 in Spagna, come nel resto d'Europa. Oltre alla continua presenza degli *Adagia*, nell'arco di pochi anni si tornò a pubblicare la traduzione di *Los notables dichos y hechos de romanos y griegos* di Valerio Massimo[36]; apparve la traduzione degli *Apotegmas* di Plutarco ad opera di Diego Gracián; nel 1549 si ebbero due libere versioni degli *Apotegmas*, che Erasmo raccolse nel 1531[37]. Nella penisola iberica, dove l'epigramma, la sentenza, il proverbio godevano di una lunga tradizione, per lo più orale, nel XVI secolo esplose il gusto per la riflessione morale riassunta in acute enunciazioni, condensazioni di esperienza e pensiero, maturò la consuetudine e l'amore al detto concettoso applicabile a situazioni e contesti diversi, valido in differenti occasioni, grazie alla brevità che racchiudeva una ricca polisemia: elementi tutti questi che passeranno nelle epigrafi. Le date delle due traduzioni degli *Apofteghi* di Erasmo testimoniano il persistere dell'interesse per queste miscellanee, che continueranno ad avere successo fino agli inizi del secolo XVII, e il perdurare dell' attenzione nei confronti dell'umanista olandese.

Il primo ad impiegare epigrafi in Spagna fu fray Luis de Granada, di riconosciuta formazione erasmiana, pur non trovandosi mai citato il nome del maestro nella sua opera[38]. Già nel 1556 il *Prologo* a *La guía de Pecadores* si apriva con: "Dicite iusto quoniam bene", in carattere corsivo, ma non separato dal testo, a cui seguiva la traduzione con l'indicazione della fonte: " Quiere decir: Decid al justo que bien. Esta es la embajada que envió Dios con el profeta Isaís"[39] . È difficile considerare la citazione una epigrafe a tutti gli effetti, però certamente dimostra che il frate granadino aveva assorbito dal maestro una grande sensibilità per la grafica e aveva compreso la sua capacità di impatto sul lettore. Un passo ulteriore verso la piena applicazione venne compiuto in *Trece Sermones*, dove fray Luis de Granada raccolse tredici omelie e ne fece precedere alcune dal brano del Vangelo dal quale traevano ispirazione e del quale erano un commento. I testi sacri si possono considerare un antecedente delle epigrafi per la posizione che occupavano davanti ai sermoni, ben in evidenza, per il fatto che fossero citazioni e per la loro fonte, la Bibbia, che diverrà quasi una costante nei secoli futuri. Si differenziano invece da esse per il rapporto rovesciato nei

[36] *Valerio Máximo noble philósofo y orador romano, cronista de los notables dichos y hechos de romanos y griegos,* Alcalá, 1529.

[37] Sullo studio delle differenze fra le versioni spagnole di Francisco Thámara e di Juan de Jarava e l'originale di Erasmo, si veda: A. Bonilla y San Martín, *Erasmo en España (Episodio de la historia del Renacimiento*), in "Revue Hispanique", 17 (1907) pp. 482-500.

[38] Per la presenza di Erasmo nel pensiero e nell'opera di Fray Luis de Granada cfr. M. Bataillon, *op. cit.*, pp. 594-601.

[39] L. de Granada, *La guía de pecadores* in *Obras Completas*, Madrid, Atlas, 1944, I, p. 41.

confronti del testo: i brani degli evangelisti erano la base dalla quale partiva il granadino per le sue argomentazioni, all'opposto di quanto accadrà nell'epigrafe letteraria che sarà lo specchio nel quale si rifletterà l'opera, costituendone di volta in volta una chiave di lettura, un commento, qualcosa di posteriore al testo, in funzione di esso. Luis de Granada si servì ancora della struttura in due parti nel *Discurso Devoto. Soberano misterio de la encarnación del hijo de Dios*, disquisizione teologica in forma di colloquio alla maniera erasmiana, alla quale premise : "Notas facite in populis adinventiones ejus etc." preceduto dall'indicazione della fonte: "Sobre aquellas palabras de Isaías"[40]. La citazione di Isaia mostra come il frate granadino sentisse la necessità di un filtro, di un connettore fra sé e l'opera, fra sé e il lettore, avvertisse il bisogno di introdurre il proprio scritto attraverso parole della Bibbia e di mettersi sotto la sua protezione. "Notas facite" era ancora più vicina al motto dell'impresa, in quanto espressione di un intendimento, che non all'epigrafe letteraria, però già manifestava la volontà di frapporre un tramite fra l'autore e il testo.

Mateo Alemán accolse il suggerimento di aggiungere una legenda all'opera; nell'edizione del *Guzmán de Alfarache* di Madrid del 1599 comparve: "Legendo simul q peragrando" che assai bene si adattava al romanzo, ma nell'edizione di Coimbra del 1600 venne cambiata con "sic vos (renard?) non vobis", e in quella di Bruxelles, sempre del 1600, si trasformò in: "Post tenebras spero lucem". Anche trascurando la citazione: "Proba me Deus et scito cor meum" perché della libreria, che si legge nel tomo pubblicato a Parigi nel 1600, nell'edizione di Madrid del 1600 premise: "Fortissima basis timor Domini" e nel V° foglio il ritratto dell'autore portava la divisa "Legendo simulque peragrando" che tornava a presentarsi in quella di Siviglia del 1602[41]. L'autore che, come sostiene Fouché-Delbosc, soprintese alle diverse edizioni o poté soprintendere perché risultava essere stato presente in quei luoghi al tempo della pubblicazione, cambiava le epigrafi, ritornando di quando in quando al "Legendo simulque peragrando", la sua divisa, che calzava perfettamente all'opera picaresca. Lo scrittore percepì che un testo poteva essere arricchito con un motto, con una citazione, ma oscillò nell'applicazione, non ancora completamente sicuro della funzione da assegnargli.

Tanto Luis de Granada quanto Mateo Alemán intuirono che il porre prima di un'opera, in un luogo separato dal testo, una citazione faceva acquisire ad es-

[40] Idem, *Discurso devoto, O. C.*, III, p. 224.

[41] Le informazioni intorno alle diverse edizioni del *Guzmán de Alfarache* sono tratte da R. Fouché-Delbosc, *Bibliographie de Mateo Alemán. 1598-1615*, in "Revue Hispanique", 42 (1918) pp. 481-556.

sa un notevole rilievo. Avvalendosi della posizione solitaria e, talvolta, di un carattere o di un corpo diverso la frase o il verso significavano di più e potevano investire del loro senso il testo che in essi si rifletteva.

Il lavoro dei due scrittori può essere considerato di preparazione giacché fece maturare la citazione liminare, che già ai primi del '600 trovò attuazione in numerose opere di Quevedo.

Anche in Spagna, dove pure, insieme all'Inghilterra, venne impiegata anteriormente al resto dell'Europa, l'epigrafe ebbe una nascita lenta e complessa: ad essa infatti concorsero l'antica impresa cavalleresca evolutasi nell'emblema, la stampa, senza la quale non sarebbe stata neppure pensabile, la grande figura di Erasmo con il suo interesse per questa invenzione e le sue potenzialità, la passione dell'uomo rinascimentale per motti, adagi e apofteghi e la loro conseguente diffusione.

Aleixandre y Lorca, de viva voz

Gabriele Morelli

Para Rinaldo Froldi
recordando su lejano encuentro
con Vicente Aleixandre
en Miraflores de la Sierra
(14. XII. 1952)

"Los que le amamos y convivimos con él le vimos siempre el mismo, único y sin embargo, cambiante, variable como la misma Naturaleza": es la primera imagen-evocación que Aleixandre nos da del poeta granadino en 1937 en su conocida "Evocación de Federico García Lorca"[1]: evocación integrada sucesivamente por la descripción, al mismo tiempo reveladora y desconocida, del Federico solitario y nocturno, "oscuro como un río ancho", como escribe Aleixandre, que antes recordaba: "Por la mañana se reía tan alegre, tan clara, tan multiplicadamente como el agua del campo [...]".

Es decir el elemento prioritario que el poeta sevillano subraya y recuerda de la persona del amigo y traduce plásticamente en la metáfora del agua (metáfora por supuesto muy aleixandrina) es el de su voz y su risa. Tanto que, podemos decir, de ahora en adelante su memoria poética quedará profundamente marcada por la frescura y espontaneidad de aquel timbre y acento particular de Federico. En realidad, si puedo acudir a mi anecdotario personal, recuerdo perfectamente como en uno de mis últimos encuentros con Aleixandre, al hablar de la edición mejicana de *Pasión de la Tierra* –cuyo ejemplar el autor había encontrado estropeado en el suelo de su casa invadida por el frente militar durante

[1] Primeramente, incluida en el volumen *Los encuentros* (Madrid, Guadarrama, 1958, págs. 107-113) y después, como epílogo, en las *Obras Completas* de Federico García Lorca.

la guerra civil – él quiso compararlo con el mejor destino reservado al poema lorquiano “Llanto por Ignacio Sánchez Mejías” que en cambio se salvó protegido por otras hojas y cubiertas caídas. De aquí, su evocación del granadino, la memoria viva de su voz. “Federico me llamó a primeros de julio [de 1936] para decirme que venía a leerme su última obra, *La casa de Bernarda Alba*[2]. Yo le dije que como siempre le esperaba con gusto. Pero, al entererarse de que estaba conmigo Miguel Hernández al cual no le tenía simpatía, Federico no quiso venir, no vino, a pesar de mis insistencias. De modo que nunca volví a oirle, nunca volví a oír su voz”. Aleixandre repitió esta frase varias veces, suspirando y mirando hacia un punto lejano.

Desde aquel entonces he vuelto a releer las páginas de la obra aleixandrina que recuerdan la figura de Federico comprobando cómo efectivamente en ellas se subraya muy a menudo este aspecto de la persona del granadino. Es suficiente por esto ver en la sección “Nuevos Retratos y Dedicatorias” de *Poemas Varios* (1927-1967), la lírica “El enterrado” dedicada “A Federico”, y leer en particular los versos conmovedores de la estrofa primera, que dicen :

> Buen amigo, en la tarde completa estoy sintiendo
> tu vivir. Dime. Escucho. Yo te escucho, acabado,
> bajo la tierra leve que amorosa descansa
> sobre tu pecho. ¿Alientas? ¿Qué ronca voz caliente,
> propagándote, siento que hasta el pecho me sube,
> desde las graves, hondas raíces con que me hinco
> en tu memoria, amigo, vivo amigo, enterrado?
> Siento todas las flores que de tu boca surten
> hacia la vida, verdes, tempranas, invencibles.
> ¿Qué suena, duro, oscuro, con voz de sangre o mina,
> secreto abismo o pecho que hueco hoy amontona
> viento, poder, y expulsa tu voz hasta mi oído?

Donde vemos cómo los sustantivos y las voces verbales insisten en la afirmación de la categoría auditiva (“estoy sintiendo”, “Dime. Escucho. Yo te escucho”, “Qué ronca voz caliente”, “de tu boca surten”, “expulsa tu voz hasta mi oído”, etc.), en el intento de comunicar con el amigo desaparecido. Incluso

[2] Come documenta J. Gibson en su conocida biografía del poeta (*Federico García Lorca, 2. De Nueva York a Fuente Grande. 1929-1936*, Barcelona, Grijalbo, 1987, págs. 438-439, 449-450 y 453) Lorca da varias lecturas a sus amigos madrileños de la nueva obra teatral *La casa de Bernarda Alba* (terminada el 19.VI.1936, como está fechada en el manuscrito) hasta la noche del 12-13 julio, es decir prácticamente hasta pocos días antes de su salida para Granada.

el uso de la forma dialógica basada sobre preguntas de tipo retórico, es decir sobre preguntas sin posible contestación y sólo atentas, a través de la escritura, a crear la ilusión de su oído: todo esto confirma la imagen de una presencia física que basa su valor fundamental en el registro de la voz, el oído.

A veces la viva voz de Lorca llega a hacer de trámite natural a la semblanza de otro amigo desaparecido, el poeta chileno Pablo Neruda, al que Aleixandre recuerda a través de las palabras de Federico anunciando su conocimiento durante su estancia en la capital argentina. Escribe Aleixandre evocando las palabras de Federico que dice:

> He conocido en Buenos Aires a un poeta chileno estupendo: Pablo Neruda. vendrá de cónsul a Madrid en octubre. Ya verás. Estoy seguro de que seréis amigos[3].

Y Aleixandre comenta "Era en Velintonia, y lo decía Federico García Lorca, a su regreso de la Argentina, abril de 1934"; y continúa: "Unos meses después, al teléfono, la voz oscura y brillante: «Pablo Neruda ya está en Madrid. Hoy aquí a mi lado. Si quieres, vamos ahora mismo a tu casa»". Sigue la descripción aleixandrina de Neruda, que era "alto, corpulento", pero a cuya imagen física ya se ha sobrepuesto la presencia de Federico a través del recuerdo de su viva voz.

Otro momento ligado a la evocación de la persona de Neruda confirma esta impresión: se trata de la última vez que Aleixandre ve al poeta chileno, y la semblanza es publicada en la revista "El Ciervo"[4], en 1973. Cuenta el poeta:

> Nos habíamos conocido tres años antes, cuando [Neruda] llegó a Madrid como vicecónsul de su país (aún creo que estaba Gabriela Mistral) y fue Federico García Lorca el que lo llevó a casa. (Me lo había anunciado unos meses antes: "Viene a España el poeta chileno Pablo Neruda, que he conocido en Buenos Aires, y seréis grandes amigos")[5].

Es decir, a distancia de muchos años, Aleixandre recuerda exactamente las primeras palabras de Federico aunque con relación a la última imagen de la figura de Neruda.

[3] Cfr. V. Aleixandre, "Con Pablo Neruda", *Los encuentros* (ed. de J. L. Cano) Madrid, Espasa-Calpe, pág. 146.

[4] "El Ciervo", n° 235, Barcelona, septiembre 1973, págs. 10-11.

[5] Cito de "La última vez que vi a Pablo Neruda", en V. Aleixandre, *Prosas recobradas*, ed. de A. Duque Amusco, Barcelona, Plaza & Janés, 1987, pág. 127.

En otra ocasión, como en la carta enviada al pintor Gregorio Prieto (la cual por su referencia a la publicación del *Romancero gitano* debe remontar al verano de 1928[6]) Aleixandre menciona a Federico, repitiendo sus palabras, o mejor pasando del discurso indirecto al discurso directo. "Ya habrás visto que Federico García Lorca – escribe Aleixandre a Prieto – ha publicado sus *Romances Gitanos.* Me lo encontré en el Restaurán Buenavista la noche antes de tu banquete. "Velintonia 3", me dijo."¡Voy a mandarte mi libro en cuanto aparezca!". !Veremos!, le dije yo[7].

En efecto, Federico envió sucesivamente el libro a Aleixandre, el cual poco después le contestaba con una carta llena de entusiamo y pasión, carta de la cual ya Mario Hernández[8] reveló algunas partes esenciales, y que voy a transcribir (y a reproducir a continuación) por ser desconocida en España en su texto integral. Dice Aleixandre:

Miraflores de la Sierra (Madrid)
El Pinar

7 sep[tiem]bre 1928

Querido amigo Federico:

aquí en Miraflores, donde estoy pasando el verano, he recibido tu *Romancero Gitano* que tan cariñosamente me dedicas.

Te agradezco del todo la magnífica, la vehementísima fiesta de poesía a que me has convidado. Pocas veces – ¡qué pocas! – puede uno tan totalmente abandonarse a una fruición de belleza tan íntegra con tan absoluto contento. No hay más remedio – y qué bien que no lo haya! – que sentirse desarraigado de todo suelo, ímpetu, corriente poderosa, marcialísima, abrazadora, que nada consiente ajeno. Al abrir el libro, de pronto qué caño redondo, irrestañable, dramático, en el pecho. ¡Qué muerte de belleza! Qué muerte a fuerza de belleza! "¡Estoy herido!" hay que decir al terminar de leer; "estoy muy malherido":

¿No ves la herida que tengo
desde el pecho a la garganta?

[6] Así, justamente, opina Alejandro Duque Amusco, *op. cit*, pág. 171.

[7] *Ibidem*, pág. 172.

[8] M. Hernández, "García Lorca y Vicente Aleixandre: papeles perdidos, líneas halladas", en *Lecciones sobre Federico García Lorca,* Granada, Edición del Cinquentenario, 1986, págs. 217-233. Igualmente, el texto completo de la carta ha aparecido en una publicación italiana (I. Emiliozzi, *Lettera inedita di Vicente Aleixandre a Federico García Lorca*, en *Polvo enamorado, poesia e studi offerti a Giovanni Bertini*, Milano, Scheiwiller, 1989, págs. 3-6).

Trescientas rosas morenas...

Pero yo ya no soy yo.

Eso te digo, poeta. Eso te dirá todo el que lea tu libro: "Pero yo ya no soy yo; soy lo que tú me haces estar siendo".

Esto de enajenarse uno en el poeta, de sentirse uno fuera de sí, en él, creo que no ocurre en la poesía de hoy con nadie con la intensidad que contigo. [L]a fuerza de intensidad es aniquiladora: desplaza toda sensación de ser autónomo para trocar al lector en pura y pasiva lira, frenética de resonancias, en las manos del poeta creador, es una maravilla. Es una delicia y un tormento. "Vivo porque existes, poesía – está uno sintiendo oscuramente en su interior –; pero me moriré cuando enmudezcas"[...] "Y si no callas me moriré de exaltación, porque me matas". Muerto de poesía: hermosura. Entre la vida y la muerte, tu poesía, en trance, tiene de las dos, aunque triunfe la vida. Tu poesía duele. ¿Por qué duele?

Siete sangres, siete gritos.
Siete adormideras dobles.

¿Quién no se siente herido?

Dejadme subir al menos
hasta las altas barandas,
¡Dejadme subir!, dejadme
hasta las verdes barandas.

¿Quién no se siente muerto?

...rueda muerto la pendiente,
su cuerpo lleno de lirios
y una granada en las sienes.

¡Angeles, ángeles!

Angeles negros traían
pañuelos y agua de nieve.

Muerte y transfiguración. Resurrección a un mundo de poesía inaccesible. Milagro.

Todo igualmente eficiente y resuelto. Difícil elegir. Imposible. Todo tan trabado y armónico que cada romance se articula con el siguiente para alzar esa ciudad de la poesía gitana, tuya, indestructible.

¡Oh ciudad de los gitanos!
Quién te vio y no te recuerda!

No haya miedo, Federico. Quien la vio en tu libro ya nunca la podrá olvidar.

Juego de luna y arena.

¡No! Erguida, retadora y definitiva, ella guarda en sus muros esencia de eternidad, y con sus torres de canela y almizcle, con sus fraguas de soles y flechas, con sus puertas libres de miedo y sus gallos de vidrio y su aire y sus rosas de pólvora negra, héla ahí para siempre, rodeada de un "túnel de silencio", llena de ruidos interiores indescifrables, apretados, que tú, solo y único, puedes discriminar.

Bien, poeta!

Te seguiría hablando de tu libro. No sabría acabar. Creo en tu auténtica poesía y en tu poesía inimitable. Creo que fracasarán cuantos intenten captar lo externo y que derivarán peligrosamente. Creo que *solo tú* puedes hacer tu poesía. Creo que eres magnífico.

Y luego ya de esto no me queda más que decirte adiós. Te he dicho mi pensamiento, como me haya salido. Si así lo he pensado y lo he sentido, ¿por qué lo voy a callar? Carezco en esto de reservas y me parece una cicatería lo contrario. Al pan pan, y al vino vino.

Yo te sirvo ahora el vino de mi admiración, y te abrazo.

Vicente Aleixandre

La acogida del *Romancero gitano* por parte de Aleixandre es entusiástica y total, sobre todo si la comparamos con las reservas y más aún con las feroces críticas lanzadas contra el libro y contra Federico por sus amigos más entrañables del momento, Salvador Dalí y Luis Buñuel. Aleixandre, en cambio, no disimula al poeta granadino su personal admiración, que expresa con sinceridad e inmediatez: "Te he dicho mi pensamiento, como ma haya salido", declara en la parte final de la carta, añadiendo: "Si así lo he pensado y lo he sentido, ¿por qué me lo voy a callar? Carezco en esto de reservas y me parece una cicatería lo contrario. Al pan pan, y al vino vino".

No se trata de lectura ingenua, carente de sentido crítico: al contrario, Aleixandre, que desde hace poco tiempo conoce a Lorca –exactamente lo encontró por primera vez el 12 de octubre de 1927 en el estreno madrileño de *Mariana Pineda*– ha captado perfectamente el esfuerzo de coherencia y armonía presente en el libro, subrayando la autenticidad de esta poesía andaluza contra el peligro de una falsa impresión ligada a la imagen superficial. "Creo –avisa con acierto– que fracasarán cuantos intenten captar lo externo y que derivarán peligrosamente".

La intensa relación de amistad de Aleixandre con Federico queda atestiguada no sólo por la estimación recíproca de la cual los dos poetas dieron siempre público acto, sino sobre todo por la costancia de la visitas de Federico en la casa de Aleixandre, donde su figura brillaba y se imponía entre las de los amigos más íntimos y queridos por el poeta sevillano. A lado de las numerosas palabras de Aleixandre que tienden a recordar a Federico como presencia física, en particular fijándola en su elemento de oralidad, dan testimonio de esto algunas dedicatorias de los libros aleixandrinos enviados al amigo granadino, donde la evocación de la casa de Velintonia queda siempre como punto concreto de referencia personal. Por ejemplo, en el libro enviado a Federico de la edición mejicana de *Pasión de la Tierra*, se puede leer: "A nuestro gran Federico! hoy y siempre, en Velintonia,/RECONQUISTADO/con el abrazo largo de/la Nochevieja/ Vicente/ Madrid 31-12-35". Igualmente en la dedicatoria del "ejemplar fuera de comercio" de *La destrucción o el amor* (Madrid, Signo, 1935), vemos la mención que Aleixandre hace de su casa con relación a la presencia (o ausencia) de Federico. Escribe Aleixandre: "Al gran poeta Federico/G.L. a mi siempre queridí-/simo Federico, ausente y pre-/sente en Velintonia: Vicente/Madrid, 1935".

Hemos visto: el signo humano de la la voz y de la persona de Federico queda como elemento indeleble en la memoria de Aleixandre. Por esto, ya que hemos perdido el tesoro de esta voz, quiero terminar con las palabras vivas del amigo sevillano que recuerdan en los años ochenta – cuando se grabó esta entrevista[9] – a las personas de dos poetas igualmente queridos, Miguel Hernández y Federico García Lorca, a pesar de que la presencia del primero en la casa de Velintonia impidió – como ya dije al comienzo – la última visita de Federico a Aleixandre.

[Miguel Hernández] Ha sido uno de los amigos más íntimos, como diría yo, más entrañables que yo he tenido a lo largo de la vida. Ha sido para mí como un hermano de

[9]La entrevista con el poeta, relativa a numerosos autores del grupo generacional, fue realizada por F. G. Delgado en Radio Nacional de España en dos épocas distintas, en 1981 y 1982, y sucesivamente incluida en el disco *Homenaje nacional a Vicente Aleixandre*, Cara B, RNE, marzo 1985. Por ser poco conocida y nunca citada, incluso por los especiliastas aleixandrinos, me parece útil transcribirla. En eso he invertido –en armonía con el títolo de este artículo– el orden de aparicion de los dos autores entrevistados, al mismo tiempo que he aclarado algunas incomprensiones y eliminado las varias repiticiones de orden oral.

menor edad que yo, porque él era más joven: nació en 1910, yo nací doce años antes que él.

A Miguel Hernández lo conocí cuando estaba trabajando en Madrid en un puesto muy modesto en Espasa-Calpe para ayudar a José María De Cossío en el último tomo de su gran enciclopedia de los toros: el último tomo era el Diccionario taurino, de los toreros. En eso lo ayudaba, no digamos como un amanuense, pero sí en un puesto muy modesto, redactando algunas biografías menores. Y sería iteresante saber dónde estuvo la pluma de Miguel Hernández en esa eciclopedia.

Lo conocí entonces. Era un muchacho muy pobre, servía con mucha dificultad pero con enorme valentía. Era un hombre abierto, de corazón libre. Entendedor de la vida y comprendedor de ella, no había hecho más que salir de su tierra, de su pueblo, venir a Madrid, las alpargatas y la camisa rota. Y así llegó. Y el hombre hacía frente a la vida con una especie de previsión de la experiencia que no había vivido, pero que la incluía y que la armaba de valor para enfrentarse con la existencia. Así era Miguel Hernández.

Era un ser alegre, de fondo dramático. Era un ser alegre, un ser generoso al máximo. Donde hubiera un dolor allí estaba. Cuando yo he sufrido mientras él vivió, cuando yo he padecido, el rostro que aparecía a mi lado era el de Miguel; el que venía a cuidarme era Miguel, que venía a acompañarme, incluso a alimentarme, era Miguel. Y digo alimentarme con razón incluso material; porque no es que me diera con la cuchara una comida, es que traía para mí cosas cuando yo no podía tenerlas. El era tan pobre en medio de la guerra. Yo sufrí una efermedad, una recaída de mi enfermedad renal: yo no tenía alimentos, porque no los había, y los necesitaba y él no los tenía. Pero en Valencia, en su tierra, en la provincia de Alicante había naranjos: entonces, éstos florecían independentemiente de la guerra. Naturalmente él, apenas tenía naranjos, cuando eran suyos, apenas podías disfrutar de naranjos (su madre y su hijo estaban allí): bueno, pues él sabía la gravedad de mi enfermedad. Cuando él venía a Madrid por destino que le tocaba en la guerra y del trabajo que tenía, siempre venía con una carga, con un saco de naranjas esplendorosas, que en aquel tiempo eran como si fueran de oro. Abría su saco en medio de una carcajada feliz y me arrojaba encima de la cama aquel montón de naranjas, que era alimento y vida para mí, y necesidad. Y él me las daba privándose de ellas y privando a los suyos para ayudarme a mí, para no morir. Eso es el recuerdo más emocionante que tengo yo de Miguel Hernández. Eso y la fidelidad, la cercanía continua de su vida hasta el fin.

[García Lorca] Lorca me evoca uno de mis amigos más entrañable de toda la vida. De la Generación es uno de los amigos que yo he querido más, y con el que me he sentido más unido. Lorca Federico era de una generosidad, una capacidad de entusiasmo por sus afectos, incomparable.

Entonces el trato con él, si te sentías a gusto desde el principio, jamás se alteraba. El era una criatura extraordinaria. Como me hablas de Lorca, ya te diré que poetas tan grandes como Federico es posible que hayan habido en el siglo: no puede negarse; pero, en lo humano, nadie puede comparársele.

En lo humano, en el sentido de la comunicatividad humana, de la seducción de la persona, en eso; nadie he visto que sea como Federico, que llega a un nivel de seducción grande, fascinante: ésa es la palabra [...].

Filastrocche andaluse: Granada-Málaga, 1994

MARGHERITA MORREALE

I due volumetti di indovinelli e di filastrocche che recentemente mi sono capitati fra le mani, mi inducono a qualche aggiunta e a qualche riflessione sui testi di tradizione orale. Essi provengono dal "Grupo de investigación sociolingüística infantil andaluza" dell'Università di Granada, attivo presso la Escuela de Magisterio "Andrés Manjón" di quella Università[1].

I testi coincidono in parte con quelli da me raccolti a Málaga, ma mentre la collezione granadina viene presentata in spagnolo *standard* (anche se con qualche concessione all'andaluso, e allo stesso spagnolo parlato, non essendo possibile evitare forme generalizzate come *chalao*, p. 31), i miei testi invece, spigolati dai ricordi di persone anziane, li ho fatti trascrivere da un andaluso, e ne è risultata una mescolanza *sui generis* di grafia fonetica e di lontane reminiscenze scolastiche (con l'uso corretto però degli accenti, che completo)[2].

Fra la collezione stampata e la mia, le varianti sono oltre che formali, di contenuto, e le filastrocche in parte si glossano o spiegano a vicenda; così se i collezionisti di Granada si chiedono "Y, ¿de qué protegería aquella invocación que nos prohibía pisar raya...porque estaba penado con la pérdida del juego?", p. 14, a proposito di

Quien pisa raya, pisa medalla,

[1] M.L. Escribano Pueo, T. Fuentes Vásquez, E. Gómez-Villalba Ballesteros, A. Romero López, *Folklore infantil granadino de tradición oral: Adivinancero granadino de tradición oral*, Granada, Universidad, 1991, 1488 pp., e degli stessi autori, nella stessa serie con il sottotitolo *Retahílas y trabalenguas,* Granada, Universidad, 1992, 258 pp., al quale mi riferisco in questa sede.

[2] Così ad esempio in *--Zapatero, remendero / que mete la aguja / por el agujero.--Que ya la he metido, / que ya la he sacado, / que date la vuelta, /--que ya me la he dado,* p. 53, nella mia trascrizione malaghena: "*que mete la bua por el abuero*".

il testo del mio interlocutore,

Quien pisa raya, pisa la cabezita de Jesú,

rappresenta più chiaramente la proibizione (del resto ovvia) di calpestare un'immagine sacra, con le conseguenze religiose e/o superstiziose che ne conseguono, in aggiunta al divieto di mettere il piede su di una demarcazione, base di molti giochi infantili.

Nella breve introduzione gli autori accennano a alcuni temi significativi illustrandone i precedenti: a proposito del detto con il quale si vorrebbe "aiutare il sole a uscire dalle nubi": *Sal, solecito, / caliénteme un poquito, / para hoy, para mañana, / para toda la semana*, p. 14[3], essi, oltre a ricordare l'antica invocazione riportata da R. Rodrigo Caro, "¿exere (l. exire), o dilecte sol"[4], riprendono da Margit Frenk, *Sal, sol, / que te llama mi señor. / —¿Qué me quiere? / ¿Qué me quiere? / —Darte una capa de color. / —¿De qué color? / —De la marca maior*[5]. Nella mia collezione la filastrocca prende spunto dalla forma dialogata, e mette a confronto il sole e la lumaca (un simbolo fallico per chi lo riconosce come tale[6]):

--Sal, sal, caracol
que te llama tu señor.
--¿Para qué?
--Para que ponga
los cuernos al sol, só, só.

In un'altra ancora fra le mie, il sole, con un nome proprio, si umanizza nel quotidiano avvicendarsi con la luna:

Al sol le llaman Lorenzo,
y a la luna Catalina,
cuando Lorenzo se acuesta,

[3] Che in Castiglia ho sentito con lievi ma significative varianti verbali: *Sal, solito, / sal un ratito, / por hoy y mañana, / por toda la semana.*

[4] *Días geniales y lúdicros*, Madrid, 1978, vol. II, p. 143.

[5] *Corpus de la antigua lírica popular hispánica (siglos xv a xvii)*, Madrid, 1987, n. 2147.

[6] Patrizia Botta mi segnala il *villancico*: "Caracoles me pide la niña / y pídelos cada día", riportato da A. Sánchez Romeralo in *El villancico. Estudios sobre la lírica popular en los siglos XVI y XVII*, Madrid, BRH (1969) n. 294, p. 458, e ripreso da M. Frenk, *Corpus*, cit., n. 1639, e da altri.

Catalina se alevanta,
la chunga, la chunga, la chun...

Fondandosi su materiale di "sociolinguistica infantile" gli autori delle *Retahílas y trabalenguas* si riferiscono alla separazione dei due sessi nelle scuole elementari con questo commento: "Al infierno iban [...] los niños y niñas que jugaban juntos. La separación de sexos no era cosa de broma (,) y para el que la incumpliera (,) allí estaba preparado el castigo terrible con sus connotaciones de brujería medieval, sin faltar el cuchillo y los tradicionales alfileres de la magia negra"; e ciò a proposito della filastrocca seguente: *Niños con niñas / van al infierno. / El cuchillo está en la mesa / para cortarte la cabeza, / y los alfileres en el rincón / para pincharte el corazón*, p. 15.

L'elemento magico manca nella versione da me registrata, che invece mira senza remore all'allusione sessuale, quasi omnipresente nella facezia andalusa (l'abbiamo appena visto nel *poner los cuernos* al sole):

La niña con lo niño
son maricone,
se untan lo cuco
con lo carzone [7].

Carzone poi attrae inevitabilmente la rima con una delle voci più frequenti del lessico popolare andaluso, *coone*, 'coglioni':

Al tirar de lo carzone
tiré de los coone,
al tirar de lo coone
tiré de lo carzone.

Alla stessa stregua si spiegano alcune delle varianti in altri fra i miei testi. Così, invece di *--¿Tienes frío /--Métete en el río. /--¿Tienes calor --Métete en el fogón,* p. 51, questa è la forma che mi viene riferita:

--¿Tienes frío?
--Métete en la cama con tu tío.

[7] Per il lettore che abbia meno familiarità con lo spagnolo valga l'avvertenza che *cuco* indica le braghe femminili; *untarse* sta in andaluso per *juntarse*; per *maricón* 'omosessuale' sembra sospendersi nel caso dei bambini la nota specifica, che invece pervade il mondo dei grandi nella facezia gratuita.

--¿Tienes calor?
--Métete en un farol.

E molti altri bisticci più o meno innocenti potrebbero illustrarsi, come quello fra *rojete* ('rossetto') e *ro*(s)*quete*:

Mariquita tu rohete
un fraile se lo encontró,
y creyendo que era un roquete
a la boca se lo echó.

Tornando al gioco fra adolescenti giova ricordare questo "juego de mozuelillos y mozuelillas cuando ya van saliéndose del cascarón"):

A la niña que etá en frente
se le caió el volante,
no lo quiere recoer
porque etá el novio delante.

Il gioco, che mi è stato anche descritto come un sottotipo del girotondo[8], termina con

Eta é la ruea del mundo,
la ruea del mundo é.

Non mi mancano testi infantili (colti, come ho già detto, dai ricordi di un adulto) da accoppiare a quelli riportati in *Retahílas y trabalenguas*; così della filastrocca "para burlarse de un niño que deletreaba el alfabeto": *A, E, I, 0, U, / Borriquito como tú, / que no sabes ni la U. / La cartilla se me fue / por el río Santa Fe, no me pegue usted / maestro que mañana la traeré. Ni mañana ni pasao, que el maestro es un chalao*, p. 31, di cui la mia variante cambia l'allusione locale (introducendo la malaguena Plaza de la Merced), e trasforma

[8] "Hacían un gran corro, de niño y niña cogido de la mano, y todo mirando venían adentro con la espalda para afuera, uno cogía una prenda, más bien un pañuelo, y corriendo por detrás del corro, daba unas poca buelta, y a quien bien le parecía le echava el pañuelo por detrás de su piernas, y la iva sacuiendo, dando la vuelta al corro hasta ponerse otra vez en su sitio y agarrándose de la mano de su compañero o compañera, se daba cuenta a tiempo, este o esta arremetía con quien le había echao la prenda".

in giocosa ma crudele vendetta la mancanza di rispetto verso il malcapitato maestro:

La cartilla se me fue
a la Plaza la merzed,
no me pegue uté maestro
que mañana la traeré.
(Ni mañana ni pasao,
el maestro está chalao,
lo coemo de una pata
y lo tiramo al teao.

Se poi dall'ambito infantile o giovanile (riportato nel mio caso da adulti), passiamo agli adulti stessi, ci imbatteremo ad ogni pie sospinto con le manifestazioni giocose della misoginia; si veda ad esempio il paragone, di stampo recente:

A la muhé la comparo
lo mismo que a la cerveza,
que cuando le quito el tapón,
se le va la fortaleza;

o ancora, a spese dell'immancabile suocera:

Todo el mundo tiene una suegra,
yo quisiera tené dooo,
para engancharla en un carro,
y de carretero yooo.

Inutile dire che a monte delle filastrocche (come pure si è ampiamente illustrato per i *refranes*) ci può essere un fattaccio immaginario (o a volte anche realmente avvenuto): così per *Antonio, demonio, mató a su mujer, la hizo morcilla y la puso a vender. / Todo el que pasaba / morcilla compraba. / Yo que pasé morcilla compré*, p. 33. Il mio testo, sotto un nome allusivo scherzoso, aggiunge dei particolari raccapriccianti che coinvolgono l'olfatto:

El tío Chirivita
mató a su mué,
la izo peazillo,
la echó a la zartén.

La ente que pazaba
y olían a carne frita,
y era la mué, del tío Chirivita.

Molto diffuso, quasi un'istituzione, è, o meglio detto era, il "contar mentiras", come si vede in questa filastrocca dalla forma composita che mi è stata riferita, con l'aggiunta al paradosso di una scenetta campestre, più la menzione di un luogo lontano, forse mitico (per la fantasia di un contadino andaluso):

Aora que vamos despacio,
vamos a contar mentira, tralalán,
vamos a contar mentira, tralalán.
Por el mar corre la liebre,
por el monte la sardina, tralalán,
por el monte la sardina.
si quiere, tocino fresco
acabado de sembrar, tralalán,
acabado de sembrar.
empezé a tirarle piedra,
salió el amo del peral, tralalán
--Chiquillo no tire piedra
que no é mío el meloná, tralalán,
que no é mio el meloná,
que é de una pobre viuda
que vive en el Ecorial, tralalán,
que vive en el Ecoriál, tralalán.

La fantasia si sbizzarrisce con nomi e voci inventate, che per il fatto stesso di non corrispondere a un significante reale si prestano all'intervento arbitrario; così per *Aceituna, / macaruna, / pan caliente, / diecinueve y veinte*, che nel libro si cita fra gli "argumentos disparatados", p. 20; nel mio testo: *media luna*, invece di *macaruna* ("come contrazione da *aceituna una, y mejor ninguna*").

Si sbizzarisce specialmente sulla combinazione delle rime: *Teresa pon la mesa, / que viene tu padre / y te corta la cabeza* (si legga *cabeza*), p. 50; il mio testo coincide con il secondo ella collezione:

Teresa pon la mesa,
que viene tu marío
con la pata tiesa.

In un altro riferitomi in Castiglia si sacrifica la rima al parallelismo progressivo:

Teresa pon la mesa,.
Isabel pon el mantel,
María la comida,
Señores a comer.

Viene sostituito poi l'umore paradossale con l'immagine facilmente visualizzabile nell'ambiente rustico; così per l'inesperienza del barbiere:

Pero ¿dónde te han pelado
que las orejas te han dejado?, p. 46,

che si trasforma in dialogo con l'intervento dell'immancabile *borrico*, il somaro:

--¿Quién te ha pelao?
--los borricos a bocao.

La relazione semantica fra i lessemi implicati può differire. A proposito di *Paco, repaco / metido en un saco, / pelando gallinas, / fumando tabaco*, p. 46, che i granadini offrono con due altre interpretazioni alliterative suggerite da *Paco*[9], la variante offertami, e cioè:

Paco, repaco
metido en un saco,
fumando colilla
y tirando tabaco;

ristabilisce il nesso logico fra gli elementi del campo semantico del fumo, *colilla* e *tabaco* invece di *gallinas* e *tabaco*, e viene a coincidere con il ben noto proverbio *allegadora de la ceniza y derramadora de la harina*[10]; per cui, se vo-

[9] Le altre sono "*Paco Pacorro / quítate el gorro, / si no te lo quita, / te rompo las tripas*" p. 45, "*Paco, retaco, / metido en un saco, / las sábanas rotas / y Paco en pelotas*". È inutile dire che *Paco* è uno dei nomignoli di *Francisco* e si presta più degli altri, come *Curro*, alla rima.

[10] Già in G. de Correas, *Vocabulario de refranes y frases proverbiales*, ed. L. Combet, Bordeaux, 1967, p. 80, e vivo tuttora.

lessimo esaminare come un testo "vive nelle varianti", dovremmo dare la preferenza a quello malagheno.

A proposito delle filastrocche sui nomi propri ne aggiungo una del nome *Juana*, che rientra nel secondo tema portante della facezia andalusa, quello delle funzioni fisiologiche che la secolare *bienséance* (da noi più che in Spagna), ed il recente consumismo hanno messo al bando:

Juana,
la curiana
se tira peos por la ventana.

Ciò ci indurrebbe a sollevare la questione sociolinguistica della sede propria di tali testi, ed ancora un'altra che gli autori di *Retahílas y trabalenguas* non si pongono: quella cronologica, della pervivenza reale delle filastrocche e canzoncine tradizionali. Di molte di esse rimane nell'uso generalizzato solo l'esordio (anche se possono riesumarsi dalla memoria collettiva quando vengono citati per intero): così di *Antoñito, huevo frito, / tortilla de bacalao, / tu novia no te quiere / porque estás medio chalao*, p. 31; così pure di *luna lunera / cascabelera, / debajo de la cama tienes la cena,* p. 7, che solo le persone anziane ricordano per intero (e sulle cui varianti ritornerò in altra sede), presso le persone giovani e di mezza età, è vivo semmai l'esordio, *luna lunera / cascabelera*. Gli autori di *Retahílas* potrebbero rifarsi però ai libri di lettura per le scuole elementari che recentemente hanno rimesso in auge il materiale folklorico tradizionale.

In altri casi è il nucleo che si dimostra produttivo (di forme però sempre più stereotipate e scadenti); così il *frito* che abbiamo appena visto sotto *Antoñito*, *huevo frito*, e che gli autori citano nel "piropo", *Mi corazón palpita / como una patata frita* (la forma sentita da me, e mi scuso per la sciatteria: "Mi corazón *palpita* / por un plato de papa frita"[11]), è vivo in tutta una serie di considerazioni sulle novità della moda; ad esempio in "Desde que vino la moda de los vestío amarillos, se parecen las mozitas, papa frita en adobillo", o "Desde que vino la moda de los vestío granate, / se parecen las mozitas, papa frita con tomate".

Vi sono poi altre vie che mantengono in vita le parole iniziali: ad esempio, di *Luis Pitín, copa de caña, copa de anís*, p. 42, permane il nome, che si canta nel gioco del lotto: *Luis Pitín: el uno* ... (o gli altri numeri estratti).

E chi ne ha più ne metta.

[11] A ital. *patata* corrisponde in andaluso *papa*, *batata* alla patata americana.

En torno a los oscuros años últimos de Bartolomé de Torres Naharro

JUAN OLEZA

Isabella d'Este Gonzaga llegó a Roma en un inolvidable viaje, mezcla de placer y de misión política, pero en todo caso imbuído de aquel sentido del triunfo personal que los humanistas habían elaborado en su recuperación de los fastos romanos, en el mes de octubre de 1514: "venne la moglie dello Duca de Mantua in Roma et stette in Roma un mese, et poi andéne in Napoli; gli fu fatto grande honore, come se fussi stata la moglie dello re di Francia", anota S. di Branca Tedallini en su *Diario romano (1485-1524)*[1]. El viaje a Nápoles lo realizó entre el 25 de noviembre y el 23 de diciembre, en que volvió a Roma, ciudad que abandonó finalmente hacia Mantua el 27 de febrero. Durante su estancia en Roma su figura absorbió la atención de magnates, cortesanos y embajadores y dejó tras sí una estela de fiestas y celebraciones. A Marino Sanudo, en su secretaría de Venecia, le llegaba puntualmente la noticia de sus observadores en Roma de que la *marchesana* había asistido a una cacería ofrecida en su honor por el Papa, en la que se movilizaron 3.000 caballos y en que se capturaron 50 ciervos y 20 jabalíes, y así dejó constancia en sus *Diarii* [2]. El 2 de marzo de 1515, al abandonar Roma, el embajador veneciano informó a Sanudo: "la marchexana di Mantoa era partita de Roma per tornar a Mantoa; qual à tenuto quella terra [Roma] in feste, et è stà molto carezata dal Papa e altri cardinali" [3].

¿Fue durante la estancia en Roma, esto es, en noviembre-diciembre de 1514 o enero-febrero de 1515, cuando se representó la *Jacinta* en su honor, como una más de las numerosas representaciones teatrales – entre ellas la de la

[1] A cura di Enea Silvio Piccolomini, en L.A. Muratori, *Rerum Italicarum Scriptores*, vol. XXIII, p. 3.

[2] *I Diarii (1496-1533),* editados por R. Fulin *et al*. Venezia, Fratelli Visentini, 1879-1913, XIX, p. 391.

[3] *Ibid.*, XX.

Calandria – que se le ofrecieron? ¿O tal vez Torres Naharro acompañó a Isabella d'Este a Nápoles, donde fue "molto carezata da quelle raine et da tutti"?[4]. Lo cierto es que Isabella d'Este relató a Bernardo Capiluppo, en carta escrita desde Nápoles y a 8 de diciembre de 1514, que fue invitada por el conde de Claramonte, "figliolo del Principe de Bisignana", a su casa, donde fue recibida en "una sala benissimo aparata" y donde se celebró en su honor un banquete "tanto solenne et bello, quanto alcuno ne sii stato fatto poi partissemo da Mantua". Después de demorarse en los platos servidos y en su presentación, la *marchesana* habla de las invitadas, "infinito numero de signore et contesse", pues señores "no vi erano di sorte alcuna" hasta después de cenar, en que acudieron "infiniti". Comenzó entonces la danza, que transcurrió durante "due o tre hore", y una vez acabada ésta "si recitò una certa Farsetta alla spagnola, qui hebbe assai dil galante, durò circa una hora e meza"[5].

¿Quién pudo ser el autor de esta "farsetta alla spagnola", que no era rústica sino "galante", y cuya duración excedía con mucho a las de las farsas españolas del Renacimiento? Fuera del autor de la *Egloga de Torino*, el valenciano Jerónimo Fenollet, no parece que hubiera ningún poeta dramático español en Nápoles en esos años, y Fenollet había muerto en la batalla de Ravena dos años y medio antes[6]. Claro que podía tratarse de una pieza de circunstancias compuesta, al igual que la *Egloga de Torino*, por cualquier caballero de la corte del virrey Cardona o de la de las Tristes Reinas, pero aún así la duración sería excepcional para una farsa. A la *Jacinta* le convienen la ocasión (el homenaje a Isabella d'Este), las posibilidades del autor (pues bien pudo estar en Nápoles quien unos días antes estaba en Roma), el estilo "alla spagnola" (por sus múltiples referencias a temas hispanos, como el de la persecución de los judíos), la condición de "assai galante" (el leve argumento es una excusa cortés para rendir homenaje a una dama) y hasta la duración (apropiada a la más corta de las comedias de Naharro, con sólo 1307 versos). Aún así se trata de una mera especulación, y no es muy seguro que una espectadora tan culta y tan amante del tea-

[4] *Ibid.*, XIX.

[5] Archivio di Stato di Mantova, Archivio Gonzaga, *Copia lettere di Isabella d'Este*, Envelope 2996, bk 31, fols. 56v-57v. Transcribo directamente del manuscrito. De la carta dio noticia extractada A. Luzio en *Isabella d'Este nei primordi del papato di Leone X*, "Archivio Storico Lombardo", XXXIII, Milano, 1906. Sigo a este estudioso para las fechas del viaje, muy controvertidas en los dietaristas contemporáneos.

[6] Sobre J. Fenollet y la corte española en Nápoles vid. B. Croce, *España en la vida italiana durante el Renacimiento*, versión española de J. Sánchez Rojas, Madrid, Mundo Latino, s.a. (el original italiano del cap. VII, al que hago referencia, es de 1894) y J. Oleza, *La corte, el amor, el teatro y la guerra*, "Edad de oro", V, Madrid, 1986, pp. 149-182.

tro – aunque al mismo tiempo tan frívola – como Isabella d'Este llamara "farsa" o "farsetta" a una pieza que se presentaba dividida en cinco jornadas, por mucho que en el Argumento el rústico la bautizara como "breve comedieta". Sea como fuere, lo que parece indudable es que Torres Naharro escribió la *Jacinta* en homenaje a Isabella d'Este con ocasión de su viaje de 1514-15. Si la representó en Nápoles, bien pudo ser ésa la ocasión de que entrara en contacto con la corte napolitana. El éxito que obtuvo la pieza – si lo obtuvo – le abriría las puertas de los palacios de la nobleza y prepararía el terreno para el posterior desembarco bajo la protección de los Colonna-Avalos.

Entre 1512 y 1516 Torres Naharro se mueve por Roma en busca de beneficios y mecenazgo. Su actividad es más intensa que en todo el resto de su vida, o al menos más notoria socialmente. Comprobamos su presencia en los diversos comentarios sobre asuntos de actualidad: la batalla de Ravena (1512), la recluta de soldados para la Liga Santa (1512), la celebración de la victoria española sobre los venecianos en Vicenza (1513), el viaje de Isabella d'Este a Roma y puede que a Nápoles (1514-1515), la entrada triunfal de León X en Florencia y las subsiguientes vistas de Bolonia (1515), la condolencia por la muerte del Duque de Nájera (1515), la representación de la *Tinellaria* ante el Papa (1515 o 1516), la condolencia por las muertes de Gonzalo Fernández de Córdoba y del rey Fernando (1516).

Son los años en que escribe el grueso de su obra, tanto de la poética como de la dramática: las *Trophea, Jacinta, Tinellaria* y *Soldadesca*, con toda seguridad. Y son los años en que su deambular por Roma le lleva no sólo a rozarse con personajes de gran magnitud sino también a presenciar algunos acontecimientos que marcaron época: la representación romana de la *Calandria,* las fiestas en honor de Isabella d'Este, la expedición pontificia que culminó con la entrada triunfal en Florencia y las vistas de Bolonia, o la celebradísima embajada portuguesa que llegó a Roma en marzo de 1514, encabezada por Tristán de Acuña, Diego Pacheco y Juan Faria, acompañados de un numeroso séquito de nobles, indios y negros, y que traía al Papa junto con el homenaje de la obediencia del rey una suntuosa colección de regalos que los numerosos cronistas y dietaristas que recogieron el hecho se esforzaron tenazmente en valorar[7]. Entre los caballos persas, los gallos de la India, los papagayos, la joven pantera y los

[7] Véanse los diarios de S. di Branca Tedallini, Marino Sanudo, Paridis de Grassis... Un buen resumen se encuentra en la *Vita e pontificato di Leone X* , de G. Roscoe, 12 vols, Milano, 1816 ss. Menos interesada en el relato, aunque siempre bien documentada, es la obra de L. Pastor, *Historia de los Papas desde fines de la Edad Media*, versión al español de la 4ª ed. alemana (la 1ª es de 1886-1932) por R.P. Ramón Ruiz Amado, t. IV, vol. VII, pp. 93-96.

dos leopardos, venía un elefante blanco, de edad de seis años y grande como tres bueyes, que maravilló a la población romana, y que fue capaz de arrodillarse hasta tres veces delante de Su Santidad. El elefante, que fue aposentado lujosamente en Belvedere[8] y confiado a un "custode" con cargo a la nómina del Papa, fue glosado por poetas y embajadores[9], pintado por pintores (entre ellos Rafael) y amargamente llorado a su muerte, acaecida apenas dos años más tarde. La embajada portuguesa prolongó su estancia en Roma durante meses, y aun el día de San Juan el maestro de ceremonias, Paridis de Grassis, anotaba con orgullo en el *Diario di Leone X* [10] haber organizado una nueva recepción de los embajadores por el Papa. En algún momento de esta dilatada estancia los embajadores contemplaron la representación de la *Trophea*, la comedia que Torres Naharro escribió con ocasión de su embajada y en homenaje al rey de Portugal.

Pero si durante estos años Torres Naharro contempló desde la primera fila de espectadores la pompa de la vida en la corte pontificia, y si conoció y fue conocido de las figuras más representativas de aquella corte, resulta desconcertante comprobar cómo ninguno de los numerosos y riquísimos diarios, relaciones, crónicas, historias, que en aquella época se redactaron en la corte, captó un solo momento de la vida de nuestro autor. Nadie juzgó interesante dejar noticia de la fiesta en que se representó la *Tinellaria*, y de las múltiples crónicas que relataron la embajada portuguesa ninguna se detuvo a contemplar la representación de la *Trophea*. Ni la propia Isabella d'Este, en cuya biblioteca figuraba la *Propalladia*, y a quien Torres dedicó su *Jacinta*, y que tan amiga fue de comentar sus relaciones literarias, llegó a notar la presencia de su admirador extremeño. La exasperación del estudioso llega a su límite al comprobar que el curiosísimo Marino Sanuto, o Marín Sanudo, que en sus *Diarii* recoge prolijamente el transcurso de la vida cotidiana de la época, y que colecciona con especial fruición noticias de representaciones teatrales, ni una sola vez menciona a nuestro autor, y ello a pesar de que en su biblioteca particular guardaba tres ediciones sueltas de Torres Naharro: las de la *Aquilana*, la *Soldanescha* [sic] y la *Pontifical* (¿La *Tinellaria* ?)[11].

[8] Branca Tedallini comenta lacónicamente: "voleva ogni mese cento ducati de spese", *op. cit.*, en nota 1.

[9] El embajador veneciano transmite a su superior que "piange come dona" y que "intende due lengue come creatura humana, zoè la portogallese e indiana", Sanudo, *op. cit.* , XVIII, p. 59.

[10] Editado por P. Delicati y M. Armellini, Roma, Tip. della Pace, 1884.

[11] Véase G. Padoan, *La raccolta di testi teatrali di Marin Sanudo*, en *Momenti del Rinascimento veneto*, Padova, Antenore, 1978, pp. 68-93.

Perseguir a Torres Naharro por la Roma de 1515 es como perseguir a un fantasma que va dejando huellas de su paso en los más ilustres salones y entre los más renombrados personajes. Cuanto más se le insta a dejarse ver, más se desvanece. Debió estar allí como si no estuviera, y éste es el único privilegio de los más oscuros servidores. El mismo levantó acta en el *Prohemio* de la *Propalladia*: "Toda mi vida siervo, ordinariamente pobre, y lo que peor es, *ipse semipaganus*". Y en la *Tinellaria* se escucha la lamentación de Escalco: "Toda mi vida serviendo / y pobre ansí como ansí, / parece que van huyendo / los beneficios de mí." (V, vv. 6-9)[12]. En la *Jacinta*, Pagano amplía su desventura hasta identificarla con su destino entero: "Sabrás que desde la cuna, / sin un punto de reposo, / no me acuerdo vez alguna / poderme llamar dichoso". Los agrios comentarios sobre las injusticias de los señores, incapaces de distinguir a los buenos servidores y de recompensarlos adecuadamente, tanto en la *Jacinta* como en la *Tinellaria* o la *Soldadesca,* así como el temor tantas veces expresado por los criados de sus obras a una vejez abandonada a la misericordia pública y al hospital, después de toda una inútil vida de servicios y sacrificios, tal vez expresen en la ficción la muy real angustia de su autor: alguien que se perdió sin rumbo[13] y sin apoyos en el laberinto de la corte más brillante del mundo. Mesinierus Barberius, en la *Epístola* a Jodocus Badius que presenta en sociedad a la *Propalladia* y a su autor, califica de *insperate* su salida de Roma, y Nicolás Antonio insinuó la sospecha, repetida por Moratín, A. Schaeffer y otros, de que acaso fueran sus reiteradas sátiras contra la corte papal la causa de su precipitada fuga y de su busca de amparo en el virreinato español. Menéndez

[12] Todas las citas a textos de Torres Naharro corresponden a la edición de J.E. Gillet, *Propalladia and other Works of Bartolomé de Torres Naharro,* Bryn Mawr, Pennsylvania, 1944-1961, 4 vols.

[13] Es digna de constatación, en este sentido, su incapacidad para establecer relaciones literarias, puesta en evidencia, con acierto, por J.E. Gillet (IV, 1961, pp. 409-11). A fin de cuentas, en aquella corte tan llena de celebridades literarias, e incluso en Nápoles, ¿con quién se relacionó? La lista es tan menguada como mediocre. El protonotario Alonso Hernández, de cuyas rimas se burla en el *Capítulo V*; Hernando Merino, quien evocaría la muerte de Torres Naharro en estrofas de arte mayor "al lector" que acompañan a la edición s.l.a. de la *Aquilana*; el incógnito Mesinierus Barberius; el oscuro Johannes Murconius, que adornó la *Propalladia* con un *hexastichon*...en última instancia, y quizá, Juan del Encina, con el que tal vez se reencontró en la entrada triunfal de Florencia, a la que acudió la Capilla pontificia, de la que formaba parte como "cantore segreto" (C. Terni, *Juan del Encina. L'opera musicale,* Messina-Firenze, D'Anna, 1974). Por supuesto no es el extremeño el único en naufragar en la corte de León X. El número de poetas que la frecuentan superó el centenar, según fuentes contemporáneas, recogidas por L. Pastor (*op. cit.*, VIII, p. 172), de los cuales la mayoría no ha dejado más que el eco de un nombre sumido en el olvido... Tengo mis dudas, sin embargo, sobre que algún otro caso presente la doble condición de una obra de gran envergadura artística y de una vida tan tercamente incógnita.

Pelayo, Gillet, Mazzei, y la mayor parte de los estudiosos han desestimado tal sospecha. Este tipo de sátiras (en la *Jacinta*, en la *Satyra*, en el *Capítulo III*...) era habitual en la época y fácilmente asimilado por la corte. Si hiciera falta una prueba bastaría con recordar que ni siquiera un año después de la supuesta caída en desgracia el Papa le llamaba "dilectus filius" y le concedía el privilegio de venta para el libro donde se contenían las susodichas sátiras, conminando además "con pena de excomunión mayor, amén de buena cuantía de maravedises, a quien turbase a Torres Naharro en la quieta propiedad de sus *elegantes composiciones* o quisiera lucrarse de sus estudios y vigilias"[14].

Gillet llega a arriesgar, tímidamente – como en tantos otros casos de hipótesis lanzadas en las notas y no respaldadas en el estudio, o viceversa, en su monumental edición – que pudo ser un conflicto con el cardenal Santa Cruz – a cuyo azote iría dirigida la *Canción V* – la causa de la partida. Que hubo conflicto o, al menos, desengaño, respecto a Santa Cruz, me parece más que posible, pero en el estado actual de nuestros conocimientos la opinión más ajustada me sigue pareciendo aquella expresada por el polígrafo santanderino: "El descontento de su mala fortuna en las pretensiones que sin duda traía cerca de los curiales romanos, basta para explicar la resolución que tomó de trasladarse a Nápoles"[15]. A mi modo de ver las cosas quien busque las razones de fondo puede encontrar en la ya citada *Satyra* todo un muestrario, culminado con estos tres airados y desgarrados versos: en Roma

> quien fuere el que debe, que muera por ello;
> quien no me creyere, que tal sea d'él:
> al menos me deven la tinta y papel.

Lo cierto es que Torres Naharro encontró en Nápoles una alternativa de supervivencia aquel año de 1517. Como escribe Mesiniero, Naharro era esperado (*expectatus*) en la ciudad del Vesubio. Iba allí para entrar al servicio de uno de los primeros señores – en rango – del reino y aun de toda Italia, Fabricio Colonna, "che vi abitava un bel palazzo, del quale ancora si serba l'arco della porta con gli stemmi nella via di Mezzocannone", comenta Croce. Pero sorprendentemente la nueva vida no dejaría ningún rastro en su obra. Así lo resumió Croce: "Allusioni a Napoli non ve ne sono". Y eso que aquel año de 1517

[14] M. Menéndez Pelayo, *Bartolomé de Torres Naharro y su Propaladia*, en *Estudios y discursos de crítica histórica y literaria,* en *Obras Completas*, Santander, Aldus, 1941, VII, p. 311.

[15] *Ibid.* p. 311.

"aveva veduto in Napoli grandi e storici matrimonii, come quello di Bona Sforza, figlia di Isabella d'Aragona, con Sigismondo re di Polonia, e l'altro della Costanza d'Avalos iuniore col duca d'Amalfi Piccolomini"[16].

De su vida en Nápoles sólo sabemos que imprimió su obra bajo la protección del Pescara y la Colonna en la imprenta – cerca de la iglesia de la Annunziata – de Joan Pasquetto de Sallo, un francés que trabajó en Nápoles entre 1517 y 1520[17], y que más de una vez debió encontrarse con el misterioso Mesinierus Barberius, francés de Orleans, servidor de Belisario Acquaviva, duque de Nerito, compañero de armas del Gran Capitán y humanista que escribió en latín ciertas obras (¿o se las tradujo al latín Barberius?), que hizo después imprimir por el mismo Jean Pasquet[18]. En casa del duque de Nerito, en la del marqués de Pescara, en la de Fabricio Colonna o en la propia imprenta, Naharro debió confesar su admiración por Jodocus Badius Ascensius, y especialmente por los *Familiaria Praenotamenta* con los que introdujo sus ediciones de Terencio, impresas a partir de 1502, y que suministraron al extremeño la información erudita de base para el *Prohemio* de la *Propalladia* y para sus reflexiones sobre poética teatral[19]. Entonces Mesinierus – caso de no haber sido él quien dio a conocer la obra de Badius al extremeño – le revelaría su pasada condición de discípulo de Badius en París, y le propondría encabezar la *Propalladia* con una *Epístola* latina dirigida al insigne impresor y humanista. En aquel ámbito intelectual diseñado por Acquaviva, Barberius y Badius al fondo, Torres Naharro debió recuperar el clima humanista y latinizante de la Universidad de Salamanca en sus años mozos, y tal vez fuera aquí donde surgiera la idea de elaborar el que iba a ser el primer manifiesto teórico de un dramaturgo europeo.

Al entrar al servicio de Fabricio Colonna, debía andar éste por los sesenta bien cumplidos, y arrastraba consigo el prestigio de una de las primeras estirpes romanas y napolitanas, así como el de una carrera de armas jalonada por una cambiante política de *condotta*: a veces a favor y a veces en contra de los reyes de Nápoles, de Alejandro VI, de Julio II, de los reyes Carlos VIII y Luis XII de Francia, hasta que la trocó – juntamente con su inseparable primo Próspero – por una continuada adhesión a los intereses españoles, primero asociado a Gon-

[16] *La "Propalladia" del Torres Naharro,* "Quaderni della Critica", V, n° 15, 1949, p. 80.

[17] Según Croce, Gillet dice que siguió en Nápoles hasta 1524 (*Op. cit.,* I , p. 7, n. 11).

[18] Se trata de un volumen, de 1519, que reúne diversos tratados: *De venatione et de aucupio. De re militari et singulari certamine. De instituendis liberis principium. Paraphrasis in Economicam Aristotelis.* Cfr. J.E. Gillet, *ibid.* I, p. 7, n. 11.

[19] Para la figura de Badius, vid. M.P. Renouard, *Bibliographie des impressions et des oeuvres de Josse Badius Ascensius*, París, 1908, 3 vols.

zalo Fernández de Córdoba y después al virrey Cardona, colaborando en la campaña de recuperación del reino de Nápoles y teniendo parte importante en las batallas de Ceriñola, Garellano o Ravena. Pasó por ser uno de los mejores capitanes de su tiempo, y Fernando el Católico, a quien recibió en Nápoles, y cuyo estandarte portó personalmente, le recompensó con beneficios. Julio II, poco antes de enfadarse con él, le llamó "uno dei liberatori d'Italia", y con León X no fueron ni mejor ni peor las cosas, aunque pasaron por momentos críticos sus relaciones al enfrentarse bélicamente por causa de la herencia del ducado de Urbino. Sus enemigos más constantes fueron, sin embargo, los Orsini, la otra gran familia romana, con la que a lo largo de todo el Renacimiento los Colonna mantuvieron una guerra civil permanente. La figura de Fabricio protagoniza el *De regnandi peritia* de Agostino Nifo, Maquiavelo lo convierte en interlocutor del *Arte della guerra*, y hasta Ariosto lo evoca en el Canto XIV del *Orlando Furioso.* Cuando Torres Naharro llegó a la casa de este imponente señor del Renacimiento era reciente su nombramiento como Gran Condestable de Nápoles. Pero cuando Naharro declara, en la *Dedicatoria* de la *Propalladia*, que sirve al Colonna "con la persona", no está nada claro lo que quiere decir. ¿Entró a formar parte de su servidumbre doméstica, y permaneció la mayor parte del tiempo en Nápoles, o era uno de aquellos cien hombres de armas que sostenía bajo su mando según las *Consulte e bilanci del Viceregno di Napoli dal 1507 al 1533*[20], y viajó por la geografía de Italia entre 1517 y 1520? El 20 de diciembre de 1520 Fabricio Colonna murió en Aversa.

Pero la *Dedicatoria* de la *Propalladia* se hace no al Colonna, sino a su yerno, el Marqués de Pescara, bajo cuya protección se acogen autor y obra. En la *Dedicatoria*, Naharro deja manifestarse, por debajo de los tópicos propios de esta clase de escritos, todo un programa de pensamiento y acción renacentistas, plasmado en sus propias expectativas y en la grandeza del héroe al que se dirige. Este es hombre "de maravillosa fama" e inmejorable linaje, "siendo de los d'Avalos d'España, y de los Aquino de Italia", pero es sobre todo hijo de sus obras, pues "vuestro pensamiento más se funda en començar linaje que en allegar linajes, esperando más gloria de la virtud propia que de la apellativa, y más claridad de sus ojos que de los ajenos". Recuerda Naharro como el Rey Católico le nombró "Capitán General de la infantería española, ganado tan bollicioso, siendo V.S. de edad de XXII años", y hace balance de los méritos del militar: "Porque Italia, señor, os deve mucho, y España más, y Alemaña no menos, y los

[20] *Consulte e bilanci del viceregno di Napoli dal 1507 al 1533.* A cura di Giuseppe Consiglio, Roma, 1983.

vuestros asaz, y los extraños doblado." La voz de Naharro parece tensa de adhesiones cuando culmina su elogio del Pescara: "No tengo por Príncipe al que no os dessea, ni por cavallero al que no os ha imbidia, ni por hombre al que no os ama."

En el momento de dedicarle la *Propalladia* el marqués seguía siendo un hombre joven, de veintisiete o veintiocho años, pero su prestigio le había convertido ya en una de las personalidades más espectaculares de Italia. Sobrino del virrey Cardona y prometido a Victoria Colonna, la hija de Fabricio, cuando los dos tenían apenas tres años, cayó preso en Ravena, y corre la fama que en prisión escribió y dedicó a la que ya era su mujer un *Dialogo d'amore*, hoy perdido. El futuro le depararía, entre muchos otros episodios brillantes, la victoria de Pavía y la prisión del rey de Francia, Francisco I, quien poco más tarde, para atraérselo a su bando, y aprovechando su descontento para con el Emperador, llegó a ofrecerle la corona de Nápoles. En septiembre de 1525 moría el Pescara, y Ariosto le dedicaba un bello epitafio: "Quis jacet hoc gelido sub marmore? Maximus ille Piscator, belli gloria, pacis honor." Paulo Giovio, el biógrafo por excelencia del Renacimiento, compuso su biografía en los albores del reinado de Felipe II[21].

En la época en que Torres Naharro debió llegar a Nápoles el marqués estaba de vuelta en el reino tras la retirada de las tropas españolas del Milanesado. La victoria francesa contra los suizos en Marignano (septiembre de 1515) decidió la ocupación francesa de toda la Lombardía, obligando al Papa a negociar la paz (octubre de 1515) y a Cardona y a Pescara a retirarse hacia las fronteras del reino de Nápoles, aprestándose a defenderlo en Terra di Lavoro y en Puglia. En diciembre de 1515 se entrevistaron León X y Francisco I en Bolonia (con la probable asistencia, entre la servidumbre del Papa, del dramaturgo extremeño), ratificando la paz y sus términos. Poco después, en enero de 1516, moría Fernando de Aragón. Carlos de Borgoña, el nuevo monarca español, firmó entonces con Francisco I de Francia "una pace piu necessaria che honorevole" – según Giovio – en Noyon (agosto de 1516): sus concesiones eran muchas, pero el nuevo rey trataba de ganar tiempo a toda costa. En esta circunstancia debió producirse la llegada de Torres Naharro a Nápoles. Allí estaría el Pescara, una vez licenciadas las tropas, y toda la ciudad conmovida por la paz de Noyon. Las disputas entre los barones angevinos (afrancesados) y la nobleza aragonesa, en las que intervienen muy directamente los Colonna y el Pescara, se saldan con la decisión de enviar a la corte flamenca a un delegado para que se entreviste con

[21] *La vita del signor Don Fernando d'Avalos,* Venezia, 1557.

Carlos. Es elegido el Pescara, quien en mayo de 1516 conduce a su mujer al palacio de Ischia y se dispone a viajar. Sanudo, que sigue con atención todo el asunto, recoge el informe de que el Pescara está de vuelta ya en el mes de septiembre: "dicono aver ottenuto il tutto", escribe el embajador, y según Paulo Giovio, Carlos "con larghissimi privilegi gli confermó il generalato di tutta la fanteria, che già gli aveva fatto Fernando avolo suo". Su regreso a Nápoles "rivolse la città" de tal manera "che fioriva di gloria civile e militare". El Pescara contaba para entonces con la adhesión del pueblo tanto como con la interesada de los barones, e igualaba en "riputatione" y "grandezza" al virrey Cardona.

Entre este retorno, a finales del verano de 1516, y la nueva fase de la guerra contra los franceses, movida por el ahora Emperador Carlos V y por el Papa León X, en el verano de 1521, transcurren cuatro años largos, casi cinco, el período más prolongado de paz que vivió nunca el Pescara, y que constituyeron el ámbito de acogida de Torres Naharro en Nápoles. Sólo una breve interrupción: la que supuso el aplastamiento de la rebelión de Francesco Maria della Rovere, cuando intentó recuperar el ducado de Urbino, a costa de arrojar de él a Lorenzo de' Medici. El episodio bélico se extendió entre enero y septiembre de 1517, pero el Pescara tuvo una actuación meramente puntual y de apoyo en el sitio y rendición de Sora. Una vez acabada la guerra de Urbino volvió a Nápoles, donde "ammaló gravissimamente" de fiebres palúdicas, según Paulo Giovio. Estuvo al borde de la muerte y si curó fue, tras rechazar todo otro remedio, gracias a un "saluberrimo rinfrescamento di latte bevato e di lattugha", cuyas virtudes no duda en ratificar el cronista. Para desgracia nuestra a Giovio no le interesaban los periodos de paz, así que el biógrafo, tan prolijo en los avatares bélicos, pasa como en un suspiro por encima de estos años de paz, y corre a trasladarnos al momento en que Federico Gonzaga, ahora marqués de Mantua, es nombrado capitán general del ejército del Papa, Fernando de Avalos capitán general de la infantería, y Próspero Colonna capitán general de la caballería. Comenzaba una campaña que sólo acabaría, para el marqués de Pescara, con su propia muerte, acaecida en noviembre de 1525.

La *Dedicatoria* de Torres Naharro hace referencia también a "la Señora marquesa Doña Victoria Colonna [...] pues no os faltava otra cosa sino tal mujer como vos hombre." Victoria, hija de un Colonna y de una Montefeltro de Urbino, casó con Avalos el 27 de diciembre de 1509, y con él conformó una de las parejas que el Renacimiento consagró en su mitología. Mientras duró el matrimonio la Colonna vivió fervorosamente dedicada al culto a la imagen heroica del marido y a su propio papel como trompeta de la Fama – poética y biográfica – del mismo. Por entonces frecuenta las fiestas de la corte aragonesa y con su presencia define la vida de los círculos culturales de Nápoles y de Ischia, en los que se relaciona con hombres de letras como el Sannazaro, el Cariteo, Galeazzo di Tassia, Britonio, etc. Se dedica asímismo a la educación de Alfonso del Vasto, primo de Fernando de Avalos, a quien había adoptado como a su hijo, y que con el tiempo derivaría en famoso militar y más famoso aún "dandy" de la época[22]. Cuando sobrevino la muerte del Pescara, en diciembre de 1525, la Colonna experimentó un cambio radical en su vida. Fue entonces cuando inició aquella tan diferente trayectoria que la condujo a convertirse en una de las más respetadas figuras de la reforma de la Iglesia desde dentro de la Iglesia, y a relacionarse con intelectuales reformistas como Sadoleto, Ochino, Reginald Pole o Juan de Valdés, a provocar el fervor de escritores y artistas como Miguel Angel, Ariosto, Ludovico Dolce, Pietro Bembo, Bernardo Tasso, o a mantener una actívísima correspondencia con pontífices y monarcas europeos. Victoria llegaría a convertirse en un personaje público de extraordinaria resonancia y en una de las escritoras más notables del Renacimiento.

Junto a estos personajes de excepcional relieve y en una corte cuya vida galante y ligera quedó plasmada en la anónima *Questión de amor* (1513), que glosara con brillante erudición Benedetto Croce (1894), vivió – no sabemos cuanto tiempo – Bartolomé de Torres Naharro. Si dejaron huella en su vida, se negó a contárnoslo.

J.E. Gillet[23], en su hasta ahora insuperada edición de las obras de Torres Naharro supuso que, tras su estancia en Nápoles, regresó a España, a Sevilla en concreto. Sus argumentos son breves: "The fading of Italian influence and the increasingly frequent allusions to Seville and Andalusie in the *Calamita* and *Aquilana*". Ello ocurriría "before the *Calamita* was printed in the edition of the *Propalladia* that came from Cromberger's press in Sevilla on June, 20, 1520". Y de la alusión a "este condado", que aparece en la *Aquilana* (IV, v. 263), deduce Gillet que pudiera tratarse del condado de Niebla, y que la obra sería una pieza de bodas escrita para su representación en el castillo de Niebla. La sugerencia es atractiva, pero sus bases son debilísimas.

No es nada seguro que la *Calamita* no conociera una redacción anterior a su incorporación a la *Propalladia* de Sevilla, 1520, en la que igualmente hubieran estado presentes las alusiones locales. Y lo mismo puede decirse de la *Aquilana,* cuya primera edición, suelta, puede datarse entre junio de 1520 (en que la edición de Sevilla no la incorpora) y 1524 (en que la edición de Nápoles la in-

[22] G. Morelli, *Galantería y moda en Alfonso d'Avalos, gobernador de Milán,* "Edad de Oro", IX, Madrid, 1990, pp. 195-202.

[23] *Op. cit.*, IV, pp. 412 ss.

corpora por primera vez a la *Propalladia*). Ambas obras pudieran haber sido escritas mucho antes y excluidas por Torres Naharro de la *Propalladia* de 1517. En la *Dedicatoria* de la suelta de la *Tinellaria* (¿1516?) Naharro declaró su voluntad de dar licencia para la imprenta "aunque no a todas, a algunas de mis comedias". No es que yo apoye tal posibilidad: la formulo únicamente para mostrar la fragilidad de la hipótesis de la escritura de estas comedias en Andalucía, en una última etapa de su autor.

Pueden aportarse algunas dudas más al asunto. Por mi parte no comparto en absoluto la idea de una disolución de la influencia italiana en estas comedias: la *Calamita* es justamente la más italianizante de sus comedias. Por otra parte las alusiones locales o son muy opinables (como en el caso del "condado") o no garantizan la presencia del escritor en los lugares aludidos: si fuera así la *Seraphina* debería haberse escrito, con mucha más razón, en Valencia, y sin embargo es poco probable.

La hipótesis más arriesgada de Gillet es la que hace derivar de la edición de la *Propalladia* en Sevilla y en 1520 la estancia del autor en la ciudad andaluza, cuidando de su impresión. Nada sabemos de esta edición[24] si no es la descripción bibliográfica de Hernando Colón. Nunca nadie vio un ejemplar de ella, salvo el hijo del Almirante. A pesar de su meticulosidad, ¿no pudo sufrir una confusión?, ¿no pudo creer impresa en Sevilla la edición de Nápoles de 1524, al igual que han hecho durante siglos los bibliógrafos de la Biblioteca Nacional de Madrid con el ejemplar que transmigró de Moratín a Gayangos, y sobre el que Böhl de Faber anotó: "la impresión presente debe ser la de Sevilla de 1520"? Que no pudo confundirla con ninguna otra posterior es evidente, pues Colón apuntó su adquisición en Valladolid el 13 de noviembre de 1524, y para entonces sólo se habían publicado las dos de Nápoles, en 1517 y 1524 (en febrero) respectivamente, además de la supuesta de Sevilla que compraba el hijo del almirante. Pero ni siquiera es necesario suponer una equivocación del exquisito bibliófilo. Pudo existir esa edición de Sevilla, 1520, pero nadie puede asegurar que Torres Naharro cuidase su impresión y que, por tanto, se hallase en Sevilla al hacerlo. De la misma época es, con toda probabilidad, la edición suelta de la *Aquilana,* sin lugar ni año, que es la primera impresión de esta comedia, y que fue impresa en Roma, en casa de Marcello Silber, *circa* 1520, según reciente

[24] Vid. revisiones bibliográficas actualizadas de esta edición desaparecida en E.J. Norton, *A Descriptive Catalogue of Printing in Spain and Portugal, 1501-1520*, Cambridge, Cambridge University Press, y en C. Griffin, *The Crombergers of Seville. The History of a Printing and Merchant Dynasty*, Oxford, Clarendon Press, 1988.

dictamen de Dennis E. Rhodes sobre el ejemplar del British Museum[25]. Y parece probable que el texto fuera preparado para la imprenta por el propio autor, pues era la primera impresión de esta comedia. ¿Dónde estaba entonces Torres Naharro en ese año de 1520? ¿Continuaba en Nápoles, estaba en Sevilla preparando la segunda edición de la *Propalladia*, estaba en Roma preparando la suelta de *La Aquilana* , se movió de un lugar a otro?

Es mejor, desde mi punto de vista, seguir esperando la aparición afortunada de algún documento relativo a la vida de nuestro autor que especular sobre una hipotética etapa sevillana en la que hubieran sido escritas y representadas las dos últimas (?) comedias.

Menos hipotético parece el año de la muerte de Torres Naharro. Gillet deshizo con razonamiento sólido la sospecha de que murió en Sevilla, entre 1530 y 1531, tras participar en las Justas poéticas fundadas por D. Baltasar del Río, obispo de Escala, sospecha formulada por Menéndez Pelayo. Ni es seguro que las Justas, que no llevan fecha, fueran de 1530, ni que el no comparecer en las de 1531 (las primeras fechadas) sea indicio de su muerte, ni tampoco que Torres necesitase estar en Sevilla para que sus *Coplas* apareciesen publicadas en las Justas, dada su anterior ligazón, durante su estancia en Roma, al obispo de Escala, que bien podía tener en su poder copia de ellas.

Decía Gillet que la edición napolitana de 1524 parece no haber sido revisada por el autor, bien porque estuviese ausente bien porque hubiera muerto. Esto último parece confirmarse en las tres estrofas con que Fernando Merino, supervisor de la edición suelta de la *Aquilana*, se dirige al lector, y en las que alude a la muerte del autor:

> Mas hizo, atajándonos estos primores, [los del autor]
> la notua hidehéreba décima otaua,
> si Láchesis tuerçe y Clotos sacaua

[25] En la última edición, de 1989, de H. Thomas, *Short-Title Catalogue of Books printed in Spain and of Spanish Books printed elsewere in Europe before 1601 now in the British Museum*, Oxford, Oxford University Press, 1921, puede leerse la siguiente descripción de la suelta, renovada, en cuanto a la asignación de impresor y de año posible, por D.E. Rhodes, *Comedia Aquilana [Rome: Marcellus Silber, c. 1520.] 4º.* El propio señor Rhodes tuvo la gentileza de explicarme personalmente las razones de esta nueva descripción, basadas fundamentalmente en la comparación del ejemplar de la British Library con los descritos y estudiados por A. Tinto en su monografía sobre los impresores Silber: *Gli annali tipografici di Eucario e Marcello Silber,* Firenze, Olschki, 1968. De la comparación dedujo el señor Rhodes la atribución de la suelta de Torres Naharro al taller de M. Silber, impresor por otra parte notablemente interesado por el teatro.

que Antropus cortase su vida en dolores[26].

Como esta versión de la *Aquilana* es más antigua que la de Nápoles, 1524, la muerte de Torres – concluía Gillet – se situaría antes de ésta[27].

La investigación de López Prudencio (1934) aportó un expediente de 1826 en el que se hace la historia de la fundación de una capellanía por un tal Bartolomé Sánchez Naharro, en la Torre de Miguel Sexmero, quien en 1521, al otorgar su testamento, estableció una cláusula que rezaba: "Item mando a Juan hijo de Alonso Hernández una viña que yo tengo en el término de esta villa linde con otra viña que le dio Bartolomé Naharro que es difunto". López Prudencio no creyó que este Bartolomé Naharro pudiera ser nuestro autor, pues él suponía, siguiendo a Menéndez Pelayo, que la muerte del poeta había sido muy posterior. Sin embargo, Gillet sí lo creyó, y modificó su primera posición – la muerte habría ocurrido en torno a 1524 –, aceptando la fecha más temprana inferible del documento, 1520. Gillet añadió un argumento filológico a esta hipótesis: según su criterio Torres Naharro no parece haber actuado sobre su obras después de 1520. Si él hubiera estado en España y vivido en agosto de 1524 seguramente no habría dejado reimprimir la *Tinellaria* en Toledo a partir de una versión antigua, que él ya había rectificado en 1517. Y si hubiera vivido en Italia en 1524, difícilmente habría aprobado una edición de la *Propalladia* en Nápoles, sin la *Calamita*, publicada ya en Sevilla, 1520.

Los argumentos de Gillet deben ser hoy reforzados tras el dictamen del señor D.E. Rhodes, del British Museum. Si es cierto, como parece, que la edición suelta de la *Aquilana* fue impresa en Roma, por Marcello Silber, hacia 1520[28], y si en esta edición Fernando Merino da por muerto a Torres Naharro, habrá que concluir por fuerza que ése fue el año, con bastante probabilidad, de su defunción, y que ésta sobrevino mientras preparaba la edición de la comedia, pasado el mes de junio, dejando entonces a Merino como único supervisor de la misma

[26] El sentido de esta estrofa, elaborada a la manera de Juan de Mena, aunque oscuro, parece remitir a la muerte del poeta. La "notua hidhéreba décima otaua" sería la infame hija decimoctava de Erebo, personificación de las Tinieblas infernales, y de su hermana Nox, la Noche, esto es, Tánato, la Muerte. J.E. Gillet (*op. cit.*, I, p. 87) documenta en el *Cancionero* de 1496 de Juan del Encina una referencia mitológica muy semejante, que delimita las funciones de Clotos, Láquesis y Atropos en la vida humana: "Cloto tiene del nacer/ Láquesis tiene tomados/ de la vida los cuydados/ y Antropos del fenecer."

[27] Gillet, *op. cit.*, I, 89, suponía la suelta de *La Aquilana* publicada hacia 1523 o 1524, bastante después de lo que supone Rhodes.

[28] Y antes de junio de 1520 parece difícil, pues de tenerla disponible para entonces la hubiera incorporado a la *Propalladia* de Sevilla de esa fecha, y no lo hizo.

y obligándole a justificar ante el lector, en los versos finales, los posibles errores y la no responsabilidad del autor:

> Sólo te ruego desculpes y dores
> todas las faltas, mentiras y herror,
> y dello no des la culpa al autor,
> mas a la ignorancia de los impressores.

En todo caso, la nueva descripción catalográfica de la edición suelta de *La Aquilana* de la British Library viene a confirmar las sospechas en torno a la muerte en 1520 de Bartolomé de Torres Naharro, a cuestionar la hipótesis de una última etapa sevillana del autor y, finalmente, a replantear la opción que Gillet hizo a favor del texto de *La Aquilana* contenido en la edición de la *Propalladia* de Nápoles, 1524[29], en detrimento de la suelta cuyos ejemplares se conservan, además de en la British Library, en las bibliotecas Ambrosiana y de San Marcos, y que parece la versión más fiable, la más fiel a los designios de su autor. Al final de estas líneas, sin embargo, la figura del poeta de la Torre de Miguel Sexmero, que supo decir premonitoriamente de sí mismo "Soy como una fantasía que passa con el nublado", continúa tan huidiza como siempre, tan esquiva al investigador, que sólo puede aproximarse a ella indirectamente, por medio de tanteos, tratando de aprehender su huella, sus perfiles, el negativo de sus gestos, en la obra que nos legó y en la época que si le dio cabida le negó reconocimiento.

[29] La sigue en esto M. A. Pérez Priego en su edición de la *Obra completa* del extremeño: "para la *Aquilana* adopto el texto de *Propalladia*, Nápoles, 1524, que ofrece el texto definitivo de la comedia, también superior al de la suelta, s. l., s. a., que se conoce" (Madrid, Turner, Biblioteca Castro, 1994, p. XXVI). Claro que Pérez Priego sigue dando por vivo al autor en 1530.

Loas cómicas de Luis Moncín: pervivencia de un género breve a finales del siglo XVIII

EMILIO PALACIOS FERNÁNDEZ

Luis Moncín fue un autor dramático de gran predicamento en los teatros públicos de Madrid en las últimas décadas del XVIII. Sin embargo, los datos que conocemos sobre su intensa biografía son escasos y poco fiables[1]. Parece que nació en Barcelona, en fecha sin determinar, aunque debió abandonar pronto la ciudad condal siguiendo los pasos bohemios de sus progenitores. Su padre, José Moncín, era apuntador de teatro y casó con Josefa Narciso, cómica que sirvió a Madrid como segunda dama hacia mediados de siglo hasta su muerte en 1758.

Parecido camino recorrió nuestro autor. Matrimonió el 14 de febrero de 1756 con la actriz Victoria Ferrer, oriunda de la aldea de Villarejo de Salvanés (Madrid), hermana de un cómico de nombre Felipe y de Guillermo, de profesión violinista. Intentando sobrellevar con mayor dignidad las dificultades económicas de la familia, solicitó a la Junta de Teatros (1758) que le acomodara en alguna de las compañías de la corte. Fue destinado a la de María Hidalgo, en la que también trabajaba su esposa, lo cual levantó las protestas de los compañeros, quedando por esto su protección reducida a una miserable pensión de 6 reales de ración. Sin embargo, estaba firmemente decidido a hacer carrera en el mundo del teatro. Primero ejerció de apuntador, desde abril de 1767, como lo hiciera también su hermano Isidoro (unido en matrimonio a la cómica María A. Hidalgo), en las compañías de Madrid, continuando ambos el ejemplo paterno.

[1] Recordamos las palabras, casi siempre autorizadas, de E. Cotarelo y Mori, *Don Ramón de la Cruz y sus obras. Ensayo biográfico y bibliográfico*, Madrid, Imp. J. Perales y Martínez, 1899, pp. 552-554; y N. Díaz de Escovar, *Añoranzas histriónicas*, Madrid, Ed. Madrid, 1925, pp. 133-136.

Su natural despierto y el contacto directo con los textos poéticos le abrieron el camino del Parnaso. No sabemos con precisión en qué fecha empezó su proyecto como autor dramático, aunque parece que la composición más antigua es la obra titulada *Perder por su tiranía reino, esposa y libertad* (1768). A lo largo de la década siguiente escribió alguna otra comedia, y sobre todo inició su camino en el teatro breve, fórmula en la que lograría éxitos muy sonados en época posterior[2].

Con todo, debió pensar que era más seguro el sueldo del cómico que aventurarse a una carrera literaria incierta en la que existía tanta competencia. En cuanto tuvo la oportunidad de representar algunos papelitos en los coliseos madrileños, amparado por los aplausos del respetable, creyó haber encontrado su verdadera vocación. La cerrada organización de las compañías de la corte impedía, sin embargo, cualquier posibilidad de ascenso en el escalafón sin recorrer el riguroso orden establecido. Tal vez por eso escuchó con agrado en 1779 la llamada del coliseo de Cádiz, una de las plazas más cotizadas dentro de la profesión cómica. En la ciudad andaluza actuó de segundo galán con un sueldo de 20 reales.

Con los aires del sur renació su inspiración poética. Ese mismo año publicaba en Barcelona *España gloriosa por su ilustre hijo*, sonoro poema heroico de 46 octavas escrito en elogio de don Pedro Ceballos, capitán general de los ejércitos y virrey de Buenos Aires[3]. Por la misma época apareció *Thalía*[4], composición poética en la cual, con numen un tanto rastrero, alza su voz para elogiar al conde de O'Reilly, promotor del nuevo coliseo construido en Cádiz. Tampoco abandonó su creación dramática durante el quinquenio en el que residió en esta ciudad. Salieron de su atrevido taller varias comedias, entre ellas *La mujer más vengativa por unos injustos celos* (1782), una de las más recordadas de su largo repertorio, y escribió diversos sainetes, en alguno de los cuales pinta con gracia las costumbres andaluzas como en *El convite al Puerto y el baile en Cádiz* (1780).

Con este bagaje profesional tornó de nuevo a la corte en 1784 como décimo galán de la compañía de Martínez, reducido ahora su pecunio a once reales

[2] Los datos más precisos sobre su producción dramática pueden hallarse en F. Aguilar Piñal, *Bibliografía de Autores Españoles del siglo XVIII*, Madrid, CSIC, 1983, V, pp. 742-760; y J. Herrera Navarro, *Catálogo de Autores Teatrales del siglo XVIII*, Madrid, FUE, 1992, pp. 309-319.

[3] *España gloriosa por su ilustre hijo...*, Barcelona, Pablo Campins, 1779.

[4] *Thalia con metricas voces convoca a Apolo a que cante con su dulce lira los justos debidos Elogios que merece el Exmo. Señor Conde de O Reilly... por el acierto y primor con que por su direccion se ha construido su nuevo Coliseo*, s. l., [Cádiz], Imp. de Juan Ximenez Carreño, s.a.

y medio. Ya bailaba en su cabeza la posibilidad de llevar a los escenarios cortesanos las obras que recibieran con agrado los espectadores gaditanos, y, si la fortuna le sonreía, profundizar en esta carrera dramática, mientras mantenía asegurada la subsistencia con su sueldo como cómico. No se equivocó. El mismo año de su regreso escribió varias comedias, tal vez perfilando viejas ideas que había anotado en fechas anteriores. Una de ellas le abrió el camino definitivo de la fama *La más heroica piedad más noblemente pagada o El elector de Sajonia*, representada por la compañía de Rivera, de la que se hicieron varias ediciones[5]. A partir de entonces, y hasta su muerte, vivirá un intenso idilio con el público madrileño.

Poco a poco la activa personalidad del poeta dramático va oscureciendo la imagen del histrión. Un "Informe reservado" de 15 de marzo de 1788, firmado por Manuel Martínez a la sazón director de una de las compañías de la corte, ofrece una visión muy positiva del dramaturgo catalán:

> Muy pronto al cumplimiento de su obligación: hombre de bien, y de buena conducta. Tiene ingenio y compone comedias, y sainetes. Es casado, y mantiene a la madre de su muger[6].

Para estas fechas ya se había forjado un nombre importante en el panorama del teatro español. De nada sirvieron los envenenados juicios negativos de los críticos neoclásicos que aparecían de manera regular en periódicos de esta tendencia, como el *Memorial Literario.* Moncín cumple con honradez las normas de la poética dramática del estilo popular, sirviendo a un público apasionado al que sabía complacer. No tenía, tal vez, la cultura necesaria para hacer frente a las descalificaciones de sus contrarios.

Sólo en 1788 entró en polémica con el toledano Cándido María Trigueros, apóstol fanático del nuevo estilo, para defender a los actores contra las insidiosas acusaciones vertidas en varios artículos aparecidos en el *Diario de Madrid*[7]. Intentó refutarle en un folleto que llevaba por título *Recurso de fuerza al Tribunal Trigueriano*[8] en el que hacía un canto apasionado de la profesión cómica

[5] Existen al menos tres ediciones: s.l., 1784 (Reseña en el *Memorial Literario*, XI, 1784, p. 120); Madrid, s.i., 1790; Valencia, Joseph y Tomas de Orga, 1797.

[6] Recogido por J. Herrera Navarro, *Catálogo...*, ed. cit., p. 309.

[7] Véase sobre esta polémica la detallada información de F. Aguilar Piñal, *Un escritor ilustrado: Cándido María Trigueros*, Madrid, CSIC, 1987, pp. 293-300.

[8] Recurso de fuerza al Tribunal Trigueriano contra las cartas del Diario, en defensa de los Actores Cómicos, escrito por el mas infimo de los ignorantes, Madrid, s.i., 1788, 32 pp. Reseña en el "Memorial Literario", junio 1788, pp. 146-147.

de la que nuestro hombre se considera portavoz privilegiado en su condición de dramaturgo y actor. Mal recibió el bibliotecario real las aclaraciones y sarcasmos de Moncín. No pudo evitar cerrar la disputa de una manera desairada dedicándole una dura fábula, aparecida también en el *Diario*, bajo el título de "Esopo y el escarabajo" en la que ridiculiza "al mordaz renglonero". A la composición poética acompañaba una larga carta en la que sistematizaba sus opiniones, en contestación a las afirmaciones del actor catalán. Aún tuvo que soportar los duros dicterios de un anónimo que le dirigió una *Respuesta íntegra*[9], menos fundada teóricamente, en cuyo texto aparecen estos versos que hacen una pintura jocosa de nuestro vate:

> Uno de corbatín muy apretado;
> el sombrero calado hasta los ojos,
> su talle, vara y media, y tiene rojos
> sus cabellos, si mal no he reparado.
> Su cuerpo, aunque seguido, muy delgado;
> su nariz perfilada, tiene arrojos
> de querer ser poeta, y, aunque flojos,
> sus pensamientos son de licenciado [...][10]

En 1792 se jubiló como actor, empleando desde entonces todo su tiempo en continuar con ahínco su profesión de dramaturgo. Debió morir en 1801, tal vez después de contemplar con gozo cómo fracasaba la reforma teatral patrocinada por su opositor Moratín.

Se conservan en torno a un centenar de textos dramáticos de Luis Moncín entre comedias y obritas de teatro breve. Como autor de teatro breve escribió loas, sainetes[11] y fines de fiesta que le convirtieron en uno de los autores más sobresalientes en las últimas décadas de siglo. Intentamos rescatar en estas páginas al escritor de loas.

La introdución o loa era un género en declive, aunque su uso se mantiene vigente hasta finales del Setecientos. En el repertorio dieciochesco van graban-

[9] *Respuesta integra hecha con la mayor formalidad por un vecino de Consuegra*, Madrid, Antonio Perez, 1788.

[10] Citado por J. Herrera Navarro, *Catálogo de autores...*, ed. cit. p. 310.

[11] Véase el estudio de H. Richard Falk, "Enlightenment Ideas, Attitudes, and Values in the *Teatro Menor* of Luis Moncín", en AA.VV., *Studies in Eighteenth-Century Spanish Literature and Romanticism in Honor of John Clarkson Dowling*, ed. de D. and L. Jane Barnette, Newark, Juan de la Cuesta, 1985, pp. 77-88.

do su nombre varios dramaturgos ilustres: Lobo[12], Agramont, Zamora, Cañizares, hasta que, mediado el siglo, toma el relevo Ramón de la Cruz, artífice de la serie más nutrida y variada[13]. Entre los autores de loas coetáneos de Moncín merecen especial mención figuras señeras de la dramaturgia popular[14] como Valladares de Sotomayor, Comella, Rodríguez de Arellano o Gaspar Zavala y Zamora[15]. El poeta y novelista arandino dejó constancia de este agotamiento en la loa metaliteraria intitulada *La academia cómica*. El "autor" Luis Navarro afirma "Traigo / ya orden para que no haga / loa". Todos los cómicos al unísono indagan por la procedencia de tal disposición. Y el director responde sin ambages:

> Del público: porque dice
> que es una todos los años,
> sin gracia, sin novedad,
> sin invención [...][16]

El autor se ríe de sí mismo, de la fórmula teatral y hace un guiño al auditorio, que esta vez al menos no se ha aburrido.

El género ofrecía en el Siglo de Oro una mayor riqueza de tipos[17], pero su uso se fue reduciendo según avanzaba la centuria ilustrada. Las loas religiosas (sacramentales, marianas, hagiográficas...) sucumbieron con la prohibición del teatro religioso. Sólo pervivián con más vigor dos fórmulas: la loa cortesana y la cómica. La primera, de carácter alegórico, tenía como fin celebrar los cumpleaños del rey y de la reina, lo cual se hacía ritualmente todos los años. Ocasionalmente se utilizaba para conmemorar otros hechos cortesanos (natalicios, bodas...) o políticos (paces...).

[12] *Vid.* I. Arellano, "*El triunfo de las mujeres*, loa mariana y sacra del poeta dieciochesco Eugenio Gerardo Lobo. (Materiales para el estudio del género y su evolución), *Criticón*, 55 (1992), pp. 141-161.

[13] Todavía sigue siendo válido, aunque incompleto, el estudio de E. Cotarelo y Mori en *Colección de entremeses, loas, bailes, jácaras y mojigangas desde fines del XVI a mediados del XVIII*, Madrid, Ed. Bailly-Baillière, 1911, 2 vols.

[14] No olvido las notas de J. Subirá, *Loas escénicas desde mediados del siglo XVIII*, "Segismundo", 7-8 (1968), pp. 73-94.

[15] R. Fernández Cabezón, *Las loas de Gaspar Zavala y Zamora*, "Boletín de la Biblioteca Menéndez Pelayo", LXV (1989), pp. 191-203.

[16] Cit. en *ídem.*, p. 201.

[17] El estudio más completo sobre la vida de este género en el Siglo de Oro sigue siendo el de J.-L. Flecniakoska, *La loa*, Madrid, SGEL, 1975.

La loa cómica servía para abrir la temporada teatral de cada una de las compañías de los coliseos madrileños. Cotarelo la denomina "loa de presentación de compañías". Sólo los teatros de la corte podían permitirse el lujo de tener a dramaturgos a su servicio para solventar estas necesidades de organización. Algunos autores solucionaron este problema en el pasado con piezas en las que se evitaban los datos particulares sobre las compañías para que pudieran tener un uso más generalizado como la de Felipe Sánchez *Loa famosa para cualquier fiesta* (1675). Los teatros provincianos emplearon estas loas de manera eventual. Muchas de estas obritas llevan el título genérico de "Loa para dar principio a la temporada" de la compañía pertinente, porque tal era su finalidad básica. Ya era una fórmula consagrada desde mediados del XVII, para el domingo de Resurrección. Si por alguna circunstancia extraña se habían producido cambios en la constitución de la compañía, antes de iniciar con el otoño el segundo período cómico una nueva loa podía dar razón de las novedades.

La loa cómica admite una mayor variedad de recursos formales y temáticos que la cortesana. Predominan las que hacen una simple presentación personalizada de los componentes de la compañía. El poeta idea una leve urdimbre dramática, un breve guión argumental, para animar el festejo. Suelen ser muy interesantes porque permiten conocer las costumbres teatrales. El recurso estructural del teatro dentro del teatro es una gran novedad formal[18]. La vida de los cómicos y su agitado mundo se convierten en espectáculo para el público deseoso de conocer un ambiente que ellos observaban con interés. A veces la acción recordaba la presencia de algún cómico famoso que era nuevo en la compañía. Entonces la fábula giraba en torno a su ilustre persona como ocurre en la loa anónima *Loa para presentarse al público del teatro de Madrid el barba Joaquín de Luna y de sobresaliente su hija* (1787). En todo caso, esta especie de obras buscaban una doble finalidad: por un lado, informaban de la composición de la compañía; y por otro, intentaban ganarse la benevolencia del respetable.

Sólo de manera ocasional fueron empleadas para dar solemnidad a algún festejo teatral. Podríamos recordar las dos que compuso Ramón de la Cruz para el estreno de las obras neoclásicas del concurso dramático de 1784, o la que el

[18] Hay antecedentes en épocas anteriores como señala J.L. Flecniakoska, "La loa comme source pour la connaissance des rapports troupe-public", en AA.VV., *Dramaturge et Societé au XVIe et XVIIe siècles"*, Paris, CNRS, 1968, pp. 111-116. También el sainete se utilizaba con el mismo fin, como demostró M. Coulon en "El sainete de costumbres teatrales en la época de Don Ramón de la Cruz", en AA.VV., *El teatro menor en España a partir del siglo XVI*, Madrid, CSIC, 1983, pp. 235-247.

año anterior abrió la representación de la tragedia *Fedra*, versión de la obra homónima de Racine, traducida por Pablo de Olavide.

Luis Moncín escribió al menos ocho loas que se conservan manuscritas e inéditas en la Biblioteca Municipal de Madrid. Seis pertenecen a la modalidad de las cortesanas, destinadas a la celebración de la onomástica del monarca o de su augusta consorte: *Carlos III aplaudido en el templo de la fama* (1788), *Las virtudes son su trono* (1792), *Madrid aplaude a su reina* (1793), *La mayor reina es Luisa* (1795), *Marte desarmado por la Paz* (1795), *El Rey es sol en su reino* (1797)[19]. Las dos restantes sirvieron para abrir distintas temporadas teatrales: *La despedida de la Victoria Ferrer* (1794) y *La nueva compañía de Luis Navarro* (1795)[20]. Estudio éstas en las páginas que siguen.

Moncín se encontraba más a gusto escribiendo loas cómicas, pues pintaban un ambiente que él conocía de manera personal y que le siguió siendo próximo cuando reorientó su carrera hacia la creación dramática. No le faltaban conocimientos ni tampoco cariño hacia esta profesión a la que defendió con empeño. Tal vez por eso las pinturas de las costumbres teatrales no podían estar nunca marcadas por la descalificación que podemos encontrar en otros poetas ajenos a la farándula.

Con gran entrega, aunque también con un deje de tristeza, escribió en 1794 *La despedida de la Victoria Ferrer* con motivo de la jubilación de su querida esposa[21]. La cómica era, tal como dejamos dicho, segunda dama de la compañía de Eusebio Rivera. Esta obra reúne las características propias de la loa cómica. Esboza una breve fábula que principia en la calle ("mutacion de calle corta"), lugar en el que discuten el gracioso Querol y el barba Torre, ya que éste se niega a acudir al ensayo a pesar del requerimiento del autor y del galán. El viejo alega que no podrán asistir a los toros, lo cual molestará a la compañía porque

[19] Las estudio en un artículo complementario del presente que lleva por título: *Loas cortesanas de Luis Moncín, actor y autor dramático catalán del siglo XVIII*, en "Teatro español del siglo XVIII", (J.M. Sala Valldaura ed.), *Actas del Congreso Internacional* celebrado en la Universidad de Lleida en octubre de 1994, Lleida, Universitat, 1996, vol. 2, pp. 653-686.

[20] Aguilar Piñal recoge en su repertorio una loa cómica que no he conseguido identificar: *Loa para la compañía de Eusebio Rivera*. Año 1789. (*Bibliografía de autores...*, ed. cit., V, p. 751, nº 5296). La correspondiente a este año en la BHM de Madrid no tiene nombre de autor (y corresponde también a una signatura distinta 1-186-68 N). Sin embargo, la recogida bajo la signatura que anota (1-186-67 P) pertenece al año 1793.

[21] *La Despedida de la Victoria*. Yntroduccion para que en la Compaª de Eusebio Rivera se presente la Segunda Dama en ella y el Sr. Joaquin Doblado su marido, escrita por Luis Moncin en Madrid año de 1794. Portada y 10 pp. (308 versos), sin paginar. (BHM Madrid, 1-184-8). Son tres copias, una de ellas con las censuras firmadas por el inquisidor Lorenzo Igual de Soria, fray José Puerta Polanco, vicario del convento de la Victoria, y el corrector Santos Díez González.

"hay muchos / aficionados a verlos". Dirigen sus pasos hacia la casa del autor, lugar en el que realizaban el ensayo, en busca de una justificación para esta llamada intempestiva.

La loa cómica va descubriendo ante los curiosos ojos del espectador asuntos concernientes a la profesión histriónica. Ya han llegado a la sala de ensayo, en la que platican las mujeres y el galán acerca de los problemas de la compañía. La graciosa lamenta de la tardanza de sus compañeros.

La llegada de los varones detiene de momento las quejas. El gracioso sigue empeñado en pedir explicaciones que pronto las recibe de boca del galán: es necesario cambiar la comedia que iban a representar en la función de la tarde. Para justificar el imprevisto lee un billete en el que Victoria Ferrer pide ser relevada de su servicio a la compañía. La noticia siembra el desconcierto, que provoca los comentarios más diversos. El gracioso segundo se ofrece burlón para desempeñar el femenil personaje; su colega primero adereza su reflexión antifeminista ("en mujer / busca usted proceder bueno!"), que recibe la instantánea censura de la dama. La aparición de Victoria sirve para despejar las dudas. Los compañeros le reprochan que deje de servir a un público a quien debe tantos agradecimientos. La crítica termina cuando les comunica que tiene una sustituta. El galán, la dama y la dimisionaria presentan a la nueva, que dice estar turbada y temerosa. En un largo parlamento declara ésta su vocación de servicio al público madrileño. Su marido Joaquín Doblado, que también iniciaba su carrera en la compañía como tercero y sobresaliente, bajo la protección de los dos graciosos, expresa parecidas emociones. Hechas las presentaciones, deciden que a la tarde representarán *La cisma de Inglaterra* de Calderón.

A pesar de la levedad del argumento, la introducción ha servido para informar al respetable de las novedades de la compañía. La pequeña fábula convierte a esta pieza en "loa asainetada" con tema metateatral similar a numerosos sainetes de la época que desarrollan este mismo motivo. Los cómicos aparecen como personajes reales en su medio natural. Al mismo tiempo mantienen los estereotipos que los definen como tipos teatrales. Tal observamos en la incruenta confrontación que mantienen al comienzo del relato el barba y el gracioso. A cada uno se le exige un comportamiento acorde con su personalidad tópica. En estos términos defiende el gracioso su identidad, cuando le acusen de decir desvergüenzas:

> [...] Yo
> soy gracioso y puedo hacerlo,
> pero usted no, porque es barba
> y debe ser por lo mesmo

muy machucho, muy mirado,
muy grave, y muy circunspecto.

En esta obrita, que está escrita expresamente para la compañía de Rivera, el peso de la acción recae sobre el gracioso Mariano Querol, quien, amén de empedernido jugador, fue destacado actor cómico llegado a Madrid en 1780, después de servir en la ciudad de Cádiz.

Recoge Moncín con precisión profesional gran parte de los tópicos habituales en la loa cómica: costumbres de la compañía, el temor de los nuevos, la vocación de servicio al público, la petición de disculpas por los posibles errores... En la boca prestigiada de la primera dama expresa el sentir general de servir a Madrid en las palabras finales.

Lo más interesante del lenguaje literario nace en el discurso del gracioso. Utiliza un discurso desvergonzado y chispeante en el que caben juegos de palabras, concatenaciones, chistes, imprecaciones... Este comportamiento forma parte de su idiosincrasia, según él mismo reconoce en algún lugar. El uso del romance (rima en é-o) responde a los usos habituales.

Para que la compañía de Luis Navarro iniciara la temporada teatral de 1795, redactó el dramaturgo catalán la loa que lleva por título *La nueva compañía de Luis Navarro*, por la que cobró 500 reales[22]. Un cuatro con agudos sones militares inicia la representación que se desarrolla en un salón largo presidido por una bandera con las armas de Madrid[23]. Están en escena todos los componentes del grupo, salvo los primeros y los nuevos. El gracioso Querol alborota a la concurrencia intentando hacerles creer que están en un cuartel, preparándose para la guerra. Con la llegada del galán Manuel García y la primera dama Rita Luna aclaran las pretensiones del desmandado gracioso. Quiere, ya que no pueden ayudar a la nación de otra manera, que todos sirvan en el ejército: el galán de capitán, el segundo de teniente... y el barba, como persona experimentada, de sargento mayor. Todos le acusan de haber perdido la chaveta. Sin embargo, el galán propone seguir la humorada para que no se enfade, a lo que todos asienten.

[22] *La nueva compañia*. Loa con que ha de empezar la Compañía de Luis Navarro en Madrid. Año de 1795. Portada y 13 pp., sin numerar. En este ejemplar no incluye el nombre del autor, aunque aparece en el segundo ("Escrita por Luis Moncín") de los tres existentes, que es también en el que constan las censuras (inquisidor Lorenzo Igual de Soria, censor José Puerta Polanco, y corrector Santos Díez González). (BHM. Madrid, 1-186-67-J).

[23] José Subirá describe esta composición musical en "El cuatro escénico español: sus antecedentes, evoluciones y desintegración", en *Miscelánea en Homenaje de Mons. Higinio Anglés*, Barcelona, 1961.

El descocado proyectista agradece en especial la colaboración militar de las damas, ya que no habrá quien pueda "hacer resistencia / a un escuadrón de mujeres / pudiendo cualquiera de ellas / matar muchos hombres". La experiencia de las mujeres guerreras en el teatro no era razón suficiente para que se diluyeran sus recelos. Reparte luego otros puestos para el gracioso segundo, graciosa ("Polonia [Rochel] Tambora")... y para el vejete, le cuadra bien el empleo de clarinete, aunque no sea más que por cosas de la rima.

Mediada la representación, el hasta ahora alocado gracioso comienza a reordenar su discurso. Las victorias de este ejército cómico han de ser en la plaza de Madrid:

> Las conquistas que en Madrid
> quiero que vms. Emprendan
> son las del gusto, el agrado
> de un público que se esmera
> en fomentarnos y honrarnos
> con su continua asistencia.
>
> Y ha de ser a costa de
> las fatigas y tareas,
> de la aplicación y estudio,
> porque en nuestro esmero vea
> que aspiramos siempre humildes
> a su mayor complacencia.

Estas palabras le permiten recuperar el juicio a los ojos de sus compañeros. Él mismo reconoce que ha pretendido utilizar "la metáfora de guerra" para que todos lo entendieran mejor. Ahora esta tropa militar/cómica se dispone a servir a Madrid. La loa retoma de nuevo el camino del elogio: a los munícipes que fomentan el teatro, al "respetable congreso" que asiste a la "diversión honesta" para que encuentre descanso del "trabajo y el estudio".

Aclaradas las cosas, los cómicos manifiestan su voluntad de servicio de manera individualizada, siguiendo para ello el orden de prelación establecido. La primera dama, la bella Rita Luna, promete al público utilizar su experiencia con humildad, y hacer entrega de "mi amor y mi fineza", y "pues yo soy toda tuya / que tú todo mío seas". Los inquietos habitantes del patio la escucharían con hondo desasosiego. El galán, Manuel García, expresa el mismo rendimiento y servicio, dirigiendo su vista a las autoridades municipales, o un poco más abajo a las damas de la revuelta cazuela. El gracioso, en cuanto director de la presentación, ve que con tales discursos "la dichosa loa dura hasta Carnestolendas": es la hora de que se presenten los nuevos.

El gracioso introduce a la segunda Gabriela Laporta, quien, temerosa y avergonzada, promete esforzarse para agradar al público de Madrid. El barba Antonio Pinto descubre su temor y desconfianza ante la nueva empresa, aunque sabe que encontrará perenne comprensión. Antonia Orozco, sexta dama, que procede de la otra compañía de la corte, y Luis Cortina prometen deleitar al público con sus tonadillas. Concluye la relación el propio Luis Navarro, nuevo autor y sobresaliente, que provenía de Cádiz, y que se presenta ante el público madrileño con un entonado discurso en octavas reales: su objetivo es "servirte atento, fino y humillado". Todos le dan una cordial bienvenida y anuncian que la primera obra que pondrán en escena será la conocida comedia de Calderón de la Barca *Casa con dos puertas, mala es de guardar* (1629). El cuadro escénico cierra este prólogo dramático.

La nueva compañía es una composición algo más enrevesada de lo habitual. La larga extensión (494 versos) y la estructura compleja la acercan al simple sainete metateatral, si no fuera porque el tema y las referencias textuales nos demuestran lo contrario. La acción gira en torno a la figura del gracioso que es el hilo que sustenta la fábula. El autor explota la enorme personalidad de Mariano Querol, un cómico muy del agrado del respetable, para escribir la obrita en lucimiento del mismo.

La obra tiene a una estructura bimembre. En la primera parte, algo disparatada y de lenguaje más humorístico, el loco-gracioso compara a la compañía con una tropa militar. La jocosa alegoría de la vida castrense proyecta sobre el grupo cómico las mismas cualidades de rigidez en la organización y en la disciplina cuartelaria, si alguna vez la hubo entre los cómicos. El gracioso dice que habla en lenguaje figurado, ya "que a un gracioso no es negado / que metáforas entienda."

Pero, una vez aclarado que este ejército ha de servir a Madrid, el relato vuelve a la realidad cómica y se convierte en el vehículo típico de la loa metateatral. Algunas noticias son comunes al mundo de los actores: la estructura de la compañía, la tópica pobreza de los cómicos ("dinero no lo tenemos, / repetidas experiencias / mercaderes y artesanos / tienen de nuestra miseria"), definición de los caracteres de algunos personajes. Sin embargo, la mayor parte son informaciones que atañen exclusivamente a la compañía que representa la loa. Nos trasmite datos personales de sus componentes (Querol tiene mujer y cuatro hijos), la muerte del barba o el lugar de procedencia de los nuevos. El texto insiste, sobre todo, en los tópicos habituales de servicio al público. Emplea a veces una adulación grosera, busca ser cómplice en la diversión de los apasionados. De aquí derivan las concesiones humorísticas y también eróticas, que procuró borrar la atenta censura[24].

El estilo queda marcado por la acción predominante del gracioso. Salvo las metáforas militares de la primera parte, el lenguaje de la segunda se llena de los recursos habituales del personaje cómico: chistes, dobles sentidos, habla coloquial y vulgarismos, donde el autor utiliza a fondo la retórica del humor. La introducción está escrita en romance octosílabo (rima é-a), salvo el parlamento final del autor, a quien para subrayar su función al frente de la compañía se le hace hablar con lenguaje más pomposo y en dos sonoras octavas reales, métrica poco usual en los prólogos.

Las loas cómicas o "de presentación de compañía" siguen siendo en el siglo XVIII la fórmula de mayor consistencia de cuantas practicaron en el pasado nuestros poetas dramáticos. Poseen un argumento más desarrollado que las aproximan a otros subgéneros del teatro breve. Las escritas por Luis Moncín resultan similares a otras coetáneas. Todas son metateatrales, pues cuentan aspectos de la vida de los cómicos, o de la composición de la compañía a la cual iban destinadas. Tal vez debamos destacar el respeto y cariño profesional con que el poeta y actor catalán trata a sus compañeros de profesión.

El discurso de la loa cómica recoge toda una serie de tópicos de larga andadura, que se isertan en una fábula muy elemental. Se alaba a la ciudad (noble, grande, leal, ilustre Madrid) y a sus dignas autoridades que promueven la honesta diversión dramática, costumbre ya consagrada en el teatro breve de Agustín de Rojas. Pero importa de manera especial ganarse la voluntad del "respetable congreso". A él van dirigidos elogios entusiastas por su constante presencia y entrega, recordando en especial a las damas de la cazuela. No olvida pedir generosidad para que comprenda y perdone los inevitables errores que se deslizarán en las representaciones ("nobles piedades", "piedad y prudencia", benignidad...), adoptando ante el público una actitud humilde. Para evitarlas prometen aplicación y estudio. Hay un empleo abusivo del lenguaje laudatorio, de la retórica del panegírico, que acaba resumiéndose en la tópica fórmula de "servir a Madrid", la que más reiteradamente resuena en boca de los cómicos. Un servicio que busca ser leal, afectuoso, rendido, para responder con justicia a los favores que el público le hace.

[24] En tres lugares del manuscrito hay versos censurados, todos ellos en referencias ligeras a la mujer: las señoras prisioneras, las guerras de Venus y en especial aquellos que dicen: "Y es fuerza tener contenta / a la mujer que regala, / porque si así no lo hicieran / mil zánganos en Madrid / sé yo bien que no comieran."

Aparecen otros tópicos consagrados por los usos tradionales: la actitud temerosa de los nuevos ("temor y vergüenza, "turbado y confuso"...), o el concluir la loa anunciando la comedia que representarán a continuación, como si el público no estuviera enterado de la misma por medio de los cartelones que las anunciaban.

El estilo de la loa cómica es menos retórico, más llano y natural que el de la cortesana. La presencia reiterada del gracioso justifica la abundancia del lenguaje humorístico o coloquial. El romance octosílabo es la métrica que se utiliza en exclusiva. La escenografía resulta sencilla y de carácter realista. No parece necesaria la presencia de la música que adornaba con mayor asiduidad las loas cortesanas, aunque también podía utilizarse.

Moncín escribe las loas cómicas o de presentación de compañía con sumo cariño. Indaga en un espacio que le era propio, que él vivió apasionadamente. Estas introducciones se mueven dentro de los esquemas habituales de un género desgastado por un uso más que centenario. El poeta catalán, hombre de "prodigiosa economía y frugalidad" como lo pinta Ramón de la Cruz en el sainete *El convite de Martínez* (1784), fue un auténtico hombre de teatro en su condición de apuntador, cómico y dramaturgo.

“Dejadme entrar... si no a dar voto, a dar voces”

Alcuni aspetti della dinamica proairetica in Fuente Ovejuna *di Lope de Vega*

INORIA PEPE SARNO

Strettamente connesso alle funzioni proairetiche del discorso è il problema che riguarda i luoghi nei quali s’iscrivono le vicende drammatiche. Naturalmente si tratta di un problema collegato soprattutto alla scansione delle scene oltre che alle didascalie che indicano gli spazi nei quali avvengono. Pur prescindendo dalle indicazioni, sia pure ridotte, che precedono ogni scena e che con molta probabilità non fanno parte dell’assetto originario dell’opera, ma sono frutto di interventi di editori ottocenteschi, è abbastanza agevole, attraverso le indicazioni interne al testo, individuare i luoghi nei quali le azioni si verificano, visto che “il parlante drammatico si presenta in prima istanza come Io-qui”[1]. Un attento sondaggio della deissi spaziale quale si articola nel corso del dramma, può concorrere, a mio avviso, a completare il senso di ogni singola azione che vi si sviluppa. Cercherò, quindi, di rintracciare nel dramma quella “modalità di discorso che deve mettere in relazione i diversi livelli temporali in atto con la presenza immediata del parlante in uno spazio rigorosamente delimitato: l’“ora” del discorso registra l’attimo di questa presenza “spaziale”[2].

Forse il ricorso a una formalizzazione di tipo narratologico[3] può essere di qualche aiuto nell’individuare i termini del problema, almeno per quanto ri-

[1] K. Elam, *Semiotica del teatro*, Bologna, Il Mulino, 1988, p. 47.

[2] *Ibidem*, p. 147.

[3] Per quanto riguarda l’ampio dibattito, tuttora in corso, sugli strumenti di analisi del testo drammatico, oltre al già citato volume di Elam, specialmente il cap. V, *Discorso drammatico*, cfr. AA.VV., *Come comunica il teatro: dal testo alla scena*, Milano, Il Formichiere, 1978; AA.VV., *La semiotica e il doppio teatrale*, a cura di G. Ferroni, Napoli, Liguori, 1981; AA.VV., *Interazione, dialogo, convenzione. Il caso del testo drammatico*, Bologna, Clueb, 1983; AA.VV., *Le forme del teatro. Saggi sul teatro elisabettiano e della Restaurazione,* a cura di P. Faini e V. Papetti, Roma, Terza Università, Dipartimento di Letterature Comparate, 1994; M. De Marinis, *Semiotica*

guarda i primi due atti dell'opera, mentre per il terzo atto mi soffermerò sulle scene iniziali, indugiando in un esame più puntuale. L'azione del dramma, dunque, si svolge fra spazi aperti e spazi chiusi.

Sono spazi aperti:

-la piazza di Fuente Ovejuna;

-la campagna nei pressi di Fuente Ovejuna;

-lo spazio antistante la Casa de la Encomienda a Fuente Ovejuna, residenza del Comendador di Calatrava.

Sono spazi chiusi:

-il salone della Casa de la Encomienda a Almagro, residenza del Maestre di Calatrava;

-la Casa de la Encomienda di Fuente Ovejuna, residenza del Comendador;

-il salone della reggia dei Re Cattolici;

-la casa del Regidor;

-la sede delle riunioni della Junta di Fuente Ovejuna;

-l'accampamento della Regina.

Ora, gli spazi aperti di Fuente Ovejuna adempiono alla funzione di luogo d'incontro dei vari membri della comunità: là convergono Pascuala e Laurencia; Frondoso e la stessa Laurencia; là i contadini discutono dell'astrologia, dell'amore e della stampa con Barrildo; nella piazza avviene il colloquio fra Esteban e gli altri.

Gli spazi chiusi sono destinati invece alle più alte gerarchie sociali, Comendador e Maestre, o rappresentano i luoghi del potere, dove si prendono decisioni. Nel salone della Encomienda avviene l'incontro fra Comendador e Maestre e la decisione di parteggiare per i ribelli alla Corona; nella reggia i Re ricevono le lamentele di Flores e poi la resa del Maestre; nella casa del Regidor si stabilisce il matrimonio di Laurencia e Frondoso; e nella sede della Junta i rappresentanti del popolo discutono sulle misure da adottare contro i soprusi del Comendador.

Si possono identificare questi spazi, con una prima coppia oppositiva, aperto/chiuso, cui immediatamente si può affiancarne un'altra popolo/nobili in

del teatro, l'analisi testuale dello spettacolo, Milano, Bompiani, 1982; J. Lotman, *Semiotica della scena,* in "Strumenti Critici" (44) pp. 1-29; C. Segre, *Le strutture e il tempo*, Torino, Einaudi, 1974, in particolare le pp. 253-274 dedicate a *La funzione del linguaggio nell'Acte sans paroles di Samuel Beckett*; Id., *Teatro e romanzo,* Torino, Einaudi, 1984. Per un'analisi di tipo semiologico di *Fuente Ovejuna*, cfr. l'edizione curata da M. G. Profeti (Madrid, Cupsa, 1978) la quale, però, non affronta il problema del quale mi occupo in queste pagine. Non mi è stato possibile consultare la recente edizione di *Fuente Ovejuna* curata da D. Mc Grady e N. Salomon, Madrid, Biblioteca Clásica, 1993.

quanto le azioni che si svolgono all'aperto sono di pertinenza dei contadini di Fuente Ovejuna, mentre quelle al chiuso sono prerogativa dei nobili, almeno nei primi due atti. Ne consegue una terza coppia, non potere/potere, evidentemente collegata alla seconda, almeno nei primi due atti. Per il I e II atto potremmo perciò formalizzare queste differenti funzioni così:

aperto chiuso
popolo nobili
non potere potere

Ora, quando ogni membro appartenente all'uno o all'altro gruppo delle coppie oppositive si muove nel proprio ambito, l'azione si sviluppa senza sconvolgimenti traumatici. Al contrario, ogni volta che un personaggio cui è assegnato un certo spazio, passa a quello opposto, attua una violazione che scatena tensioni tali da preludere al dramma.

Nei primi due atti gli spazi chiusi destinati ai nobili o alle decisioni non vengono mai violati dai contadini, nonostante il tentativo, messo in atto dal Comendador, attraverso Flores e Ortuño, di costringere Pascuala e Laurencia a entrare nella Casa de la Encomienda; il tentativo non trova compimento per la caparbia reazione delle due ragazze.

Negli stessi primi due atti, la violazione dello spazio aperto riservato ai contadini di Fuente Ovejuna, si attua sempre ad opera del Comendador ed ogni volta la situazione che si crea è sul punto di sfociare in tragedia. È il caso che si presenta quando il Comendador, presso il fiume, cerca di sedurre Laurencia e provoca la reazione di Frondoso che, impossessatosi della balestra gliela punta contro il petto. Oppure quando, finiti i festeggiamenti e la presentazione dei doni da parte della popolazione, per celebrare il ritorno vittorioso del Comendador da Ciudad Real, i contadini si ritirano e il Comendador cerca di far entrare Laurencia e Pascuala nella sua casa e di chiudere le porte nel tentativo di indurle a commettere, a loro volta, la violazione dello spazio loro assegnato. Ancora una volta è il Comendador a valicare lo spazio riservato al popolo recandosi nella piazza di Fuente Ovejuna dove si trovano l'Alcalde e Esteban, concludendo l'incontro con l'imperiosa cacciata dei due dalla piazza, cioè dallo spazio loro riservato. Ma il momento di maggior tensione provocato proprio da questa infrazione si crea quando, alla fine del II atto, il Comendador irrompendo nella piazza dove si celebra il matrimonio di Frondoso e Laurencia, ne impedisce la prosecuzione e fa imprigionare Frondoso e bastonare Esteban.

La situazione dei primi due atti potrebbe perciò formalizzarsi così:

aperto chiuso
popolo ⟸ nobili
non potere potere

dove la punta della freccia sta a indicare la violazione di una norma di comportamento che viene portata a compimento soltanto dal Comendador.

Nel III atto, la situazione cambia radicalmente. Nelle prime due scene, i rappresentanti della popolazione di Fuente Ovejuna nella sala della Junta tergiversano sul modo di opporsi alle angherie del Comendador. Contro le ultime cautele di Mengo "Mirad señores / que vais en estas cosas con recelo / puesto que por los simples labradores / estoy aquí, que más injurias pasan, / más cuerdo represento sus temores" (vv. 1703-07)[4], Juan sembra voler rompere gli indugi con un atto direttivo: "A la venganza vamos", cui però non segue nessuna azione, perché ogni decisione è interrotta dall'irruzione dell'infuriata Laurencia. Indipendentemente da ciò che Laurencia dirà, la sua presenza nella sala delle riunioni mette in luce un'infrazione, anzi una doppia infrazione: è una donna che invade il posto riservato agli uomini, rivendicando il suo diritto a entrare "Dejadme entrar, que bien puedo / en el consejo de los hombres; / que bien puede una mujer, / si no a dar voto a dar voces" (vv. 1712-15). Ma, oltre a ciò Laurencia è anche un membro della comunità di Fuente Ovejuna, cui è riservato lo spazio aperto, e che non è autorizzata a entrare nel luogo delle decisioni, cioè un luogo chiuso. Questa sua irruzione, quindi, mentre sul piano della comunicazione esterna non risponde all'orizzonte di attesa del pubblico, e crea perciò un senso di sgomento e di aspettativa sugli ulteriori sviluppi della situazione, sull'asse della comunicazione interna indica che il dramma subirà un orientamento diverso. Il climax delle infocate parole di Laurencia procede su due livelli, uno che potremmo definire privato, con i rimproveri rivolti a Esteban come padre e quindi responsabile dell'onore della figlia; l'altro, pubblico, nel quale le rimostranze si estendono a tutti i membri della Junta, toccando l'apice con una serie di insulti rivolti loro non soltanto in quanto uomini – "hilanderas, maricones, / amujerados, cobardes" (vv. 1179-80) – ma anche in quanto spagnoli: "bárbaros sois / no españoles" (vv. 1168-69). Soltanto in seguito alla disperata provocazione di Laurencia, gli uomini della Junta decidono non soltanto di prendere le armi contro il Comendador, ma anche di aderire alla causa dei Re Cattolici. Quindi, al doppio piano sul quale si sviluppa il discorso di Laurencia,

[4] Seguo il testo dell'edizione curata da F. López Estrada, Madrid, Clásicos Castalia, 1985.

corrisponde una doppia decisione da parte dei membri della Junta: l'uccisione del Comendador per vendicare un fatto per così dire privato qual è l'onore della popolazione di Fuente Ovejuna –"Juntad el pueblo a una voz, / que todos están conformes / en que los tiranos mueran."– e l'adesione alla causa dei Re in quanto spagnoli "no bárbaros": "¡Los reyes, nuestros señores, / vivan! / ¡Vivan muchos años!"

L'ingresso di Laurencia nella Junta rappresenta, a mio avviso, il momento fondamentale nello sviluppo del dramma: da questo punto in poi le situazioni di potere collegate agli spazi chiusi e del non potere connesso con gli spazi aperti vengono ribaltate. Entrando nella Junta, Laurencia si connota come sovvertitrice dell'ordine stabilito. Lei, priva di potere non soltanto come membro della comunità dei contadini ma anche come donna nei riguardi degli stessi paesani, e che il potere l'aveva subito, diventa protagonista del riscatto proprio e delle altre donne di Fuente Ovejuna. Pur non avendone l'autorità, è presumibilmente (non c'è didascalia che lo confermi o lo neghi) proprio dall'interno della sala della Junta che Laurencia, infatti, convoca le donne del paese: "¡Ah..., mujeres de la villa! / ¡Acudid, porque se cobre / vuestro honor ! ¡Acudid todas!" (vv. 1816-18) per organizzare "un hecho / que dé espanto a todo el orbe" (vv. 1830-31). La forte carica perlocutoria insita nelle parole di Laurencia, insieme a elementi paralinguistici che il testo suggerisce in quell'"Ah" iniziale, negli esclamativi ripetuti e nei puntini sospensivi, che impongono quasi un riprendere fiato in un discorso concitato e urlato a piena gola, possono considerarsi indici della forte emotività del suo discorso. Questo non sarebbe giustificato o, nella terminologia di Searle[5] non sarebbe *felice* per la mancanza delle *condizioni preparatorie*: Laurencia non è autorizzata qui, come nella sua irruzione nella sala della Junta e nell'aspro discorso rivolto al padre e ai compaesani, a utilizzare lo spazio chiuso, il posto degli uomini, la sede del potere civico e a radunare le donne. Si tratta di un abuso di quelle *condizioni di felicità* che, non solo le donne, sue interlocutrici drammatiche, ma anche il pubblico, doveva accettare come *felici*, indotto alla reazione contro il Comendador da tutti i soprusi da lui perpetrati negli atti precedenti.

Le donne, quindi, occupano la sala della Junta e decidono di armarsi e di combattere, ripetendo l'infrazione attuata da Laurencia. Formalizzando questa situazione si ha:

[5] Cfr. K. Elam, *op. cit.*, p. 166.

aperto		chiuso
donne	⟹	uomini
non potere		potere

Nella Casa de la Encomienda, intanto, l'atto perlocutorio del Comendador, che ordina di appendere Frondoso a un merlo della torre non troverà attuazione perché, sfondando le porte, gli uomini di Fuente Ovejuna irrompono nella casa. Stavolta si tratta di una infrazione violenta e corale come quella messa in atto da Laurencia e dalle donne nella Junta. Con "grande ruido suena" (v. 1583) Flores annuncia al Comendador l'invasione della sua casa, mentre un susseguirsi di atti perlocutori "¡Rompe, derriba, hunde, quema, abrasa!" (v. 1858) è la risposta della popolazione in preda alla furia omicida. La scena si sviluppa in una serie di movimenti semiotici conflittuali. Una successione di interventi commissivi – "iré pagando, a fe de caballero"– e rappresentativi – "Yo estoy hablando... Yo soy vuestro señor"– sono messi in atto dal Comendador che, non rispettando le "condizioni di sincerità" proposte da Searle[6], implicano una reazione del pubblico che 'legge fra le righe' un'ulteriore violenza del Comendador. Questi, infatti, tenta *in extremis* di far valere la propria autorità o di giocare sul proprio onore di cavaliere per convincere la popolazione di Fuente Ovejuna a recedere dai suoi propositi e a frenare l'ira omicida. Tuttavia, questi atti sono neutralizzati da quelli perlocutori dei paesani i quali, inneggiando a Fuente Ovejuna e ai Re Cattolici, decretano la morte di Fernán Gómez: "¡Fuente Ovejuna, y Fernán Gómez muera!".

Il ribaltamento della situazione cui Laurencia aveva dato inizio nella III scena del terzo atto, si prolunga quindi nella V e nella VI ad opera degli uomini di Fuente Ovejuna. Nella VII, mentre il Comendador e i suoi combattono contro gli invasori della Casa de la Encomienda, le donne organizzano gli avvenimenti successivi. È ancora Laurencia a prendere l'iniziativa sia nel frenare le donne: "Parad en este puesto de esperanzas, / soldados atrevidos, no mujeres" (vv. 1888-89), sia nel decidere successivamente di entrare nella casa del Comendador: "Pascuala, yo entro dentro que la espada / no ha de estar tan sujeta ni envainada" (vv. 1902-03). Ancora una volta, Laurencia infrange le norme di comportamento che avevano retto i rapporti fra il potere e la popolazione di Fuente Ovejuna nei primi due atti. Innanzi tutto, entra nella casa del Comendador a lei doppiamente preclusa perché è donna e perché fa parte del popolo, e quindi doppiamente esclusa dal luogo del potere. In un secondo momento, poi, ordina

[6] *Ibidem*, p. 176.

alle donne, rimaste fuori della casa, di entrare e compiere vendetta: "¡Entrad, teñid las armas vencedoras / en estos viles" (vv. 1917-18). Sull'asse comunicativo interno, l'atto direttivo di Laurencia ha un'assoluta coerenza; sull'asse esterno, però, la decisione di una donna di uccidere e di invitare le altre a farlo, mentre da una parte spiazza l'orizzonte di attesa dello spettatore (e del lettore) dall'altra ne interpreta il desiderio di riscatto: sono state le donne a subire le maggiori angherie perpetrate dal Comendador; e il lettore, ma ancor più lo spettatore del XVII secolo, percepisce nella decisione di Laurencia il giusto modo di lavare l'onta subita. Inoltre, la partecipazione delle donne al massacro della Casa de la Encomienda ristabilisce l'unità della popolazione di Fuente Ovejuna, che proprio in questa unità troverà la forza per sottrarsi alle pene del *pesquisidor* quando questi giungerà ad interrogarli sul delitto commesso. La risposta che ognuno di loro darà –"Fuente Ovejuna lo hizo"– sarà la prova inequivocabile della ritrovata solidarietà, che le accuse di Laurencia agli uomini della Junta avevano interrotto.

Sulla base dell'opposizione aperto/chiuso, i due episodi possono così formalizzarsi:

aperto		chiuso
popolo	⟹	nobili
non potere		potere

La freccia sta qui ad indicare non soltanto l'infrazione attuata dalla popolazione di Fuente Ovejuna, uomini e donne, coralmente, i quali dallo spazio aperto, che avevano fino ad allora occupato, passano allo spazio chiuso, destinato ai nobili, ma anche, e in concomitanza con quella, il passaggio dal non potere al potere. Questo si verifica sia con l'occupazione della Casa de la Encomienda, che del potere è il simbolo, sia nella decisione di uccidere il Comendador, che implica la sostituzione del suo potere con quello del popolo stesso.

Nelle parole di Jacinta –"Su cuerpo recojamos en las lanzas"– (v. 1892) e nel racconto che Flores fa poi al Re –"Por las altas ventanas / le hacen que al suelo vuele, / adonde en picas y espadas / le recogen las mujeres"– (vv. 1980-83), si viene a conoscenza della fine del Comendador. Lui, che tante volte aveva infranto le regole passando dal luogo chiuso a quello aperto, ora viene gettato dalla finestra della propria casa, giù per la strada, chiudendo con una uscita forzosa e definitiva la serie delle infrazioni. Ma stavolta, il popolo, anzi le donne, sono pronte ad accoglierlo: quelle stesse ragazze che avevano subito le sue pretese amorose, sono in attesa sotto le finestre della Casa de la Encomienda per raccoglierne il corpo inerte, “en picas y espadas”. Il ciclo si è compiuto: le picche e le spade che probabilmente erano rappresentate dagli attrezzi di lavoro dei contadini, sono innalzate non soltanto per infliggere un ulteriore oltraggio a chi tante volte aveva oltraggiato il popolo, ma sono il simbolo stesso del potere acquisito. Probabilmente, gli stessi attrezzi di lavoro che, volti verso il basso, erano serviti a dissodare i campi e avevano rappresentato l’asservimento alla volontà del Comendador, ora, volti verso l’alto, diventano armi e simboli della libertà riconquistata.

En un lugar de la Mancha, un "cittadino"...

DONATELLA PINI

Una palabra tan peregrina como indestructible cruza doscientos veinte años de historia de la traducción italiana del *Quijote*, campeando además en el título de la novela, sin encontrar al parecer el menor obstáculo: se trata de *cittadino*, adjetivo con el cual Franciosini transpuso en 1622 el término *hidalgo*, (indicador del rango económico-social del héroe cervantino) y que se mantuvo inalterado en 1818-19, en la traducción de Gamba, hasta 1840-41, cuando la misma salió a la prensa revisada por Ambrosoli, con el título no ya de *L'ingegnoso cittadino Don Chisciotte della Mancia* sino de *L'ingegnoso idalgo Don Chisciotte della Mancia* [*idalgo* sin *h*], donde se sustituía una traducción a mi parecer infeliz con un préstamo del español que ya se encontraba naturalizado en el idioma italiano[1]. A partir de aquel momento, dejando a un lado un caso de supervivencia en la edición veneciana de 1848, el título de la novela rechaza definitivamente *cittadino* a favor de otras soluciones: en algunos casos admite la sustitución por *idalgo* o diferentes calificativos, en otros lleva a una drástica supresión de la palabra con el resultado de abreviar, poco o mucho, el título.

De haber existido de veras la edición veneciana de 1816, empezaría en aquella fecha la fuerte simplificación del título mediante la supresión de *hidal-*

[1] El hispanismo *idalgo* (o *ydalgo*, o *hijo d'algo* o *fidalgo*) está atestiguado en la lengua italiana de los siglos XVI y XVII. Cfr. G. L. Beccaria, *Spagnolo e spagnoli in Italia, riflessi ispanici sulla lingua italiana del Cinque e Seicento*, Torino, Giappichelli, 1968, pp. 60n, 289n, 296n, 298n, 301n, 303n. Es interesante notar que en el último ejemplo citado por Beccaria, procedente de la *Relazione di Leonardo di Ca' Masser alla Serenissima Repubblica di Venezia sopra il commercio dei portoghesi nell'India* (1497-1506), «Archivio Storico Italiano», App. II, 1845, el vocablo se explica como 'gentilhuomo': *Ha Sua Altezza molti altri camerieri, zoveni* Fidalghi; cioè gentilhuomini *[...] chiamansi mozi de camera, quali stanno di continuo alla tavola quando disna, over cena. Idalgo* e *hidalgo* están atestiguados también en los siglos XVIII y XIX (cfr. E. Zaccaria, *L'elemento iberico nella lingua italiana*, Bologna, Cappelli, 1927, pp. 172, 225-226, y *Contributo allo studio degl'iberismi in Italia*, Torino, 1905, p. 155).

go juntamente a la del adjetivo *ingenioso*, que lleva, con la ulterior eliminación de la procedencia del héroe, al título *Don Chisciotte*, sin más; solución que no se volverá a encontrar a lo largo del s. XIX, mientras que en el s. XX será adoptada con bastante frecuencia. En 1832-33, Toccagni titula la obra *Vita e avventure di Don Chisciotte della Mancia*[2], omitiendo así *ingenioso* e *hidalgo*. También la edición veneciana de 1844-47 adopta la doble supresión, conservando la procedencia del héroe, y titula *Don Chisciotte della Mancia*, que será la solución de más éxito en el s. XX. En 1800 volverá a ser adoptada cuatro veces: por la edición Milán 1851, 1880-81, 1886-87 y Roma 1888. En cambio utilizan la solución de Ambrosoli (con *idalgo*, sin *h*), seis ediciones: las dos de Nápoles 1851 (Rondinella e Jaccarino), Nápoles 1860, y Milán 1876, con el título *L'ingegnoso idalgo Don Chisciotte della Mancia,* y también las ediciones Milán 1870 y Milán 1883, con el título *L'ingegnoso idalgo Don Chisciotte della Mancia con Sancio Pancia suo scudiere* (*scudiero*, en la segunda).

En el siglo XX, pues, prevalece con mucho el título *Don Chisciotte della Mancia*, observado en veinte y siete ediciones[3]. El de *Don Chisciotte* ocupa el segundo lugar con seis ediciones[4]. Se mantiene en las reediciones de la editorial Sonzogno el título *L'ingegnoso idalgo Don Chisciotte della Mancia con Sancio Pancia suo scudiero* aparecido en el siglo anterior, donde se adopta, para *hidalgo*, la opción Ambrosoli de *idalgo* sin *h*[5].

En la segunda mitad del siglo se dan tres soluciones nuevas, que trasponen por entero el título español: la primera – en la edición de Milán, Mondadori, 1952 (traducción Carlesi) – traduce por primera vez *hidalgo* con "gentiluomo" (*L'ingegnoso gentiluomo Don Chisciotte della Mancia*); la segunda – adoptada por Vian y Cozzi en 1960 – también traduce *hidalgo* por "gentiluomo", pero aportando la solución nueva de "fantasioso" para *ingenioso*, de manera que el título resulta: *Il Fantasioso Gentiluomo Don Chisciotte della Mancia*. Falzone, en 1971, traduce *L'ingegnoso hidalgo Don Chisciotte della Mancia*, volviendo

[2] Imitando libremente títulos ya adoptados en traducciones anteriores, que empezaban por *Vita e [ed] Azioni de...* . Se trata de las ya aludidas Venezia 1755, Venezia 1795, Milano 1816.

[3] Firenze 1908, Roma 1908, Firenze 1921, Firenze 1823-27, Sesto S. Giovanni 1929, Milano 1934, Roma [1950], Milano-Verona 1950, Roma 1954, Torino 1954, Roma 1956, Torino 1957, Novara 1963, Milano 1964, Milano 1964-65, Roma 1966, Milano 1967, Torino 1972, Novara 1973, Vicenza 1974, Milano 1974 (Club degli editori), Milano 1974 (Garzanti), Milano 1981, Torino 1982, Novara 1982, Milano 1985, Novara 1986.

[4] Milano 1913 (Bietti), Milano 1913 (Istituto Editoriale Italiano), Firenze 1925, Firenze 1932, Milano 1933 (traducción de Carlesi; el título pasa a ser *Don Chisciotte della Mancia* en la 2ª edición Verona 1942, y en la 3ª Milano-Verona 1944), Milano 1957.

[5] Milano, Sonzogno, 1911 (reimpresión de la de 1883) y reimpresiones sucesivas.

para *ingenioso* a la solución tradicional, y adoptando para *hidalgo* la solución, claramente sugerida por Ambrosoli, pero única hasta ahora, de repetir también gráficamente el término español *hidalgo*.

Total: la traducción *hidalgo*: "cittadino", después de haber gozado de un dominio absoluto durante más de dos siglos, es rechazada en 1840-41, para quedar borrada definitivamente[6].

Bucear en los móviles de este proceso puede ser, según creo, una manera de recorrer la historia de la traducción del *Quijote* en general, y de la traducción italiana en particular.

En efecto, el término *hidalgo* fue un problema para los traductores[7]. Lo cual encuentra una fuerte confirmación, en época muy próxima al *Quijote*, en el *Tesoro* de Covarrubias, quien al introducir la voz *Fidalgo*, afirmaba su peculiaridad española[8].

Volvamos ahora a la elección de *cittadino* por parte de Franciosini (que se mantiene en el título de la Segunda Parte, probablemente por el afán de guardar una uniformidad con el de la Primera que no preocupó para nada a Cervantes) y a la conciencia que se tenía en su tiempo acerca de la significación de *hidalgo*. Un fenómeno interesante por una parte ayuda y por otra inhibe nuestra búsqueda: muchos traductores fueron también autores de diccionarios y nomenclaturas. De hecho, los instrumentos lexicográficos proporcionados por ellos son de mucha importancia y ayudan a explicar el porqué de sus elecciones lingüísticas, pero desde el momento en que seguramente tienden a sostenerlas y reforzarlas, hay que considerarlos con cierta circunspección, como testimonios que carecen de objetividad.

[6] Es ilusoria la reaparición de *Cittadino* en el título de la edición Venezia, Tondelli, 1848, pues se trata de una nueva emisión de la de Venezia, Morolin-Tondelli, 1844-47, con cubierta y portada nuevos y eliminación de las pp. 3-6.

[7] Esto afirman C. Chauchadis y J.M. Laspéras en *L''hidalguía' au XVIe Siècle: cohérence et ambigüités*, en *Hidalgos & hidalguía dans l'Espagne des XVIe-XVIIIe siècles*, París, Centre National de la Recherche Scientifique, 1989, pp. 47-70. El concepto se desprende también del amplio material documental que cimienta los demás ensayos reunidos en el mismo libro.

[8] S. de Cobarrubias y Orozco, *Tesoro de la lengua Castellana o Española* [1611], edición facsímil, Madrid, Turner, 1979, pp. 590-592: "Este término es muy propio de España". Creo encontrar una confirmación *in absentia* en la *Nomenclatura italiana, francese e spagnvola...* (Venezia, Barezzi, 1629) de G.A. Novilieri Clavelli, donde, entre *Las dignidades y grandezas temporales, y oficios de Corte* (cap. XL), *hidalgo* no aparece, sospecho que por percepción de falta de correspondencia en francés y en italiano.

L.A. Murillo[9] ha restituido modernamente el significado de la palabra describiendo primero el panorama de la nobleza española de finales de la Edad Media: dentro de las principales categorías de nobleza ("la primera: los *grandes*; la segunda: los *caballeros*) la de los *hidalgos* era la inferior"; señala el significado general ("hidalgos eran todos los nobles"); y por fin indica el significado que la palabra tenía en la época que aquí interesa: "la clase de hidalgos en el siglo XVI la venían formando los que no eran más que hidalgos, es decir, los que se distinguían sólo por su linaje o herencia de sangre y carecían de la riqueza, privilegios o propiedades que les elevarían a la categoría de caballeros, con el privilegio de usar *don* y separándolos, por otra parte, de la clase de los villanos ricos". De hecho, afirma, "la transformación de la sociedad española a través del siglo XVI fue desfavorable a sus privilegios y en efecto los fue dejando progresivamente desamparados, si bien el sentar plaza en los tercios imperiales de Carlos V y Felipe II abría nuevas oportunidades a los más aventureros [...]".

En el *Quijote*, el héroe declara pertenecer a la categoría de los "de solar conocido, de posesión y propriedad y de devengar quinientos sueldos" (I, 21, p. 262): acepciones que encuentran todas plena explicación en Covarrubias[10]:

[9] M. de Cervantes Saavedra, *El Ingenioso Hidalgo Don Quijote de la Mancha*, ed. de L.A. Murillo, 1973, I, p. 70 (citaré por esta edición). Esta explicación de *hidalgo* está sustancialmente confirmada por los ensayos que integran el citado libro *Hidalgos & hidalguía...*, especialmente los de J. Pérez, *Réflexions sur l''hidalguía*' (pp. 11-22), Ricardo Sáez, '*Hidalguía': essai de définition, des principes identificateurs aux variations historiques* (pp. 23-45), M. Lambert-Gorges, *Images de soi et de la noblesse ou un programme iconographique à l'usage des 'hidalgos'?* (pp. 125-139), y el trabajo de Chauchadis y Laspéras señalado en la nota 7. También encontramos una fuerte consonancia con la visión de Murillo en J. Cepeda Adán, *Los españoles entre el ensueño y la realidad*, prólogo a *El siglo del Quijote (1580-1680)*, en *Historia de España*, fundada por R. Menéndez Pidal, dirigida por J.Mª Jover Zamora, XXVI, I, Madrid, Espasa-Calpe, 1988, pp. XVII-XLVIII, quien, al indicar el sueño en tanto vivencia del español del siglo de oro con palabras que rememoran las del Segismundo calderoniano, subraya la dicotomía *hidalgo/pechero* presente en los primeros traductores del *Quijote*: "El juego consistía en que se aceptara el sueño en que cada uno se colocaba en la escala social establecida, independientemente de la realidad viva en que se asentaba, muchas veces muy distinta por arriba o por abajo de lo que a su escalón correspondía. Al noble hay que aceptarlo soñando con su hidalguía – *fijo de algo* – que le supone un bienestar y le aleja del trabajo [...] al pechero rumiando su intranquilo sueño de impuestos y gabelas [...]. El choque, el triste despertar que increspa los ánimos, llegaba cuando se descubría que aquel sueño ideal no era cierto, que el noble carecía hasta *de algo* [...] que el pechero lugareño contaba su fortuna en ducados." (p. XXII).

[10] *Tesoro...*, cit., s.v. *fidalgo*, pp. 590-592, detalla que había "algunas diferencias de hidalgos. Hidalgo de todos cuatro costados [..]. Fidalgo de solar conocido [..]. Hidalgo de executoria [..]. Hidalgo de privilegio [..]. Fidalgo de devengar quinientos sueldos", etc. Hasta ahora no he podido consultar la primera edición del *Tesoro* de *las dos lenguas francesa y española* de C. Oudin (1607). En la de 1616 (París, Vefve Marcorry, parte español-francés), *hidalgo* está traducido

hidalgo de solar conocido quería decir que "tenía casa solariega, dedonde deciende"; *hidalgo de posesión y propriedad* aludía a la consabida etimología: *hidalgo<hijo-de-algo*, donde uno de los más plausibles significados de *algo* era "hacienda y quantía heredada de sus passados y ganada, no en mercancías, tratos, ventas y compras, sino de los gages y mercedes de sus reyes hechas a ellos y a sus passados, conservándolas y transfiriéndolas de uno en otro sucessor; dedonde pudieron traer origen los mayorazgos y la calidad de los solares y haziendas"; por fin, *hidalgo de devengar quinientos sueldos* se relacionaba con el privilegio gracias al cual, "quando un hidalgo recebía agravio de algún otro, podía vengar, conviene a saber, recebir de su adversario por condenación del juez competente, en satisfación de su injuria, quinientos sueldos; mas el que no era noble e fidalgo, como el labrador, no se le aplicavan más de trezientos sueldos; y esta diferencia avía entre el hidalgo notorio y el villano, dedonde quedó el término de hidalgo de devengar quinientos sueldos".

La figura del hidalgo pobre despojado de su antigua función social se había vuelto tópica; esto explica la fuerza con que Don Quijote reivindica para sí, en I, 21, el status, más efectivo en la Edad Media que en su época, de *hidalgo de posesión y propriedad*; y explica también los "luengos siglos" que las armas de los antepasados de Don Quijote llevaban "olvidadas en un rincón" (I, 1, p. 75: dicho con "graciosa hipérbole", observa Murillo).

De todo esto se deduce que la condición del hidalgo estaba en clara decadencia y se definía por oposición a la del villano rico o a la del caballero, entre las cuales se encontraba presionada y desventajada por una diferencia económica mortificante; y el hidalgo procuraba defender sus últimos privilegios intentando asimilarse por lo menos verbalmente a las categorías superiores de la nobleza, para lo cual aprovechaba la denominación genérica (*hidalguía*) que todas tenían en común.

Vamos a ver, ahora, cómo transpusieron *hidalgo* al italiano otros traductores de Cervantes contemporáneos de Franciosini. Novilieri Clavelli, en su versión de las *Novelas Ejemplares*, no traduce nunca *hidalgo* por "cittadino", utilizándolo en cambio para traducir *la gente de aquella ciudad*[11]; en las páginas iniciales de *La fuerza de la sangre*, neutraliza la oposición *hidalgo* (pobre)/*caballero* (rico), instituida por Cervantes, traduciendo tanto *hidalgo* como

con "gentil-homme, noble": status que daba pie a ciertos derechos, privilegios o exenciones, según resulta de dos lemas secundarios (*hidalgo de privilegio* e *hidalgo de devengar quinientos sueldos*), al parecer basados en Covarrubias.

[11] *La forza del sangue*, en *Il novelliere castigliano*, Venezia, Barezzi, MDCXXVI, p. 231.

caballero por "gentilhuomo"[12]. En su *Nomenclatura*[13] (p. 300) estableció correspondencia entre el italiano *gentilhuomo,* el francés "gentilhomme" y el español "gentilhombre, caballero", pero sin nombrar títulos italianos o franceses correspondientes al *hidalgo* español, clase que, como he dicho, allí no aparece probablemente por percibirse como exclusiva de la sociedad española. En cambio, en el capítulo XLI (*La città, i professori, gl'officiali, e gli artèfici publici*), hace corresponder al lema *i cittadìni* "les bourgeois, ou citoiens", y "los ciudadanos, vezinos", patentizando claramente, sobre todo a través de la correspondencia francesa, las denotaciones que él estima esenciales en el vocablo *cittadino*: la social ('burgués') y la topográfica ('de la ciudad').

Donato Fontana mantiene, aunque débilmente, la oposición *hidalgo/caballero* de *La fuerza de la sangre*, traduciendo de forma oscilante el primer término y de una sola manera ("Caualiere") el segundo; pero no propone nunca una correspondencia *hidalgo*: "cittadino"[14].

Tampoco piensa en utilizar "cittadino" el anónimo autor de la versión de los primeros cinco capítulos del *Quijote* contenida en el manuscrito de la Biblioteca Civica de Verona (ms. 249, Cl. lett., ubic. 168.5, B.ª XIV-9) fechado por Biadego en el siglo XVIII[15], que, en el *incipit* y en las ocurrencias inmedia-

[12] Traduce *hidalgo* con "gentilhuomo" en las pp. 230, 231, 233 (*La forza del sangue*) y 262 (*Il Geloso da Estremadura*). Traduce *caballero* raramente con "cavaliere" (p. 242, *La forza del sangue*) y preferentemente con "gentilhuomo" (pp. 2, *La Spagnvola Inglese*; 182, *Rinconetto, e Cortadiglio*; 195, *Il dottore Vidriera*; 231, 245 *La forza del sangue*; 320, *L'illustre fregona, o la fante*; 411, *La cingaretta*; 558, *La Cornelia*). Emplea "gentilhuomo" también para traducir *gentilhombre* (p. 507, *Le due Donzelle*). Estos ejemplos proceden de un rápido sondeo sin pretensión de exhaustividad.

[13] Cfr. A. Gallina, *La 'Nomenclatura italiana, francese e spagnuola' di G.A. de Noviliers Clavel*, in *Contributi alla storia della lessicografia italo-spagnola dei secoli XVI e XVII,* Firenze, Olschki, 1959, pp. 293-302.

[14] *Novelle di Michel di Cervantes Saavedra* ..., Milano, Vallo & Besozzo, 1626: traduce *hidalgo* por "nobile", p. 273, por "Gentilhuomo", p. 274, y por "Signore", pp. 274, 275 *(La forza del sangue*); omite la traducción en la p. 299 *(Il Geloso Estremegno*). Traduce *caballero* invariablemente por "Caualiere" en las pp. 273, 275 *(La forza del sangue*), 184 (*Rinconette, & Cortadiglio*), 194 (*La Spagnola Inglesa*), 242 (*Il Licentiato Vidriera*), 341 (*La Fantesca Nobile*), 12 (*La Bella Cinganetta*), 452 (*La Sig. Cornelia*). Para traducir *gentilhombre* emplea "Signor mio" (p. 409, *Le due Donzelle)*. Tampoco utiliza "cittadini" para la lección *la [..] bien inclinada gente de aquella ciudad*, que traduce: "la bene inclinata gente di quella Città" (p. 273, *La forza del sangue*).

[15] *Catalogo descrittivo dei manoscritti della Biblioteca comunale di Verona*, Verona, Civelli, 1892, p. 136. De un examen directo saco la impresión que el manuscrito podría remontarse también al comienzo del siglo XIX.

tas (folio 1r y 1v), traduce *hidalgo*: "Gentilhuomo" como Novilieri Clavelli en su versión de las *Ejemplares*.

Ahora bien, ¿qué tenía que ver el italiano *cittadino* con el español *hidalgo*? y ¿por qué Franciosini adoptó este vocablo tan poco obvio en su *Chisciotte*? Como en el caso de Novilieri Clavelli, ante todo ahí está para explicarlo la paralela obra lexicográfica del traductor. Su vocabulario[16] reza: "*hidalgo*, cioè hijo de algo. [che vale, figlio di qualche cosa, cioè nato da qualche cosa di valore, comunemente si distingue da peccero, e significa Cittadino, o huomo ben nato, e priuilegiato da certi dazi, o gabelle" (II, 417). En cambio, al lado de *cauallero*, pone: "gentilhuomo" (II, 160).

Su gramática[17], sus *Diálogos*[18] y la nomenclatura bilingüe allí incluída, confirman la doble correspondencia, aunque, bien mirado, descubren algunas pequeñas grietas.

En su *Gramática*, en gran parte modelada sobre la de César Oudin (1597)[19], pero que se aleja del modelo precisamente en la explicación del vocablo *hidalgo*, encontramos declaraciones muy importantes: "La voce Hidàlgo, significa propriamente Cittadino, ò persona ben nata, e capace d'alcuni honori, e priuilegij del suo paese; e non ostante, che molti voglion dire, che significhi Gentilhomo, con tuttociò m'è parso, nella Traduzione di Don Chisciotte, dargli per interpretazione adequata, e conueniente, nome di Cittadino; (ò si dica nel titolo di tal libro, propria, ò hironicamente) e non di gentilhuomo, essendoci molta differenza dall'vno, all'altro, come si può chiaramente vedere nella Quarta Parte del medesimo Don Chisciotte, in vn Capo verso, che comincia. Ay en esta Andaluzía, doue, venti o trenta versi abbasso [se refiere a un pasaje de I, 28, p.

[16] Primera parte (*Vocabolario Italiano, e Spagnolo...*) y segunda (*Vocabolario Español, e Italiano...)*, Roma, Giovanni Paolo Profilio, por G. A. Ruffinelli y A. Manni, 1620: tuvo un éxito inmenso y se volvió a publicar muchas veces en Italia, llegando a dominar de manera exclusiva el terreno de la lexicografía hispano-italiana hasta entrado el siglo XX (v. A. Gallina, *Lorenzo Franciosini e i suoi lessici* en *Contributi*.., cit., pp. 261-284).

[17] *Grammatica spagnola, e italiana*.... Venezia, Sarzina, 1624.

[18] *Diálogos apazibles*..., Venezia, G. Sarzina, MDCXXVI, pp. 210 y 217. Sobre las traducciones de *hidalgo* que contravienen a este sistema, v. p. 8. En la *Nomenclatura*, tal como aparece incluida posteriormente en la *Grammatica spagnuola ed italiana*..., Roma, Stamperia della R. Cam. apost., 1638², p. CLXXXIX, a *Cauallero* corresponde no solamente "gentilhuomo" sino también "caualiere".

[19] No he podido consultar la primera edición, que cita B. Periñán en *La «Grammatica» de Lorenzo Franciosini*, en "Prohemio", 1, 2, Sept. (1970) p. 227 (*Grammaire et observations de la langue espagnole recueillies et mise en Français par*...., París 1597) sino la tercera: *Grammaire espagnolle explicquée en francois... Rèueue, corrigée & augmentée par l'Autheur*, Bruxelles, H. Antoine, 1619.

319], si troua il disinganno di quelli, che dicono Hidalgo non significar altro, che Gentilhomo. Ma chi desidera di sapere in quanti modi si può in Spagnolo chiamare Hidalgo, legga il mio Vocabolario" (p. 262).

El pasaje demuestra que hubo una elección deliberada y muy consciente a raíz de la transposición *hidalgo*: "cittadino", sobre la cual evidentemente Franciosini reflexionó mucho, quizás demasiado, diferenciándose además de los diccionarios anteriores (por ejemplo del *Vocabulario*[20] de Las Casas-Camilli, donde a *cauallero* corresponde "gentilhuomo, caualliero, patritio" (II, p. 332), y a *hidalgo* corresponde también "gentilhuomo" (II, p. 399), sin que haya oposición entre los dos, entendiéndose la *hidalguía* en la acepción general de 'nobleza': v. II, p. 399, *hidalguía*: "Nobilita"). Después de haberla fijado en su diccionario, la aplicó en la traducción del *Quijote*, para reforzarla con nuevos argumentos en el párrafo citado de su *Grammatica*; lo cual testimonia que tal elección lingüística fue objeto de discusiones de las cuales Franciosini salió (o creyó salir) triunfador trayendo a colación otro pasaje similar del *Quijote* y recurriendo a la ya afirmada *auctoritas* de su *Vocabolario*.

Posteriormente, en el *Nomenclator* que Franciosini incluyó primero en los *Diálogos* y después en ediciones sucesivas de su *Grammatica*, encontramos completa fidelidad al sistema ya formulado. En cambio, en el primero y en el segundo de los *Diálogos* (pp. 7 y 32) encontramos una equivalencia excepcional, que nos extraña (*hidalgo*: "gentilhuomo") pero creemos que, en tanto excepción, pueda tratarse de una repetición inercial del modelo de Oudin, quien en sus propios *Diálogos* había establecido la correspondencia *hidalgo:* "gentilhomme"[21].

Hay que reconocer, pues, que Franciosini tuvo plena conciencia de la dificultad de traducir *hidalgo*, y se esforzó por reproducir en el sistema lingüístico italiano la peculiaridad española de la palabra; con este fin, buscó (y creyó encontrar) en la sociedad italiana (o mejor, en la sociedad toscana, de la que formaba parte) una categoría que pudiera considerarse de alguna manera equivalente a la del hidalgo español. Es patente su intención de hallar una versión del vocablo *hidalgo* que diese cuenta de su oposición tanto con la gente que pagaba

[20] C. De las Casas, *Vocabulario de las dos lengua toscana y castellana.... accresciuto di nuovo da Camillo Camilli di molti vocaboli..*, Venezia, M. Valentino, 1608, I, it.-esp., II, esp.-it.

[21] No he podido cotejar los *Diálogos* de Franciosini con su modelo directo, señalado por E. Mele, *Uno spagnolista valdelsano*, en «Miscellanea storica della Valdelsa», Castelfiorentino, 1914, p. 180 (*Diálogos muy apazibles escritos en lengua española y traduzidos en frances...*, 1611), sino con un texto anterior del mismo Oudin (Madrid, Biblioteca Nacional, R/30490): *Diálogos en español y francés...*, Bruxelles, Foppens, 1604, pp. 3, 29.

los impuestos como con el nivel inmediatamente superior de la nobleza, los caballeros[22]; esto resulta 1°) de la oposición declarada a *pechero*[23], voz a su vez explicada en el *Vocabulario* por oposición a *hidalgo*[24]; y 2°) de la voz *gentil'huomo*, que Franciosini traduce al español: "cauallero"[25].

En estas correspondencias Franciosini guarda una sistematicidad férrea, verdaderamente profesoral: la mantiene en su *Chisciotte*, I, 21, p. 211[26], en I, 28, p. 319 y en II, 2, pp. 20-21 (diálogo entre Don Quijote y Sancho a propósito de la crítica a que el primero está sometido por usurpar atributos distintivos de los caballeros[27]).

[22] El pasaje traído a colación por Franciosini en su *Grammatica* para reforzar la elección "cittadino" incluye en su segmento terminal una oposición evidente entre *hidalgos* y *caballeros*: *Ellos* [mis padres; habla Dorotea], *en fin, son labradores, gente llana, sin mezcla de alguna raza malsonante y, como suele decirse, cristianos viejos ranciosos; pero tan ricos, que su riqueza y magnífico trato les va a poco a poco adquiriendo nombre de* hidalgos, *y aun de* caballeros [...] (I, 28, p.348). Oposición que Franciosini traspone oponiendo *Cittadini* a *Gentihuomini*: "[...] finalmente loro son Contadini, persone che procedono alla buona, e che non hanno quella sorte di descendenza, che suol esser odiosa, e come si suol dire nella nostra Spagna, Cristiani vecchi stantij, e tanto stantij, che per la lor ricchezza e nobil procedere, vanno a poco a poco acquistando credito, non solo di *Cittadini*, ma anco di *gentilhuomini* [...] (I, p. 319).

[23] V. también *Vocabolario*, s.v. *Fidalgo*: "fidalgo, o hidalgo. [cittadino, huomo ben nato, e che non paga certe gabelle, e il suo contrario e pechero termini usati solamente in Spagna" (II, p. 367).

[24] "È vn termino che in Spagnolo ha per suo contrario hidalgo, e vale tributario, che paga tributo, e gabella e metaforicamente vale persona ignobile o plebea, se ben tra la gente peccèra, se ne troua taluolta di quella che è meglio che la hidalga, questi termini usati solamente in Spagna" (I, p. 568).

[25] Para luego pormenorizar, en leve contradicción consigo mismo: "si dice anche Hidalgo ma non significa tanto" (I, p. 290).

[26] *Bien es verdad que yo soy hijodalgo de solar conocido, de posesión y propriedad y de devengar quinientos sueldos* [...] (I, 21, p. 262): "[...] è ben vero ch'io sono antico e nobil Cittadino [...]".

[27] [DQ] [...] *dime, Sancho amigo, ¿qué es lo que dicen de mí por ese lugar? ¿En qué opinión me tiene el vulgo, en qué los* hidalgos *y en qué los* caballeros*?* [...]. [S] *Los* hidalgos *dicen que no conteniéndose vuestra merced en los límites de la hidalguía, se ha puesto «don» y se ha arremetido a* caballero *con cuatro cepas y dos yugadas de tierra y con un trapo atrás y otro adelante. Dicen los* caballeros *que no querrían que los* hidalgos *se opusiesen a ellos, especialmente aquellos* hidalgos *escuderiles que dan humo a los zapatos y toman los puntos de las medias negras con seda verde* (II, pp. 55-56): [DQ] "Ma dimmi amico Sancio, che si và dicendo del fatto mio per la terra? In che opinione, e concetto mi tiene il volgo? In che i *Cittadini*, & in che i *gentilhuomini*? [...]. [S]I *cittadini* dicono, che non contenendosi V. S. dentro a limiti della nobiltà, si è messo il Don; e si è fatto *Caualiero* con quattro viti, e due staiuora di terra, e con uno straccio di dietro, e un'altro dinnanzi. Dicono i *gentilhuomini*, che non vorrebbero, che i *cittadini* gli s'opponessero, massimamente quei *cittadini* scudierili, che danno il fumo alle scarpe, e racconciano le maglie rotte delle calzette nere, con seta verde." (ed. 1625, II p. 21). Aquí Franciosini

Pero sigue en pie el interrogante: ¿por qué eligió precisamente *cittadino*?

Battaglia[28] atestigua, en los siglos XVI y XVII, usos de *cittadino* en tanto: a) 'persona que vive en la ciudad' en contraposición a la que vive en el campo; b) 'propio de la clase intermedia entre aristocracia y plebe: burgués'[29]; c) 'urbano', 'educado', contrapuesto a la torpeza de los campesinos; d) 'persona de la ciudad', contrapuesto a '*forestiero, straniero, apolide*'; f) persona que goza de la *cittadinanza*.

De tener en cuenta el uso más corriente de la palabra (acepciones a y b) Franciosini no habría elegido nunca la versión "cittadino", que choca violentamente con la procedencia aldeana, rural, de Don Quijote, y con su condición aristocrática. Habría advertido de antemano las burdas equivocaciones a que *cittadino* podía inducir al lector. Un ejemplo elocuente nos lo ofrece el contemporáneo A. Banchieri cuando, en uno de los cuentos que integran su *Trastulli della villa*[30], presenta a Don Chissiotto llamándole "un cittadino della città di Mancia in Spagna" (p. 68)): inducido por la calificación *cittadino* de Franciosini, opina que "Mancia" debía de ser el nombre no de una región sino de una ciudad. Pero, sobre todo pensando que *cittadino* podía inducir a la creencia de que Don Quijote tuviese algo que ver con la burguesía (clase, además, que tuvo en Italia un papel determinante para la evolución social que no tiene comparación en España[31]), Franciosini habría renunciado a esta opción. En cambio, en

contraviene una vez a su ecuación *hidalgo:cittadino = caballero:gentilhuomo* sólo porque se ve forzado por el contexto desde el momento en que Don Quijote, en su programa de vida *caballeresca*, eligió el status del *caballero* andante medieval: status que no podía trasponerse al italiano con la palabra *gentilhuomo*.

28 S. Battaglia, *Grande Dizionario della Lingua Italiana*, Torino, UTET, III, 1964.

29 Un ejemplo importante, cronológicamente próximo a Franciosini, en T. Tasso, 6-IV-I-145: "Or s'è trascorso sì, che le commedie/più commedie non son ma ciance inteste,/a trar da' plebei cori infame riso,/indegne dell'orecchie cittadine,/non che delle magnanime e regali". Tampoco hay que olvidar la correspondencia *cittadino-bourgeois* citada arriba, de la *Nomenclatura* de Novilieri Clavelli.

30 Venezia, Giuliano, 1627; debo a Giacomo Moro la preciosa indicación. Girolamo Baruffaldi, en su poema manuscrito *Don Chisciotte dalla Mancia, Canto Primo*, fechado 1717 (v. ms. 826 de la Biblioteca Universitaria Estense de Modena, cód. misc. del siglo XVIII, n. 228, cc. 231r-241v), califica a Don Quijote de "ingegnoso cittadino", según Franciosini, pero llama prudentemente la Mancha "Patria": "Fu della Mancia; ma di sua felice/Patria, non sò, perche Michel nol dice" (octava 7ª, vv. 7-8).

31 Para la difícil y controvertida relación entre el hidalgo y las actividades económicas (que en cambio fueron seguramente el rasgo distintivo del *cittadino* italiano y de su imagen en el mundo) remito a los materiales y a las muy calibradas conclusiones de M. Cavillac en el ensayo *L''hidalgo-mercader' dans la littérature du siècle d'or*, en *Hidalgos & hidalguía*..., cit., pp. 106-107: "Loin de déboucher sur une situation ou, l'enrichissement du noble espagnol par le commer-

el citado párrafo de su *Grammatica* resulta claro que Franciosini estaba orgulloso con esta solución; la cual, en una óptica actual, denota una absoluta falta de atención a la diferencia de fondo que media entre las dos sociedades puestas en contacto por la traducción y a lo que tiene que ser el oficio del traductor (reconocer y hacer patentes las diferencias, no disimularlas).

Finalmente, merece la pena considerar cómo Franciosini traduce el esp. *lugar* en el comienzo del pasaje del *Quijote* al que nuestro traductor recurre en la *Grammatica* para reforzar su opción por *cittadino*. El pasaje –del cual hemos citado la última parte (v. nota 22)– empieza así: *En esta Andalucía hay un lugar*...(p. 347); Franciosini traduce: "In questa Andaluzia c'è una terra..." (p. 319). Se trata del *incipit* «mayor» (peripecias de Dorotea), que remite muy de cerca al *incipit* «mayor»[32] del *Quijote*, que Franciosini traduce: "In Una Terra della Mancia..." (p. 1). También en el pasaje de II, 2, citado arriba (nota 7), donde Don Quijote pregunta a Sancho en qué opinión le tiene la gente, Franciosini traduce *lugar* por "terra". De todo esto dimana que el espacio (*una terra*) en que Franciosini sitúa al *cittadino*, poco o nada tiene que ver con el espacio (*un lugar*) en que se desenvuelve el *hidalgo* de Cervantes. De hecho, el italiano *terra* es el único vocablo, entre los que Franciosini podía escoger, que se presta a significar 'ciudad' o 'lugar amurallado', en el sentido de *urbs* y *oppidum*[33]. Su

ce demeura, dans l'ensemble, voué à une honteuse clandestinité. Dialectiquement lié à la faillite du modèle bourgeois dans la Péninsule, l'echec de cette dynamique ne saurait pourtant se réduire aux traditionnelles préventions aristocratiques vis-à-vis de la marchandise. F. Ruiz Martín a démontré qu'il ressortit plus sûrement à la dérive «génoise» d'un capitalisme national perverti par la finance qui, en dévalorisant l'esprit d'entreprise, démoralisa les secteurs marchands et les condamna à la ruine ou à refluer vers le modèle nobiliaire". B. Periñán señala que es precisamente la doble oposición de *hidalgo* a *pechero*, por un lado, y de *hidalgo* a *caballero*, por el otro, la que causó la opción *cittadino* por parte de Franciosini, pues en Italia la palabra significaba "*burgués*, [...] es decir, aquella parte de la población carente de título nobiliario pero opuesta igualmente al vulgo o plebe" (*La «Grammatica»*..., cit., p. 249).

[32] Se trata de un comienzo formulario en Cervantes (v. *Quijote*, ed. de V. Gaos, Madrid, Gredos, 1987, p. 50n), que, según hacen notar G. Stagg (*Castro del Río, ¿cuna de Don Quijote?*, en "Clavileño", 36 (1955) VI) y M. de Riquer (ed. del *Quijote*, Barcelona, Planeta, 1962, p. 32n), se encuentra también en el *Celoso extremeño* y en la historia del Cautivo (*Quijote*, I, 39, p. 479).

[33] Piénsese en el frecuente uso que de la palabra hace Dante en *La Divina Commedia* con el significado de 'ciudad' (por ejemplo en *Inf.* XX, 98; *Inf.* XVI, 9 y 58; *Inf.* XXIII, 105; *Purg.* VI, 75). Y recuérdese que el *Vocabolario degli Accademici della Crusca*, Venezia, G. Alberti, 1612, (ed. facs. Firenze, Licosa, 1974), registra este significado con ejemplos del *Decameron* de Boccaccio y de otros textos (pp. 882-3). En un caso, *Storia di Matteo, e Filippo Villani*, 9.27 ("Standosi dimesticamente co'cittadini per la terra in pace e in sollazzo"), nos ofrece también la correlación *terra-cittadini*. Puede ayudar a explicar la persistencia de dicha correlación en la versión de Gamba el hecho de que el ejemplo siga teniendo vigor en el *Dizionario*... de N. Tommaseo y B.

uso en Dante, Boccaccio y otros autores indica que *terra*, con el significado de 'ciudad', tiene una tradición muy fuerte, especialmente en Toscana, entendiéndose con esto sobre todo el municipio, espacio con alta densidad de población que nada tiene que ver con el *lugar* del héroe manchego[34].

El *Vocabolario* de la Crusca, que Franciosini debía conocer[35], por pertenecer a los ambientes de Florencia, Pisa y Siena, explica *Cittadino*: "Quegli che è capace degli onori, e de' benefici della Città"; y el derivado *Cittadinesco*: "da cittadino, di cittadino, ciuile", contrapuesto a *rozzo* ('grosero'); *Cittadinanza*: "ordine, e grado di cittadino", lo mismo que *Cittadinatico*: "grado di cittadino. Lat. *ciuium dignitas*.[..]". Los significados fijados por la Crusca, ignorando las acepciones a y b atestiguadas por Battaglia, coinciden con éste en las tres que siguen. Franciosini, en su vocabulario, glosa *Cittadino* exactamente como el *Vocabolario* de la Crusca: "colui che e capace de gli onori, e de benefici della città". Luego, contradiciendo la equivalencia *cittadino*:"hidalgo" establecida en el *Chisciotte*, traduce la palabra al español: "ciudadano." Pero explica *Cittadinesco*: "da cittadino, di cittadino", y lo traduce: "de hidalgo"; *cittadinamente*: "ciuilmente con creanza [ciuilmente"; y *cittadinanza*: "ordine ò grado di cittadini. [hidalguía". En resumen, Franciosini anticipa en el vocabulario la traducción "cittadino" que adoptará en su *Chisciotte*, y además revela estar influido

Bellini (Torino, Soc. L'Unione Tipografico-Editrice, 1865-79, vol. IV, 2, 1879, p. 1435, s.v. *Terra*, acepción 16).

[34] RAE, *Autoridades*, II [1732], repr. facs., Madrid, Gredos, 1964, s.v. *lugar*, registra como tercera la acepción "ciudad, villa ò aldéa; si bien rigurosamente se entiende por lugar la población pequeña, que es menos que villa y mas que aldea. Lat. *Oppidum*."

[35] Desgraciadamente sobre la vida de Lorenzo Franciosini no queda la menor huella; tampoco se conocen las fechas de nacimiento y muerte, aunque para esta última se supone como término *post quem* el año 1645, en que salió una edición veneciana de su vocabulario con una dedicatoria nueva. Aparte la producción en latín (*De particulis italicae orationis*, 1637; *Fax linguae italicae*, 1638), sus obras salen en un espacio de siete años (1620-1627): el vocabulario bilingüe (1620), la traducción de la Primera Parte del *Quijote* (1622), la gramática (1624), la traducción de la Segunda Parte del *Quijote* (1625), los *Diálogos apazibles* (1626), y las *Rodomuntadas españolas* (1627). Sus paratextos son nuestra única fuente de noticias biográfícas: de allí se desprende que, aunque frecuentemente se le calificase genéricamente de florentino, debía ser natural de Castelfiorentino; que en 1637 vivió en Florencia y que debió transcurrir la mayor parte de su vida en Siena, donde ejerció como profesor de italiano y español. No sabemos sobre qué fundamentos Negri situó su docencia en Pisa (*Istoria degli scrittori fiorentini*, Ferrara 1722, p. 367) sin señalar su actividad en Siena. Investigaciones realizadas por A. Gallina en los archivos de Siena y Pisa no han llegado a ningún resultado (*Lorenzo Franciosini*.., cit.). De todas formas, la gran penuria de datos no nos impide constatar que Franciosini estuvo estrechamente relacionado con el ambiente toscano y con la corte medícea, muchos miembros de la cual aparecen como dedicatarios de sus obras.

por el de la Crusca que ignoraba las dos acepciones primarias (a) 'de la ciudad' y (b) 'burgués', y acogía (c) 'urbano, educado', (d) 'que tiene derecho a los beneficios de la ciudad', y (f) 'en posesión de la ciudadanía'.

Ahora bien, pensando sobre todo en la última acepción, recuerdo que Covarrubias registraba, aunque sin compartirla, la etimología *hidalgo<italico* (propuesta por el comentarista de las *Partidas*, Gregorio López, diría el *Diccionario de Autoridades*[36]). Según ella, "hidalgo sería el que goza el *ius italicum*, que era un género de essención y nobleza que se concedía a provincias o ciudades, para que fuessen tenidos por ciudadanos romanos en ciertos particulares [...]". Dejando aparte la acepción (c) 'urbano, educado' (que acepta), es de suponer con toda verisimilitud que el profesor Franciosini construyese *cittadino* instituyendo un nexo – que hoy no podemos menos de considerar impropio – entre los privilegios tributarios del *hidalgo* español y los inherentes a la *cittadinanza*, que en el estado medíceo, en que Franciosini vivía, tocaban sobre todo la exención fiscal y el acceso a cargos públicos[37], y que la Crusca identificaba precisamente como distintivos del *cittadino*: este nexo debía de haberse asomado a la mente de Franciosini al encontrar la posibilidad de favorecer, sin ningún respeto a la diacronía histórica o a la disparidad geográfico-antropológica, una etimología y una significación, registradas por Covarrubias, que hacían remontar la hidalguía a una institución romana.

Con su respeto por la autoridad de la palabra escrita y del vocabulario académico, Franciosini revela su vocación pedantesca[38] y, junto a cierta falta de

[36] F. Lázaro añade que G. López proponía esta etimología "basándose en la inmunidad tributaria de los italos y en la concesión del *jus italicum* a muchas ciudades españolas" (*Hidalgo, hijodalgo*, en "Revista de Filología Española", XXXI (1947) pp. 161-170); por lo demás, no registra la interpretación de Franciosini (B. Periñán, *La «Grammatica»*.., cit., p. 249n).

[37] Cfr. E. Fasano Guarini, *Lo stato mediceo di Cosimo I*, Archivio dell'Atlante Storico Italiano dell'Età Moderna, Firenze, Sansoni, 1973, pp. 14-15, 22, 30, 32-35, 37, 39-40, 42, 46, 47, 49, 57-59).

[38] Mele dice que su *Grammatica* es "un'opera informata a intenti pratici d'un maestro di lingue dalle vedute un po' corte, e modellata per giunta sulla *Grammaire* dell' Oudin, cui aggiunge ben poco di nuovo"; y, al traducir el *Quijote*, "[...] non riuscì a rendere popolare presso di noi il capolavoro spagnuolo per tutto il Seicento. Egli si propose di adattarlo al genio e al gusto della nostra nazione, senza mai dipartirsi dal testo, serbando persino certi costrutti e certe espressioni propri soltanto della lingua spagnuola; se ne allontanò di rado qua e là o non lo rese bene per non averlo ben compreso: la prosa, così lontana dalla semplicità e limpidità dell'originale, rende il significato, ma di rado la poesia e il fine umorismo sparsi nella narrazione del Cervantes." (*Uno spagnolista*..., cit., pp. 178,187-188). Periñán, aunque menos severa que Mele, reconoce esta vocación pedantesca: "En su afán por ofrecer distingos y sutilezas se trasparenta que Franciosini más que recoger un estado de lengua hablada se dejó fascinar por el rastreo de gramáticas y textos

sensibilidad por el uso vivo de la lengua, una clara voluntad de aclimatar[39] a Don Quijote en una realidad italiana, o mejor toscana, en la que él vivía. La consecuencia de esto será, obviamente, una especie de municipalización de la novela en clave florentina.

Pero Franciosini consigue imponer su opción durante tanto tiempo gracias a la fuerza y autoridad de su vocabulario, que, como sabemos, tuvo un éxito enorme, y al que remite explícitamente en la dedicatoria *A' Cvriosi lettori* antepuesta a la Primera Parte del *Chisciotte* (c. a3rv).

En 1818-19, en su "traduzione nuovissima"[40], Gamba mantiene, en la mayoría de los casos, las opciones de su predecesor por "cittadino" en el título de la Segunda Parte[41], y por "terra" en los *incipit* «menores» de I, 28 (III, p. 41) y I,

clásicos, y sólo en contadas ocasiones penetraron en su obra huellas del habla coloquial." *(La «Grammatica»*...cit., p. 250).

[39] D. Bernardi, *La obra de Lorenzo Franciosini: aproximación a la primera traducción italiana del 'Quijote' (1622-25). Estudio de la Primera Parte* (tesis), Università di Venezia, 1990-91, pp. 196-215, demuestra la "actitud naturalizadora" de Franciosini; es decir, según fórmula de Schleiermacher, su "disponibilidad para adaptar al nuevo contesto cultural italiano algunas realidades históricas y sociales – llamadas, por aquel entonces,– «costumbres» – presentes en el texto español." (p. 196). Esta actitud, que tiende a "dejar lo más tranquilo posible el lector y hacer que vaya a su encuentro el escritor", queda prácticamente ausente en las traducciones de los textos clásicos; en cambio es un rasgo común en las traducciones de textos escritos en idiomas modernos, que se encuentran en un plan de más modesta artesanía (v. C. Greppi, *Sulla traduzione letteraria nel Seicento italiano*, en "Sigma", 31 (1971) p. 58). Interesante para nuestro propósito, la interpolación, ya señalada por Ríus, por la que a una serie de linajes españoles, Franciosini añade unos linajes italianos, o mejor toscanos (Salviati, Strozzi, Buondelmonte, Guicciardini, Quatarresi, del Nero di Fiorenza, Baichetti, para concluir con el suyo: Franciosini da Castelfiorentino; I,13, p. 109).

[40] Así en la portada. Las páginas III-IX, después calificar la traducción de "versione affatto nuova", definen a su autor "un quanto modesto altrettanto perito uomo" (p. VI). En las pp. IV-VI se subrayan méritos y defectos de la traducción de Franciosini, algunos – a decir verdad – imputables a editores posteriores que habían incorporado en el texto notas que Franciosini había puesto en el margen. En la p. VI se dan importantes informaciones sobre las ediciones españolas y francesas consultadas. El nombre «Francesco Gamba» aparecerá sólo en las ediciones posteriores a 1819 que reproducirán su traducción.

[41] En I, 21, p. 262 (*Bien es verdad que yo soy hidalgo de solar conocido, de posesión y propriedad y de devengar quinientos sueldos* [..]), Gamba no reconoce las acepciones *h. de solar conocido, h. de posesión y propriedad* e *h. de devengar quinientos sueldos*. Rechaza la versión de Franciosini, muy sintética, pero férreamente coherente consigo misma, ("è ben vero ch'io sono antico e nobil Cittadino", p. 211), sustituye *hidalgo* con una perífrasis y aglutina las dos acepciones siguientes en una oración que traduce erróneamente la acepción tocante al privilegio en que consistía quizás el último rasgo diferencial del *hidalgo*: la posibilidad de reivindicar la suma de quinientos sueldos como indemnización a un agravio: "[...] vero è per altro ch'io discendo da conosciuto lignaggio, che ho possedimenti fino alla rendita di cinquecento soldi [...]" (II, p.105). En

39 (IV, p. 31); y conserva la correlación "terra"-"cittadino" tanto en el *incipit* «mayor» (I, 1: I, p. 17) como en II, 2 (V, pp. 43-45). En este último pasaje, al aceptar la oposición *cittadini/gentiluomini* que Franciosini hace corresponder a la oposición *hidalgos/caballeros*, se atiene al criterio de su predecesor de forma aún más estricta, traduciendo *hidalguía* no con "nobiltà"[42] sino con "cittadinanza".

El hecho de que, en la segunda década del s. XIX, el véneto Gamba[43] siguiese adoptando la versión "cittadino" en una época, además, en que este significante acababa de asumir (y, por cierto, a continuación perder) significados igualitarios bajo el impulso de la Revolución francesa[44], agrava la situación, re-

I, 28, después de aceptar la traducción *lugar*: "terra" de Franciosini, se desentiende de los rasgos diferenciales entre *hidalgo* y *caballero* (v. nota 94), y traduce: "colle loro fortune e col loro buon tratto vanno ogni dì più acquistando credito di onoratissima gente e di persone di condizione" (tomo III, p. 41).

[42] Tanto en este caso como en I, 21 Gamba contraviene incluso al *Vocabolario* de Franciosini, que reza: "cittadinanza, cioè ordine ò grado di cittadini [hidalguía" (Roma, Profilio, 1620, I, p. 165).

[43] Bartolomeo Gamba (1766-1841), de Bassano del Grappa, trabajó hasta 1811 en la imprenta Remondini, donde aprendió español desempeñando la correspondencia con España. A comienzos de 1816, llegó a ser "arbitro" de la tipografía veneciana Alvisopoli, para la cual publicó su versión del *Quijote* en 1818-19. En 1811 fue nombrado director de la Real Censura en el Reino Itálico, cargo que mantuvo en 1815, al pasar Venecia bajo la dominación austríaca (N. Vianello, *La tipografia di Alvisopoli e gli annali delle sue pubblicazioni*, Firenze, Olschki, 1967; R. Zarpellon, *Una figura della cultura veneta fra Sette e Ottocento: Bartolomeo Gamba*, "Bollettino del Museo Civico di Bassano", nuova serie, 7-12, 1989-1991, pp. 69-117).

[44] E. Leso demuestra con numerosos ejemplos –muchos de los cuales procedentes del contexto social véneto al que pertenecía Gamba– que, en el trienio 1796-99, XXXI, 1970, pp. 111-117]. Esto implica que, veinte años antes que Gamba decidiera seguir designando a "Don Chisciotte" como *cittadino*, el vocablo era susceptible de establecer una fuerte relación oximórica (en clave paradójica, cómica o satírica) con la contigua partícula honorífica *Don*. Francamente es difícil de creer que una distancia temporal de sólo veinte años-junto, claro, a la totalidad del proceso de la restauración– hubiese podido desarraigar por completo de la conciencia lingüística colectiva una acepción tan enfáticamente destacada en la "lingua d'uso" durante el trienio revolucionario, como fue la significación igualitaria del vocablo *cittadino* (Tommaseo y Bellini, *Dizionario...*, cit., I, 2, 1865, p. 1435, fechan el uso de *cittadino* "per adombrare la civile uguaglianza" dopo il 1796, e anche un po' nel 1848"); sobre todo si consideramos que precisamente la imprenta Remondini, en la cual Gamba trabajó hasta 1810, había publicado dos títulos inequívocos como *Gli studi e i doveri che costituiscono il vero Cittadino Repubblicano*, Bassano, 1787, y el *Dizionario del Cittadino, ossia ristretto storico, teorico e pratico del Commercio tradotto dal Francese*, Bassano, 1781. A esto verosímilmente se debió la supresión de *cittadino* en el título de la edición de Milán, Truffi, 1832-33, *Vita e avventure di Don Chisciotte della Mancia*. Sobre *cittadino* cfr. también, E. Leso, *Appunti sul lessico politico italiano nell'età giacobina*, in *Studi di filologia romanza e italiana offerti a Gianfranco Folena dagli allievi padovani*, Modena, S.T.E.M.-

velando por una parte la pasividad o mediocridad del segundo traductor, y por otra el despotismo ejercido por un diccionario en una situación, como la italiana, de tradicional divorcio entre la lengua hablada y la escrita.

Mucchi, 1980, pp. 423-436, y *Lingua e rivoluzione-ricerche sul vocabolario politico italiano del triennio rivoluzionario 1796-1799*, Venezia, Istituto Veneto di Scienze, Lettere ed Arti, 1991, pp. 272-279, 435-441 y *passim.* En un texto de 1809, Gamba hace un uso del vocablo *cittadino* que denota una efectiva solicitud cívica: la correlación *cittadino-Patria* (correlación subrayada por Leso como rasgo diferencial del lenguaje jacobino, denotando la actitud comprometida del individuo hacia la colectividad), reiteradamente afirmada en este texto (pp. 6 y 25-26), revela que Gamba (que debió ser todo menos un revolucionario; véase su actividad como censor señalada anteriormente), debía haber respirado, aunque fuera de forma pasiva, aquella atmósfera políticamente comprometida que durante un tiempo muy breve (mayo-octubre de 1797) había alentado en muchos venecianos la ilusión de constituir un gobierno democrático. Pero la compatibilidad entre la condición de *Cittadino* y la de *Suddito*, claramente aceptada, es más, auspiciada por Gamba en la conclusión del mismo texto, demuestra toda la distancia que separa el lenguaje de nuestro traductor del lenguaje verdaderamente revolucionario, precisamente marcado por oposiciones-clave como la oposición *cittadino/suddito*: "Quando noi non saremo più –concluye Gamba, dirigiéndose a los alumnos de un colegio en el día de su inauguración– benedirete, come spero, le nostre rette intenzioni, come quelle di cooperatori zelanti alle istituzioni, che debbono formarvi Cristiani ottimi, Sudditi fedeli, Uomini colti, e Cittadini attaccati alla vostra Patria." (*Discorso... pell' aprimento delle pubbliche scuole elementari in Bassano*, Venezia, Tip. Picotti, 1809, pp. 25-26).

A proposito di due "canzoni" gongorine tradotte da Juan Francisco Masdeu

GIULIA POGGI

Originata dal desiderio di trovare un punto di contatto fra un antico interesse personale (quello per Góngora) e un secolo (il Settecento), che tanto Rinaldo Froldi ha contribuito a far conoscere e studiare, questa minuscola nota intende soltanto trascrivere e commentare due versioni gongorine, senza pretesa di approfondire il pur rilevante ruolo che il loro autore, Juan Francisco Masdeu, svolse nella diffusione della cultura spagnola in Italia.

Nato a Palermo da genitori catalani nel 1744, Masdeu entrò nel noviziato dei Gesuiti a Barcellona nel 1759, ma pochi anni dopo, in seguito all'espulsione dell'ordine, venne in Italia dove visse tra Bologna, Ferrara, Ascoli e Roma. Tornato in patria a più riprese, morirà a Valencia nel 1817. In tutto simile a quello di tanti suoi compatrioti, la sua vicenda lo portò a scrivere un'appassionata storia in difesa del suo paese[1] e a comporre un trattato (*Arte poética fácil*) che può· leggersi come una tardiva derivazione, decantata secondo canoni settecenteschi, della ricca riflessione retorica offerta dalle *summae* del periodo barocco[2].

[1] Si veda, per maggiori notizie sull'autore, il tomo V del repertorio curato da A. e A. De Backer-C. Sommervogel, *Bibliothèque de la Compagnie de Jésus*, Paris-Bruxelles, 1894 (rist. anastatica: Louvain, 1960), pp. 670-680 e per le vicende che caratterizzarono la pubblicazione della sua monumentale *Storia critica di Spagna e della cultura spagnola* (il cui primo volume, pubblicato a Foligno nel 1781, uscì a Madrid due anni dopo in traduzione spagnola) M. Batllori, *La edición italiana de la* Historia *de Padre Masdeu*, nel suo *La cultura hispano-italiana de los jesuitas expulsos*, Madrid, Gredos, 1966, pp. 413-35 (cap. 19); ancora sul ruolo del Masdeu nelle polemiche attorno alla Spagna di fine secolo si veda G. Calabrò, *Una lettera inedita sulla* Querelle *intorno alla cultura spagnola*, in "Studi di letteratura spagnola", Roma 1966, pp.191-203.

[2] Strutturato come un colloquio pedagogico, il trattato, che fu pubblicato a Valencia nel 1801 e immediatamente tradotto in Italia (Parma, 1803), perpetua l'impianto filosofico entro cui si era costruita, un secolo prima, l'*Agudeza* di Gracián. Si cfr. per esempio con la nota definizione del *concepto* gracia-

Stampato a Roma, ma recante, anche nell'introduzione e nelle note, il testo a fronte, il volume antologico da cui sono tratte le traduzioni in questione, riveste un notevole interesse non solo per lo spirito che lo anima (e che quello di diffondere in Italia metri e ritmi ispanici) ma anche per le considerazioni introduttorie, le quali sembrano costituire una lucida anticipazione delle dicotomie attorno a cui si è andato attestando, nel nostro secolo, il dibattito sul tradurre[3]. Nel momento in cui, contrapponendosi al "divino furor", " a la invencion poetica", "al hermoso estilo petrarquesco" di Giovan Battista Conti, (l'italiano che aveva avuto il torto di precederlo di qualche anno nella divulgazione della lirica castigliana)[4], Masdeu parla di sé come di un fedele trascrittore, cui è dato soltanto di fare "una copia simplicissima de las varias invenciones, de los pensamientos diversos, de los diferentes estilos de los poetas", egli non fa altro che riacuire un conflitto da sempre latente tra una preoccupazione tutta filologica per la verità del testo e la tendenza a ricrearlo liberamente: insomma, per rian-

niano questi precetti che il maestro Metrófilo rivolge all'allieva Sofronia: "[...] una pieza poética tanto más hermosa es y admirable, quanto son más lexanas y difíciles las relaciones de sus objetos [...]" (J.F. Masdeu, *Arte poética fácil. Diálogos familiares, en que se enseña la poesía a cualquiera de mediano talento de qualquero sexo y edad*, Valencia, 1801, p. 17). La stessa preoccupazione per il *verisímil*, ribadita più volte da Metrófilo nelle sue lezioni immaginarie dà ragione delle scelte antimetaforiche che marcano, come vedremo, le traduzioni del Masdeu.

[3] POESIE / DI VENTIDUE AUTORI / SPAGNUOLI / DEL CINQUECENTO / Tradotte in lingua italiana / DA GIANFRANCESCO MASDEU / Barcellonese / tra gli Arcadi Sibari Tessalicense /, Roma MDCCLXXXVI / Per Luigi Perego Salvioni Stampator / Vaticano nella Sapienza / Roma 1786. Già pubblicata in appendice al tomo III della seconda parte del *Saggio storico-apologetico della letteratura spagnola* di X. LLAMPILLAS (Genova 1781), l'antologia si articola in due tomi comprendenti quattro sezioni metriche (canzoni, egloghe, ottave e sonetti) e introdotti da una *Prefacion del traductor con una breve noticia de los poetas a quienes pertenecen las poesias traducidas* (pp. 13-85). L'esemplare cui faccio riferimento si trova presso la Biblioteca Marciana di Venezia (segn:VII-h-17); ne ho consultato uno anche alla Biblioteca Nacional de Madrid (segn: 20246/3) che, formato dalla rilegatura congiunta dei due tomi, reca come unico frontespizio quello del primo.

[4] Si veda la cit. *Prefacion del traductor* (pp. 20-22) in cui Masdeu riferisce della vicenda editoriale che vide le due antologie uscire a poco tempo di distanza l'una dall'altra: "Esta prefacion, con lo restante de la obra estaba dispuesta para la Imprenta desde el Marzo del año 1782, aunque hasta ahora varias circustancias no me han permitido ejecutarlo. Habiendo posteriormente el Señor Conde Conti emprendido en Madrid algunas traducciones de poesia castellana, devo alegrarme con el ilustre autor por su noble empresa. A vista de ella io me retiraria de mi trabajo, si no lo tuviese ia mui adelantado i si no fuesen muchos los poetas de que tengo hechas traducciones, habiendo el Señor Conti hasta ahora traducido mui poco de ellos...." Le traduzioni di cui parla Masdeu sono quelle contenute nell'antologia *Scelta di poesie castigliane* tradotte in verso toscano e illustrate dal Conte G.B. Conti (Madrid, 1782-1790, 4 voll), sulla cui importanza in relazione alla cultura di fine secolo si veda M. Fabbri, *I gesuiti espulsi in Italia e la polemica sulla tradizione poetica spagnola*, in "Italia e Spagna nella cultura del '700", Atti del Convegno dei Lincei, 3-5 dic. 1990, Roma 1992, pp. 145-63 (e per la polemica Masdeu-Conti, pp. 149-54).

dare a una metafora ritagliata su presunti comportamenti femminili, fra la "bella fedele" e la "brutta infedele"[5]. Naturalmente, dietro alle dichiarazioni di Masdeu, dietro a parole tanto consapevoli da costituire quasi una moderna nota del traduttore, è da leggere, prima ancora che una presa di posizione teorica, una polemica verso il Conti, il quale aveva già dato un assaggio del suo progetto con quella versione della prima egloga garcilasiana pubblicata a Madrid nel 1771 con un prologo e un commento laudatorio da parte di un tal Doctor Casimiro Ortega Gómez[6]. Tuttavia, proprio il fatto che Masdeu, confrontando la sua versione di Garcilaso con quella del Conti, rendesse quest'ultima oggetto, attraverso ripetuti attacchi all'Ortega, di feroci critiche e puntualizzazioni[7], induce a credere che egli, forte della conoscenza dell'una e l'altra lingua e letteratura, fosse arrivato a forgiare un suo proprio metodo di traduzione, e tanto collaudato da fare apparire un *topos humilitatis* il suo appellarsi al ruolo di copista e del tutto ironica l'ammirazione tributata al rivale.

Ci troviamo di fronte, insomma, non a un semplice divulgatore e nemmeno a un traduttore curioso, quanto piuttosto a un erudito e fine letterato, cui il bilinguismo, anziché far velo, si risolve in ulteriore elemento di verifica e comparazione, tanto da consentirgli di additare alcuni scambi cruciali nel complesso capitolo delle relazioni ispanoitaliane e di raccomandare ai nostri poeti di adottare i ritmi della tradizione castigliana, (quasi a voler rendere il prestito elargito due secoli addietro dal petrarchismo) senza per questo dover rinunciare alla propria tradizione poetica. È in tale contesto che si colloca la scelta delle due *canciones* gongorine da tradurre, laddove la definizione metrica acquista un senso volutamente generico che finisce per accomunare il primo testo, effetti-

[5] Adombrata a più riprese dai più importanti studi sulla traduzione (fra cui da ricordare il luminoso saggio di B. Terracini, *Il problema della traduzione*, recentemente ristampato a cura di B. Mortara Garavelli, Torino, 1983), tale dicotomia riaffiora insistentemente nei contributi di G. Folena, (*Volgarizzare e tradurre*, in AA.VV., *La traduzione. Saggi e studi*, Trieste, 1973; poi stampato a parte, Torino, 1991) e di F. Fortini (*Traduzione e rifacimento*, cfr. le pp. 123-39 del vol. di cui sopra); ma si veda anche la nota di C. Garboli, *L'attore senza gesti*, in "Paragone", 396 (1983), pp. 42-47.

[6] Apposto al testo spagnolo e rivolto al lettore di quella lingua, il commento dell'Ortega tende sempre a giustificare le libertà interpretative del traduttore: d'altro canto le note di quest'ultimo al testo italiano, si limitano a indicare la provenienza letteraria (spesso dantesca e petrarchesca) di soluzioni tanto ostentatamente dotte quanto poco rispondenti alla lettera dell'originale.

[7] Il fatto che il Masdeu si scagli più contro l'Ortega che il Conti (anche se poi finisce per assimilare ambedue in un giudizio sostanzialmente negativo) è indicativo della sua avanzata coscienza linguistica: non è tanto, infatti, delle patenti inesattezze presenti nella versione del Conti che il gesuita si scandalizza, quanto del fatto che il suo commentatore spagnolo le avalli appellandosi a una presunta inadeguatezza dell'italiano o, peggio, dello stesso Garcilaso. Ben altro rispetto verso il testo rivelano le sue versioni improntate, anziché a indebiti abbellimenti, a un'esatta ricerca di analogie di senso e di forma.

vamente costruito sullo schema petrarchista della canzone, al secondo composto, in realtà, sul ritmo del più tradizionale *romancillo*:

He dado el nombre general de Canciòn a esta poesia [il *romancillo* "Frescos ayrecillos"] que los españoles llamarian *Endechas* y los italianos *Canzonetta*. Està hecha en un metro español, no conocido presentemente en Italia, el qual he conservado en traduccion, porque los italianos lo conozcan. El primer verso y el tercero de cada cuarteto son sueltos. El segundo i el cuarto tienen una rima imperfecta, que los Españoles llaman *asonante*, y que consiste en la consonancia de las solas vocales [...] la Italia debiera introducir en su parnaso esta rima ispanica, con la cual se forma un nuevo genero de poesia media entre la rimada y la suelta"[8].

Perorazione della causa spagnola che anticipa un tratto comune della critica odierna gongorina, ossia la continuità, a partire dalle chiarificatrici parole di Dámaso Alonso, fra il registro alto del cordovese e quello burlesco e disimpegnato. Si tratta di un'anticipazione inconsapevole perché in realtà si vede bene che di tutta l'opera gongorina Masdeu ha ignorato la sezione più culta, preferendo affollare le due raccolte di sonetti e ottave incluse nell'antologia con campioni di autori o antecedenti al cordovese (come Garcilaso) o da lui apertamente dissidenti (come Lope de Vega e Quevedo). Ma, del resto, questo ripudio del Góngora culto e innovatore è espresso a chiare lettere nella breve nota che precede le traduzioni del cordovese, laddove il Masdeu si premura di tracciare in maniera netta quella distinzione fra le due epoche della sua lirica che poi la critica moderna avrebbe così recisamente smentito:

Algunas de sus poesias [di Gongora] principalmente las cortas i de arte menor, estan escritas con pureza, naturalidad y propiedad; i mostrò en ellas, que tenia talento i habilidad para caminar con mucha gloria por el buen camino. Pero en las demas composiciones asi liricas como epicas i teatrales caminò por sendas erratas, afectando la hinchazon, las agudezas, i las antitesis[9].

Considerazione che, innestandosi sulle *frange* della polemica tardoseicentesca attorno alla "nueva poesía", non solo sembra rafforzarne i termini, ma anche scavare fra le pieghe dei tanti pregiudizi che si erano andati formando, non

[8] Cfr. la nota al testo del *romancillo* nel vol. *Poesie di ventidue autori*..., cit., p. 164, in cui Masdeu puntualizza quanto già accennato nella *Prefacion* sull'opportunità di comprendere, sotto il titolo di "canciones", "madrigali e altri piccoli componimenti" (p. 19).

[9] Per questa citazione e le seguenti cfr. *la Noticia de los poetas a quienes pertenecen las poesias comprendidas en este tomo*, compresa alle pp. 52-56 del sopracitato volume.

ultimo quello di una supposta xenofilia del poeta cui, con una nostalgia da esiliato, il Masdeu rimprovera un uso troppo disinvolto di un petrarchismo deteriore e comunque estraneo alla natura spagnola:

> Se introdujo en Italia este mal gusto poetico un siglo antes que naciese Góngora [....] En España desde el 1500 se hizo de moda la lectura de los poetas italianos, i con los buenos se leian los malos. Pero sin embargo se habia mantenido la poesia castellana en su natural y hermosa sencillez, hasta que don Luis de Góngora, por el deseo de distinguirse entre los poetas de su nacion introdujo el primero de todos en el Parnaso la corrupcion del de Italia.

Giudizio quantomeno circostanziato, se si pensa che il Masdeu conosceva a fondo le due letterature e che molti degli autori citati fra i *malos* costituirono effettivamente un punto di partenza di tante imitazini gongorine; giudizio, anche, che aiuta a ricostruire le origini del disprezzo verso il "mal gusto" barocco che tanto ha condizionato la critica letteraria italiana e la cui nascita Masdeu individua già alla fine del quattrocento quando, secondo le sue stesse parole, "Federico III emperador coronò en Ferrara de laureles a Antonio Tibaldeo, insigne corruptor de la poesia italiana". Quanto di questo giudizio sul Tebaldeo fosse da ascrivere a una convinzione già radicata nella tradizione italiana[10] non è dato di sapere con esattezza: certo è che l'intreccio fra le due culture è ben tenuto presente dal gesuita e che la sua premura di separare l'apporto spagnolo dalla "corrupcion" italiana fa capire quali fossero le sue convinzioni in fatto di retorica e perché di Góngora egli privilegiasse, anziché i sonetti e i poemi mag-

[10] Il Masdeu sembra raccogliere qui, senza concessione a ulteriori sfumature di benevolenza, quanto già accennato dal Quadrio: "fu egli [il Tebaldeo] riguardato come il capo di quello stile, che consisteva in far pompa di bizzarrie e di vivezze. Ma delle Rime di questo scrittore altri parlandone con onore, altri con biasimo, noi non vogliamo di questa lite brigarci". (F. S. Quadrio, *Della storia e della ragione d'ogni poesia*, Milano, 1741, vol. II, pp. 212-213). Fra i seguaci di tanto deprecato stile il Masdeu annovera una prima generazione di poeti ("Ceo, Nocturno, Aquilano, Cornazano") responsabile a sua volta di aver dato inizio a quella "mala escuela" i cui rappresentanti ("Bendedei, Delminio, Quirino, Groto, Grillo y ultimamente Marini, Stigliani, Preti, Achillini y otros innumerables") avrebbero negativamente influito su Góngora. Insomma, il Masdeu sembrerebbe suggerire una linea gongorina compromessa con una serie di minori italiani, alcuni dei quali già individuati dalla critica: si veda, a proposito del Marino e lo Stigliani, i numerosi riferimenti contenuti nell'ampio studio di A.Vilanova (*Las fuentes y los temas del "Polifemo" de Góngora*, Barcelona, 1992, 2 voll: I ed. Madrid, 1957) e inoltre la suggestiva lettura di S. Guyler, (*Gongora's "Polifemo": the Humor of Imitation*, in "Revista Hispánica Moderna", XXXVII (1972-73), pp. 237-52); per il Groto D. Alonso, *La correlazione nella poesia di Gongora*, nel suo *Pluralità e correlazione in poesia*, Bari, 1971, pp. 198-221 (198-99); per il Grillo, G. Poggi, *Un soneto de Góngora y su fuente italiana*, in "Estado actual de los estudios sobre el siglo de oro", Salamanca, 1993, 2 voll., II, pp. 787-93.

giori, le *canciones* e i romances e soprattutto quelli che, per l'argomento a sfondo erotico e la loro spiccata cantabilità, meglio si confacevano al suo spirito settecentesco.

C'è poi un'ultima cosa da segnalare riguardo alla biografia gongorina compilata dal Masdeu: l'accenno, verso la fine, della tormentata vicenda della trasmissione delle opere del poeta e in particolare del ruolo giocato dal ms. Chacón:

> Este poeta [Góngora] compuso muchas obras: pero su amigo Don Antonio Chacón, que recogio despues de la muerte del autor todos sus manuscritos, solo publicò las que andan impresas por ser tal vez las demas sobrado satiricas [...]

Parole che sembrerebbero situare il celebre manoscritto (datato 1628) all'indomani dell'edizione Vicuña (uscita nel 1627 e presto oggetto di censura) e mettere in discussione l'ipotesi, su cui si fondano quasi tutte le edizioni moderne, di un codice scritto sotto diretto controllo dell'autore.

Non è questa la sede per affrontare l'argomento, né d'altronde sappiamo se il Masdeu parlava per sentito dire, oppure avesse una diretta conoscenza del celebre manoscritto (il cui rinvenimento risale, come si sa, agli inizi del Novecento); tuttavia non è escluso che egli avesse letto, di Góngora, molto di più di quanto non testimoni la sua esigua scelta, la quale non è certo casuale, ma risponde a una selezione avveduta e non priva, come vedremo, di ritocchi e interventi censori. Per cui, se il testo della Cancion I non presenta varianti di rilievo rispetto alle più accreditate edizioni moderne, quello della II si caratterizza per una serie di tagli che non possono ascriversi al genere e alla sua trasmissione frammentata[11]. È dunque molto probabile che sia stato lo stesso Masdeu a rimaneggiare il testo e proprio in virtù di quei criteri che cercheremo, dopo aver trascritto le due canciones, di motivare[12].

[11] Riporto dall'ed. delle *Obras completas* di L. de Góngora curata dai fratelli Millé (Madrid, 1972[6], pp. 104-107) e in corsivo alcuni fra i più significativi passi censurati dal Masdeu: Frescos airecillos /..../ ya que os han tenido / del Tago en la vega / amorosos hurtos / y agradables penas / cuando del estío / en la ardiente fuerza / álamos os daban / frondosas defensas / álamos crecidos / de hojas inciertas / medias de esmeralda / y de plata medias /.... cuando ya cansada / de la caza vuelva /.../ y al pie se recueste / de la dura peña, / de quien ella toma / lección de dureza / llegaos a orealla, / pero no muy cerca, / que llevàis suspiros / y ha corrido ella /.... Insomma né il preziosismo coloristico (le "hojas inciertas" dei pioppi) né gli ossimori ("amorosos hurtos", "agradables penas") e i giochi concettisti e di parole ("dura-dureza") erano apprezzati dal Masdeu, il quale anzi ravvisava in essi le "antitesis" e le "agudezas" di cui si alimentò, a suo dire, la "hinchazon" gongorina.

[12] Trascrivo le due "canzoni" tradotte dal Masdeu (la prima delle quali inserita nel suo *Arte poética fácil*, cit., p. 123, come esempio di perfezione ritmica raggiunto al di fuori dello stretto obbligo della

CANCION I

A una tortolilla

1 Vuelas, o Tortorilla
I al tierno esposo dejas
En soledad y quejas.
Vuelves despues gimiendo;
Recibete arrullando,
Lasciva tu, si el blando.
Dichosa tu mil veces,
Que con el pico haces
Dulces guerras de amor, y dulces paces

2 Testigo fue a tu amante
Aquel desnudo tronco
De algun gemido ronco;
Testigo tambien tuyo
Fue aquel tronco vestido
De algun dulce gemido.
Campo fue de batalla,
I talamo fue luego.
Arbol, que tanto fue, perdone el fuego.

3 Mi piedad, una a una
Contó, aves dichosas,
Vuestas quejas sabrosas.
Mi envidia ciento a ciento
Contó, dichosas aves

CANZONE I

A una tortorella

Tu voli o tortorella
E il tenero tuo sposo
Lasci solo e doglioso.
Torni piangendo, ed egli
Con l'antica dolcezza
Ti bacia e ti accarezza.
Tortorella felice!
Che or dolci guerre schiva,
Or dolci paci sai pur far lasciva.

Quel tronco nudo, e mesto
Più volte udì lo strido
Del tuo consorte fido.
Frondoso il tronco e lieto
Più volte il canto ha udito
Del ridente marito.
Fu campo di battaglia,
E poi fu dolce letto.
O foco, a un tronco tal abbi rispetto.

Per pietade un por uno,
Felici augei, contai
I vostri dolci lai.
Uno ad uno per invidia
Contai, felici augelli,

rima) secondo la grafia dell'originale aggiungendo solo, per comodità di commento, la numerazione progressiva delle strofe. Confrontati con l'ed. Millé (cfr. la *cancion* 389, "Vuelas oh tortolilla" del 1602 e il *romancillo* 29, "Frescos airecillos" del 1590) i due testi presentano lievi varianti rispettivamente nelle strofe 2 (in Millé "Testigo fue a tu amante / aquel *vestido tronco* / de algún arrullo ronco" e 1 (in Millé: "le tejéis guirnaldas") e, per quanto riguarda il secondo, evidenti tagli da parte del traduttore. Non ho ritrovato infatti tale versione abbreviata del *romancillo* né nelle edizioni seicentesche di Góngora né nelle raccolte di *romances* cui il gesuita poteva avere attinto: si cfr. a tale proposito la *Segunda parte del romancero general y flor de diversa poesía* recopilada por M. de Madrigal, Valladolid, 1695 (ora compreso nella raccolta del *Romancero general* curata da A. González Palencia, Madrid, 1947, 2 voll.) dove il testo del *romancillo* (II, p. 263, n. 1.198) non presenta varianti di rilievo rispetto a Millé o ad altre edizioni moderne.

Vuestros besos suaves.
Quien besos contó i quejas
Las flores cuente a Mayo,
I al cielo las estrellas rayo a rayo.

I baci vostri belli.
Tanto contai ché posso
Contare i fior del maggio
E delle stelle ogni lucente raggio.

4 Injuria es de las gentes
Que de una tortorilla
Amor tenga mancilla,
I que de un tierno amante
Escuche sordo el ruego,
I mire el daño ciego.
Al fin es Dios alado,
I plumas no son malas
Para lisonjear un Dios con alas.

Vergogna è, che ancor essa
La tortora abbia core
Da far torto a l'amore
E che del fido amante
Si mostri sorda al canto,
Si mostri cieca al pianto.
La tortora vedendo
Amor, com'essa alato,
Dovria tenerlo sempre amico e grato.

CANCION II
1 Frescos ayrecillos
Que a la Primavera
Destegeis guirnaldas
I esparcis violetas
2 Ea, frescos ayres,
Antes que las sierras
Coronen sus cumbres
De confusas nieblas;
3 Y que el Aquilon
Con dura inclemencia
Desnude las plantas
I vista la tierra.
4 Batid vuestras alas,
Y dad ya la vuelta
Al templado seno,
Que alegre os espera.
5 Vereis de camino
Una ninfa bella
Que pisa orgullosa
Del Betis la arena,
6 Montaraz gallarda
temida en las sierras
Mas por su mirar

CANZONE II
Freschi venticelli
Che a la primavera
I bei fior rapite
Con la lieve aletta:
Prima che de'monti
L'alta cima fredda
Vedasi ingombrata
Di confusa nebbia;
Prima che aquilone
D'ogni fronde secca
Gli alberi sfogliando
Vestane la terra;
Quà venite a volo
Dove ancora lieta
Sù la vostra riva
La stagion v'aspetta.
Al passar vedrete
Una ninfa bella
Che del Beti calca
Con bel pie l'arena,
Ninfa che le fiere
Punge con saetta,
E gli umani cori

	Que por sus saetas	Col guardar penetra:
7	Ahora la halleis	Ora la troviate
	entre la maleza	Per la folta selva
	Del fragoso monte	Or sovr’alta rupe
	Siguiendo las fieras:	Dietro qualche fiera,
8	Ahora en el llano	Or per la pianura
	Con planta ligera	Con la pianta snella
	Fatigando el corzo	Faticando il daino
	Que herido vuela;	Che correndo trema,
9	Ahora clavando	Or di vecchio cervo
	la armada cabeza	La ramosa testa
	Del antiguo ciervo	Inchiodando al tronco
	En la encina vieja:	D’un antica quercia;
10	Quando ya cansada	Quando al fine stanca
	De la caza vuelva	De la caccia venga
	A dejar al rio	A cercar riposo
	El sudor en perlas;	Sù la morbid’erba,
11	Llegaos a orealla,	Voi con soffi dolci
	Soplad desde fuera	Fatela contenta,
	I quando la ingrata	aspettando il punto
	Mejor os entienda	Che vi porga orecchio.
12	Decidle airecillos:	Ditele in quel tempo:
	Bellisima Leda,	O leggiadra Leda,
	Gloria de los bosques,	O del bosco gloria,
	Honor de la aldea,	O del campo Dea
13	Enfermo Daliso	Egro il tuo Daliso
	Junto al Tajo queda	Lungo il Tago resta
	Con la muerte al lado	Con la morte a fianco
	I en manos de ausencia.	Che vuol farne preda.
14	En premio glorioso	Non i tuoi sospiri
	De su amor merezca,	Il meschino cerca,
	Ya que no suspiros	Brama un solo scritto,
	A lo menos, letra,	Che da ognun si legga.
15	Con la punta escrita	Con acuto dardo
	De tu aguda flecha	Sopra dura pietra
	En el campo duro	Sol queste parole
	De una dura pena,	Scriva la tua destra:
16	A donde le digas:	Mori pur Daliso
	Muere allà y no vuelvas	Mori e ti dispera
	A adorar mi sombra	Spereresti invano
	I arrastrar cadenas.	Farti amar da Leda..

La prima cosa che di queste versioni salta agli occhi è l'attenzione accordata alla resa del ritmo e delle rime, quasi che il Masdeu si fosse premurato di copiare più la partitura musicale, l'impianto *numeroso* delle due "*canciones*" che ogni loro singola espressione. Da qui una lettura agile e ariosa, in cui il significante non viene intralciato dal significato, che pure appare svolto nei suoi essenziali passaggi sintattici. E accanto alla ripresa del ritmo, la tendenza a ripristinare i vari artifici retorici della ripetizione, come i giochi chiastici (I, 3) o i marcati andamenti anaforici, la cui successione viene spesso rispettata (II, 6-7-8) o addirittura creata *ex novo* come per portare alla luce e attualizzare un tratto latente dello stile gongorino (come in I, 4, dove il distico" Escuche sordo el ruego / I mire el dano ciego" diventa: "Si mostri sorda al canto / si mostri cieca al pianto").

Ritmo e simmetria vanno insomma strettamente congiunti e il supposto "mal gusto" di Góngora finisce per essere contenuto in questa misura esatta e logica, misura certamente presente nel cordovese, anche se difficilmente separabile da quel concettismo che costituisce la base della sua lirica, ma che lo sguardo settecentesco del gesuita non si cura più di tanto di rilevare. Stupisce infatti, in tanto rigore per gli artifici della retorica e della sintassi, la scarsa sensibilità del traduttore verso il lessico gongorino, spesso eluso o addirittura ampliato secondo un'affettività assente nel testo di partenza. Prendiamo ad esempio l'antitesi vestido/desnudo tanto comune in Góngora da non sfuggire neppure alle due canzoni scelte dal gesuita. Si tratta di un gioco di parole letterario, evocato il più delle volte dal topos della battaglia d'amore[13]: ebbene il Masdeu, anziché limitarsi a cogliere il contrasto verbale tende a spiegarlo e a interpretarlo, come in I, 2 dove l'antitesi scompare a favore di una contrapposizione più stagionale che puramente semantica:

Testigo fue a a tu amante	Quel tronco nudo e mesto
Aquel desnudo tronco	Più volte udì lo strido

[13] Per le varie occorrenze del topos (culminante nel celebre verso delle *Soledades*) rimando al mio *Fedeltà e infedeltà al modello letterario nella battaglia amorosa gongorina*, in "Codici della trasgressività in area ispanica", Verona, 1981, pp.117-28 integrato dal successivo "*Exclusus amator" e "poeta ausente": alcune note ad una canzone gongorina*, in "Linguistica e letteratura", 1983, pp. 189-222 (cfr. in particolare, a p. 201, la nota 15); ma ricordo che ambedue gli interventi sono stati ripresi e superati dalla lucida analisi di Lore Terracini (*Camas de batallas gongorinas*, in *Studia aurea. Actas del III Congreso de la AISO*, ed. di I. Arellano, M.C. Pinillos, F. Serralta, M. Vitse, Tolouse-Pamplona, GRISO-LEMSO, 1996, I, pp. 525-530) da cui traspare la funzionalità semiotica (e non semplicemente letteraria) dell'antitesi desnudo/vestido presente anche, come variante, nel testo della *Cancion* I.

De algun gemido ronco	Del tuo consorte fido
Testigo tambien tuyo	Frondoso il troco e lieto
Fue aquel tronco vestido	Più volte il canto ha udito
De algun dulce gemido.	Del ridente marito.

Là dove l'immissione della duplice coppia di aggettivi ("nudo e mesto", "frondoso e lieto") non solo sfuma la netta antitesi del testo, ma anche finisce per allontanarne la risonanza classica e petrarchista, tacendo in tal modo la densa implicazione letteraria che sta alla base della lirica gongorina, il codice, diremmo oggi, attorno a cui essa si dipana. Per cui può succedere che le chiuse di ambedue le *canciones* si risolvano in altrettante esortazioni che esorbitano dal testo, la prima ("La tortora vedendo / Amor com'essa altato / Dovria tenerlo sempre amico e grato") perché prescinde dall'insistenza dei vari significati aerei attribuiti all'amore (*plumas*, *alado*, *lisonjear*, ecc.), la seconda perché trasforma in chiave melodrammatica ("Mori pur Daliso / Mori e ti dispera / Speresti invano / Farti amar da Leda") il cenno al classico (e ancora petrarchesco) servizio d'amore ("arrastrar cadenas") in esso contenuto.

Infine, le metafore. Il fatto che nella sua "riduzione" settecentesca del *romancillo*, Masdeu abbia salvato le strofe d'azione e soppresso quelle di concetto e di figura, la dice lunga sulla sua tendenza a correggere i supposti eccessi del nuovo stile, cui si rimproverava di voler stabilire nessi conoscitivi sostituenti la realtà e comunque travalicanti le funzioni di cui, sino ad allora, si faceva carico la poesia. Del resto, lo stesso fatto che nella sezione dedicata alle ottave il Masdeu avesse anteposto, alla straordinaria esemplificazione che poteva offrirgli il *Polifemo*, campioni assai meno incisivi, (e tuttavia più recepibili nella loro struttura sintattica e prosodica) rivela una fondamentale diffidenza verso l'esasperato rapporto fra semantica e ritmo su cui si fondava il poema, la cui condensazione figurale rappresentava forse, ai suoi occhi, l'esempio tipico di quell'irregolarità che egli cercava di contenere. Da qui la sua palese insensibilità nei confronti dei campi semantici più battuti dalla *langue* gongorina, la cui intensificazione (in certi casi, una vera e propria saturazione) viene programmaticamente deviata; da qui anche la soppressione dei più ricorrenti nodi metaforici, come l'equazione acqua= perla che presente nella strofa 7 della *cancion I*, ("Quando ya cansada / De la caza vuelva /A dejar al rio / El sudor en perlas") verrà sottoposta, ancora una volta, a una spiegazione aggiuntiva e priva di diretto riscontro sul testo ("Quando alfine stanca / Da la caccia venga / A cercar riposo / Sulla morbid'erba"). Dove qualsiasi traduttore moderno, con altro senso del linguaggio e della funzione poetica, avrebbe conservato non solo la metafora (significativa peraltro, e tanto da dare il destro a una sua possibile etimologia, di tutto il barocco[14], ma anche la complessità del campo semantico, volutamente delimitato, nell'originale, da tre diverse manifestazioni del fattore acquoreo (*río*, *sudor*, *perlas*).

In conclusione: belle e fedeli in certi punti come raramente riescono ad essere le traduzioni gongorine, le versioni del Masdeu riflettono, in altri, un'ansia pedagogica che allontana il testo dai suoi archetipi più cari, gli stessi che alimentarono, sull'onda, non della razionalità e della misura, ma della memoria e della nostalgia letteraria, un linguaggio unico e irripetibile. Un linguaggio destinato a rivelare, tanto nelle accese dispute seicentesche come nel più fine comparatismo di fine Settecento, un'incompatibilità di fondo con il programma culturale di quell'ordine che, in Spagna e fuori di essa, tanto doveva significare[15].

[14] Si veda a tale proposito B. Migliorini, *Etimologia e storia del termine "Barocco"* in A.A.V.V., *Manierismo, barocco, rococò* ("Atti del Convegno Internazionale dell'Accademia Nazionale dei Lincei", Roma 21-24 aprile 1960, Roma, 1962, pp. 39-50) dove si ipotizza, fra i vari etimi della parola, la discendenza dal termine portoghese "barroco" indicante una perla di forma irregolare. Da notare come la metafora venatoria sudore=perle riappaia, in un analogo contesto, nel *Polifemo* (ottava 24).

[15] Il capitolo dei rapporti fra Góngora e i gesuiti ancora tutto da scrivere: per ora basti accennare al sonetto composto dal poeta nel 1610 contro Juan de Pineda (reo di avergli preferito, in un certame poetico, un padre teatino, v. Millé LXXXIII) e al documento con cui lo stesso Padre Pineda censura le *Obras en verso del Homero español* raccolte da Juan López de Vicuña a Madrid nel 1627: se ne veda l'edizione facsimile curata da D. Alonso (Madrid, 1963) il quale riporta anche, alle pp. XXX-XXXVI, il testo *dell' informe*.

Considerazioni sulla tradizione manoscritta del teatro di Lope de Vega

MARCO PRESOTTO

Il seicento spagnolo, com'è ben noto, è un periodo chiave per la nascita e lo sviluppo della pratica editoriale del "teatro a los lectores", cioè a dire il passaggio della letteratura drammatica, una volta sfruttata pienamente per le scene, a un altro tipo di fruizione decisamente nuovo, la lettura privata. Ma proprio perchè questa prassi nasce e si assesta all'epoca, gli esempi di copie manoscritte ordinate per tale fruizione sono rarissimi nel periodo in cui Lope è attivo. Di estremo interesse a questo riguardo è la collezione che ordinò il Conde de Gondomar ai primi del secolo e che si trova ora in parte alla Biblioteca de Palacio e in parte alla Biblioteca Nacional[1]. Si conservano così, grazie agli interessi teatrali di Gondomar, molte commedie del cosiddetto primo Lope, con 15 titoli appartenenti all'ultima decade del Cinquecento, insieme a numerose altre anonime.

Se si escludono queste rare eccezioni, il manoscritto è il veicolo di trasmissione del testo drammatico sostanzialmente in due momenti all'interno del commercio teatrale all'epoca: in primo luogo, quello legato alla vendita dal *poeta* al *autor de comedias*, alla compagnia teatrale; qui il documento assumeva il nome di *original*, autografo o comunque autorizzato dall'autore. Un secondo momento è poi quello della produzione del testo spettacolo, in base alle cui esigenze *el original* veniva studiato, annotato, forse copiato interamente, utilizzato di certo come modello per la redazione di copioni e presentato alle autorità per la necessaria licenza di messa in scena in un luogo pubblico. Viene qui tralasciato un possibile terzo ambito di trasmissione manoscritta del testo drammati-

[1] Cfr. S. Arata, *Teatro y coleccionismo teatral a finales del siglo XVI (el conde de Gondomar y Lope de Vega)* in "Anuario Lope de Vega", II (1996), pp. 7-23.

co, legato ai furti dei cosiddetti *memoriones*, da considerare forse più come plagiari che come veri e propri copisti[2].

In un tale contesto, risulta di somma utilità indagare sull'esistenza di *corpora* manoscritti, uniformi dal punto di vista codicologico. Lo studio delle loro caratteristiche può essere di notevole ausilio per l'edizione critica delle commedie e in generale per la storia del teatro dell'epoca.

Il documento più autorevole è evidentemente quello autografo, confezionato spesso con gran cura da un Lope artigiano attento agli aspetti accessori del prodotto che vendeva, come l'aspetto grafico della pagina, la precisa compilazione delle *dramatis personae* ad ogni atto, sempre preceduto dal corrispondente frontespizio. Le rubriche e la firma al termine del manoscritto rendevano, infine, inconfondibili e autentici i quaderni, uno per atto, venduti a caro prezzo alla migliore compagnia del momento che li conservava gelosamente come proprio patrimonio e come simbolo di prestigio all'interno del mercato dello spettacolo. Così appaiono, in generale, i 44 autografi di Lope, solo in parte completi, che sono oggi consultabili. I manoscritti legati all'altro momento indicato, e cioè quello della produzione del testo-spettacolo, sono oggi molto rari. Dovette trattarsi di quaderni con indicazioni di scena, poi di copioni veri e propri dei singoli personaggi, i *papeles de actor*, carte ampiamente usate, corrette e passate di mano, compilate spesso in modo approssimativo. È significativa, al riguardo, la singolare annotazione dell'attore Juan de Puente nel manoscritto di una commedia di Tirso, che cita Alberto Blecua nel suo *Manual de crítica textual*: "Esta comedia es de Domingo Balbín, autor de comedias por su majestad; sacóla en papeles Alarcón, y la sacó muy mal, que no hubo quien los acertase a leer en todo un día. Bercebú lleve a quien le enseñó a escrevir y el que lo aprendió"[3]. Tutti questi materiali erano privi di importanza al di là dell'evento spettacolo, e la loro conservazione fu quindi ben più rara rispetto a quella degli autografi. Tra i pochi esempi, alla Biblioteca Nacional di Madrid si trova una raccolta di copioni, il cui studio è reso difficoltoso dalla loro frammentazione, al punto che sarebbe un vero successo riuscire almeno a collegare ogni lacerto a concreti titoli e autori[4]. Incaricato di queste copie era in genere l'*apuntador*, che si occupava spesso di "sacar la parte" di ogni attore perché la imparasse[5].

[2] Tra i contributi recenti al riguardo, cfr. J. M. Ruano de la Haza, *La puesta en escena en los teatros comerciales del Siglo de Oro,* Madrid, Castalia, 2000, pp. 55-59.

[3] Cfr. A. Blecua, *Manual de crítica textual*, Madrid, Castalia, 1987, p. 213, che rimanda a T. de Molina, *Comedias,* ed. E. Cotarelo, NBAE, Madrid, 1907, 11, p. IV.

[4] Cfr. M. de los Reyes Peña, *Edición de unos papeles sueltos pertenecientes a dos autos del siglo XVI sobre "La degollación de San Juan"*, in *Crítica textual y anotación filológica en obras*

Già gli autografi, portatori del testo ufficiale del "poeta", presentano una quantità rilevante di informazioni circa la produzione del testo-spettacolo. In primo luogo, accanto alle *dramatis personae* appaiono spesso nomi di attori; in alcuni casi l'indicazione "hase de sacar" che rimanda appunto al "papel de actor", al copione che doveva ancora essere redatto, più che all'attore non ancora scelto. In alcuni, i nomi degli attori sembrano scritti dallo stesso Lope, con le importanti implicazioni che ne possono derivare circa la creazione del testo letterario. Non è raro, poi, trovare qua e là, negli spazi in bianco dei quaderni, annotazioni varie e appunti di scena[6]. Inoltre, vanno segnalate le licenze per la rappresentazione, che permettono di ricostruire gli itinerari di una commedia, e di una compagnia, per le principali piazze del teatro commerciale dell'epoca[7]. Tralasciando in questa sede tali aspetti di notevole interesse per la storia della pratica teatrale del Siglo de Oro, ci si limiterà qui ad indicare alcune problematiche legate alla trasmissione del testo letterario. Gli autografi di Lope, come si è accennato, si presentano pressoché tutti come redazioni finali, *copias en limpio* destinate alla vendita e sono quindi, a rigor di logica, portatori di un testo che corrisponde alla volontà dell'autore. Tuttavia, nonostante sia evidente la cura con cui venivano redatti questi manoscritti, con un criterio grafico che praticamente non varia nei quarant'anni che intercorrono tra il primo e l'ultimo autografo conservato, non appare ancora così scontato, anzi rimane tuttora da dimostrare, che si tratti di copie, a cui corrisponderebbe un *borrador* del quale non è pervenuto alcun esempio. Il dubbio nasce, in primo luogo, dalla constata-

del Siglo de Oro, eds. I. Arellano e J. Cañedo, Madrid, Castalia, 1991, pp. 431-458; cfr. inoltre S. Arata, *Notas sobre "La conquista de Jerusalén" y la transmisión manuscrita del primer teatro cervantino*, in "Edad de Oro", XVI (1997), pp. 53-66.

[5] Si veda, tra l'altro, nel Prologo della *Parte IV de comedias de don Pedro Calderón de la Barca*, in riferimento alla commedia manoscritta: "no es su dueño el que la vende, sino el apuntador que la traslada, o el compañero que la estudia, o el ingenio que la contrahaze"; *apud* J. M. Ruano de la Haza, *La puesta en escena...*, cit., p. 53.

[6] Cfr. ad esempio *La doncella Teodor* [Madrid, Bibl. Nacional, Res 134], in cui a f.23v appaiono frammenti di battute che si riferiscono a luoghi nel testo del secondo e terzo atto; sembrano frammenti per un copione d'attore, viene riportata l'ultima parola della battuta precedente e il verso è solo iniziato.

[7] Tra i recenti progetti di ricerca che si collegano a questi aspetti, il più interessante e ambizioso è *Diccionarios de actores y argumentos de Lope de Vega*, presso l'Università di Valencia; va ricordato anche il progetto di studio *Manos teatrales* sui copisti dei manoscritti teatrali del periodo, che prosegue da qualche anno presso la Duke University; cfr. M. Greer, *Manos teatrales: un recurso para la identificación de copistas teatrales iberoamericanos*, in I. Arellano e J.A. Rodríguez-Garrido (eds.), *La edición y anotación de textos coloniales hispanoamericanos*, Pamplona, Universidad de Navarra, 1999, pp. 189-211.

zione dell'alta densità media di correzioni d'autore, di vario genere, apportate principalmente allo scopo di migliorare il testo da un punto di vista stilistico. Sono rarissimi gli errori di copia riscontrati nell'intero *corpus*[8]. Alcune correzioni sono effettuate nel momento stesso della redazione del testo principale. Si è parlato, e lo stesso Lope ne fa cenno nell' *Arte nuevo de hacer comedias en este tiempo* (1609), di un "sujeto en prosa", un abbozzo dello sviluppo dell'opera a cui forse seguiva la stesura definitiva. Sono stati trovati alcuni esempi di questi "sujetos", come è noto[9], ma solo lo studio approfondito di ciascun autografo potrà aiutare a comprendere quale dovette essere il processo produttivo più usuale di una commedia di Lope. L'impressione generale è quella di un autore mai soddisfatto della sua creazione e pronto a modificare il testo forse in base al tempo che aveva a disposizione. Gli interventi successivi alla prima stesura sono infatti molti, e in genere seguono un criterio simile a quelli *in itinere* a cui si è appena accennato. Questa caratteristica, che l'editore di un autografo deve quasi sempre affrontare, non è priva di ostacoli giacché molto spesso i luoghi cassati sono illeggibili. Deve però aggiungersi un'altra tipologia di intervento, che è quella dell' *autor de comedias*, o del *apuntador*, comunque di un incaricato dalla compagnia, che rivede il testo e lo modifica in base alle esigenze di una concreta rappresentazione. Si vanno così a creare vari strati di interventi corrispondenti ad altrettanti allestimenti teatrali, ed è molto complesso, talvolta impossibile, ricostruire ciascuno di questi strati. Alcune considerazioni generali si possono però trarre. In primo luogo, il tipo di intervento in assoluto più comune legato alle compagnie è l'eliminazione di frammenti, in genere strofe intere, che vengono riquadrati con la nota al margine "no", o "no se dice". A causa di tale sovrapposizione di interventi, sarà facile trovare negli au-

[8] Tra gli studi recenti, la tesi dottorale di Delia Gavela, in fase di preparazione presso l'Università Complutense di Madrid, dimostra con argomenti convincenti che il primo e terzo atto autografi di *¿De cuándo acá nos vino?* presentano chiari indizi di essere copia d'autore di un antigrafo perduto.

[9] Cfr. M.T. Ferrer, *Lope de Vega y el teatro por encargo: plan de dos comedias*, in M.V. Diago e M.T. Ferrer (eds.), *Comedias y comediantes. Estudios sobre el teatro clásico español*, Valencia, Universidad, 1991, pp. 189-202. Per il 'plan en prosa' della commedia *La palabra vengada*, cfr. C. Romero, *Otra comedia para Lope: 'La palabra vengada'. I. Las 'razones métricas'*, in G. B. De Cesare (ed.), *La festa teatrale ispanica*, Napoli, Ist. Univ. Orientale, 1995, pp. 71-127, che rimanda a M. Machado, '*La palabra vengada'. Plan inédito de una comedia perdida de Lope de Vega*, in "Revista de la Biblioteca, Archivo y Museo del Ayuntamiento de Madrid", II (1925), pp. 302-306; il documento autografo, soggetto in prosa di una commedia forse mai scritta, è trascritto da C. Romero, *Plan autógrafo, en prosa, del primer acto de una comedia lopiana sin título (1628-1629)*, in "Rassegna iberistica", 56 (1996), pp. 113-120, viene utilizzata una copia fotostatica perché il manoscritto è andato perduto.

tografi luoghi riquadrati con al margine l'indicazione "no" cassata e "sí" o "se dice" o ancora "no se ataja" a sostituirla. Da un punto di vista statistico, i 44 autografi costituiscono un numero esiguo rispetto alle centinaia di titoli attribuibili a Lope, e quindi i risultati possono sembrare poco affidabili. In realtà, la prassi dei frammenti riquadrati ed eliminati o reinseriti a seconda della rappresentazione si può ricavare anche da altre tradizioni manoscritte, come è il caso della collezione del Conde de Gondomar, già citata, in cui la commedia *Los donaires de Matico* appare, appunto, con una sorta di apparato di varianti al termine del manoscritto, dove un secondo copista, forse un revisore generale, ha aggiunto vari frammenti, sempre strofe intere e non imprescindibili nella struttura dell'opera, che probabilmente erano riquadrati e cassati e per questo erano stati omessi dal primo copista. Un procedimento analogo è quello adottato a volte anche dai copisti della collezione di Ignacio de Gálvez, posteriore di circa un secolo e mezzo rispetto a quella di Gondomar, conservata in buona parte alla Biblioteca Nacional[10]. La critica è ormai concorde nel considerare questi esemplari come apografi, copie settecentesche di autografi in buona parte ora perduti, e quindi di inestimabile valore. Anche in tale caso, il motivo della compilazione fu per la lettura privata o comunque per inserire i testi 'ripuliti' e ben leggibili all'interno dell'imponente collezione teatrale dei duchi di Osuna.

In vari casi appaiono al termine della commedia, o tra un atto e l'altro, frammenti che dovettero trovarsi cassati nel testo principale, come lo stesso Ignacio de Gálvez indica al termine del manoscritto: «Esta comedia queda copiada / a la letra como su original y / anotadas ultimamente las clau /sulas que se encontraron borradas / o rayadas. Madrid y junio 17 de 1762.»[11]. Il procedimento di copia, in questo caso, testimonia l'esistenza di tali frammenti, veri e propri tasselli non fondamentali della commedia, a volte ammessi, altre volte esclusi dalla rappresentazione. Tra di essi ce ne sono alcuni omessi per obbligo della censura, anche se va ricordato come tale aspetto, nel caso dei manoscritti di Lope, non sia molto influente data la perfetta conoscenza dell'autore dei possibili motivi di veto. Negli autografi conservati, documenti ufficiali, sono rarissimi i luoghi censurati e, comunque, sempre di estensione limitata. Purtroppo, gli autografi testimoni della cosiddetta 'primera época' di Lope sono ben pochi:

[10] Sulla collezione, cfr. l'ampio studio di S. Iriso, *Estudio de la colección Gálvez: fiabilidad y sentido de los apógrafos de Lope de Vega*, in "Anuario Lope de Vega", III (1997), pp. 99-143.

[11] L'esempio si riferisce a *Los embustes de Celauro,* [Madrid, Bibl. Nacional, Ms. 22424], ff. 431r-482v; il frammento trascritto appare a f. 482v.

in realtà, solo il primo atto de *El favor agradecido* è anteriore al 1600[12]. Forse, quei testi giovanili furono maggiormente soggetti a censura, come appunto dimostra l'apografo di *Los embustes de Celauro* della collezione Gálvez. La licenza, firmata da Tomás Gracián Dantisco, è comunque solo in parte relativa al testo letterario, dal quale in realtà vengono eliminate brevi strofe[13], ma rimanda a considerazioni sulla recitazione e sui vestiti di scena da porre in relazione ad un'ordinanza di quei mesi.[14]

Ritornando ai frammenti riquadrati dall'*autor de comedias* o da un suo incaricato, risulta intuitivo che si trattava di scelte legate alle esigenze della rappresentazione: battute accorciate, riferimenti storici o geografici concreti non adeguati a tutte le piazze, qualche rara autocensura, l'eliminazione di un personaggio minore e altro ancora. Un aspetto a cui gli autografi di Lope non sembrano invece essere soggetti è quello delle aggiunte non d'autore per esigenze della compagnia, ad eccezione di pochi casi[15]. Questa tendenza a non aggiungere dovette essere la prassi generale[16], tuttavia è un aspetto alquanto spinoso che non va per nulla sottovalutato. Si veda un esempio tratto ancora da *Los embustes de Celauro*. Di quest'opera del 1600 si conserva, oltre all'apografo, anche il testo a stampa della *Parte IV* delle commedie di Lope (1618). Lo studio della tradizione testuale mostra la presenza nell'apografo di alcune battute attribuite ai due bambini figli dei protagonisti, che non si trovano però nella tradizione a stampa. Si potrebbe pensare che la 'versione' dell'apografo sia quella che risponde alla volontà del drammaturgo, data l'autorevolezza del testimone e in considerazione del fatto che Lope scrisse

[12] Il manoscritto, conservato presso la Biblioteca Nacional [Res. 134], è datato 19 dicembre 1593.

[13] La prima strofa censurata rimanda alla divinizzazione dell'amata (vv. 387-391; la grafia è modernizzata e la numerazione dei versi corrisponde all'edizione critica che ho in preparazione): «Norabuena yo merezca, / después que el sol amanezca, / ver un ángel como vos, / donde la imagen de Dios / más al vivo resplandezca,»; il secondo luogo compara il protagonista Celauro ad un essere infernale (vv. 1790-1797): «¿Hay entrañas de león / más crüeles que las mías, / veneno en áspides frías, / ni en Grecia mayor traición? / ¿Hay más furia en el abismo? / No es posible, antes recelo / que no ha hecho cosa el cielo / como yo, si no yo mismo».

[14] Per un'analisi più approfondita del manoscritto, cfr. M. Presotto, *Reajustes y censuras para la puesta en escena de 'Los embustes de Celauro'*, in "Revista canadiense de estudios hispánicos", XXV, 1 (2000), pp. 53-66.

[15] Cfr. *El bastardo Mudarra*, in cui appaiono 24 versi alla fine del terzo atto; *La prueba de los amigos*, dove si trova un frammento di pagina ricostruito e redatto con grafia che imita quella di Lope; *El marqués de las Navas, El Brasil restituido*; per le collocazioni di questi manoscritti, cfr. M. Presotto, *Le commedie autografe di Lope de Vega,* Kassel, Reichenberger, 2000.

[16] È peraltro conosciuto il caso, tra altri, di Antonio de Escamilla, che interviene con addizioni in un testo di Calderón, cfr. J. M. Ruano de la Haza, *La puesta en escena...*, cit., pp. 53-55.

varie commedie contemplando la presenza del personaggio-bambino per una compagnia concreta, quella di Baltasar de Pinedo[17]. Nel nostro caso, però, le battute in questione sembrano giustapposizioni, che creano problemi di tipo metrico oltre a presentare soluzioni sceniche poco verosimili. Sembra quindi improbabile attribuire a Lope tali versi, e molto più plausibile collegarli ad esigenze estemporanee e poco accorte di una compagnia che sta mettendo in scena l'opera e che, come appunto quella di Pinedo, ha nel suo organico uno o più attori bambini. Ecco come, in definitiva, *Los embustes de Celauro* presenti nella sua tradizione testuale un'ampia gamma di problematiche, che possono in qualche modo essere riconducibili a tipologie specifiche di interventi esterni all'autore e comuni all'epoca, tra cui quelli dell'*apuntador* e del censore.

Riassumendo, quindi, nel caso di una tradizione manoscritta autografa, questa molto spesso presenterà una serie di difficoltà di lettura e, soprattutto, di ricostruzione del testo. Quello che si presenta come il testimone più autorevole, che dovrebbe risolvere ogni problema, in realtà pone in evidenza, per le sue stesse caratteristiche, la questione fondamentale di stabilire quale testo interessi lo studioso: se è quello che corrisponde alla prima volontà dell'autore, sarà di grande utilità scoprire cosa si celi sotto le correzioni autografe; altrimenti, se si cerca l'ultima sua volontà, ci si dovrà basare sul testo definitivo. Se, invece, l'interesse è quello di ricostruire, o di avvicinarsi alla ricostruzione del testo realmente rappresentato, allora bisognerà tentare di ripercorrere i vari strati di interventi attribuibili all'ambito della compagnia, in mancanza di copioni veri e propri.

La questione sarebbe diversa se ci si trovasse di fronte a manoscritti portatori di un testo corrispondente all'autografo in un momento anteriore o intermedio rispetto agli interventi a cui si è accennato. Se si resta per un momento nella fase precedente alla vendita del *original* da parte di Lope, sembra poco verosimile pensare che l'autore, promotore vigile della sua attività di drammaturgo, redigesse una *copia en limpio* per la compagnia che aveva commissionato la commedia e poi non ne conservasse alcun esemplare, sebbene questa fosse la prassi stabilita dalla legge[18]. Se da un lato la distruzione del *borrador*, o del

[17] Cfr. T. Wilder, *Lope, Pinedo, some Child-actors, and a Lion*, in "Romance Philology", VII (1954), pp. 19-25; cfr. inoltre M.G. Profeti, *I bambini di Lope: tra committenza e commozione*, in Id., *La vil quimera de este monstruo cómico*, Kassel, Reichenberger, 1992, pp. 173-195.

[18] Si veda a questo riguardo il contratto di vendita di alcune commedie tra Alonso de Heredia e Pedro de Valdés il 21 gennaio 1603, in cui Heredia assicura: «[...] lo entrego todo originalmente sin que dello quede copia ni traslado alguno por mi ni por los poetas autores dellas, ni por

sujeto en prosa, è senz'altro plausibile, risulta però lecito ipotizzare che Lope commissionasse una copia del suo *original* prima di cederlo all'acquirente[19]. Si tratta di un'ipotesi, avallata da pochi ma significativi indizi che meriterebbero un'analisi approfondita: quando Lope pubblica le sue commedie, deve rinunciare spesso all'*original* e ricorrere a copie, come avvenne nel caso ben conosciuto de *La dama boba*; inoltre, alcune commedie vengono date alle stampe mentre ancora l'autografo è sfruttato per richiedere licenze di rappresentazione. Una prova della pratica di Lope di commissionare copie dei propri testi viene offerta dalla tradizione testuale de *La mayor virtud de un rey*: infatti si conservano assieme il primo atto autografo ed una copia dello stesso presso la Biblioteca Zabálburu di Madrid, la copia non è d'autore ma presenta correzioni di Lope che si trovano anche nell'autografo. La pubblicazione di questa commedia avviene postuma, nella *Vega del Parnaso* (1637): il testo appare molto fedele all'autografo, sebbene presenti alcuni interventi puntuali che dimostrano un'ulteriore revisione per le stampe, forse operata dallo stesso Lope[20]. Il caso di questa commedia è un po' atipico in quanto si tratta di un'opera molto tarda, forse l'ultima scritta prima della morte del drammaturgo, e l'autografo non presenta interventi per la messa in scena. Questa tradizione testuale è forse una spia, non fievole ma purtroppo solo una, di una prassi dell'officina lopiana. L'editore moderno potrebbe allora ritenere, se si trovasse di fronte ad un apografo di questo tipo, di aver risolto il problema per aver fermato nella sua purezza il testo di Lope prima delle inevitabili corruzioni. Purtroppo non è così. Tale copia, anche quando venisse scoperta, nella migliore delle ipotesi non rappresenterebbe che uno dei 'testi' della commedia, vicino forse alla volontà dell'autore alla data di vendita dell'opera, ma non corrispondente necessariamente all'ultima sua volontà e ancora meno al testo, o meglio ai testi, che realmente furono rappresentati. Per avvicinarsi all'ultima volontà di Lope è molto spesso un'altra tradizione che viene in aiuto, quella delle stampe autorizzate dall'autore. Si avranno, così, versioni "migliorate" o semplicemente "corrette", come, per restare agli esempi citati, un testo de *Los embustes de Celauro* privo

otra persona alguna», *Apud* F. de B. San Román, *Lope de Vega, los cómicos toledanos y el poeta sastre*, Madrid, Góngora, 1935, doc. 132, p. 78.

[19] M.G. Profeti, *Editar el teatro del Fénix de los ingenios*, in "Anuario Lope de Vega", II (1996), pp. 129-151 (p. 150), sostiene al riguardo: «Pero de ninguna manera creo en la mitología de un Lope desaliñado, que no conserva ni una copia de sus textos [...], estampa romántica, que la estrategia promocional del Fénix desmiente por completo».

[20] Per uno studio di questa tradizione testuale, cfr. M. Presotto, '*La mayor virtud de un rey.' Appunti sul processo compositivo di una commedia di Lope*, in "Cultura neolatina", 3-4 (1999), pp. 349-371.

di quelle giustapposizioni delle battute dei bambini presenti nell'apografo. Questa commedia è però pubblicata nella *Parte IV* delle commedie del drammaturgo, non autorizzata ufficialmente da Lope[21]. Si deve pertanto dedurre che le stampe prive del consenso pubblico dell'autore non sono sempre inaffidabili; dal lato opposto è però necessario verificare che le stampe autorizzate da Lope siano sempre affidabili e realmente controllate dall'autore; si segnalano, tra i vari esempi possibili, le tre commedie che appaiono nella *Parte XIV,* autorizzata, e i cui autografi furono di proprietà del *autor de comedias* Antonio Granados (dato che, tra l'altro, non può essere casuale): secondo Fernández Montesinos, l'analisi delle varianti dimostra che «[...] el impreso no reproduce los autógrafos conocidos, sino que se basa en otros manuscritos, copias de teatro verosímilmente, y que el poeta no revisaba la impresión»[22]. Risulta insomma evidente la necessità di uno studio complessivo sui rapporti tra i manoscritti autografi e le *Partes,* come è stato da più parti segnalato[23]. Si tratta di un compito estremamente arduo, che inoltre verte a verificare fino a che punto l'autografo venga effettivamente utilizzato da Lope anche quando sia a sua disposizione[24].

Tutte queste considerazioni sulla complessità di ricostruzione del testo letterario per lo spettacolo si riconducono, in ultima analisi, ad una questione ben nota a tutti, e cioè quella dell'instabilità del testo teatrale. La presenza di una tradizione manoscritta per una commedia di Lope significa molto spesso una fonte ricchissima di informazioni, ma porta inevitabilmente l'editore in un ter-

[21] Va tuttavia segnalato che vari indizi riconducono ad un ambiente a lui vicino per quanto riguarda la raccolta dei materiali per la pubblicazione e la loro revisione, come ha ricordato recentemente V. Dixon, *La intervención de Lope en la publicación de sus comedias*, in "Anuario Lope de Vega", II (1996), pp. 45-63.

[22] L. de Vega, *El cordobés valeroso Pedro Carbonero*, a cura di J. Fernández Montesinos, Madrid, Centro de Estudios Históricos, 1929, p. 140 e *passim.*; l'edizione è corredata da uno studio accurato dei rapporti tra i tre manoscritti e la *Parte XIV*, in cui vengono analizzati i diversi tipi di interventi.

[23] Cfr. V. Dixon, *La intervención...*, cit., e M.G. Profeti, *Editar...*, cit. .

[24] Riferendosi a *Santiago el Verde*, nel prologo alla *Parte XIII*, Lope scrive: «Mis comedias andaban tan perdidas que me ha sido forzoso recibirlas como padre y vestirlas de nuevo, si bien fuera mejor volverlas a escribir que remediarlas», *apud* T. Case, *Las dedicatorias de Partes XIII-XX de Lope de Vega,* Madrid, Castalia, 1975, pp. 70-71. Cfr. al riguardo V. Dixon, *La intervención...*, cit.. Non può perciò escludersi che l'autore stesso modifichi sostanzialmente il testo, sia esso l'autografo, una o varie copie in suo possesso, per adattarlo alle mutate sensibilità nel corso degli anni. Cfr. le considerazioni di M.G. Profeti sul testo de *La dama boba*, in L. de Vega, *La dama sciocca*, ed. di M.G. Profeti, trad. e note di R. Trovato, Venezia, Marsilio, 1996; cfr. inoltre le modifiche per la stampa in *Las bizarrías de Belisa* segnalate da Frédéric Serralta, *La problemática textual de 'Las bizarrías de Belisa'*, in "Anuario Lope de Vega", II (1996), pp. 153-169 e nel primo atto de *La mayor virtud de un rey* indicate da M. Presotto, *'La mayor virtud'...*, cit..

reno insidioso. La questione della scelta del testo base può essere considerato, in un certo senso, un falso problema, se si tratta di un'edizione con apparato esaustivo delle varianti e delle caratteristiche dei testimoni che permetterà in ogni caso al lettore specialista di ricostruirsi il 'suo' testo in base alle proprie esigenze. Diversa è, invece, la situazione dell'editore di un testo divulgativo il quale, omettendo l'apparato, opererà una scelta drastica a favore di 'uno' dei possibili testi letterari della commedia, con il rischio, per fare un esempio, di non far sapere al lettore che esistettero e forse vennero messi in scena due finali de *El castigo sin venganza*, tutti e due d'autore, oppure che la leggenda mariana della monaca la cui vita dissoluta viene perdonata dalla Vergine, conosce due versioni teatrali di Lope presenti nello stesso manoscritto autografo (datato 16 aprile 1610): una è *La buena guarda,* dove la "Abadesa preñada" fugge dal convento con l'amante, l'altra, *La encomienda bien guardada,* è più anonima, scompare il riferimento geografico (Ciudad Rodrigo), la badessa diviene una novizia, la chiesa e il convento sono sostituite da un oratorio per *señoritas casaderas*.

Le soluzioni, insomma, vanno cercate, anche se, in assenza di studi generali sulla trasmissione manoscritta del teatro del *Siglo de Oro*, il compito si presenta alquanto difficoltoso. Ben lungi dal proporre sistematizzazioni, si è cercato qui di porre in evidenza nel suo insieme una questione senza dubbio centrale, e cioè l'impossibilità di raggiungere risultati affidabili e definitivi senza uno studio previo delle tipologie dei manoscritti e l'analisi dei *corpora*, con la doppia prospettiva di fornire, da un lato, nuovi dati per la storia dello spettacolo teatrale, e per facilitare inoltre la necessaria edizione completa della drammaturgia di Lope.

Una traduzione neoclassica di due sonetti di Lope de Vega*

MARIA GRAZIA PROFETI

1. Nel 1839 viene stampato a Verona un volumetto di traduzioni da varie letterature, dovute a Girolamo Orti[1]; e anche lo spagnolo vi appare degnamente rappresentato: dopo frammenti di Jos, Caldalso e una "novelletta" di Iriarte, e prima del racconto anonimo *I nemici generosi*, fanno la loro mostra due sonetti di Lope de Vega. Il volumetto poi viene ristampato l'anno seguente, unito a una scelta di opere del traduttore[2].

Questi, Giovanni Girolamo Orti, conte di Manara, "nacque in Verona nell'anno 1769, e morì ai 19 di Agosto del 1845"[3]. Una biografia apparsa in seguito alla sua morte sul "Foglio di Verona" ci permette di ricostruire la sua vita di rampollo di una nobile famiglia veronese, gli studi dal 1784 al 1791 nel collegio di S. Carlo di Modena, le nozze con la marchesa Rosa Canossa, l'amicizia con i Pindemonte, che datava dai tempi del collegio. E poi i viaggi per tutta Europa, gli studi di antiquaria e botanica, la dedizione alle lettere, la redazione di

*A Rinaldo un curioso episodio delle relazioni italo-spagnole, che spero risponda sia al suo amore per Lope che alle sue curiosità erudite.

[1] G. Orti, *Volgarizzamento del ratto di Elena di Coluto, con altre varie traduzioni*, Verona, co' tipi di G. Antonelli, 1839. Ne ho rintracciato un esemplare alla Biblioteca Queriniana di Brescia [G.XVII.2]; in buono stato di conservazione, legatura in cartone e carta varese; mm. 190 x 125. Sembra edizione rara: non appare né alla Vaticana, né alla Casanatense; era presente alla Biblioteca Civica di Verona, oggi irreperibile (devo le informazioni veronesi alla cortesia di Antonella Gallo). Da questa edizione citerò infra.

Il Coluto citato nel titolo è Coluthus Thebanus, o Quinto Smirneo, che sembra aver avuto certa fortuna all'inizio dell'Ottocento, quando si pubblicano i *Carmina de rebus troianis*, Lipsia, C. Tauchinitii, 1829.

[2] G. Orti, *Prose, poesie e traduzioni*, Milano, G. Silvestri, 1840 (Civica di Verona [136.3]; Nazionale di Firenze [Magliabechi 4.6.83]). Ho consultato quest'ultimo esemplare, ed ho verificato che nelle traduzioni non è stato introdotto nessun cambiamento; i sonetti di Lope figurano alle pp. 363-364.

[3] G.B. Passano, *I novellieri italiani in verso*, Bologna, Romagnoli, 1868, p. 222.

tragedie e di un poema epico, ai quali "non sorrise la musa", e di liriche "con migliore fortuna"; infine "comparvero alcuni saggi di traduzione, prove della sua conoscenza delle letterature europee e delle varie lingue, greca, latina, tedesca, inglese, francese e spagnuola, le quali se non tutte parlava, leggeva però ed intendeva"[4].

Secondo Girolamo Dandolo "Fu scrittore forse più fecondo che valoroso, come avvien quasi sempre a chi, senza straordinarie doti d'ingegno, consegna alle stampe tutto ciò che la penna getta. Nondimeno fu uomo di molta e varia dottrina, e che degli studi fece sempre la sua occupazione prediletta"[5]. Come si vede giudizio che rispecchia l'impronta "romantica" del Dandolo, ben diversa dalla dedizione all'erudizione ed alla curiosità settecentesche che traspaiono dall'opera dell'Orti.

Opera copiosa, come il Dandolo sottolineava, che allinea relazioni di viaggi[6], tragedie[7], un poema storico, *La Russiade*[8], un "romanzo storico", a cui arri-

[4] "Foglio di Verona", lunedì 1 settembre 1845, n. 105 (P. Libanti, ed. Provinciale vescovile): qui, alle pp. 417-420, figura una *Biografia degli illustri veronesi*, dovuta a F. Bagatta, che raccoglie puntuali informazioni sull'Orti.

[5] G. Dandolo, *La caduta della Republica di Venezia ed i suoi ultimi cinquant'anni, studi storici*, Venezia, P. Naratovich, 1855, p. 142.

[6] *Itinerario scientifico di varie parti d'Europa*, Verona, Giuliari, 1806 (Civica di Verona [133.6]); 2. edizione Pietroburgo, s.t.,1807 (Civica di Verona [124.5]); *Lettere d'un recente viaggio in Francia, Inghilterra, Scozia, Olanda ed una parte della Germania*, Verona, Società Tipografica, 1819 ((Civica di Verona [119.7]; Vaticana [Racc. Gen. Art. Arch. III. 158]); *Viaggio alle due Sicilie ossia il giovine antiquario, opera corredata di varie utili note di Girolamo Orti*, Verona, Tommasi, 1825 (Civica di Verona [131.8]; Casanatense [M. VII. 34 in cc]; Vaticana [Racc. Gen. Art. Arch.IV. 417] e [Racc. Gen. Art. Arch. IV. 235]; Nazionale di Firenze [Magliabechi 11.2.201]); *Raccolta accresciuta di viaggi*, Verona, De' Giorgi, 1834, 2 voll. (Civica di Verona [132.6]; Nazionale di Firenze [Olschki 420] e [Magliabechi 2.7.186]).

Questa attività di scrittore di viaggi gli ha valso l'inclusione in varie bibliografie, come mi segnala J.L. Gotor, tra le quali trascelgo: G.M. Mira, *Bibliografia siciliana*, Palermo, G.B. Gaudiano, 1875-1884. II, p. 159b; P.A. Saccardo, *La botanica in Italia*, Venezia, Ferrari, 1895, I, p. 120a.

[7] *Tragedie del Conte Girolamo Orti, veronese*, Roma, De' Romanis, 1823 (Civica di Verona [134.4]; Casanatense [I.I. 120]; Vaticana [Racc. Gen. Lett. Ital. IV. 790]; Nazionale di Firenze [Magliabechi 11.3.134]).

Alla riflessione sul teatro si dedica *il Discorso sulla rappresentazione delle azioni sceniche e spettacolose*, Verona, Giuliari, 1809 (Civica di Verona [151.8.582/6]).

[8] G. Orti, *La Russiade*, Canti IV, Venezia, Picotti, 1814 (Civica di Verona [154.8 1517/15]); Verona, Mainardi, 1815 (Civica di Verona [154.7 1618/6]; Vaticana [Ferraioli V.2946, int. 12]); Padova, Bettoni, 1816 (Civica di Verona [132.4]; Nazionale di Firenze [Magliabechi 461.2] e [3689. 1]); Verona, Mainardi, 1817 (Civica di Verona [150.5]); Quinta edizione, Verona, Società tipografica editrice, 1822 (Casanatense [I.I.118]). Vedi anche *Osservazioni*

se un certo successo[9], e raccolte poetiche[10]. Le simpatie politiche dell'Orti sono antinapoleoniche, come ampiamente dichiara il poema; le sue preoccupazioni letterarie rifuggono ogni "realismo"[11], ed in campo teatrale perseguono il mantenimento delle unità pseudo aristoteliche[12]: un autore insomma di solido impianto classicista, amante delle patrie lettere, con curiosità cosmopolite.

La raccolta delle traduzioni è frutto tardivo dell'Orti, pubblicate a 70 anni, quando da tempo si dedicava più che altro a studi antiquari e storici[13]; ma egli aveva quasi esordito con una versione dal latino[14], ed aveva via via presentato prove traduttorie[15], ad attestare la costanza del suo interesse.

critiche ed apologetiche sulla Russiade del conte G. Orti, s.n.t (Vaticana [Ferraioli IV. 8464, int. 17]).

[9] Giuseppe [sic] Orti, *Crassa e Ceresio. Fatto storico veronese del secolo XII*, Verona, P. Libanti, 1831 (Civica di Verona [132.10]; Vaticana [Racc. Gen. Lett. Ital. IV.811], Nazionale di Firenze [Maghiabechi 3.7.259]); Milano, soc. Tipografica Classici Italiani, 1831 (Civica di Verona [312.5]); Firenze, Tip. Dante, 1832 (Civica di Verona[134.1]); idem, riveduta e corretta dall'autore, Verona, De Giorgi, 1833 (Civica di Verona [135.2]; Nazionale di Firenze [22.5.234]).

[10] Prima pubblicate sciolte; le più interessanti sono: G. Orti, *Saggio di poesie campestri con un inno alla notte*, Verona, Giuliari, 1797 (Civica di Verona [132.2]); G. Orti, *Poemetto elegiaco in morte della marchesa Teresa Orti Muselli, sotto il nome di Laurinda*, Verona, s. t., 1800 (Civica di Verona [150.4]); Ergasto e Tirsi nel cimiterio di San Giovanni in Lipsia, Egloga in italiano e tedesco, Lipsia, s.t., 1801 (Civica di Verona [154.2] e [926/15]); *Poesie pastorali ed elegiache*, Roma, Poggioli, 1802 (Civica di Verona [120.1]).
Poi raccolte: G. Orti, *Poesie*, Parma, coi tipi bodoniani, 1804 (Casanatense [G.VII. 149, in cc.]); Pisa, Tipografia della Società Letteraria, 1809 (Civica di Verona [129.3]); *Poesie*. Edizione accresciuta, Verona, Società tipografica editrice, 1822 (Civica di Verona [315.8 e 135.4]; Vaticana [Racc. Gen. Lett. Ital. IV. 790]; Casanatense [I.I. 119]; Nazionale di Firenze [Magliabechi 11-5-198]); da questa edizione citerò.
Apparve in seguito una raccolta di tutte le sue opere: *Poesie campestri e liriche, tragedie e prose*, Padova, coi tipi della Minerva, 1834 (Civica di Verona [130.2]; Nazionale di Firenze [Magliabechi 60.8.213] e [Magliabechi 3.7.144]).

[11] Nell'introduzione alle "Novellette campestri" spiega di non aver fatto parlare i pastori in gergo villereccio: "ho in fine procurato di vestire dilettevolmente le materie più basse e triviali", *Poesie*, cit., p. 5.

[12] "Io feci questa tragedia qual vuole Aristotele, e la feci sull'imitazione de' più famosi originali, lo si abbiano in pace gli schifiltosi...", *Tragedie,* cit., p. 3. Si veda anche alle pp. 82-86 la "Confutazione di alcune opposizioni alla presente tragedia".

[13] C. Cavattoni, *Indice degli scritti del conte G. Orti intorno a cose veronesi*, Verona 1859. Il curioso potrà trovare esemplari dei numerosissimi foglietti presso la Civica di Verona, la Vaticana e la Nazionale di Firenze.

[14] G. Orti, *Versione del primo libro di Tibullo con altre brevi traduzioni*, Verona, Giuliari, 1797 (Civica di Verona 154.3 1369/1; Nazionale di Firenze [Magliabechi L.T. 12.19]).

[15] *Saggio di poesie russe con due di tedesco e inglese*, Verona, Mainardi, 1816 (Civica di Verona [586 /20]).

Il tipo ed il tono delle liriche prodotte in proprio spiega le scelte dei testi spagnoli da parte del traduttore: ad Iriarte lo inclina, per esempio, l'interesse per quelle che egli chiama "novellette campestri"; a Lope il gusto manierista per la poesia di circostanza[16] e classica.

Nell'introduzione alle traduzioni l'Orti assevera una propria visione enciclopedica e la frequentazione di tutte le lingue:

La passione mia innata a visitare cotesto nostro mirabilissimo globo mi aveva al tempo stesso allettato fin da' miei verdi anni a consacrare parte dello studio a parecchie straniere lingue[17].

Il che dovette essere vero, a giudicare dalla curiosità con cui nel suo *Viaggio alle due Sicilie* si ferma a notare le peculiarità delle varie parlate, per esempio del romanesco:

La lingua però del volgo non è generalmente corretta, e non è raro udire: "non può corre, io ci andò, io mi sarebbe ita"; invece di "non può correre, io ci andai, io mi sarei ita"[18].

E così nelle traduzioni si lascia andare a notazioni del tipo:

Relativamente poi alli odierni parlari francese, e spagnuolo, esaltati già da que' nazionali in guisa di proferirli degni dello stesso Onnipossente, ei son figli in gran parte, non altrimenti che l'italiano, della lingua latina[19].

Per lo spagnolo Orti stabilisce curiose partizioni:

Dividesi lo spagnuolo in castigliano, in andaluziaco, in portoghese e in granatese, se non che in qualche montagna vi rimangono avanzi ancora in arabo[20].

[16] Vedi "Ad una mosca aggirantesi su d'un fanciullo che dorme", *Poesie*, cit., p. 145; "A Tisbe cagnoletta", ivi, p. 131-133 (già pubblicato come foglietto: *Capriccio per Tisbe cagnolina*, s.l. s. t., s.a., 3 pp: Civica di Verona [151/3]); ecc.

[17] Orti, *Volgarizzamento*, "Al mio lettore", cit., pp. V-XVIII.

[18] Orti, *Viaggio alle due Sicilie*, cit., p. 225; e poi una lunga nota sulla lingua dei siciliani, p. 275, con curiose annotazioni come, *ibidem*, "Le lingue Ebrea, Cananea, Fenicia, Sicana e Cartaginese si somigliavano".

[19] Orti, *Volgarizzamento*, cit., p. XII.

[20] *Ibidem*.

2. Le prove traduttorie dell'Orti dallo spagnolo uniscono dunque testi eredità del secolo XVIII, ai due sonetti di Lope. Li riporto accanto alla loro fonte, non difficile da localizzare per chi abbia qualche dimestichezza con le *Rimas* del Fénix:

Cual engañado niño que, contento,
pintado pajarillo tiene atado,
y le deja, en la cuerda confiado,
tender las alas por el manso viento;
y cuando más en esta gloria atento
quebrándose el cordel, quedó burlado,
siguiéndole, en sus lágrimas bañado,
con los ojos y el triste pensamiento,
contigo he sido, amor, que mi memoria
dejé llevar de pensamientos vanos,
colgados de la fuerza de un cabello.
Llevóse el viento el pájaro y mi gloria,
y dejóme el cordel entre las manos,
que habrá por fuerza de servirme al cuello.

Antes que el cierzo de la edad ligera
seque la rosa que en tus labios crece,
y el blanco de ese rostro, que parece
cándidos grumos de lavada cera,
estima la esmaltada primavera,
Laura gentil, que en tu beldad florece,
que con el tiempo se ama y se aborrece,
y huiré de ti quien a tu puerta espera.
No te detengas en pensar que vives,
o Laura, que en tocarte y componerte
se entrará la vejez sin que la llames.
Estima un medio honesto, y no te esquives;
que no ha de amarte quien viniere a verte,
Laura, cuando a ti misma te desames[21].

[21] Si tratta dei sonetti 161 e 25 delle Rimas, in *Edición crítica de las Rimas de Lope de Vega*, ed. F. Pedraza Jiménez, Universidad de Castilla La Mancha, 1993, I, pp. 535 e 241. Li trascrivo modernizzando la grafia e l'uso delle maiscole, e riassestando in taluni casi la punteggiatura.

Qual deluso fanciullo, che contento
Un variopinto augel reca legato,
E alla corda, che il tien, tutto affidato
Volar lo lascia pel piacevol vento;
E quando è più alle sue glorie intento,
Rottosi il funicel, riman burlato,
E coll'occhio di lagrime bagnato,
Il segue in preda al più crudel tormento:
Tal con teco mi avvenne: Amor fu quello
Che il cor m'illuse con pensieri vani,
Sospesi dalla forza di un capello.
Rapì il vento l'augello, e trasportollo
Colle mie glorie, e restami in le mani
La fune sol, che può servirmi al collo.

Pria che dissecchi di tua età leggiera
Borea la rosa, che sul labbro appare,
Ed il bianco del tuo volto che pare
Candida gromma di purgata cera,
Cura, o Laura gentil, la primavera
Che smaltata di fior da te traspare;
Coll'etade amar suolsi, e disamare;
E fuggirà chi alla tua porta or spera.
Né che tu viva sol per adornarti
E farti bella già non creder mai;
Ratto verrà vecchiezza ad assediarti.
Il medio è onesto; e non turbar tuoi rai
Se non t'ami colui, che a rimirati
Verrà quando a te stessa spiacerai[22].

Come si vede l'Orti tenta di conservare le rime dell'originale, aiutato dalla somiglianza tra i due idiomi; e nel primo sonetto rende alcune chiavi interessanti: *pintado /variopinto*, *confiado /affidato*, *atento /intento*, *cordel /funicel*, ecc. A volte la misura del verso viene salvata da una disposizione che disloca o antepone i termini: *siguéndole... con los ojos /coll'occhio... il segue*. Con perdite tuttavia fondamentali: il tema del disinganno, che in Lope esplode verso il finale, si attenua per le scelte lessicali del traduttore: deluso fanciullo sposta

[22] Orti, *Volgarizzamento*, cit., pp. 148-149.

l'attenzione dal momento della felice illusione sottolineata da Lope (*engañado niño*), anticipando la disillusione; e tutto il quadretto affettivo viene offuscato, ribaltando in eccesso la mestizia e la delusione infantili: *el triste pensamiento* diventa infatti *al più crudel tormento*. Inoltre il vizio italico tendente a una lingua poetica aulica non perdona: *augel* innalza il tono a spese dell'affettivo diminutivo lopiano *pajarillo*; e perfino il gioco singolare-plurale incrementa questa rarefazione: *en esta gloria /alle sue glorie; ojos /occhio*. E infine l'Orti deve al gusto del suo tempo le numerose tronche, oggi abbastanza fastidiose, la comparazione *tal-qual*, le forme come *trasportollo*, *restami in le mani*....

Soprattutto, sul versante del senso, si perde l'apostrofe all'Amore, così consueta in Lope, che rende intima la sua riflessione, tra *mi memoria – pensamientos vanos – mi gloria*. La calda colloquialità del Fénix si cambia quindi in una dizione marmorea molto neoclassica.

Proprio per questa sua personale tendenza classicista si capisce bene come il traduttore potesse essere interessato a un tema quale quello del *carpe diem* del sonetto 25.

Anche qui si notano le stesse scelte, tese a 'nobilitare' il testo con l'esibizione di un lessico poetico alto (*cierzo /borea*, *lavada /purgata*, *antes /pria* e poi *etade, suolsi*, ecc.); stesso gioco singolare-plurale, sempre in funzione nobilitante (*en tus labios /sul labbro*).

La cosa più interessante è che curiosi fraintendimenti fanno slittare il senso del testo. Innanzi tutto: mentre il v. 8 di Lope si chiude con una immagine a lui cara, quella dell'amante in attesa alla porta dell'amata (che sarà portante nel sonetto "¿Qué tengo yo que mi amistad procuras?"), l'Orti la elude parzialmente, forse in funzione della rima, con la traduzione di *espera* con "spera" (vs. "aspetta"). Poi le ripetizioni volontarie di Lope vengono espunte: *estima* che inizia la seconda quartina e la seconda terzina spariscono; e nel primo caso il termine viene reso con *cura*, che fa virare il tema del *carpe diem* verso una riflessione sui belletti. Nella prima terzina Lope infatti presenta una Laura a cui il tempo passa nella cura di sé, per risvegliarsi all'arrivo di una indesiderata vecchiaia; con un giro duro e pieno di zeppe il traduttore la vede invece intenta nell'unica cura dell'ornamento. *Estima un medio onesto*, ripete Lope, cioé "apprezza una vita normale, una mediocrità onorevole", scegli quindi un innamorato alla tua altezza; ma l'Orti, già fuorviato dal primo *estima /cura*, interpreta *medio* come "mezzo, modo o maniera" e assolve la bella: Il mezzo (l'abbellirsi) è onesto. Con un ultimo sghiribizzo: *no esquives* diventa, forse per necessità di rima, *non turbar tuoi rai*.

Dunque, se Lope riscrive il motivo del *carpe diem* in un ambito domestico, incrociandolo con quello della *aurea mediocritas*, come è stato notato[23], l'Orti lo appoggia sul tema dei belletti e della lecita cura di sé, con una sorta di rottura logica interna.

3. Una prima conclusione si può quindi trarre in rapporto al gusto dei primi dell'Ottocento, e del *répechage* di Lope da parte dei neoclassici. Accanto a questi due rari sonetti si potrebbero infatti iscrivere le traduzioni di Giambattista Conti, la cui fortuna continua fino alla metà del secolo. I ben più numerosi sonetti e frammenti presentati dal Conti[24] andrebbero studiati in rapporto alle scelte del traduttore, così come andrebbe analizzato il suo profilo del teatro dei Secoli d'Oro, rivalutato anche in funzione anti-francese. Un lavoro che resta da completare, nel quadro della fortuna del Fénix in Italia, anche se possiamo contare su una serie di benemeriti interventi su questa interessante figura di mediatore tra le culture spagnola e italiana[25].

Appare comunque chiaro che di contro alla contemporanea ispanofilia romantica, i rapporti di Orti e Conti con la letteratura spagnola sono improntati a uno schietto classicismo; nel caso del Conti, come si sa, si è parlato di un Garcilaso tradotto in panneggi neoclassici[26], e lo stesso potrebbe ripetersi per l'Orti traduttore di Lope.

Innanzi tutto già la scelta effettuata dal Conti privilegia sonetti in cui riecheggia un aulico passato (con citazioni di Betulia, Ilio, il Lete, lo Xanto, l'idra, Alcide, ecc.[27]), che le scelte traduttorie accentuano; poi brani arcadici[28], e riferimenti al *beatus ille*[29], tema per altro molto caro a Lope, e argomenti moraleg-

[23] Cfr. L. de Vega, *Rimas*, ed. Pedraza Jiménez, cit., p. 240.

[24] *Scelta di poesie castigliane del sec. XVI, tradotte in lingua toscana dal Conte Giambattista Conti, ed opere originali del medesimo*, Padova, Tipografia del Seminario, 1819. Utilizzo l'esemplare della Nazionale di Firenze [Magliabechi 3-5-495]. Lope appare nel II vol., pp. 134-202.

[25] Si vedano gli interessanti *Spagna e Italia a confronto nell'opera di Giambattista Conti*, Atti del convegno di studi, a cura di M. Fabbri, Lendinara, Panda ed., 1992. Si veda poi Maurizio Fabbri, *Conti e Masdeu: due poeti traduttori a confronto*, in *La nascita del concetto moderno di traduzione. Le nazioni europee fra Enciclopedismo ed epoca romantica*, Roma, Armando, 2001, pp. 270-286.

[26] B. Croce, *Intorno al soggiorno di Garcilaso de la Vega in Italia*, in "Rassegna Storica Napoletana", I, 1895, p. 16.

[27] G. Conti, *Scelta di poesie castigliane...*, cit., sonetti III-VI, pp. 136-139.

[28] *Ivi*, Canzone, pp. 152-156.

[29] Canzone "Cuán bien aventurado", *ivi*, pp. 179-180.

gianti[30]. E poi naturalmente la resa, di cui voglio fornire almeno un campione, il sonetto "A una dama que hilaba":

Hermosa Parca, blandamente fiera,
dueño del hilo de mi corta vida,
en cuya bella mano vive asida
la rueda de oro y la mortal tijera;
hiladora famosa a quien pudiera
rendirse Palas y quedar vencida;
de cuya tela, Amor, de oro tejida,
si no fuera desnudo, se vistiera;
déte su lana el vellocino de oro,
Amor su flecha para el huso, y luego
mi vida el hilo que tu mano tuerza,
que a ser Hércules yo, tanto te adoro,
que riendiera a tu rueca atado y ciego,
la espada, las hazañas y la fuerza[31].

Bella, fiera e gentil Parca, del frale
Filo signora di mia breve vita,
nelle cui bianche, fine e molli dita
V'è rocca d'oro e forbice fatale:
Meravigliosa filatrice, e tale
Che non è d'arte ugual Palla fornita;
E andria di veste con tue fila ordita
Adorno amor, ma ignudo Amor più vale:
A te porga sue lane il vello d'oro,
Ti dia per fuso una sua freccia Amore,
E il filo de' miei dì sia il tuo lavoro.
E s'Ercole foss'io, vorrei trar l'ore
Torcendo il fuso, e porre, o mio tesoro,
Brando, spoglie al tuo pie, forza e valore[32].

Nel sonetto di Lope il Conti trovava l'allusione a una serie di miti: la sfida di Minerva e Aracne, l'allusione agli Argonauti e al vello d'oro, ed alle imprese di Ercole; trovava inoltre quell'impianto galante che permette porre in relazione "un asunto mínimo... en conceptuoso parangón con las figuras de la mitologí-

[30] Elegia in morte di B. Elisio Medinilla, *ivi*, pp. 191-195.
[31] *Ivi*, n. 152, p. 517.
[32] G. Conti, *Scelta di poesie castigliane...*, cit., XVI, p. 149.

a"[33]. L'innalzamento del tono è dal traduttore realizzato con l'*enjambement* del primo e del secondo verso, con la trimebrazione del terzo, la soppressione degli articoli (vv. 2, 3, 7, 9), la riduzione ad inciso della costruzione "A se non B" del v. 8. Insieme al lessico usato (*frale*, *brando*), queste scelte strappano Lope all'intimità del suo mondo domestico e quotidiano, e lo proiettano sullo sfondo aulico di cui l'Orti ci ha offerto già un buon campionario.

Sarà poi proprio sulla scia della traduzione del Conti che Lope conosce una diffusione antologica nella prima metà del secolo; e sempre in chiave neoclassica, se l'ultima delle tre antologie, dove il lavoro traduttorio del Conti si sposa a quello di Pietro Monti, propone una presentazione anonima incentrata sul binomio genio/cattivo gusto:

> [...] Lope Felix di Vega Carpio, che scrisse circa ventidue milioni di versi, e che co' suoi straordinarii privilegii abbagliò la sua nazione per modo che fece dimenticare i maestri dell'arte, trascinando seco la Spagna ad un gusto contrario alla ragione ed alla bella natura. La stessa rivoluzione produsse in Italia nel medesimo tempo Giambattista Marini; il cui nome si è conservato chiaro fra noi come quelli di Lope in Ispagna. Ma non così gli Spagnuoli seppero emanciparsi dal mal gusto da esso introdotto, come fecero gl'Italiani al cominciamento del secolo XVIII[34].

A riprova e contrario di questo gusto neoclassico che presiede alla traduzione di Lope nel primo Ottocento può essere citata proprio la raccolta di Pietro Monti[35]. Già più sensibile a un gusto romantico, il Monti indulge alla "riscoperta" del medioevo ispanico ed alla traduzione di quelli che chiama "romanzetti", cioè dei *romances* che tanta suggestione producono ad esempio a un Berchet. E qui, se non mancano Iriarte e Cadalso (in comune con l'Orti), Lope sarà tuttavia assente[36].

4. La seconda linea di riflessione si sposta verso la storia della traduzione in Italia, e segnatamente della traduzione di poesia. Non sarà fuori luogo rileva-

[33] L. de Vega, *Rimas*, ed. Pedraza Jiménez, cit., p. 516.

[34] *Parnaso straniero*, vol. XII, Venezia, Antonelli, 1851, p. introduttive n.n. Utilizzo l'esemplare della Nazionale di Firenze [De Gubernatis C.1.23]. Le due antologie precedenti sono: *Antologia dei poeti stranieri*, Perugia, Liberati, 1842; *Poeti spagnoli e portoghesi tradotti da vari*, Venezia, Antonelli, 1845: cfr. L. Marangon, *La fortuna in Italia delle traduzioni di Giambattista Conti*, in *Spagna e Italia..*, cit., pp. 65-69.

[35] P. Monti, *Saggi in verso e in prosa di letteratura spagnuola dall'origine di quella lingua sino al secolo XIX, con aggiunta di poesie volgarizzate da altre lingue*, Como, Ostinelli, 1835.

[36] I. Carmignani, *Pietro Monti e la letteratura spagnola*, Pisa, ETS, 1986.

re che vari sonetti tradotti dal Conti erano già stati riscritti dal Marino, per esempio proprio "Hermosa Parca, blandamente fiera", o "A la Venus de mármol"[37]. Ed anzi il conte di Lendinara addirittura trascrive "Daba sustento a un pajarillo un día" della traduzione "del Marini"[38]. Ed anche "Cual engañado niño que contento" dell'Orti aveva conosciuto una riscrittura del Marino. Quindi i traduttori neoclassici si inseriscono in una linea di gusto che proviene dal secolo anteriore; e questa potrebbe sembrare notazione scontata, ma è utile ripeterla, nel quadro della rivisitazione settecentesca della letteratura barocca[39].

Poi, scorrendo lo sguardo verso il nostro secolo, ovviamente i cambiamenti di gusto si dipanano di pari passo alla storia della lirica italiana *tout-court*, delle sue scelte lessicali, sposandosi in tempi più recenti alla consapevolezza filologica e critica dei traduttori. In questa storia Lope non ha avuto fortuna: tradotto e ritradotto Góngora[40], ma silente, a quel che sembra, il "monstruo de los ingenios". Bisogna aspettare il 1974 e la silloge curata da Paoli per ritrovare un'antologia dedicata al Fénix, e con un taglio "popolareggiante" che in certa misura deforma l'immagine del Fénix[41].

Il Paoli traduce anche uno dei due sonetti scelti dall'Orti, e può essere interessante un raffronto. Ora il traduttore (anch'egli rispettoso della rima, che reinventa nelle terzine) appare ben consapevole delle intenzioni dell'autore e della sua affettuosa intimità; qui si noterà il mantenimento del diminutivo, la perfetta stratificazione dei due versi di congedo delle quartine, la domesticità di "e lui"; tuttavia con qualche tronca (inizio delle terzine); e ancora con rese auliche: *en la cuerda confiado /sul vincolo fidato; en esta gloria / a dilettarsi*:

[37] L. de Vega, *Rimas*, ed. Pedraza Jiménez, cit., n. 121, p. 451; G. Conti, *Scelta di poesie castigliane...*, cit., IX, p. 142. Sulle traduzioni del Marino, e bibliografia relativa, cfr. G.E. Sansone, *Il viaggio traduttivo: i sonetti da Lope a Marino*, in *Otro Lope no ha de haber*, Atti del convegno internazionale su Lope de Vega, Firenze, Alinea, 2000, III, pp. 193-223.

[38] L. de Vega, *Rimas*, ed. Pedraza Jiménez, cit., n. 174, p. 562; G. Conti, *Scelta di poesie castigliane...*, cit., XII, p. 145.

[39] Cfr. AV, *I secoli d'oro e i lumi, Processi di risemantizzazione*, Firenze. Alinea, 1998.

[40] G. Poggi, *Le acque e le pietre dei traduttori di Góngora*, in *Muratori di Babele*, Milano, Franco Angeli, 1989, pp. 187-218.

[41] M.G. Profeti, *Importare letteratura*, Torino, Edizioni dell'Orso, 1993, p. 16. Con l'immodestia dell'auto-citazione: "Quella di Paoli è un'operazione indubbiamente intelligente: al lettore italiano egli propone l'aspetto del poeta spagnolo che più è preparato a recepire, un Lope filtrato attraverso Lorca, se così si può dire (ed infatti l'introduzione lo presenta come suo "precursore"). Operazione intelligente, dunque, e perfettamente legittima, naturalmente, quanto fuorviante se non altro perché non permette di seguire la vorace riappropriazione dei sonetti lopeschi – di derivazione tassiana, magari – da parte della letteratura italiana con il lavoro di rifacimento-traduzione di Marino".

Come bimbo ingannato che, contento,
un dipinto uccellino tien legato
e lo lascia sul vincolo fidato
spiegare l'ali per il blando vento;
e, quando più a dilettarsi è intento,
si rompe il filo e lui resta burlato,
e lo segue, di lacrime bagnato,
con gli occhi e con afflitto sentimento;
così son io, Amore: portar via
lasciai la mente da pensieri vani,
attaccati alla fibra di un capello.
Con l'uccello volò la mia allegria
e mi resta la corda tra le mani,
che intorno al collo mi farà da anello[42].

Nella mia piccola antologia del 1996, invece, non figurano i due sonetti scelti dal conte veronese[43]: voglio quindi chiudere questa riflessione rispondendo alla sfida che ogni versione porta con sé e fornendo la mia lettura, che si ingegna di rispondere al codice dell'autore, preoccupandosi meno della rima:

Come un bimbo ingannato, che contento
un uccellino screziato ha legato,
si fida dello spago, e su lo lascia
aprire le ali per il dolce vento,
e quando meglio a divertirsi è intento
si rompe il laccio, e rimane burlato,
e lo segue, di lacrime bagnato,
con gli occhi e con un triste sentimento,
così con te, o Amore, m'è successo:
andare mi lasciai a pensieri vani,
solo appesi allo stame d'un capello.
Sperse il vento l'uccello e la mia gioia,
e mi lasciò la corda tra le mani:
solo me la potrò mettere al collo.

Prima che il vento dell'età sventata
secchi la rosa sul labbro fiorita,

[42] L. de Vega, *Liriche*, Introduzione e traduzione di R. Paoli, Torino, Einaudi, 1974, p. 122.

[43] M.G. Profeti, *Versi d'amore e concetti sparsi. Il sonetto nella Spagna dei Secoli d'Oro*, Antologia tradotta e commentata, Firenze, Alinea, 1996: Lope figura alle pp. 35-65.

e il biancore del volto, che somiglia
alla candida cera depurata,
apprezza la dipinta primavera,
Laura gentile, della tua bellezza:
con il tempo si ama e si disprezza,
e se ne andrà chi aspetta alla tua porta.
Non ti illuda il pensare che oggi godi,
o Laura; mentre ti trucchi e ti adorni
arriverà vecchiaia inaspettata;
una mediocrità onorata apprezza;
chi allora ti vedrà non potrà amarti,
Laura, quando a te stessa spiacerai.

Prefijos españoles de origen latino

PIETRO LUIGI QUARTA

Las partículas añadidas a las palabras reciben el nombre de afijos y, en función de la posición que ocupan, se distinguen tres tipos: prefijos, si se hallan antepuestos; infijos, si están colocados en medio; sufijos, si se añaden al final. Todo afijo tiene un sentido concreto con valor semántico propio, así como una función gramatical, y su conocimiento es de fundamental importancia para comprender el significado de la palabra a la que modifica.

En castellano los afijos pueden clasificarse en dos grandes grupos: los llamados afijos de origen romance, que se han ido formando en la evolución de la lengua, y los afijos cultos, procedentes del griego y del latín. Dedicamos este estudio a los prefijos de origen latino, que representan una minoría dentro de la categoría gramatical de 1os prefijos españoles.

Los prefijos, al contrario de lo que pasa con los sufijos, constituyen a menudo palabras independientes, incluso separables – la mayoría de preposiciones heredadas del latín –, que por composición se unen a una determinada voz (*contra* + *hacer* > contrahacer). En otros casos el fenómeno se produce por parasíntesis al encontrarse dos palabras sin existencia independiente, la segunda de las cuales forma a su vez derivados (*des* + *alma* – *ado* > desalmado). Los parasintéticos abundan en la formación de verbos compuestos con preposición.

Con el transcurrir del tiempo son muchos los prefijos que fueron confundiéndose entre sí: *ăb*-del latín, por ejemplo, se confunde en ciertas palabras con *ex*-(*abscondĕre* > asconder > esconder); otras veces *ex*-se transforma en *en*-(*exsiccāre* > ensecar; *exsucāre* > enjugar). De la misma manera, ha sido corriente la sustitución del prefijo privativo latino *ĭn*-, que se mantiene en voces como *ĭn-ĭmīcus* > enemigo, *ĭn-fĭrmus* > enfermo, por *dis*-, *des*-, o *sin*-(des-hora, des-igual, dis-gusto, sin-sabor). Como otros prefijos provenientes del latín, perdura *in*- mayormente en voces cultas como “imposible”, “inaguantable” e “incivil”.

Se observa también que, en romance, con frecuencia, en ciertos verbos de apariencia simple, se produjo una acumulación de prefijos que dio lugar a nuevas formas. Un ejemplo de ello es el verbo descoser, formada por la suma del prefijo *des-*a *consŭĕre* (coser), que, a su vez, se había formado con la unión del prefijo *con-*.

En otras ocasiones los prefijos añadidos llegan incluso a tener sentido contrario; así la unión de los prefijos *dif-* y *con-*formó, sobre la palabra *fidĕre*, desconfiar.

Cabe distinguir compuestos preposicionales y adverbiales. En los preposicionales la preposición y el nombre forman una palabra que sustituye al nombre (anteojo, contraveneno, entreacto, ultramar). En los adverbiales, el prefijo, como el nombre indica, se comporta como adverbio (bizcocho, contraorden, traspaso).

Otra distinción que merece hacerse es la de los prefijos latinos separables, que formaron preposiciones en español para la composición de nuevos verbos – como por ejemplo *ăd-> a* (*adtĕndĕre*, *attĕndĕre* > atender), *ĭn-> en* (*incopĕrīre* > encubrir), *ex-> ex* (*ex-collĭgĕre* > escoger), *pĕr-> per-* (*perdŏnāre*> perdonar) y *sŭb-> sub-*, *su-*, *so-*, *son-*, *sor-*, *soz-*, *sa-*, *san-*, *cha-*, *za-*, *zam-* (*subrīdēre* > sonreír; *suffūmāre* > sahumar; *subbŭlīre* > zambullir, zabullir) –, de los inseparables como *rĕ-*, que indica repetición y que ha pasado intacto al español; *dĭs-*, que indica separación y que con frecuencia adquiere la forma *des-*.

En el castellano actual los prefijos son prácticamente siempre átonos. Ya el latín vulgar tendió a desplazar del principio de la palabra el grupo de sílabas pronunciadas con un mismo acento espiratorio, y sólo en la lengua culta se mantuvieron algunos prefijos acentuados. Otro es el origen del acento de ciertos grecismos, palabras de origen griego, como "cíclope", "parásito", "polígrafo", que mantuvieron su acentuación y se incorporaron al latín como esdrújulas.

Incluimos a continuación una lista casi exhaustiva de 1os prefijos de origen latino que se utilizan para formar palabras en español.

Prefijos	Orígenes	Significados	Ejemplos[1]
A-[2]	*ā*	"semejanzas de aspecto", "proximidad"	*atigrado* ("manchado como la piel del tigre"), *acostar* ("llegar a la costa").
Ab-	*āb*	"separación", "exceso", "intensidad"	*ablación* ("acción y efecto de cortar, separar, quitar"), *abusar* ("usar mal, excesiva, injusta, impropia o indebitamente de algo o de alguien"), *absorber* ("consumir, anular, acabar por completo una cosa").
Abs-	*abs*	"privación", "deducción"	*abstenerse* ("privarse de alguna cosa"), *abstraer* ("considerar aisladamente las cualidades de un objeto, o el mismo objeto en su pura esencia o noción").
Ad-	*ăd*	"unión", "proximidad", "encarecimiento"	*adjunto* ("que va o está unido con otra cosa"), *adyacente* ("situado en la inmediación o proximidad de otra cosa"), *admirar* ("ver, contemplar o considerar con estima o agrado especiales a una persona o cosa que llaman la atención por cualidades juzgadas como extraordinarias").
Agr-, agri-	*ăger*	"campo"	*agrario* ("perteneciente o relativo al campo"), *agri-*

[1] El valor semántico indicado entre comillas corresponde generalmente al del *Diccionario manual ilustrado de la lengua española*, Madrid, Espasa-Calpe, 6 vols., 1983-1985[3].

[2] Forma verbos parasintéticos (*asustar*).

			cultor (“persona que labra o cultiva la tierra”).
Al-	*alĕre*	“alimentar”	*alible* (“capaz de alimentar o nutrir”).ı
Alv-	*alvus*	“vientre”	*alvino* (“perteneciente o relativo al bajo vientre”).ı
Amigdal-	*ămygdăla*	“almendra”	*amigdaláceo* (“dícese de árboles o arbustos de la familia de las rosáceas, lisos o espinosos, de hojas sencillas o alternas, flores precoces, solitarias o en corimbo y fruto drupáceo, con hueso que encierra una almendra por semilla”).
Amil-	*ămўlum*	“almidón”	*amiláceo* (“que contiene almidón o que se parece a esta substancia”).
Amni-	*amnis*	“río”	*amnícola* (“que crece en las márgenes de los ríos”).
Ang-	*angĕre*	“estrechar”	*angosto* (“estrecho o reducido”).
Angl-	*angli*	“ingleses”	*anglicanizado* (“influido por las costumbres, ideas, etc., de los ingleses, o por su lengua”).
Angui-	*anguis*	“serpiente”	*anguiforme* (“que tiene forma de serpiente”).
Ante-	*antĕ*	“antes”, “delante de”	*anteayer* (“en el día que precedió inmediatamente al de ayer”), *antecapilla* (“pieza contigua a una capilla y por donde ésta tie-

			ne la entrada").
Aper-	*aperīre*	"abrir"	*aperitivo* ("que sirve para abrir el apetito").
Api-, apic-	*ăpis*	"abeja"	*apicultor* ("persona que se dedica a la apicultura"), *apicultura* ("arte de criar abejas para aprovechar sus productos").
Apico-	*ăpex, apĭcis*	"ápice, vértice"	*apical* ("perteciente o relativo a un ápice o punta, o localizados en ellos"), *apicoalveolar* ("articulación cuyos órganos activo y pasivo son, respectivamente el ápice o punta de la lengua y la cara posterior interna de los alvéolos").
Argent-	*argentum*	"plata"	*argénteo* ("de plata").
Arund-	*ărundo*	"caña"	*arundíneo*, ("perteneciente o relativo a las cañas").
Arv-	*arvum*	"campo"	*arvícola* ("que vive en 1os campos cubiertos de mieses").
Atr-	*āter, atra, atrum*	"negro, oscuro"	*atrabilis* ("bilis negra y acre").
Au-, auc-, aux-	*augēre*	"aumentar"	*aumentar* ("dar mayor extensión, número o materia a alguna cosa"), *aucción*, ant. ("acción, opción o derecho a algo"), *auxina* ("sustancia que favorece y regula el crecimiento de

			un vegetal”).
Auri-, auro-	*aurum*	“oro”	*áurico*, *áureo* (“de oro”).
Ax-	*axis*	“eje”, “axis”	*axil* (“perteneciente o relativo al eje”), *axoideo* (“perteneciente o relativo al axis”).
Bacil-	*băcillum*	“bastoncito”	*baciliforme* (“que tiene forma de bacilo”).
Bapt-	*baptismus*	“bautismo”	*baptisterio* (“sitio donde está la pila bautismal”).
Beli-	*bellum*	“guerra”	*bélico* (“perteneciente o relativo a la guerra”).
Bi-, bis-, biz-	*bis*	“dos”, “dos veces”	*bípedo* (“con dos pies”), *bimensual* (“que se hace u ocurre dos veces al mes”), *bisnieto* (“respecto de una persona, hijo de su nieto”), *bizcocho* (“pan sin levadura cocido dos veces para que se enjugue, dure mucho tiempo y con el cual se abastecen las embarcaciones”).
Bronco-, bronqui-[3]	*bronchium*	“bronquio”	*broncorrea* (“excesiva secreción de moco por los bronquios”), *bronquial* (“perteneciente o relativo a los bronquios”).
Bulbi-, bulbo-	*bulbus*	“bulbo· ”	*bulboso* (“que tiene bulbos”).
Calami-, calamo-	*călămus*	“cálamo”, “caña”	*calamiforme* (“que tiene forma de cálamo”), *cála-*

[3] Toma esta forma ante la vocal *i*.

			mo ("instrumento músico antiguo, especie de flauta").
Calci-	*calx*	"cal"	*calcinero* ("el que reduce a cal viva los minerales calcáreos").
Cap-	*capĕre*	"coger", "caber"	*capacho* ("media sera de esparto que sirve para diferentes usos"), *capilar* ("perteneciente o relativo al cabello"), *capeador* ("que capea o roba la capa"), *capataz* ("el que gobierna y vigila a cierto número de trabajadores").
"	*căpillus*	"cabello"	
"	*cappa*	"capa"	
"	*căput*	"cabeza"	
Capr-	*căpra*	"cabra"	*capriforme* ("se dice del excremento humano de forma parecida al de la cabra").
Carn-, carni-	*căro*	"carne"	*carnoso* ("que es de carne"), *carnívoro* ("aplícase al animal que puede alimentarse de carne, por oposición al herbívoro o frugívoro").
Caten-	*cătēna*	"cadena"	*catenular* ("de forma de cadena").
Caud-	*cauda*	"cola"	*caudatario* ("eclesiástico doméstico del obispo o arzobispo, destinado a llevarle alzada la cauda").
Centi-	*centum*	"ciento", "centésima parte"	*centimano* o *centímano* ("de cien manos"), *centigramo* ("peso que es la centésima parte de un gramo").

Cil-, cili-	*cĭlĭum*	“ceja, pestaña”	*ciliar* (“perteneciente o re1ativo a las cejas o a los cilios”), *ciliado* (“provisto de cilios”).
Cinam-	*cinnămum*	“canela”	*cinamomo* (“árbol meliáceo de madera dura y aromática”; “sustancia aromática que, según unos, es la mirra, y, según otros, la canela”).
Ciner-	*cĭnis*	“ceniza”	*cinericio* (“de ceniza”).
Circum-, circun-	*circum*	“alrededor”	*circumpolar* (“que esta alrededor del polo”), *circunnavegar* (“navegar alrededor”).
Cirri-, cirro-	*cirrus*	“fleco”	*cirrípedo* o *cirrópodo* (“dícese de los crustáceos que viven adheridos a los cuerpos submarinos y cuya concha se compone de varias valvas, por entre las cuales el animal extiende sus tentáculos en forma de cirros”), *cirroso* (“que tiene cirros”).
Cis-	*cĭs*	“de la parte o del lado de acá”	*cisandino* (“del lado de acá de los Andes”).
Citra-	*cĭtrā*	“de la parte o del lado de acá”	*citramontano* o *cismontano* (“situado en la parte de acá de los montes, respecto al punto o lugar desde donde se considera”).
Civ-	*cĭvis*	“ciudadano”	*civil* (“perteneciente a la ciudad o a los ciudadanos”).

Co-, com-, con-	*cŏ*	"unión", "compañía", "participación con otro"	*coepíscopo* ("obispo contemporáneo de otros en una misma provincia eclesiástica"), *colaborador* ("persona que ayuda a otra en algún trabajo o lo realiza por cuenta o delegación de ésta"), *componer* ("formar de varias cosas una, juntándolas y colocándolas con cierto modo y orden"), *conciudadano* ("ciudadano que con otro(s) vive en una misma ciudad").
Colomb-, columb-	*cŏlumba*	"paloma"	*colombofilia* ("técnica de la cría de palomas, en especial mensajeras"), *columbino* ("perteneciente a la paloma o semejante a ella").
Coni-	*cōnus*	"cono"	*cónico* ("perteneciente al cono"; "que tiene forma de cono").
Contra-	*contrā*	"oposición o contrariedad", "duplicación o refuerzo", "segundo lugar en categoría o grado"	*contraponer* ("poner una cosa contra otra para estorbarle su defecto"), *contrabolina* ("segunda bolina que se da en ayuda de la primera"), *contrafuerte* ("pieza de cuero con que se refuerza el calzado por la parte del talón"), *contralto* ("voz media entre la de tiple y la de tenor"), *contraalmirante* ("oficial general de la armada inmediatamente inferior al vicealmirante").

Cordi-	*cŏr*	“corazón”	*cordial* (“que tiene virtud para confortar y fortalecer el corazón”).
Cox-, coxo-	*coxa*	“cadera”	*coxalgia* (“enfermedad de la articulación de la cadera, comúnmente de origen tuberculoso y muy dolorosa”), *coxopatía* (“conjunto de las afecciones de la articulación coxofemoral”).
Crin-	*crīnis*	“cabello”	*crinera* (“parte superior del cuello de las caballerías donde nace la crin”).
Croc-	*crŏcĕŭs*	“de azafrán”	*crocino* (“de croco o azafrán”).
Cruci-	*crux*	“cruz”	*crucificar* (“fijar o clavar en una cruz a una persona”).
Cuadri-, cuadru-, cuatri-	*quădri*	“cuatro”	*cuadrilátero* (“que tiene cuatro lados”), *cuadrienio* o *cuatrienio* (“tiempo o espacio de cuatro años”), *cuatrimotor* (“avión provisto de cuatro motores”), *cuadrúpedo* (“aplícase al animal de cuatro pies”).
Cuasi-	*quăsĭ*	“casi”	*cuasiusufructo* (“el derecho usufructuario que recae sobre cosa fungible”).
Cuater-	*quăter*	“cuatro veces”	*cuaternario* (“que consta de cuatro unidades, números o elementos”).
Cub-, cumb-	*cubāre*	“acostarse”	*cubículo* (“aposento, alcoba”), *incumbencia* (“obli-

			gación que el cargo, empleo, etc., impone").
De-	*dĕ*	"separación", "ir a menos"	*defoliación* ("caída prematura de las hojas de los árboles y plantas, producida por enfermedad o influjo atmosférico"), *decaer* ("perder una persona o cosa alguna parte de las condiciones o propiedades que constituían su fuerza, bondad, importancia o valor").
Deci-	*dĕcĭmus*	"décima parte"	*decigramo* ("peso que es la décima parte de un gramo").
Dei-	*dĕus*	"Dios"	*deífico* ("perteneciente a Dios").
Dent-, denti-, dento-	*dens*	"diente"	*dentadura* ("conjunto de dientes, muelas y colmillos que tiene en la boca una persona o un animal"), *dentista* ("médico especialista en las enfermedades de los dientes"), *dentolabial* ("labiodental").
Des-	*dĭs*	"privación", "negación", "afirmación", "acción inversa", "fuera de", "exceso", "separación"	*desnatar* ("quitar la nata"), *desconfiar* ("no tener confianza"), *despavorir* ("sentir pavor"), *deshabitar* ("dejar o abandonar la habitación"), *desterrar* ("echar a uno por justicia de un territorio o lugar"), *descararse* ("dejar de contenerse en hacer o decir lo

			que el precepto humano, las conveniencias, la prudencia, el pudor, etc., privan de hacer o decir").
Desider-	*dēsīdĕrāre*	"desear"	*desiderativo* ("que expresa o indica deseo").
Dextr-, dextro-	*dexter*	"diestro, derecho"	*dextrógiro* ("dícese del cuerpo o substancia que desvía a la derecha la luz polarizada").
Di-, dis-	*di* y *dĭs*	"origen o procedencia", "oposición o contrariedad", "separación", "extensión o dilación"	*dimanar* ("proceder o venir el agua de sus manantiales"), *disensión* ("oposición o contrariedad de varios sujetos en los pareceres o en los propósitos"), *discordancia* ("contrariedad, diversidad, disconformidad, desacuerdo"), *difusión* ("acción y efecto de difundir o difundirse").
Digit-, digiti-	*dĭgĭtus*	"dedo"	*digital* ("perteneciente o relativo a los dedos"), *digitiforme* ("que tiene la forma de un dedo").
Doc-	*docēre*	"enseñar"	*doctor* ("persona que enseña una ciencia o arte").
Dom-	*dŏmus*	"casa"	*domicilio* ("casa en que uno habita o se hospeda").
Domin-	*dŏmĭnus*	"dueño"	*domínico*, ant. ("perteneciente o relativo al dueño o señor").

duc-	*ducĕre*	“conducir”	*dúctil* (“dícese de los metales que admiten grandes deformaciones mecánicas en frío sin llegar a romperse”; “aplícase a 1os metales que mecánicamente se pueden extender en alambres o hilos”).
Ecu-	*ĕquus*	“caballo”	*ecuestre* (“perteneciente o relativo al caballo”).
Ego-	*ĕgŏ*	“yo”	*egotismo* (“afán de hablar uno de sí mismo”; “sentimiento exagerado de 1a propia personalidad”).
Em-, en-	*ĭn*	“en”, “dentro de”, “contrariedad”	*embeber* (“absorber un cuerpo sólido otro en; estado líquido”; “contener dentro de sí una cosa”), *emplazar* (“citar a una persona a determinado tiempo y lugar y especialmente para que dé razón de algo”; “colocar, situar, poner una cosa en determinado lugar”), *enemigo* (“persona que tiene mala voluntad a otra”; “contrario, adverso, opuesto”).
Entre-	*intĕr*	“entre”, “en”, “en medio de”, “intermedio”	*entrepaño* (“espacio de pared entre dos columnas, pilastras o huecos”), *entrecano* (“dícese del cabello o barba a medio encanecer”), *entreacto* (“intermedio en una representación dramática”), entrever (“ver confusamente

			una cosa").
Episcop-	*ĕpiscŏpus*	"obispo"	*episcopal* ("perteneciente o relativo al obispo").
Equ-	*ĕquus*	"caballo"	*equitación* ("arte de montar y manejar bien el caballo"; "acción de montar a caballo").
Equi-	*aequus*	"igual"	*equiángulo* ("aplícase a las figuras y sólidos cuyos ángulos son todos iguales").
Es-	*ex*	"privación", "atenuación", "fuera o más allá"	*esperezarse* ("estirar los miembros para librarlos de1 entumecimiento o sacudir la pereza"), *escocer* ("ponerse rubicundas algunas partes del cuerpo por efecto de la gordura, el sudor, etc."), *escoger* ("tomar o elegir una o más cosas o personas entre otras").
Escol-	*schŏla*	"escuela"	*escolástico* ("perteneciente a las escuelas o a los que estudian en ellas").
Escut-	*scūtum*	"escudo"	*escutiforme* ("que tiene forma de escudo").
Ex-	*ex*	"negación o privación", "encarecimiento" "separación", "fuera o más allá", "que ha cesado de ser"	*exheredar* ("excluir a una persona de la herencia"), *exclamar* ("emitir palabras con fuerza o vehemencia para expresar un vivo afecto o para dar vigor a lo que se dice"), *exponer* ("poner de manifiesto o

			poner a la vista una cosa material o moral"; "colocar una cosa para que reciba la acción de un agente"), *extraer* ("sacar una cosa: poner una cosa fuera de la otra en que estaba metida"), *ex monárquico* ("persona que simpatizaba antes con la monarquía").
Extra-	*extrā*	"fuera de", "extremadamente"	*extraordinario* ("fuera del orden o regla natural o común"), *extrafino* ("sumamente fino").
Falc-, falci-	*falx*	"hoz"	*falce* ("hoz o cuchillo corvo"), *falciforme* ("que tiene forma de hoz").
Ferr-, ferro-	*ferrum*	"hierro"	*férreo* ("de hierro o que tiene sus propiedades"), *ferrocarril* ("camino con dos filas, de barras de hierro paralelas, sobre las cuales ruedan los carruajes").
Fico-	*fīcus*	"higo"	*ficoideo* ("dícese de las plantas dicotiledóneas, herbáceas o algo leñosas, con hojas gruesas terminales y fruto capsular dehiscente, de figura parecida a la del higo").
Fili-	*fīlum*	"hilo"	*filiforme* ("que tiene forma o apariencia de hilo").
Fisi-	*fissus*	"hendido"	*fisirrostro* ("dícese del pájaro que tiene el pico corto, ancho, aplastado y pro-

			fundamente hendido").
Flabeli-	*flābellum*	"abanico"	*flabeliforme* ("que tiene forma de abanico").
Flag-	*flāgĭtĭum*	"delito"	*flagicio*, ant. ("delito atroz"); *flagrar*, poét. ("arder o resplandecer como fuego o llama").
"	*flamma*	"llama"	
Flag-, flagelo-	*flăgellum*	"azote"	*flagelar* ("dar azote"), *flagelación* ("acción de flagelar o flagelarse").
Fleb-	*flēre*	"llorar"	*flébil* ("digno de ser llorado").
Flori-	*flōs*	"flor"	*floricultura* ("cultivo de las flores").
Fluvio-	*flŭvĭus*	"río"	*fluvial* ("perteneciente a los ríos").
Fol-	*fŏlĭum*	"hoja"	*foliación* ("acción de echar hojas las plantas").
For-	*fŏrās*	"fuera"	*forastero* ("que es o viene de fuera del lugar").
Gemi-	*gemma*	"yema"	*Gemíparo* ("aplícase a los animales o plantas reproducidos por medio de yemas").
Gen-, gene-	*gĕnus*	"género, linaje"	*genealogía* ("serie de progenitores y ascendientes de cada individuo"), *genealogista* ("persona que se dedica a estudiar genealogías y linajes, y a escribir sobre ellos").

Giga-	*gĭgās*	"gigante", "mil millones (10^9)"	*gigagramo* ("mil millones de gramos").
Gingiv-	*gingīva*	"encía"	*gingival* ("perteneciente o relativo a las encías").
Giro-	*gyrus*	"giro"	*girómetro* ("aparato para medir la velocidad de rotación de una máquina").
Glad-	*glădĭus*	"espada"	*gladiador* o *gladiator* ("el que en los juegos públicos de los romanos batallaba con otro o con una bestia feroz").
Gnos-	*gnoscĕre*	"conocer"	*gnosticismo* ("escuela cristiana herética que pretende conocer por la razón las cosas que sólo se pueden conocer por la fe").
Herb-	*herba*	"hierba"	*herbario* ("perteneciente o relativo a las hierbas y plantas").
Hog-	*fŏcus*	"fuego"	*hoguera* ("porción de materias combustibles que arde con llama").
Hur-	*fūr*	"ladrón"	*hurón* ("persona uraña").
I-, im-, in-, ir-[4]	*ĭn*	"en", "privación o negación"	*incluir* ("poner una cosa dentro de otra o dentro de sus límites"), *implantar* ("plantar, encajar, poner, injertar"), *iletrado* ("falto de cultura"), *inacción* ("falta de acción"; "ociosidad, inercia"), *inacaba-*

[4] Se forman verbos o derivados verbales (*incorporar*, *inclusión*).

			ble ("que no se puede acabar, que no se le ve el fin"), *irrefrenable* ("que no se puede refrenar").
Ign-, igni-	*ignis*	"fuego"	*ignícola* ("que adora el fuego"), *ignífugo* ("que protege contra el incendio").
Imbr-	*imbrex*	"teja"	*imbricado* ("dispuesto a la manera de las tejas en un tejado").
Infra-	*infrā*	"debajo de", "más en el interior de"	*infrahumano* ("inferior a lo humano"), *infraestructura* ("parte de una construcción que está bajo el nivel del suelo"), *infraescrito* ("que firma al fin de un escrito"; "dicho abajo o después de un escrito").
Inter-	*intĕr*	"entre o en medio", "entre varios"	*intermuscular* ("que está situado entre los músculos"), *intercelular* ("dícese de la materia orgánica situada entre las células"), *interministerial* ("que se refiere a varios ministerios o los relaciona entre sí").
Intra-	*intrā*	"dentro de", "en el interior de"	*intracardiaco* ("situado o que tiene lugar dentro del corazón"), *intramedular* ("situado o que tiene lugar en el interior de la médula ósea").
Jorn-	*dĭurnus*	"diurno"	jornal ("estipendio que gana el trabajador por cada día de trabajo").ı

Jud-, juic-, jur-, juris-, juzg-	*iūs, iūris*	"derecho, justicia, juzgar"	*judicial* ("perteneciente al juicio, a la administración de justicia o a la judicatura"), *juicio* ("conocimiento de una causa, en la cual el juez ha de pronunciar la sentencia"; "el que se sigue ante el juez sobre derechos o cosas que varias partes contrarias litigan entre sí"), *jurador* ("que declara en juicio con juramento"), *jurídico* ("que atañe al derecho o se ajusta a él"), *jurisconsulto* ("el que profesa con el debido título la ciencia del derecho, dedicándose a escribir sobre él y a resolver las consultas legales que se le proponen"), *juzgador* ("que juzga").
Lact-, lacti-, lacto-	*lāc, lactis*	"leche"	*lactar* ("criar con leche"), *lacticinio* ("leche o cualquier manjar compuesto con ella"), *lactómetro* ("instrumento para determinar la densidad de la leche").
lacu-	*lăcus*	"lago"	*lacustre* ("perteneciente a los lagos").
Lamel-, lameli-	*lāmella*	"lámina"	*lamelar* ("dispuesto en laminillas"), *lameliforme* ("que tiene forma de lámina").
Later-	*lătus, latĕris*	"lado"	*lateralmente* ("de lado"; "de uno a otro lado").

Lati-	*lātus*	“ancho”	*latifundio* (“finca rústica de gran extensión de tierra cultivable, perteneciente a un solo dueño”).
Leg-	*lex, lēgis*	“ley”	*legalmente* (“según ley; conforme al derecho”).
Levo-	*laevus*	“izquierdo”	*levógiro* (“dícese del cuerpo que cuando está en solución desvía hacia la izquierda la luz polarizada”).
Lign-	*lignum*	“leño”	*lignificar* (“tomar consistencia de madera”).
Linf-, linfo-	*lympha*	“linfa”	*linfático* (“que abunda en linfa”), *linfoide* (“perteneciente o relativo a la linfa”).
Loc-, loco-, log-	*lŏcus*	“lugar”	*local* (“perteneciente al lugar”; “perteneciente o relativo a un territorio, comarca o país”), *locomoción* (“traslación de un punto a otro”), *logar*, ant. (“porción determinada del espacio”).
Loc-	*lŏqui*	“hablar”	*locuela* (“modo y tono particular de hablar de cada uno”).
Longi-	*longus*	“largo”	*longicaudo* (“que tiene larga la cola”).
Lum-	*lūmen*	“luz”	*lumbrera* (“cuerpo que despide luz”).
Lup-	*lŭpa*	“loba”, “ramera”	*lupina* (“perteneciente o

			relativa a la loba"), *lupanar* ("mancebía: casa de rameras").
Mal- "	*mălum* *māla*	"manzana" "mejilla"	*málico* ("dícese de un ácido que abunda en los frutos ácidos, especialmente en la manzana"); *malar* ("perteneciente a la mejilla").
Mater-, matern, matr-	*māter*	"madre"	*maternidad* ("estado o calidad de madre"), *materno* ("perteneciente a la madre"), *matricidio* ("delito de matar uno a su madre").
Med-	*medēri*	"curar"	*medicina* ("ciencia y arte de precaver y curar las enfermedades del cuerpo humano").
Mel-, meli-	*mĕl*	"miel"	*melado* ("de color de miel"), *melífero* ("que lleva o tiene miel").
Mili-	*millĕ*	"milésima parte de una unidad (10^3)"	*mililitro* ("milésima parte de un litro").
Monit-	*monēre*	"amonestar"	*monitor* ("persona que amonesta, advierte o avisa"), *monición* ("consejo que se da o advertencia que se hace a uno").
Multi-	*multus*	"mucho"	*multicolor* ("de muchos colores").
Noct-, nocti-, noctu-	*nox*	"noche"	*noctambular* ("andar vagando durante la noche"),

			noctilugo (dícese de los cuerpos que de noche despiden luz"), *nocturno* ("perteneciente o relativo a la noche, o que se hace o sucede durante la noche").
Nomen-, nomin-	*nōmen*	"nombre"	*nomenclador* ("catálogo de nombres"), *nominal* ("perteneciente o relativo al nombre").
Nov-	*nŏvus*	"nuevo"	*noval* ("aplícase a la tierra que se cultiva de nuevo y también a las plantas y frutos que ésta produce").
O-, ob-[5]	*ŏb*	"por causa de, a causa de, en virtud de, en fuerza de, en pago de"	*oposición* ("acción y efecto de oponer u oponerse"; "calidad de opuesto"), *o-bligar* ("ligar una fuerza moral a uno moviéndole o impulsándole a hacer algo").
Octa-, octe-, oc-ti-	*octō*	"ocho"	*octágono* ("aplícase al polígono de ocho ángulos y ocho lados"), *octeto* ("composición para ocho instrumentos u ocho voces"), *octípara* ("dícese de la mujer que ha parido o-cho veces, o que pare por octava vez").
Omni-	*omnis*	"todo"	*omnímodo* ("que lo abraza y comprende todo").
Oner-	*ŏnŭs, onĕris*	"peso"	*Oneroso* ("pesado, molesto o gravoso").

[5] Se encuentra sólo en voces de origen latino.

Op-	*ops, ŏpis*	"riqueza, abundancia"	*opulencia* ("abundancia, riqueza y sobra de bienes").
Oper-	*ŏpŭs*	"obra"	*operativo* ("dícese de lo que obra y hace su efecto").
Or-	*ōs, ōris*	"boca"	*oral* ("expresado con la boca o con la palabra: opuesto. a escrito"; "perteneciente o relativo a la boca").
Ova-, ovi-, ovo-	*ōvum*	"huevo"	*oval* ("de figura de óvalo o de huevo"), *oviducto* ("conducto que desde los ovarios lleva los óvulos o huevos al exterior; en la especie humana recibe la denominación de trompa de Falopio"), *ovíparo* ("aplícase a las especies animales cuyas hembras ponen huevos"), *ovoscopio* ("instrumento o aparato propio para examinar los huevos y ver si contienen o no germen y si éste vive o ha muerto").
Palati-, palato-	*pălātus, pălāti*	"paladar"	*palatino* ("perteneciente o relativo al paladar"), *palatograma* ("huella marcada por la lengua en el paladar artificial, que permite señalar con toda precisión donde se produce la articulación de un sonido").
Pari-	*pār*	"igual"	*parigual* ("igual o muy parecido").

Patri-	*păter, pătris*	"padre"	*patriarca* ("cabeza de familia"; "persoma que por su edad y sabiduría ejerce autoridad moral en una familia o en una colectividad"), *patrística* ("ciencia que tiene por objeto el conocimiento de la doctrina, obras y vidas de los Santos Padres").
"	*pătres*	"padres"	
Pauper-	*pauper*	"pobre"	*pauperismo* ("existencia de gran número de pobres en un Estado, en particular cuando procede de causas permanentes").
Peco-, pecu-	*pĕcus, pecŏris*	"ganado"	*pecorino* ("propio del ganado"), *pecuario* ("perteneciente o relativo al ganado").
Pectin-, pectini-	*pecten*	"peine"	*pectinado* ("que tiene forma de peine"), *pectinibranquio* ("que tiene las branquias en forma de peine").
Ped-, pede-	*pēs*	"pie"	*pediforme* ("que tiene forma o figura de pie"), *pedestre* ("que anda a pie").
Pedr-	*pĕtra*	"piedra"	*pedrero* ("el que labra las piedras").
Pen-, peni-	*paenĕ*	"casi"	*penumbra* ("sombra débil entre la luz y la oscuridad"), *penillanura* ("terreno poco ondulado y muy extenso").

Peni-, penni-	*penna*	"ala, pluma"	*peniforme* ("que tiene la forma de una pluma"), *penninervio* ("dícese de las hojas cuyo pecíolo se prolonga en nervaduras secundarias, parecidas a las barbas de una pluma").
Per-	*pĕr*	"intensidad", "falsedad e infracción", "a través de"	*pernoctar* ("pasar la noche en alguna parte, fuera del propio domicilio"), *perjurar* ("jurar en falso"; "faltar a la fe ofrecida en el juramento"), *perforar* ("hacer un agujero a través de algo").
Petr-, petri-, petro-	*pĕtra*	"piedra"	*pétreo* ("de piedra, roca o peñasco"), *petrificar* ("transformar o convertir en piedra, o endurecer una cosa de modo que lo parezca"), *petroso* ("aplícase al sitio o paraje en que hay muchas piedras").
Pinni-	*pinna*	"ala, pluma"	*pinnípedo* ("aplícase a los mamíferos carnivoros de cuerpo fusiforme, con cuatro extremidades cortas y anchas a propósito para la natación").
Pisc-	*piscis*	"pez"	*pisciforme* ("que tiene la forma de pez").
Ple-, plei-	*plēnus*	"pleno", "más"	*Plenario* ("lleno, entero, cumplido, que no le falta nada"), *pleistoceno* ("se aplica a la época del cuaternario inferior o más antiguo").

Pleni-	*plēnus*	"pleno"	*plenitud* ("totalidad, integridad o calidad de pleno").
Plumb-	*plumbum*	"plomo"	*plumbífero* ("que tiene plomo").
Pluri-	*plūs*	"más", "varios"	*plurinervio* ("que tiene varios nervios"), *plurivalencia* ("pluralidad de valores que posee una cosa").
Pluv-	*plŭvĭa*	"lluvia"	*pluviosidad* ("cantidad de lluvia que recibe un sitio en un período determinado de tiempo").
Pobl-	*pŏpŭlus*	"pueblo"	*poblar* ("fundar uno o más pueblos y, más propiamente, ocupar con gente un sitio para que habite con él").
Popul-	*pŏpŭlus*	"pueblo", "la gente"	*popularidad* ("aceptación y aplauso que uno tiene en el pueblo"), *populoso* ("dícese de la provincia, ciudad, villa, etc., que abunda de gente").
Pos-, post-	*post*	"detrás o después de"	*pospuesto* ("colocado detrás de otra persona o cosa"), *postdiluviano* ("posterior al diluvio universal"), *postbalance* ("término comercial con que se designa la situación que sigue a la realización del balance anual").
Pre-	*prae*	"delante", "anterior a algo", "en-	*prefijar* ("determinar, señalar o fijar anticipada-

		carecimiento”	mente una cosa o sus detalles, condiciones, etc.”), *prehispánico* (“dícese de la América anterior a la conquista y colonización españolas, y de sus pueblos, lenguas y civilizaciones”), *preclaro* (“esclarecido, ilustre, famoso y digno de admiración y respeto”).
Preter-	*praetĕr*	“fuera, más allá de”	*preternatural* (“que se halla fuera del ser y estado natural de una cosa”).
Pro-	*prō*	“por o en vez de”, “ante o delante”, “publicación”, “continuidad de acción”, “impulso o movimiento hacia adelante”, “negación o contradicción”, “substitución”, “partidario”, “en favor de”	*pronombre* (“parte de la oración que suple al nombre o lo determina”), *proponer* ("poner ante"), *proclamar* (“publicar en alta voz una cosa para que se haga notoria a todos”), *procrear* (“engendrar, multiplicar una especie animal”), *promover* (“iniciar o adelantar una cosa, procurando su logro”), *propasar* (“pasar más adelante de lo debido”), *proscribir* (“excluir, prohibir la costumbre o el uso de una cosa”), *procónsul* (“gobernador de una provincia entre los romanos, con jurisdicción e insignias consulares"), *prosocialista* (“partidiario del socialismo”), cupón *pro sordomudos* (se escribe, en esta acepción, separado).

Punc-, punch-, pung-, punt-, punz-	*pungĕre*	“pinchar”	*puncionar* (“hacer punciones”), *punchar* (“picar, punzar”), *pungimiento* (“acción y efecto de pungir”), *puntazo* (“herida hecha con la punta de un arma o de otro instrumento punzante”), *punzar* (“herir de punta”).
Quin-, quinqu-	*quinquĕ*	“cinco”	*quintar* (“sacar por suerte uno de cada cinco”), *quinquelingüe* (“que habla cinco lenguas”; “escrito en cinco idiomas”).
Radi-, radio-	*rădĭus*	“radio”, “radiación o radiactividad”	*radiactivo* (“dícese de los cuerpos que emiten radiaciones invisibles e impalpables, procedentes de la desintegración del átomo y dotadas de una actividad particular”), *radioterapia* (“tratamiento de las enfermedades provocadas por toda clase de rayos, epecialmene por los rayos X”; “empleo terapéutico del radio y de las substancias radiactivas”).
Radic-, radici-	*rādix*	“raíz”	*radicado* (“provisto de raíces”), *radicícola* (“dícese del animal o el vegetal que vive parásito sobre las raíces de una planta”).
Re-, rete-, requete-	*rĕ*	“reintegración o repetición”, “aumento”, “oposición o resistencia”, “mo-	*reeligir* (“volver a elegir”), *recaer* (“volver a caer”), *recargar* (“volver a cargar”; “aumentar carga o cargar demasiado”), *re-*

		vimiento hacia atrás", "negación o inversión del significado del simple", "encarecimiento", "encarece superlativamente"	*puñar* ("ser opuesta una cosa a otra"), *rechazar* ("resistir un cuerpo a otro, forzándole a retroceder en su curso o movimiento"), *refluir* ("volver hacia atrás o hacer retroceso un líquido"), *reprobar* ("no aprobar una persona o cosa"; "dar por malo"), *resalada* ("que tiene mucha sal, gracia y donaire"), *retebien, requetebueno*.
Ren-, reni-	*rēnes*	"riñones"	*renal* ("perteneciente o relativo a los riñones"), *reniforme* ("que tiene forma de riñón").
Res-	*rĕ* y *ex*	"atenúa la significación de las voces simples a que se halla unido", "encarecimiento"	*resquebrar* ("empezar a quebrarse o henderse una cosa"), *resguardar* ("defender o reparar una cosa").
retro-	*rĕtrō*	"hacia atrás", "tiempo anterior"	*retrovisor* ("que permite ver lo que ocurre atrás"), *retrotraer* ("fingir que una cosa sucedió en un tiempo anterior a aquel en que realmente ocurrió").
Roto-, rotu-	*rŏta*	"rueda"	*rotor* ("parte giratoria de una máquina electromagnética o de una turbina"), *rotunda* ("contrucción de planta circular").
Sacar-, sacari-, sacaro-, sacaru-	*sacchărŏn*	"azúcar"	*sacarífero* ("que produce o contiene azucar"), *sacarosa* ("nombre científico

			del azúcar común"), *sacaruro* ("preparada de azúcar en polvo con alguna substancia aromatizante").
Sapon-	*sāpo, sapōnis*	"jabón"	*saponificar* ("convertir en jabón un cuerpo graso").
Sax-	*saxum*	"piedra"	*saxeo* ("de piedra").
Sec-, seg-	*secāre*	"cortar"	*secamiento* ("acción y efecto de secar o secarse"), *segmentar* ("cortar o partir en segmentos").
Secr-	*secerněre*	"segregar"	*secretado* ("producido por secreción").
Sect-, secu-	*sěqui*	"seguir"	*sectador* ("que profesa y sigue una secta"; "secuaz fanático e intransigente de un partido o de una idea"), *secuaz* ("que sigue el partido, doctrina u opinión de otro").
Secul-	*saecŭlum*	"siglo"	*secular* ("que sucede o se repite cada siglo").
Sem-	*sēmen*	"semilla"	*sementar* ("sembrar la semilla").
Semi-	*sēmĭ-*	"medio", "casi"	*semicircunferencia* ("cada una de las dos mitades de la circunferencia"), *semidifunto* ("casi difunto").
Sept-, septi-, septu-	*septem*	"siete"	*septeto* ("composición para siete instrumentos o siete voces"), *septisílabo* ("de siete sílabas"), *septuplicar* ("multiplicar por

			siete una cantidad o hacer séptupla una cosa”).
Sequ-	*siccus*	“seco”	*sequedal* o *sequeral* (“terreno muy seco”).
Seric-, serici-	*sērĭcum*	“de seda”	*sérico* (“de seda”), *sericicultor* (“persona que se dedica a la sericicultura”), *sericicultura* (“industria que tiene por objeto la producción de seda”).
Sero-	*sĕrum*	“suero”	*seroso* (“perteneciente, o semejante al suero o a la serosidad”).
Sesqui-	*sesquĭ*	“una mitad más”	*sesquihora* (“hora y media”), *sesquipedal* (“de pie y medio de largo”).
Sex-	*sex*	“seis”	*sexagonal* o *sexángulo* (“polígono de seis ángulos”).
Silic-, sicili-, silico-	*sīlex*	“sílice”	*silíceo* (“de sílice o semejante a ella”), *silícico* (“pertenciente o relativo a la sílice”), *silicosis* (“neumoconiosis producida por el polvo de sílice”).
Simil-, simili-	*sĭmĭlis*	“semejante”	*similar* (“que tiene semejanza o analogía con una cosa”), *similitud* (“calidad de semejante”).
Sin-	*sĭnĕ*	“sin”, “unión”, “simultaneidad”	*sinsabor* (“desabor; insipidez de lo que se come”), *síntesis* (“composición de un todo por la reunión de sus partes”), *sincrónico*

			("dícese del proceso o del efecto que se desarrolla en perfecta correspondencia temporal con otro proceso u otra causa").
Sobre-	*sŭpĕr*	"sirve para aumentar la significación del nombre o verbo a que se une o les añade la de alguna de sus acepciones", "posición superior", "anterior en el tiempo"	*sobrealimento* ("comida que se da o se toma para sobrealimentar o sobrealimentarse"), *sobrealzar* ("alzar demasiado una cosa o aumentar su elevación"), *sobrecarga* ("exceso de carga, lo que se añade a una carga regular en tamaño o peso"), *sobrecopa* ("tapadera de la copa"), *sobredicho* ("dicho antes").
Sold-	*sŏlĭdus*	"sólido"	*soldar* ("unir entre sí dos partes o piezas de metal por medio de una soldadura").
Somn-, somni-	*somnus*	"sueño"	*somnámbulo* ("dícese de la persona que padece sueño anormal, durante el cual se levanta, anda y habla"), *somnífero* ("que da o causa sueño").
Sota-, soto-	*subtus*	"debajo, bajo de"	*sotacoro* ("sitio debajo del coro"), *sotobosque* ("vegetación formada por matas y arbustos que crece bajo los árboles de un bosque").

Sub-[6]	*sŭb*	"debajo", "acción secundaria", "inferioridad", "atenuación o disminución", "en orden posterior"	*subálveo* ("que está debajo del álveo de un río o arroyo"), *subarrendar* ("dar o tomar en arriendo una cosa, no del dueño de ella, sino de otro arrendatario de la misma"), *subdirector* ("persona que sirve inmediatamente a las órdenes del director o le sustituye en sus funciones"), *subestimación* ("acción y efecto de subestimar"), *subseguir* ("seguir una cosa inmediatamente a otra").
Sulf-, sulfo-, sulfu-	*sulphŭr*	"azufre"	*sulfhídrico* ("perteneciente o relativo a las combinaciones del azufre con el hidrógeno"), *sulfonamida* ("substancia química en cuya composición entran el azufre, el oxígeno y el nitrógeno, que forman el núcleo de la molécula de las sulfamidas"), *sulfurar* ("combinar un cuerpo con el azufre").
Super-	*sŭpĕr*	"sobre", "preeminencia", "grado sumo", "exceso o demasía"	*superposición* ("acción y efecto de superponer o superponerse"; "situación de una cosa superpuesta"), *superintendente* ("persona a cuyo cargo está la dirección superior de una cosa"), *superfino* ("muy fi-

[6] En español toma también las siguientes formas: cha- (*chapodar*), sa- (*sahumar*), so- (*solomo*), son- (*sonreír*), sor- (*sorprender*), sos- (*sostener*), soz- (*sozcomendador*), su- (*suponer*), sus- (*suspender*), za- (*zabullir*), zam- (*zambullir*).

			no"), *supernumerario* ("que excede o está fuera del número establecido").
Supra-	*sŭprā*	"sobre, arriba, más allá"	*suprarrenal* ("situado encima de los riñones"), *supradicho* ("dicho arriba o antes"), *suprasensible* ("superior a los sentidos").
Suspec-, suspic-	*suspicĕre*	"examinar"	*suspección*, ant. ("sospecha: acción de sospechar"), *suspicacia* ("calidad de suspicaz"; "cosa o idea sugerida por la sospecha o desconfianza").
Sut-	*sūtus*	"coser"	*suturar* ("coser una herida").
Taur-, tauro-	*taurus*	"toro"	*taurino* ("perteneciente o relativo al toro, o a las corridas de toro"), *taurofobia* ("temor morboso a los toros o bueyes").
Temper-, tempes-, templ-, tempor-, tempr-	*tempus*,	"tiempo"	*temperie* ("estado de la atmósfera según los grados de calor o frío, sequedad o humedad"), *tempestad* ("perturbación del aire con nubes gruesas de agua, granizo truenos, rayos y relámpagos"), *templado* ("que no está frío ni caliente sino en un término medio"), *temporal* ("tiempo de lluvia persistente"), *temprano* ("en las primeras horas del día o de la noche"; "en tiempo anterior al oportuno, con-

			venido o acostumbrado").
Tenebr-	*tĕnĕbrae*	"tiniebla"	*tenebroso* ("obscuro, cubierto de tinieblas").
Ter-, terc-	*trēs, trĭa*	"tres"	*tercero* ("que ocupa el último lugar en una serie ordenada de tres"), *terceto* ("combinación métrica de tres endecasílabos.").
Test-	*testis*	"testigo", "testículo"	*testificar* ("afirmar o probar de oficio una cosa con referencia a testigos o a documentos auténticos"), *testicular* ("perteneciente o relativo a los testículos").
Text-	*texĕre*	"tejer"	*textura* ("disposición y orden de los hilos en una tela"; "operación de tejer").
Tinc-, ting-, tint-	*tingĕre*	"teñir"	*tinción* ("acción y efecto de teñir"), *tingible* ("que se puede teñir"), *tintorero* ("el que tiene por oficio teñir o dar tintes y limpiar la ropa").
Tra-, trans-, tras-[7]	*trans*	"del otro lado o más allá", "a través de", "cambio o mudanza"	*tramontar* ("pasar del otro lado de los montes"), *transatlántico* ("dícese de las regiones situadas al otro lado del Atlántico"), *trasalpino* ("dícese de las regiones que desde Italia aparecen situadas al otro

[7] El uso autoriza que en muchos casos se diga indiferentemente trans- o tras- (*transandino* o *trasandino*).

			lado de los Alpes"), *transiberiano* ("a través de Siberia"), *transparente* ("dícese del cuerpo a través del cual pueden verse los objetos distintamente"), *transformar* ("hacer cambiar una cosa de forma").
Tri-	*trīs, trĭa*	"tres"	*trilingüe* ("que tiene tres lenguas"; "que habla tres lenguas"; "escrito en tres lenguas").
Tur-	*tūs, tūris*	"incienso"	*turífero* ("que produce o lleva incienso").
Ulm-	*ulmus*	"olmo"	*ulmáceo* ("como el olmo").
Ult-	*ulter, ultĭmus*	"último"	*ultimar* ("dar fin a alguna cosa, acabarla, concluirla").
Ultra-	*ultrā*	"más allá, al otro lado de", "exceso, demasía"	*ultratumba* ("más allá de la tumba"), *ultramarino* ("que está del otro lado del mar"), *ultramundano* ("que excede a lo mundano o está más alla"), *ultrafamoso* ("muy famoso").
Und-	*unda*	"onda"	*undular* ("moverse una cosa formando ondas o eses").
Ungu-	*unguis*	"uña"	*unguiculado* ("que tiene los dedos terminados por uñas").
Uni-	*ūnus*	"uno, uno solo"	*uniáxico* ("dícese de los cristales que sólo tienen

			un eje óptico”).
Urb-	*urbs, urbis*	“ciudad”	*urbano* (“perteneciente a la ciudad”).
Urt-	*urtīca*	“ortiga”	*urticáceo* (“como la ortiga”).
Vent-	*ventus*	“viento”	*ventear* (“soplar el viento o hacer aire fuerte”).
Ventr-	*venter*	“vientre”	*Ventroso* o *ventrudo* (“que tiene abultado el vientre”).
Vermi-	*vermis*	“gusano”	*vermiforme* (“que tiene forma de gusano”).
Vi-, vice-, viz-	*vĭcĕ*	“en lugar de”	*virrey* (“el que con este título gobierna en nombre y con autoridad del rey”), *vicegobernador* (“persona que hace las veces del gobernador”), *vizconde* (“sujeto que el conde dejaba o ponía antiguamente por substituto con sus veces y autoridad”).
Vulp-	*vulpē*	“zorra”	*vulpino* (“perteneciente o relativo a la zorra”).
Yuxta-	*iuxtā*	“junto, cerca de, junto a”	*yuxtaponer* (“poner una cosa junto a otra o inmediata a ella”), *yuxtaposición* (“acción y efecto de yuxtaponer o yuxtaponerse”).

Topografie letterarie: lo spazio urbano barcellonese in *Vida privada* di Josep Maria de Sagarra

PATRIZIO RIGOBON

All'inizio degli anni cinquanta Rinaldo Froldi pubblicava ne *La Fiera Letteraria*[1] un informato articolo su alcuni poeti catalani le cui voci, per le circostanze politiche dell'epoca, erano ridotte a un quasi totale silenzio. L'amicizia personale che lo legò a poeti come Carles Riba è testimoniata anche da numerose lettere, mentre una consuetudine non occasionale con la città di Barcellona lo fece accostare alla cultura catalana: nella tradizione dei viaggiatori italiani verso la Spagna, la città comitale ha rappresentato una tappa verso quel mondo ispanico[2] del quale però nelle sue strade, nelle sue piazze, tra la gente, si percepivano soltanto in maniera evanescente le caratteristiche e gli stereotipi consolidati dell''ispanità'. Capire l'identità di quel mondo, dando spazio in una prestigiosa rivista letteraria italiana a poeti di una lingua che non solo aveva perduto ogni statuto ufficiale, ma che veniva anzi perseguitata con notevole accanimento, costituiva certamente la cifra del suo ispanismo aperto e plurale. Ritenendo, dunque, la funzione della capitale catalana non irrilevante nel processo formativo dello studioso, abbiamo scelto, per l'omaggio che gli tributiamo, di focalizzare la nostra attenzione, sia pure per vie prevalentemente allusive, attorno al ruolo assolutamente essenziale della città "cap i casal de Catalunya" in *Vida privada*, romanzo pubblicato da Josep Maria de Sagarra nel 1932. Pur costituendo lo sfondo di numerosissimi testi, non solo in lingua spagnola e catalana, Barcellona non dispone ancora di monografie che ne esaminino esauriente-

[1] "Presenza della Catalogna letteraria", VI, 44, 2.11.1952, pp. 5-6.

[2] Sull'identità soggettiva della città, interessante l'osservazione di María Zambrano (ne citiamo una delle prime versioni italiane): "E perciò la città non è solo storia, ma luogo di qualcosa che la genera, luogo di qualcosa che sebbene faccia, come tutto, parte della storia, ne fa parte in un modo speciale, soprastorico o metastorico" (*Spagna, pensiero, poesia e una città*, trad. di Francesco Tentori Moltalto, Firenze, Vallecchi, 1964, p. 37).

mente l'identità letteraria: in ambito italiano la tradizione degli studi di "letteratura urbana" si sono orientati ovviamente verso quelle città rappresentative di tradizioni in qualche modo esemplari per quella nostrana, paradigmi di mondi fortemente strutturati, termini di paragone per una cultura ancora spiccatamente provinciale. Dunque, se da un lato è normale in Italia parlare del "mito di Parigi"[3], di "Praga magica", di "Venezia sfondo e simbolo", di Londra "città senza confini", dell'"inconsolata grandezza di Roma" e così via[4], non si affaccia al nostro orizzonte, almeno fino a tempi recentissimi[5], un'attenzione specifica per l'immagine letteraria della metropoli catalana. A cambiare, almeno parzialmente, tale prospettiva hanno contribuito molti fattori, che non possiamo analizzare in questa sede: manca ancora comunque, al di là di alcuni lavori occasionali, uno studio sistematico di ampio respiro, che da più parti è auspicato, frutto di un'indagine esaustiva sui testi narrativi e poetici del secolo scorso. In una cornice di saggi sulla letteratura urbana in grande auge[6], orientati certamente, per quanto riguarda Barcellona, anche dagli importanti interventi urbanistici e architettonici che hanno interessato la città dalla fine degli anni Ottanta ad oggi, si colloca una serie d'interventi tesi a tracciare una topografia letteraria[7] dell'urbe da offrire al dibattito per la ricostruzione di una memoria urbana, appannaggio prevalente fino ad oggi di architetti e urbanisti. L'unico studio specifico a nostra conoscenza sullo spazio letterario urbano barcellonese è quello di Elke Sturm-Trigonakis *Barcelona in der Literatur (1944-1988). Eine Studie zum Stadtroman Barcelonas unter besonderer Berücksichtigung urbaner Räu-*

[3] Sul ritorno dei "grandi miti urbani", che peraltro nell'immaginario italiano, orientato dal superficiale giornalismo della pervasiva televisione, continuano ad essere gli stessi, cfr. G. Amendola, *La città postomoderna. Magie e paure della metropoli contemporanea*, Roma – Bari, 1997, pp. 33 e ss.

[4] Cfr. anche *Unreal city. Urban Experience in Modern European Literature and Art*, Manchester, Manchester University Press, 1985 cit. in P. Brooker, *New York Fictions. Modernity, Postmodernism, The New Modern*, London – New York, Longman, 1996, p. 23.

[5] Cfr. A.G. Cassani, *Le Barcellone perdute di Pepe Carvalho*, Milano, Unicopli, 2000, pp. 157.

[6] Si vedano, tanto per dare alcuni titoli esemplificativi, J.C. Rovira, J.R. Navarro (ed), *Actas del I coloquio internacional "Literatura y espacio urbano"*, Alicante, Fundación cultural CAM, 1994, pp. 213; R. Casari, M. Lonardi, U. Persi, F. Rodríguez Amaya (a cura di), *Testo letterario e immaginario architettonico*, Milano, Jaca Book, 1996, pp. 284; G. Cascone (a cura di), *La città. Proiezioni e scritture*, Firenze, Giunti, 1997, pp. 213; J.C. Rovira (ed), *Escrituras de la ciudad*, Madrid, Palas Atenea, 1999, pp. 282.

[7] "Barcelona en la literatura. Quadern central" in *Barcelona metròpolis mediterrània*, n. 20, 1991.

me[8], il quale considera nove romanzi. Tale saggio, pur potendo costituire un ottimo punto di partenza, non esaurisce ovviamente le molteplici prospettive della questione. Innanzi tutto il primo obiettivo da raggiungere è la costituzione di un corpus che comprenda tutti i romanzi (chiaramente non soltanto quelli in catalano o spagnolo) che in qualche modo riguardino la città e successivamente, sulla base di criteri chiaramente enunciati, procedere allo studio-spoglio. Si tratta di un mosaico assai complesso che si può cominciare ad intuire attraverso l'apposizione di singoli tasselli. Alla costituzione del corpus sta provvedendo meritoriamente il sito Internet curato da Joan Ducros che evidenzia, ancora una volta se ce fosse stato bisogno, come la rete possa convivere, e anzi possa fornire decisivi e aggiornati contributi, con ipotesi conoscitive legate agli studi letterari[9]. Associato ad esso, il gruppo di discussione che, avvalendosi di una pluralità d'informatori internazionali, è in grado di coprire ambiti culturali che sovente sfuggono all'attenzione del singolo studioso[10]. La ricerca non potrà che essere, almeno inizialmente, assai parziale, quasi frammentaria. I lavori d'insieme saranno frutto di più competenze ed elaborati sulla base di una rilevante bibliografia pregressa, strutturata secondo metodologie non estemporanee. In generale, nell'ambito della letteratura comparata, la 'tematologia' rappresenta un'istanza essenziale, la quale tuttavia ha privilegiato la presenza della città nella narrativa[11] e, soprattutto, nella grande narrativa dell'Ottocento[12]. Il caso barcellonese offre interessanti spunti in ambito poetico che, malgrado in molti casi propongano encomi di circostanza, ci rimandano, in numerosissimi altri, a poeti in lingua catalana e/o spagnola dell'Ottocento e del Novecento di

[8] Kassel, Reichenberger, 1994, pp. 235. La trad. catalana è di Rosa Ribas, *Barcelona. La novel·la urbana (1944-1988)*, Kassel, Reichenberger, 1996, pp. 265. Non citiamo, per non allungare eccessivamente le note, i numerosi studi su singoli aspetti del tema. Rimandiamo parzialmente ai lavori citati in E. Miret, "Barcelona, Espacio real, espacio simbólico", in *La Renovation du roman espagnol depuis 1975,* Toulouse, Presses Universitaires du Mirail, 1991, pp. 123 e ss.

[9] Il sito è ben strutturato e costantemente arricchito. La home page, da cui iniziare la navigazione, si trova in <http://www.xtec.es/~jducros/index.html>, visitata il 29 luglio 2001.

[10] Il gruppo di discussione è contattabile al seguente indirizzo <barcelona-literaria@intl.egroups.com>.

[11] "Espacios y escenarios característicos, como el jardín, o para la novela la gran ciudad moderna – París, San Petersburgo, Madrid, Berlín, Buenos Aires –, catalizadora de grandes creaciones narrativas" (C. Guillén, *Entre lo uno y lo diverso*, Barcelona, Crítica, 1985, p. 253). Cfr. anche C. Pichois, A.M. Rousseau, *La literatura comparada*, Madrid, Gredos, 1969, pp. 167-168 e M. Schmeling, *Teoría y praxis de la literatura comparada*, Barcelona-Caracas, Editorial Alfa, 1984, pp. 101-103.

[12] C. Guillén , *op. cit.*, p. 374.

grandissimo valore quali Maragall, Foix e Gil de Biedma, tanto per citare soltanto tre nomi, mentre la narrativa urbana barcellonese è prevalentemente concentrata, per ragioni anche ovvie, nel Novecento. Le complessità irrisolte, la intrinseca multiformità della rappresentazione letteraria delle città, non può che indurre dunque a grande prudenza, anche trattando di una singola opera. Félix de Azúa, in una conferenza romana il cui testo è stato raccolto in *Lecturas compulsivas*[13], tracciando un profilo del romanzo urbano di Barcellona dal 1900 all'inizio degli anni Novanta, individua in *Vida privada* il testo che meglio illustra la città nei "felices años 20". Tra le caratteristiche dell'opera di Sagarra, il docente barcellonese di estetica indica "la ausencia de la política verdadera en la ciudad, lo que produce escenarios muy peculiares en los que sólo interviene el poder del dinero" che connota una specie di "Gatopardo de Barcelona, ya que permite vivir desde dentro el derrumbe de los restos de la aristocracia catalana, pero está descrito con la tinta eficaz y cruel del poder industrial y no con el bucólico consuelo del feudalismo agrario"[14]. Il romanzo è la saga della famiglia Lloberola, un'epica negativa in cui gli ultimi rampolli del casato catalano si dedicano con lodevole impegno alla propria rovina. Piccola aristocrazia rurale inurbata, don Tomás de Lloberola aveva il titolo di marchese, che due tra gli ultimi esponenti della famiglia, Federico e Guillermo[15], faranno precipitare nella bancarotta economica e morale. *Vida privada* è la fotografia impietosa e a tratti persino cruda (almeno agli occhi del lettore di inizio anni Trenta) di personaggi intenti a perseguire soltanto il proprio momentaneo vantaggio e beneficio, a discapito di qualunque altro obiettivo. Le situazioni che vi si illustrano, pur richiedendo la non estranea complicità del lettore cui l'autore strizza l'occhio, non potevano che suscitare la riprovazione dell'ipocrita moralità ufficiale, plasmata enfaticamente dagli stessi che la trasgredivano. Storie vecchie, diremmo oggi, e tuttavia, come ricorda Joan de Sagarra, capaci di far rifiutare il libro a qualche editore persino in anni successivi a quello della prima pubblicazione: "la novela fue ofrecida a la viuda del editor Cruzet […] quien se negó a publicarla, alegando que se trataba de un libro escandaloso […] La reedición […]

[13] "Novelas y ciudades. Barcelona 1900-1980" e "Una Barcelona eterna. Josep Maria de Sagarra", in *Lecturas compulsivas. Una invitación*, Edición de A. Dexeus, Barcelona, Anagrama, 1998, p. 295 e ss.

[14] *Ivi*, p. 302.

[15] Dato che per le nostre citazioni utilizzeremo la traduzione spagnola (del 1966) di Manuel Vázquez Montalbán e José Agustín Goytisolo, "la primera y única edición completa, fiel al original catalán […] aparecida en lengua castellana", come scriveva nel 1984 Joan de Sagarra all'inizio del volume, riportiamo tutti i nomi secondo la versione spagnola.

fue pactada con Robles Piquer, lo cual supuso unos cuantos tijeretazos"[16]. Al lettore odierno i cimenti amatorî cui allude il romanzo non suscitano certo stupore né provocano particolari rossori e dunque con minori condizionamenti possiamo valutare altri elementi: abbiamo potuto vedere più sopra la lettura di Félix de Azúa. Di grande interesse il "prólogo" anteposto dai due prestigiosi traduttori all'opera che ci occupa nell'edizione che utilizziamo. "*Vida privada* es una novela valiente por diversos motivos. El más importante quizá sea que Segarra se las entendió con una *novela urbana*, difícil para el descriptivismo postnaturalista adoptado por la mayor parte de los novelistas peninsulares del siglo. Esta adopción explica la hegemonía de productos narrativos agrícola-pecuarios en detrimento de la ciudad como tema [...]. La aguda captación de la oposición aristocracia-burguesía y sus ósmosis, es otro mérito [...]"[17]. Azúa accosta questo romanzo, come abbiamo visto sopra, al mondo de *Il Gattopardo*, mentre J.A. Goytisolo e M. Vázquez Montalbán richiamano la letteratura erotica di Moravia, pur con dei significativi distinguo rispetto a quella di Sagarra[18]. Più recentemente Maria Escala ha messo in evidenza il fattore ironico non solo nell'opera di cui si tratta, ma anche nelle *Memòries*[19] dello stesso autore. Jordi Castellanos, unendo la topografia urbana e sociale con gli amorazzi di Federico, Guillermo e María Luisa de Lloberola ed altri personaggi, osserva: "on s'amaga l'autèntica degeneració no és en els barris baixos", poiché, come ribadisce Teodora nel romanzo, "el vici som per exemple nosaltres"[20]. Appare quindi evidente come la narrazione trovi i suoi significanti nel contesto urbano barcellonese di cui i personaggi costituiscono i relativi significati. Sagarra ha saputo creare una miscela di referenti urbanistici e architettonici strettamente connessi ai simboli sociali ed economici cui il testo dà letteralmente il senso[21]. Fornisce un approccio conoscitivo della città che, rivolgendosi anzitutto ai barcellonesi,

[16] J.M. de Sagarra, *Vida privada*, trad. prólogo y notas de J.A. Goytisolo y M. Vázquez Montalbán, Barcelona, Plaza & Janés, 1984, p.5.

[17] *Ivi*, p. 8 e 9.

[18] *Ivi*, p. 10.

[19] "Ironia i satira a «Vida privada» i «Memòries» de Josep M. de Sagarra", *Rassegna Iberistica*, giugno 1999, n. 66, pp. 19-41.

[20] Cfr. J. Castellanos, *Literatura, vida, ciutats*, Barcelona, Edicions 62, 1997, p. 178 (La citazione si trova alla p. 147 dell'edizione di *Vida privada* che abbiamo utilizzato). Il volume propone, oltre ad assai interessanti suggestioni critiche, un notevole apparato bibliografico a piè pagina cui rimandiamo per ogni ulteriore approfondimento.

[21] Parafrasando il titolo – magari eccedendo le reali intenzioni di Sagarra – di una densa e puntuale comunicazione di Bernardo Secchi, *Vida privada* è "letteratura come laboratorio di urbanistica" nella sua più ampia accezione (Cfr. B. Secchi, "L'urbanistica come laboratorio di scrittura", in G. Cascone (a cura di), *La città, proiezioni e scritture*, cit., pp. 9-24.

riesce a modificarne le planimetrie consolidate dall'utilizzo quotidiano della città per offrire, anche al lettore esterno, una nuova mappa che non può più prescindere dalle voci del romanzo. Riesce a farci intuire come i processi di modernizzazione della città[22] (l'Esposizione Universale del 1929 rappresenta una delle date topiche nella sua storia urbanistica) siano legati alle categorie dell'enunciazione: la letteratura in tal senso li plasma essendone naturalmente plasmata[23]. Nelle pagine che seguono illustreremo, sulla base del lavoro in esame, come questo concretamente sia avvenuto. Si consideri innanzitutto come di fatto tutta la città nel suo complesso (vale a dire dalle Ramblas alla Bonanova, dal Paral· lel e Montjuic a Gran Via e calle Bailén) entri nelle pagine di Sagarra. La percezione di uno spazio urbano unitario, fatte salve ovviamente le di-

[22] Anche quelli che non piacciono a Rosario Assunto: "[…] è *la città in cui la strada penetra nel nostro cantuccio privato, lo annega, lo invade di rumore pubblico* (in corsivo nel testo, così anche nei successivi casi) – né v'è differenza, aggiungerò, tra il frastuono dei veicoli, i richiami pubblicitari, gli slogan dei dimostranti, e il fracasso, oggi, della *cultura d'aggregazione*, la *cultura dell'effimero*. […] Non hanno, tanti teorici, ascritto a merito dell'architettura serializzante e dell'urbanistica massificatrice, l'avere abolito, con le grandi pareti di vetro, la privacy familiare? Abolizione, nella città-standard, di quella privacy nella quale… *le ore ampie e lente dell'intimità*, consentivano all'uomo *la cristallizzazione di una parte di se stesso privata, non pubblica* […] poiché solo la libertà di preservare e cristalizzare quel che di se stesso è *antipubblico* […] può legittimare per l'uomo il *pubblico* come completamento e prolungamento dell'individualità: in liberissima scelta, e non per costrittiva negazione, per soffocamento dell'individualità singolare nella «bloss numerische Menge», nella *moltitudine puramente numerica*" (*La città di Anfione e la città di Prometeo. Idea e poetiche della città*, Milano, Jaca Book, 1997[2a], p. 224).

Il che è l'esatto contrario della nozione di "Man of Crowd", abitatore della metropoli, descritto da Poe; della bellezza di una donna perduta per sempre nella calca cittadina, elogiata da Baudelaire in "A une passante". Così conclude Edoardo Sanguineti: "l'uomo della città non può più organizzare le proprie modalità di relazione col mondo se non in maniera appunto caotica per cui nasce l'uomo della folla e nasce la poesia della folla" ("Lo scrittore nella città", in G. Cascone (a cura di), *La città. Proiezioni e scritture* cit. p. 58).

[23] Si tratta chiaramente di un processo di lunga durata che, come osserva Castellanos, "Barcelona viu […] d'ençà de mitjàn segle XIX" (*Ivi*, p. 137). Il romanzo di Sagarra ne rappresenta però un momento assai significativo, collocato com'è a ridosso di importanti trasformazioni urbanistiche. Alcune realizzate, numerose ancora a dibattito. Nel maggio del 1928 Le Corbusier tiene due conferenze a Barcellona, ampiamente commentate dai giornali della città, che non sono soltanto un avvenimento occasionale, ma costituiscono il segno di profonde inquietudini etiche ed estetiche, sociali ed urbanistiche sul presente e sul futuro della città comitale (cfr. anche A. Piazza, "Maggio 1928: l'arrivo di Le Corbusier a Barcellona", in J.J. Lahuerta (a cura di), *Le Corbusier y España*, Barcelona, Centre de Cultura Contemporània de Barcelona, 1997, pp. 87 e ss) che troveranno concreta realizzazione pochi anni più tardi nel cosiddetto "Pla Macià" (cfr., nell'abbondante bibliografia sull'argomento, *1930-1942. La città dimostrativa del razionalismo europeo*, a cura di L. Caruzzo e R. Pozzi, Milano, Franco Angeli, 1981, pp. 60 e ss).

stinzioni tra i quartieri signorili e/o nobili e quelli popolari e/o infimi[24], coincide con l'elaborazione di un concetto di "barcelonismo", specificamente illustrato da alcuni dei personaggi[25], connesso all'idea di 'città madre', di 'metropoli' nel senso etimologico. Dal punto di vista delle diversità intrinseche delle varie parti dell'abitato, i personaggi delimitano con precisione gli spazi del proprio agio e del proprio disagio, benché sia necessario precisare che la miseria sociale oggettiva di certe zone corrisponde ad una ragione di divertimento dei protagonisti del libro direttamente proporzionale al grado di dissoluzione morale di ciascuno. Si veda ad esempio il caso del "Distrito Quinto", dove, nel cosiddetto "Barrio Chino" popolato di prostitute, travestiti e piccoli delinquenti, un gruppetto di personaggi si reca a vedere uno spettacolo erotico[26]. Si enuncia in modo chiaro l'opposizione tra la 'città vecchia', quella che sta entro le mura e la 'nuova' (Eixample), la maglia di vie ed isolati, progettati da Cerdà alla metà del XIX secolo, che organizza il territorio tra il "casc antic" e i numerosi borghi allora fuori città (Sarrià, Sants, Gràcia ecc.). La Barcellona a quel tempo "moder-

[24] Pur con taluni accenti 'provinciali' di alcuni dei protagonisti del romanzo (ma si tratterebbe di precisare l'opposizione così sfuggente tra 'essere provinciali' ed 'essere cosmopoliti', annettendo la prima ad una dimensione non urbana e l'altra alla metropoli), la percezione dello spazio barcellonese è quella che Eduard Bru efficacemente così descrive: "la ciudad cuyas partes no se separan pintorescamente, sino que permiten percibir, con diversos acentos, la gran dimensión intrínseca a la urbanidad" (*Tres en el lugar/Three on the site*, Barcelona, Actar, 1997, p. 47 della parte in spagnolo).

[25] È il caso di Bobby, erede di una cospicua fortuna paterna amministrata con oculatezza, assiduo frequentatore di circoli alla moda, amante di una vita senza impegni o alterazioni, conversatore amabile a suo agio in tutti i contesti, viceversa fonte di preoccupazioni per la madre, la vedova Xuclà, che avrebbe voluto vederlo sposo di una delle numerose corteggiatrici: "Bobby había heredado de su madre [figlia dei Conti di Sallent] una elegancia natural sin ninguna afectación, y un barcelonismo puro, por encima del tiempo y del espacio, de la literatura y de la política. Bobby no se daba cuenta de nada ni se interesaba por nada. Exponía acerca de todo unas opiniones muy vagas y muy poco comprometedoras" (*Vida privada*, cit., p. 103). Il mondo barcellonese di Bobby è quasi interamente a un tiro di schioppo dal Circolo del teatro del Liceo: "…le gustaba pasear perezosamente por los barrios que más amaba de Barcelona. Deambulaba por la calle Ancha y respiraba el olor que llegaba del muelle. El pasaje de la Paz y las calles que desembocaban en la Plaza Real […] le traían el gusto de una Barcelona comercial adornada con terciopelo de buen tono. Una Barcelona digna y ahorradora, haciendo uso de una audacia y un empuje que no sabía apreciar en la gente de su tiempo […] El escéptico Bobby se sentía atraído por lo elegíaco. De la Rambla le gustaba todo; el barcelonismo de Bobby se alimentaba en la Rambla; allí incluso dejaba de ser escéptico (*Ivi*, p. 282). Il valore della tradizione, rappresentata dalla madre, ne riassume in conclusione lo spirito con non secondarie connotazioni edipiche: "el barcelonismo de Bobby no era otra cosa que la veneración inconfesada de todo lo que provenía de Pilar" (*Ivi*, p. 285).

[26] *Ivi*, pp. 140-149.

na"[27]. La residua casa avita dei Lloberola in calle Baja de San Pedro costituisce la pietra di paragone di un passato famigliare, sia pur modestamente illustre "porque el caserón tenía sus puntos de grandeza", mentre i vecchi mobili di casa sembrano assurdi trasferiti "en aquel piso de la calle Mallorca"[28]. La decadenza (o, forse più semplicemente, il passaggio di classe della piccola dinastia non più in grado di vivere delle proprie rendite) si rende palese col trasloco dalla città vecchia a quella moderna. "Federico vivía en un piso de la calle Bailén. La escalera apestaba a caldo de gallina, a caliqueño y a cubo de basura; ese tufillo especial de las casas del Ensache de Barcelona"[29]. Quest'appartamento diventa poi il simbolo della disfatta famigliare e l'emblema della non accettazione di un destino ineluttabile. "Fernando, sin embargo, adivinó que a él y a su hermana les unía algo concreto: el espíritu antifamiliar, la aversión que ambos sentían por aquel piso de la calle Bailén y por el apellido Lloberola"[30]. Altro ruolo considerevole è svolto dai luoghi della socializzazione dell'aristocrazia e delle 'persone bene' dell'epoca: bar, caffè, ristoranti e circoli. Poco o nulla in relazione con le mitologie dei caffè letterari che siamo abituati a costruire, essi sono per lo più il luogo della denigrazione del 'frequentatore assente' e della conseguente riaffermazione del proprio *status* sociale. Luogo di cene importanti è il ristorante-bar "Café Suizo" dove "habían desfilado los buenos *gourmets* enamorados de francesas opulentas que llevaban martirizantes corsés y sombreros con plumas de aves del paraíso, y echarpes larguísimos, hechos de pluma de avestruz teñida de anilina, y que en invierno escondían unas manos pequeñas, llenas de diamantes, dentro de unos manguitos cilíndricos de piel de marta"[31]. Centri nevralgici di piccoli drammi e talora grandi tragedie, trasformati in ridicola farsa dal pettegolezzo, sono invece due luoghi: il bar "Colón" ed il già citato "Círculo del Liceo". Locali frequentati dalla buona borghesia della città, non esente da sussulti di tipo culturale che però il romanzo di Sagarra non mette in evidenza, anzi: "María Luisa creía que un renard peludísimo, flexible y maquiavélico, o un brillante sin tara, eran dos cosas mucho más interesantes que el quinto canto de la *Divina Comedia*"[32]. Gli intellettuali preferivano am-

[27] "En un barrio *standard*, con unas casas pensadas según unos criterios geométricos sin imaginación..." (*Ivi*, p. 53).

[28] *Ibidem*.

[29] *Ivi*, p. 75.

[30] *Ivi*, p. 273. Cfr. anche p. 236: "María Luisa contemplaba su panorama familiar; aquel escándalo non podía producirse en una temperatura tan agria, tan disgregada y falta de confort como era el piso de la calle Bailén".

[31] *Ivi*, p. 70.

[32] *Ivi*, p. 239.

bienti più sgangherati, che gli stessi avventori facevano diventare automaticamente di tendenza, quali "Can Soler" nella "Barceloneta", tra l'omonima spiaggia e il porto. I mutamenti politici, segnatamente l'avvento della Seconda Repubblica, fanno cambiare mode, abitudini e simbologie, senza ovviamente mutare la sostanza: le risse abituali nel "Grill-Room" di calle Escudellers, che coinvolgevano alcuni dei personaggi di *Vida privada*, vengono sostituiti, lungo la medesima via, da più miti, ma non meno rocamboleschi, cimenti al "Pingouin", complici i divanetti di velluto, l'atmosfera soffusa e la musica ammiccante[33]. Tra cabaret come l'Hollywood e i classici tabarin del Paral· lel trascorre il tempo libero, peraltro l'unico tempo conosciuto nel romanzo dai rampolli Lloberola, dai vari Bobby, da Hortensia Portell e da quasi tutti gli altri. La volontà di misconoscimento della tradizione famigliare da parte degli ultimi discendenti di Tomás de Lloberola, esito anche di un più grande processo economico-politico che sarebbe sfociato nella Repubblica, trova dunque il corrispettivo, da un lato in condotte trasgressive palesemente offerte al giudizio ipocrita dei bempensanti, dall'altro in un ridimensionamento e rilocalizzazione della propria vita urbana, sociale ed individuale. Il romanzo di Sagarra potrebbe inoltre configurarsi come precursore della più recente *novela negra* spagnola trovando "la ciudad como escenario de violaciones de tabúes, de crímenes condicionados por el mismo sistema de vida urbano y su organicidad", descritta da Vázquez Montalbán[34], un suo manifesto in *Vida Privada*. Dorotea, un'altra paraninfa, organizzatrice di incontri per persone di alto lignaggio, viene trovata morta "en un conocido *meublé* con un puñal clavado en el corazón, en compañía de un sujeto francés que, aunque protestó y aseguró que no tenía nada que ver con el crimen, como todas las circunstancias le comprometían, fue condenado por el tribunal. El supuesto asesino era totalmente inocente..."[35]. Non è chiaramente questo delitto, né la relativa indagine, il centro del romanzo, tuttavia il lettore è informato dell'ambiente in cui è maturato, attraverso un inchiesta che non è svolta dalla polizia, ma tramite i dettagli forniti dal narratore stesso.

[33] *Ivi*, pp. 149, 243-244 passim.

[34] *La literatura en la construcción de la ciudad democrática,* Barcelona, Crítica – Grijalbo Mondadori, 1998, p. 118. Come osserva Vázquez Montalbán, i primissimi modelli di "novela de aventuras urbanas" in Spagna hanno una forte valenza di giustizia sociale attraverso la denuncia dell' "egoísmo de las clases dominantes y la necesidad de redimir a las explotadas" (*Ivi*, p. 119). Non a caso l'autore di una di queste narrazioni (*Barcelona y sus misterios*) è Antonio Altadill, segretario dell'utopista icariano, e poi inventore, Narcís Monturiol (*Ibidem*). Un sarcastico disincanto sembra aver sostituito la volontà di redenzione nella produzione del genere negli ultimi anni.

[35] *Vida privada*, ed. cit., p. 108.

Non si tratta di un episodio centrale nell'economia dell'opera, ancorché tutt'altro che accessorio ai fini di una possibile interpretazione: esso si colloca in una fase transitoria in cui, se non è indicata una via di redenzione, c'è almeno la presenza del narratore come strumento di verità, come punto di riferimento in grado di fornire dati veritieri per il libero giudizio del lettore[36]. Altre due questioni ci sembrano di indubbio rilievo: da un lato la ricezione del dibattito relativo all'Esposizione del 1929 e la percezione del rinnovamento urbanistico come modernizzazione *tout court*, dall'altro la dimensione politica quale si desume dalla condotta o dalle dichiarazioni dei protagonisti. Il romanzo si colloca a cavallo tra la fine della dittatura di Miguel Primo de Rivera e l'avvento della Repubblica. L'Esposizione costituisce un fiore all'occhiello per qualunque classe politica che intenda vantare vigore di governo e successo economico. Questi eventi significativi conferiscono un ulteriore contraltare alla verità di Tancredi: "Se non ci siamo anche noi quelli ti combinano la repubblica. Se vogliamo che tutto rimanga com'è, bisogna che tutto cambi". Figure come Rosa Trénor, ineffabile mezzana di illustri ascendenze letterarie, amante di Federico, capace delle più ardite operazioni di trasformismo morale e politico senza tuttavia "cambiare", transita indenne ogni temperie[37]. Se Rosa Trénor riesce con abilità a destreggiarsi in mondi sempre diversi, così non è per il suo amante che fa del conservatorismo antidemocratico e antirepubblicano, dell'anticatalanismo i suoi cavalli di battaglia. In questo caso, e diversamente da Tancredi, avvia il processo politico collaterale alla propria già avvenuta derubricazione sociale: "Federico se indignó tanto o más que su padre ante la llegada de la República (y) sintió una especie de tristeza y asco por las gentes de Barcelona que se preocupaban por la política e iban promoviendo alborotos democráticos"[38]. Rimane quasi integro in lui il carlismo professato dal padre, un carlismo però che individuava tra i nemici, oltre all'anarchismo, al sindacalismo e al comunismo, anche il catalanismo. Su quest'ultimo aspetto il romanzo apre interessanti finestre: sia come enunciazione di posizioni nei confronti del

[36] "Para que el lector caiga en la cuenta de cómo ocurrieron las cosas, es preciso que nos adentremos un poco más en la vida privada de los barones de Falset y de su chófer y sigamos así una trayectoria secreta y desconocida hasta ahora" (*Ibidem*).

[37] "Con la caída del dictador, Rosa Trénor sufrió graves perjuicios. Fue denunciada por la Policía, y tuvo la suerte de hacer desaparecer a tiempo el bacará y la máquina de proyectar indecencias; de lo contrario hubiera sido muy posible que con todos sus refinamientos hubiera ido a parar a la cárcel de mujeres. En realidad, Rosa no sufrió ningún disgusto de importancia, y un señor muy enterado de todo aseguraba en la peña más sepulcral de un círculo frecuentado por el artritismo, que Rosa Trénor había encontrado salvación en la masonería" (*Ivi*, p. 241).

[38] *Ivi*, p. 206.

catalanismo politico, sia a proposito dell'uso della lingua catalana nella città. In un delirante monologo Federico ripercorre la storia della famiglia, sottolineando un paio di punti che rappresentano altrettanti capisaldi ideologici di un'aristocrazia ormai defunta: "¡La República...! ¡Qué pandilla de rufianes! [...]¡El catalán es una lengua horrible; mejor dicho, la han hecho horrible los catalanistas [...]"[39] Il processo di mutamento politico lo coglie completamente impreparato, pur avendo fruito degli agi di una vita urbana moderna e 'borghese', mentre il grosso dell' aristocrazia catalana, pur di mantenere i traffici avviati sotto la monarchia, fa buon viso a cattiva sorte e si adatta camaleonticamente alla neonata repubblica. È il caso, fra i molti, della signora Valls-Darnius "que conocimos en una fiesta, precisamente cuando dicha señora había jurado no decir nunca más una palabra en catalán[40] [...] Dicha dama, para que la estafa de su marido prosiguiese dando los mismos frutos bajo la República, afirmaba que siempre se había sentido republicana y que su catalanismo era bastante anterior a las Bases de Manresa"[41]. Analogo atteggiamento di consenso interessato esisteva tra questa nobiltà fantasma ed il potere politico degli anni Venti per finalità di mutuo vantaggio: "Vivíamos en plena juerga dictatorial y el barón de Falset entreveía magníficas gangas"[42]. In questo senso l'immobilità ideologica e politica della famiglia de Lloberola, pur nella cognizione della fine, unisce inconsapevolmente la miseria del proprio destino a qualcosa di eroico e persino grandioso. La non accettazione dell'alterazione degli equilibri aquisiti per sangue, ha un suo riflesso nel non riconoscimento dei mutamenti avvenuti nella città. L'Esposizione Universale del 1929 ne è uno degli elementi scatenanti, la cui descrizione segna uno dei grandi momenti del romanzo: "Aquel día fue la letra inicial de un himno que parecía iba a ser inacabable. Era el himno sexual y estomacal de Barcelona"[43]. I notevoli interventi urbanistici e architettonici sulla città ne modificano in parte la leggibilità. A farne le spese è una zia di sangue di Tomás de Lloberola che tutti chiamavano, anche in assenza di rapporti di parentela, "Tía Paulina". Prima dei lavori, il mondo di Tía Paulina aveva una sua stabilità e costituiva, pur nella modestia delle sue peregrinazioni urbane, la sua stessa memoria. "La reforma de Barcelona perjudicó a Tía Paulina, porque la demolición practicada en sus barrios la obligó a cambiar la idea topográfica que

[39] *Ivi*, p. 203.

[40] Si vedano anche, a proposito di questo e dell'uso dello spagnolo, le pp. 134-135.

[41] *Ivi*, p. 176.

[42] *Ivi*, p. 119. "La Dictadura llenaba de mendrugos los abdómenes canijos y organizaba unos pocos fuegos artificiales para dar un reflejo de roja felicidad a las mejillas" (*Ivi*, p. 164).

[43] *Ivi*, p. 162. Cfr. anche le pp. 161-164.

tenía del mundo”[44]. La cancellazione di questa memoria è metaforicamente una delle cause del triste destino della famiglia, la mancata comprensione del mondo agisce da innesco di condotte individuali tese al dissolvimento di quella realtà che non si riconosce (o non si vuol riconoscere), il difetto di autocritica nel presente si configura allora come il risultato dell'unico desiderio dei Lloberola: la distruzione dei ponti tra passato e futuro[45].

[44] *Ivi*, p. 168.

[45] M. Vázquez Montalbán, commentando l'*Oda a Barcelona* di Jaime Gil de Biedma, osserva: “Se dan tres claves fundacionales de la ciudad futura: la memoria, la realidad y el deseo” (*op. cit*. p. 78).

Espectáculo y comedia en Antonio Bazo

JUAN A. RÍOS CARRATALÁ

Antonio Furmento Bazo, más conocido por su segundo apellido, es uno de los muchos autores dramáticos del siglo XVIII que permanecen todavía en la oscuridad, a pesar del éxito que obtuvo en los escenarios de aquel período[1]. La escasa calidad de una buena parte de sus obras podría ser una causa de esa circunstancia, pero la poca atención que se le ha prestado cabe relacionarla sobre todo con la época y las corrientes en las que se sitúa su amplia producción dramática. El período central del siglo XVIII, desde el punto de vista teatral, casi siempre es analizado como el momento en que aparecen los primeros autores y obras que anuncian el Neoclasicismo del último tercio. Figuras como Agustín Montiano y Luyando y Nicolás Fernández de Moratín han sido estudiadas en repetidas ocasiones como los primeros jalones de una trayectoria que culminaría con la llegada de la siguiente generación. Sus obras son consideradas como una alternativa al teatro triunfante en aquella época. Pero, debemos reconocerlo, conocemos mucho mejor la alternativa que el conjunto de autores y obras que provocaron la lógica y necesaria reacción de los arriba citados. Entre ellos se encuentra Antonio Furmento Bazo.

Intentar abarcar en un breve trabajo como el presente la obra del prolífico dramaturgo es imposible, y hasta cierto punto innecesario, pues muchas de sus características coinciden con las ya señaladas en términos generales por estudiosos como R. Andioc e I. L. McClelland. Todos los "excesos" criticados por los neoclásicos están profusamente presentes en la producción de Antonio Furmento Bazo. Incluso podemos afirmar que algunas de sus obras podrían

[1] Véase la relación de sus obras en J. Herrera Navarro, *Catálogo de autores teatrales del siglo XVIII*, Madrid, FUE, 1993, pp. 43-45 y 190-191; F. Aguilar Piñal, *Bibliografía de autores españoles del siglo XVIII*, Madrid, CSIC, 1981, I, pp. 555-9; III, 1984, pp. 583-5 y IV, 1986, p. 796 y J.F. Fernández Gómez, *Catálogo de entremeses y sainetes del siglo XVIII*, Oviedo, Inst. Feijoo, 1993, nº 413, 1317, 1753 y 1945.

constituir un ejemplo perfecto para justificar la reacción de quienes pretendieron reconducir el teatro español por caminos de mayor racionalidad. Pero al leer sus comedias como historiadores debemos buscar, sobre todo, las claves que le permitieron tener un considerable éxito entre las décadas de los cincuenta y los setenta. En mi opinión y en lo que respecta a las comedias del autor estudiado aquí – no podríamos afirmar lo mismo de los otros géneros por él cultivados – la clave fundamental de ese éxito radica en la constante búsqueda del elemento espectacular, que a su vez acarrea la coherente aparición de otros rasgos que también le son propios.

La temática, la tipología, el número y la procedencia de los personajes, la estructura de la obra y otros aspectos fundamentales colaboran en la creación del "espectáculo". Pero mi intención es centrarme sólo en las acotaciones escénicas incluidas en las ediciones, particularmente ricas y sugerentes en la mayoría de las obras de Antonio Furmento Bazo analizadas. Frente a la sobriedad neoclásica, en las mismas encontramos unas acotaciones que nos indican un peculiar sentido del espectáculo, una preocupación por causar una serie de efectos en los espectadores que serían decisivos para el éxito de las comedias. Siempre tendremos la duda acerca de la correspondencia entre el texto de las acotaciones y su realización concreta en los escenarios de la época. Es más, dadas las carencias técnicas y económicas tantas veces denunciadas nos cuesta aceptar que algunas de las acotaciones se realizaran de acuerdo con lo indicado por el autor. Pero esta duda no afecta a la intencionalidad de quien incluyó una larga serie de indicaciones para crear un peculiar espacio escénico, espectacular y capaz de provocar la admiración continuada del público.

Veamos algunos ejemplos significativos. En la comedia *Pax de Artaxerxes con Grecia* (1763) los alardes escenográficos se suceden a lo largo de toda la obra para subrayar lo espectacular y exótico de la acción dramática. Nos situamos en Sufa, Corte de Persia, en una escena inicial donde a los sones de la música confluyen los ejércitos de griegos y persas para firmar la paz. Los numerosos protagonistas casi siempre salen a escena con "acompañamiento de Persas" o de sus hasta entonces rivales. Las paces se celebran en un "grande salón" fastuosamente iluminado. En el palacio encontramos las consabidas puertas secretas que permiten acumular intrigas. El mismo lugar, en la segunda jornada y mediante mutación, se convierte en "un magnífico Templo del Sol" donde se introduce a "toda la Comparsa que se pueda" para hacer bulto junto a los dos hijos presos, que aparecen – como es habitual en estas comedias – "al son de clarín y a cajas destempladas". En la tercera jornada, vuelve a cambiar la escena para pasar a un "retiro delicioso en el Palacio del Rey" y al final, para favorecer el tan previsto desenlace, aparece el "pueblo con armas" defendiendo la inocencia de sus amados príncipes. Todo ello para enmarcar una acción donde se suceden venganzas, amores despechados, puñales y virtudes recompensadas.

Muy similar a la anterior obra es la adaptación de un original de Metastasio que Antonio Bazo publicó con el título *La piedad de un hijo vence la impiedad de un padre, y jura de Artaxerxes, rey de Persia* (1762), largo y paradójico como tantos otros del mismo autor. Los posibles alardes escenográficos tienen menos presencia en las acotaciones, pero algunas de ellas son significativas de la búsqueda de lo espectacular mediante una acumulación impactante:

> Se descubre mutación de Templo magnífico, destinado para la Jura y Coronación de Artaxerxes. Trono a un lado y encima Cetro y Corona. Una Ara en el medio con el simulacro del Sol y al pie de ella fuego encendido. Salen Artaxerxes, Mandame y Artabano con una taza dorada y acompañamiento de Grandes, Guardias y Damas.

En *No hay en amor fineza más constante, que dejar por amor su mismo amante. La Niteti* (1772) Antonio Bazo vuelve a incluir extensas y detalladas acotaciones escénicas. Estamos a orillas del Nilo presenciando una convencional historia de amor entre un príncipe y una supuesta pastora que al final, ¿cómo no?, es también noble. Aparte del acompañamiento musical que es elemento casi imprescindible en estas comedias, el autor al final del primer acto incluye, entre otros, los siguientes elementos: "un rico Trono elevado", "un arco Triunfal de perspectiva" y "la vista de la Armada Egipciaca vencedora". Tímido preámbulo de lo presentado en la segunda jornada, donde

> [...] óyese ruido de tempestad con truenos y relámpagos y en el mar chocando unas con otras las naves se irán algunas a pique. Se dará una batalla entre los secuaces de Sorete [el príncipe] y los guardias reales al son de cajas y clarines, venciendo los guardias a Sorete, y se descubre el Arco Iris. Vuelve Beroe de su desmayo, sale Sorete defendiéndose de los soldados y Amasis, seguido de mucha tropa, por la otra parte.

Después de esta batalla digna de una superproducción cinematográfica de los años cincuenta, en la misma jornada encontramos nuevas escenas impactantes:

> Se descubre el teatro dividido en dos mutaciones; la una, que será a la izquierda, del gran puerto de Canope, con Marina llena de navíos y marineros; y la otra, en la derecha, será el Templo de Isis, lo más vistoso que se pueda, y saldrán de él Sorete con Be-

roe [su amada] de la mano, seguida de muchos soldados coronados, el sacerdote y otros ministros del Templo, y Amenosis, procurando detenerle.

Cuando este tipo de acotaciones no se dan y ni siquiera hay batallas tampoco faltan los momentos espectaculares. Así sucede en la comedia *Sastre, rey y reo a un tiempo. El sastre de Astracan* (1757), título de sorprendentes compatibilidades que se sitúa en la senda del paradigmático *Princesa, ramera y mártir, Santa Afra* (1735) de Tomás de Añorbe y Corregel[2]. En la obra de Antonio Bazo el singular protagonista capaz de compatibilizar tan diferentes personalidades conoce a su futura esposa y reina al salvarla de un tigre: "Sale Schenedin con la cabeza de un tigre en la mano". Desconozco qué elemento sustituiría a tan exótica cabeza, pero este problema supongo que sería tan convencionalmente resuelto como, por ejemplo, el hacer aparecer a los actores interpretando los personajes del rey de Astracán, el Gran Visir, el Jefe de los Eunucos y Osmán, el capitán de los Bandoleros.

Cuando Antonio Bazo, supongo que por encargo, escribe una obra de temática religiosa no prescinde del elemento espectacular, sino que lo utiliza al modo de las comedias de santos, los dramas bíblicos y los autos sacramentales por aquella época prohibidos. Precisamente en 1765 se edita *Los tres mayores portentos en tres distintas edades. El origen religioso y blasón carmelitano*, estrenada en el Teatro del Príncipe en 1762 y destinada a exaltar la orden del Carmelo y la Virgen del Carmen[3]. Se trata de un sorprendente tríptico donde se nos muestran tres sucesos religiosos situados en diferentes momentos históricos. En él desde la primera escena "Suenan cajas, clarines y música..." para dar la entrada a los protagonistas –"acompañados por todos los más que puedan" – o subrayar algún momento clave. Los ángeles se convierten en personajes asiduos en un continuo subir y bajar desde las "nubes" para dialogar con el resto de los protagonistas. Y lo hacen "en tramoyas muy vistosas". Por el lado opuesto, por un escotillón, también aparece el Demonio mientras "suena ruido de tempestad". Y, por si faltaba alguien, la Virgen desciende desde su celestial morada:

[2] Véanse los trabajos sobre este autor de J. Dowling y R. Fernández Cabezón en *La comedia de magia y de santos*, ed. F. J. Blasco et alii, Madrid, Júcar, 1992.

[3] Esta obra es estudiada por E. Palacios Fernández, *Realidad escénica y recepción del teatro religioso en el siglo XVIII*, en AA.VV., *Actas del Congreso Nacional "Madrid en el contexto de lo hispánico desde la época de los Descubrimientos"*, Madrid, Universidad Complutense, 1994, II, pp. 1169-1197.

Baja en una vistosa tramoya una Niña, que representa a la Virgen, vestida con Hábito y Escudo del Carmen, y a su lado dos Angeles cantando. La Niña traerá en la mano un escapulario grande de Religioso de esta Orden que a su tiempo se le dará a San Simón. Éste sube en elevación mientras se repite la Música y estas tramoyas no embarazarán la siguiente, que ha de ser al centro del foro un vistoso Gabinete, donde ha de estar en su silla recostado el Papa Honorio Tercero.

Si la realización de esta escena ya era compleja, Antonio Bazo no duda a la hora de plantear otros arduos problemas técnicos en distintas acotaciones. En la primera jornada, y en la misma escena donde aparece un ángel, "descúbrese un monte" y se da una "mutación de salón regio", vemos la siguiente acotación: "Empieza a subir de la marina una nube como una huella de hombre, yéndose extendiendo según va subiendo hasta cubrir todo el teatro". ¿Lo imaginó o lo concibió para que realmente se ejecutara? Lo mismo podemos preguntarnos con respecto a otra acotación que vemos en la segunda jornada:

Descúbrese una casa de campo con árboles, y todo el foro del jardín, y en medio de él un árbol lleno de fruta y en su cima una efigie pequeña de nuestra Señora del Carmen con rayos de luz que se irán aumentando, y el árbol estará de manera, que al tiempo de arrimar una escalera para subir a él, vaya subiendo y creciendo hasta las bambalinas y salen...

Tan prodigioso árbol frutal deja atónito a Juan de Inglaterra, reacio a implantar la Orden del Carmelo en su reino, y maravillados a los espectadores.

Entre los efectos menores podemos encontrar la aparición de "un soldado con la cabeza del Bautista en un plato cubierta con tafetán" o la de profetas que acompañan sus palabras con todo tipo de efectos sonoros. Como es lógico, la temática religiosa que sirve supuestamente de base a la obra se resiente mucho; incluso encontramos algunas barbaridades – ya existe la Virgen del Carmen y se celebra la Eucaristía en tiempos del profeta Elías, y aparecen monjes en la época del Bautista... – que escandalizarían a quienes lucharon por erradicar este tipo de obras de la escena española. Pero nada parece importar a Antonio Bazo si consigue crear una obra donde, por simple acumulación, el espectador acabaría "aturdido" al modo señalado varias décadas después por Leandro Fernández de Moratín.

Podríamos seguir citando acotaciones como las arriba indicadas, pero lo importante es preguntarnos acerca de su sentido, viabilidad y coherencia con el resto de los elementos que caracterizan la producción de Antonio Bazo, al menos en lo que respecta a las comedias heroicas.

I.L. McClelland descalifica sus obras con justificada dureza[4]. No le faltan razones desde el momento en que Antonio Bazo, por sí solo, supone un argumento de peso para defender la reforma teatral propiciada por los neoclásicos. Pero en esta línea apenas podemos avanzar para comprender el auténtico espectáculo que pretendió mostrar a sus espectadores con acotaciones como las arriba indicadas. Éstas son las verdaderas protagonistas de unas obras donde todo lo demás – tema, argumento, personajes, estilo... – es secundario hasta tal punto que a veces se pierde la mínima estructura dramática.

Antonio Bazo, aparte de traducir y adaptar a diversos autores italianos, jamás escribió una obra con argumento original, ni lo necesitó. Siempre utilizó una fuente literaria ajena, a menudo narrativa, y se limitó a aderezarla con los elementos espectaculares que demandaba su público. El exceso de fabulación y los argumentos densos y llenos de peripecias apenas estructuradas acercan estas obras a la narrativa, tal y como pasará décadas después con la comedia sentimental en manos de los autores del teatro popular[5]. La ruptura de las unidades clásicas y la organización del argumento como estructura abierta permiten la acumulación de aventuras, peripecias y personajes no necesarios desde un punto de vista argumental, pero sí para abarrotar un escenario donde continuamente se suceden las sorpresas y los efectos. De la misma manera que Antonio Bazo no duda a la hora de introducir en cada comedia heroica o de santos una o dos parejas de graciosos – que, a veces, casi actúan al margen del argumento central –, intercala cuantas escenas espectaculares sean precisas sin preocuparle la coherencia global de la obra, pues la misma es el caos o la simple acumulación de efectos destinados a impresionar al espectador.

Las supuestas coordenadas espacio-temporales de los personajes y acciones están en la misma línea de lo extraordinario propiciada por los citados efectos. Se acude, por lo tanto, a un convencional mundo exótico donde hasta los nombres de los diferentes personajes son un espectáculo. Antonio Bazo evita cuidadosamente toda presencia de la realidad circundante en sus obras y prescinde de cualquier intencionalidad crítica o moralizadora. A pesar de las apariencias, sus obras no plantean una verdadera visión conservadora o tradicional, sino la ausencia de una lectura que vaya más allá del entretenimiento propiciado por tramoyas y mutaciones. Apenas le interesan los desenlaces de sus come-

[4] Véase especialmente *Spanish Drama of Pathos, 1759-1808*, Liverpool, Universiy Press, 1970, I, pp. 105 y 112.

[5] Véase el excelente artículo de E. Palacios Fernández, *La estructura de la comedia sentimental en el teatro popular de fines del siglo XVIII*, eds. E. Caldera y R. Froldi en *Entre dos siglos,* Roma, Bulzoni, 1993, pp. 217-226.

dias, ni siquiera los personajes, pues todo es una mera excusa para que los espectadores puedan transgredir su prosaica, aburrida y limitada realidad cotidiana.

¿Lo consiguió? Probablemente sí, pues aunque las precarias condiciones técnicas obstaculizaran la realización de algunos efectos hasta el fracaso en los mismos podría ser divertido. Una cuerda rota, una accidental caída del ángel o una mutación equivocada provocarían casi la misma respuesta positiva por parte de un público más interesado por el efecto espectacular en sí que por su corrección o pertinencia. Antonio Bazo sería consciente de esa circunstancia y no le preocuparía demasiado la complejidad de unas acotaciones que, en realidad, se podrían ejecutar de diferentes maneras con resultados casi igualmente positivos.

Por otra parte, la extensión y detallismo de las acotaciones que encontramos en las ediciones utilizadas tal vez estén más relacionados con el acto de la lectura que con una supuesta descripción de lo ejecutado en la escena. En unas obras teatrales casi convertidas en novelas por las cuestiones arriba indicadas dichas acotaciones estarían más destinadas al lector que a los responsables de la puesta en escena. Un lector que, por supuesto, tendría referencias propias del mundo convencional aludido en las acotaciones y que las podría reconstruir en su imaginación con relativa facilidad.

La producción teatral de Antonio Bazo es muy amplia y se reparte entre todos los géneros que tenían una efectiva demanda entre el público de la época. Al igual que José Concha o, más tarde, Luis Moncín no dudó a la hora de abarcar los géneros teóricamente más opuestos. Combina el drama bíblico con el sainete, la comedia de tramoya con el texto destinado a la representación en casas particulares..., pero siempre con ese tono medio, gris y nada original, propio de unos autores con "oficio" que a menudo escribían por encargo. La diferencia entre Antonio Bazo y sus sucesores a finales de siglo en el teatro que podríamos llamar popular con matices radica, sobre todo, en la ausencia/presencia del Neoclasicismo como referente inexcusable. La crítica ya ha señalado en repetidas ocasiones hasta qué punto los "Eleuterios" moratinianos están influidos por dicho movimiento teatral y por la mentalidad que lo generó. Una influencia que unida a una indudable visión teatral confiere a la obra de autores como Luciano F. Comella un destacado interés. Sin embargo, en su época Antonio Bazo actuó con unos referentes caducos, anclados en una tradición que estaba dando sus últimos y más degenerados productos.

En el excelente y ya citado volumen colectivo dedicado a la comedia de magia y de santos, varios especialistas han puesto de relieve la importancia que en ambos géneros tiene una tradición que en el siglo XVIII ya está lejos de sus mejores momentos. Habrá excepciones, una cierta revitalización por influencias coetáneas en un género parcialmente renovado como el de la magia, pero el peso del pasado era excesivo. Algo muy similar le ocurre a Antonio Bazo cuando escribe sus comedias, en nada orientadas hacia el futuro y deudoras, más que de una tradición, de una fosilización de la misma donde sólo las apariencias de las mutaciones y tramoyas consigue mantener la atención de un público poco exigente.

A principios del siglo XIX la Junta de Reforma prohibió varias obras suyas, pero ya era innecesario. El teatro popular mantenía algunas constantes entre las cuales la búsqueda de la espectacularidad seguía ocupando un lugar importante. No obstante, había evolucionado en todos los aspectos en relación dialéctica con la irrupción del Neoclasicismo teatral. Autores como Comella y Valladares nos resultan inequívocamente dieciochescos, pero la lectura de las obras de Antonio Bazo nos remite a una época anterior ya fosilizada. Un siglo XVII del que se han perdido los mejores referentes y al que sólo se le aporta una espectacularidad excesivamente superficial, apenas capaz de ocultar la endeble entidad teatral de un texto anodino en el que los versos se convierten en un ronroneo. Daba igual, las compañías eliminarían todos cuantos fueran necesarios sin que el espectáculo se resintiera.

La lectura de obras de Antonio Bazo como las citadas nos permite comprender la necesidad de depuración y sentido común que puso de relieve la reforma teatral iniciada por entonces. El Neoclasicismo es mucho más, pero ante la evidencia de estas obras lo que se impone no es la sutileza teórica, sino la afirmación rotunda de dicha necesidad. De Antonio Bazo sólo podemos rescatar un sentido de la espectacularidad indudable, aunque basado fundamentalmente en la aparatosidad y la acumulación de lo consabido. Pero es una espectacularidad que se acaba en sí misma, dejando en un término secundario los demás elementos teatrales. De ahí el tremendo contraste entre el detallismo de las acotaciones y el escaso cuidado de los diálogos, lo espectacular de las mutaciones y la falta de ritmo del texto, lo variado de los efectos y lo monocorde de la versificación, lo exótico de las imágenes y lo convencional de los personajes, lo sorprendente de algunos trucos y lo previsto del desarrollo argumental... Una espectacularidad indudable, pero levantada sobre la nada o, lo que es lo mismo, sobre una herencia ya desgastada que sólo servía para aderezar obras de origen ajeno. Frente a este teatro no era precisa una revolución global, sino actuar con rigor para depurar y sustanciar una teatralidad a la que era preciso devolver el sentido común. A finales de siglo otros autores del teatro popular siguieron cultivando esa espectacularidad, pero a partir de una base renovada en la que el Neoclasicismo, con sus variantes, constituye una aportación fundamental y no tan ajena como se ha considerado hasta hace poco por parte de la crítica.

Plan autógrafo en prosa, del primer acto de una comedia lopiana sin título (1628-1629)

CARLOS ROMERO MUÑOZ

Al comentar el verso 211 del *Arte nuevo de hacer comedias en este tiempo* ("El sujeto elegido escriba en prosa") Juana de José Prades[1] recuerda que "sólo dos críticos han intentado dar una explicación" al mismo. Es el primero Menéndez Pelayo, según el cual "no sabemos que [Lope] practicase [tal consejo], ni lo observamos en ninguno de sus manuscritos originales, con ser tantos los que nos quedan. Y aun me inclino a creer que en esto se dejó llevar, sin conciencia propia, por la autoridad de Jerónimo Vida"[2]. El segundo, Morel Fatio, "aduce un curioso artículo de Antonio Gil y Zárate, que se publicó en el "Semanario Pintoresco Español": "Existe sin embargo en poder de uno de nuestros más acreditados literatos un libro en blanco, donde [Lope] solía hacer sus borradores, y en que hay composiciones suyas de toda especie. A juzgar por esta muestra, pocos poetas habrá que corrijan más sus composiciones, pues todas ellas están llenas de multiplicados borrones: se ve además que en algunas de sus comedias, si no en todas, escribía primero el plan, no por actos ni por escenas, sino formando una pequeña novela"[3].

Ante "tan sorprendente" precepto, la estudiosa llegó a "pensar en la posibilidad de que el Fénix hubiese escrito *verso* donde hoy leemos *prosa*"[4]. Abandonada esta conjetura (absolutamente falta de argumentos en que apoyarse), Prades, tras no pocos rodeos, concluye de manera mucho más prudente[5]: "A pesar

[1] L. de Vega, *El arte nuevo*... Edición y estudio preliminar de J. de José Prades, Madrid, CSIC, 1971, p. 138.

[2] *Historia de las idas estéticas en España*, Santander, II, 1962, p. 298.

[3] "Semanario Pintoresco Español", 2ª serie, I (1839) pp. 17-20.

[4] P. 139.

[5] "No hay confusión en la recomendación de Lope. En cuanto a su verosimilitud, es decir al hecho de que el propio Fénix siguiese esta práctica, no nos parece totalmente improbable, aunque

de ello, creemos que no hay razón para descartar la posibilidad de que Lope bosquejase un breve guión en prosa de sus comedias. Nada tiene de extraño que no hayan llegado a nosotros – al cabo de los siglos – ninguno de estos supuestos guiones, bosquejados en hojas de vida efímera, y acaso destruidos por el propio Lope, como solemos hacer todos con los primeros guiones, bosquejos o esbozos de nuestros trabajos. Si es que Lope siguió esta práctica y alguna vez utilizó un cuaderno para ir redactando los guiones, ya no sería tan rara su conservación y la posibilidad de que Gil y Zárate, en verdad, lo hubiese visto"[6].

Pocos años más tarde, Juan Manuel Rozas[7], a partir también del verso en cuestión, se replantea la cuestión de si "de verdad, esto lo hacía Lope alguna vez" y reconoce ignorar la existencia de uno solo de esos planes o bocetos, pero los da por perfectamente "probables"[8], con ayuda de datos ya conocidos y de otro, menos desgastado[9], con el cual corona de manera plausible una argumentación en sí no del todo nueva[10].

es cierto que en principio cualquier conocedor de nuestro teatro clásico se resiste a aceptarla. " (p. 141).

[6] Pp. 141-142.

[7] *Significado y doctrina del "Arte nuevo" de Lope de Vega*, Madrid, Soc. Gral. Esp. de Librería, 1976.

[8] P. 100.

[9] Ante todo, las ilaciones de Menéndez Pelayo sobre una probable influencia de G. Vida sobre Lope, por él comentadas de este modo: "Contra este lógico pensamiento existen tres pruebas que, juntas, me hacen creer en la seguridad de que ocasionalmente Lope y sus contemporáneos hacían este guión. Si muchas obras se escribieron entre dos o tres dramaturgos – generalmente, si eran tres, cada uno hacía un acto – y se escribieron estando separados, cada uno en sus casas [...] es lógico que al menos cada dramaturgo se retirarse a trabajar con un pequeño plan en la cabeza para desarrollarlo [...] El segundo hecho documental, aunque la prueba se haya perdido, Gil y Zárate lo atestiguó" (pp. 101-102). Tras citar las palabras de este último, a propósito de la estructura "anovelada" de los bocetos lopianos por él vistos, Rozas comenta: "Desde luego, mal podía Lope dividir en escenas – escenas modernas, de personaje – su argumento, pues era una medida que no entraba en su estética. Igualmente, la frase parece contradecir el *Arte nuevo*, en el que se pide una repartición del argumento precisamente por actos. Sin embargo, esta pega puede ser sólo expresiva, y ni ella ni el que no aparezca el manuscrito me parecen suficientes motivos como para dar de lado totalmente la palabra escrita de Gil y Zárate. Sobre todo cuando tenemos un tercer testimonio – no aducido, que yo recuerde, por la crítica – que viene a reforzar con autoridad lo antes dicho".

[10] "Pellicer, en su *Idea de la comedia de Castilla*, escrita el mismo año de la muerte de Lope, nos declara en uno de sus preceptos: 'Para todo lo apuntado, será el último precepto escribir primero la traza o maraña de la comedia en prosa...'" (por la ed. de F. Sánchez Escribano y A. Porqueras Mayo, en *Preceptiva dramática del Siglo de Oro*, Madrid, Gredos/CSIC, 1972[2], pp. 271-272). Tras esta cita, sólo me queda la duda de que Pellicer, en alguno de sus preceptos, tiene en cuenta el *Arte nuevo*, y según esto podríamos estar glosando un texto con su propia glosa, pe-

En fin, Teresa Ferrer Valls, en una reciente comunicación de congreso, anuncia el descubrimiento del *plan en prosa*, autógrafo lopiano, de una doble comedia sobre la vida de don Alonso de Aragón, primer duque de Villahermosa[11], por ella considerado novedad absoluta, capaz, entre otras cosas, de probar la validez de la "intuición" de Rozas[12].

Convendrá ahora recordar algo en teoría consabido desde hace al menos setenta años, aunque, según parece, ya prácticamente olvidado incluso por los especialistas: Gil y Zárate vio de veras el "libro en blanco" (aunque su descripción de los planes o bocetos de comedias en él contenidos no parezcan hoy un prodigio de exactitud), como lo vieron otros críticos, eruditos y editores del siglo XIX (entre ellos, el propio Menéndez Pelayo, si bien sin duda con excesiva prisa, pues escribió lo que acabamos de leer hace un momento). El cuaderno o cartapacio en cuestión[13] había sido propiedad de don Agustín Durán, gran colector de nuestro *Romancero*, y en manos de sus sucesores seguía estando en 1924-1925, cuando Manuel Machado publicó, en los dos primeros números de la "Revista de la Biblioteca, Archivo y Museo del Ayuntamiento de Madrid", los artículos titulados *Un códice precioso. Manuscrito autógrafo de Lope de Vega*[14] y "*La palabra vengada". Plan inédito de una comedia perdida de Lope de Vega*"[15].

Del último he tratado por extenso en un estudio reciente[16], donde creo haber demostrado que la comedia "perdida" del Fénix es en realidad la misma (¿con algún *leve* retoque debido a otra mano?) que desde hace siglos, y con idéntico título, se viene atribuyendo a Fernando de Zárate – es decir, en último análisis, a Antonio Enríquez Gómez. (Como "apéndice" a dicho estudio, publico por segunda vez el *plan* a su tiempo editado por M. Machado, al lado del re-

ro, por las explicaciones de Pellicer, y por el tono en general de su tratado, no podemos en absoluto desautorizarlo" (p. 102).

[11] *Lope de Vega y el teatro por encargo: plan de dos comedias*, en *Comedias y comediantes. Estudios sobre el teatro clásico español.* Actas del Congreso Internacional sobre Teatro y Prácticas Escénicas en los siglos XVI y XVII, organizado por el Departamento de Filología Española de la Universitat de València, celebrado en los días 9-11 de mayo de 1989. Manuel V. Diago y Teresa Ferrer, eds. (València, Universitat, 1991, pp. 189-199).

[12] P. 198.

[13] Se trata (o, como veremos, se trataba) de un volumen en 4º de 174 hojas.

[14] "RBAM", I (1924) pp. 208-221.

[15] "RBAM", II (1925) pp. 302-306.

[16] *Otra comedia para Lope: "La palabra vengada". I. Las razones métricas*, en *Il teatro iberico dall'epoca di Cervantes.* Atti del colloquio tenutosi a Napoli il 10-12 dicembre 1994. A cura di G. B. De Cesare, Napoli, pp. 67-123.

sumen de la obra, tal y como ésta aparece impresa en la *Parte XLIV* "de diversos ingenios", Madrid, 1678).

En el citado artículo, el poeta archivero da noticia de la existencia, en el mismo *Códice Durán,* del plan en prosa del primer acto de una comedia, sin título, a primera vista abandonado bien pronto por el autor[17]. Su promesa de publicarlo "otro día" no me consta que haya pasado de eso: de una promesa, de un proyecto. El homenaje a Rinaldo Froldi (quien, en sus estudios sobre Lope, no ha dejado de tratar con agudeza el *Arte nuevo*[18]) me brinda la ocasión más apropiada para transcribir este fragmento de prosa *finalizada* al teatro, aunque al teatro parece no haber llegado nunca[19]. Sinceramente creo que la "primera edición" de dicho *torso de boceto,* colocada junto a la "segunda" del de *La palabra vengada* y a la del descubierto por T. Ferrer, nos ayudará no sólo a demostrar aún más cumplidamente la realidad, en el caso de nuestro gran poeta, de lo por él afirmado en su consejo a los jóvenes dramaturgos, sino también a observar, con mejores elementos de juicio, el proceso de su creación teatral: ese viaje que, a partir de un esquema como los que *ya* conocemos, se concluirá (tantas veces "en horas veinticuatro"), a través de un apasionante proceso de amplificaciones, contracciones, cambios de personajes, etc., con la formalización me-

[17] P. 302. El plan completo de *La palabra vengada* ocupa los fols. 45 a 55 v. del *Códice Durán*; el parcial de la comedia sin título que hoy edito, los fols. 59 a 63 v. M. Machado hace notar que en "el fol. 44 v. termina la *Respuesta que dio Lope de Vega al interrogatorio que se le hizo y fue en favor de los pintores que siguieron instancia para que la Pintura se considerarse como arte liberal y libre de pechos y contribuciones,* que va firmada y fechada en 4 de noviembre de 1628. Fue, pues, según toda probabilidad, en los últimos días de 1628 o en los primeros de 1629 cuando se escribió el plan de *La palabra vengada*" (pp. 303-304). De la misma época (o de algún mes más tarde) es lícito opinar que será el plan de este solitario 'Acto primero'.

[18] Cfr. *Reflexiones sobre la interpretación del "Arte nuevo"*, en *Lope de Vega y la formación de la comedia,* Madrid, Anaya, 1968, pp.161-178.

[19] Es posible afirmar que la acción aquí bosquejada no corresponde en absoluto a la de ninguna comedia *conocida* de Lope compuesta a partir de 1628. Para llegar a tal conclusión he consultado no sólo las fechadas del período 1629-1635, sino también las indudablemente auténticas, aunque de intervalo impreciso, que S.G. Morley y C. Bruerton (en la clásica *Cronología de las comedias de Lope de Vega,* trad. esp., Madrid, Gredos, 1968) sitúan, a partir de datos métricos, en esos mismos años, y las de autenticidad más problemática, pero al fin aceptadas como originales (y fechables en el período que nos interesa) por los citados estudiosos. De todos modos, cuanto acabo de decir no excluye *en absoluto* que un día pueda aparecer la comedia completa, atribuida al propio Lope (a pesar de que *aquí* él parece abandonar el proyecto para siempre) o bien que sea ya conocida, pero como de otro poeta de la época. La identificación, en este último caso, resultaría no poco problemática, a no ser que la suerte se mostrase una vez más benigna con los investigadores de buena fe.

trificada, el estreno y la – probable, no segura – posterior impresión, por parte del autor... o de un librero desaprensivo[20].

En el umbral de mi transcripción, me urge recordar a quien lo ignore que el acceso al *Códice Durán* es hoy posible sólo de manera "mediata". Materialmente desaparecido desde hace tal vez más de sesenta años, de él no nos queda más que la reproducción fotográfica, realizada *en negativo* allá por 1924 y custodiada en la antigua Biblioteca Municipal (desde hace algunos años, rebautizada Biblioteca Histórica) de Madrid[21]. La posibilidad de errores de lectura resulta, pues, más alta de lo que, en principio, cabría imaginarse. Espero no haber incurrido en alguno grave o – peor – grotesco.

Reproduzco con el mayor escrúpulo el autógrafo lopiano, del que mantengo incluso las abreviaturas. Intervengo tan sólo en la puntuación, casi inexistente en el original. Indico en nota a pie de página todas las tachaduras, transcribiendo lo que consigo leer por debajo del rasgo de anulación.

CÓDICE DURÁN

[Fol. 59]
Jesus Mª Josef Angel Custº

Acto pº

Angela visita a Filipa, q viene del campo. Preguntale la causa de sus tristezas y, aunq se escusa con q es barro, Filipa porfia, diziendole q no querria que aquellos barros truxessen lo que el refran dize. Ultimamente se rinde y le cuenta q está enamorada de vn cauallero Mozo y refiere sus partes con encarezimiento, el estado de sus amores y algunos zelos. Despidense las dos

[fol.59 v.]
Amigas y, quedando Filipa con Ynes, su criada, le dize Ynes quan cuerda es en no querer a nadie, por no verse en aquellos cuidados. Filipa replica que la razon de no

[20] Teniendo desde luego bien presente que, al menos por ahora, de los tres *planes* hasta el momento conocidos tan sólo el de *La palabra vengada* puede ser sistemáticamente cotejado con una comedia de veras *existente*.

[21] Las fotografías se conservan en la Sección de Raros con el título de *Autógrafos de Lope de Vega*, L-422. Muy gustosamente agradezco desde aquí a la responsable de dicha Sección, María Ascensión Aguerri, y al de la de Reprografía, Pedro Ajenjo, las facilidades que me dieron para consultar los negativos y para la obtención de un microfilm y una fotocopia de su totalidad.

hauer querido no es el tener temor de lo q los amantes padezen, sino el que ha tenido de poner los ojos en hombre q, aunq le agradasse el talle, no supiesse sus costum-

[fol. 60]

bres, gracias y entendimiento, y q le pareze q este galan de Angela es el que ella ha desseado y q ya piensa quererle. Admirada Ynes, que no es posible q ella haga tal desatino, siendo muger tan cuerda, porq, fuera de no hauerle visto, es galan de su amiga, responde q, qtº a no haberle visto, muchos se enamoran de retratos, y q el mexor pinzel es el corazon, y que Angela le retrato al viuo, y que, en quanto

[fol. 60 v.]

toca a ser su amiga, no ymporta, por q ella no se le quita, y que, si don Ju la quisiere, alla la trayçion estaua de parte de don Juan. Con esto se resuelbe a buscarlo. Vase.

Don Juan, en vn corrillo de Mozos, a la puerta de una yglesia, viendo salir las damas y hablando en ellas, blasona de libre y de galan de todas, pintando algunas. Despidanse y quede solo.

[fol. 61]

Aqui entre Filipa, con manto, y su criada. La criada le dize q aquel es don Ju. Agradale la persona y, pª tener ocasion de hablar, comienza a mostrarse aflixida de que se le aya perdido vna arracada. Buscan las dos el suelo y él llega a preguntarlas q buscan. Ynes[22] le dize q se perdio y si a hallado vna arracada[23]. El dize q cuya. “Desta dama”. “Si he hallado, pero es menester ver la otra, para que no me engañen, si no es suya”. “Descubrete, señora, y enseñasela”.

[fol. 61 v.]

Descubrese y el le dize a la ocasion de su hermosura los encarezimientos que fueren a proposito, acabando con q toda ella es vna perla q podria estar colgada en una oreja de la luna. De q se ria mucho el criado, q se llamara Gines, diziendo que pareziera muy bien la luna con una muger colgando, y cuente el donayre de la Reyna d. Ysabel, q desseaua tener un pie en Toledo y otro en Madrid,

[fol. 62]

y respondio Velasquillo: “Quien estubiera en Yllescas”. Finalmente don Ju diga que no tiene la arracada, pero q, si ella le haze merced de dexarle la que le queda, le hará hazer otra. Concertados en esto, ella le pregunta su cassa pª q Ynes baya por ella, porq no podra entrar en la suya, aunq se la digan. El la dize y, tomando la arracada, se despide. Quedan Filipa y Ynes hablando en el sucesso, y de alli a vn poco dize Filipa:

[22] Tachado: *diga*.
[23] Tachadas dos palabras, para mí ilegibles.

[fol.62 v.]

"No le dixe a este mi casa, porq claro esta que[24] hauia de enuiar su criado tras nosotras"[25]. "Bien dizes. Pues mira si viene". "Alli lexos viene, haziendo que no nos ve. Vn gran socarron me pareze". "Quisierasle tu, Ynes". "Si quisiera, si otra criada me huuiera contado las partes de sus gracias y entendimientos". "Entra en casa y dexale q nos vea, fingiendo que no le ves". En entrandose, dize[26] Gines q deue de ser gente

[fol. 63]

principal, como la casa lo muestra. Y, estando acechando, entre don Pº, cauallero mozo, con Fernando, su criado, y admirense de ver acechar alli a Gines por las rexas; llegan a preguntarle q busca y el diga[27] q anda a buscar vn cauallero yndiano, y q le han dicho q viue en aquella casa. "Aqui no viue – dize don Pº-, sino don Octauio de Cardona". "Pues ese busco, no el yndiano"[28].

[fol. 63 v.]

"De q lo sabe Vm.?" "De q tengo en esta casa conocimiento: este Cauallero es vn mozo alto barbinegro". "Este es un Cauallero anziano, pª de mi Señora Doña Filipa". Con estos engaños se despide, ynformado de la dama, de la calidad y de su Padre.

[24] Tachado: *este.*

[25] Al margen: *como se usa en las comedias.*

[26] Tachado: *sale.*

[27] Tachadas tres líneas y el comienzo de otra: *q busca vnas medias q su amo da con* (tal vez *como) vnos presentes y q no halla la cassa de los calçeteros.*

[28] Tachado: *pues podiamos.*

La retórica al alcance de la ironía en los prólogos de la picaresca

ALDO RUFFINATTO

1. Es universalmente conocida la adhesión a la tópica del exordio que se percibe en el Prólogo del *Lazarillo de Tormes*. Hay muchos estudios al respecto (y, entre ellos, resaltan los de Lázaro Carreter[1] además de los de su alumno Paco Rico[2]), y, sin embargo, aquí me parece oportuno volver a dar un paseo, aunque rápido, por el camino que dibujó el anónimo autor del *Lazarillo* tras confiar la gestión del mismo al narrador Lázaro[3].

Empiezo por la primera frase que pone de manifiesto una fuerte concentración de elementos prologales tópicos: a) el ofrecimiento de "cosas nunca antes dichas" («cosas tan señaladas y por ventura nunca oídas ni vistas»[4]), b) el tópico según el cual "el que posee conocimientos debe divulgarlos" («vengan a noticia de muchos y no se entierren en la sepultura del olvido»[5]), c) la afirmación de que el lector puede conseguir "deleite" de las cosas nunca antes dichas, según el precepto horaciano del "docere delectando" («podría ser que alguno que las lea halle algo que le agrade, y a los que no ahondaren tanto los deleite»[6]).

A esto sigue la elaboración de sentencias avaladas por las "autoridades", sean éstas objeto de una citación explícita como ocurre con la referencia a Plinio el Mozo mencionando un concepto de su tío Plinio el Viejo («Dicere etiam solebat nullum esse librum tam malum, ut non aliqua parte prodesset» [*Epístolas*, III, v, 10]), o bien resulten aludidas implícitamente como lo hace la frase:

[1] *'Lazarillo de Tormes' en la picaresca*, Barcelona, Ariel, 1972, pp. 71-75 y 172-186.

[2] *Problemas del 'Lazarillo'*, Madrid, Cátedra, 1988, pp. 13-32.

[3] Utilizo la edición de Francisco Rico, *Lazarillo de Tormes*, Madrid, Cátedra, 1987 (Letras Hispánicas, 44), pp. 3-11.

[4] *Ed. cit.*, p. 3.

[5] *Ed. cit.*, p. 3.

[6] *Ed. cit.*, pp. 3-4.

«mayormente que los gustos no son todos unos, mas lo que uno no come, otro se pierde por ello»[7], que remite a la sentencia de Horacio "denique non omnes eadem mirantur amantque".

Seguidamente, con la repetición en términos parafrásticos del concepto de Plinio se conecta el tópico "deseo de alabanza" expresado, en un principio, a través del "gloriae fructus" del *Pro Archia* ciceroniano («...y pudiendo sacar della algún fructo»[8]). El mismo Cicerón que poco después aflora a la superficie del texto con su praenomen («Tulio») y con la mención al pie de la letra de una conocida sentencia que le pertenece: «La honra cría las artes»[9] («Honos alit artes», *Tusculanas*, I, ii, 4).

Se manifiestan luego, en sucesión ternaria, los casos ejemplares (con relación al "deseo de alabanza" y la vanagloria) planteados por un soldado, un predicador y un caballero, los tres representando emblemáticamente a las "armas y letras". Lo cual desemboca, según las reglas establecidas, en un conjunto de fórmulas que favorecen la "captatio benevolentiae"; fórmulas en su mayoría pertenecientes al *topos humilitatis* y vinculadas con:

a) una afirmación de rebajamiento de la propia persona («confesando yo no ser más sancto que mis vecinos»[10]),

b) una referencia a la "rusticitas" del estilo y a la "banalidad" del asunto («desta nonada que en este grosero estilo escribo»[11]), c) una alusión a las vicisitudes de un pobre hombre («y vean que vive un hombre con tantas fortunas, peligros y adversidades»[12]).

Aún queda espacio para que la falsa modestia se apoye en una fórmula de devoción, situada en el lugar de la "petitio"[13], antes de que aparezca la indicación de la estrategia temporal adoptada en la "narratio" tras la elección del *naturalis temporum ordo*: «Y pues Vuestra Merced escribe se le escriba y relate el caso muy por extenso, parescióme no tomalle por el medio, sino del principio, porque se tenga entera noticia de mi persona»[14].

[7] *Ed. cit.*, p. 4.

[8] *Ed. cit.*, p. 5.

[9] *Ed. cit.*, p. 6.

[10] *Ed. cit.*, p. 8.

[11] *Ed. cit.*, pp. 8-9.

[12] *Ed. cit.*, p. 9.

[13] «Suplico a Vuestra Merced reciba el pobre servicio de mano de quien lo hiciera más rico, si su poder y deseo se conformaran.» *Ed. cit.*, pp. 9-10.

[14] *Ed. cit.*, pp. 10-11. Sobra mencionar que el mismo artificio de la "obra hecha por mandado de un superior" («y pues V.M. escribe se le escriba») tiene que ver con las fórmulas "humilitatis".

Finalmente, la última frase del prólogo[15] encierra la *argumentatio* o *probatio*, cuya tesis expresa (de patente sabor renacentista) remite a la oposición "fortuna/virtud" con una explícita toma de posición en favor de la segunda. Todo ello, como es obvio, una vez más en función de la "captatio benevolentiae" dado que la retórica aconsejaba usar el lugar común de las "vicisitudes de la fortuna" para despertar la simpatía del público (Cicerón, *De inventione*, I, lx, 106).

En resumidas cuentas, el prólogo del *Lazarillo* se ajusta perfectamente a las reglas establecidas manifestando un claro conocimiento de toda la cuestión y activando los artificios retóricos que están relacionados con la tópica del exordio. Tanto es así que algunos especialistas de esta obra, aludiendo a su aspecto prologal, hablan de un prólogo bastante convencional; y efectivamente podría ser ésta la realidad de los hechos si la narración subsiguiente no descubriera que quien se expresa con estas palabras no es el héroe de un famoso libro de caballerías, ni el protagonista de grandes hazañas, ni tampoco el depositario de una vida ejemplar, sino un pobre pregonero, hijo de un molinero y de una puta, cuya promoción social se debe al haber alcanzado, tras muchos esfuerzos, el oficio más infamante de su época (más vergonzoso aún que el oficio de verdugo) y al haber contraído matrimonio con una mujer muy sospechosa por su adhesión a la categoría de "mancebas del abad". Un sin vergüenza tan descarado que se atreve a declarar haber alcanzado la "cumbre de toda buena fortuna" justamente merced a su condición de pregonero y a su estado de marido cornudo y feliz.

Se descubre, entonces, que el fastuoso arreglo retórico del exordio acarrea súbdolamente una ironía profunda y se advierte al mismo tiempo que todos los recursos allí puestos en juego funcionan más bien como parodia del prólogo convencional.

Si quisiéramos adoptar la clasificación de Wayne C. Booth[16] podríamos decir que la ironía en cuestión pertenece a la serie de las "ironías establesocultas-infinitas". Pero, como todo el mundo sabe, el *Lazarillo* se califica como el antecedente ilustre de toda una serie de autobiografías ficticias destinadas a la creación de un género muy relevante en el mundo literario español: me refiero, lógicamente, a la novela picaresca. Por lo tanto, el "yo" de la narración fun-

[15] «... porque consideren los que heredaron nobles estados cuán poco se les debe, pues Fortuna fue con ellos parcial, y cuánto más hicieron los que, siéndoles contraria, con fuerza y maña remando salieron a buen puerto.» *Ed. cit.*, p. 11.

[16] *Retórica de la ironía*, Madrid, Taurus, 1986 (la 1ª ed., en inglés, es de 1974), pp. 295-312.

ciona al mismo tiempo como el portavoz de un autor cuya paternidad puede ser conocida o desconocida (en el caso del *Lazarillo* su anonimato es proverbial), pero que de ninguna manera se identifica con el personaje de su creación.

Así las cosas, el prólogo de este libro manifiesta de manera pertinente el primer momento de la estructura esencial del discurso irónico: es decir, la aparición de una voz que parece convincente pero que después resultará ser falsa. El segundo momento del mismo discurso contempla la introducción de toda una serie de elementos que demuestran la falsedad de dicha voz (es lo que ocurre en la *narratio* según hemos visto antes). Se perfila, finalmente, un tercer momento en que otra voz, la del autor, entra en acción para expresar un juicio – en general, negativo – sobre la conducta de su portavoz.

Pero, también puede ocurrir que la voz del autor, en lugar de exigir el triunfo de la verdad, se sitúe en un nivel de falsedad parecido al de su portavoz; en este caso, la ironía queda afectada por un desdoblamiento y los dos puntos de vista, por ser igualmente "inválidos", se anulan mutuamente. En palabras de Wayne C. Booth: «Cuando se multiplican estas anulaciones internas, perdemos finalmente todo sentido de la estabilidad y nos sumergimos en el pantano de la ironía inestable"[17].

Esto es lo que sucede puntualmente en el *Lazarillo*, donde el silencio aparente de la voz del autor anónimo convierte el mundo al revés dibujado por su personaje en un mundo sometido a una especie de escepticismo eversivo, obligando de tal manera al lector a enfrentarse y sumergirse en este pantano de la ironía inestable al que aludía Booth.

Una sensación que, por otro lado, no pasó desapercibida a la censura de su tiempo, que se apresuró a incluir el *Lazarillo* en la lista de los libros prohibidos[18].

2. Cuando, casi cincuenta años después, la herencia del *Lazarillo* llegó al *Guzmán de Alfarache*, parece que las cosas habían tomado otro rumbo, así co-

[17] *Op. cit.*, p. 101.

[18] Como se sabe, el célebre Índice de Fernando de Valdés, publicado en Valladolid en 1559, afectó, entre otras obras, al *Lazarillo* y cortó su difusión tanto en la primera como en la segunda parte. A juicio de algunos críticos (cf., por ejemplo, Bataillon, M., *Novedad y fecundidad del "Lazarillo de Tormes"*, Salamanca, Anaya, 1968, pp. 71-72), la disposición inquisitorial excedió en mucho al peligro real representado por Lázaro, y se pronunció por razones políticas más que religiosas, en una época en que se prohibía rotundamente todo lo que sonaba, aunque de lejos, a protestante. Sin embargo, ni siquiera después de la reacción contra las prohibiciones rigoristas llevada a cabo por Arias Montano, se le restituyó a Lázaro su entera libertad. Se le permitió, es cierto, volver a circular de nuevo, pero herido en lo hondo y sobremanera desfigurado.

mo se transparenta de un modo bastante claro en la misma parte prologal y en la específica configuración de la sustancia irónica que allí encuentra alojamiento[19].

Mateo Alemán, como es sabido, divide el prólogo de su novela en dos partes: una primera parte dirigida al "vulgo" y la otra al "discreto lector". Desde luego, este recurso no se le escapó a la crítica y, en particular, a Alberto Porqueras Mayo[20] quien formuló al respecto un par de consideraciones totalmente correctas: por un lado, reconoció en la feroz acometida al "vulgo" del primer prólogo un componente tópico de ascendencia horaciana (con referencia al muy conocido "odi vulgum profani"); y, por otro lado, percibió el efecto de "captatio benevolentiae" debido al contraste entre el primer prólogo y el segundo[21].

Todo esto me parece que no deja lugar a dudas, pero aquí y por lo que se refiere a la economía de mi discurso prefiero poner el acento en otros dos distintos aspectos de los mismos textos: a) los insultos que recorren por entero el primer prólogo, y b) la falta de coincidencia entre el "yo" de los prólogos y el "yo" de la narración.

En el primer caso, el tono marcadamente violento del ataque y en especial las palabras injuriosas que allí se encuentran parecen sugerir una atmósfera carnavalesca y por consiguiente expresar el deseo de renovación y libertad que queda implícito en la cultura del Carnaval (la referencia a Bajtin[22] se impone de por sí). Sin embargo, mirándolo bien, este tono injurioso y violento no llega nunca, en ningún momento, al nivel de las groserías, ni mucho menos se desplaza hacia el límite de ruptura típico de las groserías blasfematorias; se trata, en cambio, de un repertorio léxico bien calibrado y afianzado en todas sus partes por el dominio sólido y codificado de la retórica. Tanto es así que en un determinado momento aparece incluso el bien comprobado topos de la "corte *vs* aldea": «Huí de la confusa corte, seguísteme en la aldea – afirma la voz del prólogo –. Retiréme a la soledad y en ella me heciste tiro, no dejándome seguro sin someterme a tu juridición»[23].

[19] Para el texto de los prólogos del *Guzmán* remito a la edición de F. Rico, *La novela picaresca española*, Barcelona, Planeta, 1967, pp. 91-94.

[20] *El prólogo como género literario. Su estudio en el Siglo de Oro*, Madrid, Consejo Superior de Investigaciones Científicas, 1957.

[21] «Al atacar al vulgo – escribe Porqueras Mayo – se está por contraste, excluyendo al "benévolo lector" que no pertenece al vulgo y a quien se puede dirigir el autor» (*op. cit.*, p. 157).

[22] *La cultura popular en la Edad Media y en el Renacimiento. El contexto de François Rabelais*, Madrid, Alianza Universidad, 1987 (la 1ª ed., en ruso, es de 1965).

[23] *Ed. cit.*, p. 92.

Aquí, la cultura del Carnaval cede el paso al mundo más sosegado del quehacer retórico, y la retórica, al aliviar el tono eversivo del insulto, lo desplaza todo hacia el dominio no sospechoso de la comicidad. Y esto determina también la supresión de toda posible huella irónica del tejido discursivo de este primer prólogo.

Huellas que, en cambio, vuelven a aparecer de manera bastante clara en el segundo prólogo, donde los efectos retóricos quedan igualmente patentes, pero donde el espacio para el desarrollo de la dimensión irónica lo ofrece la intertextualidad. De hecho, no es difícil reconocer en las frases: «mas considerando no haber libro tan malo donde no se halle algo bueno»[24], «encamino mi barquilla donde tengo el deseo de tomar puerto»[25], «que en las mesas espléndidas manjares ha de haber de todos gustos»[26], otras tantas referencias al prólogo del *Lazarillo de Tormes*, incluidas, a sabiendas, en un contexto que altera sus formas y las contrasta con su funcionalidad primaria siguiendo el mismo procedimiento que Bajtín observa en la parodia y en el juego de voces contrastantes que le pertenecen: «En la parodia – anota Bajtín – el autor se sirve de la palabra ajena, como en la estilización, pero en la parodia la palabra ajena está penetrada por una intención directamente opuesta a la del autor. La palabra llega a ser arena de lucha entre dos voces que no sólo aparecen aisladas, divididas en la distancia, sino que también se contraponen con hostilidad»[27].

Y aquí se injerta el segundo aspecto de los prólogos del *Guzmán*, en el que – como he dicho – quiero poner el acento: me refiero a la falta de coincidencia entre el "yo" del prólogo y el "yo" de la narración. Diferenciándose en esto del *Lazarillo*, donde el "yo" narrador toma sobre sí aun la responsabilidad del prólogo (engendrando el primer momento de la estructura esencial del discurso irónico), en el *Guzmán* dicha responsabilidad cae directamente en manos del autor que de tal forma se aleja de su portavoz y bloquea, desde el principio, la posibilidad de sumergirse en el pantano de la ironía inestable. Los efectos retóricos ya no aparecen sometidos a la ironía, sino que actúan en el ámbito específico de la "captatio benevolentiae", o sea que tratan de ganarse al oyente haciéndolo *benivolum, attentum, docilem.* Lo cual no significa que la ironía como tal desaparezca, sino más bien que la dimensión irónica se hace estable y se manifiesta a través del camino de la intertextualidad, con todas las implica-

[24] *Ed. cit.*, p. 93.

[25] *Ed. cit.*, p. 94.

[26] *Ed. cit.*, p. 94.

[27] *Problemy poetiki Dostoevskogo*, Moscú 1963 (cito por la traducción española, México D.F., F.C.E., 1986, p. 270).

ciones de carácter ideológico que esto supone y que veremos más adelante. Por ahora, es suficiente añadir, como corolario, que la ironía oculta e inestable del *Lazarillo* se mueve a su vez en el camino de la interdiscursividad.

3. La pista intertextual actuando como vehículo de la dimensión irónica se manifiesta en términos aún más marcados en el prólogo de la segunda parte auténtica del *Guzmán de Alfarache* (la de 1604), dado que en esta circunstancia el autor, en tanto "yo" prologal, debe enfrentarse con el autor de la segunda parte apócrifa del mismo libro. El juego se hace aquí más patente todavía, pues si en el prólogo al discreto lector de la primera parte se aludía simplemente al referente textual sin nombrarlo expresamente, en este segundo prólogo, en cambio, Mateo Alemán hace inmediata y directa referencia al otro texto y a su autor conjuntamente, sometiéndolo a una crítica tanto más feroz cuanto que llevada a cabo mediante los términos de una sutil ironía. Como, por ejemplo, cuando, después de haber puesto el acento en las incongruencias y disparates que su rival introduce en muchas partes del *Guzmán* apócrifo, no sin alevosía, añade: «De donde tengo por sin duda la dificultad que tiene querer seguir discursos ajenos; porque los lleva su dueño desde los principios entablados a cosas que no es posible darles otro caza, ni aunque se le comuniquen a boca. Porque se quedan arrinconados muchos pensamientos de que su propio autor aun con trabajo se acuerda [...]. Esto no acusa falta en el entendimiento, que no lo pudo ser pensar otro mis pensamientos; mas dice temeridad, cuando se sale a correr con quien es necesario dejarlo muy atrás o no venir a el puesto»[28].

Una ironía que bajo muchos aspectos anticipa la de Cervantes en contextos parecidos (me refiero, obviamente, a la segunda parte del *Quijote*), pero, al mismo tiempo, una ironía algo distante de la que se percibe en el *Lazarillo* a través de la interdiscursividad. Tal vez no sea inútil subrayar que es justamente la elección de un camino intertextual lo que determina la escasez de los artificios retóricos relacionados con la tópica del exordio en el prólogo del segundo *Guzmán*; mientras que, en los pocos lugares en que aparecen, dichos recursos demuestran su total sumisión a la "captatio benevolentiae", como en las siguientes fórmulas "humilitatis" situadas en la parte final del texto: «Si aquí los frasis no fueren tan gallardos, tan levantado el estilo, el decir suave, gustosas las historias ni el modo fácil, doy disculpa, si necedades la tienen, ser necesario mucho, aun para escribir poco, y tiempo largo para verlo y emendarlo»[29].

[28] *Ed. cit.*, pp. 467-468.
[29] *Ed. cit.*, p. 468.

4. La lección que ofrecen los prólogos del primero y segundo *Guzmán* se refleja coherentemente después en los prólogos de la *Pícara Justina*, donde el primero, muy largo y casi del todo falto de sustancia irónica, no apunta a otra finalidad que no sea la de justificar en el plano moral la adopción y divulgación de un asunto escabroso y resbaladizo como el de la vida de una mujer perteneciente a la generación de los pícaros. En esto continúa la declarada intención de Mateo Alemán cuando introduce su famosa distinción entre "consejo" y "conseja", o sea, entre enseñanza y relato (o fábula)[30]. Mientras que el "prólogo sumario de ambos tomos" de la *Pícara Justina* se relaciona a su vez con el tono irónico del mismo Mateo Alemán, incluso inventando una relación epistolar entre Justina y Guzmán de Alfarache[31].

Y justamente en la superficie de la carta de Justina a Guzmán parece que afloran los tonos eversivos de las palabras injuriosas o, de cualquier modo, las groserías que en la cultura del Carnaval destacan por su carácter liberatorio y sus implicaciones sociales. Pero esto no es nada más que una impresión escurridiza, no basada en los hechos, pues la larga lista de epítetos que Justina atribuye a su misma figura y que abarca términos de este tipo: "la honrosa pelona", "la mesonera astuta", "la trueca burras", "la abortona", "la enseña niñas", "la castañera"[32], etc.; esta larga lista, decía, que al comienzo parece que quiere orientar al lector hacia el dominio de lo cómico, manifiesta después su naturaleza real (que es la de un índice o tabla de la materia) en el momento en que el autor toma la palabra y advierte: «Estos epítetos son cifra de los más graciosos cuentos aunque no de todos los números, porque son muchos más. Pero porque aquí se ponen tan sucintamente, remito al lector a la tabla siguiente»[33]. Y donde no hay espacio para la comicidad, tampoco queda para la ironía, dado que no se percibe ningún contraste entre voces en un contexto en que la voz prologal (pertenezca ella al autor o a su portavoz) tiene el propósito de remitir a un mundo (el picaresco), por definición, falto de equilibrio pero enteramente codificado (merced sobre todo a los "guzmanes") y cuyas potenciales cargas eversivas se disuelven en la convencionalidad de un género literario.

[30] Véanse, al respecto, las sugerentes observaciones de Norbert von Prellwitz en su reciente estudio sobre el Guzmán (*Il discorso bifronte di Guzmán de Alfarache*, Roma, Bagatto Libri, 1992, pp. 232-236).

[31] Para el texto de los prólogos de la *Pícara Justina* utilizo la edición de Ángel Valbuena Prat (*La novela picaresca española*, Madrid, Aguilar, 1968[6], pp. 706-710).

[32] *Ed. cit.*, p. 709.

[33] *Ed. cit.*, p. 710.

Paradójicamente, en el mismo momento en que parecen entrar en juego elementos originales aptos para alejar las partes prologales de las fórmulas fijas y tradicionales de la textura retórica (es lo que sucede en este prólogo de la *Pícara Justina* donde se encuentran "invenciones" nuevas como, por ejemplo, la carta de Justina a Guzmán), justo en este momento, decía, desaparece el trasfondo irónico en favor de una convencionalidad tranquilizadora.

5. La misma que se vislumbra en el sucesivo *Marcos de Obregón*, un pícaro que ya no debe aprender nada y que desde el comienzo puede alardear de maestro de vida o filósofo, dado que todas las pruebas ya han sido experimentadas por sus precursores. Y aunque es verdad que con el prólogo de la *Vida del escudero Marcos de Obregón*[34] se vuelve al cumplimiento de los recursos retóricos que le corresponden a la parte prologal (desde las fórmulas "humilitatis" hasta el "docere delectando", desde el topos de la "alabanza de los contemporáneos" hasta el topos del "sobrepujamiento", desde la metáfora de la corteza y el meollo hasta la personificación de conceptos abstractos), también es verdad que todos estos artificios se ponen en servicio de un contexto sumamente serio en cuyo ámbito una voz prologal (distinta a la del "yo" narrativo) se compromete en un panegírico impresionante de muchos contemporáneos y en la formulación de un cuentecillo ejemplar para orientar al lector hacia una lectura de tipo didascálico. En definitiva, se regresa al concepto de ejemplaridad según los más comprobados sistemas de la literatura específica; mientras, la ausencia de contrastes entre el "yo" prologal y el "yo" narrativo garantiza la regularidad del procedimiento en su totalidad.

6. De tal insulsa uniformidad y de la unidimensionalidad de un mundo falto de ironía se sale por fin en 1620, con la aparición en los Países Bajos de la *Segunda parte de la Vida de Lazarillo de Tormes* escrita por el profesor Luna. En el prólogo de este libro[35], al igual que en el *Guzmán*, el impulso irónico lo ofrece la intertextualidad con referencia al segundo *Lazarillo* de 1555 (el de los atunes, para entendernos), a los debates seudo-humanísticos, a la *Silva de varia lección* de Pero Mexía y, en la parte final, incluso a la obra maestra de Cervantes. Y es la misma intertextualidad la que ofrece la ocasión para un comentario irónico bastante marcado en contra de la Inquisición, pues el "yo" prologal, tras

[34] Cito de la edición de M.ª Soledad Carrasco Urgoiti (*Vida del escudero Marcos de Obregón*, Madrid, Castalia, 1972 [2 tomos], I, pp. 75-82).

[35] Para el texto remito a la edición de Pedro M. Piñero (*Segunda Parte del "Lazarillo"*, Madrid, Cátedra, 1988, pp. 266-269).

relatar las distintas opiniones sobre Tritones y Nereidas, aludiendo irónicamente a la *Silva* de Mexía, afirma: «Y yo digo que, aunque esta opinión no fuera defendida de autores tan calificados, bastaba, para escusa de la inorancia española, la licencia que los pescadores tenían de los señores enquisidores; pues fuera un caso de inquisición si dudaran de una cosa que sus señorías habían consentido se mostrase por tal»[36].

Ironía que se convierte inmediatamente después en sátira merced a la introducción del cuentecillo del campesino a quien un inquisidor le había hecho llegar la petición de unas peras sabrosas que tenía en su jardín y quien, por el miedo a equivocarse en la elección de lo que el inquisidor realmente quería, mandó arrancar el árbol de raíz e se lo envió con todos sus frutos[37].

Pero lo que, en mi opinión, tiene más importancia en este prólogo del profesor Luna, es la lección cervantina (aquel mismo Cervantes al que se alude dos veces en el texto, una primera vez cuando se habla de unos "cartapacios" hallados en "el archivo de la jacarandina de Toledo"[38]; y después cuando, hacia el final, el "yo" prologal afirma ser el "coronista" más que "el autor desta obra"[39]). Una lección, la de Cervantes, que el profesor Luna demuestra haber recibido perfectamente al trasladar el blanco de la ironía desde los distintos textos hacia el género de pertenencia. En efecto, lo que aquí se pone en tela de juicio con la ayuda de la dimensión irónica es el género picaresco, o bien la inclinación picaresca de muchos textos; de la misma manera que Cervantes había puesto en ridículo los libros de caballería por medio de un caballero loco y, en un ambiente más cercano al de nuestro actual interés, el mismo Cervantes había desmantelado la picaresca mediante el quehacer picaresco de *Rinconete y Cortadillo*.

Que el profesor Luna quisiera actuar en esta dirección lo demuestra, entre otras cosas, la última frase del prólogo cuando el "yo" prologal dirigiéndose al lector, con estilo marcadamente ambiguo, afirma: «Si le agradare, aguarde la tercera parte con la muerte y testamento de Lazarillo, que es lo mejor de todo; y si no, reciba la buena voluntad»[40]. Donde la frase "que es lo mejor de todo" puede remitir tanto a la anunciada tercera parte del *Lazarillo*, como a la muerte y testamento del mismo Lázaro, es decir, la muerte del género picaresco; y donde la expresión "reciba la buena voluntad" manifiesta una buena cantidad de cinismo con respecto al valor del objeto propuesto.

[36] *Ed. cit.*, p. 268.
[37] *Ed. cit.*, p. 268.
[38] *Ed. cit.*, pp. 266-267.
[39] *Ed. cit.*, p. 269.
[40] *Ed. cit.*, p. 269.

7. Si en el prólogo del *Lazarillo* del profesor Luna parece fundado reconocer las señales de una ironía profanadora destinada a declarar y denunciar el agotamiento y la muerte del género picaresco, en los prólogos de *La vida y hechos de Estebanillo González* y la *Vida de Torres Villarroel* (que se califican aquí como puntos finales de nuestro discurso) dicha sensación aparece del todo confirmada merced a una advertencia explícita del *Estebanillo* y por la adhesión implícita de Torres al tono realista de las demás autobiografías de su época.

En lo referente al *Estebanillo*, la advertencia se muestra en seguida, en las primeras secuencias del prólogo, cuando, tras haber entregado sus señas al "carísimo o muy barato lector", la voz prologal apunta: «Y te advierto que no es la [vida] fingida de Guzmán de Alfarache, ni la fabulosa de Lazarillo de Tormes, ni la supuesta del Caballero de la Tenaza, sino una relación verdadera con parte presente y testigos de vista y contestes, que los nombro a todos para averiguación y prueba de mis sucesos»[41]. En realidad, poco importa que lo dicho esté o no esté relacionado con la verdad histórica (sobre esto se sigue disputando, como es bien sabido); lo que cuenta, a mi modo de ver, son los propósitos, pues afirmar que la vida de Estebanillo no es fingida como la de Guzmán, ni fabulosa como la de Lázaro, ni supuesta como la del Buscón (aquí nombrado con uno de sus epítetos), significa decir que el *Estebanillo* no es una novela picaresca. Y desde luego no lo es por lo que concierne a la sustancia del género, del que mantiene tan solo algunos rasgos formales: la narración en primera persona, el carácter azaroso de las acciones, el viaje.

Por consiguiente, la renovada coincidencia entre el "yo" prologal y el "yo" narrativo (que parece llevar al *Estabanillo* hacia los orígenes de la picaresca) no manifiesta, como lo hacía el *Lazarillo*, ningún aspecto contradictorio, y no deja espacio, al menos por este camino, a la dimensión irónica. En paralelo, los efectos retóricos se disuelven o se alejan de su especificidad: así, por ejemplo, el destinatario a quien deberían dirigirse las fórmulas de alabanza según los preceptos de la "captatio benevolentiae" (o, al revés, las fórmulas injuriosas reservadas a un seudo-destinatario) se convierte en el blanco de un juego de palabras al estilo chocarrero («carísimo o muy barato lector»), o bien se mueve hacia la desaparición de la identidad "retórica" («o quienquiera que tú fueres»)[42]; el topos "humilitatis" cede el paso a la presunción («Por tres causas *debes* aplaudir-

[41] Cito de la edición de Antonio Carreira y Jesús Antonio Cid (*La vida y hechos de Estebanillo González*, Madrid, Cátedra, 1990, [2 tomos], I, pp. 13-14).

[42] *Ed. cit.*, p. 13.

la y estimarla»[43]), cómicamente vinculada a los tonos grotescos de un bufón de palacio, el cual, no por casualidad, desde luego, apela a su protector (Octavio Piccolomini de Aragón) dirigiéndole alabanzas desatinadas[44]. A continuación, el emisor quebranta las reglas del discurso mediante la técnica de la ocultación (después de haber dicho que su obra tiene que ser alabada por tres causas, señala la primera y la tercera de ellas descuidando totalmente la segunda), y, finalmente, pregona su aversión hacia el dinero pero, al mismo tiempo, añade que no le molesta recibir "premios".

Por último, el "docere delectando", en el que insistían con mayor o menor franqueza los prólogos anteriores, pierde aquí su componente didascálico para dejar únicamente al "deleite" la tarea de justificar la obra en su entereza: «Tengo por imposible que te deje de *agradar*, si acaso no estás dejado de la mano del gusto, o hecha la cara a el desaire de andar corto en alabar lo que es bueno por dar muestra de entendido. [...] para que tú quedes *contento* y yo *pagado*»[45].

En resumidas cuentas, la imagen del bufón que en la *Vida y hechos de Estebanillo González* hace su aparición en el exordio, se identifica por completo con la de la narración (tanto es así que en el primer capítulo de la narración el "yo" narrativo recoge, utilizando el mismo tono, la referencia al lector hecha por el "yo" prologal: «Prométote, lampiño o barbado letor, o quienquiera que fueres...»[46]).

Justamente de esta ausencia de conflictualidad desciende, como ya se ha dicho, la supresión o, por lo menos, el aligeramiento de la dimensión irónica. El ingenioso y encantador mecanismo de los artificios retóricos, o el sistema un poco menos atractivo del juego intertextual, se sustituye por la negación o alteración de los mismos para facilitar el afloramiento de la comicidad. En otras palabras, desde la ironía oculta e inestable del *Lazarillo*, y pasando a través de la ironía manifiesta estable del *Guzmán*, y descendiendo gradualmente en los textos sucesivos, se llega a la chocarrera e inocente comicidad del *Estebanillo*.

8. El último paso, el que marca la desaparición no sólo de la ironía sino también de la "vis comica" perceptible en el *Estebanillo*, lo realiza casi un siglo después Torres Villarroel, cuya *Vida, ascendencia, nacimiento, crianza y aventuras* conserva muy pocos rasgos de la picaresca primitiva exceptuando algunas referencias genéricas a los modelos desaparecidos. La potencial carga eversiva

[43] *Ed. cit.*, p. 14.
[44] *Ed. cit.*, pp. 14-15.
[45] *Ed. cit.* pp. 15-16.
[46] *Ed. cit.* p. 31.

de las autobiografías ficticias, que aún quedaba parcialmente activa en el *Estebanillo*, aparece aquí apagada del todo aunque, como es sabido, la de Torres no sea exactamente una autobiografía real, históricamente auténtica, sino más bien una obra novelesca. Pero lo que más cuenta desde nuestro punto de vista es la perfecta adhesión del prologuista al personaje central de la *Vida*, o bien, si se prefiere, la unidad orgánica entre prólogo y novela.

El "yo" prologal y el "yo" narrativo se hacen portadores de un mensaje unitario que aparece ya claramente orientado hacia la reflexión, el equilibrio y la estaticidad del mundo neoclásico. Así que ni siquiera la "insolente filosofía de un picarón"[47] como don Pablos (el Buscón de Quevedo), al que Torres expresamente remite, puede afectar al proceso lineal de la expresión y a la orientación preferentemente monosémica de su supuesto heredero del XVIII.

Incluso en los lugares en que el impulso polémico podría originar expresiones sarcásticas, neologismos injuriosos, *calembours* alusivos y ambiguos al estilo de Quevedo, la vigilancia del autor traslada todo esto hacia la esfera de una manifestación expresiva cumplida y del todo refractaria a los excesos aunque abierta a unas cuantas palabras vulgares e injuriosas. Como en este fragmento de la parte inicial del "prólogo al lector" donde el autor apoyándose en el artificio del dialogismo replica tajantemente a los supuestos ataques de un interlocutor ficticio: «Prorrumpirás también, después de haberlo leído (si te coge de mal humor), en decir que no tiene doctrina deleitable, novedad sensible, ni locución graciosa, sino muchos disparates, locuras y extravagancias, revueltas entre las brutalidades de un idioma cerril, a ratos sucio, a veces basto y siempre desabrido y mazorral. Y yo te diré, con mucha cachaza, que no hay que hacer ascos, porque no es más limpio el que escucho salir de tu boca, y casi tan hediondo y pestilente el que, después de muy fregado y relamido, pone tu vanidad en las imprentas»[48].

Simplemente una respuesta seca, ruda y a veces incluso vulgar, pero totalmente desprovista tanto de connotaciones irónicas como de salidas hacia el dominio de lo cómico.

Lógicamente, no faltan excepciones a la regla ni siquiera en este prólogo, pero en los reducidos casos en que esto ocurre el posible "desvío" queda en el acto atenuado por medio de una frase reservada para colocarlo todo en la senda de la regularidad. Lo demuestra este augurio de buena salud, por supuesto irónico, incluido en la frase siguiente: «no te aporrees ni te mates por lo que no te

[47] Cito de la edición de Dámaso Chicharro (*Diego de Torres Villarroel, Vida*, Madrid, Cátedra, 1990, p. 90).

[48] *Ed. cit.*, p. 90.

importa, sosiégate y reconoce que das con un bergante que desde ahora se empieza a reír de las alabanzas que le pones y de las tachas que le quitas, y ya que murmures, sea blandamente, de modo que no te haga mal al pecho ni a los livianos, *que primero es tu salud que todo el mundo*»[49]. Augurio al que sigue otra frase que puede fácilmente calificarse como un antídoto contra el contexto irónico: «Cuida de tu vida y deja que yo lleve y traiga la mía donde se me antojare, y vamos viviendo, sin añadir pesadumbres excusadas a una vida que apenas puede con los petardos que sacó de la naturaleza»[50].

La elaboración de este muestrario podría continuar, tal vez insertándose en los meandros de la *narratio*, pero esto sobrepasaría los límites de este trabajo y también los límites del *fastidium* (téngase en cuenta que mi apelación al tópico del "cansancio del lector-oyente" no quiere ser en nada irónico). Tan solo quisiera añadir, como advertencia final, que en la *Vida* de Torres desde luego no faltan los artificios retóricos (las pocas muestras que he sacado a colación demuestran exactamente lo opuesto); sin embargo, dichos artificios se quedan en el fondo en calidad de testigos mudos de un mundo desaparecido que, en un primer momento, ellos mismos habían contribuido a crear pero que el ineluctable proceder de la historia y los mudados códigos culturales han borrado ya, definitivamente.

[49] *Ed. cit.*, pp. 91-92 (la cursiva es mía).
[50] *Ed. cit.*, p. 92.

Meditaciones sobre el abismo: *El monstruo* de Antonio de Hoyos y Vinent*

BEGOÑA SÁEZ

1. El *gouffre*

En su desgarrado poema sobre la condición humana significativamente titulado "Le gouffre" (1862), Baudelaire plasmó una de sus grandes preocupaciones: el abismo, la sima, el precipicio, el sentimiento profundo de la caída y la nada; obsesión romántica ligada a una concepción adamista del ser, frecuente entre escritores como por ejemplo Gautier y Hugo, con su afán de muerte, para quienes frente al espacio teológico, el espacio del hombre expulsado del paraíso, despojado del bien por el pecado original, es un mundo abismal, vertical sobre el que todos resbalamos, un lugar oscuro e insondable, sin fondo ni horizonte, infinito y misterioso, un espacio de dolor al que el individuo consciente de que ha de morir, siempre e inevitablemente está abocado.

Pero, mientras en el imaginario romántico el abismo se halla hasta cierto punto connotado, formulado muchas veces como un universo infernal o carceral, lugar de eterno castigo, en el que aún es posible vislumbrarse, a pesar de su inasequibilidad, la luz esperanzadora de la vida o de la salvación[1], en la reflexión exasperada del poeta, el abismo no sólo es lo informe,

* A Rinaldo Froldi, por sus comienzos: i *Poemi Conviviali* di Giovanni Pascoli.

[1] V. a este respecto, por ejemplo, la comprensión trágica del paisaje por parte de la sensibilidad romántica, la nueva interpretación de la relación naturaleza/hombre, la conciencia de su escisión, y el ansia de reconciliación con el espacio natural, que se erige ante el ser como un abismo deseado, atractivo, terrorífico e inalcanzable a la vez: ruinas, laberintos, espacios piranesianos catacúmbicos y subterráneos. Para una síntesis sobre esta búsqueda poética de una naturaleza ideal, ligada a un anhelo de totalidad y unicidad, a una

lo incognoscible – a diferencia de Pascal que si bien como cualquier sujeto *avait son gouffre*, lo tuvo *avec lui se mouvant*, es decir de algún modo localizable, discernible, parcial y acotable –, sino que *tout est abîme*, todo es vértigo, pesadilla, miedo, horror, infinito y muerte: *Tout plein de vague horreur, menant on ne sait où*[2].

Esta visión trágica de la realidad que Baudelaire expresó magníficamente a lo largo de su producción[3], donde la muerte es sugerida como uno de los campos privilegiados para las meditaciones metafísicas, donde el *gouffre* con su carácter equívoco de pozo y puerta para la imaginación poética, de frontera entre lo visible y lo invisible, la no vida y la vida, siempre ronda el texto como algo que se teme y asimismo, consciente de su poder destructivo, atrae y fascina, fue una de las principales características del decadentismo.

Después del gran Poeta Maldito, como oportunamente ha estudiado A. Balakian, los decadentes de acuerdo a su actitud mental, a su peculiar concepción del mundo, harán del abismo, dentro de un uso privado y arbitrario de la palabra, la base de su interés por lo macabro, el objeto de sus imágenes sobre la mortalidad, entre las que lo morboso, todas las desviaciones físicas y espirituales de lo normal, ocupan un lugar destacado. Porque además *para el decadente* – afirma la estudiosa – , *cansado ya de todas las demás experiencias, el* gouffre *es el único manantial de novedad, aunque los peligros del viaje son múltiples y evidentes*[4]. De ahí esa doble tensión

nostalgia de plenitud, indeslindable de la fatal aniquilación que ese deseo comporta, cfr. el fecundo ensayo de R. Argullol, *La atracción del abismo (Un itinerario por el paisaje romántico),* Barcelona, Destinolibro, 1994.

[2] Cfr. estas valoraciones de A. Hauser, cuando al analizar las conexiones del decadentismo con el tedio byroniano y el ansia de muerte romántica, con acierto afirma, – apoyándose igualmente en el poema citado de Baudelaire – : "*El mismo abismo atrae a los románticos y a los decadentes; el mismo placer de destrucción, de autodestrucción, los embriaga. Pero para los decadentes* todo es abismo, *todo está lleno de miedo a la vida y de inseguridad. [...] El abismo que era para el cristiano el pecado, para el caballero el deshonor y para el burgués la ilegalidad, es para el decadente todo aquello para lo que él no posee un concepto, una palabra y una formulación*" (*Historia social de la literatura y del arte*, Barcelona, Labor, 1985, III, pp. 217-218).

[3] Recuérdese por ejemplo, la tesis final de *Les Fleurs du mal*, los últimos versos de "Le Voyage" que cierran el libro, en los que el poeta invocando a la muerte como remedio al *Spleen* y ante la imposibilidad del Ideal, desea *Plonger au fond du gouffre*, pues *Enfer ou Ciel, qu'importe?*, hundirse no en el abismo concebible del pecado, sino en los infinitos territorios de la nada.

[4] *El movimiento simbolista (Juicio Crítico),* Madrid, Guadarrama, p. 71.

entre el horror, el espanto ante la vida, el miedo a la realidad señoreada por el Tedio y la seducción, tentación y caída en el abismo, que modula gran parte de estos textos.

Y aunque para el decadente para quien todo es *gouffre*, el abismo no designa las simas del pecado que se pueden penetrar y percibir, sino más bien una sensación imponente de pérdida, de total fatalidad para la que no posee una formulación, necesita que ese abismo se encarne, se proyecte en algo, se materialice en su imaginación. Una de las representaciones dominantes de esta inquietud fue la figura femenina, la mujer inexorablemente funesta y deletérea, enigmática y perversa, destructora y corruptora, que cautiva, encanta y esclaviza al hombre con sus pasiones, empujándolo a ese abismo que es el sexo, pero también la muerte[5]. Eros, mujer y Thánatos aparecen pues en el pensamiento decadente con un valor simbólico, como signos de una civilización moribunda y descompuesta, de una realidad aniquiladora y temible, profunda y misteriosa y por ello mismo atractiva, seductora hasta el placer masoquista de la autodestrucción.

Si hay una obra literaria que de forma directa hace de este motivo de la "caída", de la "bajada" su eje articulador, es sin duda *Le Jardin des Supplices* (1899), la novela de Octave Mirbeau, que narra el descenso al fondo del abismo de la pasión, de la voluptuosidad hermana de la muerte como había

[5] Sobre este aspecto, llamó la atención en particular M. Praz, que en su agudo e insuperable ensayo *La Carne, la Muerte y el Diablo (en la literatura romántica),* Venezuela, Monte Avila Editores, 1969, advirtió cómo el héroe byroniano, el sexo fuerte, fatal y cruel de la primera mitad del s. XIX, en el decadentismo por una subversión de las partes, cedió su puesto privilegiado a la mujer, la heroína fatídica, prepotente e insaciable que atenta contra la integridad del hombre convertido ahora en víctima. A partir de estas valoraciones del crítico italiano se ha escrito mucho y desde muy distintas perspectivas (históricas, sociológicas, feministas, etc.) sobre el papel literario e inonográfico del esterotipo de la *femme fatale,* pero echamos en falta un estudio que profundice en las razones propiamente estéticas, del imaginario y pensamiento decadentes. Es innegable la validez de una interpretación como, por ejemplo, la de E. Bornay en su sugerente análisis interdisiciplinar sobre la iconografía de la misoginia, *Las hijas de Lilith*, Madrid, Cátedra, 1990, pero a nuestro juicio la nueva definición de los sexos va ligada más a la visión del mundo propia del decadentismo. El *finis patriae* o el *finis latinorum*, la muerte del Occidente y su consecuente malestar y agonía, en torno a los cuales se polariza toda esta literatura, trascendieron no sólo a la sociedad, sino también al individuo. El decadente, víctima de la civilización moribunda a la que pertenece es igualmente un ser agotado, mortecino, débil física (endeble, inánime, ambiguo sexualmente) e intelectualmente (hiperestésico, pasivo, sin voluntad), que padece igualmente como esclavo los suplicios de la mujer y el amor, siendo estos últimos como el andrógino, la ciudad muerta, el culto a lo anormal o a lo artificial, otros de los mitos privilegiados de la decadencia, metáforas del crepúsculo, imágenes de la superior fatalidad.

proclamado Baudelaire: *Le meurtre naît de l'amour, et l'amour atteint son maximum d'intensité par le meurtre...*[6], afirma el protagonista masculino en la disputa sobre el asesinato que abre la narración.

En estas páginas de *Meurtre et de Sang*, la Mujer, paraíso e infierno, concebida como fuerza arrolladora y destructiva de la naturaleza, constituye el signo de alienación para el hombre. Clara, la inglesa sádica hastiada y cansada de la civilización occidental, que halla la única fuente de novedad en la corrupción, en la podredumbre y en los espectáculos de horror y crimen, paradigma de la *femme fatale* tanto por su belleza turbia y demoníaca, como por su capacidad de dominio, de incitación al mal, su fuerte sexualidad, lujuriosa y felina, hace que el hombre pasivo y sumiso retorne a sus primitivos instintos, precipitándose hasta tocar fondo por el *gouffre embrasé de son désir*[7].

El protagonista vencido definitivamente ante la promesa de una vida extraordinaria, de sensaciones únicas, de aventuras terribles y divinas, penetra en el más negro de los misterios humanos, descendiendo con Clara a las profundidades más tenebrosas de su cuerpo, su alma y su amor, *plus bas, au fond du gouffre empoisonné dont, quand on en a une fois respiré l'odeur, on ne remonte jamais plus*[8].

Excelente descripción del *gouffre* que podríamos emplear para hablar de una de las novelas más célebres de Antonio de Hoyos y Vinent, *El Monstruo* (1915); obra, ya desde su propio título, notoriamente decadente, que en esta misma línea supone otra reflexión sobre el abismo, una nueva meditación, múltiple y exacerbada, de esta gran preocupación que tanto obsesionó al decadentismo.

2. *¿Un flojo plagio?*

Es poco decir de *El Monstruo* (*EM*), a pesar de la válidez intuitiva y sugerente de la asociación, que *su vivencia central es exactamente la misma que la del famoso poema baudelairiano* "Les méthamorphoses du vampire"[9]. La similitud con los versos del poeta sirven para ilustrar fundamentalmente el epílogo de la novela, sus conexiones con las decadentes incur-

[6] Seguimos la edición de Paris, Union Générale d'Editions, 1986, p. 40.

[7] ib., p. 123.

[8] ib., p. 149.

[9] Eugenio De Nora, *La novela española contemporánea*, Madrid, Gredos, 1963, I, 2ª ed., p. 418.

siones en los territorios plutónicos de lo morboso, horrendo y letal, pero no justifica su precisa orientación.

Mucho y nada a la vez, es, sin embargo, afirmar abusivamente como lo hace Pere Gimferrer, que la novela es un *flojo plagio de El jardín de los suplicios, de Octave Mirbeau*[10]. Mucho por el reconocimiento de su indudable relación con el original francés. Nada, por la calificación precipitada, subjetiva e injustificada, de débil copia o imitación servil. *EM* no se parece tanto a su fuente como para constituir un ejemplo de plagio[11]. Ciertamente en la narración de Hoyos se pueden detectar una serie de reflejos, de elementos más o menos extensos semejantes a ciertos componentes de la obra de Mirbeau, pero ello no permite reducirla a ser una imitación pobre y sistemática. En *EM* hay una serie de cambios y transformaciones importantes que transmutan su materia prima; y al igual que en toda creación literaria, *la originalidad no reside en la elección del tema, de la trama, sino en la disposición según la cual se les ordena y en la dicción de que se les reviste*[12], debemos buscar su interés en el conjunto final, en el resultado provocado por la acción de una serie de influencias creadoras de valores, o más especificamentente en los complejos mecanismos de intertextualidad subyacentes en el texto.

Más fecundo por último nos parece estudiar esta obra de Hoyos en relación con la sensibilidad y estéticas decadentes, como un calidoscopio de influjos, de eslabones intertextuales, entre los que obviamente la novela de Mirbeau ocupa un lugar destacado como fuente directa de inspiración.

De hecho, ya desde su primera página la narración no se entretiene en disimular sus huellas, muy al contrario las ostenta sin reservas. Una cita inicial, literal de *Le Jardin des supplices*, abre *EM* de forma nada gratuita, sino significativa, como un signo funcional que sirve de amplificación o desarrollo del título; en concreto, la réplica desafiante de Clara a las valoraciones del protagonista sobre la vegetación del jardín, quien como espec-

[10] "Antonio de Hoyos y Vinent, el ineludible", Libros, 239, "El País", 20 - V - 1984, p. 7.

[11] Un reciente estudioso de la narrativa de Hoyos, Antonio Cruz Casado, a quien debemos uno de los primeros análisis de *EM*, advierte igualmente: *A la vista de las dos novelas no encontramos de manera tan evidente la afirmación del crítico, aunque es cierto que hay una serie de elementos de la novela de Mirbeau que pasan a la narración de Hoyos, sobre todo en la segunda parte, pero otros rasgos pertenecen al mundo peculiar de nuestro novelista* ("La novela erótica de Antonio de Hoyos y Vinent", *Cuadernos Hispanoamericanos*, 426, 1985, (pp. 191-116), p. 109).

[12] C. Pichois-A.M. Rousseau, *La literatura comparada*, Madrid, Gredos, 1957, p. 95.

tador cuya percepción ha quedado sobrecogida, arrebatada por la presencia abominable, extraña y sobrenatural de las flores, afirma horrorizado que la naturaleza también engendra monstruos. Una objeción en la que la mujer fatal ratificando: *Ce que tu appelles des monstres ce sont des formes supérieures ou en dehors, simplement, de ta conception...*, subraya la anormalidad de lo monstruoso, su carácter irregular, su contradicción con la ley natural; atributo en absoluto constitutivo, pues más que derivar de la accidental inadecuación a su estado natural, o de una alteración de sus cualidades inherentes, depende de lo que tradicionalmente se entiende como regla, se juzga como norma. El monstruo por tanto marca la diferencia, es lo otro, lo superior, lo que está por encima de los convencionalismos sociales, todo aquello que para el hombre normal produce extrañeza, le resulta hostil, porque cae fuera de su esfera conceptual.

En este sentido, la cita restringe la fuerza de la influencia, revela el origen literario de la novela, su parentesco, simpatía y adhesión implícita a una tradición literaria en la que, ocioso es afirmarlo, lo antinatural, las desviaciones de lo normal, tanto físicas (enfermedad, fealdad, deformidad, podredumbre...) como espirituales (inmoralidad, perversiones sexuales...), constituyen uno de sus temas más recurrentes.

Pero ¿de qué monstruo nos habla la novela de Hoyos? La respuesta nos la da su segunda cita tomada ahora de una lectura obligatoria: la *Tentation de Saint - Antoine* del gran inventor del imaginario decadente que fue Flaubert. El monstruo es el eterno femenino cruel al que Simón se refiere cuando conduce a la prostituta Helena – nombre también de nuestra protagonista – ante Antonio, presentándola como personificación de la fatalidad, mediante la enumeración de distintos personajes mitológicos o bíblicos (la esposa del griego Melenao, Lucrecia, Dalila...), mujeres inflexibles, adúlteras, pérfidas o lujuriosas, que hicieron del poder de su belleza sensual y de su duplicidad, la perdición del hombre; y definiéndola finalmente como la Meretriz Total, encarnación de todas las depravaciones y de todos los desenfrenos sexuales.

Esta última idea de la cortesana sintética que reúne en sí toda la experiencia sensual del mundo, se continúa y amplia en una tercera cita de la misma obra de Flaubert, en la que *La Femme Crepue*, como figuración de la Inmundicia, la diosa de la lujuria, desvela sus diversos semblantes (lesbianismo, pedofilia, sodomía, coprofilia etc.), la riqueza, complejidad y variedad ilimitada de sus goces: *Il est largue le cercle des joies inconnues! Comme l'esprit la chair est infinie, et, dépuis qu'ils la creusent les fils d'Eve n'en ont pas trouvé le Fond!*. Como el espíritu la carne es infinita, con múltiples e insospechados perfiles; inagotable y también profunda como el abismo, en el que una vez se ahonda difícilmente se toca el fondo, pero tampoco, como en *EM,* la superficie, pues, transgredidos los límites, el retorno es imposible.

Reunidas en su conjunto estas tres citas, tan oportunas como signos catafóricos, anticipan y concentran el eje temático de la novela: la feminidad monstruosa y terrible, abismal como enigma, otredad y pesadilla.

Monstruosa ideológicamente, por su prepotencia, su diferencia con respecto al hombre común y su superioridad casi divina sobre el resto del mundo: Helena, como la superhembra Clara de *Le jardin des supplices,* vive por encima de los códigos sociales y morales, ostentando un vanguardismo ideológico que al oponerse al habitual y mediocre sistema de valores de su medio ambiente, cuestiona esos mismos parámetros, atenta contra ellos, los perturba y en consecuencia resulta amenazante y temible. De ahí, la evasión geográfica de ambas, como rechazo de una realidad indeseable; su huida crítica de la vieja Europa, trivial, gris y obsoleta, y su búsqueda de plenitud en Oriente, donde poder vivir una existencia sin categorías limitadoras.

Monstruosa espiritual y sexualmente, como las emperatrices remotas; espantosa y negativa para el varón por su crueldad extrema, su naturaleza diabólica, y aún más por su lubricidad desmesurada, su capacidad inagotable de éxtasis carnal, su voluptuosidad voraz, y su afán constante por satisfacer su instinto, esa búsqueda incesante del placer que constituye el único objeto que da sentido a su existencia. Pues esta alma malévola, hermana gemela de la inglesa sádica, se deleitará en corromper espíritus y obsesionada igualmente por la lujuria, la sangre, y la podredumbre, será la bestia lasciva, el demonio implacable de las fornicaciones.

Y por último, monstruosa físicamente, inmunda y repulsiva como *La Femme Crepue*. Si el personaje flaubertiano ama la hinchazón de los tejidos, las exageraciones de los órganos, los hermafroditismos montruosos, o el sudor agrio y las repugnancias irritantes, Helena no sólo se entregará igualmente a todas las degradaciones, sino que ella misma se transformará en un ser envilecido, deforme y abyecto, en una sarcástica parodia de la forma humana: un repugnante híbrido de mujer y de piltrafa, capaz de destruir por entero las armas y defensas más resistentes del hombre. Revestir a la mujer con las características morfológicas del monstruo, idea apuntada en la novela de Mirbeau con la sombría figura de la leprosa Annie, imprime al relato un nuevo acento más extremo y siniestro: el de lo diverso absoluto; lo residual desterrado de la realidad, lo hostil por naturaleza, capaz de suscitar el miedo más básico, el escalofrío más primordial, y por tanto idóneo para revelar la absoluta fragilidad e inferioridad de lo humano.

La mujer, el monstruo en la totalidad de sus formas, el *gouffre* llevado hasta el límite: tema central en toda la novela. Pues *EM* es la obra de un doble hundimiento, de una doble caída: la de la mujer en el abismo de la lujuria y la del hombre en el abismo de la mujer, un doble descenso que tocará fondo con la muerte.

3. *De la lujuria a la muerte*

En *EM* se nos narra la trágica trayectoria en virtud de la cual, Helena Fiorenzio, cosmopolita, perversa y disoluta actriz de oscuro pasado, poseída desde su adolescencia por una morbosa atracción por la podredumbre y una feroz inclinación hacia el vicio, desciende por todas las simas de la lujuria, propiciando de tal forma las situaciones que quienes la aman se precipitan fatalmente en la muerte; contrae la lepra, huye a una región perdida del Asia central, donde se entrega a un misticismo transitorio, falso y enfermizo, hasta que la resurrección aún más ardiente de su antigua voluptuosidad, le lleva sangrienta y putrefacta a prostituirse, absorbiendo y contagiando finalmente a Marcelo, su amante. Y se nos narra también ese dramático proceso de deformación por el que Marcelo Edembroke, joven afeminado de débil voluntad con ansias de gozar de la vida, víctima del poder sensual, mental, social y económico de la hembra, a través de una sutil relación que auna fascinación y rechazo, rueda con ella hasta el fondo más horrendo del amor y de la muerte.

Lujuria y muerte, dos de los grandes fundamentos temáticos del decadentismo, entre los que además no falta la enfermedad, otro de sus motivos más expresivos por su carácter anormal y aún más por su condición obscena en sentido literal, es decir, nefasta, abominable, repugnante a los sentidos, por introducir la propia muerte en la vida, la descomposición y putrefacción, que a su vez hace de *EM*, como quería Hoyos y Vinent, una espectacular historia de amor y lepra[13].

Otra historia de la decadencia absoluta en la misma línea que otros relatos del marqués, como *La Vejez de Heliogábalo* (1912), *El Crimen del*

[13] En una conversación evocada por Gómez de la Serna, el autor afirmaba: *Sí, sí; preparo una nueva novela:* Lepra y Amor. (Citado por E. Nora, *op. cit.*, p. 418).

Fauno (1916) o *El Caso Clínico* (1916), pero mucho más sádica y efectista, y al igual que el primer ejemplo citado, narrada con un cierto esmero compositivo. El relato se estructura en dos partes, armónicas en su distribución en cuatro capítulos – todos titulados simbólicamente y acompañados de citas que anticipan su tema – y antitéticas en su significación, y en un epílogo final que funciona como desenlace negativo.

El libro de la lujuria, su primera parte, como su propio título indica es el libro de la carne, del vitalismo, del goce sexual, del triunfo del amor en la noche, del amor no sentimental sino maldito hasta la enfermedad, del eros decadente en una palabra:

> no el platónico amor de la vieja Grecia olímpica, ni el amor con brillantes armaduras y bordadas gualdrapas que se disputaban los caballeros en los torneos de la Edad Media, ni la poesía de Provenza, ni el de las patéticas noches de los románticos; era un amor sabático, manchado por todas las lujurias, envilecido por todas las miserias, mancillado por todas las inmundicias; un amor que tenía de los ritos nefandos de los aquelarres, de las abominables crueldades de los sádicos y de las deformidades malditas de la Biblia; amor trágico y caricaturesco, obsceno y libertino, triste y lúgubre; amor de brujas, de locos, de poseídas, de nigrománticos y de epilépticos[14].

Un género de erotismo que vemos preludiado ya en el capítulo inicial: "El caballero de la rosa al pecho", mediante la descripción de esa serie de estampas orientales que tanto seducen y excitan a la protagonista y tanto atraen y a la vez repugnan al personaje masculino.

En este primer capítulo cuyo título alude a uno de los retratos que adornan el lujoso camarote de Helena, un retrato casi paródico de aquella imagen sobria y heroica de El Greco, en el que Marcelo aparece estilizado, vestido de negro terciopelo, pero como un príncipe de Van Dyck y con una rosa púrpura destacándose sobre su pecho, se condensan dos rasgos típicos del héroe decadente: su aspecto aristocrático y amanañerado y fundamentalmente su propensión a la sensualidad, a la pasión exagerada, transformada por último en sangrienta tal y como simboliza y anuncia la rosa púrpura. Inclinación que viene reforzada con unos versos de *Les Luxures*, sobre los ojos de la voluptuosidad, la mirada nerviosa del éxtasis. Esta cita de Jansar, en el que un sujeto de oscuros deseos se estimula ardientemente ante la lectura de una página viciosa, sirve para presentarnos a Marcelo, su misma vi-

[14] Seguimos la edición de *EM,* Madrid, Biblioteca Hispania, s.a, 2ª ed., p. 55.

sión ansiosa ante la contemplación de unos dibujos lúbricos, representativos de esa cultura erótica, sabia y ritualista, que fue la oriental para el fin de siglo.

En un camarote de refinamiento estético propio de la élite europea finisecular, auténtico paraíso artificial, por el que supura atroz *spleen,* hallamos al joven abúlico Marcelo que se entretiene en el estudio de unas páginas perversas y complicadas, al tiempo que rechaza las caricias felinas de su enardecida amante, desprecia su forma de vida, discute violentamente con ella y oculta su amor sentimental hacia Edhit, la cándida dama de compañía.

Una escena típica en la que se nos describe con claridad los rasgos característicos, físicos y morales, de toda pareja decadente: la pasividad e inferioridad del hombre, la actividad y superioridad de la mujer.

Marcelo, es el prototípico joven rubio, ambiguo, de cuerpo efébico y rostro afeminado *de bambino o de angelote*[15], el muchacho pueril, cobarde, y masoquista, sometido por inferior condición social, económica y espiritual, al gobierno de una mujer exhuberante, de aspecto maternal y existencia maravillosa. Pero también, conforme a un motivo muy difundido en el decadentismo, es el héroe desesperado y vacilante que se halla entre dos figuras femeninas antagónicas: la hetaira diabólica (Helena) y la virgen angelical (Edhit). Dos figuras que no hacen más que remarcar su talante atormentado, su desencanto ante su realidad presente en todos sus frentes (el amor carnal, el falso júbilo del cosmopolitismo y la nocturnidad, la gloria externa del dandismo, el aparente bienestar, y, sobre todo, la naturaleza falaz de Helena), y, como último paliativo, su sueño de regeneración, siempre frustrado, entrevisto idealmente en el consuelo y apoyo moral de una nueva mujer, ahora espiritual.

Este último ideal femenino es aquí representado por el personaje patético de Edhit, la lectora modesta, pobre, huérfana y abandonada, que la necesidad incorporó a esta corte de la decadencia; la mujer asexuada de inmaculada pureza y gracia prerrafaelita, modelo de santidad ya desde su nombre, desde su físico frágil, etéreo, (ojos de luz, cabellos castaños, manos japonesas...) y hasta lo más recóndito de su alma.

Frente a la mujer frágil, Helena, es uno de los tipos más acabados y exagerados de belleza contaminada, quimérica y extraña, a la moda, en la que se dan cita todos los vicios y todas las seducciones: ojos grises casi

[15] *EM*, p. 5.

verdes de pantera, cabellera rojiza, cuerpo fuerte e impúdico, rictus atroz, siniestro de los labios finos y pálidos, pero, sobre todo, su fuerte sexualidad animal, su corrupción, su abominable malevolencia, y esa delectación morbosa en la inmundicia, la violencia y la degeneración, que le acompaña a lo largo de toda su vida.

Es el mismo maleficio de la lujuria que persigue y atormenta al Duque de Fréneuse – el protagonista creado por Jean Lorrain en *Monsieur de Phocas* (1901) –, su hermano de papel, e igualmente imposible de exorcizar, como se demuestra en su temporal transformación en actriz clásica, casta y pura, por parte de un artista, a la que sigue la resurrección de esa *sima sin fondo, donde dormía la diosa Astartea*[16]; resurrección motivada por una fortuita incursión en los suburbios, que le lleva a su total caída en el mundo de la perdición y a su consiguiente transfiguración en mujer fatal (suicidio de su amante) e insaciable (pasiones de todo tipo), el eterno femenino cruel y lujurioso, definido con el acostumbrado *leit - motiv* flaubertiano de la meretriz total: *Y fué la Sulamita bella como Jerusalem, terrible y majestuosa como un ejército en orden de batalla; y fué Salomé, peor que las perras y que las rameras; y fué Aspasia y Mesalina y Lucrecia Borgia y la Brinvillers*[17].

Pero a este cliché de la Venus letal y depravada, se agrega su sadismo en acto, su poder mefistofélico en corromper almas cándidas. Pues Helena es la proxeneta de espíritus por excelencia; la cerebral que en su *morboso prurito de profanarlo todo*[18], no sólo se complace en pervertir a Marcelo en quien además de descubrir un candor pueril, le liga una atracción incestuosa, *una ternura nueva, algo maternal*[19], sino también en tratar de enviciar por todos los medios a la inquebrantable Edhit, a la que tortura en el infierno de su biblioteca, haciéndole leer todo género de abominaciones, como *La Philosophie dans le Boudoir*, con cuya lectura precisamente se finaliza este capítulo. Pues "El caballero de la Rosa al Pecho" culmina con la transcripción literal del diálogo entre Eugénie y Domence, en el que este último contestando a la pregunta sobre el incesto concebido como un crimen, lo define como una de las más dulces uniones de la naturaleza: *celles qu'elle nous prescrit et nous conseille le mieux!*

[16] p. 32.
[17] p. 33.
[18] p. 40.
[19] p. 35.

La referencia a Sade y sobre todo al incesto, uno de los temas favoritos de esos cerebrales que son los decadentes, no es accidental. Por un lado, colorea la unión ambivalente entre Marcelo y Helena: la ternura maternal que la mujer exhala como sujeto y al hombre seduce como objeto, su diferencia de edad y de posición en el gobierno de la relación; el carácter en suma maldito y trágico de este amor, que a lo largo de la novela adquirirá una clara función literaria.

Por otro, sirve para remarcar la ideología de la heroína decadente, su desafío a los códigos sexuales, las leyes morales y religiosas de una sociedad que desprecia. Ideología expuesta no sólo por medio de sus actos, sino también expresada mediante sus palabras, pues a Helena también le es confiada la función de teorizar sobre el mundo de los sentidos. Así, ante las estampas orientales de una *lubricidad sabia, quintaesenciada, [...] casi dolorosa*[20], execrables para Marcelo, Helena, no sólo muestra su admiración hacia esa obscenidad inteligente de las viejas civilizaciones, así como su deseo de rehacer la ruta de la Lujuria en el mundo antiguo, sino que lanza un himno entusiasta a Oriente, al vicio y a la crueldad sádica, similar al ofrecido por su ascendiente Clara en *Le jardin des supplices*:

> Porque en Oriente, y pese a esta civilización estúpida, que ha hecho de nosotros unos pobres animales afectados y convencionales, que a falta de energías para domeñar sus impulsos han aprendido a contrahacerlos con una hipocresía malvada, bajo la que se esconden las peores aberraciones, porque en Oriente [...] viven todas las lujurias, todos los pecados magníficos y abominables que anatemizan las religiones[21].

Adhesión a una filosofía vitalista, a otra moral, que apela de forma directa a la concepción decadente del amor y de la existencia, e implícitamente a su visión de la realidad: su misma rebeldía ante los valores occidentales, su moral hipócrita y su represiva ética sexual; su misma búsqueda del placer para llenar el vacío existencial y su misma necesidad de construir mitos negadores de la realidad indeseable, aquí bajo la huella del exotismo

[20] p. 13.

[21] pp. 21-22. Cfr. el discurso de Clara (*op. cit.* p. 161), en el que igualmente ante las estampas extrañamente obscenas, de torturas, suplicios, etc. de la prisión china, que horrorizan a su amante, frente al Occidente pobre y estúpido, alaba a Oriente como una cultura erótica más civilizada, que glorifica el acto de amor y hace del sexo, lejos de un objeto de infamia e impureza, un Dios.

oriental que jugará un papel (liberador, erótico, crítico, etc.) decisivo en la novela.

Sentadas estas bases, la orientación y el tono precisos del relato, los capítulos subsiguientes no harán sino desarrollar y acentuar aún más estos datos. Así, "La hija del Rey de Is", como adelanta su título, se centra en la *femme fatale,* en Helena, parangonable, por sus deseos horrendos, su curiosidad negativa, su perfidia y su poder letal, a la hija del rey Gradlon, que seducida por el demonio de la lujuria, robó a su padre la llave del dique secreto con que se defendía a su pueblo de las olas, abrió su puerta y dejó que las aguas del océano invadieran la ciudad. Si la princesa de Is arrastró su ciudad al abismo del océano, al que ella misma también se precipitó, Helena, sobre esta misma asociación, se arrojará, acompañada de su amante como espectador, al precicipio de la carne.

Pero mediante la fantasía destructiva de esta saga popular se introduce también el motivo recurrente de la ciudad muerta[22], la urbe devorada y sumergida, aquí asociada a ese espacio dantesco de la ciudad portuaria donde transcurre la acción. Idea a su vez reforzada con nuevos versos de *Les Luxures* sobre el mundo vicioso de los noctámbulos, que expresivamente marcan el pulso del capítulo, su idéntica atmósfera etílica, tumultuosa y crispante de lujurias agotadas y reanimadas hasta el amanecer.

Y efectivamente en "La hija del Rey de Is" asistimos al peregrinaje de la protagonista y su corte de la decadencia por los barrios bajos de una ciudad portuaria, hasta la entrada en un prostíbulo, donde finalmente la fiesta y la noche culminan en una orgía, en la que Helena tras una danza lúbrica se entrega a dos músicos, mientras su amante ante el espectáculo huye aterrado.

[22] A la conciencia voluptuosa de la decadencia y a la fascinación ejercida por la idea de la muerte correspondió todo un decorado en el que la ciudad muerta fue una de sus máximas expresiones: la Bruja sepultada en los muelles de piedra de G. Rodenbach en *Bruges - la - Morte* (1892), el Toledo ardiente y triste de M. Barrès en *Du sang, de la Volupté et de la Mort* (1892), o la inexcusable Venecia, su belleza letal e irresistible, símbolo de hermosura y podredumbre en *Der Tod in Venedig* (1912) de T. Mann. Sobre este mito del fin de siglo v. H. Hinterhäuser, "Ciudades Muertas" en *Fin de siglo. Figuras y Mitos,* Madrid, Taurus, 1980, donde se establece la hipótesis de que la selección de este tipo de espacios o de estas fantasías destructivas, presupone el desahogo del odio impotente de los artistas finiseculares hacia una nueva era que escapaba a su dominio.

Es el característico *descensus ad inferos*[23] que hallamos en gran número de novelas decadentes: el viaje de la aristocracia a lugares, ya sean tugurios, puertos o prisiones chinas, que ocultan fuertes horrores, amores bárbaros, capaces de estremecer los nervios, excitar y calmar el cerebro.

En *EM*, este recurso funcional y dramático se inspira directamente en *Monsieur de Phocas* y *Le jardin des supplices*. De aquella pesadilla de mórfina y éter en la que el Duque de Frenéuse se ve errante por las calles malolientes, los suburbios y los prostíbulos de un puerto, y de aquellas descripciones de Sir Thomas sobre la sórdida vida portuaria, se retiene la misma visión lúgubre (ciudad=*urbe del Pentápolis*, mar=*cataclismo geólogico*, casas ruinosas=*terremoto*, prostitutas=*muñecas rígidas y uniformes*). Así como de Clara se retiene su misma delectación morbosa ante las escenas inmundas y terribles que preludian las uniones sexuales que después se efectuarán en el burdel, como de su triste y tembloroso iniciado se conserva su misma visión horrorizada.

La diferencia reside en que en *EM*, a pesar de los esfuerzos del narrador, los espectáculos sádicos de la prisión se transforman en una función más tímida, una representación del triunfo del vicio y del amor canalla en la noche, animada otra vez por la mano de ese experto en tugurios que fue Lorrain y a quien educó Oscar Wilde: toda una proyección *in crescendo* de es-

[23] Motivo presente igualmente en el Romanticismo pero distinto, pues de acuerdo a su concepción de la vida como un itinerario órfico, a la manera de Novalis o Nerval, este descenso a los infiernos, es siempre en busca de la plenitud, del Cielo. De hecho, como ha observado J. Olivares en *La novela decadente en Venezuela,* Caracas, Gráficas Armitano, 1984, (p. 117 y ss.), la *metafísica de la integración* propia del Romanticismo fue suplantada en el Decadentismo por una *metafísica de la desintegración.* La filosofía y literatura románticas encierran una visión "integradora" equivalente al recobro del paraíso perdido, meta alcanzada mediante un viaje circular, iniciático, de conocimiento, que comienza con la separación de la casa ancestral y finaliza con el retorno del héroe, su elevación y reconciliación última, normalmente presentada mediante una unión amorosa. Sin embargo, la novela decadente, aunque muchas veces se abre con una separación inicial, ésta en vez de ir disminuyendo se incrementa, la caída en lugar de elevar y ser fuente de conocimiento degrada cada vez más, y la unión final con la mujer no es un rito de integración sino de desintegración. Para la expresión de esta idea de la disolución sirve pues el viaje que tantos héroes decadentes (un Des Esseintes, un duque de Freneuse, los protagonistas de D'Annunzio o de O. Wilde, las heroínas de Rachilde, etc.) realizan a los suburbios o al ambiente sexual de las zonas marginales en busca de aventuras depravadas, de perversiones que violen la ley natural, de acuerdo a esa práctica arrogante de lo anormal, antinatural y artificial que fue uno de los credos singulares del decadentismo. Para un eficaz análisis de esta problemática, cfr., A.E. Carter, *The Idea of Decadence in French Literature 1830 - 1900*, Toronto, University of Toronto Press, 1958.

cenas lúbricas, brutales y tristes, que alcanza su clímax en la calle de los burdeles con el café "A las Tres Sirenas", – heredero de esos antros deplorables del muelle en los que se entretiene Dorian Gray – donde la excitación de la hembra se acrecenta hasta la necesidad histérica de entregarse.

Y así en la atmósfera opresora del cuarto del burdel, durante la fiesta aderezada con todos los licores y amenizada por la música exótica de un moro y un soldado senegalés, Helena dará despliegue a su voluptuosidad. Pero para este despliegue el narrador, recargando aún más las tintas, recurre a otro tópico muy decadente: el tema de la danza sensual casi orgiástica, popularizado por una de las figuras dominantes en la iconografía (G. Moreau, A. Beardsley, L. Corinth, etc.) y en las letras (Flaubert, Wilde, Mallarmé, etc.) finiseculares, la mítica Salomé, la personificación por antonomasia de la decadencia[24]. Pues ante la observación del marroquí que en el entusiasmo de la música nota la falta de una mujer que baile, la Fiorenzio, arrastrada por una fuerza fatídica, es la primera en ofrecerse y completamente desnuda, espectral en la semipenumbra amarillenta de la habitación, hierática y sonámbula unas veces, febril y espasmódica otras, improvisa una danza que acaba por ser, en la misma línea de las interpretaciones de Des Esseintes sobre la *Salomé* de G. Moreau, una auténtica alegoría del sexo: lascivos temblores, extraños retorcimientos, movilidad de Quimera etc., *una de esas imágenes eternas que son la Lujuria hecha idea*[25].

Pero a diferencia del baile de Salomé coronado con un crimen horrible y de la pasión senil de Herodes, el baile de Helena culmina en una orgía, poseída por su ímpetu sexual y entregándose, ante su amante, a la pasión bárbara del moro y del senegalés: *el cuerpo blanco de magnolia retorciéndose entre las garras de los dos tigres*[26]; una unión que en última instancia no deja de ser una de tantas formas de erotismo "anormal", fuera de lo convencional, con la que se atenta contra las leyes morales y sociales: *menage à trois*, diferencia racial y de jerarquías.

La muerte (decapitación del Bautista) y crueldad de la pecadora bíblica se reservará para el tercer capítulo significativamente titulado "Astarté", el

[24] Tema ya explotado anteriormente por Hoyos y Vinent en *Los Emigrantes* (1908), donde esta princesa *summum* de la seducción, la perversidad y el poder letal, tienta a un santo ermitaño y posteriormente llevado hasta la parodia en "La verdadera historia de Salomé", unos de los relatos de *Vidas arbitrarias* (1921), en el que el personaje sometido a un proceso de deformación se transforma en una simple niña aburrida, maleducada y caprichosa.

[25] pp. 70-71.

[26] p. 74.

nombre de la despiadada diosa de la fertilidad, el amor, el placer y la guerra, que tuvo infinitos amantes, a los que retenía durante sólo una hora, envileciéndolos con su funesto amor.

Un nuevo símbolo del sexo y la destrucción que inspiró también a muchos artistas decadentes: D.G. Rossetti o F. Khnopff, en pintura; P. Louÿs o J. Lorrain, en literatura. Simbolismo por otra parte desarrollado, sin más necesidad de explicaciones, mediante los famosos versos necrofílicos de otro favorito del infierno, la primera estrofa de "Les Deux Bonnes Soeurs": la Voluptuosidad y la Muerte.

El título y la cita hablan por sí solos, anticipan y sintetizan el tema preciso de este capítulo, en el que Helena, la Astarté moderna, obedeciendo nuevamente a su temperamento ardiente y terrible, seduce a un torero, que tras una prolongada noche de amor, desposeído de energías, muere trágicamente en el ruedo.

Si para el decadentismo el resultado de la seducción y posesión por parte de una mujer fatal podía ser la muerte espiritual y/o física, y hasta ahora la novela sólo nos había ofrecido la primera encarnada en Marcelo, este episodio no hará más que contribuir a mostrarnos la segunda. Al igual que servirá de ilustración de esa concepción decadente, según la cual la máxima expresión del amor reside en su indisoluble unión con la muerte, ya sea como excitante erótico, ya sea como suprema realización orgiástica.

No obstante, para decoración de este coloquio sentimental de Eros y Thanatos el narrador deliberadamente escoge un lienzo genuinamente español, un fondo taurino muy castizo no exento de un tratamiento irónico y humorístico. El ambiente de vicio cosmopolita y aventurero se traslada de Biarritz a San Sebastián, donde el grupo aristocrático, ante la promesa de *veinticuatro horas muy españolas* [...], *y enloquecidos con una España de pandereta*[27], va a pasar la noche para al día siguiente asistir a una corrida de toros. Locura que en las hembras alcanza la dimensión de un delirio sexual, de una fantasía sádica, que Helena, por su parte, podrá ver realizada antes que en el ruedo, en el hotel, por el magnetismo de las pupilas del torero, en las que, con la idéntica sensibilidad histérica y clarividente del Duque de Frenéuse, ve eternizados los misterios de la sangre y de la voluptuosidad.

Esta visión de las pupilas heredada de Lorrain y entresacada de sus mismas impresiones, no hacen más que introducir un nuevo signo de la decadencia: *La locura de los ojos es la atracción del abismo*[28] – afirma Mon-

[27] p. 81.
[28] *Monsieur de Phocas,* op. cit., p. 47.

sieur de Phocas – , y ésta misma atracción y no otra, es la locura de la cerebral, de esta poseída de la lujuria, que a partir de este instante, no verá más que a su nueva víctima: el torero Manuelito Díaz, el Trueno, a quien, a través de la fácil sobreexcitación del *hombre primitivo a que una Eva ultramoderna envuelve*[29], la incitación y sometimiento, conducirá al abismo de una juerga y de un amor extenuantes, y finalmente, a la muerte.

Es cierto que este episodio reproduce paródicamente uno de esos cuadros castizos de damas de alta alcurnia y bravos toreros en los que se retrata con un tono festivo la promiscuidad entre las clases altas y bajas, así como los vicios y caprichos de la aristocracia. Pero la seducción del torero tiene además una doble significación que escapa a la parodia. Por un lado, de acuerdo a un recurso típico de esta sensibilidad, introduce el dolor como parte integrante de la voluptuosidad. La descripción del acto sexual, de los bárbaros y feroces acoplamientos, *de esas horas tormentosas, en el que el placer y el dolor les columpiaba sobre la locura*[30], es claramente significativa.

Por otra, es una buena ilustración novelesca de las ficciones decadentes sobre el hombre creador castrado por una mujer. La musa del torero que debería inspirar su arte, ejerce sin embargo un influjo destructivo y corrosivo que malogra y anula su talento. El narrador no puede ser más claro al describir los efectos sobre el torero de esta musa depravada de la estética del mal, cuya sexualidad devoradora ha consumido y destruído todas sus energías: *Parecía como si la energía admirable de aquellos músculos hubiese desaparecido de la noche a la mañana*[31], hasta dar *la sensación de un hombre convertido por una hechicera en un muñeco fantasmón y vacío*[32].

Y así, el torero, vampirizado por la mujer que hace de su lecho de amor su túmulo mortuorio, sigue la trayectoria que había preconizado Baudelaire y visita a sus dos buenas hermanas: pasa directamente de la alcoba al féretro, de los *terribles placeres* del lecho, a los *dulzores horrorosos* de la plaza, donde en una lidia absurda se enfrenta a una muerte trágica y macabra: *desgarrado, inerte, el vientre partido por una cornada, los intestinos colgando, el pecho rasgado*[33].

[29] p. 90.
[30] p. 98.
[31] p. .99.
[32] p. 100.
[33] pp. 100-101.

Pero en este capítulo se narran también otros hechos que hacen avanzar la acción y vierten más luz sobre los personajes: el ansia de redención de Marcelo confesado a Edhit, mientras velan a Helena, quien, tras su noche de lujuria y sangre, yace en el lecho, embrutecida por la cocaína y la morfina; los reproches de la joven por su pusilanimidad moral y la necesidad del joven de la purificación por medio de su amor. Una escena sentimental que descubierta por la diabólica culmina en una doble venganza: hacia Marcelo, que es arrojado a la calle, expulsado de su lado y abandonado a su suerte, y hacia Edhit, que es obligada otra vez a leer obras abominables, ahora de Casanova o de Beaumarchais.

Por último, *El libro de la lujuria* termina simbólicamente con "El Azote de Dios": la enfermedad de Helena, que como se anticipa en el título, no será otra que el mal bíblico implacable con que Jehová castigó las traiciones de su pueblo: la lepra, y la resolución de la protagonista, que ante su propio diagnóstico, impotente ante la muerte, como el niño de los versos de Marié Leneru, en *Les Affranchis,* que abren el capítulo, decide abandonar Europa.

Y decimos simbólicamente porque, a pesar de las apariencias, el motivo de la enfermedad, ese *lado nocturno de la vida* – como acertadamente lo denomina S. Sontag[34] – , en lugar de ser una aliada de la moral con la que se castiga el vicio de esta *suma sacerdotisa del Pecado*, no es más que un pretexto para introducir nuevos argumentos turbios, deformes y macabros entresacados de los retratistas de la belleza medúsea: el tránsito de la belleza y de la vida a la putrefacción y a la muerte; la hermosura del terror y el encanto de la agonía.

Para la concepción cristiana la enfermedad es un castigo divino a los pecados del hombre, y particularmente, en la tradición hebraica, el leproso es el "castigado por Dios", el impuro, el pecador que debe expiar una culpa. E igualmente, en muchos discursos reaccionarios, conservadores o puritanos, se establecen claras analogías entre desorden público y enfermedad, haciendo del mal, metáfora de otra cosa[35]. Sin embargo, para la concepción decadente, la enfermedad es un elemento introductor de la anormalidad en la existencia, que traiciona la necesidad de vitalidad y expansión e introduce la muerte en la vida. Y como tal, desde una lectura somática en lugar de

[34] *Malattia come metafora (Aids e Cancro)*, Torino, Einaudi, 1992.
[35] Cfr. la tesis de Sontag (*op. cit.*, pp.43-44 y 68-75).

moral, este umbral del más allá a través del cual se puede mirar otra realidad aún más terrible, fue explotado con morbosa complacencia[36].

En este sentido, en *EM*, este motivo que tanto fascinó a esta sensibilidad irritada y crepuscular no es gratuito; como tampoco es casual que entre todas las enfermedades se haya seleccionado una de las más repugnantes. De acuerdo a la propia lógica del relato, si el narrador hubiera buscado un castigo moral al desorden sexual de esta hembra pecaminosa, perfectamente podría haber recurrido a uno de esos males venéreos tan oportunos como la sífilis: la enfermedad por excelencia del fin de siglo, en la que muchos vieron la estigmatización divina del abuso de la carne, y en la que los decadentes hallaron por su morbosidad otro campo fascinante de investigación y de desafío al burgués, una nueva vía de aniquilación y autodestrucción por la sexualidad[37].

Y esta posibilidad también se nos presenta en el relato no sólo con la primera mención a este mal que inicialmente se localiza en las manchas rojas de los senos, sino también, cuando, la propia protagonista, invadido progresivamente todo su cuerpo por la enfermedad, que los médicos trivialmente han diagnosticado como una intoxicación, es víctima, tras sus bárbaras aventuras amorosas, de una nueva obsesión: *el miedo de pegajosos males, en que antes ni aun soñara, la perseguía en sus amorosas aventuras; contagios terribles, enfermedades asquerosas, [...] alucinábanle*[38].

Sin embargo, esta expectativa se quiebra y la lujuria, en lugar de conducir a la sífilis, que hubiera sido un ideal enemigo del sexo, deriva de modo más truculento hacia la lepra, agente perfecto de hostilidad y horror, in-

[36] Nótese la diferencia existente entre la selección literaria de un motivo como, por ejemplo, la tuberculosis (dolencia del alma), la enfermedad romántica por excelencia, que espiritualiza y dignifica al personaje (signo de elegancia, delicadeza, sensibilidad, belleza aristocrática, naturaleza superior etc.) y la elección en esta novela de la lepra (enfermedad del cuerpo) motivo en absoluto lírico o estético, sino extraño y escandaloso, en el que se funden vida y muerte, tan en consonancia con la estética de la crueldad o la belleza de lo morboso. Del mismo modo, si la tuberculosis es una enfermedad al servicio de una visión romántica de la realidad (exaltación de la identidad), podemos afirmar que en este relato la lepra está al servicio de una visión decadente del mundo (repulsión, disminución del ser, exilio, etc.), es un emblema más de la decadencia cultural.

[37] La sífilis atrajo la mirada curiosa de muchos artistas decadentes como, por ejemplo, Barbey D'Aurevilly en su truculento relato de *Les Diaboliques* (1874): "La Vengeance d'une Femme", o Huysmans mediante las visiones espantosas de la "Gran viruela" y de la "Mujer-Flor" que atormentan a Des Esseintes, o Félicien Rops en "La parodia humana" (1881), con la hembra bifronte, que esconde a la muerte tras su apariencia seductora.

[38] p. 112.

comunicación y aislamiento[39]. La lepra es una de las enfermedades que por provocar una deformidad más evidente produce en quien la contempla un sentimiento total de repugnancia y en quien la padece, la atroz percepción de la putrefacción anticipada de su carne, la vivencia de su propia descomposición. Y el leproso, como uno de los seres contagiosos más temibles, es el proscrito, el desecho, lo residual y marginal por naturaleza. Ya Mirbeau obsequió a nuestro narrador con una sombría ilustración de estos hechos, a través de su personaje Annie, ante cuyo cuerpo leproso todo contacto resulta mortal: no sólo las perlas mueren sobre su piel, sino hasta los cuervos rechazan su cadáver[40].

En esta misma línea, si en *EM* la lujuria termina en lepra es como modo implacable de expropiar a la heroína de su proyecto existencial, pues, al ser destrozada su belleza con el signo de la deformidad-monstruosidad, se destruye íntegramente su medio más exterior de relación con el mundo y el único que hasta este momento daba sentido a su vida. El narrador se encarga de precisar con detalle este proceso: primero mediante la transformación de su estado anímico, en ese *tedio uniforme,* que se adueña de su espíritu y comienza a obsesionarle con la idea del dolor y de la muerte; segundo, malográndose uno a uno todos los paliativos con que contrarrestar su nuevo pesimismo: el sexo y los paraísos artificiales de éter, opio y hatchis, pues tras el efecto de ambos sólo vive pesadillas letales.

Pero para evidenciar el fracaso total, el narrador con morbosa complacencia le lleva a visitar en una feria de París el barracón de figuras de cera. Este episodio en el que se nos narra otro descenso de los aristócratas al abismo de las fiestas populares donde se despiertan los instintos de una multitud excitada y sudorosa, se construye con elementos tanto de Lorrain como de Mirbeau: por una parte, la resurrección de la voluptuosidad de Helena ante su contacto con las masas es de la misma naturaleza que la excitación de Fréneuse ante el encanto acre y malsano de estos mismos espectáculos públicos y que la de Clara al mezclarse con la muchedumbre brutal que se aglomera en la prisión: *Cada vez que uno de aquellos chulos envolvíale en los efluvios de su mirada […], sentía un anhelo infinito, un ansia loca de entregarse, de ser una de aquellas mujerzuelas*[41].

[39] De esta misma idea de la enfermedad como una suerte de exilio y un emblema de la decadencia se sirve Villiers de l'Isle-Adam para uno de sus *Contes Cruels* sobre el último leproso del mundo: "El Duque de Portland".

[40] *Le jardin des supplices*, op. cit., pp. 139-142.

[41] p. 124.

Por otra, el barracón de figuras de cera se corresponde tanto a esa colección de monstruos que con deleite muestra el depravado Ethal a su alumno Monsieur de Phocas, como a las salas espeluznantes del jardín de los suplicios con que la inglesa sádica tortura moralmente a su amante. Mediante una mixtificación de fuentes, Helena de la mano de Julito Calabrés en el papel del corruptor, pasea por este invernadero de flores del mal, que pensadamente resulta ser la parodia de un palacio oriental: un espectáculo hórrido y grotesco *del divino escalofrío la voluptuosidad refinada y admirable de Oriente*[42].

Así desde las salas de un barracón del París ferial, que son una suerte de caricatura de las salas horrendas de Mirbeau: "El Reino del Crimen", "El Reino del Tormento" y el "Reino de la Muerte", pero no privadas del mismo escalofrío excitante y del mismo colorido infinito de espantos, la heroína emprende un viaje fantástico y extático a Oriente que sirve de preludio a su resolución final del viaje real. Un viaje que culmina con la cruel revelación de su mal al contemplar la figura turbadora, atractiva y repulsiva del *Hombre de Plata,* la lepra blanca descrita con la visión estética, alucinada y terrible, de los pintores de la belleza medúsea: escamas, llagas, purulentos tumores inflamaciones de los órganos, etc; en fin, *la imagen del espanto, la fusión de todas las angustias de la muerte con todos los horrores de la vida*[43].

Esta primera parte concluye con una escena de gran fuerza: Helena ante el espejo contempla impotente la enfermedad invasora que destruye toda la belleza de su cuerpo y tras la dramática constatación de su destino en Europa, de una vida desterrada a la periferia y suspendida en un limbo sin sentido, decide buscar una última alternativa en Oriente, en un Oriente misterioso evocado desde el mismo prisma de la protagonista de *Le Jardin des supplices*:

> ¡Los médicos de Europa, nunca! Con su estúpida ciencia harían de ella una pobre bestia enferma y lamentable, con la que habría que tomar precauciones de lazareto. ¡Nunca! Nunca! Huiría a Oriente, a uno de esos viejos y maravillosos paraísos donde se muere entre flores y aves, donde los hombres no tienen miedo de la podredumbre, porque la podredumbre es voluptuosidad y la voluptuosidad es muerte[44].

[42] p. 128.
[43] p. 138.
[44] pp. 140-141.

Y esta catarsis geográfica en un Oriente idealizado, donde la voluptuosidad, la podredumbre y la muerte hayan un campo propicio para desarrollarse será el objeto y el marco de la segunda parte de *EM*. Una segunda parte en la que accedemos a la puesta en escena de otra conjunción muy decadente: el exotismo y el misticismo, que atados por sus lazos de semejanza[45] sirven para proyectar un nuevo y oscuro erotismo.

El libro de la muerte nos narra una triple evasión: la huida geográfica de Helena a otra civilización: una región perdida del Asia Central, su fuga del mundo real a un paraíso artificial de ensueño y encantamiento: un viejo palacio de *Las mil y una noches* en medio de un jardín, y su pretendido escape del mundo material por medio del misticismo. Como paralelamente nos narra el viaje infernal de Marcelo a ese Oriente crepuscular que funciona como una manifestación simbólica de su propio descenso al abismo de la muerte.

Porque Oriente además de ser un medio de escapar de lo real y lo presente, es el espacio de la fatalidad y decadencia por excelencia, un trasmundo teñido de ocaso apto como escenario de la muerte. Y con esta visión negativa hace su primera aparición en "El Dragón azul", referencia simbólica a Helena, a su perversidad sublimada y a su animalidad aplacada mediante la religión; idea esta última matizada con las palabras de los *Ejercicios* de San Ignacio, en las que se alude al primer paso en la purificación. No obstante, la cita de este manual místico por excelencia, sirve a su vez para introducirnos en ese ciudad infernal a la que Marcelo, por la llamada suplicante de Helena y Edhit, desciende.

En un trayecto que recuerda al de Caronte, el joven se desplaza en una canoa que le conduce desde el río a la ciudad inmunda donde se encuentra el palacio-retiro de Helena. Un viaje por un escenario inmóvil, vestido de luto, donde lo horrible se mezcla con lo bello, y las sensaciones más dispares se amalgaman (el hedor de podredumbre e inmundicia mezclado al perfume de las flores y los almendros, la miserias y porquerías sustituidas bruscamente por la magnificencia de las porcelanas o el brillo de las lacas), pero donde se siente siempre la agonía de una civilización. Un sentimiento de fatalidad comunicado a seres y a paisaje que el narrador registra con fruición como se demuestra, por ejemplo, con el espectáculo *repulsivo*, *alucinante* y *macabro*, una suerte de evocación de las profundidades del Averno, que Marcelo contempla a su paso por los muelles de la urbe china.

[45] V. las observaciones de M. Praz (*op. cit*., pp. 217-219) sobre las similitudes entre exotismo y misticismo: resultados opuestos que parten de una misma base sensual.

Toda la sensación de una catástrofe que se traslada a la propia conciencia del personaje, quien tras el intento de rehacer su vida después de la guerra retorna al lado de Helena con igual inercia e idéntico horror supersticioso con que el protagonista de Mirbeau vuelve al lado de Clara, *comme l'assassin revient au lieu même de son crime*[46]: *Frívolo y abúlico, débil y cobarde, dejábase llevar por el destino inexorable hacia aquella mujer*[47].

Este presentimiento del fin, sin embargo se hará presencia real en su entrevista con Helena, donde en un ambiente de enclaustramiento como el *féretro de una emperatriz*[48], yace la mujer inmóvil, silenciosa, su rostro momificado espantosamente por una máscara y el olor nauseabundo a podredumbre, *a carne humana en plena fermentación de gusanos*[49], triunfa, a pesar de los perfumes, sobre todas las cosas.

Todas estas sensaciones de mortalidad se agudizan todavía más conforme avanza el relato. En "La corona de espinas en el Templo del Dragón azul", donde se describen los padecimientos, tormentos y suplicios de Helena durante su nueva vida de purificación, en la que las tentaciones de la carne, como compendia nuevamente otra cita de San Ignacio, son aplacadas con oleadas de misticismo, la decadencia acaba por extenderse a todo, la ruina y la devastación se comunican a individuo y a paisaje.

Al modo de una profecía del fin del mundo, la ciudad azotada por la peste y asolada por los feroces Caballeros de la Bandera Negra, se transforma en una necrópolis y en un jardín de los suplicios. Y a estas metáforas de la muerte y la violencia expresadas por medio de dos imágenes tópicas del decadentismo, la urbe epidémica y las matanzas orientales, se agrega la percepción dolorosa de Marcelo, su visión profética sobre un declive irreversible: *¡Aquí todo es contrahecho, obsesionante! Es como un sueño divino que siempre acabase por trocarse en una pesadilla. [...] Aquí, donde todo parece cantar la vida, la belleza, el amor, todo es muerte, la muerte perennemente inclinada sobre nosotros*[50].

[46] *Le jardin des supplices*, cit., p. 150. El protagonista tras su marcha a una misión por huir de Clara, retorna a su lado como un niño débil e inquieto atraído por el maleficio de su carta suplicante. E igualmente a Marcelo le hará volver junto a Helena una carta en la que la moribunda implora misericordia y desea, como última voluntad, que él y Edhit se amen libremente.

[47] pp. 150-151.

[48] p. 164.

[49] pp. 164-165.

[50] p. 172.

Visión que culmina al final de este capítulo en una escena atroz condimentada golosamente con el excitante de varias especias decadentes. Mientras Edhit desvela a Marcelo todo el cúmulo de horrores que se ocultan en el cuerpo de Helena, descritos con la precisión voluptuosa de un teratólogo de lo horrible, se sienten los aullidos terroríficos de las alimañas desenterradoras de cadáveres, que atraídos por el olor putrefacto del cuerpo de Helena, acuden hacia su templo como a una sepultura y turban su sueño, abandonándola al suplicio de una noche de insomnio. Una noche de tormentos auditivos sucedidos de torturas morales que termina, tras divisar desde su ventana el beso de los dos enamorados, en una autoflagelación no exenta de placer.

Y es que el misticismo al que Helena se aferra, tras haber fracasado su entrega al estoicismo oriental, como último asidero para una desesperada conversión espiritual, es en realidad una forma larvada de satisfacción morbosa: *con algo que era fe y también masoquismo moral, sabía hallar no sé qué acre y absurdo goce*[51].

El narrador sabe explotar y jugar con este motivo siguiendo hábilmente las reglas impuestas por sus amigos los decadentes. Con la crisis de la vía estoica se frusta su Oriente utópico al que ha viajado en busca de un nirvana balsámico. Esta filosofía no sólo no ha eliminado sus sufrimientos sino, con su ausencia de trascencencia, ha hecho más trágica su idea de la muerte. De la toma de conciencia de este nihilismo, la moribunda pasa al cristianismo y de ahí a una necesidad de "regeneración", de purificación moral: *¿No era más consolador, infinitamente más consolador, la idea de morir para resucitar luego, que aquel perpetuo vivir para pudrirse y volver a renacer?*[52].

De este modo, ante la alternativa de una eternidad paradisíaca surge en ella la necesidad de una nueva vida terrenal, acorde con el proyecto de la salvación celestial. Y la clave de esta auto-regeneración será el amante expulsado, en el que vislumbra la posibilidad de libertar con su amor a Edhit de su maleficio y al mismo tiempo purificar su alma. A partir de este momento recorre con valor su calvario, en el que su alma en lucha con su cuerpo y con el demonio de las tentaciones sale vencedora. No obstante, la noche en la que contempla a los dos enamorados, resurge su antigua crueldad y le visita la lujuria: a las palabras místicas se suceden visiones lúbricas, a las pesadillas fálicas imprecaciones divinas: *retorcíase, descoyuntá-*

[51] p. 183.
[52] p. 180.

base, agonizaba en las adivinaciones de espantables caricias, y gemía siempre: – ¡Dios mío! ¡Dios mío! ¡Ten piedad de mí![53].

Esta escena tan decadente en la que lo erótico se mezcla con lo espiritual, en el que el masoquismo religioso es la única salida a sus estímulos sádicos y voluptuosos, supone la conclusión de este periodo de reconversión espiritual, y a la vez sirve de apertura del siguiente, el de la resurrección de la carne, como se anuncia y explicita con todo detalle en "El mono en el camino del calvario".

En este capítulo, en el que el mono simboliza la doble faz de Helena, fuerza inferior y anhelo de salvación, y en el que una vez más los *Ejercicios* de San Ignacio condensan expresivamente su nuevo martirio para la purificación, que ahora no será otro que oler la muerte, Helena acompañada de Marcelo y Edhit, la redención y el sacrificio, desciende desde su mansión hasta los tugurios en que mueren los apestados, con el propósito de buscar su propia consolación asistiendo *a los que como ella padecían todos los tormentos del infierno en la vida*[54].

Este nuevo descenso al abismo de la muerte, a un trasmundo dantesco de aguas turbias, detritus, cadáveres en descomposición, que llega a su meta en los arrabales de la necrópolis, donde se suceden cada vez con más intensidad los espectáculos tremebundos y repulsivos de los agonizantes, cambia el tono del capítulo, pues a la vista de la miseria humana en lugar de la ascesis, resucita Lázaro: *la fiera misteriosa y sanguinaria, como una bestia del Apocalipsis, el animal lúbrico y cruel*[55], fracasando definitivamente todo el programa de redención; *las bambalinas de todo aquel falso cristianismo*[56] se derrumban y con ellas el esfuerzo de escapar a la materia por medio del espíritu, tomando por último plena conciencia de dos únicas verdades: *gozar o pudrirse. [...] toda la eternidad no valía una de aquellas noches espantosas en que la carne era inmensa y tenía el secreto del supremo olvido, porque tenía el secreto del supremo goce*[57].

Esta resurrección del animal lúbrico será el motivo de "El Dragón despierta" como se expone con claridad en el título y se matiza con la cita de Jean Richepin sobre el irremediable resurgir del mal, de las pasiones. Helena, liberada de su misticismo represivo en lugar de liberador, y atraída por

[53] p. 185.
[54] p. 190.
[55] p. 201.
[56] p. 202.
[57] p. 201.

el espectáculo infernal que divisa desde su ventana, en la que la ciudad arde y el viento trae el rumor de luchas, gritos, lamentos, el olor de pólvora y podredumbre, emprende en un ataque de vesania, su nuevo éxodo a la urbe, necrópolis y ahora también jardin de los suplicios por la crueldad de los piratas T'Chus.

Un éxodo a un escenario de belleza mancillada, doliente y espantosa en correpondencia con sus pasiones, que supone el descenso final al abismo, la caída última en las profundidades de la lujuria y de la muerte:

> El amor y la muerte mezclábanse y confundíanse, y mientras caían las parejas en bestiales abrazos sobre los rescoldos ardientes aún, rodaban infelices con la cabeza tronchada o el vientre abierto, en tanto sus verdugos, borrachos de sangre, apresaban a las cortesanas ebrias y las poseían entre cadáveres, animales feroces y montones de miserias e inmundicia[58].

En este espectáculo de desolación, de sangre, dolor y voluptuosidad, la mujer decisivamente transfigurada en monstruo: *la bestia, la alimaña cruel y feroz que vivía del dolor y de la voluptuosidad, el ser monstruoso como un símbolo de abominaciones*[59], poseída por un deseo sexual *más allá del sadismo*[60], llega hasta la pagoda, donde incendiados sus deseos, se abandona a las caricias brutales de un guerrero con careta de demonio: *un rosario de caricias crueles que le desgarraban y llevaban la muerte al fondo de sus entrañas*[61].

Y en este final, inspirado directamente en el capítulo último de *Le jardin des supplices*, en la que danzarinas y cortesanas desnudas bailan y se prostituyen a los piratas feroces y donde Budha ha sido sustituido por un Idolo de falo enorme al que se acoplan en furiosos espasmos un cortejo de mujeres, pero llevado hasta el paroxismo con la figura de la mujer rodando hasta la última sima de Eros y Thanatos, radica una de las claves del gesto ideológico de la novela: la imposibilidad de regeneración, la decadencia absoluta, y en contra de las tesis espiritualistas, la futilidad de todo antídoto contra la bestialidad, de cualquier esfuerzo de escapar a la lujuria por medio del espíritu.

[58] pp. 213-214.
[59] p. 211.
[60] ib.
[61] p. 216.

Pero además resulta ser una buena ilustración de la concepción decadente de la existencia, que al rechazar toda noción cristiana de una vida posterrenal y al enfrentarse a una visión funesta de la realidad, ve en el "ahora" y en el cúmulo de sensaciones y placeres, el único fin que da sentido al ser humano: *gozar y pudrirse*, son las palabras con que en última instancia Helena al igual que Heliogábalo predican esta filosofía hedonista, en la que los decadentes más que el placer vieron el modo de huir del dolor.

4. *La mirada del abismo*

Si el amante de Clara como espectador de los horrores de la casa de placer china llega a comprender que *la luxure peut atteindre à la plus sombre terreur humaine et donner l'idée véritable de l'enfer, de l'épouvantement de l'enfer*[62], el de Helena, no sólo llegará a constatarlo, sino a padecerlo en su descenso final a la profundidad de un Averno guiado una vez más por la mano de una mujer, la anti-Beatriz decadente.

Y es que *EM* todavía nos narra la tragedia de una última caída: la de Marcelo haciendo el amor con un cadáver; precipitándose en el cuerpo de Helena y de ahí en la muerte. La imagen es tremenda, poderosa, y narrativamente una de las más estimables de la novela: el joven despierta de una pesadilla lúbrica obsesionante, una pesadilla parangonable a la visión fantasmagórica del protagonista de *A Rebours*, Des Esseintes, sobre la Mujer-Flor. Entonces sobreviene la revelación: con ojos de asombro mira a su alrededor, sueño y realidad se confunden ante su visión petrificada por el terror de una aparición de ultratumba, electrizada su mirada en la lúgubre contemplación del aspecto terrorífico más inmediato de la muerte: la putrefacción de la carne:

> un monstruo de horror y de delirio (...); un ser híbrido y absurdo; la caricatura de una mujer hecha por la mano burlesca de la Muerte; un despojo sangriento, repugnante y hediondo; una piltrafa humana roída de gusanos, el asqueroso montón de inmundicias en que se convierte el cuerpo después del tránsito[63].

[62] *Le Jardin des supplices*, cit, pp. 280-281.

[63] pp. 220-221. Cfr. el desenlace de *L'Animale* (1893) de Rachilde – la Reina de los decadentes –, en el que otra poseída por la lujuria, Laura Lordès, que igualmente desciende hasta el último peldaño del sexo, aquí bajo la forma de bestialismo en lugar de necrofilia, es finalmente *metamorfoseada en bestezuela*, por la acción de un gato, su amante celoso: *el hocico roído a ras de los dientes, la nariz cortada, chata [...] sin párpados, con los ojos*

Finalmente el sueño vence a la realidad; su rostro humedecido y sus labios ensangretados quiebran toda duda, son la triste evidencia de que ha vivido una pesadilla necrofílica, de que ha sido violado por la leprosa, por una existencia infernal.

Pero a la mirada del abismo sucede también su abrazo. Si en el grabado de E. Munch "La joven y la muerte" (1894) sustituyeramos al personaje femenino por uno masculino, serviría perfectamente para ilustrar esta escena en la que la Helena tras reír mientras contempla a Marcelo, da un salto y lo enlaza entre sus brazos. Un mortal abrazo como el de la Mujer-Flor, asfixiante, en el que los labios viscosos le acarician y los dientes le desgarran, y en el que la muerte hace sus declaraciones de amor.

Y esa imagen final de Marcelo que tras desprenderse del monstruo, se deja caer en el lecho en actitud de absoluta derrota, llorando *sobre la ruina de su juventud, de su amor y de su fe; [...] ante el calvario de miseria que tenía que recorrer hasta la tumba*[64], es la última y más poderosa visualización del *gouffre:* el silencio, el vacío, la nada. Este desenlace eminentemente decadente en el que el hombre absolutamente vencido por el poder de la mujer e impotente ante su fatal realidad, desciende al sepulcro, añade un último gesto a la novela, un gesto aún más trágico: la victoria del monstruo, de la fatalidad; la constatación y aceptación absoluta de la catástrofe, la evidencia de la agonía y del fin conforme al mito del crepúsculo de Occidente.

El epílogo pues constituye la última meditación del abismo y la más exasperada; la última reflexión del *gouffre* en todas sus formas: la decadencia evocada bajo la ecuación *mujer-sexo-enfermedad-muerte.* Aquella ecuación que tanto sedujo a esta literatura que se asomó al abismo y se dejó desbordar, para poder expresar sus propias obsesiones.

del color de los rubíes, la tetas colgando y hendidas (*La Bestezuela*, Valencia, Sempere, 1927, p. 251).

[64] p. 223.

El majismo dieciochesco

FRANCISCO SÁNCHEZ BLANCO

El caballero vestido de negro, con su cabeza emergiendo a duras penas de la apretada golilla, con su gesto serio y con su mirada dirigida a las alturas, perdió muy pronto su vigencia social. No hace falta recordar las pullas de los extranjeros[1] a esa obligatoria pero ridícula gravedad del español, que gasta anteojos sin leer un libro y que compone una mueca meditabunda teniendo de ideas vacía la cabeza. La defensa del carácter modélico del hidalgo de la mano en el pecho contra los 'petimetres' a la moda – que ofenden las narices ajenas con desconocidos perfumes e hieren los ojos de los sobrios pasantes con su atavío de chillones colores – se ampara en una idea tradicional y externa de virilidad, que prohibe el adorno y el excesivo cuidado o exhibición de sí mismo. No puede extrañar que los andares masculinos sobre zapatos de tacón, los requisitos del tocador y los complementos de la vestimenta sean interpretados en el siglo XVIII por los más rancios hispanos como un deleznable signo de afeminamiento.

Pero la reacción tradicionalista argumenta en vano con su ideal de 'virilidad'. Por mucho que Diego de Torres Villarroel y los predicadores pongan el grito en el cielo atacando desde los primeros momentos al nuevo petimetre por el flanco del afeminamiento, lo que ni él ni los clérigos logran es que el público recuerde con añoranza al antiguo hidalgo castellano como prototipo de masculinidad. El retrato del antiguo hidalgo, con su hábito negro y la cruz de una orden militar como único adorno, no irradia erotismo por ningún costado y no gozó nunca de especial favor por la mujer española, como lo demuestran los ataques a esos fantoches en las novelas de María Zayas. Por la misma razón, su tipo no supuso nunca una auténtica alter-

[1] Cf. Montesquieu, *Lettres persanes* (1721), n. 78.

nativa frente al atildado galanteador que le sucedió en la moda dieciochesca.

Para detectar el majismo dieciochesco no hay que esperar a las tardías pinturas de Goya. Los sainetes de Ramón de la Cruz están plagados de esas figuras populares que se oponen directamente al mundo galante de los petimetres. Los amores de los 'manolos' o 'majos' contrastan con el refinamiento de los salones y las ceremonias de los pelucones.

En la segunda parte del siglo XVIII, la antítesis al modelo galante no es, pues, la ya extinguida especie del marido barroco, con su ideología de la honra. La respuesta al petimetre afeminado y extranjerizante y a la petimetra desnaturalizada y presumida vendrá dada por un tipo de macho y de hembra, españoles hasta los tuétanos: el de los majos.

"La Pensadora gaditana"[2], el periódico de alguien que se nombra Beatriz Cienfuegos, testimonia que hay un extendido gusto por los romances de 'guapos andaluces'. Los que prefieren esta clase de poesía son gente ínfima (la gente discreta siente náuseas), que se divierten con composiciones destinadas a hacer odiosos a los ministros y a todos los que velan por la Real Hacienda. Contienen de alguna forma un desafío al orden, en nombre de un individualismo delincuente. Por otro lado, "La Pensadora" también advierte que entre las mujeres españolas va ganando terreno la costumbre de imitar la 'marcialidad', que hasta entonces era propio de los hombres. Se trata de una especie de desgarro en los gestos y en el habla, contrario al recato y al pudor.

El aprecio de nuevos arquetipos, que no corresponden ni a las damas y caballeros del Barroco ni a los petimetres de la sociedad galante dieciochesca, se detecta ya hacia mediados de siglo y hay que ponerlo en relación con una admiración por lo popular que ha empezado a manifestarse en el ambiente musical. No hay que olvidar que Domenico Scarlatti en Sevilla y Luigi Boccherini en Madrid, durante sus largas estancias en España estudian y asimilan los ritmos populares integrándolos en partituras destinadas al ambiente de los salones cortesanos. Es decir, ellos no mantienen una línea divisoria entre nueva sensibilidad artística y manifestaciones del gusto popular.

Al principio, petimetres y majos –así se les denomina por contraste a estos personajes que no se visten a la francesa- coexisten pacíficamente, por lo menos en algunos ámbitos. En la *Optica del cortejo*[3] de Manuel An-

[2] Número VIII, 25-VIII-1763.

[3] Córdoba, 1774.

tonio Ramírez de Góngora se describe en el 'bastidor primero' la escena de un paseo. En ella conversan indistintamente la madama y el petimetre con la tapada y el majo. No estaban, pues, enfrentados, sino más bien intercambiaban cortesías. Ambas modas coincidían temporalmente, quizá con algunos rasgos locales y sociales que provocaban cierta tensión y animosidad, según dejan ver los sainetes madrileños de Ramón de la Cruz. En provincias, sin embargo, y concretamente en Andalucía, es probable que las connotaciones fueran un poco diferentes y marcaran solamente lo urbano y lo rural.

Si el petimetre y la madama permiten a las clases bajas imitar a las más altas y, hasta cierto punto, mezclarse con ellas, el majismo da lugar al movimiento inverso. Son las clases altas las que se disfrazan de pueblo y pueden asistir a los jolgorios y saraos populares sin desentonar desde el primer momento y sin provocar una reacción de rechazo.

La mezcla de resortes y de niveles sucede en la música antes que en ninguna otra parte. Aquí se liman las diferencias y las oposiciones se anulan al dignificarse lo popular a simplificarse lo cortesano. Hay, como si dijéramos, una admiración recíproca. Resulta, por ejemplo, que un majo se deja atraer por una doncellita de aires italianos, lo cual permite comprobar que su majismo nacionalista no cala demasiado profundo o, por lo menos, no excluye el polo contrario.

Existe una tonadilla de 1778 con el título *El majo y la italiana fingida*[4], en que si la petimetra no es auténtica, el majo tampoco lo es:

> Él es majo, mas no es majo
> de los de rechupetón,
> ni de aquellos de *naája*,
> su puñal y su rejón,
> sino es un semimajillo
> todo burla y presunción,
> y tan chico, que parece
> lo hicieron de un manotón.[5]

[4] Cf. J. Subirá, *La tonadilla escénica, sus obras y sus autores,* Madrid, 1928-1930, III, pp. 69 ss.

[5] *Ibidem*, p. 70. Presumir de virilidad es pose obligada del majo, por muy chico que sea.

En las tonadillas más antiguas, el 'majo' o la 'maja' representan simplemente la oposición al extranjero auténtico o al compatriota que imita las modas y los gustos de fuera[6]. Esa legitimidad nacional viene garantizada primeramente por el oficio y, a partir de ahí, por un lenguaje corporal no admitido en los salones. Así por ejemplo en la *Naranjera, petimetre y extranjero* (1774)[7], la vendedora de frutas es pintada como una 'maja'. Su oficio la delata. Pero, además cuando ella vocea las excelencias de sus limones, lo hace con unas palabras y unos gestos ambiguos que aluden claramente a dos de sus atributos femeninos, de los que se siente especialmente orgullosa. Contra el ceremonial galante, el majo y la maja se autodefinen y autopresentan presumiendo del cuerpo y haciendo alusión directa al atractivo sexual.

El petimetre tiene pronto que habérselas con el 'guapo' o el 'majo', figuras que popularizan a lo largo del siglo sainetes y pliegos de cordel. Desde el primer momento tienen una connotación nacionalista y, claro está, xenófoba. Parece que el majo denomina al artesano o al trabajador madrileño (aguadores, taberneros, curtidores, tenderos, mozos de mulas, etc.), que se enfrenta a los extranjeros venidos a la Corte para ejercer de sastres, profesores de danza o confiteros. A la nota de la nacionalidad se une inmediatamente un rasgo distintivo sexual. Unas profesiones, las nacionales, por supuesto, son más 'varoniles' que las ejercidas por extranjeros. Pero también se confía en una de las dos alternativas de trajes y gestos para gustar al sexo contrario.

Uno de los elementos del majismo, y no el menos importante, concierne al modelo relación amorosa. En contraste con el refinamiento de la sociedad galante, que prefiere el circunloquio, la ceremonia y el juego, el majo prefiere la expresión directa e inmediata. Dice lo que quiere, sin atenerse al código de la cortesía o de la diplomacia.

El carácter de la maja que se pone a su lado es el de una mujer de armas tomar, pues a su sumisión canina une unos celos violentos. Considera su misión principal que otra mujer no le quite su hombre. En ese punto no admite bromas. Mantiene una estrecha vigilancia sobre los amagos de infidelidades y no duda en sacar la navaja y amenazar a su majo con pincharle las tripas o cortarle la cara si se permite tirar los tejos a alguna falda extra-

[6] Todavía a comienzos del siglo XIX se recuerda la identidad xenófoba del majismo. "Los extranjeros son causa / de que en Cádiz se aniquile / la majeza." (J.I. González del Castillo, *El maestro de la tuna*, en *Obras completas*, Madrid, 1914, II, p. 77).

[7] Cf. J. Subirá, *op. cit.*, III, pp. 48-52.

ña. Claro está, que prontas y sonadas reconciliaciones disipan cualquier nublado y ambos contendientes retornan en un momento a las más almibaradas caricias.

Su psicología del majo se describe como un oscilar entre extremos: de la mayor ternura pasa a la violencia. Es extremo en generosidad y regalos, pero también en celos y castigos. De acuerdo con su estructura sentimental primaria, el majo lo mismo regala con generosidad que pega sin miramientos. Las mujeres, ante las pretensiones de algún relamido petimetre, prefieren a quien, como su majo, de forma tan inequívoca le muestra su afección.

> MARTÍNEZ: ¿Y se porta bien contigo?
> MARIANA: Me empalaga de pesetas
> cuando yo quiero, y cuando a él
> se le pone en la cabeza,
> me desembarca una flota
> de patadas y me deja
> más alegre que un fandango
> con bandurria y castañuelas.
> MARTÍNEZ: ¡Prueba es de cariño!
> MARIANA: ¡Toma!
> Quien quiere da con franqueza[8].

La misma Mariana del sainete de Ramón de la Cruz formulará un poco más adelante ese mismo ideal de virilidad, ahora unido a la nacionalidad:

> [...] Yo solo gusto
> de uno que es hombre de veras,
> y sabe a cada suspiro
> apagar un par de velas.
> Los demás que andan por ahí
> con pasos a la francesa,
> suspiros a la italiana, embeleso a la flamenca
> y voz a lo portugués,
> no son hombres que me petan.[9]

[8] *Los baños inútiles*, en *Sainetes de Don Ramón de la Cruz en su mayoría inéditos.* Colección ordenada por D. Emilio Cotarelo y Mori, Madrid, 1915, I, p. 196.
[9] *Ibídem*, p. 197.

Otro sainetero, Juan Ignacio González del Castillo hace propaganda contra la dulzura de que hacen ahora gala algunos caballeros afirmando "que no hay fruta más de sobra que hombres como caramelos"[10]. El lenguaje que priva entre los majos comporta no sólo acentuar la corporalidad de la mujer, sino que lleva incluso a una cierta animalización. Expresiones como "¡Vivan los cuerpos con gracia!"[11] o "Esta sí que es una hembra"[12] indican qué valores restaura el majismo y a qué imagen propia se apuntan conscientemente las mujeres. Una de las majas dice:

> ¿Y a qué efecto
> salgo yo, sino a que vean
> esta cara y este cuerpo?[13]

Prefigurados en los sainetes de Ramón de la Cruz en la década de los sesenta y de los setenta, los modelos de majos encerraban un código de expresiones lingüísticas, de gestos, de vestidos y de gustos musicales. La moda implicaba una cierta ideología, o solamente quizás algo de mucho menos alcance como es una actitud hacia la vida y hacia los demás. La nota nacionalista y xenófoba marca el majismo desde el primer momento y a esto se añade una cierta antimoral dirigida claramente contra las Luces.

Ya Cadalso en sus *Cartas marruecas*[14] había observado que algunos aristócratas, a falta de mejor gusto y cultura, se dejaban instruir por toreros y cantores en sus artes correspondientes[15]. En la misma línea está la *Sátira a Arnesto* de Gaspar Melchor de Jovellanos, que publica el periódico "El Censor". La nobleza, que en su mayor parte no participa de las Luces, se achula con premeditación. El aristócrata inculto e inútil, cuyos privilegios ponen en tela de juicio los ilustrados, se refugia en lo populachero del momento, que son los majos y los gitanos. Defender lo endémico contra lo importado une a todos los conservadores y halaga a un grupo muy limitado de las clases bajas. Tal alianza interesa incluso al Gobierno llegando a formar

[10] J.I. González del Castillo, *Los majos envidiosos*, en *Obras completas,* cit., p. 140.

[11] J.I. González del Castillo, *El maestro de la tuna,* cit., p. 84.

[12] *Ibídem,* p. 83.

[13] *Los majos envidiosos*, cit., p. 140.

[14] Carta XIII. Se publicaron por primera vez en 1788 pero fueron escritas por lo menos en 1774.

[15] Sobre la baja calidad humana de estos maestros de la nobleza maja, cf. J.J. Rodríguez Calderón, *La bolerología. Quadro de las escuelas de baile Bolero, tales quales eran en 1794 y 1795 en la corte de España,* Philadelphia, 1807.

parte de la línea ideológica protegida por el ministro Floridablanca. Esta apreciación de lo popular se dirige por igual contra el refinamiento de los salones y contra todo intento de reformar las costumbres en nombre de la razón.

La devaluación del amor galante corre parejo al alza del majismo en lo referente al trato entre los sexos. A las complicaciones que lleva consigo tanta atención al atuendo y al código pasajero de signos que impone la moda galante suceden ideales de virilidad y feminidad totalmente opuestos. El majo, un personaje al que parecen no haberle afectado los cambios, alardea de permanecer fiel a las formas castizas y muestra premeditado descuido en el vestir; usa colores pardos y capas y sombreros tradicionales; no quiere otros perfumes que los de las cuadras y ni otros salones que las tabernas; y sus ademanes algo toscos suplen las miles carantoñas de los petimetres. Las mujeres, por su parte, abandonan los salones y sus conversaciones, sambuyéndose en tugurios y en bailes callejeros, buscando instintivamente por pareja el modelo opuesto al sumiso cortejo. Ella se arrima voluntariamente al hombre imperioso y sin delicadeza, que lo mismo la mima que la humilla.

La actitud agresiva, el descaro y la falta de preámbulos, que caracterizaba a los habitantes de los barrios populares, comienzan a ser copiados por las clases altas, cansadas quizás ya de tanto alambicado brimborio y de tanta estéril cortesía, a las cuales no se les oculta ya las ventajas de expresar las intenciones sin ambages. El lenguaje amoroso se organiza, pues, en torno a un código castizo, contrapuesto intencionadamente al 'francés' de los petimetres, y ofrece formas de aproximación sexual más directas y modales menos delicados. El majismo, en cuanto novedad, aporta el atractivo del cambio de modas. Pero, además, también satisface a la histriónica sociedad dieciochesca porque el modelo tiene mucho de teatral y es, por su simplicidad, de fácil imitación. El majo significa un 'papel' y un 'tipo', que cualquiera puede representar.

Coexisten, pues, en el llamado Siglo de las Luces dos modelos masculinos y femeninos, que son intercambiables como disfraces. Para caracterizar estos polos opuestos se aprovechan diversos elementos. En la escena, por ejemplo, se actualiza la figura del *miles gloriosus*, del militar bravucón, que no admite otra nobleza u otros valores que el de la osadía de su espada. Hay una pseudocrítica a la aristocracia en cuanto que los triunfos de los majos se apoyan exclusivamente en la valentía. Pero no son héroes auténticamente democráticos porque al final los espectadores suelen enterarse de que tales ídolos poseen noble ascendencia[16].

El 'guapo', el 'jaque' o el 'valiente' se perfila en los escenarios dieciochescos y sus proezas las cantan los ciegos en los mercados. Representan modelos de hombría tomados del ámbito castizo, en donde no hay escrúpulos en mezclar al militar con el bandolero. Pero lo peor no es la insensibilidad en relación a la legalidad de las hazañas de tales personajes sino la orla de violencia que los rodea y que despierta admiración.

Este majo requiere a su lado un modelo de mujer también distinto a la petimetra. Si el majo se divierte en los toros, prefiere las fiestas populares y baila las danzas castizas, rechazando el ceremonial de los salones, sus sahumerios y sus temas de conversación, es porque no está dispuesto a hacer de cortejo y a atender solícitamente a una mujer. El único acompañamiento femenino que soporta debe seguirle en su vida de antros y aventuras delictivas, una mujer, en suma, que se adapte a su mundo varonil y que esté dispuesta a soportar sus caprichos y veleidades. Sus modales se aplebeyan de propósito, cuando no copian directamente los de las rameras. Importante es que la maja, unas veces, responda con sumisión masoquista a la brutalidad del trato recibido y, otras, le pague con la misma moneda de desconsideración.

Si la petimetra ponía en órbita en torno a sí a varios cortejos, al decaer el amor galante cambia el signo. El majo sateliza a las mujeres y si éstas pierden los papeles y buscan la emancipación, hay tragedia. Las Cármenes, admiradoras del ideal machista, acaban convirtiéndose en sus víctimas.

Los ilustrados no verán con buenos ojos esa magnificación de la delincuencia que tiene lugar en torno a la figura del majo. Es curioso que José Subirá[17] identifique el 'majismo' con ese fenómeno y transcriba un dictamen de Santos Díez González sobre *El Manolo* de Ramón de la Cruz:

La célebre pequeña pieza intitulada *El Manolo* (trova en que injustamente, aunque con gracia, se ridiculizan las tragedias) ha dado una idea justa o injusta del carácter feroz, díscolo y mal endoctrinado de la gente de los barrios de Madrid. Con dicha pieza, ni con otras semejantes, se ha conseguido mediante burlas el fin de civilizar o suavizar las costumbres de tales barrios; antes parece que con ellas ha ido en aumento su fiereza; pues se

[16] J. de Cañizares, *Ponerse el hábito sin pruebas, o El guapo Julián Romero,* Valencia, 1768. La obra se representó ya en 1716.

[17] *Op. cit.,* I, pp. 308 s.

celebran sus gracias y se hace objeto de la fiesta, diversión y celebridad, en vez de serlo de la abominación o a lo menos de nuestra lástima. La letra de esta Tonadilla es *eiusdem furfuris* que *El Manolo*; y así va en aumento la celebridad de unas costumbres más dignas de olvidarse que de cantarse. En todas o casi todas las piezas cuya materia son acciones de personas de los Barrios de Madrid he visto siempre representarse delitos de robos, palos, puñaladas, borracheras, bailes indecentes y poco o ningún temor a la justicia, y prontas disposiciones para motines y alborotos. Y por más que los poetas concluyen con alguna pena en contra de los delincuentes, no sé que en el teatro sea tolerable la pintura desnuda y viva de unas costumbres tan ruines. Y ya en los teatros no se logre el frito que con la lectura de los Santos Padres, lógrese a lo menos una diversión inocente, representándose en ellos no acciones ruines, sino decentes y dignas de imitarse, o represéntense hechos que con la risa y burla con que los presenta el poeta, se hagan aborrecibles de los espectadores.[18].

La maja, como sabemos, tendrá un enorme éxito en el extranjero. Los franceses, sobre todo, difundirán durante el siglo XIX una imagen de la española decidida, con la navaja en la liga, libre de complejos y devoradora de hombres. La imaginación calenturienta de los literatos galos soñará una España llena de Cármenes[19]. Pese a la evidente exageración de ese cuadro, sí es verdad que hacia finales del Siglo Ilustrado la galantería retrocede en España ante el majismo.

El majo y la maja (1798), una tonadilla atribuida a Manuel García[20], presenta a hombre que se gana la vida dando lecciones de guitarra y que se presenta a sí mismo con las siguientes cualidades:

> Soy un indino tunante
> de los de marca mayor,
> que tocando la guitarra
> paso la vida mejor que todos los comerciantes
> gastando mucho doblón.

[18] El dictamen está fechado el 23-XII-1792. Después de la Revolución francesa, la anarquía de los 'manolos' se ve con desconfianza y por sí misma. La oposición al petimetre ha desaparecido y ya son héroes en solitario que no necesitan del trasfondo ridículo de la sociedad 'galante'.

[19] Cf. A. González Troyano, *La desventura de Carmen*, Madrid, 1991.

[20] J. Subirá, *op. cit.*, III, pp. 96-99.

Yo como y yo bebo, cortejo mozas;
tengo pesetas siempre en mi bolsa;
y ande la vida a la vita bona.
Y de aquesta manera
busco, busco mi vida[21].

Como se ve presenta una alternativa contra el trabajo regular o contra otras profesiones. Es consciente de encarnar el modelo de la 'buena vida'.

El fenómeno del majismo es algo más que un triunfo del gusto plebeyo o popular en el vestir o en las diversiones ya que afecta a las relaciones entre los sexos al proponer modelos alternativos de conducta. Los rasgos irracionales del bandido, del torero y del rufián contrastan lo mismo con la policromía del petimetre que con la pálida figura del incipiente burgués, que raciocina, duda y calcula, evitando cualquier extremo y renunciando a placeres o gustos en aras de la buena opinión de sus convecinos.

[21] *Ibídem*, pp. 96 ss.

Sobre autoridades en el *Diccionario* de Terreros y Pando

FÉLIX SAN VICENTE

El *Diccionario castellano con las voces de ciencias y artes* (1786-1793)[1] de E. de Terreros y Pando presenta cierta complejidad al intentar clasificarlo en la historia de la lexicografía moderna, ya que se trata, en su cuerpo fundamental, de un diccionario general de español con voces técnicas comunes y con un alto porcentaje de palabras pertenecientes a intereses enciclopédicos; en él, cada entrada, monoléxica o multiléxica, lleva su correspondiente definición y, en general, las relativas equivalencias en latín, francés e italiano. Terreros, siguiendo los planteamientos generales dictados por el prestigio y valor del *Diccionario de Autoridades* (1726-1739)[2], adoptó, no obstante, criterios más adecuados a las exigencias culturales de

[1] Terreros intervino en la preparación del *Diccionario* probablemente hasta la expulsión de España en 1767; de la edición que conocemos (1786-1793), que fue póstuma, se ocuparon los bibliotecarios reales F. Meseguer y Arrufat y M. De Manuel Rodríguez. La obra fue publicada en la Impr. de la Viuda de Ibarra: I, 1786; II, 1787; III, 1788; el cuarto tomo también en Madrid, Imprenta de Don Benito Cano, 1793, lleva en el frontispicio el título: *Los tres alfabetos frances, latino e italiano con las voces de ciencias y artes que le corresponden en la lengua castellana*, reúne tres diccionarios bilingües en un solo tomo; en el siguiente orden, y a dos columnas, aparecen con numeración separada el italiano (260 pp.) y el francés (394 pp.), y a tres columnas el latín (334 pp.); de la edición de este tomo se ocupó sólo De Manuel Rodríguez en cuanto Meseguer había muerto en 1788. La ed. facsímil de los cuatro tomos con una "Presentación" de M. Alvar Ezquerra, ha sido publicada en Madrid, Arco Libros, 1987. Interesantes precisiones sobre la autoría de la obra en P. Alvarez de Miranda, *En torno al Diccionario de Terreros*, en "Bulletin Hispanique", 94 (1992) 2, pp. 559-572; para las cuestiones generales de distribución del léxico véase también F. San Vicente, *Innovación y tradición en el "Diccionario" de E. de Terreros y Pando*, en *Actas del Congreso "Sapere linguistico, sapere enciclopedico"*, Bologna, Clueb, 1995, pp. 139-158.

[2] La referencia bibliográfica completa de los diccionarios por razones de espacio y de utilidad las hemos colocado en la bibliografía que aparece al final.

un período utilitarista y renovador, logrando de este modo una obra personal y de concepción más moderna.

Entre las distintas cuestiones que plantea el estudio de esta importante muestra de la lexicografía española, es fácil observar cómo la utilización de las autoridades que refrendan el uso de las palabras, a diferencia del diccionario académico que lo realizó de manera generalizada, se halla limitada a un reducido número de palabras. El jesuita vizcaíno presenta la somera indicación del autor de un diccionario y, en segundo orden, autores o títulos de textos científicos y literarios, de los que raramente proporciona citas; además, la autoridad de los diccionarios puede corresponder tanto a la palabra española como a las equivalencias en latín, francés e italiano. Nos encontramos, por consiguiente, ante autoridades de tipo filológico, en particular diccionarios bilingües o políglotas, y también ante obras científicas y literarias, originales o traducidas, e incluso ante simples publicaciones periódicas; la 'autorización' puede provenir también de un informante, científico o artesano y, en otros casos, que resultan de gran interés, de la contextualización de la palabra en una frase de uso común.

El objetivo de este estudio es conocer mejor el empleo de las autoridades en el *Diccionario* de Terreros, en cuanto procedimiento caracterizador de su labor lexicográfica. Partiremos de sus planteamientos, es decir del "Prólogo", en el que traza un panorama crítico de la lexicografía existente y de algunas cuestiones relativas a las lenguas utilizadas, y en particular al español y al latín.

El "Prólogo", testimonio primario para conocer las intenciones de su autor, quedó, como manifiestan los bibliotecarios Meseguer y De Manuel, editores del *Diccionario*, "sin darle la última mano" y, en efecto, resulta desigual tanto en lo que se refiere a su composición general como al tratamiento de ciertos temas en los que llegan a agolparse referencias y autoridades, presentadas siempre con abreviaturas a veces indescifrables[3]. Junto a motivos que podían resultar ya tópicos, como la abundancia y perfección de la lengua española, logradas progresivamente a través de su historia, se po-

[3] Terreros afirma que el "Prólogo" fue escrito cuando la obra había sido ya en parte impresa (antes de salir de España en 1767) y se había "imaginado" la redacción del cuarto tomo de equivalencias. En la "Dedicatoria" de la obra a Floridablanca por parte de Meseguer y De Manuel, bibliotecarios reales, leemos que había una parte impresa: "que llegaba como a la mitad del tomo segundo, y sólo faltaban en el primero algunas hojas de la conclusión y el Prólogo"; de éste nos dicen que era "original escrito todo él de la misma letra del Autor, aunque al parecer sin darle la última mano".

ne en él de relieve las grandes novedades terminológicas aportadas por la ciencia del siglo que exigían – nos informa Terreros – una selección y puesta al día de todo el acervo en uso de la lengua a través de un copioso diccionario. Labor inmensa para una sola persona ya que incorporará también "voces extrañas" pertenecientes a las costumbres y al saber de distintas naciones, y además, tendrá que tomar decisiones sobre el importante asunto de la ortografía.

Terreros muestra la magnitud de la empresa indicando las referencias directas a la abundante documentación utilizada; consistía en el manejo de los diccionarios existentes (p. VII) y en la lectura de numerosos prontuarios y obras, con las que había intentado suplir la falta de buena lexicografía, especialmente en terminología científica y técnica; la dificultad, por tópica que pudiera parecer, se acrecentaba al tener que dar la equivalencia en tres lenguas, de las que una, el latín, hacía siglos que tenía la condición de "muerta".

Siguiendo el orden de las lenguas presentes en el *Diccionario* analizaremos el conjunto de autores con los que el jesuita acredita en el "Prólogo" las distintas opciones que efectuará tanto en la planta general como en las cuestiones relativas a la selección del léxico y transcripción gráfica. Nos servirá para observar, en la segunda parte, la relación que guardan los criterios propuestos y los autores citados con las autoridades que acreditan las palabras en el cuerpo de la obra.

1. *Las Autoridades del* "Prólogo"

1. 1. Lengua española

1. 1. 1. Autoridades filológicas

Los temas relativos a la lengua española tratados por Terreros en el "Prólogo", abarcan sumariamente toda su historia: desde la constitución de la misma hasta llegar a su perfección literaria en el siglo XVI y a su inmejorable estado actual. Terreros no prescinde, pues, de una anotación sobre el primitivo lenguaje de España y sobre las tesis que sostenían la presencia de Túbal en ella con una de las 72 lenguas procedentes de Babel; de una de éstas – y aquí las preferencias y afinidades, en una cuestión tan polémica debían resultar evidentes – según su correligionario, el P. Larramendi[4], derivaba el vasco.

Aunque al jesuita vizcaíno las cuestiones etimológicas le interesaban fundamentalmente para indicar mejor la idea o el referente ligado a la palabra, es probable que si completáramos el muestreo se podría llegar a comprobar que buena parte de las dos mil voces propias del vasco que, según él, Larramendi citaba en el *Diccionario Trilingue del castellano, bascuence y latín* (1745) – y entre ellas las 9 que Mariana consideró godas en su *Historia* (p. XXI, n. 1) –, pasaron a su *Diccionario*.

Quedaba así planteado el tema de la constitución y origen de la lengua española. Terreros menciona su *Paleografia española*[5] para los testimonios de su antigüedad (pp. IV y XII, n. 3), de la que dan también pruebas autores precedentes como Francisco López Tamarid (p. XV, n. 2) y el Doctor Bernardo de Aldrete[6] que, además de palabras godas y árabes (p. XV, n. 2), había explicado voces antiguas (XV, n. 3). Herrera y el Padre Manuel de Larramendi son nombrados para el uso que se debe hacer tanto de algunas voces anticuadas como de otras nuevas[7].

Covarrubias, que no aparece en función de sus objetivos etimologistas, a pesar de que su *Tesoro de la Lengua Castellana* (p. V) le merece el apelativo de «laboriosísimo», tenía repeticiones y no era fiable ya que utilizaba multitud de voces anticuadas como si fuesen actuales (p. IX, 1). Para las cuestiones etimológicas menciona, en cambio, la anónima, *Declaración*

[4] La obra en cuestión es: *De la antigüedad y universalidad del Bascuence en España; de sus perfecciones y ventajas sobre otras muchas lenguas. Demostración previa al Arte que se dará a luz desta lengua*, Salamanca, 1728. Para las incertidumbres de Terreros sobre la antigüedad de la lengua vasca en su Paleografía española, ed. en Madrid, por Ibarra en 1758, vid. Pérez Goyena, *Un sabio filólogo vizcaíno*, en "Razón y Fe", 94 (1931), pp. 1-19 y 124-135.

[5] *Vid.* nota 4.

[6] Tanto López Tamarid como Aldrete habían sido incluidos en la "antología" realizada por Mayans en el segundo tomo de *Orígenes de la lengua española, compuestos por varios autores*, Madrid, Juan de Zúñiga, 1737; la importante historia de la lengua española de Aldrete era *Del origen y principio de la lengua castellana*, Roma, 1606; la obra de Aldrete ha sido reeditada, con un extenso estudio preliminar, por L. Nieto Jiménez, Madrid, CSIC, 1975, 2 vols.

[7] Las menciones de Herrera en p. XII, n. 5, p. XIII, n. 1, p. XIII n. 2, p. XIII, n. 3 y p. XXX, n. 1. Del P. Larramendi menciona una *Carta a un confidente* por la que desea que se pongan en boga voces anticuadas sin motivo y se introduzcan voces nuevas, *vid* p. XII, n. 4 y p. XIV, n. 7; además, el P. Larramendi acertó con la etimología de "gabela" y demostró la de "heraldo", en p. XXI.

etimolójica de los nombres con que se conoció en todos tiempos España, sacado por un moderno (p. XXI, n. 5).

En su *excursus* histórico prologal presentaba Terreros una versión del tópico de las edades de la lengua sostenido en su época tanto por *Autoridades* como por Mayans, L.J. Velázquez y él mismo en su *Paleografía española*. No podemos entrar ahora en los detalles o diferencias entre estos historiadores, por lo que, resumiendo brevemente la cuestión, constatamos que da por supuesta la filiación latina, y tras considerar la aportación de godos y árabes, señala la importancia de la figura de Alfonso el Sabio, al haber dado con sus traducciones el paso tan necesario – afirma – de castellanizar el latín y otras lenguas. A partir del reinado de los Reyes Católicos, cuyo auge político corrió paralelo al cultural, surgen importantes autores para el prestigio de la lengua española y para el renacimiento de la latinidad; al llegar la Edad Moderna, lamentablemente, algunas de las voces utilizadas por los autores de aquel siglo habían caído en desuso.

Se desconocía, además, la existencia de una tradición oral artesana, que corría el riesgo de perderse en una época en la que se estaba respondiendo a las nuevas exigencias técnicas y científicas acudiendo a la lengua francesa, cuando existía la posibilidad de adaptar las voces directamente del griego y del latín. En esta fase de renovación lingüística y cultural se imponían también adoptar soluciones ortográficas que estuvieran de acuerdo con la realidad del uso.

Aunque Terreros no se vincula expresamente a la producción lexicográfica académica y se puede afirmar que mantuvo claras divergencias respecto a las normas ortográficas, la Academia es la autoridad filológica que en mayor número de ocasiones considera. Elogia la valía del *Diccionario* y lo estima como autoridad para el uso (p. XII) y para distintas cuestiones[8]. En materias de ortografía es autora del tratado de *Ortografía*, en 1754 y 1763 (p. XIX)[9], a las que sigue nuestro autor en la diferenciación entre las dos letras "b" y "v" (p. XXVI); sigue también el uso de la Academia al su-

[8] Es "obra célebre á la verdad" p. II, e incomparable p. V; explica términos de jerga jitanesca p. III, 4; trae la voz "policia", p. XII.

[9] Se trata de la 2ª y 3ª ed. de la *Ortografía* de la Academia, cuya primera edición, con el título de *Orthographia Española*, había aparecido en 1741, en Madrid, en la Imp. de la Real Academia Española.

primir la ç (p. XXVII) y la regla introducida de escribir “m” ante “n” (p. XXIX)[10].

Entre el reducido número de obras lexicográficas especializadas referidas a la lengua española nombra Terreros el *Diccionario Marítimo* y un *Diccionario de Proverbios* por G. D. B. (p. X, n. 1) del que damos una referencia en la lista bibiográfica final.

1. 1. 2. Autoridades literarias

El auge y perfección de la lengua española, a partir del reinado de los Reyes Católicos, lo confirma Terreros con la mención de los padres del idioma cuyas voces lamentablemente se están olvidando: “Fr. Luis de Granada, Fr. Luis de Leon, los PP. Juan de Mariana, Pedro de Rivadeneira, Luis de la Puente, Lope de Vega y otros” (p. V); más adelante añade, también con la consideración de «padres», a autores del siglo XVII como Alonso Rodríguez, Calderón de la Barca, de quien había afirmado su condición de “excelente poeta” (IV), Cervantes, Quevedo, Saavedra y Solís (XV).

A épocas anteriores, correspondientes al “idioma” que utilizaron «nuestros mayores», pertenecen Alfonso el Sabio, autor de las *Leyes de las Partidas* (p. IV), a quien entre “las cosas grandes” que realizó se debe “el castellanizar textos griegos, latinos y arabes introduciéndolos en nuestra lengua” (p. XII). El poeta Juan de Mena (p. I) es testimonio de la existencia de una lengua «Franca», después de la llegada de bárbaros y árabes; si bien se señala el *Laberinto* como testimonio de libertades poéticas, su producción merece, como también la de J. Manrique, el calificativo de “mui apreciables entre las antiguas” (p. IV).

Una línea divisoria, política y cultural, se marca, como decíamos, con los Reyes Católicos; a partir de esta época hallamos a Garcilaso: excelente poeta e ilustre varón (pp. IV y XII), autor de la *Epístola* a Boscán aunque no todas las palabras que utilizó nos puedan servir para el uso (p. XIII). El

[10] El tratamiento que Terreros hace de las materias ortográficas es bastante detallado: Alejo Vanegas p. XIX, Nebrija, pp. XIX y XXXII, Bordazar y Artazu, p. XIX, Benegasi y Lujan, p. XXIII, n. 5, B. Feijoo (XXIII); el P. Flórez, S. Mañer, Fr. Martín Sarmiento y D. Gregorio Mayans, p. XIX; queda, sin embargo, relativamente al margen de nuestros intereses en este estudio; *vid.* M.L. Amunátegui Reyes, *Esteban de Terreros i Pando i sus opiniones en materia ortográfica*, en *Homenaje ofrecido a Menéndez Pidal*, Madrid, T. I, 1925, pp. 113-135.

Capitán Aldána es testimonio de libertades poéticas en los *Desposorios de su hermano* (p. IV).

Otras cuestiones tratadas afectaban a la caracterización de la literatura española y a la presencia en ella tanto de abundantes refranes como del “idioma” de la picaresca, género sobre el que Terreros presenta alguna vacilación pero al que no excluye por considerar que su *Diccionario* podía ser útil también para la lectura de obras literarias.

Cervantes, Quevedo y Lope de Vega, además de por su condición de «padres», sirven de ejemplo en la utilización de refranes, y en particular Lope, la autoridad literaria más elogiada y mencionada[11]; habían puesto de relieve la presencia de numerosos adagios en la lengua española las colecciones realizadas por Iñigo López de Mendoza en *Refranes que dicen las viejas tras el fuego* (p. XXXII), Blasco de Garay en *Carta en refranes de una Dama á su Gala* (p. XXXII, n. 3) y Juan de Mallara en *Filosofia vulgar*, (XXXII). Su coetáneo V. Montiano, en *La Virginea*, recomendaba prudencia en el uso de los mismos (p. XXXIII, n. 1).

Entre la mejor producción picaresca merecen mención los siguientes títulos, calificados como “excelentes”: el *Guzmán de Alfarache*, el *Alguacil Alguacilado, Periquillo el de las Gallinetas*, la *Picara Justina*, *Lazarillo de Tormes*, atribuido a Don Diego Hurtado de Mendoza, *Tersicore y Talía* de F. de Quevedo, autor también de *La culta-Latín-y parla*, obra que debía haber desterrado el gusto por las composiciones macarrónicas (p. III). Explican términos de la “jerigonza o jerga jitanesca” los diccionarios de la Academia, Oudin, el de jerga jitanesca de Juan Hidalgo (XV, n. 1) y Mayans (III n. 4)[12].

1. 2. Lenguas clásicas

El latín, que seguía y seguirá siendo durante años equivalencia obligada en numerosos diccionarios dieciochescos, es tratado con la considera-

[11] Lope es también excelente poeta (p. IV); Terreros intervino en la polémica sobre la cultura española con un texto exhumado por J.L. Gotor y publicado con notas en *Una defensa inédita de Lope de Vega en la “querelle” de los jesuitas españoles expulsos*, en *Studia Historica et Philologica in Honorem M. Batllori*, Roma, Anexos de “Pliegos de Cordel”, III, 1984, pp. 661-684; en su breve discurso Terreros aborda cuestiones lingüísticas y coloca a Lope como defensor del estilo llano y de la naturalidad.

[12] El *Diccionario* de Hidalgo fue publicado por Mayans en *Orígenes*, cit., *vid. supra*, nota 6.

ción que todavía la cultura latina merecía en las letras españolas[13]. Las cuestiones lingüísticas más generales, como por ejemplo la discusión sobre arcaísmos y neologismos, las plantea Terreros considerando la historia de la lengua latina y de sus autoridades (p. XIV).

Existía un paralelo inevitable: la lengua latina había cumplido un ciclo vital por edades y también en ella se había llegado a establecer la nómina de autoridades y de textos. A pesar del renacimiento de las letras latinas, mérito de "Babasor, Nebrija, Mariana, Perpiñán, Rapín, Matamoros, Vaniere, Vives" (XVII), las referencias se centran en torno a su Edad de Oro aunque raramente se nombre a la autoridad latina y más raramente aún el ejemplo textual. Lo normal es que la equivalencia latina aparezca solamente con el nombre del autor de un diccionario[14].

Entre los latinos, citados de manera bastante imprecisa y con salvedades, aparecen los de Nebrija, Salas, Estéfano, Séjournant y Facciolati; pero sus indagaciones sobre el latín no se limitan a estos autores ya que buena parte de los que manejó Terreros llevaban la equivalencia en latín, como, por ejemplo, el *Diccionario de Trévoux*, y el de *Autoridades* al que llama en una ocasión "diccionario castellano latino".

La lengua griega le interesa raramente y sólo por motivos etimológicos; entre sus clásicos, Platón y Aristoteles aparecen nombrados en las páginas iniciales del "Prólogo" como los mayores entendimientos de la antigüedad, aunque divergentes a la hora de definir al hombre. Platón figura también para el origen del hallazgo de las letras y Aristóteles como autor citado por Quintiliano para el uso de palabras nuevas en poesía, mientras

[13] Para conocer las ideas de Terreros sobre la cultura latina, cfr. la "Aprobación", pp. 24-29 del *Nuevo methodo de la construccion, de los Authores Latinos de Prosa y Verso, de todas las Edades de la lengua Latina*, por Don Juan F. Pastor Abalos i Mendoza, Alcalá, J. Espartosa, 1739, citado por Pérez Goyena en el art. mencionado, p. 128.

[14] Los escritores más mencionados son Cicerón, Horacio, Quintiliano y Virgilio. Los cuatro como autoridades filológicas para la utilización de palabras nuevas y por pertenecer a la Edad de Oro de la lengua latina por distintas cualidades de su estilo. Quintiliano es también autoridad ortográfica al igual que Virgilio, autor de quien Terreros cita en el prólogo algún fragmento. Menciona también, a veces por cuestiones ortográficas, a los siguientes autores de la Edad de Oro: Catulo, Celso, los dos Cornelios, Ovidio, los dos Plinios, Tácito, Tito-Libio, los dos Sénecas. Tampoco eran despreciables los autores de la edad de plata, bronce y hierro: Claudiano, Justino, Dámaso, Eugenio, San Isidoro, Osorio. Otras menciones: Catón se quejó de la pobreza del latín (p. II); Cledonio para la definición de la letra hache (p. III); Pomponio Mela puso nombres latinos a pueblos y afirmó el origen persa de una palabra (p. XIV).

Homero es nombrado por su libertad poética. Entre las obras lexicográficas aparece el diccionario "greco-latino-galico" de Morelli (p. IX).

1. 3. Lenguas europeas

Coincidiendo con la opinión que sobre este punto había expresado la Academia, los diccionarios bilingües, a excepción del español-francés de Herrero, no le merecían a nuestro autor buena opinión en cuanto los encontraba «faltos», con «muchas equivalencias erradas», y con «multitud de voces anticuadas como usuales» (IX). Merecen, sin embargo, su aprecio algunos diccionarios monolingües franceses: "el que llaman de Trevoux, que es excelente, [...] ; el de la Academia de París; el de Pomei; el Janua Ling. [...]; el de Morelli greco-latino-galico, el de Richelet, el de Adajios ó Proverbios, el de Música, con todos los demas comunes que cito multitud de veces" (p. IX). Recuérdese que estas obras servían para autorizar la palabra extranjera o latina y también la voz española, como sucede con Oudin y Séjournant en particular.

Entre los italianos, además de Franciosini figuran entre sus fuentes Las Casas, La Crusca, y el trilingüe de Antonini (IX) que contenía junto al francés el español e italiano[15].

Aunque la lengua inglesa no figura entre las equivalencias, aparecen en el "Prólogo", a propósito de distintas cuestiones lingüísticas, los diccionarios de Boyer, Howel y el del español Pineda, cuya bibliografía indicamos al final.

1. 4. Enciclopedismo

La selección del léxico no sólo implicaba cuestiones diacrónicas o de prestigio literario. Terreros manifiesta en el "Prólogo" que tuvo algunas vacilaciones a propósito, como hemos visto, de las voces anticuadas y de los refranes; lo mismo ocurre por lo que se refiere a la inclusión de voces geográficas que también la Academia había desechado; decidió admitir, en cambio, con la ortografía propia de las lenguas de proveniencia numerosas

[15] Terreros fue autor de *Reglas a cerca de la lengua toscana, o italiana, reducidas a método, y distribuidas en cuatro libros, incluido en ellos un Diccionario familiar, algunos Diálogos, flores poeticas, y Cartas misivas; con el fin de facilitar a los españoles el conocimiento, y uso de este idioma. Obra dedicada al señor marques Fabrizio Paulucci, por D. Estevan Rosterre*, Forlì, Achiles Marozzi [s.a.]. Imprimatur 26. Nov. 1771.

voces nuevas pertenecientes a la historia y a la realidad cultural de otros países. Se trataba de una innovación importante, para la lexicográfica española, de dudosa utilidad y aplicación por el elevado número de palabras aspirantes a su ingreso en el diccionario; concebida con el espíritu de una dimensión universalista de la lengua y de la cultura española no faltaban para ello ejemplos en la lexicografía francesa.

Advierte también que cada voz además de la definición o explicación llevará: "la erudición o noticia que pida, aunque brevísima" (p. XXXIII) por lo voluminosa que, de otro modo, resultaría la obra. En efecto, las noticias que proporciona son muy breves y generalmente mezcladas con la definición o descripción de tipo linguístico[16]. Definición de la palabra e información no tienen en el *Diccionario* de Terreros una clara delimitación. Prontuarios y textos científicos servían de referencia a las palabras y a las informaciones que a veces las acompañan, aunque según hemos podido comprobar, la principal fuente para la renovación del léxico enciclopédico la halló nuestro autor en el *Diccionario de Trévoux*.

Las autoridades "enciclopédicas" del "Prólogo" son numerosas y van de las bibliográficas como Concepción, Nicolás Antonio («testimonio de los muchos sabios españoles", p. II, n. 2), a las de historiadores como Estrabón, el Conde Manuel Tesauro (*Historia de la cultura latina*, p. XVI, n. 2), Boturini, o el P. Du Halde. Le sirven a Terreros para extenderse en torno al origen de la escritura y al de los viejos y nuevos inventos – el de la pólvora en particular – con una serie detallada de informaciones (autores, personajes, y textos) bastante minuciosas en el farragoso asunto del nacimiento de Aristóteles[17].

[16] Remitimos para el tratamiento teórico de estas cuestiones al capítulo II (*Contenu linguistique et contenu encyclopédique*), de B. Quemada, *Les dictionnaires du français moderne: 1539-1863*, Paris, Didier, 1968, pp. 75-156.

[17] En cuanto al origen de la escritura, entre los inventores de las letras hay menciones de: Cadmo y Evandro (griega), Palamedes, Gordano (gótica), Simónides. Documentados por los siguientes historiadores: Plinio, San Agustin – que atribuye el origen de la escritura a Isis y Mercurio (p. XXIV); Beroso, (p. XXIV), Boturini (jeroglíficos), Cornelio Tácito, Josepo Hebreo, Suidas, S. Isidoro y Pluche cuya *Historia del Cielo* es mencionada para el origen de los jeroglíficos y de la escritura. Entre los inventores de la pólvora: Anclitzen y B. Schwartz; su uso es documentado en la guerra por Du Cange (cañones) y por Pero Mejía y Don Pedro, Obispo de León, *Crónica del Rei Alfonso*, (p. XVIIII, n. 6). Del nacimiento de Aristóteles testimonian el Abad Advocat (p. VI n. 1), los RR. PP. Mohedano, *Historia Literaria de España* (p. I, n. 3), (p. VI, n. 1), P. Dion. Petav. *Ration temp.*, (p. VI n. 1) y el P. Regnault, en *Orijen antiguo de la Física moderna* (p. VI n. 1).

Da también prueba de enciclopedismo al citar a los científicos españoles que le han servido de documentación y con los que, en algunos casos, ha mantenido correspondencia o trato personal: D. Miguel Barnades, catedrático de botánica y Juan Presentí, Marqués de Monte-Corto, corresponsal y fuente (p. VII); el botánico J. Quer informante y autor (p. VIII, n. 2); el Teniente General D. Antonio Castañeta (por su libro sobre las "proporciones y medidas"[18], p. VII); las obras de Jorge Juan; Josef Piton de Tournefort, botánico y viajero (p. VIII); entre estos autores, pertenecientes tanto a la tradición como a la innovación científica propia de mediados de siglo, destaca por su importancia en la elaboración del *Diccionario* de Terreros la traducción que el mismo realizó del *Espectáculo de la naturaleza* [1753-1755][19] de A. N. Pluche.

2. La autorización de los artículos

Terreros, que no ofrece indicaciones respecto a la manera en que realizará las definiciones de las palabras a las que da entrada en el *Diccionario*, resulta más explícito en la justificación de las pocas autoridades presentadas, al afirmar: "como dice Quintiliano y dicta la razon, las voces comunes no necesitan otra autoridad que el uso comun que las está autorizando por instantes" (IX); a diferencia, pues, de la Academia y de acuerdo con una tendencia afirmada en la lexicografía francesa, Terreros sólo introducirá autoridades (raramente textos) cuando la voz lo necesite por su peculiaridad, o cuando pretenda señalar divergencias entre los diccionarios consultados.

Así, en el muestreo que hemos realizado en la letra «I», sobre un total de unas dos mil entradas sólo 226, es decir, poco más del 10% llevan una autoridad (generalmente el autor de un diccionario); concretamente, de las 450 adiciones de Terreros al *Diccionario* de la Academia, en esta letra, sólo 64 la llevan. En el caso restante de voces comunes (162) puede 'heredar' la

[18] *Proporciones de las medidas mas essenciales*, Madrid, Alonso, 1720.

[19] Citamos por la segunda edición: *Espectaculo de la Naturaleza, o Conversaciones a cerca de las particularidades de la historia natural, que han parecido mas a proposito para excitar una curiosidad util, y formarles la razon á los Jovenes Lectores. Escrito en idioma francés por el Abad M. Pluche y traducido al castellano por Estevan de Terreros y Pando, Maestro de Mathematicas en el Real Seminario de Nobles de la Corporacion de Jesus en esta Corte*, Segunda edición, Madrid, J. Ibarra, [1757-1758].

autoridad literaria de la Academia, lo que no sucede si se trata de la mención de un diccionario.

En cuanto a la tipología de las autoridades, es necesario observar que el comportamiento de la Academia había ido evolucionando ligeramente en los distintos tomos de su *Diccionario*; si tomamos como referencia la lista de autoridades que encabeza el primero, observamos que hay decenas de prosistas y poetas pertenecientes fundamentalmente a los siglos XVI y XVII – pero con muestras desde el siglo XIII –, entre los que predominan historiadores, memorialistas, libros devotos, de mística y también abundante literatura picaresca; son pocas, en cambio, las obras de artes y ciencias y sólo el pintor Palomino pertenece por sus escritos al siglo XVIII. Cambia ligeramente el segundo tomo que introduce ya a los coetáneos Feijoo y Martín Martínez, y da progresivamente espacio al mejor matemático del S. XVII, José Zaragoza, a partir del tercer tomo. Terreros, que no presenta una lista de autoridades al frente de ninguno de sus tomos, introduce, en cambio, una variada producción filológica, nacional y extranjera, y también un número bastante proporcionado de textos de ciencias y artes. Ya hemos dicho que la Academia no fue ajena a este procedimiento, pero el ejemplo de diccionarios como los señalados de Richelet, el de la Academia francesa y el de Trévoux, que introdujeron voces científicas pudo servir de estímulo. Además, como veremos, utiliza periódicos de su época y en numerosas ocasiones las frases del lenguaje común sirven como única documentación.

El filólogo vizcaíno manifiesta preferencia por los diccionarios a la hora de autorizar las palabras. La autoridad más mencionada, en el muestreo realizado, es también la más elogiada en el "Prólogo", la Academia de la lengua española, con su *Diccionario de Autoridades* (18 veces) y a continuación Séjournant (13), Oudin (10) y después el Calepino de siete lenguas renovado por Facciolati (9), el alabado diccionario de Trévoux (9), Antonini (6), Sobrino (5), Larramendi (4) etc., respetando generalmente las preferencias expresadas en el "Prólogo". No deja de sorprender la ausencia de Nebrija y también de Salas u otros diccionarios latinos de autores españoles, así como el de Sánchez de la Ballesta, también citado. Nebrija fue fuente habitual en las anotaciones a la traducción del *Espectáculo*, como también lo habían sido el *Diccionario de Ciencias y Artes* francés o el *Diccionario* de Richelet, ausentes en este *corpus*. Tampoco aparecen otros diccionarios presentes en el prólogo, como el de Herrero («exactísimo»), ni tampoco los de Ocón, o Lama[20], entre los españoles, o Pomei y Morelli entre los extranjeros.

Entre los autores, literarios y científicos, es Terreros la fuente primera ya que tanto el *Espectáculo* (8) como la *Historia del Cielo* (7)[21], ambas de Pluche, eran traducciones suyas; a continuación Lope de Vega (12), el médico Martín Martínez (9), Feijoo (7)[22], Cervantes (7), Valcárcel por la *Agricultura General* (3)[23] y después los poetas: Garcilaso (6) y Aldana (5), elogiados en el "Prólogo". Entre los clásicos menciona a Virgilio (5), con ejemplos, Plinio (5), Ovidio (3) y Cicerón (2).

Por lo que se refiere exclusivamente a las adiciones (64) que Terreros efectuó a *Autoridades*, la Academia obviamente desaparece y sus preferencias van hacia Oudin (10) para un grupo variado de voces: *ima* (nabo, junto a Franciosini), *imbasamiento*, *impijenes* (junto a Trévoux), *inclitiva*, *indigo* (junto a Saverien y Sobrino); *inmutablemente*, *inola* (con Trévoux), *irritamiento* (junto a Franciosini); *iriepar*, *irion*. El *Diccionario* de Trévoux, además de figurar en las palabras indicadas, aparece en los términos científicos: *inescacion, inoculacion, infinitesima*. El Dr. Martínez es el autor más mencionado para la medicina y, en general, el más citado en las ciencias: *ileón, indicador, infiléma, infra-spinatos, innominados, interóseos, isquion*. Cervantes desaparece en las adiciones; sin embargo el P. Feijoo autoriza las siguientes voces: *indicatorio, inexperiencia, inextenso, ingurjitár, intraneidád, intromision*. Heister, traducido por Vázquez, en *iscuria*. El botánico José Quer (1695-1764) aparece en *infundibuli-forme*. "El Sermon de los 24 Cuerpos de M.M. Impreso en Valencia año de 1763" para el no obstante poco usado *impavidéz*. Entre las voces del Derecho, sólo aparece la mención de Verní para *inmiscuirse*.

Otro grupo de voces autorizadas es el extraído de periódicos extranjeros y nacionales: la "Estafeta de Londres" para *importación* e *inglomania*;

[20] Debe tratarse de *La perla de las dos lenguas: el acento de la latina, castellana o española. Con lo más común y esencial de la Ortografia moderna*, México, 1765, registrado por Palau.

[21] La traducción de Terreros, atestiguada en la *Relación de sus escritos*, permaneció, al parecer, inédita. La única edición que conocemos es la de Fr. Pedro Rodríguez Marco, Madrid, P. Marín, 1773-1779, 2 vols.

[22] Fue de Terreros la aprobación al T. IV de las *Cartas eruditas* de Feijoo; el benedictino en la presentación del T. V alabó la traducción del *Espectáculo*. *Vid.* Pérez Goyena, *art.cit.*, pp. 128-129.

[23] *Agricultura general y gobierno de la casa de campo*, Valencia, J.E. Dolz, 1765-1795, 10 vols.

"La Gaceta de Madrid" (13.6.1758) para *insurjentes*; la del 30.4.1765 para *inocular*; la *Orden* de 1766 para *indisciplina*; el "Mercurio Histórico" de abril de 1766 en *intolerancia*; el "Piscator de Burgos" del año de 1764 en *inmensal. Integrar* aparece con "Examen del Real Seminario de Nobles del año de 1764".

Como autoridades, los poetas aparecen generalmente para referirse a términos anticuados[24]. Limitándonos a la intervención de Terreros en las adiciones, Herrera, autoridad filológica preferida en el "Prólogo", lo es también por sus *Anotaciones* en: *icon, inoracion* y en *inorante*. Lope justifica la voz poética *inferna* y también *inofenso*, *ipericon* (planta medicinal) e *isolacos*. Garcilaso, para los anticuados *icon* e *instrúto*. En Aldana: *infantil, inhospedable, inmortalar* (antic.). Larramendi, autoridad filológica, en *impermixto* (simple); J. de Mena para *innefár* («abominar»); Fray Luis de León en los *Nombres de Cristo* para *incorporable*, El *Romance* XLVI del Cid Campeador en la anticuada *is*, en este caso acompañada de una cita. Virgilio autoridad mencionada en el "Prólogo" (también por *Autoridades*)[25], aparece en *infula*, mientras que Ovidio en *icelo* e *idija*; son también autoridades Plinio y Galeno.

Las voces "extrañas" de América y Asia se presentan sólo con la indicación de su colocación geográfica; contamos, no obstante, con Solorzano en *Política Indiana* para *ico* (paja de América); en los restantes la presencia de una autoridad americana no parece estrictamente pertinente a la proveniencia de la palabra: *Las 400 del Almirante* en los anticuados: *impunar, ivierno*, e *is*; la *Historia de California* (del P. Burriel) en *insolentar*; el *Memorial* del Dr. Antonio Lopez Portillo en *interesencias* y la *Relación de Ultramar*[26]. en *intolerante*.

Por último, hay numerosas voces contextualizadas mediante simples ejemplos o frases del lenguaje común: v. *imperdonable, incircuncision* e *italianizar*, en las que suele haber intenciones aleccionadoras.

[24] Las voces antiguas, poco numerosas en *Autoridades*, aumentaron en el *Suplemento* de 1770 y sucesivamente en el compendio en un tomo de 1780; Vid. M. Seco, *Introducción* al *Diccionario de la lengua castellana reducido a un tomo para su más fácil uso.* Fácsímil de la primera edición (1780), Madrid 1991.

[25] Vid. M. Morreale, *Virgilio y el "Diccionario de Autoridades"*, en "Nueva Revista de Filología Hispánica", XXXVI, 2 (1988), pp. 109-113.

[26] Debe tratarse de la *Relacion historica del viage a la America meridional hecho de orden de S. Mag. para medir algunos grados del meridiano Terrestre y venir por ellos en conocimiento de la verdadera Figura y Magnitud de la Tierra, con otras Observaciones Astronomicas y phisicas*, de J. Juan y A. de Ulloa, Madrid, A. Marin, 1748, 4 vols.

Los datos manejados indican como principales autoridades lexicográficas mencionadas en el *Diccionario* de Terreros, al *Diccionario* de la Academia y a los diccionarios franceses de Séjournant, Oudin y Trévoux, éstos en una proporción bastante semejante. Fueron también autoridades constantes Facciolati, Antonini, Franciosini, Sobrino y Larramendi.

Entre las autoridades no filológicas se produce un equilibrio entre las científicas y las de textos literarios; destacan en primer lugar las obras de Pluche, el *Espectáculo* e *Historia del cielo*, traducidas por el jesuita vizcaíno, y después Feijoo y el médico Martínez; mientras que entre las literarias Lope de Vega, Cervantes y Herrera en las *Anotaciones*, ocupan un lugar relevante.

Muestreos realizados en otras dos letras posteriores, como la "P" y "R", confirman buena parte de los datos con un porcentaje ligeramente menor de palabras autorizadas y con un menor número de citas. En cuanto a los diccionarios, las preferencias generales indican las señaladas en favor de Oudin, Séjournant y Trévoux, con una frecuencia superior incluso a la de *Autoridades*; aparecen otros diccionarios, como el español-francés de Herrero, el *Marítimo*, el de Saverien, y el de Nebrija, que no habían sido mencionados en la letra «I», y que ahora aparecen con relativa frecuencia; Franciosini, Facciolati, y Larramendi mantienen su lugar relevante.

Entre los autores, Terreros, con las traducciones realizadas por él mismo y particularmente con la del *Espectáculo*, se confirma como principal autoridad de su *Diccionario*, en una proporción muy superior a cualquier otra (incluidos los diccionarios). Se confirman también las autoridades científicas: Quer, Martínez, y aparecen Avilés[27] (para el blasón) y Jorge Juan, mencionado en el "Prólogo" para los americanismos; entre las autoridades literarias siguen prevaleciendo Lope, Cervantes y Herrera por las *Anotaciones*, mientras registramos la sorprendente presencia de las denominadas *Cartas del Sacristan*. Decrecen también las autoridades del mundo greco-latino representadas por Virgilio y Ovidio. Desaparecen, en cambio, las referencias a textos periódicos de la época.

En la perspectiva de la tradición lexicográfica y de la cultura a la que está ligado el *Diccionario* de Terreros hemos intentado confirmar en el uso

[27] *Ciencia heroyca; reducida a las leyes heráldicas del blason*, Barcelona, Piferrer, 1725, 2 vols.

de las autoridades uno de los elementos caracterizadores del *Diccionario*[28]. Concebido como indagación sobre los límites de todo lo conocido, el espíritu crítico se dirige en primer lugar a los numerosos diccionarios que tienen como objetivo su descripción y, cuando éstos resultan insuficientes son los textos más recientes, originales o traducidos, prontuarios o simples periódicos, quienes facilitan su labor. En los casos, en los que la palabra es ya común en la lengua, los textos desaparecen y dejan paso al simple uso. *Autoridades* ha quedado atrás como discurso en torno a la literatura; la autorización mediante autores y obras de creación, dominante en la principal fuente lexicográfica utilizada por Terreros, son, sobre todo, un homenaje al pasado (arcaísmos) y al rescoldo vivo de una prestigiosa tradición literaria.

El resultado, con ciertos hibridismos debidos en parte a no haber aclarado su relación con el diccionario académico y, en parte también, a la pluralidad de funciones que el jesuita vizcaíno atribuye a su *Diccionario* (entre los que se hallan la lectura de textos literarios, el enciclopedismo y el conocimiento para el uso "comunicativo" de lenguas) quedó como clara indicación para la moderna lexicografía que considera como parte del cuerpo léxico las voces propias de la más prestigiosa tradición literaria pero que se debate fundamentalmente en torno a la actualidad de la lengua y al uso que de ella hacen los cultos.

Para poder cumplir la función de mediador en la cultura universal que Terreros atribuye al español, debía dar el paso previo de adaptación a la nueva época que la cultura francesa estaba impulsando y el resultado fue una gran libertad, determinada por la necesidad, tanto en la adopción de palabras "extrañas" de lenguas exóticas, como de los nuevos tecnicismos. A éstos últimos, la cultura española no podía dar, considerando su bajo estado de desarrollo, una respuesta lingüística y cuando le toque darla, unos años después, lo hará a través de las numerosas traducciones de ensayos, manuales y obras lexicográficas francesas, entre las que figura la importante traducción de la *Enciclopedia metódica*[29].

[28] Teniendo siempre presente la utilización casi exhaustiva que Terreros hizo del *Diccionario* académico, sirva de referencia final para establecer el criticismo filológico de Terreros la siguiente cita de M. Seco: "En las 200 páginas estudiadas, Covarrubias aparece citado con frecuencia. Es el lexicógrafo más citado, por encima de Nebrija, Juan Hidalgo, el P. Alcalá, Palmireno y otros", en *Covarrubias en la Academia*, en A. C., XXV-XXVI (1987-1988), p. 390.

[29] *Vid.* F. San Vicente, *Lexicografía y catalogación de nuevos saberes en España durante el siglo XVIII*, en *El siglo que llaman ilustrado, Homenaje al Prof. F. Aguilar Piñal*, coordínado por J. Álvarez Barrientos y J. Checa Beltrán, Madrid, CSIC, 1996, pp. 781-794.

La labor de Terreros quedó por razones de tiempo en buena parte al margen de este aluvión de traducciones y es de lamentar que así ocurriera cuando con la paciente anotación del *Espectáculo de la Naturaleza* había indicado las grandes dificultades que había que superar para afrontar con espíritu filológico la versión de los textos científicos.

BIBLIOGRAFÍA*

* Corresponde a los diccionarios mencionados por Terreros en el "Prólogo" y en el corpus que hemos elegido para el estudio de su obra.

Academia Española, *Diccionario de la lengua castellana, en que se explica el verdadero sentido de las voces, su naturaleza y calidad, con las phrases o modos de hablar, los proverbios o refranes, y otras cosas convenientes al uso de la lengua, Compuesto por la Real Academia Española*, I, Madrid, Imprenta de Francisco del Hierro, 1726; II, *ibídem*, 1729; III, Vda. de Francisco del Hierro, 1732; IV, Herederos de Francisco del Hierro, 1734; V, *ibídem*, 1737 y tomo VI, *ibídem*, 1739.

Académie Française, *Dictionnaire de l'Académie française*, Paris, 1694, 2 vols. (2ª ed., 1718; 3ª ed., 1740; 4ª ed., 1762; *vid.* también Corneille y Séjournant.

Antonini, A., *Dictionnaire italien, latin, et françois; contenant non seuelement un abregé du Dictionnaire de La Crusca; mais encore tout ce qu'il y a de plus remarquable dans les meilleurs lexicographes, etymologistes, & glossaires, qui ont paru en differents langues* , Venezia, F. Pitteri, 1745; (la 1ª ed. Paris, 1725; obra muy reeditada).

Backer, G., *de Dictionnaire des proverbes françois*, 1710, Bruxelles. (Puede corresponder al *Diccionario de proverbios* citado por Terreros con las iniciales G.D.B.).

Brossard, S. de, *Dictionnaire de musique*, Paris, 1703. (Gr., lat., ita., fr; puede corresponder al diccionario de música francés citado por Terreros).

Boyer, A., *Diccionnaire royal françois-anglois et anglois-françois*, La Haya, 1702.

—, *Royal dictionnary abridged*, (fr.- ingl; ing.- fr.), Londres, 1708.

Casas, C. de las, *Vocabulario de las dos lenguas toscana y castellana*, Sevilla, Escribano, 1570.

Cedillo y Rujaque, P. M., *Vocabulario marítimo y explicación de los vocablos que usa la gente de mar en su exercicio del Arte de Marear*, Sevilla, Herederos de T. López de Haro, 1728. (Puede corresponder al *Diccionario marítimo* mencionado por Terreros).

Comenius J., *Ianua linguarum* (lat. fr. alem.), Genève, 1638.

—, (lat. fr. alem. ita.), Gèneve, 1638.
—, (lat. fr.), Paris, 1642, Reggio, 1644.
—, (lat. gr. fr.), Amsterdam, 1643.
—, (lat. al. fr. ital. esp.), 1661.

Corneille, Th., *Dictionnaire des arts et des sciences*, Paris, 1694. (*Diccionario de la Academia de París*).

Covarrubias, S. de, *Tesoro de la lengua castellana o española*, Madrid, M. Sánchez, 1611.

Crusca, *Vocabolario degli Accademici della Crusca con tre indici delle voci, locuzioni, e proverbi latini, e greci, posti per entro l´opera*, Venezia, G. Alberti, 1612. (Había llegado a la 4ª ed. 1729-1738; *vid.* también Antonini).

[«Diccionario de adajios de G.D.B», *vid.* Bacquer]

[«Diccionario Maritimo» v. Cedillo]

[«Diccionario de musica» v. Brossard]

Duesio, N., *Ianua linguarum reserata* (se refiere a N. Duez, autor de varias obras de lexicografía y gramática del francés).

[Estéfano, R., vid Stephanus]

Facciolati, *Septem linguarum Calepinus hoc est Lexicon Latinum, Variarum linguarum interpretatione adjecta in usum seminarii patavini*, Patavi, Manfrè, 1726.

Franciosini L.F., *Vocabolario italiano, e spagnuolo non piú dato in luce nel quale... si dichiarano, e con proprietà convertono tutte le voci toscane in castigliano e le castigliane in toscano. con le frasi e alcuni proverbi.* Roma, Profilio, 1620. (Numerosas ediciones durante los ss. XVII y XVIII).

Herrero, A.M., *Diccionario universal, francés y español*, Madrid, Imp. del Reyno, 1744, 3 vols.

Hidalgo, J., *Romances de germanía de varios autores, con el vocabulario por la orden del a b c para declaracion de sus términos y lengua*, Barcelona, Comellas, 1609. (Fue reed. por Mayans en *Orígenes* y posteriormente hubo eds. en 1759 y 1779).

Howell, J., *Lexicon tetraglotton or an English-French-Spanish-Italian dictionary*, Londres, Thompson, 1659-1660, 3 vols.

Larramendi, Manuel de, *Diccionario trilingüe del castellano, bascuence y latín*, San Sebastián, Riesgo y Montero, 1745.

López Tamarid, F., *Compendio de algunos vocablos arabigos introduzidos en la lengua castellana*, Granada, Casa de Antonio de Nebrissa, 1585. (Fue reed. por Mayans en *Orígenes*).

Morelli, *Diccionario greco-latino-gallico*, Venezia, 1735.

Nebrija, E.A., *Lexicon hoc est Dictionarium lex sermone latino in hispaniensem*, Salmanticae, 1492.

—, *Dictionarium hispanum latinum*, Salamanca, ¿1495?

Oudin, C., *Le Thresor des trois langues, espagnole, françoise, et italienne, auquel est contenüe l'esplication de toutes les trois, respectiv l'une par l'autre: distingué en trois parties. Le tout recueilli des plus celebres Autheurs, qui iusques ici ont escrites trois langues espagnole, françoise et italienne: par Oudin, Nicot, La Crusca et autres, derniere edition augmentée*, Cologny, Crespin 1627. (Del *Trésor* existía una edición en dos lenguas: francés-español, Lyon, 1575 con reed. posteriores, París, 1607; 1645).

Pineda, P., *Nuevo Diccionario, Español e Ingles e Ingles y Español. Que contiene la etimologia, de la propria, y metaphorica significacion de las palabras, terminos de artes y sciencias: nombres de hombres, familias, lugares, y de las principales plantas, tanto en españa, como en las Indias-Occidentales. Junto con las palabras arabigas y moriscas recebidas en la lengua española. Con la explicacion de las palabras dificiles, proverbios, y frases en Don Quixote, y en los otros graves autores de dicha lengua...*, Londres, Gyles, Woodward, Cox, Clarke, Millar y Vaillant, 1740.

Pomey, P., *Dictionnaire royal des langues français et latine*, Lyon, 1664.

—, *Universo abreviado, a donde están contenidas en diversas listas, casi todos los nombres de las obras de la naturaleza de todas las ciencias y de todas las artes...traduit en espagnol par le P. F. Croset*, Lyon, P. Vallray, 1705; otra ed. Caller, Borro, 1724. (La primera edición de esta obra fue en latín con el título de *Indiculus universalis*, Paris, 1667; hemos consultado una edición de Lyon, Horace Molin, 1695).

Requejo, V., *Thesaurus hispano-latinus utriusque linguae...Olim a P. Bartholomaeo Bravo... inventus: postea a Petro de Salas. Nunc mendis expurgatus a P. --*, Salmanticae, Garcia de Honorato, MDCCXXIX, 6 hs. + 756 pp. (Tuvo varias eds. durante el siglo XVIII, *vid.* Palau, *Manual del librero*, nn. 34653-34658).

Richelet P., *Dictionnaire de la Langue Française, ancienne et moderne, de --; Augmenté de plusieurs remarques importantes sur la Langue Françoise, Additions d'Histoire, de Grammaire, de Critique, de Jurisprudence, et d'une Liste Alphabetique des Auteurs et des Livres cites dans ce Dictionnaire. Nouvelle edition corrigée et augmentée d'un gran nombre d'Articles*, Basle, Jean Brandmuller, 1735, 3 vols. (La 1ª ed. fue en 1680).

Salas, P., *Thesaurus Hispanolatinus utriusque linguae dives opum. Olim a Patre Bartholomeo Bravo e Societate Iesu inventus... Per -- ex eadem Societate Iesu in Vallisoletana Urbe publicum Umanarum Litterarum Professorem*, Matriti, Joan Garcia Infanzon, 1701. (Son reediciones que el P. Pedro de Salas (1584-1664) de la Compañía de Jesús, realizó del *Diccionario* de su correligionario P. Bravo; *vid.* también Requejo, y Palau, *Manual del librero* nn. 286143-286148).

—, *Compendium latino-hispanum, utriusque linguae quasi lumen. Quo Calepini, Thesauri Henrici Stephani, Antonij Nebrisensis, Nizolij, Patris Bartholomaei Bravo, atque omnium optimae notae Authorum labores,... Editio ultima ab innumeris, quibus prior scatebat, sedulo repurgata*, Antuerpiae, MDCCXXIV, apud Henricum, et Cornelium Verdussen, Francisco Lasso.

Sánchez de la Ballesta, A., *Diccionario de vocablos castellanos aplicados á la propiedad latina*, Salmanticae, Renaut, 1587.

Savérien, A., *Dictionnaire universel de mathématique et de physique*, 2 vols., Paris, 1753.

Séjournant, N. de, *Nouveau dictionnaire espagnol-français-latin, composé sur les dictionaires des Academies Royales de Madrid et de Paris*, Paris, Jombert, 1759.

Sobrino, F., *Diccionario nuevo de las lenguas española y francesa*, 2 vols. Bruxelles, 1705. (Este *Diccionario*, corregido y aumentado a lo largo de todo el siglo, había llegado a la 6ª ed. en 1760-1761).

Stephanus, R. *Thesaurus linguae latinae: seu , Promptuarium dictionum et loquendi formularum omnium ad latini sermonis perfectam notitiam assequendam pertinentium: ex optimis auctoribus concinnatum*, Lion, 1573. (1ª ed. 1532).

[Trévoux], *Dictionnaire universel françois et latin contenant la signification et la définition tant des mots de l'une & de l'autre Langue, avec leurs différens usages, que des termes propres de chaque Etat & de chaque Profession. La description de toutes les choses naturelles & artificielles; leurs figures, leurs espéces, leurs proprietés. L'explication de tout ce que renferment les Sciences & les Arts, soit Libéraux, soit Mechaniques, avec des remarques d'errudition et de critique; Le tout tiré des plus excellens Auteurs, des meilleurs Lexicographes, Etymologistes & Glossaires, qui ont paru jusqu'ici en differente Langues. Nouvelle édition corregée et augmentée*, Paris, Libraires Associés, 5 vols. 1752. (1ª ed. en 1704); 2ª ed. 5 vols., Trévoux, 1721; 3ª ed. 5 vols. Paris, 1732;.4ª ed. 6 vols., Paris, 1743).

Anotaciones sobre las vocales del español y el italiano

José Mª Saussol

0. Previa

Con las anotaciones que siguen pretendo señalar sucintamente los aspectos contrastivos más relevantes de las vocales del español y el italiano, sector sobre el que podemos hallar indicaciones generales, aisladas, en los estudios lingüísticos, aunque carente aún de una monografía completa realizada con rigor científico. Sirva esta tentativa para llamar la atención sobre tal carencia y, más que nada, para despertar el interés de futuros estudiosos de la lingüística contrastiva y aplicada.

El presente trabajo se encuadra en el ámbito de la fonética articulatoria, sintáctica y auditiva. En él tenemos presentes las aportaciones de la fonética acústica, sobre todo por lo que al español se refiere, dado que con respecto al italiano no se han realizado estudios pertinentes completos (en parte, a causa de la complejidad que presenta el atlas lingüístico italiano, caracterizado por la presencia de numerosos "dialectos" en los que se detectan marcadas y numerosas variantes con incidencia en la pronunciación del estándar), sino parciales monografías de carácter experimental (Fava, Magno: 1976). A pesar de su indudable interés, dichos estudios no permiten una confrontación rigurosa con los resultados de las consistentes investigaciones llevadas a cabo por los fonólogos hispanistas, sobre todo por A. Quilis. En sus volúmenes de 1988 y 1993, citados en las referencias bibliográficas que completan este trabajo, se encuentra, además, una amplia bibliografía sobre el sector.

En las transcripciones fonológicas y en las fonéticas utilizo los símbolos del Alfabeto Fonético Internacional.

1. *Sistemas fonológicos y abertura vocálica*

Tanto en español como en italiano se da coincidencia en sus cinco vocales fonológicas que aparecen en sílaba átona: /i/, /e/, /a/, /o/, /u/. En sílaba tónica, el italiano cuenta, además, con /ɛ́/ y /ɔ́/ en una treintena de pares mínimos del tipo

/vɛ́nti/ *vènti* (esp."vientos") – /vénti/ *vénti* (esp. "veinte")
/vɔ́lto/ *vòlto* (esp. "vuelvo") – /vólto/ *vólto* (esp. "rostro")

Nótese que estas diferenciaciones, de muy escaso rendimiento funcional, aparecen sobre todo en el estándar con base florentino-toscana, y que no es posible delimitar hoy con precisión su incidencia en el sistema del italiano, en la fase de formación que presenta en la actualidad, pues se trata, en definitiva, de rasgos indicativos de proveniencia geográfica o de nivel y estilo de lengua, aunque aparezcan sistemáticamente anotados en la mayoría de las gramáticas normativo-descriptivas que conozco, en las que se recomienda, incluso en textos para la enseñanza media, que se respete la distinción como "dovere di urbanità linguistica" (Moretti, Consonni, 1983: 90-91), y esto a pesar de que en buena parte de la península e islas no se actúe en la lengua realizada oral, y de que aparezca evidente la tendencia a fijarse en cinco, y no en siete, el número de sus vocales fonológicas, como en castellano.

A este respecto, L. Canepari, ya en 1979 (p. 177), afirmaba:

"Più della metà degl'italiani regionali usa solo cinque fonemi vocalici / i e a o u / anche in posizione tonica, perchè non distinguono /e ɛ/ o /o ɔ/. Infatti, o hanno solo realizzazioni intermedie [*e o*], o hanno distribuzione condizionata dalla struttura sillabica (generalmente [e o] in sillaba aperta, [ɛ ɔ] in sillaba chiusa) o dal contesto fonico (a volte [e o] , altre [ɛ ɔ], in sillaba chiusa da nasale o in sillaba aperta seguita da /r/, &c.), o in variazione libera &c. Perciò, nel diasistema italiano molto spesso la comunicazione avviene solo in base al significato contestuale: *un chilo di pesche* viene capìto anche se si pronuncia *pesche* con [e], o *vado a pesca* con [ɛ], o *ha preso le botte* con [o] , o *il vino è nella botte* con [ɔ] , &c." (Subrayado mío).

Advertimos aquí evidentes analogías (parte subrayada arriba) con los postulados de T. Navarro Tomás (1961: §§ 41-42, 51-52, 58-59), referidos al plano fonético del español, con respecto a la abertura –sensiblemente menor que en italiano– o a las realizaciones cerradas y medias de los fonemas /e/ y /o/, condicionadas, según él, por la estructura silábica o por el contexto fónico. Navarro añade el contacto con el velar /x/ posterior, inexistente en italiano, y alguno más. Pero estas consideraciones, sobre las que volvemos en el §3, se sitúan en el plano de la fonética articulatoria y auditiva, a menudo insuficiente si prescindimos del análisis científico de la fonética acústica. Nuestro parecer al respecto es que tales posibles realizaciones no se producen en *distribución complementaria.* Para el español general se tiende a reconocer que las cinco unidades de los fonemas vocálicos tienen sólo cinco alófonos orales que se realizan en tal distribución: [i], [e], [a], [o], [u] y cinco nasales: [ĩ], [ẽ], [ã], [õ], [ũ] (Quilis, 1993: 145).

Sobre las realizaciones abiertas de las vocales del italiano, no me consta que, hasta la fecha, haya aparecido un estudio específico con las garantías que la situación requiere y las pruebas electroacústicas de rigor, entre otros motivos porque llevarlo a cabo supondría el análisis espectrográfico de las realizaciones de un notable número de informantes y de laboriosas estadísticas a nivel nacional; ardua empresa en verdad, si consideramos la cantidad y la variedad de las regiones lingüísticas peninsulares e isleñas, cuyos substratos dialectales, como indicaba arriba (§ 0), influyen en la modalidad de uso del estándar presente en cada una de ellas. Por el momento nos atenemos a los resultados del análisis ariculatorio-sintáctico de L. Canepari apenas citados.

Interesa poner de relieve también cómo los fonemas /ɛ́/ y /ɔ́/ en italiano contemporáneo, presentan una considerable parcialidad de uso, aunque en el plano fonético persistan alófonos vocálicos abiertos (ver aquí § 3), cuya tipología de distribución y de variantes, en el estado actual de la lengua y por el motivo al que acabo de aludir, a veces no sería posible establecer con rigor científico.

2. *Variantes regionales*

En el área hispánica se registran asimismo casos de abertura en la realización de los fonemas vocálicos. En las situaciones que observaremos aquí puede hablarse también incluso de fonematizaciones que aparecen tanto en sílaba tónica como átona, y presentan un carácter funcional diverso del anotado en relación con respecto a /ɛ́/ y /ɔ́/ del italiano. Estimo que la presentación del fenómeno, en la didáctica del español para italohablantes, es de interés pensando sobre todo en la extensión del mismo, aunque por lo general se desdeñe por su carácter regional y, por lo tanto, se quede en el tintero.

Para su descripción anotamos que, en extensas regiones del español – a las que nos referimos abajo –, la pérdida de las consonantes postnucleares (sílaba cerrada) causa, por compensación, la abertura de la vocal que las precede. De modo que en palabras como *perdiz, ver, amas, dios, tul,* al no realizarse en final de palabra los fonemas /θ/, /r/, /s/ y /l/, presentes en la pronunciación del estándar, en las últimas vocales *i, e a, o* y *u* se produce un cambio de timbre como consecuencia de la efectiva abertura de las mismas, con evidente reflejo en el plano fonológico, pues en estos casos se obtienen oposiciones entre vocales de timbre medio (*perdí, ve, ama, dio, tú)* y vocales abiertas: las últimas de *perdi(z), ve(r), ama(s), dio(s)* y *tu(l)* . Por este motivo el fenómeno se denomina *desdoblamiento vocálico* (cfr. Quilis, 1993:173-176; Alvar, 1996: 244-246; Saussol, 1998: 14).

Pero, a pesar de que la ocasional supresión de las consonantes en sílaba cerrada pueda incidir en los sistemas fonológicos regionales, esta particularidad de las hablas hispanas interesa, sobre todo, por los efectos que en este sentido produce la pérdida de /-s/ por los siguientes motivos:

1) Frecuencia de uso

De acuerdo con las fidedignas estadísticas que nos proporcionan A. Quilis y M. Esgueva (1980: 5), /s/ es el fonema del español con mayores ocurrencias.

2) Incidencia léxica

A menudo la presencia de /-s/ tiene la función de señalar unidades léxicas diversas, como en *dio* / *Dios* ; *do* / *dos* ; *re* / *res* ; *mata* ("planta") / *matas* (de "matar"); *parí* /*París* ; *ca* (interjección) / *cas* (nombre de árbol); *mu* / *mus, me* / *mes,* etc.

3) Indicador morfemático de plural

El rendimiento funcional de /-s/ bajo este aspecto es decisivo para el sistema por constituir una de sus bases morfológicas.

Vamos a centrarnos, por lo tanto, en este último punto: en las mencionadas hablas y en la vocal final, precedente a /-s/ implosivo postnuclear, se verifica el cambio de timbre al que aludíamos arriba, realizándose como abierta; hecho que constituye *marca de plural* cuando / -s / del estándar desempeña tal función, asumida por la abertura vocálica con supresión del fonema alveolar fricativo sordo como en

[lɛ ˈβimɔ] *les vimos* ; [lɔ ˈniɲɔ] *los niños*

Recordemos que en amplias zonas que "grosso modo" suelen coincidir con las del *yeísmo* se detectan situaciones paralelas. El fenómeno se extiende desde la Andalucía oriental – Córdoba, Jaén, Granada y Almería – a otras regiones: Sur de Avila, Madrid, Toledo, Ciudad Real, Murcia, Extremadura, Canarias... hasta proyectarse fuera de España: Suroeste de Santo Domingo, Puerto Rico, Uruguay, Argentina, y Paraguay. En Cuba tal realización afecta más que nada al desdoblamiento del fonema /e/. Estas realizaciones de las vocales del andaluz y su reflejo en los sistemas regionales, han sido estudiadas por Navarro Tomás, L. Rodríguez Castellano, E. Alarcos, D. Zamora Vicente, M.J. Canellada, M. Alvar, G. Salvador y A. Llorente Maldonado en trabajos analizados por Quilis (1993: 176-178).

Hay otras posibilidades combinatorias: *alargamiento compensatorio* de la vocal abierta [lɔ: ˈliβrɔ:] *los libros* , o bien vocal abierta + [s] aspirado > [h] : [lɛh ðamɔh] *les damos* . La aspiración de /-s/ implosiva, tanto en final como en interior de palabra, es general. Además de las regiones españolas señaladas en relación con la abertura vocálica, se detecta, como hemos visto, en extensas zonas de Hispanoamérica, sobre todo en las islas de las Antillas y buena parte de las costas (cfr.Lapesa, 1985: §130, 3; Moreno, 1995: 96, 100). Se trata de un fenómeno en continua expansión.

Como efecto de la pérdida de /-s/ en su realización aspirada, ocurre que, con frecuencia, no sólo se produce la abertura vocálica sino que también el alófono [-h], ante una consonante, asume su punto de articulación y ocasiona o una realización tensa de la misma o su geminación – con incidencia en el plano fonológico que observaremos más adelante:

[el ˈβɔkke] *el bosque* ; [lɔho ˈβippɔ^{h}] *los obispos*

todo ello, claro está, relacionado con las manifestaciones del español en las mencionadas regiones que, por su extensión, no pueden escapar a nuestras consideraciones de tipo comparativo y aplicativo.

Otra consecuencia de la desaparición de /-s/ aspirado ([-h]) con mantenimiento de la abertura de las vocales, estriba en que el timbre abierto de las mismas no sólo asume el valor de marca de morfema del plural, sobre todo en andaluz oriental (cfr. Alvar, 1996: 245-246), sino que en algunos casos llega a distinguir vocablos, como en los ejemplos que propongo:

['moto] *moto* – [mɔ:to] *mosto*
[pe'kar] *pecar* – [pɛ:'kar] *pescar*

De modo que la aspiración de /-s/, así como su supresión, se nos presenta como el fenómeno fonético con mayor "capacidad revolucionaria" en la diacronía del español, pues de él depende que el sistema fonológico del andaluz oriental y del murciano cuente con 8 (si no con 10) fonemas vocálicos, además de originar nuevas oposiciones de timbre, de duración y hasta de consonantes simples y geminadas, como en la situación documentada arriba e infinidad de ellas. Véanse, para ejemplificar,

/kóto/ *coto* – /kótto/ *costo*
/páta/ *pata* – /pátta/ *pasta*
/páto/ *pato* – /pátto/ *pasto*
/móka/ *moca* – /mókka/ *mosca*
/móto/ *moto* – /mótto/ *mosto*

(cfr. Lapesa, 1985: §121, 5). No obstante, las fonematizaciones anotadas, a pesar de su consistencia en el espacio, no justificarían la elaboración de otro cuadro del inventario fonológico del español, dado que tanto la eventual abertura vocálica, como su alargamiento compensatorio (o la aspiración o no realización de /-s/ con las vistosas consecuencias señaladas), no impide que las vocales afectadas sigan confluyendo ya sea en la función como en la distribución de sus cinco unidades fonológicas, lo mismo que el alófono aspirado [-h] confluye necesariamente en /s/, a pesar de las diferencias tímbricas, causadas por la diversa tipología de los rasgos, observada entre los fonemas y sus alófonos.

En todo caso, estos cuadros fonológicos (en los que habría que incluir el bifonematismo, de carácter marcadamente regional, generado por las consonantes geminadas) se referirían exclusivamente a los usos regionales, a menudo condicionados por los niveles de lengua, y determinados con frecuencia por la formación cultural de los hablantes: una mayor cultura suele implicar mayor fidelidad al sistema del español ibérico central, considerado por buena parte de los hispanohablantes como ejemplar; de ahí, entre otras circunstancias, la *homogeneidad* del español universal (cfr. Llorente, 1995: 87).

Lo dicho no presupone que la presentación de las realizaciones anotadas sea superflua, sobre todo si tenemos en cuenta que es imposible prever en qué contexto regional o socio-lingüístico se van a desarrollar las posibles interacciones comunicativas de nuestros alumnos. Consecuentemente, la anotación es de interés para los especialistas, por no hablar de los profesionales de la interpretación simultánea y consecutiva, pues son frecuentes las circunstancias –p.e. la inmediata traducción oral de un discurso de Felipe González, o del actual ministro de Trabajo, M. Pimentel– en que las realizaciones de /e/ y /o/ cerradas o abiertas, y de/-s/ como [-h] son corrientes, en alternancia con [-s] normativo, morfema de plural, en autocorrecciones con diversos grados de espontaneidad.

El desconocimiento de la situación actual podría comprometer la comprensión no sólo de un mensaje aislado, sino de todo el texto, cosa que podría suceder si el siguiente segmento (emitido por un informante exponente de las hablas meridionales de España o de las vastas zonas americanas señaladas arriba),

[uhˈteðɛʰ ɛhtaˈriam ˈbjen enla ˈhaṷlaʰ]

–*ustedes estarían bien en las aulas* –, se interpretara en italiano como "Il vostro posto è nelle *gabbie* ". Es evidente que el significado del segmento [enla ˈhaṷlaʰ] es ambiguo si se produce en un enunciado fuera de un contexto, que claramente pudiera resolver ambigüedades posibles entre *en las aulas* y *en las jaulas,* sintagmas cuya realización oral puede ser idéntica en las zonas señaladas del español ibérico y americano.

Lo mismo pudiera ocurrir con infinidad de situaciones. Así, la errónea interpretación de

[lɛ ˈðisɛ:] *les dices* (variante regional), como * [le ˈðiθe] *le dice*, o también

[lɔ ˈmiʰmɔ:] y [lɔ ˈmimmɔ] *los mismos* (variantes regionales)

entendidos y traducidos, ante el estupor de los destinatarios, como

*[lo ˈmimo] *lo mimo* (de "mimar", it. "lo vizio"),

disparate este último que no suena a novedad para quienes, en los congresos, están acostumbrados a escuchar cosas más extrañas aún por los auriculares, y que podrían evitarse con una preparación fonológico-fonética más sólida de nuestros intérpretes.

3. *Plano fonético*

En lo referente a las discutibles realizaciones abiertas de los fonemas españoles /e/ y /o/, que afectan sólo al plano fonético, conviene anotar que, en el estándar, sus alófonos inestables ([ɛ ɔ]) es posible que se produzcan "algo abiertos" (Quilis, 1993: 145), pero es preciso poner de relieve que tal abertura, si se da, es sensiblemente menor que la que se aprecia en la producción de los fonemas del italiano /ɛ́/ y /ɔ́/ y en las realizaciones alofónicas de /e/ y /o/, p.e. en [ˈtɛrmino] *tèrmino* o [ˈrɔza] *ròsa.* Más específicamente me refiero, en relación con el español, a los postulados de T. Navarro Tomás (1961: 52-55, 59-60), a los que aludíamos arriba (§ 1), no confirmados por las pruebas electroacústicas que, hasta el momento, tengo noticias que se hayan realizado con esta específica motivación (cfr. Monroy Casas, 1980: §§ 3.3.1., 3.3.4.); pruebas de valor meramente indicativo a causa del reducido número de informantes utilizados (únicamente cinco), y que unidas a otros estudios confirman que en español estándar todos los fonemas vocálicos se realizan con un grado mayor o menor de cierre o abertura, sin que tales posibles realizaciones sean comparables a las registradas en italiano, sobre todo por lo que a la abertura se refiere.

Estimamos que las variantes alofónicas [ɛ ɔ] no siempre están motivadas en español estándar por los contactos con los fonos adyacentes, o por la estructura silábica, puesto que con frecuencia presentan inestabilidad y pueden detectarse en los idiolectos. Además, la posible abertura de las mismas, generalmente muy reducida, no siempre se debe a los contactos nexuales, por lo que tales realizaciones no pueden originarse a causa de los condicionamientos inherentes a la *distribución complementaria* (Cfr. J. A. Alvarez, 1979), como puede ocurrir en italiano, en alternancia con las *variantes libres*, si seguimos las indicaciones de L. Canepari (1979: 77;1999: *pássim*).

Por otra parte, ante la evidente inconsistencia del fenómeno en el área hispánica, estimo que no sólo su observación carece de interés en sede aplicativa, sino que puede llegar a ser desviante y perjudicial en el caso del español para alumnos italianos, a quienes se debe acostumbrar a producir las vocales españolas de acuerdo con la sencillez y la simetría de su sistema vocálico, y libres de las interferencias negativas de su lengua materna, en cuyo plano fonético la *abertura vocálica* suele ser una constante, más acusada en unas regiones que en otras. Y esto en claro contraste con el español no regional, en que si acaso llega a realizarse, su percepción a oído es poco clara y hasta dudosa. Por lo tanto, el fenómeno de la abertura vocálica en lengua española interesa sobre todo –si nos movemos en el ámbito de la lingüística aplicada- en su plasmación regional y para ocuparnos de ella en cursos de especialización.

Lo expuesto hasta ahora nos permite sintetizar el contraste de base, que caracteriza los niveles fonológico y fonético, entre los sistemas vocálicos de ambas lenguas: frente a la estabilidad y firmeza que presenta el sistema vocálico del español, con sus cinco unidades, el italiano cuenta, además, con /ɛ́/ y /ɔ́/ , de discutible estabilidad y de parcial incidencia, además de los semiconsonánticos /j/ y /w/, a los que nos referimos seguidamente, cuya fonematicidad sigue siendo motivo de controversias, todavía en curso.

La situación esbozada – insistimos – aconseja en la didáctica una simplificación del sistema vocálico del italiano, consistente en reducirlo a las cinco vocales fonológicas, aunque en el plano fonético, por motivos de ortoepía, es conveniente hacer notar y realizar la abertura vocálica en los términos donde aparece con evidencia en el estándar. Y esto siempre que la enseñanza tenga como meta la transmisión de un conocimiento sucinto y basilar del italiano estándar; pero si el fin específico del grupo es el de conseguir una orientación más completa y profunda-en las facultades lingüísticas universitarias p.e.-, la presentación y análisis del hecho, en su integridad y dimensión justa, no estaría en absoluto por demás. Personalmente nunca he oído decir a un italiano *[ˈmerlo] o *[ˈlesto]*, *[’porta] o *[’roza], sino [ˈmɛrlo] *mèrlo,* [ˈlɛsto] *lèsto*, [’pɔrta] *pòrta* y [’rɔza] *ròsa.*

Bajo el aspecto esbozado, no cabe duda de que la fonología del español para italianos presenta menos dificultades que el caso contrario. Y es que la distinción entre vocal cerrada o media y vocal abierta se basa en un rasgo, en una diferenciación tímbrica a la que los hablantes del español estándar no están acostumbrados por los motivos ya expuestos. Se explican así las dificultades con que los hispanohablantes tropiezan cuando intentan reproducir hábitos fonéticos tan diversos de los propios.

La situación es bien distinta si la referimos a la fonética del español para italohablantes, si pensamos en el gran número de interferencias negativas de ardua previsión, por las diversas costumbres de fonación de los italianos, condicionadas a menudo por el panorama dialectal del país, de una riqueza, una variedad que sobrepasa con mucho la realidad del español, en que sólo aparecen dos conjuntos de hablas dialectales: las asturleonesas y las altoaragonesas. Tanto las hablas meridionales como las hispanoamericanas suelen considerse como *modalidades regionales del español* (cfr. Llorente, 1995: 87-94).

Ante los límites que nos hemos impuesto, no nos es posible detenernos aquí en la observación de los alófonos de los fonemas vocálicos que se registran en la península italiana e islas. Nos baste mencionar el cambio de timbre de las vocales átonas, con abertura variable y más o menos centralización no sólo en el sur, sino aquí y allá en toda la geografía italiana; las variantes de abertura o cierre de las vocales medias que se detectan en Milán, en Bolonia y hasta en florentino ilustre, condicionadas por metafonía en sardo; la nasalización vocálica prototípica de Lombardía y Véneto, además de la tendencia general a realizarlas en determinados contextos con *duración* sensiblemente superior a la que se oberva en las vocales castellanas, caracterizadas por la brevedad de todas ellas en la pronunciación carente de énfasis, fenómeno del que me he ocupado por extenso en otro lugar (Saussol, 1983: 68-77).

Dichas costumbres fonéticas condicionan no sólo la clave oral del italiano estándar en sus diversas manifestaciones regionales, sino, en el caso que nos ocupa, el aprendizaje del español. La emisión de sus cinco vocales, caracterizadas por un timbre generalmente medio, por la sencillez, la simetría que presentan en el sistema, de verse afectada por las costumbres fonéticas prototípicas de los substratos regionales italianos, perdería la clara y sobria *sonoridad* que constituye un aspecto fónico esencial del habla castellana (cfr. Quilis, 1993: § 2.9.1., *2, 5, 7.*)

4. *Semiconsonantes y semivocales*

En la formación de los diptongos crecientes (los órganos articulatorios se desplazan hacia la abertura), en posición silábica prenuclear, las semiconsonantes españolas se identifican con los alófonos de /i/ y /u/, respectivamente [j] y [w], como también se observa en italiano:

esp. [ˈkjero] *quiero* - it. [ˈkjaro] *chiaro*
esp. [ˈxweβes] *jueves* - it. [ˈdwɔlo] *duòlo*

Tanto en español como en italiano hay coincidencia en la formación de diptongos decrecientes (los órganos articulatorios se desplazan hacia el cierre), en que los alófonos de /i/ y /u/ ([-i̯] , [-u̯]) aparecen en posición silábica postnuclear. Véanse los ejemplos:

esp. [ˈtrai̯ɣo] *traigo* - it.[ˈbai̯ta] *baita*
esp. [ˈkau̯to] *cauto* - it. [ˈkau̯to] *cauto*

Incluso hay coincidencia en la diferencia fonética que separa a [i] de [j] y de [i̯], así como la que separa a [u] de [w] y de [u̯], como tuvimos ocasión de anotar precedentemente (cfr. Saussol, 1998: 14-15; Canellada, 1987; Quilis, 1993: 179-181). Con la diferente simbología se marca –además de los contrastes fonéticos que se anotaron-, la diversa tipología de los alófonos en función silábica prenuclear: [j] y [w] (para señalar la formación de diptongos crecientes), y la función silábica postnuclear de [i̯] y [u̯] (para indicar la formación de los decrecientes).

Queda abierta la discusión, iniciada por A. Castellani en 1956, sobre la posible fonematicidad de /j/ y de /w/ en italiano. Pero los pares mínimos encontrados por J. Arce (1962), R. J. Di Pietro (1965), G. C. Lepschy (1964) y K. Lichem (1968) y que a continuación anoto (indicando el silabeo con [-] para mayor claridad),

/pjá:-no/ *piano* (“lento”) - /pi-á:-no/ (derivado de *Pio*)
/la-kwá-le/ *la quale* - /la-ku-á:le/ (derivado de *lago*)
/piá:-to/ *piato* (“lite”) - /pi-á:-to/ *piato* (“pigolío”)
/spján-ti/ *spianti* (de *spiantare*, y “disastri”) - /spi-án-ti/ *spianti* (“coloro che spiano”)

/ar-kwá:-ta/ *Arquata* ("località") - /ar-ku-á:-ta/ (part. pas. de *arcuare*, "piegare ad arco")

además de parecernos bastante rebuscados y de su escasez – lo que pone de manifiesto un rendimiento funcional más que reducido –, son de realización no constante en el habla media, e incluso en la conversación rápida se llega a anular la diferenciación ([pi-ˈa:-no] como [ˈpja:-no], y así en los demás casos), revelada por las relaciones contextuales. Esto nos mueve a justificar la posición de Arce (1962) al aplicar al italiano la tesis española de E. Alarcos (1981: §§ 96-100; 1995: §§ 37-38): [j] y [w] son solo elementos iniciales de una combinación monosilábica de vocales ; esto es, "simples variantes de los fonemas /i/ y /u/ respectivamente". Por nuestra parte, aceptamos dicha indicación de Arce con alguna reserva, al ser conscientes de los peligros que puede entrañar el hecho de aplicar al italiano, o a otra lengua, las observaciones hechas sobre un sistema fonológico diverso.

Deducimos, por tanto, que la urgencia pedagógica que presentan las discutibles fonematizaciones de [j] y de [w] en italiano es sólo relativa; nula para un curso dedicado al conocimiento general de la lengua, a pesar de su interés en un curso de fonología italiana, ya en ámbitos universitarios.

No obstante, la observación del caso anterior pone de relieve un contraste de interés, relacionado con la formación silábica: en italiano los casos de división en dos sílabas en el encuentro de vocales, una *débil átona* y una *fuerte*, son frecuentes. Además de los ejemplos que acabamos de considerar, propongo estos otros en los que se pone en evidencia el diverso tratamiento de la misma situación en lengua española:

it. [tri-ˈe-ste] *Trieste* – esp. [ˈtrjes-te] *Trieste*
it. [ga-bri-ˈ ɛl-la] *Gabrièlla* – esp. [ga-ˈβrje-la] *Gabriela.*
it. [al-le-vi-ˈa:-mo] *alleviamo* (de "alleviare") – esp. [a-li-ˈβja-mos] *aliviamos* (de "aliviar")

En español una ejemplificación análoga podría parecer si no rara por lo menos rebuscada. Tal es el caso de la oposición en el plano fonético (con muy poco probable repercusión en el fonológico) entre

[ˈpje] *pie* (miembro del cuerpo) – [pi-ˈe] *pié* (de "piar")
[eˈnoxo] *enojo* – [en- ˈoxo] *en ojo*

diferenciada en el primer ejemplo no por un presunto fonema */j/, sino por la diversa formación de las sílabas, demarcadas por la juntura interna abierta, tal y como sucede en los ejemplos del italiano, lengua en que el número de ocurrencias de la juntura como elemento suprasegmental delimitativo de la sílaba (cfr. Bertinetto, 1981: 193-215; Quilis, 1993: §12.59) aconseja la exposición y la práctica del fenómeno, corriente en italiano estándar.

Ya desde una perspectiva estrictamente fonética, conviene señalar que en las realizaciones del diptongo castellano [we-], en términos como *huelga, huevo, huerta, huero, ahuecar, alcahuete,* etc., en español conversacional se suelen anteponer a [w], elemento prenuclear de la sílaba, los alófonos del fonema /g/ en distribución complementaria [γ] o [g], como podemos observar en

[el' γweβo] *el huevo* - [soŋ 'gwertos] *son huertos,*

sin perder de vista que el posible uso de [γ] en el diálogo natural, como realización fricativa, débil y menos perceptible, se registra en todos los niveles, y que el uso de [g] (como realización oclusiva, fuerte y más perceptible) es más bien prototípico de los niveles más bajos, en los que el condicionamiento fisiológico – marcada velarización de [w] – atrae al alófono oclusivo de /g/ que, en tales casos, llega a caracterizar las hablas roceras, en las que se registra:

*['boi̯ a ' gwerβa] (por ['boi̯ a 'welβa] -nivel alto),

en lugar del más frecuente

['boi̯ a 'γwelβa] *voy a Huelva*

costumbres de fonación bien conocidas, así como su reflejo en la escritura con errores ortográficos como **Guerba* por *Huelva.*

Dicha velarización fuerte de [w] llega a producir:

*[ke 'γweno‿es 'ta] por [ke 'βweno‿es'ta] *qué bueno está*

con supresión del alófono fricativo débil [β], y consiguientes huellas en descomunales faltas de ortografía: **güeno* por *bueno* y hasta **agüelo* por *abuelo* y **agüecar* por *ahuecar*, etc. El hecho de que Cervantes escriba *agüelo* se explica por la falta de fijación de las normas ortográficas en su época, pero, sobre todo, nos revela que el fenómeno constituye una tendencia fonética de la lengua, ya consolidada en el s. XVI.

Si en italiano existieran ejemplos morfológicamente paralelos, al considerar sus tendencias fonéticas, no parece posible una anteposición de [g]; ni tampoco de [γ], inusitado en el estándar. Hago notar al respecto cómo en la realización del triptongo italiano *iuò* en, p.e., [aˈjwɔla] *aiuòla*, no se antepone [γ] ante [w], mientras que en español, de existir un homófono del mismo vocablo, más que probablemente hubiera llegado a *[ai̯ˈγwola] **aiguola;* así como la voz del arauco antillano *iwana* ha dado *iguana* (en italiano, *iguana* es un hispanismo), lo mismo que *whisky* del inglés ha dado *güisqui* , voz registrada así en el *Diccionario* de la RAE de 1992. El interés del contraste fonético se comenta por sí mismo, así como la conveniencia de su utilización en sede aplicativa.

Consideración aparte merecen las realizaciones de los diptongos españoles representados por la grafía inicial *hi-* + *vocal* , como en *hiedra, hierba, hierro, hielo, hiena, hialino* etc. Mientras que, por una parte, en el nivel alto –aunque de modo no constante–, pueda advertirse la producción de [ˈje-], p.e. en [ˈjena] *hiena* , como signo de pronunciación cuidada y probable influjo de la memoria de la ortografía; por la otra, lo más corriente en todos los niveles es una mayor palatalización de la semiconsonante [j], ya en el ámbito del fonema fricativo, palatal sonoro /ǰ/, emitido con uno de sus dos alófonos en distribución complementaria: el africado, palatal, sonoro [ɟ] (también representado en el AFI por [dʒ]), en posición inicial de segmento fónico después de pausa, como en [ˈɟerβa] *hierba, yerba*, o contacto con nasal o lateral anterior:

[soɲ ˈɟenas] *son hienas* - [el ˈɟer̄o] *el hierro*

y [ǰ], fricativo, palatal, sonoro, en los demás casos:

[las ˈǰenases ˈtanenla ˈǰerβa] *las hienas están en la hierba*

Esta observación del español contemporáneo, lleva a E. Alarcos (1981: 163) a identificar dichas realizaciones fonéticas como alofónicas de /ǰ/, por lo que la transcripción fonológica del vocablo *hierro,* p.e., sería /ĵér̄o/ y no */iér̄o/, a pesar de que, como se ha visto, no sólo son posibles, sino efectivas también, las emisiones representadas por la grafía *hi- +vocal* , como [j-] (alófono del fonema /i/).

En este caso, el contraste fonético entre ambas lenguas se basa en la diferente tipología fonológica y fonética del italiano, lengua en que no existe el fricativo, palatal, sonoro /ĵ/ del español, pero sí el africado, también palatal y sonoro /ɟ/ (con alguna diferencia en su realización fonética, a la que me he referido en 1998: 18). De modo que en italiano /j/ + *vocal fuerte* no puede llegar, como es el caso del español, al mayor cierre articulatorio que conduce a su producción como [ĵ] ; fono, como hemos dicho, extraño a su sistema. Así es que palabras como *ièri, ièlla, iàculo, iònico,* se pronuncian [ˈjɛri], [ˈjɛl:a], [ˈjakulo], [ˈjɔniko]. Lo mismo ocurre en interior de palabras que muestran secuencias con combinaciones de semiconsonantes y vocales de hasta 6 unidades, extrañas a la estructura fónica del castellano, como *muòio, guàio, cuòio, cuoiàio,* en las que el fonema /j/ se realiza como [j] y que la tendencia fonética del español hubiera adaptado en *[ˈmwoĵo], *[ˈgwaĵo], *[ˈkwoĵo] y *[kwoˈĵaĵo], por tratarse de [j-] en inicio de sílaba y posición prenuclear, tal y como también puede observarse en las derivaciones:

lat. **adiūtare** > it. *aiutare,* esp. *ayudar*
lat. **prōiectus** > it. *proièttile,* esp. *proyectil*
lat. tard. **Trŏia** > it. *Tròia* , esp. *Troya*

El examen de los contrastes anotados nos lleva a las siguientes indicaciones aplicativas:

1) *Español para italianos*

Dada la ausencia en italiano de un fonema /ĵ/, la tendencia general entre los italohablantes es la de realizar con el diptongo [je-] los términos considerados, y emitir, p.e. [los ˈĵer̄os] *los hierros* como *[los ˈjɛrros:̥], inclinación favorecida por el recuerdo de la ortografía, si es que no interpretan /ĵ/ fricativo como /ɟ/ africado, en todas las posiciones y sin atender al contexto fónico; esto es, del modo que les es familiar, puesto que en su sistema fonológico la ausencia de /j̆/ se compensa con la presencia de /ɟ/, africado, que en español no regional se da sólo como variante alofónica del fonema /j̆/ en los casos anotados.

En el primer caso (realización de /j̆/, en palabras con la grafía *hi- + vocal fuerte* , como [j]), la pronunciación se identifica con la poco usual del nivel culto, forzando así las tendencias fonéticas del español; en el segundo, menos frecuente, la general interpretación de /j̆/ como /ɟ/ sitúa a los hablantes en el ámbito hispánico de los modos regionales -zonas de marcado yeísmo-, por lo que tales producciones pueden parecer más aceptables, aunque, de todos modos, la adecuación entre /ɟ/ del italiano y [ɟ] del español no es total, pues en italiano se produce con una articulación más anterior, más alveolar que palatal (Saussol, 1983: 38), lo que ocasiona un efecto tímbrico diverso entre ambos alófonos. Esta general confusión se agrava cuando los estudiantes italianos oyen un mismo vocablo con tres posibles realizaciones fonéticas, correctas todas en el ámbito de la fonética sintáctica. Tomemos la palabra *hierba* para ejemplificar:

['kome 'jerβa] *come hierba*
['kome 'j̆erβa] *come hierba*
['komeṇ ɟerβa] *comen hierba*

Está claro que si el profesor carece de una formación fonética adecuada, será imposible que aclare el misterio, del todo inexistente si se exponen con claridad las motivaciones fonosintácticas (pausa-silencio, contactos nexuales) que determinan una emisión u otra, en el ámbito de la ortoepía castellana.

Por movernos en un plano claramente fonético, la indicación anterior pudiera parecer superflua, ya que, de todos modos, la producción de uno de los tres alófonos puede ser que no comprometa el significado de los términos. Por el contrario, creo que una correcta pronunciación, reflejo de las tendencias fonéticas de la lengua, es el primer requisito para hablarla con propiedad. Además, si no nos detuviéramos en estas reflexiones u otras análogas y lleváramos a la práctica sus resultados, ¿qué sentido tendría la didáctica? Sería mejor confiarlo todo a la práctica callejera, variopinta y amena.

2) *Italiano para españoles*

La interferencia negativa común entre los españoles estudiosos del italiano, consiste en confundir /j-/ de esta lengua en posición prenuclear, con los alófonos en distribución complementaria del fonema español /ʝ/ ([ʝ], [ɟ]) y, como consecuencia, confieren a la cadena una serie de matices extraños al carácter fónico del italiano, lengua en que *ièlla* se pronuncia [ˈjɛlla] y no *[ˈʝela] o peor aún *[ˈɟela].

Con esta última transcripción fonética aludo, además, a otra interferencia debida a la reducción de la cantidad consonántica, tendencia que caracteriza a los hispanohablantes. En efecto, se puede constatar muy fácilmente la dificultad que representa para los hispanos la pronunciación correcta de los fonemas geminados del italiano, precisamente porque sus tendencias de uso, norma y sistema, rechazan la realización de consonantes dobles, hasta en el encuentro casual de fonemas homólogos (cfr. Saussol,1983: 65-77). Así en [ˈjɛlla] la producción geminada [ll] la interpretan como /l/ simple. En este caso específico, junto con otros incontables, el error atañe al plano fonológico por referirse a las oposiciones entre /ɟ/ – /j/ y /l/ – /ll/, como, p. e., en /ɟɛ́la/ *gèla* (de *gelare* , esp. *helar*) – /jɛ́lla/ *jèlla* (esp. "mala suerte").

El problema, por cuanto se refiere a la correcta pronunciación de /j/ del italiano, no subsiste en los informantes exponentes del nivel "culto" de un español poco común –y que realizan /ʝélo/ *hielo* como [ˈjelo]–, pues por costumbre producen sólo [j-] en los vocablos españoles considerados.

5. *Consideraciones finales*

En las anotaciones precedentes nos hemos referido sólo a algunos aspectos esenciales, en nuestra opinión basilares para el estudio del vocalismo contrastivo del español y el italiano, utilizables además en lingüística aplicada, cara a la futura elaboración y el enfoque de los textos dedicados a la didáctica específicamente dirigida a estudiantes españoles o italianos. A las graves carencias, presentes en las publicaciones que conozco sobre esta parte esencial del estudio de ambas lenguas, me he referido en otro lugar (Saussol, 1998: 11-12 y *pássim*).

El intento de abarcar las situaciones analizadas en una única reflexión, me lleva a anotar que la difundida tendencia simplista de reducir, según normas preestablecidas, la realización de los fonemas vocálicos del español y el italiano, nos proporciona un conocimiento de superficie –parcial, y con frecuencia inexacto, si no desviante– de las características profundas de estas lenguas. De ahí que nuestro interés se haya centrado con frecuencia en la observación de los *niveles de pronunciación* y en las *variantes regionales* esenciales, aspectos que, además de mostrarnos la mutua incidencia de los contactos entre vocales y consonantes (condicionados por los contextos socio-culturales en que se desarrolla la interacción comunicativa), vienen a completar el conocimiento de las lenguas y constituyen paso obligado para un análisis científico del sector, incluso, como hemos ido viendo a lo largo de este trabajo, por sus relaciones y efectos en el plano fonológico.

REFERENCIAS BIBLIOGRAFICAS

ALARCOS LLORACH, E., 1981: *Fonología española* , (3ª ed.), Madrid, Gredos.

ALARCOS LLORACH, E., 1995: *Gramática de la lengua española* , Madrid, Espasa Calpe.

ALVAR, M. (Ed., con otros autores), 1996: *Manual de dialectología hispánica,* Barcelona, Ariel.

ALVAREZ GONZALEZ, J.A., 1979: *Vocalismo español y vocalismo inglés*, (Tesis doctoral), Madrid, Universidad Complutense.

ARCE., J., 1962: "Il numero dei fonemi in italiano in confronto con lo spagnolo», en *Lingua Nostra* , XXIII, 2, pp. 203-214.

BERTINETTO, P. M., 1981: *Strutture prosodiche dell'italiano* , Firenze, Sansoni.

CANELLADA, M. J. - KUHLMANN, J., 1987: *Pronunciación del español* , Madrid, Castalia.

CANEPARI, L., 1979: *Introduzione alla fonetica* , Torino, Einaudi.

CANEPARI, L., 1999: *Manuale di pronuncia italiana,* Bologna, Zanichelli.

CASTELLANI, A., 1956: «Fonotipi e fonemi in italiano», en *Studi di filologia italiana,* XIV, pp. 435-453.

DI PIETRO, R. J., 1965: «The Phonemic Status of Juncture in Italian», en *Proceedings of the Fifth International Congress of Phonetic Sciences, held at the University of Münster 16-22 August 1964* , New York, pp. 261-263.

FAVA, E., - MAGNO CALDOGNETTO, E.: «Studio sperimentale delle caratteristiche elettroacustiche delle vocali toniche ed atone in bisillabi italiani», en *Studi di fonetica e fonologia* (Atti del convegno internazionale di studi, Padova, 1 e 2 ottobre 1973, pp. 35-79).

LAPESA, R., 1985: *Historia de la lengua española* (9ª ed.), Madrid, Gredos.

LEPSCHY, G.C., 1964: «Note sulla fonematica italiana», en *L'Italia dialettale*. XXVII, pp. 53-67.

LICHEM, K., 1968: *Phonetik und Phonologie des heutigen Italienisch,* München, Hueber.

LLORENTE MALDONADO DE GUEVARA, A., 1995: "Variedades del español en España" en *La lengua española, hoy* , Madrid, Fundación Juan March, pp. 87-94.

MONROY CASAS, R., 1980: *Aspectos fonéticos de las vocales españolas* , Madrid, SGEL.

MORENO DE ALBA, J. G., 1995: "El español americano" en *La lengua española, hoy,*Madrid, Fundación Juan March, 1995, pp. 95-104.

MORETTI, M.-CONSONNI, D., 1983:*Nuova grammatica della lingua italiana,* Torino, SEI.

NAVARRO TOMAS, T., 1961: *Manual de pronunciación española* (10ª ed.), Madrid, CSIC.

QUILIS, A. - ESGUEVA, M., 1980: "Frecuencia de fonemas en el español hablado" en *Lingüística española actual,* II/1, pp. 1-25.

QUILIS, A., 1988: *Fonética acústica de la lengua española,* Madrid, Gredos.

QUILIS, A. - FERNANDEZ, J. A., 1990: *Curso de fonética y fonología españolas para estudiantes angloamericanos* (13ª ed), Madrid, CSIC.

QUILIS, A., 1993: *Tratado de fonología y fonética españolas* , Madrid, Gredos.

REAL ACADEMIA ESPAÑOLA, 1992: *Diccionario de la lengua española* (21ª ed.), Madrid, Espasa Calpe.

SAUSSOL, J. M., 1983: *Fonología y fonética del español para italófonos*, Padova, Liviana.

SAUSSOL, J. M., 1998: «Sistema, norma y uso en la pronunciación del español», en *La identidad del español y su didáctica* (A cura di M.V. Calvi e F. San Vicente), Lucca, Baroni, pp. 11-22.

Un progetto di “codice civile”: la *Ydea de un Cuerpo Legal* di Acevedo*

SIMONETTA SCANDELLARI

Il processo relativo ai tentativi ed alle proposte per riformare la legislazione che interessò tutto il secolo dei Lumi è documentato – anche in ambito spagnolo – da una molteplicità di opere che furono scritte nell’arco del secolo, sebbene si possa notare una maggiore concentrazione negli anni del regno di Carlo III.

Vorrei qui prendere in esame il testo manoscritto di un autore piuttosto conosciuto, in ambito giuridico: Alonso María de Acevedo[1] che nel 1770 scrisse un’opera in latino (tradotta in castigliano solo nel 1817) contro l’uso della tortura giudiziaria[2]. Oltre a questo importante scritto sul tormento, egli è anche autore di un’altra opera di cui ci dà notizia Sempere y Guarinos[3], il quale afferma di averne preso visione nella biblioteca di Don Josef Miguel de Flores e che giudica meritevole di attenzione per il suo contenu-

*Queste pagine fanno parte, con qualche modifica, di un saggio da me pubblicato col titolo: *Proposte di riforma legislativa nel secolo XVIII: la Spagna di Carlo III (Appunti e considerazioni).* Moderna, Sassari, Collana monografica dell’Archivio Storico Sardo di Sassari, n. 6, 2001.

[1] Acevedo fu avvocato, “antiquario de la Academia de la Historia”, bibliotecario dei Reali Studi di San Isidro di Madrid.

[2] A.M Acevedo, *De reorum absolutione objecta crimina negantium apud equuleum, ac de hujus usu eliminando, praesertim ab ecclesiaticis tribunalibus, Exerctatio, Matriti, 1770, apud Joachinum Ibarram.* Il titolo in castigliano è il seguente: *Ensayo acerca de la Tortura ó cuestion de tormento: de la absolucion de los reos que niegan en el potro los delitos que se le imputan, y de la abolicion del uso de la Tortura, principalmente en los Tribunales Eclesiásticos,* publicado en latín en 1770 por don Alonso de Acevedo, Madrid, Imprenta de Collado, 1817.

[3] J. Sempere y Guarinos, *Ensayo de una Biblioteca Española de los mejores Escritores del reynado de Carlos III* Madrid, Imprenta Real, 1785-1789, I, pp. 78-92.

to. Egli stesso ci fornisce un breve riassunto, anche se annota, di seguito, che a suo parere "parece que no está del todo acabada"[4].

In effetti, questo progetto di "codice civile" che, pur non presentando rilevanti novità rispetto ad altre opere di uguale contenuto, testimonia il diffuso interesse da parte del ceto forense per una riforma dei testi legislativi, degli studi giuridici, della preparazione scientifica da fornire ai futuri avvocati.

Il testo di Acevedo, del quale ci occuperemo, inizia con la nota considerazione legata ai principi del giusnaturalismo, secondo la quale gli uomini non avrebbero necessità di ricorrere alle leggi se si lasciassero condurre dalla ragione e non dalle passioni[5], come avveniva nel felice stato dell'età dell'oro "que fingiò el ingenuo de los Poetas"[6]. Da ciò consegue che "es la Ley el alma y el Espiritu de la Republica"[7] e la società non può esistere senza qualcuno ("un superior") che la governi. Per tale ragione vennero istituite le leggi fondamentali[8] che sono considerate la base su cui appoggia il governo e la giustizia.

In una nota, Acevedo esprime i propri dubbi sull'esistenza reale di leggi fondamentali in Spagna[9]. Pur non specificando in concreto che cosa egli intenda con l'espressione generica di "leggi fondamentali", si può ipotizzare che da un lato egli si riferisca ad una visione ideale di antiche disposizioni e principi giuridici facenti parte della storia costituzionale di un pae-

[4] *Ibidem*, p. 80. Una copia manoscritta di tale opera si conserva ad Oviedo nell' "Instituto Feijoo de Estudios del Siglo XVIII", come ho potuto constatare in una delle mie visite al Centro. Il manoscritto con segnatura R 162, *Ydea de un nuevo Cuerpo Legal por Don Alonso de Acevedo,* non reca la data, né i fogli sono stati numerati. L'autore, nel corso del suo scritto, fa riferimento a Carlo III come a "nuestro soberano". Citerò le pagine del MS con il numero progressivo che ho dato alle pagine, lasciando l'ortografia originale. Cfr. B. Clavero, *La idea de Código en la Ilustración jurídica,* in "Historia, Instituciones, Documentos", Publicaciones de la Universidad de Sevilla, 1979, n. 6, pp. 49-88. In questo articolo, l'autore analizzando lo sviluppo del concetto giuridico legato ai termini "codice" e "codificazione" durante il secolo XVIII, fa un breve esame del manoscritto di Acevedo che colloca "hacia 1770". Cfr. la nota n. 45, p. 67.

[5] Acevedo, *op. cit.*, p. 1: "Si el hombre no se dejase dominar de la sovervia, de la ambicion y de la tiranìa serìa inutil la Ley que governase sus pasiones".

[6] *Ibidem*, p. 2.

[7] *Ibidem*, p. 1.

[8] *Ibidem*, pp. 5-6: "Conviene por cierto que haya en los Pueblos, y en los reynos Leyes que afiansen el poder [...] Por eso se establecieron en todas las Monarquias, que no tienen su origen en la violencia, y fuera de las Armas, Leyes que se llaman fundamentales..."

[9] *Ibidem*, p. 6, nota 5: "Las leyes fundamentales de España son dudosas [...]"

se[10], d'altro canto invece, parrebbe che l'autore avesse in mente una concezione più concreta e vicina all'ambito storico- istituzionale.

Infatti, più avanti, si legge: "Las leyes fundamentales reglan el poder, y la autoridad del Supremo y primer Magistrado y lo dirigen y sugetan a los dictamenes de la razon"[11] e, appunto è quest'ultima e, non le passioni, che può indicare il bene e la felicità del popolo.

Diviene quindi importante la conoscenza della legge (né è lecita la sua ignoranza) anche da parte dei sudditi che la devono rispettare, obbligando tutti allo stesso modo ed è sempre la legge che impone di venerare il sovrano come un padre.

Da parte sua, il sovrano deve "conservar a sus subditos sus Derechos, sus privilegios, sus honores, sus bienes"[12]. Acevedo inoltre specifica, riferendosi a Pufendorf[13], che l'uomo ha una duplice veste: come uomo è soggetto alle leggi di natura, come cittadino a quelle della repubblica.

I cittadini hanno interesse a conoscere le leggi del proprio paese poiché in tal modo conosceranno anche i propri diritti, sia quelli riguardanti l'esercizio dell'arte o professione intrapresa, sia quelli riguardanti qualsiasi atto che essi vogliano concludere, poiché la legge "mantiene a cada uno en su estado, y contradice la violacion y usurpacion de sus derechos"[14].

Per quanto riguarda la Spagna, il problema da risolvere riguarda la grande quantità di leggi, privilegi, ordinanze, *autos acordados* e ricompilazioni che creano una enorme confusione, rendondone difficile la conoscenza e l'applicazione non solo ai comuni cittadini, ma anche agli stessi professionisti del Foro.

[10] Cfr. quanto dice a proposito S.M. Corona González, *Las leyes fundamentales del Antiguo Régimen (Notas sobre la Constitución histórica Española),* in "Anuario de Historia del Derecho Español", t. LXV, 1995, pp. 127-218, in particolare, le pp. 172ss. Cfr. quanto afferma Jovellanos a questo proposito nel *Discurso leído por el Autor en su recepcion á la real Academia de la Historia, sobre la necesidad de unir al estudio de la legislacion el de nuestra Historia y Antigüedades,* Biblioteca de Autores Españoles, n°. 46, p. 293: "[...] hablo del *Fuero Viejo* de Castilla [...] cuyo continuo estudio debiera ocupar á todo hombre amante de su patria, para que nadie ignorase el primer origen de una constitucion ó forma de gobierno que todavía existe, aunque alterada por la vicisitud de los tiempos y la diversidad de costumbres y circunstancias".

[11] Acevedo, *op. cit.*, pp. 6-7.

[12] *Ibidem*, p. 8.

[13] *Ibidem*. In una nota viene citato: "Puffendorf. De Oficio hominis et Civis".

[14] *Ibidem*, p. 10. Cfr. quanto dice Clavero, a proposito di quest'opera di Acevedo. V. B. Clavero, *op. cit.* pp. 67-72.

In tale caos legislativo vi è una quantità di leggi superflue, contraddittorie, desuete, scritte in modo oscuro attraverso le quali si deve destreggiare il giurista che non trova una immediata risposta ai dubbi che vengono sollevati, in quanto molto spesso si incontra contemporaneamente una norma che ordina un dato comportamento ed un'altra che deroga il medesimo. Tutto ciò crea una continua situazione di incertezza e precarietà nell'applicazione del diritto.

Secondo Acevedo, poi, mancano le principali leggi del diritto naturale e delle genti[15], basilari per l'intero diritto.

Acevedo insiste ripetutamente sul caos legislativo – principale ragione che lo ha spinto a proporre un piano di riforma – e conclude la sua lunga descrizione con queste parole: "Enfin sin ponderaçion alguna se puede asegurar, que la mayor parte de los très tomos de la recopilacion, y Autos acordados està poblada de de Leyes inutiles ô por su antiguedad, ô por costumbre ô disposicion contraria"[16]. A tutto ciò si deve aggiungere il "desaliñado estilo" con il quale tali leggi sono formulate.

Il modello di stile che egli prende ad esempio è quello dei Dieci Comandamenti che racchiudono la legge di Dio, santa, giusta, universale, scritta in modo chiaro, semplice e conciso, tutti requisiti che dovrebbe possedere ogni tipo di legge. Le caratteristiche di brevità e chiarezza, poi, renderebbero più difficile anche agli avvocati fondare le proprie interpretazioni e cavilli che poggiano su testi oscuri; ciò porterebbe come conseguenza che la giustizia prevarrebbe "contra el fraude, y sutileza"[17].

La proposta di Acevedo, come si vedrà ancor meglio in seguito, è quella di seguire l'ordine dato da Alfonso el Sabio al codice delle *Siete Partidas* (1256-1263/5), aggiungendo a ciascun libro le leggi riguardanti il relativo argomento.

Inoltre, sarebbe opportuno includere i Brevi pontifici concernenti il governo della Spagna e quanti altri privilegi vennero concessi per premiare "el zelo de nuestros Reyes por la Religion Catolica"[18].

La concezione politica di Acevedo appare assolutistica e paternalistica, nonostante il rapido riferimento al diritto naturale fatto all'inzio dello scritto, di cui si è fatto cenno; la sua idea del potere è legata a quella del rispetto di un ordine dove sono chiaramente fissati i diritti e i doveri degli indi-

[15] Acevedo, *op. cit.*, p. 13.
[16] *Ibidem*, p. 27.
[17] *Ibidem*, p. 31.
[18] *Ibidem*, p. 32, cfr. anche le pp. 70-77.

vidui che ne fanno parte e dove è altrettanto possibile indicare in modo palese che ai sudditi spetta obbedire ed al sovrano governare.

Nonostante Acevedo non indichi quali raccolte legislative anteriori debbano essere considerate come leggi fondamentali del regno (e nonostante le riserve manifestate sulla loro esistenza) le ritiene utili per la nazione e ricorre ad esse per istituire la legittimità del potere sovrano. Viene comunque ribadito il concetto della necessità delle leggi fondamentali della monarchia (soprattutto a proposito delle "regalias de la Corona") definite come: "[...] aquellas regias facultades que son el mas precioso esmalte de la Corona [...] que la costumbre inmemorial ô las Leyes fundamentales de la Monarquía dieron â sus soberanos"[19], secondo le quali, il re deve difendere e proteggere i suoi sudditi dalla violenza. Tale diritto è tanto antico quanto lo è "la Corona y esta proteccion peculiar del Soberano, como Supremo en la tierra â quien Dios encargò el Gobierno del hombre"[20], ed è quello che autorizzò Carlo V e che vige ancora oggi.

L'importanza di tali leggi è talmente palese che se fossero state note avrebbero risolto i contrasti relativi alle prerogative della sovranità. Invece, si dovette cercare negli archivi tutto quanto riguardava le prerogative del re di Spagna e ciò che, al contrario, era relativo alla Curia Romana; se i vari campi di competenza fossero statti evidenti sin dall'inizio, si sarebbero evitate le lunghe dispute insorte tra la Chiesa e la Corona a causa dei rispettivi ambiti.

Allo stesso modo, la grande confusione che regna nella legislazione conduce a problemi istituzionali e giuridici per quanto riguarda altri tribunali speciali, quale il *Fuero de los Hidalgos*.

I settori in cui domina l'incertezza legislativa sono molteplici, ad esempio, ancora si può osservare che non appare chiaro quali siano i trattati di pace in vigore e quali siano stati abrogati, quali le normative sul commercio ancora vigenti e su quali norme si amministrino le diverse province spagnole, così diverse tra loro, per non parlare poi del commercio con le Indie.

È evidente che tutti i campi sopra ricordati hanno urgente bisogno di essere riorganizzati in base a norme definitive e Acevedo, dopo avere riflettuto a lungo sugli errori e sui danni che il disordine legislativo arreca alla nazione, rivolge la sua attenzione al diritto delle genti, ribadendo il principio già affermato in precedenza relativo alla sua utilità: "El Derecho de

[19] *Ibidem*, pp. 31-32.
[20] *Ibidem*, p. 32.

Gentes ès el mas necesario y fundamental de los Imperios, de las Monarquias, de las republicas, enfin, de toda Sociedad"[21].

Più oltre, nel manoscritto, trattando delle leggi che regolano il commercio, si riferisce al diritto delle genti, dandone la seguente definizione: "[...] derecho de Gentes, ô aquellas primeras, tacitas ô expresas convenciones que la Naturaleza dictò â las naciones...Son unas deducciones del derecho natural que ha vivido en todos los Siglos, en todos los Pueblos, en todos los Hombres [...]"[22]. Per Acevedo lo *ius gentium* riveste grande importanza anche in relazione ai rapporti tra le nazioni e a proposito delle conquieste coloniali[23].

Sui principi del diritto delle genti si fonda il diritto civile delle nazioni, infatti è applicando le sue regole che si stipulano le contrattazioni e gli affari degli Stati; è in base alle sue norme che si distribuisce la giustizia, che si decide della pace e della guerra e i patti che le nazioni confinanti stipulano per il reciproco rispetto dei confini. E ancora, tale diritto protegge i beni degli stranieri sul territorio, delimitandone anche i privilegi, come pure stabilisce i diritti degli ambasciatori.

Tutti questi importanti settori sono regolati dallo *ius gentium* definito ancora come: "aquel derecho que un mutuo, tacito, y como casual consentimiento de los Pueblos cultos y civilizados admitieron, como justo ê inspirado por unos sentimientos de la Naturaleza, por una voz viva, y enèrgica de nuestras Almas [...]"[24].

Se poi il giurista non incontrerà questi principi nelle raccolte legislative, sarà necessario seguire i pareri di coloro che hanno scritto su questo tema e cioè, Grozio, Pufendorf, Barbeyrac.

Acevedo sottolinea che il suo fine è quello di convincere chi legge che la situazione della giurisprudenza è talmente grave che ha necessità di essere riformata.

Successivamente, il nostro autore riferisce una serie di circostanze che portano il diritto pubblico spagnolo a mancare di chiarezza e ce ne fornisce alcuni esempi.

Uno dei casi esaminati è ricavato dalle antiche leggi del regno che prevedevano il solenne giuramento del sovrano di vegliare sul bene dei sudditi. Le stesse leggi però tacevano riguardo alle decisioni da adottare nel caso in

[21] *Ibidem*, p. 44.
[22] *Ibidem*, pp. 99-100.
[23] Cfr. *Ibidem*, p. 101.
[24] *Ibidem*, p. 45.

cui il sovrano, per malattia o stanchezza, rinunciasse al trono in favore del proprio successore. Enumera così vari casi: dalla rinuncia fatta (nel 1724) da Filippo V in favore di Luigi I (che regnò solo pochi mesi[25]) – e che effettivamente suscitò non pochi problemi di carattere costituzionale – a quella della regina Berenguela di Castiglia a favore del figlio Fernando il Santo, caso in cui il diritto di abdicare viene variamente interpretato dagli storici, rendendone poco sicura l'applicazione.

Un altro caso controverso riguarda la possibilità per un sovrano di rinunciare al proprio regno per acquistarne un altro e, ancora, non è stabilito con chiarezza a quale età un principe possa farsi carico del governo del proprio regno. Vi sono infatti esempi controversi – basati sulla storia della Spagna del secolo XIV – che riguardano Alfonso el Sabio (15 anni di età), con una deroga però nel caso di Alfonso XI (14 anni di età)[26].

Per quanto rigurda i codici nazionali, Acevedo ritiene che quello delle *Siete Partidas* sia ancora il più chiaro ed utilizzabile, nonostante la sua antichità, ma proprio perché in esso i temi trattati sono divisi ed esposti con ordine e in modo da non creare confusioni e incertezza da parte di chi li consulta. Tale bisogno di chiarezza viene ancora ribadito per quanto riguarda lo spinoso problema dei rapporti tra Chiesa e Stato che investiva in quel tempo la Spagna.

Altro punto per cui il coacervo di leggi attuali non consente una soluzione univoca riguarda "si el soberano pueda quebrantar el salvo conducto que concediese"[27] e qui il riferimento è a Lutero e Carlo V e ad altri episodi meno importanti. Naturalmente l'opinione espressa da Acevedo è che il sovrano non possa disprezzare con il suo comportamento "las mas sagradas Leyes de la fe publica"[28].

Successivamente, l'autore del manoscritto procede ad una elencazione dell'oggetto che ogni singolo libro delle *Partidas* regolamenta e che sintetizziamo di seguito.

Nella prima e seconda si trovano i fondamenti dell'obbedienza dei sudditi nei riguardi del sovrano che è visto in un rapporto padre-figli. Poi

[25] Cfr. S.M. Corona González, *op. cit.*, p. 174, n. 155. V. inoltre, J. Hidalgo, *La abdicación de Felipe V,* in "Hispania", n. 22, pp. 559-589. V. anche J. Viejo Yharrassary, *Grocio católico. Ramos del Manzano y la posición hispana en la Guerra de devolucón,* in "Repubblica e virtù. Pensiero politico e Monarchia Cattolica fra XVI e XVII secolo" a cura di Chiara Continisio - Cesare Mozzarelli, Roma, Bulzoni, 1955, pp. 567-590.

[26] Cfr. Acevedo, *op. cit.*, pp. 48-52.

[27] *Ibidem*, p. 53.

[28] *Ibidem*, p. 57.

sono presi in considerazione i doveri dei sudditi verso la patria, quindi i rapporti con le altre nazioni, sia in tempo di pace che in tempo di guerra.

Nel terzo libro si tratta del tema della giustizia, dell'autorità dei magistrati, procuratori, avvocati, etc. Nel quarto libro viene regolato l'istituto del matrimonio, il rapporto di vassallaggio, di schiavitù e libertà. Nella V *Partida* si trovano le regole che presiedono ai contratti e alle obbligazioni; nella VI i testamenti e la VII è dedicata alla repressione dei delitti e ai castighi conseguenti.

Acevedo, ricordando brevemente la ripartizione delle materie contenuta nell'antico codice castigliano, ne elogia ancora la chiarezza che invece non si riesce a riscontrare nella *Recopilación* (1567) dove le varie leggi sono accorpate in modo confuso e perciò difficili da ritrovare a causa della grande quantità. Inoltre, ritiene opportuno che sia la stessa legge a sciogliere i casi dubbi che si possono presentare invece di ricorrere al parere degli interpreti.

La critica di Acevedo viene anche estesa all'insegnamento universitario, toccando così un altro tema dibattuto vivacemente in tutti quegli anni e cioè l'eccessivo numero di cattedre di diritto romano rispetto all'esiguo numero di quelle riservate al diritto regio[29]: "[...] nuestra Nacion, que en vez de enseñar un derecho Patrio, solo se leè en sus Estudios un derecho extrangero [...] un derecho adulterado y lleno de contradicciones: un derecho frequentemente inadaptable al genio, y estilo de la Nacion"[30].

Inoltre, Acevedo è convinto della relatività del diritto, ossia pensa che il tempo cambi le usanze e, quindi, in conseguenza è opportuno modificare le leggi. In base a tale concezione, si propone di offrire dei suggerimenti per la riforma del corpo legislativo, affermando: "Darè el plan que me he propuesto y los doctos decidan"[31].

I principi generali sui quali fondare questo nuovo "codice" sono ricavati su quelli a cui aveva accennato ripetutamente nel corso delle sue considerazioni e che riflettono alcuni degli ideali giuridici più diffusi del secolo XVIII in questo ambito: le leggi devono essere esposte brevemente poiché i periodi troppo lunghi e complicati potrebbero "ocasionar de sofismas

[29] *Ibidem*, pp. 71-72.

[30] *Ibidem*, p. 73. Nella p. 103 del MS. si legge: "Estimaremos Letrado al que solo profundiza en las intrigas del Foro ê ignora los derechos de su Rey y de su Nacion?".

[31] *Ibidem*, p. 77.

y equivocaciones"[32]; devono poi essere chiare così da essere comprese sia dalle persone colte come anche da quelle più ignoranti.

A questo punto, l'autore del manoscritto ribadisce la propria convinzione che le *Siete Partidas* siano una raccolta legislativa ancora degna di ammirazione e, quindi, da prendere come modello, seguendo in questa valutazione anche l'opinione di altri giuristi suoi contemporanei. Stabilito ciò, ritiene che possa essere utile tenerle come base per inserire in ogni libro, già ben ripartito per materie, le leggi successive, rispettandone appunto la ripartizione per argomenti, come aveva già consigliato nelle pagine precedenti

Per fare ulteriore chiarezza, ritiene opportuno separare dalle antiche leggi delle *Partidas* quelle che ancora sono vigenti e quelle oramai cadute in disuso.

A seguito, passa ad enumerare le varie aggiunte e modifice che si devono apportare al *Codice:* nel I° libro sarebbe opportuno, a suo parere, includere anche i Brevi pontifici relativi alla Spagna, i privilegi e i canoni, i concordati relativi alle decime, l'indipendenza dell'Inquisizione spagnola da quella romana, così come l'indipendenza della Congregazione dell'Indice, ed altri casi ancora riguardanti questa materia, in modo che risultino evidenti e senza contraddizioni le competenze del monarca e quelle della Chiesa.

Si nota la preoccupazione di Acevedo di indicare una soluzione a proposito di una materia incandescente e che creava continui conflitti tra i due poteri: "sobre todos estos puntos se ofrecen continuamente pleitos, y dudas, y se devian decidir por las leyes"[33].

Appare evidente che il problema affrontato principalmente sotto il profilo di una riorganizzazione delle leggi vigenti ne sottintende un altro relativo alla circoscrizione dell'ambito del potere della Chiesa e relativo alla politica regalista seguita con diligenza e puntiglio da Campomanes e Floridablanca.

Acevedo è inoltre dell'avviso che colui che dovesse procedere a riformare la legislazione spagnola dovrebbe anche essere un buon conoscitore della storia del paese, dei suoi usi, costumi, privilegi, poiché solo attraverso una profonda conoscenza della storia nazionale si può comprendere il moti-

[32] *Ibidem*, p. 78.
[33] *Ibidem*, p. 73.

vo delle leggi e l'intenzione del legislatore[34], rendendo trasparenti i significati che potrebbero risultare oscuri senza le cognizioni necessarie.

Inoltre, onde evitare interminabili liti e perdite di tempo, sarebbe utile che venissero chiaramente definite le competenze delle varie giurisdizioni e i loro limiti.

Tutto quanto Acevedo propone per la riforma delle leggi di Castiglia, lo consiglia anche per quelle di Aragona, Valenza, Catalogna, Navarra e Vizcaya, ossia le regioni con ordinamenti speciali.

Da questa considerazione, pare dedurre che il nostro autore non pensasse ad un codice di leggi valide per tutto il paese, ma conservasse i privilegi storici di alcune parti di esso[35]: Acevedo insiste che è importante "agregar â las Partidas las leyes muy fundamentales de la Monarquia [...] los derechos que tienen los Payses conquistados: quales los derechos sobre Aragon, sobre Navarra, y Vizcaya. Sin estos conocimientos como podra el letrado aconsejar â su Rey, ni decidir las dudas que se ofrescan?. Son muy diferentes las facultades del Soberano en las Castillas que en el Señorio de Vizcaya, y dominio en la Navarra, pues de aquel solo es Señor y de este rey, peero de una Provincia que uniò come reyno distinto â las Castillas [...]"[36]. Più avanti egli insiste sul tema della semplificazione delle leggi e dell'abrogazione di quelle norme rese obsolete dal tempo.

Il manoscritto termina poi con l'augurio che la Spagna possa presto possedere un codice di leggi utile ad ogni suddito, quale sia il posto che esso occupi nella società, un libro "que los una, anime, ê inspire â amar â su Patria, â su Rey, â su Religion, que prefieran la autoridad publica â sus particulares intereses"[37].

Le ultime considerazioni sono dedicate al fatto che egli stesso si sentirebbe soddisfatto se in qualche maniera fosse riuscito a realizzare il suo intento di proporre e indicare al proprio paese la via per realizzare un codice moderno.

Soffermando l'attenzione su quanto Acevedo scrive nella sua *Ydea de un nuevo Cuerpo Legal* proponendo un progetto per migliorare la situazio-

[34] *Ibidem*, p. 93.

[35] Cfr. J.A. Maravall, *Sobre el concepto y alcance de la expresión "Corona de Castilla" hasta el siglo XVIII*, (1981, ripubblicato in "Estudios de Historia del pensamiento Español", La época del Renacimiento. Madrid, Ed. Cultura Hispánica, 1984, pp. 449-464.

[36] Acevedo, *op. cit.*, p. 98.

[37] *Ibidem*, p. 121.

ne di grave arretratezza e disordine in cui si trovava la legislazione del suo tempo, possiamo trarre qualche riflessione più genarele.

Come è facile dedurre dall'analisi del manoscritto, il testo è abbastanza modesto, ma non per questo meno interessante in quanto documenta il diffuso interesse per le riforme, anche se in un ambito limitato al diritto civile e con proposte poco innovative, come si è sottolineato in precedenza.

Infatti, come afferma Clavero, "Acevedo quiere ofrecer una "idea" práctica del nuevo "Cuerpo legal", algo que resultara factible o viable"[38], opinione con cui concordo in quanto la sua prospettiva è quella di una ricompilazione e, quindi, di un riordino delle leggi esistenti.

Detto questo, vorrei per prima cosa rimarcare come la necessità di una sistemazione razionale del corpo legislativo fosse sentita da più parti, come vedremo meglio anche in seguito.

In generale, si può dire che vi erano due categorie di persone che avevano interesse a modificare la situazione legislativa esistente: i primi erano coloro che per lo svolgimento della propria professione conoscevano per diretta esperienza le difficoltà che si potevano incontrare nell'esercizio della professione stessa; i secondi si possono indicare in quei riformatori moderati – come è il caso di Acevedo – che vedevano in un "codice" più snello e rispondente alle necessità del momento, il modo per consentire al sovrano (e ai suoi ministri) di governare meglio il paese, rafforzare il potere del re e facilitare il compito di chi doveva amministrare la giustizia.

Per quanto riguarda la teoria del potere che emerge dal testo di Acevedo si può vedere una concezione paternalistica in cui il sovrano ha l'obbligo di garantire ai propri sudditi benessere e felicità. Per questo scopo esistono i supremi magistrati, voluti da Dio.

Un altro aspetto da segnalare è quello relativo alla concezione regalista del potere stesso, in accordo con la linea politica seguita dal *Fiscal* Campomanes[39] e da Floridablanca[40], segretario di Stato e ministro di Grazia e Giustizia.

[38] B. Clavero, *op. cit*, p. 69.

[39] Campomanes, *Tratado de la Regalía de España,* 1753; *Discurso sobre el Regio Exequatur,* 1761; *Tratado de Amortización Eclesiástica; Dictamen Fiscàl de expulsion de los Jesuitas* (1766-67); *Juicio Imparcial sobre el monitorio de Roma publicado contra las regalías de Parma,* 1768.

[40] Floridablanca, *Respuesta Fiscàl del Señor D. Joseph Moñino, en el expediente del Obispo de Cuenca; Representacion Fiscàl sobre la libre disposicion, patronato, proteccion inmediata de S.M., en los bienes ocupados de los Jesuitas,*1768. Per quanto riguarda qursto argomento: Cfr. R. Olaechea, *El concepto de 'Exequatur' en Campomanes,* Comillas, 1966;

Infine, l'autore del manoscritto vede nel sovrano colui che può riformare e riorganizzare le leggi della Spagna e, quindi, lo riconosce come fonte del potere, limitato però dai privilegi accordati in età remota ai vari regni che formavano la corona spagnola, accettando in sostenza una condizione pattizia del potere.

Rispetto poi ai contenuti, è rilevante l'importanza che Acevedo attribuisce alla storia come strumento da utilizzare per comprendere lo sviluppo del diritto, le ragioni per cui vennero emanate alcune norme e la giustificazione di privilegi esistenti; questo rapporto tra il dirittto e la storia ricorda le teorie espresse da vari riformatori, in modo particolare, quanto afferma Jovellanos nel suo discorso di ingresso all'Accademia della Storia[41].

Il legame auspicato tra storia e diritto non implica necessariamente che la conoscenza del passato debba vincolare il presente: la funzione della storia è quello della conoscenza dei fatti.

Possiamo ricordare a questo proposito quanto scrive Benlloch Poveda in merito della relazione che intercorre tra storia e diritto per l'affermazione del principio regalista: "El regalismo o el curialismo usó profundamente la historia para afirmar sus derechos o defender sus pretensiones frente a las críticas o negación de derechos por la otra parte"[42] e più

Idem, *Relaciones entre Iglesia y Estado en el Siglo de las Luces,* in "La Ilustración Española". Actas del Coloquio internacional celebrado en Alicante. 1-4 octubre 1985", Ed. de A. Alberola y E. La Parra, Instituto Juan Gil-Albert, Deputación provincial de Alicante, Alicante, 1986, pp. 271-297. V. in particolare le pp. 289-293; F. Tomás y Valiente, *El marco político de la desamortización en España,* Madrid, Ariel, 1977, v. pp. 12-37; F. Venturi, *Settecento riformatore,* vol. IV, t. I: *La caduta dell'Antico Regime (1776-1789)*, Torino, Einaudi, 1984, pp. 239-328; Idem, *op. cit.*, t. II: *La Chiesa e la repubblica dentro dei loro limiti (1758-1774),* 1976, pp. 45-63; J. Hernández Franco, *La gestión política y el pensamiento reformista del Conde de Floridablanca,* Murcia, Universidad de Murcia, 1984, pp. 125-170. Cfr. anche, sempre su questo argomento: A. de la Hera, *Notas para el estudio del regalismo español en el siglo XVIII*, in *La fortuna di L.A. Muratori*. Atti del Convegno internazionale di Studi Muratoriani, Modena, 1972, Firenze, Olschki, 1975, vol. 3°, pp. 307-329. Cfr. anche J.M. Portillo Valdés, *Algunas reflexiones sobre el debate regalista del setecientos como precipitado histórico de área católica,* in *Repubblica e virtù...*, cit., pp. 93-108, cfr. specialmente le pp. 101 e ss.

[41] Jovellanos, *Discurso leído por el autor en su recepción á la Real Academia de la Historia, sobre la necesidad de unir al estudio de la legislación el de nuestra Historia y Antiguedades,* in BAE, n. 46, pp. 288-298; cfr. p. 289: "Busquemos el enlace que hay entre nuestras Leyes y la Historia de nuestra nación, y demostremos [...] la necesidad que tiene de saber esta quien pretende conocer aquella".

[42] A. Benlloch Poveda, *Historia y derecho. La historia en el razonamiento jurídico de Gregorio Mayans y Siscar (1699-1781)*, in *La Ilustración Española*, cit., p. 336.

avanti scrive: "Este estilo de argumentación histórico-jurídica será principalmente la constante en la defensa regalista de las prerrogativas reales frente a las papales principalmente"[43].

Un altro tema affrontato dal nostro autore riguarda la scarsa conoscenza del diritto nazionale rispetto a quello romano. Anche questo è un argomento ripreso da molti autori; si può ricordare che lo stesso Campomanes aveva scritto un progetto di riforma nel 1750, rimasto inedito sino al 1989[44], in cui si poneva in evidenza la necessità di una riforma dei piani di studio delle Facoltà di Giurisprudenza, comportante una drastica riduzione delle materie relative al diritto romano e l'introduzione del diritto regio, ma soprattutto si auspicava una maggiore preparazione degli studenti attraverso lo studio sia teorico che pratico.

Il problema dell'educazione della classe dirigente veniva risolto, o per lo meno si tentava di realizzarlo, attraverso una più attenta formazione dei futuri "amministratori della cosa pubblica"[45].

Infine, per riassumere brevemente i vari punti toccati dal nostro autore nella sua esposizione che non risulta organica, ma che mi pare significativa in quanto rappresenta fedelmente la situazione giuridica del suo tempo e le aspettative di riforma, possiamo sintetizzare il pensiero di Acevedo nel modo seguente:

a- in primo luogo l'importanza della legge come "ordinatrice" e "regolatrice" dei comportamenti degli uomini in società. Acevedo parte da premesse giusnaturalistiche e razionalistiche per sostenere e fondare la necessità del diritto che però non garantisce l'eguaglianza, come i principi del diritto naturale vorrebbero, bensì riafferma ciascun cittadino nel proprio "sta-

[43] *Ibidem*, p. 337.

[44] Campomanes, *Reflexiones sobre la jurisprudencia española y ensayo para reformar sus abusos.* Apéndice a: A. Álvarez de Morales, *El pensamiento político y jurídico de Campomanes,* Madrid, Instituto Nacional de Administración Pública, 1989, pp. 137-185.

[45] Cfr. A. Risco, *La Real Academia de Santa Bárbara de Madrid (1730-1808). Naissance et formation d'une élite dans l'Espagne du XVIIIéme siècle,* Toulouse, 1979; Idem, *El año 1789 en las Academias madrileñas,* in "Echanges culturels dans le basin occidental de la Méditerranée (France, Italie, Espagne), Toulouse, 1989, pp. 71-92; Idem, *Sobre la noción de 'Academia' en el siglo XVIII español,* in "BOCES", Oviedo, nn. 10-11 (1983), pp. 35-57; Idem, *Letrados y Academias: los académicos de 1789 en la crisis de la monarquía,* in "Après '89. La Révolution modéle ou repoussoir". Actes du Colloque international (14-16 mars 1990), Toulouse, 1991, pp. 131-152. V. anche: J.L. Bermejo Cabrero, *Derecho y administración pública en la España del Antiguo Régimen,* Madrid, CSIC, 1985.

to", garantendone doveri e privilegi[46], accettando, quindi, la divisione della società in ceti[47].

b- a questo tema si collega quello della storia che influisce sulla formazione della legge in un costante rapporto tra diritto e storia che si esprime nel ricorrente riferimento alle leggi fondamentali del regno che dovevano fornire gli strumenti dottrinali e documentali per fondare rispettivamente la legittimità del potere del sovrano insieme agli obblighi che questi aveva nei confronti dei sudditi, e garantire l'obbedienza di questi ultimi, nel rispetto, appunto delle leggi del paese.

Questo concetto verrà poi riformulato per appoggiare la politica regalista avviata da Filippo V[48] e ripresa soprattutto nella prima metà del regno di Carlo III.

Nella maggior parte delle opere che hanno per oggetto questo tema, il concetto di "patto" e di "antica costituzione" o diritto nazionale, permea le teorie che saranno sviluppate specialmente negli scritti di Campomanes dove la funzione della storia e della tradizione sono determinanti per garantire la relazione tra il sovrano e i sudditi e fra gli stessi sudditi. In breve, in questa concezione riaffora l'idea medievale di "ordine" politico e sociale che si appoggia sull'equilibrio dei vari gruppi esistenti nella società e nel loro rapporto con il sovrano.

c- il terzo punto che si collega strettamente agli altri sopra indicati riguarda la denuncia dello stato di confusione e incertezza in cui si trova la legislazione spagnola all'epoca in cui scrive Acevedo e la necessità di un riordino di tutta la materia.

La denuncia fatta da Acevedo è comune a moltissimi scrittori e giuristi del suo tempo[49] che lamentavano il coacervo legislativo che portava a con-

[46] Acevedo, *op. cit.*, p. 10 "[...] de la Ley depende la justicia y la validez de los contratos [...] de ella constan los privilegios del Soldado, del Profesor de ciencias, los derechos del Comerciante, y las obligaciones del Agricultor, y del Artifice, los honores del Plebeyo".

[47] Cfr. anche B. Clavero, *op cit.*, p. 69.

[48] Cfr. S.M. Coronas González, *op. cit.*, p. 179: "Este movimiento que hunde sus raíces en el viejo regalismo hispano, remonta a la época de la ruptura de relaciones con la Santa Sede en abril d 1709, hecho crucial que marcó con un sello regalista indeleble la política eclesiástica de los Borbones".

[49] La lista potrebbe essere lunghissima, mi limiterò qui a citarne solo alcuni: B.J. Feijoo, *Balanza de Astrea o recta administración de la Justicia,* in *Teatro Crítico Universal*, 1729; J. del Campillo y Cossio, *Lo que hay de más y menos en España* e *España despierta*, 1742; P. de Mora y Jaraba, *Tratado crítico, Los errores del Derecho Civil y abusos de los Jurisperitos, para utilidad pública,* 1748; J. Pérez Villamil, *Disertación sobre la libre multitud de abogados: si es útil al Estado, ó si fuese conveniente reducir el número de estos*

seguenze nefaste, sia per l'amministrazione della giustizia, sia per l'estenuante durata dei processi. Solo un testo di leggi agile, chiaro, conciso, scritto in una lingua facilmente comprensibile avrebbe potuto aiutare a risolvere questo drammatico problema. Come ci ricorda lo stesso Sempere y Guarinos[50], il marchese dell'Ensenada nel 1752, in una petizione a Fernando VI esponeva le lamentele dei sudditi per il metodo poco proficuo con cui veniva insegnata la giurisprudenza nelle Università del Regno al *Consejo de Castilla:* "La Jurisprudencia que se estudia en las Universidades, es poco ó nada conducente á su práctica: porque fundandose en las Leyes del reyno, no tiene Cátedra alguna en que se enseñen, del que resulta, que Jueces y Abogados, después de muchos años de Universidad, entran casi á ciegas en el ejercicio de su ministerio, obligados á estudiar por partes y sin órden los puntos que diariamente ocurren"[51].

Si legge inoltre, il suggerimento di riunire in un unico tomo (*Instituta Práctica)*, i tre tomi della *Recopilación* (1567) poiché al suo interno sono comprese leggi abrogate, desuete, oscure.

Il compito della redazione di tale "codice" (che si sarebbe potuto chiamare *Código Ferdinando* o *Ferdinandino*) sarebbe dovuta essere assegnata ad una "Junta de Ministros doctos y prudentes"[52]

Inoltre, veniva proposta la redazione di un "codice"proprio per sopperire alle deficienze segnalate.

d- il quarto punto è strettamente collegato al precedente e cioè si riferisce alla riforma degli studi universitari di giurisprudenza. Tale riforma riguardava in primo luogo la riduzione dello studio del diritto romano per lasciare più spazio al diritto nazionale affinchè si riuscisse a conseguire giuristi maggiormente preparati sul diritto applicato nei tribunali

e- per ultimo, è da sottolineare la necessità espressa da più parti, come abbiamo visto, di realizzare un "codice". È su tale termine che mi pare opportuno soffermarsi in quanto viene utilizzata la parola "codice" spesso in

*profesores, con que medios i oportunas providencias capaces de conseguir su efectivo cumplimiento,*1782; J. de Covarrubias, *Discurso sobre el estado actual de la Abogacía,* 1789

[50] J. Sempere y Guarinos, *op. cit.*, pp. 88-89.

[51] Idem, p. 89. Cfr. S. Scandellari, *Il dibattito sul ruolo del ceto forense nella Spagna del secondo Settecento,* in "Archivio Storico e Giuridico Sardo di Sassari", Sassari, 1999, pp. 1-81.

[52] J. Sempere y Guarinos, *op. cit.*, p. 90.

senso improprio, se per "codice" intendiamo modernamente "l'idea di un regime positivo"[53].

In realtà, Acevedo, come la maggior parte dei suoi contemporanei, con questo termine intende più che altro una ricompilazione di leggi fatta in modo razionale ed organico, valida per il territorio nazionale (ma dove egli ammette che vengano inseriti i fori speciali) e comunque emanata dal sovrano.

Non mi soffermerò su questo problema, ma desidero solo richiamare l'attenzione per la sua importanza e segnalare a questo proposito l'opinione di Bartolomé Clavero che ha analizzato questo problema: "El hecho es que Acevedo, aunque no aplicando el término, ha representado la idea de código más usual en la época, una idea que aquí, como en otras latitudines de la Ilustración jurídica, se concibe, pero que aquí, al contrario que en otras latitudines, no llega en esta época a sustanciarse [...]"[54].

Più o meno dello stesso avviso è Ugo Petronio che afferma a proposito del progetto di un codice di procedura civile e penale lombardo : "[...] non credo si possa prescindere dalla considerazione che per alcuni settori del pensiero illuminista il codice fu anche, se non prevalentemente, una rielaborazione organica e razionale di un complesso di norme o di istituti di diritto patrio"[55].

Le due citazioni riportate mi paiono possano essere sufficientemente indicative per spiegare la mentalità della maggior parte dei giuristi del secolo XVIII sul significato del processo di codificazione e sulla sua importanza.

Fu infatti solo l'avvento della rivoluzionario francese che cambiò radicalmente l'idea del potere legislativo e della codificazione considerandoli un insieme di norme valide su tutto il territorio nazionale e uguali per tutti i cittadini, dando inoltre, al concetto di "costituzione" il significato di un potere fondante per sottolineare con forza l'inizio di un "nuovo ordine", da sostituirsi a quello vigente.

[53] V. Piano Mortari, *Codice. Premessa Storica,* in "Enciclopedia del Diritto", vol. VII, Milano, Giuffrè, 1960, p. 229.

[54] B. Clavero, *op. cit.*, pp. 71-72.

[55] U. Petronio, *Un tentativo moderato di codificazione del diritto del processo civile e penale in Lombardia: il "Nuovo Piano" di Gabriele Verri,* in "La formazione storica del diritto moderno in Europa", Firenze, Olschki, 1977, p. 980. Cfr. anche P. Ungari, *Per la storia di idea di codice,* in "Quaderni Fiorentini per la storia del pensiero giuridico moderno", 1, 1972.

Sino a quel momento non si era ancora chiaramente evidenziata la necessità di un cambiamento radicale che se da un lato era temuto, in quanto sarebbe dovuto avvenire attraverso una trasformazione sociale (e quindi, una eliminazione dei ceti) che né Acevedo né gli altri autori spagnoli qui ricordati ritenevano possibile né auspicabile, dall'altro trascendeva le intenzioni degli stessi riformatori.

Parlato-scritto.
Gli studi sulla dimensione orale nella prosa del *Siglo de Oro*

MARIA ROSA SCARAMUZZA VIDONI

Le ricerche sull'oralità[1] anche per la letteratura spagnola hanno riguardato all'inizio il medioevo, in relazione soprattutto all'epica, particolarmente al *Cid*[2], e al *Romancero*[3] – ove si son potuti utilizzare gli spunti già

[1] È' noto che le ricerche sull'oralità in letteratura hanno riguardato all'inizio il rapporto dell'epica omerica con componimenti prima tramandati oralmente, di cui nel testo rimane traccia soprattutto nell'uso di *clichés*, epiteti e formule ricorrenti: un uso che si è riscontrato ancora in epoca odierna laddove sopravvivono tradizioni popolari di racconto orale. Una sintetica rassegna di questi studi si può trovare in W.J. Ong, *Oralità e scrittura. Le tecnologie della parola* (1982), trad. it., Bologna, il Mulino, 1986. Sono rilevanti gli apporti del medievalista P. Zumthor (uno dei maggiori teorici di quella che viene chiamata la *poesia orale*), di cui vd. *La presenza della voce. Introduzione alla poesia orale* (1983), trad. it., Bologna, il Mulino, 1984; *La lettera e la voce. Sulla "letteratura" medievale* (1987), trad. it., Bologna, il Mulino, 1990. Utili indicazioni ci vengono anche da lavori fatti in relazione alla lingua italiana come quello di G.R. Cardona, *Culture dell'oralità e culture della scrittura*, in *Letteratura italiana*, a c. di A. Asor Rosa, Torino, Einaudi, 1983, II, pp. 25-101, o come il vol. II della *Storia della lingua italiana*, a c. di L. Serianni e P. Trifone, intitolato *Scritto e parlato*, Torino, Einaudi, 1994.

[2] Mi limito a ricordare E. de Chasca, *El arte juglaresco en el 'Cantar de mío Cid'*, Madrid, Gredos, II ed. 1972; M. Herslund, *Le 'Cantar de Mio Cid' et la chanson de geste*, "Revue Romane", IX, 1 (1974), pp. 69-121; J.K. Walsh, *Performance in the 'Poema de mio Cid'*, "Romance Philology", XLIV (1990), pp. 1-25; indicazioni sulla questione si trovano anche nel Prologo di A. Montaner alla sua ed. critica del *Cantar de mio Cid*, Barcelona, Crítica, 1993, in particolare pp. 27-30 e 44-56. Sullo stato della questione vd. Ch.B. Faulhaber, *Neo-Traditionalism, Formulism, Individualism, and Recent Studies on the Spanish Epic*, "Romance Philology", 30 (1976-77), pp. 83-101; A. Deyermond, *British Contributions to the Study of the Medieval Spanish Epic*, "La Corónica", XV, 2 (1986-87), pp. 197-212, e del medesimo il vol. supplementare (*Edad Media. Primer Suplemento*) al vol. 1 della *Historia y crítica de la literatura española*, a c. di F. Rico, Barcelona, Crítica, 1991, pp. 52-70.

[3] Tra gli studi sull'oralità nel *Romancero* vd. C. Segre, *Strutturazione e destrutturazione nei Romances*, in AA.VV., *Ecdotica e testi ispanici.* Atti del Convegno nazionale dell'Associazione Ispanisti Italiani. Verona, 18-20 giugno 1981, Verona, 1982, pp. 9-24; G. Di Stefano, *La tradizione orale e scritta dei 'romances'. Situazioni e problemi*, in AA.VV., *Oralità e scrittura nel sistema letterario*, Atti del Convegno di Cagliari, 14-16 aprile 1980, a c. di G. Cerina, C. Lavinio, L. Mulas, Roma, Bulzoni, 1982,

offerti a suo tempo da Ramón Menéndez Pidal – ma anche in certa misura ad altri generi[4]. A partire dagli anni Settanta questo tipo di indagini si è andato allargando anche a periodi successivi, affrontando la *Celestina*[5] e le opere del Siglo de Oro[6], sul quale mi soffermo in questa rapida rassegna.

Tra l'epoca medievale e quella del Siglo de Oro c'è qualche diversità per quanto riguarda il modo in cui vi si possono ricercare le tracce di oralità. In particolar modo non si tratta più tanto di individuare, mettendo in luce la tecnica formulare, le tracce di componimenti orali che stanno alla base di quelli scritti. Per un'epoca più tarda come quella del Siglo de Oro le tracce di oralità possono essere viste o nell'incorporazione, da parte delle opere letterarie, di elementi tratti dalla tradizione orale della cultura popolare, quali *cuentecillos* folclorici, *refranes*, filastrocche, motivi narrativi, come è stato messo in luce particolarmente dagli studi di Chevalier[7], o nella

pp. 205-25; dello stesso Di Stefano ci interessa qui l'Introduzione all'edizione del *Romancero*, Madrid, Taurus, 1993, in particolare le ampie note alle pp. 54-56, con riferimenti bibliografici. Vd. anche M.C. García Enterría, *Romancero: ¿Cantado-recitado-leído?*, "Edad de Oro", VII (1988), pp. 89-104.

[4] Vd. A.D. Deyermond, *Cuentos orales y estructura formal en el Libro de las tres razones (Libro de las armas)*, in AA.VV., *Don J. Manuel: VII Centenario*, Murcia, Univ. de Murcia., 1982, pp. 75-87; J.N.H. Lawrance, *The Audience of the Libro de buen amor,* "Comparative Literature", 36, (1984), pp. 220-237; D.P. Seniff, *'Así fiz yo de lo que oy': Orality, Authority, and Experience in Juan Manuel's Libro de la caza, Libro infinido and Libro de las armas*, in AA.VV., *Josep María Solà-Solé: Homage...*, Barcelona, Puvill, 1984, I, pp. 91-109; Id., *Aproximación a la oralidad y textualidad en la prosa castellana medieval*, in AA.VV., Actas del IX Congreso de la Asociación Internacional de Hispanistas, Frankfurt, Vervuert, 1989, I, pp. 263-277. Per gli aspetti dell'oralità connessi alla *juglaresca* vd. il vol. collettivo a c. di M. Criado de Val, *La juglaresca.* Actas del I Congreso Internacional..., Madrid, Edi-6, 1986.

[5] E. Gurza, *La oralidad y 'La Celestina'*, in B. Damiani (ed.), *Renaissance and Golden Age Essays. In Honor of D.W. McPheeters,* Potomac, Scripta Humanistica, 1986, pp. 94-105, colloca la *Celestina* in un "mundo de 'transición' [...] en el cual la experiencia diaria de un estudiante universitario individual era primordialmente auro-oral, pero cuyo mundo ya empezaba a sentir los resultados de la invención de Gutenberg" (p. 97).

[6] Su quest'argomento è uscito un importante numero monografico di "Edad de Oro", VII, Primavera 1988, che riporta i lavori del VII "Seminario Internacional sobre Literatura Española y Edad de Oro", dedicato a "La literatura oral". Il medievalista A. Montaner, nel suo art. *El concepto de oralidad y su aplicación a la literatura española de los siglos XVI y XVII. En torno al vol. VII de 'Edad de Oro'*, "Criticón", 45 (1989), pp. 183-198, sottolinea le difficoltà di applicazione del concetto di oralità alla produzione letteraria del Siglo de Oro, per la quale si potrebbe parlare solo di un aspetto orale *lato sensu.*

[7] M. Chevalier, *Cuentecillos tradicionales en la España del Siglo de Oro*, Madrid, Gredos, 1975; *Folklore y literatura: el cuento oral en el Siglo de Oro*, Barcelona, Ed. Crítica, 1978; *Cuentecillos y chistes tradicionales en la obra de Quevedo...*, "Nueva Revista de Filología Hispánica", XXV (1976), pp. 225-241; *Gracián y la tradición oral*, "Hispanic Review", 44 (1976), pp. 333-356; *Huellas del cuento folklórico en el 'Quijote'*, in AA.VV., *Cervantes, su obra y su mundo.* Actas del I Congreso Internacional sobre Cervantes, Madrid, 1981, pp. 881-893.

presenza di un modo di parlare, di un'arte del dire che presenta schemi orali di vario tipo, dallo "stile orale" delle esibizioni di cantastorie o simili a quello dei sermoni religiosi, dei discorsi accademici o di corte, fino all'uso dello "stile parlato" della conversazione comune[8].

Inoltre va tenuto anche presente il fatto che, pur in un'epoca in cui si va diffondendo rapidamente la stampa e quindi la lettura privata, i testi sono ancora spesso destinati ad una lettura pubblica, rimanendo influenzati da ciò nelle loro strategie, in quanto vengono costruiti in vista di una situazione orale-aurale. Quest'aspetto è stato messo in luce soprattutto a partire da un'importante relazione del 1980 di Margit Frenk, "*Lectores y oidores*". *La difusión oral de la literatura en el Siglo de Oro*[9]. Pare che in quell'epoca il numero dei lettori diretti dei libri fosse ancora decisamente ridotto rispetto al numero di coloro che *ascoltavano* la lettura. I libri insomma erano fatti ancora in larga misura per essere letti di fronte ad un uditorio, ossia in funzione dell'*auralità*. Questa situazione, per fare solo un esempio, sembra trapelare nel titolo del capitolo 66 della II parte del *Quijote*: "Que trata de lo que verá el que lo leyere o lo oyrá el que lo escuchare leer". La Frenk ipotizza che dalla destinazione orale derivi anche il taglio e la misura dei capitoli, ciascuno dei quali doveva servire, per così dire, ad una seduta di lettura che non stancasse troppo l'uditorio[10].

In questo caso – riguardante i riflessi che può avere sull'opera non più la sua *origine* da una trasmissione ed esecuzione orale, ma la sua *destinazione* ad una diffusione orale – abbiamo degli aspetti nuovi. Non sono ormai importanti, ad esempio, le formule e gli schematismi che servivano a sorreggere la memoria del narratore orale; semmai, se si tratta di narrazioni lunghe, sono importanti le strategie per sostenere la memoria degli uditori, ad esempio ricapitolazioni ed altri espedienti dell'arte mnemonica.

Nulla vietava poi che oggetto della trasmissione orale – con le sue caratteristiche di libero riuso dei materiali – fossero delle opere ormai fissate per iscritto. Un emblematico caso di commistione tra utilizzo di testi scritti e trasmissione creativa propria dell'oralità è messo in luce da L.P. Harvey,

[8] È opportuno tener distinto, secondo quanto suggeriscono oralisti come M. Jousse, lo *stile orale* (modalità espressiva che presenta caratteristiche legate ad una *performance* pubblica, come le formule mnemoniche, gli espedienti per mantenerne l'attenzione dell'uditorio, allusioni spaziali, gesti ecc.) e lo *stile parlato*, colloquiale, dell'interlocuzione ordinaria.

[9] In *Actas del séptimo Congreso de la Asociación Internacional de Hispanistas* (Venezia 25-30 agosto 1980), a c. di G. Bellini, Roma, Bulzoni, 1982, pp. 101-123.

[10] *Ivi*, p. 109.

nel suo studio sulla diffusione orale dei libri di cavalleria[11]. Il morisco Román Ramírez, vissuto nella seconda metà del Cinquecento, recitava in pubblico lunghi passi di romanzi di cavalleria tenendosi davanti un foglio di carta bianca o un libro come puri elementi evocatori, fatto che portò ad accusarlo di patti diabolici. Dai verbali inquisitoriali delle sue confessioni apprendiamo che la sua *performance* si basava su elementi fissi (quali il contenuto, lo stile, i vocaboli) e su elementi variabili da lui introdotti sul momento, magari in base alla lunghezza che doveva avere il racconto[12], sicché, direi, possiamo supporre che funzionassero qui stereotipi e formulari simili a quelli già messi in luce dagli studiosi dell'oralità nell'epica medievale o nella *juglaresca*.

Considerando i vari aspetti di collegamento dei testi all'oralità, possiamo dire che nel periodo in questione ci troviamo in una situazione in cui la prevalenza del codice scritto su quello orale non è ancora giunta al culmine. In quest'ambito si produce anche quell'interferenza del circuito culturale popolare con quello colto di cui parla Maurice Molho[13], o quell'ibridismo culturale di cui parla Jean-Marc Pelorson nel delineare gli aspetti ideologici della Spagna del Siglo de Oro[14].

Vari studi sull'oralità nella letteratura del Siglo de Oro hanno riguardato la *picaresca*. Alcuni – si vedano i lavori di Fernando Lázaro Carreter e di Claudio Guillén sul *Lazarillo*, o di Molho sul *Lazarillo* stesso e sul *Buscón*[15] – hanno visto l'aggancio con l'oralità nella presenza di elementi folcloristici come certi motivi narrativi desunti dalla cultura popolare. Naturalmente questi elementi, precisa Lázaro Carreter a proposito del *Lazarillo*,

[11] L.P. Harvey, *Oral Composition and the Performance of Novels of Chivalry in Spain*, in J.J. Duggan (a c. di), *Oral Literature*, New York, Barnes & Noble, 1975, pp. 84-100.

[12] "[...] este confesante tomaba en la memoria cuantos libros y capítulos tenía el libro de *Don Cristalián* y la sustancia de las aventuras y los nombres de las çiudades, reinos, caballeros y princesas que en dichos libros se contenían, y esto lo encomendaba muy bien a la memoría; y después, cuando lo recitaba, alargaba y acortaba en las raçones cuanto quería, teniendo siempre cuidado de concluír con la sustancia de las aventuras [...]" (cit. ivi, p. 97).

[13] M. Molho, *Cervantes: raíces folklóricas*, Madrid, Gredos, 1976, in particolare pp. 11-33.

[14] J.-M. Pelorson, *Cultura escrita y cultura popular*, in *Historia de España*, dirigida por M. Tuñón de Lara, V, *La frustración de un imperio (1476-1714)*, Barcelona, 1982, in particolare pp. 267-284.

[15] F. Lázaro Carreter, *"Lazarillo de Tormes" en la picaresca*, Barcelona, Ariel, 1972; C. Guillén, *Towards a definition of the Picaresque*, nel suo vol. *Literature as system. Essays towards the theory of literary history*, Princeton, Princeton University Press, 1971, pp. 71-106; *Los silencios de Lázaro de Tormes*, "Insula", 490 (1987), pp. 23-24; M. Molho, *Cinco lecciones sobre el "Buscón"*, nel suo vol. *Semántica y poética,* Barcelona, Ed. Crítica, 1977, in particolare pp. 115-124; *El "Lazarillo de Tormes" o la revolución del trabajo*, "Insula", 490 (1987), pp. 21-22.

all'interno dell'opera non rimangono staccati ma vengono finalizzati tutti a ribadire i suoi temi fondamentali. Per quanto riguarda il *Buscón*, Molho vi ravvisa in particolare degli elementi carnevaleschi, approfondendo la segnalazione fatta in proposito da Edmond Cros[16]. Sottolinea particolarmente la funzione del rito dell'incoronazione del re dei galli, che nella trasposizione letteraria subisce una destrutturazione e ristrutturazione che gli fa assumere significati nuovi e critici. È importante infatti rilevare, sulla scia di quanto spiegano Molho e Cros, che l'assunzione di motivi popolari da parte del circuito letterario colto non rappresenta una pura inserzione passiva ma comporta una ricontestualizzazione e un cambiamento di significato di tali elementi.

Altri studi sulla *picaresca* sono centrati sulle caratteristiche dell'arte del dire che in essa emerge. Già Gonzalo Sobejano nel 1971 aveva concentrato l'attenzione sulla figura del *picaro hablador*, vale a dire su quella particolare loquacità critica che è tipica dei personaggi di quel genere[17]. Per quanto riguarda il *Lazarillo*, Víctor García de la Concha – partendo da alcuni suggerimenti di Claudio Guillén che qualifica tale opera come *epístola hablada* – vi trova parecchi indizi di oralità e colloquialità. L'opera presenta una disposizione retorica da racconto narrato ad alta voce che sembra richiamare l'arte del *pregonero*. Inoltre non solo Lazarillo è un grande *hablador*; anche per esempio l'*hidalgo*, al cui servizio sta per un certo tempo, parla come *ex catedra*, e il cieco mostra una grande abilità nel recitare[18].

George Peale[19], partendo dallo scritto teorico di Mateo Alemán *Ortographía castellana*, fa vedere che quest'autore si proponeva espressamente di *imitare* il linguaggio orale: "a la lengua imite la pluma". Tra le forme orali imitate è particolarmente presente l'oratoria sacra, come emerge dalle somiglianze tematiche e strutturali che il *Guzmán* presenta con quest'ultima.

[16] E. Cros, *L'aristocrate et le Carnaval de gueux. Etude sur le "Buscón" de Quevedo*, Montpellier, Etudes Sociocritiques, 1975.

[17] G. Sobejano, *Un perfil de la picaresca: el pícaro hablador*, in AA.VV., *Studia Hispánica in Honorem R. Lapesa*, Madrid, Gredos, 1975, III, pp. 467-485.

[18] V. García de la Concha, *Nueva lectura del "Lazarillo"*, Madrid, Castalia, 1981. A. Lara (*A propos de l'oralité dans le Lazarillo de Tormes,* "Etudes de Lettres", 2 (1986), pp. 19-38) polemizza soprattutto con García de la Concha in ordine ai riferimenti all'oralità nel *Lazarillo*. Va bensì ammessa la presenza di proverbi e locuzioni popolari, ma il modo in cui l'autore organizza gli episodi rivela un gioco colto e raffinato.

[19] G. Peale, *"Guzmán de Alfarache" como discurso oral*, "Journal of Hispanic Philology", 4 (1979), pp. 25-57.

Lo stesso Peale osserva inoltre che – benché con l'introduzione della stampa la narrativa si orientasse decisamente verso una "precisión sintáctica, analítica y lineal" e verso una "unidad estilística", il *Guzmán* presenta ancora un orientamento prevalentemente orale, caratterizzandosi per la pluridimensionalità dello stile e degli argomenti, legati ad una tendenza enciclopedica che riflette i modi di pensare scolastici e le relative dispute. Inoltre viene tenuto molto presente, nell'opera, il problema dell'attenzione e della memoria del pubblico, ricorrendo per questo ad espedienti come l'allocuzione in seconda persona (eco delle esortazioni dei predicatori) e l'uso della deissi. Leggiamo infatti ad esempio: "Veis aquí, sin más acá ni más allá, los linderos de mi padre" (I, 1).

Nel raccontare le esperienze autobiografiche il picaro fa sfoggio di un'arte del dire che mette insieme modalità e suggestioni narrative provenienti da vari ambienti: il discorso moralistico in chiave teologica o filosofica, il discorso legale o mercantile assieme ai topici della sapienza popolare o al linguaggio di ambienti plebei e della malavita[20]. Questa commistione di codici dimostra la "voluntad de estilo del discurso oral particularmente durante los siglos XVI y XVII". Un elemento unificante fondamentale, in questa pluralità di registri linguistici, viene riconosciuto da Peale soprattutto nell'uso stilistico della costruzione paratattica[21].

Per quanto riguarda Cervantes, uno dei primi studi dal punto di vista del problema dell'oralità è quello di Elias Rivers, *Talking and writing in don Quixote*.[22] Esso prende in considerazione la presenza, nel *Quijote*, di forme della tradizione orale come l'epica, il *Romancero*, i proverbi, ma ravvisa aspetti di oralità anche nel rapporto instaurato col lettore e in alcuni punti come la lettura del manoscritto del *Curioso impertinente*, lo scrutinio dei libri, che forma come una serie di recensioni orali, e (nella seconda par-

[20] *Ivi*, p. 42 s.

[21] Possiamo d'altra parte ricordare che appare oggi discutibile legare ad un carattere paratattico il discorso orale: vd. M. Corti, *Nozioni e funzioni dell'oralità nel sistema letterario*, in AA.VV., *Oralità e scrittura nel sistema letterario*, Roma, Bulzoni, 1982, pp. 721; in questo studio l'autrice propone anche un chiaro schema delle "invarianti dell'oralità" che possono essere presenti nel testo scritto.

[22] In "Thought", 202 (1976), pp. 296-305. Dello stesso Rivers, *Plato's "Republic" and Cervantes' "Don Quixote": Two Critiques of the oral tradition*, in AA.VV., *Studies in Honor of Gustavo Correa*, Potomac, Scripta Humanistica, 1986, pp. 170-176. In ambito americano gli studi sull'oralità in Cervantes sono continuati particolarmente con J. Parr (*Plato, Cervantes, Derrida: Framing Speaking and Writing*, nel. vol. a c. dello stesso Parr, *On Cervantes: Essays for L.A. Murillo*, Newark, Juan de la Cuesta, 1991, pp. 163-187), che muove dal punto di vista della critica poststrutturalista.

te) la presentazione orale di due testi scritti: il *Quijote* del 1605 e l'apocrifo di Avellaneda.

La presenza, in Cervantes, di una "materia folklórica de carácter indudablemente oral"[23] viene analizzata a fondo da Maxime Chevalier. Ci sono, ad esempio, dei temi e delle figure per i quali i commentatori non sono mai stati in grado di indicare un riferimento in qualche opera scritta, mentre invece lo si può trovare in racconti del folklore spagnolo che erano legati alla tradizione orale.

Un posto fondamentale va assegnato alla ricerca di Molho *Cervantes: raíces folklóricas*, che, nel far vedere gli ascendenti popolari del *Retablo de las maravillas e* della figura di Sancho, inquadra teoricamente il problema del riuso di elementi derivati dalla tradizione popolare in quella colta. Anche Agustín Redondo dedica importanti studi alla genesi folclorica dei personaggi cervantini, particolarmente di don Quijote, Sancho, Dulcinea[24]. Alberto Sánchez ha inoltre dimostrato la sensibile presenza del *Romancero* (pregno, come s'è detto, di elementi d'oralità) nel *Quijote*, come è dimostrato da temi, motivi, espressioni nonché dal ritmo che talvolta ricalca il metro ottosillabico[25]

Michel Moner ha ampliato ulteriormente le ricerche sull'oralità in Cervantes, in special modo con il suo libro *Cervantès conteur*, del 1989[26] Quest'epiteto di *conteur* – che per Moner, anche se non tutti gli aspetti dell'arte di Cervantes, esprime al meglio l'essenziale della sua arte del dire – presenta una connotazione, difficilmente traducibile, indicante un tipo di narratore da strada e da piazza, legato ai modi della tradizione orale popolare[27]. Anche Moner lamenta che finora si sia interpretato Cervantes quasi soltanto sulla base di riferimenti a modelli della letteratura scritta. Non si è fatto ricorso alla tradizione orale rappresentata da cantastorie, attori ambulanti, marionettisti, ciarlatani, buffoni, saltimbanchi e da quanti altri (que-

[23] M. Chevalier, *Huellas del cuento folklórico en el 'Quijote'*, cit., pp. 889.

[24] A. Redondo, *Tradición carnavalesca y creación literaria. Del personaje de Sancho Panza al episodio de la ínsula Barataria en el 'Quijote'*, "Bulletin Hispanique", LXXX (1978), pp. 39-70; *El personaje de don Quijote: tradiciones folklórico-literarias, contexto histórico y elaboración cervantina*, "Nueva Revista de Filología Hispánica", XXIX (1980) pp. 36-59; *Del personaje de Aldonza Lorenzo al de Dulcinea del Toboso*, "Anales Cervantinos", XXI (1983), pp. 922; *Nuevo examen del episodio de los molinos de viento ("Don Quijote", I, 8)*, in AA.VV., *On Cervantes...*, cit., pp. 189-205.

[25] A. Sánchez, *Don Quijote, rapsoda del romancero viejo*, in AA.VV., *On Cervantes...*, cit., pp. 241-261.

[26] M. Moner, *Cervantès conteur. Ecrits et paroles*, Madrid, Casa de Velázquez, 1989.

[27] *Ivi*, p. 314.

stuanti, pellegrini, ex-prigionieri) cercavano di attirare l'attenzione e magari di meritarsi qualche soldo coi propri racconti[28]. Eppure i modi di raccontare di tutti costoro trovano spesso riscontro in personaggi cervantini. Talvolta si è bensì fatto riferimento alla tradizione orale, ma solo come fonte di temi o motivi che Cervantes vi ha attinti. In essa invece c'è anche una particolare *arte del dire*, una *poetica originale*, benché non scritta e non formulata ma implicita nel vivo delle forme e tecniche tramandate.

Insomma, in base all'"inventario degli indizi di oralità"[29] rilevabili nelle opere di Cervantes, Moner ritiene dimostrata la sua perfetta assimilazione dello *stile orale*. Ciò che conosciamo – dice – dei bardi dell'antichità e dei giullari del medioevo, o che possiamo conoscere, ancora oggi, dalla bocca stessa dei cantastorie, sui teatri dell'oralità vivente, non fa che confermare le competenze dell'autore in questa materia: questo precursore che apre la via al romanzo moderno, "è lui stesso, in certa maniera, un *conteur*".

Gli indizi sono costituiti per esempio da espressioni che alludono all'atto del raccontare, come *digo que, quiero decir que, olvidábaseme de decir, como ahora oiréis, como digo de mi cuento,* in cui l'autore passa improvvisamente alla prima persona, mostrando di immaginare di rivolgersi a un uditorio che lo ascolta. Appaiono inoltre spesso, nei personaggi che fanno dei racconti, *tic* caratteristici dei narratori, i quali a seconda dello stile che assumono possono usare arcaismi, lapsus, proverbi, frasi fatte di vario tipo. Significativa è poi l'attenzione di Cervantes ad aspetti della *performance* dei suoi personaggi-narratori, come il *tono di voce* e il modo di ottenere silenzio, o ad aspetti visivi come le *immagini* che il narratore stesso presta al racconto con la propria *gestualità*, con le espressioni mimiche, o col ricorso a figure illustrative, per esempio a tele dipinte[30]. È sintomatico l'uso di espressioni come il *veis aquí* che richiama l'attenzione su un punto della scena come se si vedesse esattamente un certo particolare: "veis aquí donde [...], veis aquí como [...]". Formule come queste, che si trovano anche nel *Romancero*, sono molto correnti nei racconti orali. E lo stesso vale per certi usi del deittico *aquel*: vedasi per esempio in *La ilustre fregona*:

[28] *Ivi*, p. 95 s. Una piccola galleria di *conteurs*, distinti in *occasionali* e *professionali* (p.es. Maese Pedro) è poi delineata nel cap. 5, pp. 183-220.

[29] *Ivi*, p. 105.

[30] Vd. p.es. nel *Persiles* (l. III, capp. 1 e 10) il *lienzo* fatto dipingere da Periandro per facilitare il racconto delle vicende dei protagonisti, seguendo un uso che troviamo riprodotto anche nell'episodio dei due *falsos cautivos* dello stesso romanzo (III, 10).

"el pobre [...] dio a correr por *aquella* cuesta arriba", dove *aquella* non è motivato da alcuna descrizione precedente, cioè non ha alcun referente testuale, ma solo uno extratestuale nella visione immaginaria creata nell'ascoltatore dal narratore che utilizza anche la propria gestualità[31].

Per indicare il legame di Cervantes col mondo dell'oralità Moner non manca poi di far riferimento al fatto che anche i suoi scritti dovevano essere verosimilmente destinati, in larga misura, ad una lettura a viva voce davanti ad un uditorio, il che (come viene poi illustrato per altri aspetti anche da José M. Martín Morán)[32] ha influenzato certe modalità di composizione e di espressione. E sempre a questo proposito Aurora Egido ha messo bene in luce l'uso degli artifici atti a sorreggere la memoria dell'ascoltatore nel *Persiles*[33].

L'incidenza dell'oralità si può rinvenire anche nei dialoghi rinascimentali[34]. Studiati finora, per lo più, per il loro valore contenutistico o in quanto eredi di componimenti didascalici medievali e della tradizione di insegnamento delle scuole, questi dialoghi possono essere considerati anche come espressione dell'uomo di corte, tra le cui forme del vivere doveva esserci l'arte del conversare[35]. I dialoghi in tal modo vengono studiati come prodotto artistico che imita la conversazione nelle sue varie modalità[36]. In questa

[31] *Ivi*, p. 119 s.

[32] A parere di J.M. Martín Morán (*El 'Quijote' en ciernes. Los descuidos de Cervantes y las fases de elaboración textual*, Alessandria, Ed. dell'Orso, 1990) il fatto che il *Quijote* sia stato pensato in funzione di tante diverse sedute di lettura pubblica, fa apparire naturale che presenti una struttura seriale e un certo frammentarismo, nonché dei *descuidos* legati ad un interesse prevalente per la coerenza di ciascun episodio o capitolo piuttosto che per quella dell'intero romanzo.

[33] A. Egido, *La memoria y el arte narrativo del 'Persiles'*, "Nueva Revista de Filología Hispánica", XXXVIII, 2, pp. 621-641. Al problema della memorizzazione, strettamente connesso con la dimensione dell'oralità nella scrittura letteraria, la Egido ha dedicato anche altri studi: *La memoria y el 'Quijote'*, "Cervantes", 11 (1991), pp. 3-44; *El arte de la memoria y 'El Criticón'*, in *Gracián y su época*, Zaragoza, Institución Fernando el Católico, 1986, pp. 25-66.

[34] Per quanto si riferisce al rapporto di tali dialoghi con la materia folclorica, cfr. M.T. Cacho Palomar, *Cuentecillo tradicional y diálogo renacentista*, in AA.VV., *Formas breves del relato*, Secretariado de Publicaciones de la Universidad de Zaragoza, 1986, pp. 115-136.

[35] Vd. lo studio preliminare di M. Morreale all'edizione di L. Gracián Dantisco, *El Galateo español*, Madrid, CSIC, 1968; A. Prieto, *Prosa española del siglo XVI*, Madrid, Cátedra, 1986, I, pp. 17-57, dedicate alla figura del "vir doctus et facetus", A. Quondam, *La "forma del vivere". Schede per l'analisi del discorso cortigiano*, in *La Corte e il "Cortigiano". II. Un modello europeo*, a c. di A. Prosperi, Roma, Bulzoni, 1988, in particolare pp. 30 ss.

[36] In proposito vd. gli spunti offerti da L. Terracini, *La cornice del 'Dialogo de la lengua'*, nel suo vol. *Lingua come problema nella letteratura spagnola del Cinquecento (con una frangia cervantina)*, Torino, Stampatori, 1979, pp. 5-23.

direzione vanno gli studi di Ana Vian Herrero che – prendendo lo spunto particolarmente dal *Diálogo de la lengua* di Juan de Valdés – analizza le strategie atte a dare al dialogo la "aparencia conversacional", quali il "dramatismo", l'illusione d'intimità, il senso di familiarità e quel tanto di illogicità che è connaturato alle conversazioni reali[37].

Dal punto di vista dell'oralità viene inoltre sottolineata, anzitutto da Aurora Egido, l'influenza dei discorsi fatti in svariate occasioni come feste di santi, matrimoni, esequie, cerimonie accademiche[38]. Né ovviamente si puó dimenticare l'influenza del diffusissimo *sermone* ecclesiastico, di cui l'eco nelle forme scritte è stata segnalata ben presto, per esempio da Miguel Herrero García a proposito del *Guzmán*, da Robert Ricard a proposito del *Quijote*[39] e più recentemente da Francis Cerdan per quanto riguarda l'epoca barocca[40].

Nel panorama degli studi sull'oralità nella prosa del Siglo de Oro sembrano finora poco presi in considerazione alcuni generi, come la narrazione storica. Un'indagine in tal senso non va intesa tanto come individuazione di fonti orali delle storie scritte o di clichés ed elementi formulaici tipici di una narrativa orale, come nel caso delle cronache medievali[41]. Si tratta piut-

[37] A. Vian Herrero, *La mímesis conversacional en el 'Diálogo de la lengua' de Juan de Valdés*, "Criticón", XL (1987), pp. 45-79; *La ficción conversacional en el diálogo renacentista*, "Edad de Oro", VII (1988), pp. 173-186.

[38] A. Egido, *Una introducción a la poesía y a las académias literarias del Siglo XVII*, "Estudios Humanísticos. Filología", VI (1984), pp. 9-26; *"De ludo vitando". Gallos áulicos en la Universidad de Salamanca*, "El Crotalón", I (1984), pp. 609-648; *Literatura efímera: oralidad y escritura en los certámenes y academias de los Siglos de Oro"*, "Edad de Oro", VII (1988), pp. 61-87. Sul discorso orale nelle accademie vd. E. Lacadena y Calero, *El discurso oral en las academias del Siglo de Oro*, "Criticón", 41 (1988), pp. 87-102; Sulle gare di poesia: M. Blanco, *La oralidad en las justas poéticas*, "Edad de Oro", VII (1988), pp. 33-47; sull'oralità in relazione al *vejamen* satirico nelle accademie del Seicento: M.S. Carrasco Urgoiti, *La oralidad del vejamen de Academia,* ivi, pp. 49-67. Sempre in questo, importante fascicolo di "Edad de Oro" dedicato all'oralità si trova una ricca bibliografia di studi, oltre che sulle accademie letterarie, sulle *justas* poetiche e sul teatro (argomenti, questi ultimi due, che qui non prendo in considerazione).

[39] M. Herrero García, *Nueva interpretación de la novela picaresca*, "Revista de Filología Española", XXIV (1937), pp. 343-362; R. Ricard, *Les vestiges de la prédication contemporaine dans le 'Quichotte'*, "Annali dell'Istituto Universitario Orientale. Sezione Romanza, IV (1962), 1, pp. 99-111.

[40] Vd. F. Cerdan, *El sermón barroco: un caso de literatura oral*, "Edad de Oro", VII (1988), pp. 59-68, il quale distingue diversi livelli di oratoria sacra, da quello più popolare a quello colto e magari ricercato.

[41] Vd. M. Vaquero, *Tradiciones Orales en la Historiografía de Fines de la Edad Media*, Madison, The Hispanic Seminary of Medieval Studies, 1990; F. Gómez Redondo, *Fórmulas juglarescas en la historiografía romance*, "La Corónica", XV, 2 (1986-87), pp. 225-239.

tosto, ad esempio, di valutare, in modo analogo a quanto è stato fatto per il tardo-medievale López de Ayala[42], quanto sia influente, nella costruzione di queste opere, la loro destinazione ideale primaria alla lettura specialmente nella corte, avendo come primo destinatario il principe. Argomenti interessanti da questo punto di vista potrebbero essere le tecniche mnemoniche e di rapporto col pubblico, legate anche alle suggestioni dello stile oratorio.

[42] M. García, *La voie de l'oralité dans la réception de l'écrit en Castille au XVIe siècle: le cas des chroniques d'Ayala*, "Atalaya", 2 (1991), pp. 121-134.

Sulle strutture aggettivali nella poesia di Borges

TOMMASO SCARANO

Una caratteristica comune agli studi sulla poesia di Borges è quella di trattarne gli aspetti formali solo per cenni e marginalmente. Al fondo di tale scelta c'è da una parte l'ineludibile prepotenza degli elementi del contenuto (i grandi temi del tempo, della morte, dell'io, le intuizioni "metafisiche", la riflessione sulla poesia), dall'altra l'apparente semplicità del discorso poetico, la "pobreza" della parola borgesiana, la sua trasparenza, la sua "modesta y secreta complejidad". Priva di "brillo", libera da oscurità, la poesia di Borges sembra insomma esaurire la sua comunicazione nella densità e nello spessore della sua semantica; gli altri livelli a cui il testo comunica sembrano innecessari alla comprensione, e secondari per il discorso esplicativo del critico. Così molti aspetti restano ancora, pur nella copiosa bibliografia, da indagare e descrivere. Poco si è detto, e genericamente, ad esempio, della struttura dei poemi (sviluppo tematico e modi dell'argomentazione, riprese, *incipit* ed *explicit*, ecc.), dei procedimenti sintattici (correlazione, parallelismo, iterazione, ecc.), della retorica dell'immagine (soprattutto le figure di analogia), della versificazione (metrica del sonetto, endecasillabo, verso libero, rima), tutti, e non solo questi, elementi imprescindibili per un discorso critico esaustivo.

In questa nota fornirò alcuni dati di una indagine sull'aggettivazione, relativi alle tipologie sintattiche più ricorrenti e al rapporto tra strutture aggettivali e verso. Resterà fuori dalla trattazione l'esame dell'aspetto semantico dell'aggettivo e del suo uso in rapporto al lessema nominale. In questo ambito, parziali ma significativi rilievi sono stati operati da Ana María Barrenechea e successivamente sviluppati, limitatamente tuttavia alla prosa, sia da

Jaime Alazraki che dal più recente lavoro di Rosa Pellicer[1]. L'aspetto semantico ha comunque orientato una ulteriore, e a mio parere inevitabile, restrizione del campo di indagine, che resta circoscritto agli aggettivi qualificativi ed esclude un'analisi –che non sarebbe certo priva di interesse- dei cosiddetti *determinativi* (possessivi, dimostrativi, indefiniti ecc.). Per quanto concerne infine la funzione sintattica, ragioni di spazio mi costringono a riservare solo qualche cenno all'aggettivo predicativo e a centrare il discorso su quello che Sobejano definisce *epíteto* e Lapesa *calificativo atributivo*[2].

È quasi scontato muovere da un rilievo di natura quantitativa. L'opera in versi di Borges contiene, senza considerare i *determinativi*, oltre 1230 lemmi aggettivali, corrispondenti a circa 5000 forme. Il che equivale, considerando la totalità dei versi dell'opera poetica, a 57 aggettivi per ogni cento versi. Un dato interessante, se si considera che la poesia borgesiana, raramente lirico-descrittiva, è essenzialmente ragionativa, meditativa o, spesso, narrativa (ad esempio nei molti testi che compendiano vite di personaggi letterari o storici) e lascia nel lettore l'impressione di un discorso basato essenzialmente su nozioni e concetti, o su oggetti inventariati in lunghe enumerazioni.

Ma basta porre maggiore attenzione al fenomeno, per notare con quale frequenza quei sostantivi siano accompagnati da aggettivi, e come questi non siano mai puramente esornativi, ma abbiano sempre una precisa funzione enunciativa, rilevante e imprescindibile nella economia del discorso, il quale, senza di essi, non darebbe senso, o ne perderebbe molta parte. Si vedano ad esempio questi versi per Joyce:

"Tú, mientras tanto, forjabas
en las ciudades del destierro,
en aquel destierro que fue
tu *aborrecido* y *elegido* instrumento,
el arma de tu arte,
erigías tus *arduos* laberintos,
infinitesimales e *infinitos*,

[1] Cfr. A.M. Barrenechea, *La expresión de la irrealidad en la obra de Borges*, Buenos Aires, Centro Editor de América Latina, 1984 (I ed.:1957); J. Alazraki, *La prosa narrativa de J.L. Borges*, Madrid, Gredos, 1968; R. Pellicer, *Borges: el estilo de la eternidad*, Zaragoza, Dpto. de Literatura de la Universidad de Zaragoza, 1986.

[2] G. Sobejano, *El epíteto en la lírica española*, Madrid, Gredos, 1956; R. Lapesa, *La colocación del calificativo atributivo en español*, in *Homenaje a la memoria de D. Antonio Rodríguez-Moñino*, Madrid, Castalia, 1975, pp. 329-345.

admirablemente *mezquinos*,
más *populosos* que la historia"[3].

o questi, che hanno per tema lo specchio, uno dei simboli metafisici più ricorrenti in Borges:

"*infinitos* los veo, *elementales*
ejecutores de un *antiguo* pacto,
multiplicar el mundo como el acto
generativo, *insomnes* y *fatales*.
Prolongan este *vano* mundo *incierto*
en su *vertiginosa* telaraña"[4]

E tale funzione primaria si mantiene anche nei brani più propriamente descrittivi:

"[…] la *secreta*
ave que siempre un mismo canto afina,
el agua *circular* y la glorieta,
la *vaga* estatua y la *dudosa* reina"[5].

"*Montañoso*, *abrumado*, *indescifrable*,
rojo como la brasa que se apaga,
[el bisonte] anda *fornido* y *lento* por la *vaga*
soledad de su páramo *incansable*"[6].

Questi pochi versi citati permettono già di rilevare, oltre che la varietà delle strutture aggettivali usate – aggettivo contiguo al nome, catene di più aggettivi, aggettivi in posizione anticipata o ritardata –, un primo dato che un riscontro sulla intera produzione in versi conferma ampiamente.

[3] *Invocación a Joyce*, 19-27, ES. Nei rimandi ai testi citerò la raccolta cui questi appartengono, utilizzando le seguenti sigle: FBA (*Fervor de Buenos Aires*, 1923), LE (*Luna de enfrente*, 1925), CSM (*Cuaderno San Martín*, 1929), H (*El Hacedor*, 1960), OM (*El otro, el mismo*, 1964), ES (*Elogio de la sombra*, 1969), OT (*El oro de los tigres*, 1972), RP (*La rosa profunda*, 1975), MH (*La moneda de hierro*, 1976), HN (*Historia de la noche*, 1977), C (*La cifra*, 1981), Con (*Los conjurados*, 1985). Seguo l'edizione *Obra poética*, 2 voll., Buenos Aires, Emecé, 1986-1989.

[4] *Los espejos*, 21-26, H.

[5] *Adrogué*, 5-8, H.

[6] *El bisonte*, 1-4, RP.

La poesia di Borges, così spesso incline a una certa prosaizzazione del verso, nonché a scelte sintattiche e lessicali entro la media linguistica, per quanto concerne l'uso dell'aggettivo tende, sia pur entro un complessivo sistema di alternanze che preserva, in sequenze di enunciati, un sostanziale equilibrio, a privilegiare ampiamente il costrutto ascendente, cioè quello più marcato stilisticamente, anteponendo l'attributo, che in tal modo ottiene una messa in rilievo maggiore di quella dell'oggetto portatore della qualità e si carica di un valore soggettivo, affettivo e connotativo.

Da una verifica, limitata ai sintagmi nominali con un solo aggettivo in posizione adiacente e che ha tenuto in conto i fattori di condizionamento posizionale, semantico e sintattico (posposizione degli aggettivi relazionali, degli aggettivi modificati da avverbio o reggenti sintagmi preposizionali o frasi comparative; posposizione o anteposizione di aggettivi sottoposti a restrizione semantica, ecc.), si ricava che la percentuale degli aggettivi anteposti è del 62% circa contro il 38% di quelli posposti. E non sono nemmeno infrequenti aggettivi il cui uso avviene pressoché esclusivamente in posizione prenominale (per citarne solo qualcuno, *alto*, *claro*, *duro*, *grande*, *hermoso*, *largo*, *lento*, *misterioso*, *tenue*, *triste*, *vago*, *vano*[7]). Sotto questo aspetto dunque la poesia di Borges tende a conformarsi alla norma (o contro norma) letteraria, e più a quella classica che a quella contemporanea[8].

Più neutra appare la scelta quando intervengono fattori sintattici di condizionamento posizionale. Sempre rispettate risultano le restrizioni NAY (Y= sintagma preposizionale dipendente dall'aggettivo) e NA+frase comparativa, mentre quella NXA (X= avverbio) è, pur se non in misura elevata, non operante in svariati casi:

"Tres muy antiguas caras me desvelan"
"la en vano repetida / palabra"
"Por las nunca holladas tierras"[9]

Diverso naturalmente è il quadro che si ricava osservando la restrizione ANY (dove Y rappresenta un sintagma preposizionale dipendente dal nome). In questo caso sono numerosissime, ma lo sono abbastanza anche

[7] Cfr. T. Scarano, M. Sassi, *Concordanze per lemma dell'opera in versi di J.L. Borges*, Viareggio, Baroni, 1992.

[8] R. Lapesa, *op. cit.*, p. 336, n. 14.

[9] Rispettivamente: *Elegía*, 1, RP; *Composición escrita en un ejemplar de la gesta de Beowulf*, 6-7, OM; *El conquistador*, 6, MH.

nella lingua standard, le occorrenze di strutture con aggettivo interposto tra nome e sintagma preposizionale. Generalmente tali forme non si avvertono nemmeno come forzatura della norma linguistica, ma in taluni casi, per la semantica dei termini, sottolineano almeno una particolare scelta di ordine delle parole:

> "en una quinta calurosa de estatuas húmedas"
> "cordilleras trágicas de sombra"
> "una honda ciudad ciega / de hombres que"[10]

Anche l'uso dell'aggettivo in funzione predicativa, con copula espressa, presenta raramente soluzioni sintattiche diverse da quella normale NVA. Nelle costruzioni con *ser* o *estar*, l'uso dei tre tipi sintattici alternativi: VAN, il più ricorrente ("eran en las esquinas tiernos los almacenes", "aún está verde y viva la memoria"[11]), AVN ("Alta será su inconcebible sombra", "Suave como un sauzal está la noche"[12]), e NAV ("Tanto abalorio bien adjudicado está a la tiniebla"[13]) è di poco superiore al 15%.

Riprendendo ora a dire dell'aggettivo attributivo adiacente al nome, è interessante centrare l'attenzione sulla posizione di questo entro l'unità versale; in particolare ciò che importa rilevare è da un lato la frequenza della collocazione dell'aggettivo in *explicit* di verso, dall'altro le modalità delle spezzature versali. Confermando una scelta abbastanza consueta, Borges colloca spesso l'aggettivo, sia questo attributivo o predicativo, e così in strutture semplici come in strutture accumulative, in posizione finale di verso. Ciò avviene soprattutto nei testi rimati (19% dei versi), ma è fenomeno ricorrente anche nelle poesie in endecasillabi sciolti (15%) e, in percentuale nettamente più bassa, in quelle in versi liberi (9,4%).

Tale riscontro dà anche conto della nettissima preferenza accordata da Borges alla inarcatura del tipo A/N rispetto a quella del tipo N/A. La prima configurazione fa registrare infatti circa 250 occorrenze, mentre la seconda una cinquantina soltanto; il che in percentuale significa che ben l'82% degli *encabalgamientos* che riguardano sintagmi nominali con aggettivo adiacente, isola l'attributo in posizione terminale di verso determinando, è quasi superfluo precisarlo, una forte messa in rilievo della semantica

[10] *Insomnio*, 10, OM; *Nubes II*, 2, Con; *Sábados*, 3-4, FBA.
[11] *Elegía de los portones*, 35, CSM; *El Golem*, 19, OM.
[12] *Midgarthormr*, 17, Con; *La noche de San Juan*, 3, FBA.
[13] *Inscripción en cualquier sepulcro*, 5, FBA.

dell'aggettivo nel contesto degli enunciati ("en su alta / casa de piedra", "fui el errante / soldado", "que un terrible / Dios prefijó"[14]).

I dati della mia osservazione sono, come si vede, parziali. Varrebbe certamente la pena non solo completarli e approfondirli, ad esempio esaminando gli aggettivi predicativi, le catene aggettivali (cosa che in parte farò nel prosieguo del lavoro), le inarcature tra emistichi, le posizioni degli aggettivi isolati in comma ecc., ma anche valutarli entro un quadro preciso e completo dell'uso borgesiano dell'*encabalgamiento*, nonché del rapporto in cui stanno sintassi e struttura metrica.

Dai quattro brani citati più sopra, si rileva anche un secondo aspetto della aggettivazione borgesiana, quello di presentarsi frequentemente in strutture accumulative, di due o più attributi. Il tipo sintattico più ricorrente è quello in cui il nome è accompagnato da due aggettivi, negli assetti AAN, ANA, NAA. Si tratta in totale di circa 260 occorrenze, con una prevalenza netta del tipo ANA (quasi il 49%) sugli altri due e, tra questi, del tipo con i due aggettivi posposti rispetto a quello con gli aggettivi anteposti (rispettivamente 28% e 23%).

Ne osserveremo separatamente alcune modalità d'uso, cominciando dalla forma ANA. Si tratta di oltre 130 campioni che quasi nella metà delle occorrenze tendono a costituire il verso nella sua interezza (considero naturalmente parte integrante del sintagma nominale articoli e/o preposizioni, e, quando ci sono, aggettivi determinativi), sia questo libero, sia invece di metrica regolare, in genere endecasillabo[15]. Ne do un piccolo campionario:

in componimenti liberi:

"la joven flor platónica"
"y el dormido río incesante"
"las vanas apariencias queridas"[16]

in quartine o sonetti di endecasillabi:

"en su vago confín imaginario"

[14] *Un lobo*, 9-10, Con; *El conquistador*, 5-6, 12; *James Joyce*, 3-4, ES.

[15] Ho incontrato un solo caso in cui la forma ANA costituisca un alessandrino, in *La moneda de hierro*, 7, MH.

[16] *La rosa*, 11, FBA; *Cambridge*, 19, ES; *Un lector*, 15, ES.

"unas parcas palabras olvidadas"
"una terca neblina luminosa"[17]

Delle altre posizioni possibili (iniziale, centrale, finale) la forma ANA tende ad occupare prevalentemente (65% dei casi) quella in *explicit* di verso. In questo caso la scelta riguarda in egual misura componimenti in versi rimati e componimenti non rimati (liberi o di metrica regolare)[18].

Il sintagma ANA si presenta anche in posizione *encabalgada*, ma, quasi a voler rispettare la forte coesione interna del nesso, in bassa percentuale (13%), ed è interessante notare come delle due possibili spezzature (A/NA e AN/A) sia la prima ad essere decisamente privilegiata (82%), quella cioè che comporta la posizione del primo aggettivo in sede conclusiva di verso:

"un turbio / pasado irreal"
"cuya extraña / forma plural"
"una ciega / máscara impersonal"[19]

Ed anche in questo caso una notevole incidenza sembrano avere le ragioni metriche e rimiche; non è certo accidentale che tutti i tipi A/NA si riscontrino in componimenti di metrica regolare, e ben i 2/3 in versi rimati (analogamente a quanto già rilevato a proposito della spezzatura del sintagma A/N).

Per quanto riguarda la quantità sillabica dei due aggettivi rispetto alla sede che occupano entro il sintagma nominale, si può rilevare una ricorrenza, nettamente maggioritaria, della collocazione dell'aggettivo più breve in prima sede, nella maggioranza dei casi un bisillabo, e di quello più lungo a chiusura del sintagma. Non sono più di una ventina i casi in cui si incontra in posizione prenominale l'aggettivo più lungo dei due usati. La preferenza sembra dunque quella di costruire un sintagma di ritmo discendente:

"vago confín imaginario"
"vano río prefijado"[20]

[17] *El espejo*, 8, HN; *Simón Carbajal*, 3, RP; *On his blindness*, 2, Con.

[18] Alcuni esempi: "suelo sentir con vago horror sagrado", *Poema de los dones*, 30, H (quartine rimate di endecasillabi); "de sangre que entretejen los hondos dioses muertos", *México*, 6, MH (sonetto rimato in alessandrini); "Ajustado el decente traje negro", *1891*, 2, OT (endecasillabi sciolti); "En vano la furtiva noche felina", *Caminata*, 11, FBA (versi liberi).

[19] *El tango*, 57-58, OM; *Laberinto*, 10-11, ES; *El espejo*, 2-3, HN.

[20] *El espejo*, 8, HN; *Son los ríos*, 9, Con.

piuttosto che di ritmo ascendente:

"detenida tierra viva"
"oblicuas casas rojas"[21]

Entro questo ambito sarebbe importante approfondire l'indagine considerando, insieme alle ragioni semantiche che condizionano l'ordine delle parole nel sintagma nominale, quelle foniche e metro-ritmiche. È per esempio interessante notare come solo in 3 dei quasi 40 endecasillabi formati dal tipo sintattico ANA, la cesura cada dopo il primo aggettivo:

"de la curiosa condición humana"
"su minucioso laberinto inútil"
"en una pálida ceniza vaga"[22]

mentre tutti gli altri endecasillabi coincidenti col sintagma ANA sono *a maiore*, con cesura che stacca il secondo aggettivo, quello in *explicit* di verso:

"tu perdido ladrido solitario"
"La simétrica rosa momentánea"
"La negra cabellera enamorada"[23]

Del tipo NAA (secondo in ordine decrescente di frequenze entro il gruppo di sintagmi che presentano una doppia aggettivazione del nome) il primo oggetto di osservazione mi pare debba essere la modalità di coordinazione. Questa si presenta di norma di tipo congiuntivo sindetico (l'elemento coordinatore *y* ricorre con una percentuale superiore al 90%):

"un tiempo vasto y generoso"
"copias temporales y mortales"[24]

I pochi casi di strutture coordinate asindeticamente appaiono condizionati dalla presenza di un sintagma preposizionale dipendente dall'aggettivo,

[21] *Caminata*, 9, FBA; *New England, 1967*, 2, ES.
[22] *Manuel Peyrou*, 8, HN; *Poema de la cantidad*, 12, OT; *Poema de los dones*, 39, H.
[23] *Al coyote*, 12, OT; *Cosas*, 13, OT; *Metáforas de las Mil y Una Noches*, 39, HN.
[24] *Caminata*, 17, FBA; *Las dos catedrales*, 21, C.

o di una frase comparativa, o ancora dalla presenza di modificatori avverbiali del secondo aggettivo:

> "calle ignorada, / abierta en noble anchura"
> "El pastito precario, / desesperadamente esperanzado"
> "sus libros infinitos, / arduos como los arduos manuscritos"[25]

Anche in questo tipo sintattico si rilevano casi di completa coincidenza tra sintagma nominale e verso, ma in percentuale più bassa (meno di un terzo) rispetto a quella rilevata a proposito del tipo ANA (che era di quasi la metà). Risultano invece percentualmente molto più numerosi che non in quel tipo sintattico, i sintagmi in posizione *encabalgada*. In questi casi di norma la spezzatura isola il nome a fine verso e mantiene uniti i due aggettivi coordinati (N/AA):

> "mi casa / atónita y glacial"
> "su Itaca / verde y humilde"
> "la ola / soñolienta y fatal"[26]

La spezzatura alternativa NA/A appare pressocché esclusiva di forme coordinate asindeticamente, e comunque condizionata dalla presenza di sintagmi preposizionali o frasi dipendenti dall'aggettivo:

> "alhaja oscura / engastada en el tiempo"
> "un don inconcebible, / tan íntimo que"
> "aceros ignorantes / y atroces en la aurora"[27]

Da segnalare, infine, la ricorrenza di forme in cui i due aggettivi, separati dal nome da una pausa sintattica, una virgola, costituiscono un comma indipendente:

> "y mi ventura, inagotable y pura."
> "de su decurso, tan variable y vano."
> "otra substancia halló, suave y pesada,"[28]

[25] *Calle ignorada*, 9-10, FBA; *Arrabal*, 10-11, FBA; *Poema de los dones*, 10-11, H.
[26] *Amanecer*, 46-47, FBA; *Arte poética*, 22-23, H; *Cosas*, 17-18, OT.
[27] *Sábados*, 1-2, FBA; *El sueño*, 6-7, OM; *Elegía*, 3-4, RP.
[28] *El enamorado*, 14, HN; *El bisonte*, 12, RP; *El reloj de arena*, 10, H.

Questo tipo di costruzione è frequente anche in frasi che presentano uno o più aggettivi distanziati dal nome. In genere il comma costituito dall'aggettivo (in molti casi con funzione attributiva avverbiale) chiude la frase e spesso la strofe o l'intero componimento:

> "[...] Que los glaciares del olvido
> me arrastren y me pierdan, despiadados."
>
> "[...] La luna,
> que el amor secular busca en el cielo
> con triste rostro y no saciado anhelo,
> será su monumento, eterna y una."
>
> "Ocho millones son las divinidades del Shinto
> que viajan por las tierras, secretas."[29]

Il tipo sintattico AAN presenta, e ciò lo caratterizza rispetto agli altri due tipi con coppia aggettivale, la più alta percentuale relativa di spezzature versali, più di un terzo del totale, contro il 13% del tipo ANA ed il 30% del tipo NAA. La ragione della preferenza è, evidentemente, da ricondurre alla già segnalata volontà di concludere il verso con un aggettivo (anche in questo caso è da attribuire un peso particolare alle esigenze rimiche: l'80% delle occorrenze con inarcatura si registra in poesie rimate), e si spiega anche il fatto che la spezzatura A/AN e quella AA/N fanno registrare un numero uguale di frequenze, anche se il secondo tipo di *encabalgamiento* è chiaramente più forte del primo, ed evidenzia, maggiormente di quello, il binomio aggettivale:

> "su debido / y esperado lugar"
> "el severo / y tétrico instrumento"
>
> "La cerrada y roja / barba"
> "un achacoso y agrietado / sueño"[30]

Per quanto riguarda il tipo di coordinazione, si conferma la netta predominanza della struttura sindetica su quella asindetica:

[29] *El remordimiento*, 3-4, MH; *1971*, 17-20, OT; *Shinto*, 20-21, C.

[30] *El despertar*, 3-4, OM; *El reloj de arena*, 21-22, H; *La pesadilla*, 6-7, MH; *Blind Pew*, 7-8, H.

"la no buscada, la primera / forma"
"las íntimas, indescifrables noticias"[31]

Abbastanza praticata appare anche la scelta di accompagnare i singoli aggettivi anticipati con uno o più sintagmi preposizionali o frasi dipendenti, e dunque di ritardare la comparsa del nome, che in questo caso compare preceduto dall'articolo:

"Grandiosa y viva
como el plumaje oscuro de un ángel
cuyas alas tapan el día,
la noche ..."[32]

Per concludere, una notazione relativa all'incidenza della lunghezza sillabica dei lessemi aggettivali nella scelta del loro ordine entro il sintagma. Sia nel tipo NAA che in quello AAN pare non essere operante alcuna preferenza (grosso modo l'assetto *aggettivo più breve + aggettivo più lungo* ricorre quanto quello inverso), mentre nei casi di doppia predicazione aggettivale (VAA) è nettissima quella di anteporre l'aggettivo più lungo. Dal punto di vista ritmico la scelta ottiene un andamento ascendente:

"Te hemos visto morir sonriente y ciego."
"y ahora está arrumbado y solo"[33]

La sintassi poetica di Borges non disdegna l'uso di sintagmi formati anche da tre o quattro aggettivi. Tali strutture accumulative presentano gli attributi sia in posizione adiacente al nome (ne ho inventariati oltre cinquanta campioni), sia anticipati o ritardati. Dei vari tipi riscontrati (AAAN - AAAAN - ANAA - AANA - ANAAA - ANAAAA - NAAA - NAAAA), i più frequenti, più della metà del totale, sono gli ultimi due, con tre o quattro aggettivi posposti. Quando si tratta di quattro aggettivi, questi si presentano nella maggior parte dei casi uniti a due a due attraverso un coordinatore:

"el laberinto / singular y plural, arduo y distinto,"

[31] *Ricardo Güiraldes*, 2-3, ES; *A Francisco López Merino*, 11, CSM.
[32] *Caminata*, 31-34, FBA.
[33] *A mi padre*, 9, MH; *Un cuchillo en el Norte*, 23, PSC.

"una trama / eterna y frágil, misteriosa y clara."[34]

ma possono costituire anche una catena asindetica o strutture organizzate su modalità più varie di coordinazione:

"un rostro / durmiente, inmóvil, fiel, inalterable"
"un rostro moreno, / trabajado por los años / y a la vez triste y sereno."[35]

Il tipo sintattico NAAA generalmente coordina in struttura sindetica i due ultimi aggettivi, e questi al primo asindeticamente:

"un mundo / infinito, secreto y necesario,"
"espejos / indistintos, ociosos y menguantes,"[36]

ma si incontrano anche altre forme di coordinazione

"un galerón enfático, enorme, funerario."
"aquel pueblo lapidado / y execrado, inmortal en su agonía"
"Tarde acerada y deleitosa y monstruosa"[37]

La prenominalizzazione della catena aggettivale è, come dicevo, meno frequente (in totale una dozzina di casi) e presenta, oltre che coordinazione sindetica:

"esa desconocida / y ansiosa y breve cosa"
"la vasta y vaga y necesaria muerte"[38]

anche strutture asindetiche o miste (col nome contiguo agli aggettivi, o ritardato), alle quali possono concorrere aggettivi con funzione attributiva avverbiale:

"fuerte, inocente, ensangrentado y nuevo, / él irá"
"converge, abrumador y vasto, el vago / ayer"

[34] *Soy*, 10-11, RP; *Caja de música*, 4-5, HN.

[35] *Del infierno y del cielo*, 40-41, OM; *Milonga de los morenos*, 38-40, PSC.

[36] *Blake*, 9-10, C; *1972*, 2-3, RP.

[37] *El general Quiroga va en coche a la muerte*, 5, LE; *Rafael Cansinos Asséns*, 1-2, OM; *Una despedida*, 2, LE.

[38] *Texas*, 13-14, OM; *Blind Pew*, 14, H.

"Falsa y tupida
como un jardín calcado en un espejo,
la imaginada urbe"[39]

E vediamo infine il tipo sintattico che presenta aggettivi sia a sinistra che a destra del nome. Quando in posizione prenominale si registrano due aggettivi, il nome è seguito da un solo attributo:

"de esa alta y honda biblioteca ciega"
"humildes y queridas cosas, / inaccesibles hoy"[40]

Nei casi in cui vi sia invece un solo attributo anteposto, la catena resta aperta a destra del nome fino a quattro aggettivi:

"de negra joya, aciaga y prisionera"
"ese inmediato / rostro, incesante, intacto, incorrutible"
"altos anaqueles, / cercanos y lejanos a un tiempo, / secretos y visibles como los astros"[41]

Concluderò questa nota segnalando ancora un fenomeno che, per la sua rilevanza stilistica e per la sua frequenza, non può passare inavvertito. Esso andrebbe osservato entro un quadro complessivo delle modalità della coordinazione, e tuttavia è pienamente pertinente ad un discorso sulla aggettivazione. Mi riferisco alla coordinazione di due sintagmi nominali ciascuno accompagnato da un aggettivo. Tale costrutto è, come dicevo, molto ricorrente (intorno alle 130 occorrenze) e presenta, in ragione delle possibili combinazioni dei termini, quattro varianti posizionali: può infatti costruirsi replicando lo stesso tipo sintattico aggettivale, con anteposizione o posposizione dell'aggettivo (AN+AN, NA+NA), oppure coordinando i due tipi inversi (AN+NA, NA+AN), che risultano così connessi in rapporto chiasmico. La costruzione a più alta frequenza è quella che coordina due sintagmi nominali con aggettivo anteposto (quasi 1/3 del totale):

[39] *El otro tigre*, 4-5, H; *El despertar*, 5-6, OM; *Benarés*, 1-3, FBA.
[40] *Poema de los dones*, 16, H; *Adrogué*, 42-43, H.
[41] *La pantera*, 4, RP; *Del infierno y del cielo*, 43-44, OM; *El guardián de los libros*, 48-50, ES.

"la firme espada y la sangrienta gloria"[42]

segue poi il costrutto chiasmico AN+NA:

"cansado brillo y sufrimiento ciego"[43]

e, ma ad una certa distanza, gli altri due (NA+NA e NA+AN), quantitativamente equivalenti:

"de carne charra y mármoles finales"

"el café insomne y el propicio vino"[44]

Il primo elemento da rilevare è che questo nesso coordinato si colloca solo raramente a cavallo di due versi, mentre di norma si dispone a formare un intero verso, sintatticamente ben isolato, e rilevato da una stretta corrispondenza tra pause logico-sintattiche e pause metriche. Il nesso ad esempio costituisce il soggetto o l'oggetto di un verbo collocato in altro verso[45], o un doppio sintagma preposizionale[46] o, più spesso, è parte di una struttura enumerativa o la conclude[47]

In genere si tratta di coordinazioni sindetiche, congiuntive o disgiuntive ("la frente angosta y el bigote ralo", "polvo disperso o apretada roca"[48])

[42] *A Carlos XII*, 8, OM.

[43] *Una llave en Salónica*, 8, OM.

[44] *Carnicería*, 6, FBA; *Manuel Peyrou*, 14, HN. Il campionario andrebbe comunque esteso a comprendere quei sintagmi in cui uno o entrambi i lessemi nominali sono accompagnati da specificazioni con valore attributivo ("tus noches de oro y tus contadas flores", *París, 1856*, 14, OM; "por el prisma de cristal y la pesa de bronce", *Otro poema de los dones*, 49, OM), o ancora i tratti in cui un nome aggettivato regge un sintagma preposizionale anch'esso aggettivato ("la espada fiel del pretoriano armado", *A un César*, 8, RP; "el regreso anhelado de las antiguas normas", *La joven noche*, 4, Con; "la clara catedral de erguida piedra", *Las dos catedrales*, 16, C.

[45] "Aquí el incierto ayer y el hoy distinto / me han deparado", *Buenos Aires*, 5-6, OM; sólo tienes / la fiel memoria y los desiertos días" *1964 I*, 8, OM.

[46] "un judío / de tristes ojos y de piel cetrina" *Baruch Spinoza*, 5-6, MH.

[47] "Islandia de las naves, / del terco arado y del constante remo, / de las tendidas redes", *A Islandia*, 4-6, OT; "ahora son ablicuas casas rojas / y el delicado bronce de las hojas / y el casto invierno y el piadoso leño.", *New England, 1967*, 2-4, ES.

[48] *1891*, 3, OT; *El despertar*, 7, OM.

e poco ricorrenti risultano le strutture asindetiche ("las vagas horas, la memoria impura", "el alto muro, la ultrajada ruina"[49]).

È ancora interessante notare come tale struttura si presti da una parte a costruirsi su qualità antitetiche delle entità coordinate, o su qualità antitetiche di una stessa entità:

"de inciertos mares y de tierra cierta"
"de claros mármoles y negros pinos"

"de un mundo rojo y de otro mundo verde"
"Crueles estrellas y propicias estrellas"[50]

dall'altra ad imperniarsi sulla iterazione dello stesso aggettivo:

"de un vago mármol o una vaga rosa"
"la recta música y las rectas palabras"[51]

Un'ultima notazione, per finire. Ho già detto della frequenza con cui il costrutto esaminato coincide con il verso e, come si è potuto notare, gli esempi citati costituiscono tutti una unità versale. Si può al proposito osservare di più; la struttura in esame si riscontra solo in una dozzina di versi liberi, mentre il resto delle occorrenze costituisce endecasillabi. Essa pare quindi avere una sua propria e quasi esclusiva misura metrica entro cui disporsi. I due emistichi che costituiscono il verso di undici sillabe paiono fatti apposta per ospitare ciascuno un sintagma aggettivato, in modo che pausa sintattica e pausa ritmica risultino perfettamente coincidenti. Il risultato è, dato che ad occupare la posizione centrale si trovano generalmente vocali atone (congiunzione, articolo, eventuale preposizione, sillaba iniziale atona di parola) un verso *a minore* con accenti in quarta ed ottava posi-

[49] *J.M.*, 10, OT; *Adán es tu ceniza*, 10, HN.

[50] *Habla un busto de Jano*, 4, RP; *Ariosto y los árabes*, 7, H; *Adrogué*, 32, H; *Quince monedas, Miguel de Cervantes*, 1, RP.

[51] *Los espejos*, 12, H; *El guardián de los libros*, 2, ES. Questo tipo di struttura è da riferire ad una modalità ripetitiva, altamente ricorrente, che si realizza nelle più svariate forme; eccone qualche esempio:

"no es menos vano que la vana historia" (*El instante*, 8, OM)
"Dispersos en dispersas capitales" (*Invocación a Joyce*, 1, ES)
"Es más antiguo que la más antigua escritura" (*El Go*, 6, C)
"hueca en la hueca sombra / la cochera" (*Adrogué*, 9, H)

zione, e nel quale lo schema quinario+senario è quello che fa registrare il maggior numero di frequenze:

"las negras hidras y los tigres rojos"
"la vaga estatua y la dudosa reina"
"la piedra ciega y la curiosa mano"[52]

Questi rilievi finali, tutt'altro che concludere l'indagine, ne evidenziano il carattere di prima esplorazione parziale, esplorazione certamente sufficiente a segnalare l'interesse e la ricchezza dell'argomento, ma che per farsi esaustiva richiede di estendersi a tutto campo e di sondare ben più numerosi aspetti, diversi e intrecciati, e ciascuno bisognoso di una sua specifica messa a fuoco.

[52] *El*, 8, OM; *Adrogué*, 8, H; *Cosas*, 24, OT.

Una Renuncia... en pos de *Las tierras de Dios*. La protesta antigomecista de Rómulo Gallegos

ANTONIO SCOCOZZA

En la primavera del 1928 con el manuscrito de *La Coronela* en su equipaje, Gallegos viajaba a Bolonia donde hospitalizaba a su esposa, doña Teotiste Arocha para someterla a una intervención quirúrgica en la rodilla. Pensaba volver a redactar esa novela que nada le gustaba, en especial modo el final no terminaba por convencerlo. Mientras en los meses sucesivos su esposa se recuperaba, él trabajaba con mucho ánimo en el manuscrito. De junio a agosto la reescribió más de una vez, hasta que terminó por entregarla en Barcelona al editor Araluce, quien decidió publicarla a costa del autor[1]. El 15 de febrero del 1929 en lugar de *La Coronela* fue publicada *Doña Bárbara,* mientras que los esposos Gallegos regresaban a Venezuela. Después de seis meses, recibió el premio como mejor novela del mes publicada en España. El premio resultaba tanto más valioso si se piensa que Gallegos era completamente desconocido en la Península y al mismo tiempo el jurado gozaba de un indudable crédito literario. Algunos de ellos expresaron juicios efectivamente asombrosos; en particular Salaverría opinaba que estaba tan "correctamente escrita y llena de interés y un arte literaria tan notable, que estoy enfrascado en su lectura como en mis mejores tiempos de lector ávido e impaciente". Mientras que Ricardo Baeza se expresaba con palabras todavía más halagadoras: «*Doña Bárbara* nos ofrece el poema

[1] Doña Bárbara fue editada por Araluce e impresa en los talleres Núñez & Cia., S. en C. Calle San Ramón 6, de Barcelona. El editor hizo costear los gastos al mismo Gallegos y en cambio le entregó la mayor parte de la edición para que la vendiera en Venezuela, que era considerado su "mercado" natural. Sobre estos aspectos acerca de "la historia de un éxito": J. Liscano, *Prólogo* a R. Gallegos, *Doña Bárbara,* Caracas, Biblioteca Ayacucho, 1977, pp. XII-XXI; y su mayor biógrafo L. Dunham, *Rómulo Gallegos. Vida y obra,* México, Ediciones De Andrea, 1957, pp. 62 y ss.

geórgico de América, la gesta de su agro ubérrimo; y si se piensa que a la par de este contenido lírico y aun épico nos da la primera gran novela americana y una de las novelas más específicamente "novelas" que se han escrito en castellano, se tendrá una idea aproximada de lo que es en sí misma la obra del señor Gallegos y del puesto que está llamada a ocupar en el panorama de la literatura hispanoamericana»[2].

Cuando Gallegos regresa a Venezuela no se encuentra en una situación que lo favorezca completamente. Al dictador Juan Vicente Gómez llegan voces de que el simbolismo de la novela está vuelto en contra de él y de su gobierno y le parece extraño que un hombre que empieza a ser famoso en el exterior no forme parte de su "corte" de favorecidos. En su retiro de Las Delicias en Maracay bajo consejo de una de sus hijas el "benemérito" pidió al doctor Requena que le empezara a leer *Doña Bárbara.* La lectura interesó tanto el general que se hizo leer un capítulo diario y una noche que estaban regresando de viaje, hizo detener el coche en que iba y quiso que Requena siguiera leyendo a la luz de los fanales del vehículo. Cuando terminó la novela Gómez estaba tan entusiasmado con el desenlace que exclamó: «Muy bueno. Yo no sé por qué dicen que ahí me atacan. Eso no tiene nada contra mí... Eso era lo que debían estar haciendo todos los literatos y no revoluciones pendejas»[3]. Había que implicar a ese joven escritor con su gobierno, no podía estar en contra de él un intelectual que sabía tanto de ganado y de aventura campestre, de llano y de llaneros, había que darle una recompensa por el prestigio que el escritor estaba ganando a Venezuela y al caudillo no se le ocurrió nada mejor que nombrarlo senador por el Estado Apure para comprometerlo y premiarlo al mismo tiempo. Pero los acontecimientos políticos obligaron a Gallegos a tomar una actitud bien definida.

[2] El jurado estaba integrado por Eduardo Gómez de Baquero, José María Salaverría, Enrique Díez Canedo, Gabriel Miró, Pedro Sáinz, Ricardo Baeza y José Martínez Ruiz (Azorín). Junto con éstos se pueden encontrar muchos otros juicios, todos en verdad positivos, contemporáneos a la publicación de *Doña Bárbara* en L Dunham, *Rómulo Gallegos...*, cit., pp. 220-226. Nos parece además muy acertada la explicación que Mariano Picón Salas da del éxito de la novela en el prólogo a la edición mexicana de la Editorial Orión (1950): "Subsistía sin conciliación aquella antítesis sarmentiana entre las minorías cultas, de estilo europeo, y el pueblo adormecido aún en la embrujada noche de su atraso y supersticiones. Mérito singular de *Doña Bárbara* fue aproximar estos dos mundos, estas dos caras de la existencia vernácula como no se lograra hasta entonces en la ficción venezolana. Conquistado ya el paisaje y descrito el duro oficio de las gentes, era necesario entender, con sumo amor y hasta suma paciencia cómo reaccionaban las almas".

[3] La circunstancia es contada por el mismo Gallegos en una entrevista a Luis Enrique Osorio, en *Democracia en Venezuela,* Bogotá, Ediciones de La Idea, s. f., pp. 49-50.

En efecto el 3 de mayo de 1929, terminada su presidencia, Gómez quiso que el nuevo presidente fuera simplemente una marioneta, un hombre que respondiera exclusivamente a sus órdenes y este fue el doctor Juan Bautista Pérez, conocido por el pueblo como "Juan Bobo". El presidente "Bobo" se marchó después de dos años y el Congreso en "peregrinaje fue a Maracay a la finca del dictador para rogarle de aceptar la presidencia. Gómez comentó que tal solución hubiera sido inconstitucional y entonces los títeres del Congreso regresaron a Caracas y enmendaron la Constitución para que posteriormente lo pudieran elegir por unanimidad nuevamente Presidente de la República[4]. Gallegos que no había asistido nunca a las sesiones del Senado para evitar cualquier forma de asenso al gomecismo se dio cuenta de que esa postura ya no era suficiente y no podía renunciar al cargo de Senador y quedarse en Venezuela. La solución era el exilio y ese camino tomó. El 4 de abril de 1931 salió para Nueva York y el 24 de junio dirigió al presidente del Senado una carta con la cual renunciaba al cargo, ya que no quería compartir la responsabilidad del Congreso que estaba de manera bochornosa acabando con la Constitución para favorecer las ambiciones del dictador:

Habéis ofendido el decoro de la nación venezolana al prestaros para que se la exhibiera, por boca de los propios representantes de sus derechos, como una colectividad que no entiende ni quiere ser gobernada sino con los recursos extremos de las autoridades absolutas; como una colectividad rudimentaria que no puede vivir sino a la sombra del jefe y corre a echarse a sus plantas apenas oye el bronco sonido del caracol de alarma, que esta vez bastó que lo fuera la voz del diputado Beroes, precisamente cuando todos los pueblos civilizados buscan el remedio de sus males bajo el impersonal imperio de las leyes bien cumplidas; habéis traicionado el

[4] Sobre Gómez y el gomecismo los libros y los artículos de revistas son numerosos. Nos limitaremos en esta nota a señalar los ensayos que nos parecen de mayor interés y que contienen por lo general una muy atenta y vasta bibliografía: T. Rourke, *Gómez, tirano de Los Andes,* Caracas-Madrid, Edime, 1952; A. Dávila, *La Revolución restauradora y sus dos jefes,* Maracaibo, Tipografía Criollo, 1957; D.A. Rangel, *Gómez el amo del poder,* Caracas, Vadell hermanos editores, 1975[4]; L. Cordero Velásquez y J. Bosch, *Juan Vicente Gómez camino del poder,* Caracas, Editorial Humboldt, 1982; Y. Segnini, *La consolidación del régimen de Juan Vicente Gómez,* Caracas, Academia Nacional de la Historia, 1982; B.S. Mc Beth, *Juan Vicente Gómez and the Oil Companies in Venezuela, 1903-1935,* Cambridge, University Press,1983; E. Pino Iturrieta, *Juan Vicente Gómez y su época,* Caracas, Monte Avila Editores, 1985; AA.VV. *Juan Vicente Gómez ante la historia,* San Cristóbal, Biblioteca de Autores y Temas Tachirenses, Tipografía Cortés, 1986; Y. Segnini, *Las Luces del gomecismo,* Caracas, Alfadil Ediciones, 1987. M. Caballero, *Gómez el tirano liberal,* Caracas, Monte Avila Editores,1993.

mandato popular al allanaros a desquiciar los fundamentos democráticos de nuestra institución republicana, cercenando la soberanía del Congreso, que no es otra sino la misma soberanía del Pueblo, y por todo esto habéis expuesto al ludibrio del mundo la dignidad de una patria de libertadores[5].

Como se puede notar hay algunas circunstancias a este propósito que merecen ser subrayadas. Gallegos, al acercarse la fecha en que se reanudarían las sesiones del Congreso, decide irse del país y trasladarse a Nueva York. La carta de renuncia a su cargo de Senador, escrita meses después de su ida a los Estados Unidos, no aclara los motivos que lo llevaron a tomar la decisión de ausentarse del país. Primero porque su viaje (4 de abril) se da antes de que el Congreso destituya a Juan Bautista Pérez (13 de junio), argumento sobre el cual sustenta su renuncia; segundo porque en el texto de la carta, si bien se condenan los «recursos de las autoridades absolutas», no hay una crítica clara y expresa al régimen de Juan Vicente Gómez. Se interpreta la actitud del Congreso al destituir a Juan Bautista Pérez como una "traición al mandato popular" que la soberanía del pueblo había depositado en ese cuerpo, con lo cual se reconoce una legalidad institucional del régimen cuya expresión es el Congreso de la República. Se condena el acto contra «las instituciones republicanas», el desquiciamiento de los fundamentos democráticos, a partir de la arbitrariedad cometida contra el Presidente en ejercicio sin nunca mencionar ni cuestionar la legalidad del Congreso ni del régimen en su conjunto. Su renuncia al Senado es a nuestro juicio, el pretexto que le permite justificar la decisión ya tomada de distanciarse definitivamente del gobierno de Juan Vicente Gómez[6].

[5] "Repertorio Americano" (15 de agosto de 1931), con el título *Una renuncia...* en R. Gallegos, *Una posición en la vida*, recop. a cargo de L. Dunham, Los Teques, Gobierno del Estado Miranda, 1985, pp. 110-111 (edición facsimilar de la publicada en México por Ediciones Humanismo en 1954). Y termina con decisión la carta: "Ya está dicho: "vosotros, sólo vosotros seréis los responsables por los resultados que de todo ello se produzcan". Yo no pretendo eludir las tremendas responsabilidades que a todos los venezolanos nos conciernen en este crítico momento de nuestra historia, pero tampoco quiero que mi nombre figure entre los de aquellos que van a consumar el atentado. Mi nombre solamente, pues para no hacerme personalmente solidario, de los actos de ese cuerpo, he rehusado asistir a sus sesiones, tanto a las de este año como a las del anterior. Para redimirlo de toda sombra de complicidad, renuncio categóricamente al cargo de Senador por el Estado Apure, de que estoy investido, y como ciudadano venezolano protesto contra la grave enmienda que habéis prometido hacerle a nuestra institución republicana" (*ibid.*, p. 111).

[6] Cf. *ibid.* La decisión no parece haber sido nada simple si, como nos recuerda su mayor biógrafo Lowell Dunham, en aquel momento Gallegos tenía compromisos económicos

La decisión de Gallegos es de todas formas un acontecimiento de relieve; en efecto es raro que en la época de Gómez los intelectuales asumieran una actitud disidente. Más bien prevalece una incondicional aceptación pasiva del régimen. Los intelectuales que rompen con el gomecismo lo hacen cuando caen en desgracia con el gobierno o porque toman parte activa en la oposición política, como es el caso de Pocaterra, o por algún malentendido que enturbia la atención hacia ellos como es el caso de Rufino Blanco Fombona[7]. La ruptura de Gallegos con el Gobierno parece efectiva-

en particular para terminar de pagar unos préstamos que había contraído para construir su casa en Caracas, y precisamente en Los Palos Grandes. Conservar el cargo de Senador le hubiera garantizado una ganancia suficiente para cumplir con sus compromisos. Pero cuando explicó a su esposa la situación económica, Teotiste contestó sin titubeo: "Vamos aunque se pierda la casa" (L. Dunham, *Rómulo Gallegos...*, cit., p. 66).

[7] Pocaterra es uno de los más interesantes intelectuales "democráticos" que se oponen al régimen primero de Cipriano Castro y luego, a raíz del fracaso de la conspiración del capitán Luis Rafael Pimentel el 20 de enero de 1919, de Juan Vicente Gómez. Exponente fundamental del realismo literario, es considerado como uno de los maestros del cuento venezolano tanto que el personaje de sus *Cuentos Grotescos,* (1922) Panchito Madefuá deviene sinónimo del niño de la calle. Así como sus *Memorias de un venezolano de la Decadencia* (1927) escritas casi completamente en las cárceles de Gómez y que relatan de manera espeluznante los acontecimientos políticos venezolanos de los años que van de 1900 a 1920, se convierten en una verdadera denuncia contra los dictadores Cipriano Castro y Gómez (cf. M.J. Tejera, *José Rafael Pocaterra: ficción y denuncia,* Caracas, Monte Avila, 1976; de gran interés es también el ensayo bibliográfico de E. Subero, *Contribución a la bibliografía de José Rafael Pocaterra,* Caracas, Universidad Católica Andrés Bello, 1970). Diferente es la actuación de Rufino Blanco Fombona quien regresa a Venezuela cuando cae el régimen de Cipriano Castro. Después de una primera etapa de colaboración es encarcelado por la actitud crítica hacia el nuevo caudillo. Es primero detenido y luego desterrado en 1910. Regresará a Venezuela sólo después de la muerte de Gómez en 1937, luego de haber desempeñado numerosos cargos como representante diplomático de Uruguay y como gobernador de las provincias de Almería y Navarra durante la República en España. Su obra literaria se alterna con su labor histórica: recordamos la novela escrita en la cárcel *El hombre de hierro* (1907), que es un claro testimonio de adhesión al modernismo, mientras que durante su exilio español escribe *Diario de una vida. La novela de dos años* (1929), *Camino de imperfección* (1933), *Dos años y medio de inquietud* (1942). Sus trabajos críticos son también importantes por el papel que tuvieron de difusión del conocimiento de la literatura hispanoamericana en Europa: *Letras y letrados de Hispanoamérica* (1908), *Grandes escritores de América* (1917), *El modernismo y los poetas modernistas* (1929). Después de escribir su primer ensayo histórico en 1921, *El conquistador español del siglo XVI,* se dedica a estudios bolivarianos en los últimos años de su vida, publicando tres importantes ensayos: *Bolívar y la guerra a muerte*, *El espíritu de Bolívar* y *Mocedades de Bolívar* (cf. A. Barrada, *Rufino Blanco Fombona. de El Hombre de Hierro a El Hombre de Oro,* Caracas, Fondo editorial Lola de Fuenmayor, 1985; R.R. Castellanos, *Rufino Blanco Fombona, estudio biobibliográfico,* Caracas, Congreso de la República, 1975; R. Rivas, *Fuentes para el estudio*

mente seguir otros rumbos y no estar motivada por ninguna de las razones antes expuestas. No se le conoce ninguna vinculación con la oposición antigomecista, ni en su relación con el gobierno hay señales de animadversión hacia él, al punto que, como hemos visto, es nombrado senador. La misma carta de renuncia al Congreso es enviada cuando ya se encuentra fuera del país y en ella no se desarrollan argumentaciones suficientes que expliquen su decisión que hasta cierto punto nos aparece intempestiva. Hay que esperar pocos días después cuando, invitado por la FLE (Federación Latinoamericana de Estudiantes), dicta una conferencia en Nueva York que efectivamente nos hace comprender cuáles fueron los motivos que llevaron a Gallegos a distanciarse definitivamente del gomecismo y a tomar aquella actitud por muchos aspectos inesperada. El texto de la conferencia que él mismo titula *Las tierras de Dios,* aunque es uno de los pocos testimonios explícitos, en aquellos años, de su postura política, parece sintetizar aspectos importantes de su labor literaria en especial modo aquellos temas que específicamente hacían referencia a su punto de vista social y político[8]. Con un leguaje que oscila continuamente entre el símbolo y la búsqueda de un contacto lleno con el análisis político, expone sus reflexiones sobre la realidad de Latinoamérica donde en aquel momento junto a la existencia de dictaduras se encontraban en plena actividad movimientos revolucionarios o simplemente reformadores y democráticos que proponían un efectivo cambio político. El mismo Gallegos explica en los primeros párrafos de su conferencia el porqué del título:

> Título este un poco extraño, tanto en mi boca como tal vez en muchos de los oídos que me escuchan; pero no desprovisto de razón de ser, porque es bueno volcar de cuando en cuando sobre los recios campos del positivismo el contenido mís-

de Rufino Blanco Fombona (1874-1944), Caracas, Centro de Estudios Latinoamericanos Rómulo Gallegos, 1979). Acerca de la importancia que este novelista tuvo en las letras no sólo venezolana sino en toda Latinoamérica, se nos permita citar lo que escribe Giuseppe Bellini en su *Historia de la literatura hispanoamericana:* "De la habilidad de su estilo surgen páginas inolvidables, como la descripción del *Viaje al alto Orinoco,* documento de gran eficacia, dentro de su síntesis, de una capacidad excepcional de comprensión de la naturaleza, precedente sugestivo de textos como *Doña Bárbara* de Rómulo Gallegos y, sobre todo, de *Canaima,* y es probable que su influencia haya llegado incluso al Carpentier de *Los pasos perdidos*" (Madrid, Editorial Castalia, 1985, p. 441). Sobre los intelectuales y el gomecismo cf. Y. Segnini, *Las luces...,* cit., pp. 45 y ss.; AA.VV. *Juan Vicente Gómez y su época,* cit., en particular Y. Segnini, *Vida intelectual y gomecismo,* pp. 171-192.

[8] *Las tierras de Dios* en R. Gallegos, *Una posición...,* cit., pp. 112-143. La conferencia fue pronunciada el primero de septiembre de 1931 en el Roerich Museum de New York

tico de ciertas palabras, celemines colmados de una antigua semiente que ya no se siembra, y porque es natural que lo haga quien, como yo, es sembrador más aficionado a la flor perfumada de la quimera que al bulbo substancioso de la realidad[9].

Y sigue aclarando que "las tierras de Dios" no son, como parecería a primera vista las mejores si no, como nos recuerda la Biblia, "las dura tierras de Judea": eso nos hará entender que no hay nada bueno que esperar de la "divina pertenencia". Su perspectiva literaria es nuevamente evocada y la democracia en lucha contra las dictaduras son nada más y nada menos que el conflicto literario descrito en sus obras entre barbarie y civilización. El intelectual no puede renunciar a su tarea, no puede simplemente ser aficionado a la "flor perfumada de la quimera" o, peor todavía, vincularse estrechamente al régimen de un dictador. No constituye una novedad señalar que intelectuales como José Gil Fortoul, César Zumeta, Laureano Vallenilla Lanz y Pedro Arcaya, colaboraban activamente con Gómez participando en la elaboración de una ideología sustentadora y justificadora del régimen, además de desempeñar altos cargos políticos. Junto con este grupo de intelectuales hay claramente otros que, sin entroncarse en el gobierno, aceptan su dinámica política. Sus actividades se limitan al campo de las artes y las letras, no forman parte de ninguna oposición, prácticamente se abstienen de la política y esto les permite beneficiarse de alguna que otra prebenda del régimen[10].

Rómulo Gallegos, en un primer momento, parece formar parte de este segundo grupo, tanto que tampoco su actividad docente lo convierte en aliado de sus alumnos cuando el 1928 la policía gomecista reprime las huelgas estudiantiles dirigidas por hombres como Rómulo Betancourt y Raúl Leoni, futuros presidentes de Venezuela. Su postura crítica se resume en su actitud a raíz de los sucesos del 1928, cuando muestra su rechazo a la prisión de los estudiantes al no impartir clases y permanecer mudo frente a sus alumnos[11]. El gesto de Gallegos en aquel momento fue muy elocuente.

[9] *Ibid.*, p. 115.

[10] Sobre estos aspectos véase E. Pino Iturrieta, *Positivismo y Gomecismo,* Caracas, Ediciones de la Facultad de Humanidades y Educación UCV, 1978; Y. Segnini, *Las Luces...*, cit.; M. Caballero, *Gómez ...*, cit., pp. 110 y ss.

[11] Alumnos de Gallegos en el liceo Caracas, del cual era subdirector, fueron, además de los citados Betancourt y Leoni, otros jóvenes estudiantes que desde aquel momento tendrán un papel destacado en la vida política venezolana. Entre otros: Jóvito Villalba, Juan Bautista Fuenmayor, Armando Zuloaga Blanco, Elías Toro, Carlos Eduardo Frías, Miguel Acosta Saignes, Isaac Pardo: "Los acontecimientos de 1928" – escribe Juan Bautista Fuen-

Cuando llegó la noticia de que un grupo de estudiantes había sido detenido en manifestaciones contra la dictadura, sus compañeros dieron vida a un debate para decidir si como gesto de solidaridad debían entregarse también ellos. En ese momento Gallegos entró al aula y firme en la cátedra con el libro abierto dijo: "La lección de hoy es sobre moral cívica". Y se quedó callado por toda una ora: "La clase ha terminado" dijo después de haber demostrado una emocionada solidaridad con sus estudiantes[12].

La conferencia de Gallegos en Nueva York estaba dirigida a los estudiantes, casi como si quisiera reanudar la lección interrumpida con el silencio, y se orientaba necesariamente hacia una reflexión sobre la convulsa realidad del continente latinoamericano sintetizando su visión positivista sobre la región y la presentación de un posible camino a seguir, de una posible solución de los problemas iberoamericanos[13]. El opina que "las tierras de Dios" aún no han alcanzado la madurez, son tierras jóvenes en proceso de formación donde impera todavía la intranquilidad, el silencio, el olvido, la soledad y, en fin, la inmadurez:

> A primera vista puede parecer que al llamar de Dios a algunas tierras, se quiera ponderarlas como las mejores: las que dan ciento y más por uno, las que no crían abrojos ni alimentan cizañas, las que orea un aire blando, cobija una sombra tierna y permiten una vida apacible; pero si se recuerda que ya en la Biblia fueron las duras tierras de Judea las predilectas por Jehovah, se empezará a comprender que tal vez no haya mucho bueno que esperar de la divina pertenencia bajo la cual pongo

mayor – "fueron la fragua donde se forjaron los hombres que habrían de influir sin duda alguna en el curso de la política venezolana de los años subsiguientes, hasta 1969" (J.B. Fuenmayor, *Historia de la Venezuela política contemporánea 1899-1969,* Caracas, M.A García & hijo, 1979^2, II, pp. 107-108).

[12] Cf. J. Liscano, *Prólogo,* cit., p. XIII. "Sin duda los muchachos" – es el comentario de Liscano – "comprendieron el silencio como una invitación a la acción o bien como una pausa de solidaridad emocionada".

[13] Sobre el positivismo en Gallegos véase C. Machado de Acedo, *El positivismo en las ideas políticas de Rómulo Gallegos,* Caracas, Equinoccio, 1982. El positivismo venezolano ha sido de gran importancia en la formación del pensamiento político de la generación galleguiana; se nos permita aquí citar algunas de las obras que mejor lo exponen: A. de Nuño, *Ideas sociales del positivismo en Venezuela,* Caracas, Ediciones de la Biblioteca UCV, 1969. M. Kohn de Becker, *Tendencias positivistas en Venezuela,* Caracas, Ediciones de la Biblioteca UCV, 1970; J.R. Luna, *El positivismo en la historia del pensamiento venezolano,* Caracas, Editorial Arte, 1971; A. Sosa, *El pensamiento político positivista venezolano,* Caracas, Ediciones Centauro, 1985.

las tierras a que voy a referirme, para distinguirlas de las que pueden llamarse del hombre[14].

La verdad es que no todas las tierras fueron creadas al mismo momento, es la tesis según la génesis galleguiana, porque hay algunas donde ya "trabajan los hombres" y otras en las que todavía trabaja Dios, donde "aún relampaguea la tormenta creadora". No todas pudieron ser creadas al mismo tiempo y las que fueron creadas de día tuvieron mejor suerte, más tiempo para madurar de las que esperaron hasta la noche para recibir el soplo de la vida. Unas que son ya "frías" y otras que son "calientes" que viven hoy en día el proceso de la creación y esto explicaría también el porqué hay "zona tórridas, otras templadas y frías"[15]. Estas tierras jóvenes son aún salvajes y el hombre es todavía guiado por una actitud barbára que pasa del asombro al deseo incontrolable de dominio:

¿No le habrá acontecido a alguno de ustedes, caminante distraído por la manigua cubana, la selva brasilera, la espelunca andina o la llanura venezolana, estremecerse de pronto a la idea que ya va a tropezarse con un hombre recién nacido y adulto, desnudo y cubierto de su propia pelambre, no engendrado por padres sino brotado de la tierra, que estará inmóvil y con los pies todavía hundidos en el limo, arrebañando la extrañeza del mundo con una mirada atónita, entreabierta la boca para el primer balbuceo?

A mí, por lo menos, me ha sucedido varias veces. Y es porque en esas tierras nuestras, de impresionantes silencios y trágica soledad, se siente que todavía no ha terminado el día sexto del Génesis, que aún circula por ellas el soplo creador. Y por eso las llamo las tierras de Dios[16].

El problema es que no es necesario ir "al monte" para encontrar ese hombre bárbaro y salvaje porque ya empieza a caminar por la ciudades y ya sabe vestirse con trajes vistosos a colores llamativos; ropa que no podemos definir "perfectamente humana" adornada de galones, medallas, cruces, charreteras doradas y todo lo que pueda resplandecer sobre el pecho. Es claro y demasiado evidente que Gallegos quiere identificar la barbarie con el caudillismo militar que sufre su pueblo y buena parte de América latina. Hay que recordar que a partir de 1930, unido al deterioro económico producido por la crisis de 1929 se desencadenan una serie de golpes militares.

[14] R. Gallegos, *Las tierras...*, cit., pp. 115-116.
[15] Cf. *ibid.*, p. 116.
[16] *Ibid.*, pp. 116-117.

En Argentina es depuesto Yrigoyen, declarada la ley marcial y disuelto el Congreso. En Bolivia Siles es derrocado, Leguía es destituido en el Perú, Trujillo asume la presidencia en la República Dominicana y Getúlio Vargas se hace cargo de la presidencia del Brasil. Esto sucede después de que en los años 20 en toda América latina el debate sobre el fatalismo del "gendarme necesario" había producido una nueva resistencia a la política de complicidad con las dictaduras apoyadas por los Estados Unidos y un nuevo deseo de democracia que desembocaba en acciones revolucionarias o en partidos políticos democráticos. En Cuba el pueblo resiste a Machado, mientras que en Nicaragua estalla el movimiento de Sandino y en Colombia hay revueltas obreras contra la United Fruit Company. En oposición al personalismo y a la arbitrariedad de los dictadores se constituyen nuevos partidos y organizaciones obreras y se implantan gobiernos emanados de elecciones más ajustadas al derecho que las que solían celebrarse en Venezuela en la época. Muestra de ello son las de Bolivia donde es electo Siles Suazo, y de Argentina que permiten el ascenso de Yrigoyen a la presidencia. Aun cuando cada uno de esos acontecimientos y movimientos tiene sus particularidades y contradicciones y constituye formas de acción política de diversa orientación y disímiles intereses, todos son expresión de un ambiente en pro de un cambio de la situación imperante en América latina[17].

Sólo en Venezuela "el benemérito" Gómez seguía manteniendo el país bajo un régimen personal de muy corto respiro que no dejaba espacio para cualquier forma de modernización política y económica. Gallegos en forma admirable describe el dictador de su tierra que, claro está, es una de las "tierras de Dios":

> Yo conozco uno que no se las quita [las medallas y las cruces resplandecientes sobre el pecho], sin que se sepa dónde pudo haberlas ganado, uno de esos anacrónicos brotes silvestres bajo cuyo bárbaro imperio gime mi pueblo hace veintitrés años. Y con esto sólo queda explicado por qué advertí que no había mucho bueno

[17] Claro está que estos acontecimientos entran a formar parte de todas las *Historia* de América latina y la bibliografía que habría que citar sería sinceramente muy vasta. Nos parece de toda manera que vale la pena recordar, en particular por lo que concierne el siglo XX, los *Orientamenti bibliografici,* que aparecen a las pp. 333-338 del libro de M. Plana y A. Trento, *L'America latina nel XX secolo. Economia e società. Istituzioni e politica*, Firenze, Ponte alle Grazie, 1992. Los estudios italianos sobre la historia de América latina han sido cuidadosamente recogidos por A. Albonico, *Bibliografia della storiografia e pubblicistica italiana sull'America latina (1940-1980),* Milano, Cisalpino-Goliardica, 1981.

que esperar, en cuanto a vida apacible y a lo menos por el momento, de las tierras a que vengo refiriéndome.

¿Bárbaro dije? Así se designa la especie en el despiadado lenguaje científico; pero yo prefiero continuar bajo el simbolismo del título que he puesto a estos párrafos y explicarme su origen y condición de esta bizarra manera[18].

Y la explicación de Gallegos será bizarra pero es de gran efecto, dividiendo la responsabilidad entre Dios y el diablo, casi como si quisiera disculpar en parte a su pueblo por la barbarie que lo domina. La verdad es que, como ya se iban cumpliendo los seis días de la creación, Dios se dio cuenta de que su tarea no estaba completamente terminada; para que no quedara sin ser completa con restos de «materia tempestuosa rodando sobre el mundo», Dios empezó a arrojar esas tierras a manotadas «como caiga»; el problema es que esa materia – de la que están hechos muchos hombres de medallas-, muy apresuradamente arrojada, cae siempre de pie, porque el diablo durante el camino la endereza. Entonces esas tierras deberían ser del diablo y no de Dios. Pero Gallegos se justifica y aclara que la expresión se la había oído a Gabriela Mistral con la que en días anteriores había hablado de cosas de "nuestra América" y la poetisa chilena le había preguntado con asombro si las tierras venezolanas eran como estaban pintadas en *Doña Bárbara*. ¿Cómo describir esas tierras a sus oyentes norteamericanos? Es necesario recurrir a su capacidad poética a esa íntima y maravillosa visión del llano y de Canaima, de la tormenta y del apaciguarse de la naturaleza que apasionan y emocionan al lector de sus novelas acostumbrándolo a intermedios de poesía. Y parece querer contestar desde lejos a Gabriela Mistral describiendo así sus tierras:

> Tierras propicias al bárbaro brote, tierras que vuelcan el fondo del alma y abren la jaula a los pájaros negros de los torvos instintos: pero tierras recias, corajudas, buenas también para el esfuerzo y para la hazaña. Tierras del hondo silencio virgen de voz humana, de la soledad profunda, del paisaje majestuoso que se pierde de no ser contemplado, como el agua de sus grandes ríos, de no ser navegada, tierras de llano infinito donde el grito largo se convierte en copla, de selva tupida donde asusta el rajeo del pájaro salvaje y mete el corazón en un puño la campanada funeral del "yacabó", tierra de risco empinado y páramo solitario por donde hay

[18] R. Gallegos, *Las tierras..., cit.*, pp. 117-118.

que pasar en silencio para no despertar su furor. Tierras de hombres machos, como se dice por allá[19].

Pero en esas tierras no todo es "barbarie": existe también el hombre que, a partir de su imaginación como condición creadora, y su individualismo como voluntad de acción, puede promover el tránsito hacia la civilización. Estas cualidades – "una imaginación inflamable y una fiera propensión al individualismo" – son las que caracterizan, más que otras, la raza de "las tierras de Dios" y en ambos caracteres está la virtud y la esperanza de la raza. Por eso hay que tener fe:

Tanta fe que no vacilo en entonar el elogio del trópico, desafiando el desdén de los solsticios, con el mismo desdén con que el sol se detiene en ellos y les vuelve la espalda, dos veces por año[20].

El concepto que más viene desarrollado en toda la segunda parte de su conferencia es precisamente el del individualismo. La naturaleza no produce organizaciones sino individuos: en particular en el trópico y más en particular aún en el trópico donde han llegado los españoles. El descubrimiento, la conquista, la colonia son obra de aquellos españoles individualistas, «legión temeraria de aventureros hambreados», que se dieron a tan temeraria empresa y, por la imposibilidad de seguir viviendo en su patria, vivieron y adquirieron las tierras americanas como españoles y para España[21].

[19] *Ibid.,* pp. 119. Gallegos sigue considerando esas tierras mágicas, de "influjo satánico" que se adueñan de las almas que a ellas se le entregan. El mismo corrió ese riesgo cuando estuvo en Arauca y se dio cuenta que "si le echaba la pierna a un caballo salvaje y acertaba a enlazar un toro, me quedaría para siempre en el llano" (*ibid.,* pp.119-120).

[20] *Ibid.,* p. 122.

[21] Se nos permita aquí la cita textual de como brillantemente Gallegos subraya el individualismo de los españoles que durante la conquista llegaron en América: "Existió el individualismo ante de que existiéramos nosotros y creo es muy defendible la tesis de que la conquista de América fue su gesta magna. No fue una organización española, porque por allá cojean todavía del mismo pie y mucho más entonces; fueron españoles armados de fiero individualismo los que emprendieron la conquista y la colonización del Nuevo Mundo. Es Francisco Pizarro ambicioso, en la soledad del recio campo extremeño, todavía con la piara en torno suyo y ya vencedor de los Incas; es Vasco Núñez de Balboa alardoso, tomando posesión de todo un Océano, sólo porque ha hundido sus plantas, no más arriba de los tobillos, en las aguas que lamen arena; es Lope de Aguirre, tratando de quien a quien a su rey en aquella famosa carta dirigida desde la isla de Margarita y que es la primera acta de la independencia americana; es la legión temeraria de aventureros hambreados a que hace mención Miguel de Cervantes en su obra genial con aquellas áureas frases suyas que lamento no

La esperanza de la nueva raza americanas está en estas dos cualidades, presentes en algunos hombres, lo que permite que se entrevea un porvenir para el Nuevo Mundo hispánico. Es lo que sucede en Bolívar:

¿Habrá existido en América otro caso de expansión de la personalidad tan formidable como el del Libertador Simón Bolívar? Yo creo que no hay nada comparable a la vehemencia de aquella naturaleza, ya no simplemente expansiva, sino más bien explosiva. Porque fue una explosión de dolor por la muerte prematura de la esposa, y otra en seguida, de apetitos de placer y otra inmediatamente de grandes ideales. Tanto lo pequeño como lo grande, todo se hallaba en él en máxima tensión, de tal manera, que, más que un hombre parece la epopeya del hombre, y es una lástima que su condición de personaje histórico lo haya puesto a la merced de cualquier periodista asalariado que con dos o tres documentos a la vista, una barniz de sociología por fuerza y toda su miseria de espíritu por dentro ya se erige en historiador de grandezas[22].

Su grandeza es tanto mayor si se piensa que él se dedicó a libertar pueblos que no querían ser libres o que no entendían la superioridad de ser libres. Es uno de aquellos hombres que Gallegos llama "hombre organización" cuya expansión vital está guiada por los ideales del hombre superior

poder citarlas textuales. Que no de otro modo, sino por personalísima expansión de la propia energía vital, se explica cómo un puñado de hombres "de ellos cojos, de ellos mancos", cual dice Lope de Aguirre en su carta ya mencionada, hayan podido someter al pendón de Castilla todo un continente, habitado por una raza tan fiera de su autonomía como aún lo es el indio americano [...] Pero hay algo más curioso todavía y es que el buen español no es el que se muestra más amante de España, sino el que vive trinando contra su particular modalidad y parece detestarla. Cosa muy propia del temperamento individualista, que no sabe tolerarse sino a sí mismo y no está tranquilo mientras no haya moldeado el mundo a imagen y semejanza suyas. En todas partes, de otras gentes, el patriotismo se demuestra en el buen hablar de la propia patria. Ya se sabe que cuando se le pregunta a un inglés donde habría querido nacer, de no haber nacido en Inglaterra, contesta, flemático: "En Inglaterra". Y asimismo sucede con el francés y con el italiano, para no citar sajones solamente, porque si hay algo desprovisto de fundamento es esto de llamarnos latinos a los españoles e hispanoamericanos. Pero si se dirige aquella pregunta a un español castizo, responderá sin rebozo: "Pues le diré a usted: en el Congo, antes que en España". Claro está. Bien sabe él que donde quiera que hubiese nacido sería España. Y ya esto es ponerle el dedo en la llaga de la emancipación americana. ¿Que por qué nos independizamos? Por lo mismo que vascos y catalanes, y hasta andaluces, están buscando la manera de que no se le siga llamando españoles, como si todos fueran uno donde cada cual quiere ser él solo" (*ibid.*, pp. 128-129 y 134-135).

[22] *Ibid.*, pp. 135-136.

separándolo del instinto y los "apetitos desenfrenados" que caracterizan la actuación de la razas bárbaras:

> El hombre que vale él solo por toda una organización perfecta, porque la suple, porque donde él está actúan las grandes fuerzas creadoras de la voluntad y la inteligencia.
>
> Y todo porque necesitaba alojar en millones de vidas y en centenares de siglos su formidable instinto de expansión vital[23].

Gallegos también en su obra literaria regresará a hablar del enfrentamiento entre la barbarie y la civilización – *Doña Bárbara,* valga como ejemplo lampante – y advertirá que el mestizaje es un elemento que definitivamente comporta un retraso en la evolución de los venezolanos. Sobre este aspecto comparte en buena medida la tesis de la necesidad que algunas razas sean "educadas" y en particular afirma la inferioridad que sufre y de la que tienen que salir las razas mestizas. El opina que el cruce étnico va a limitar la historia y las mismas instituciones, condicionando toda forma de evolución democrática. Esta afirmación se funda en los elementos teóricos del positivismo venezolano con los que se quería justificar el "gendarme necesario"[24]. Este tipo de análisis está presente sobre todo en Arcaya quien pone de relieve como el pueblo venezolano está compuesto por tres elementos étnicos y de éstos el elemento indígena predomina condicionando toda la historia y el desarrollo del país. Arcaya precisa que el pueblo venezolano étnicamente está constituido por tres razas: dos incultas, la india y la negra, y una civilizada, la española. Esta fusión de razas que había empezado a lograrse en la época colonial se hizo más íntima durante la independencia "[...] de modo que una nueva raza mixta es la que hoy forma la inmensa mayoría, la casi totalidad de la población de Venezuela. De estos tres elementos primitivos, el más importante por su número fue el indígena, que a pesar de la gran disminución que sufrió por las guerras de la conquista y luego por las penalidades del régimen de las encomiendas, se perpetuó formando la base de la población del país"[25].

[23] *Ibid.,* pp. 137-138.

[24] Cf. R. Gallegos, *Las causas,* en "La Alborada", n. 2 (1909), en R. Gallegos, *Una posición...,* cit., pp. 19-20.

[25] P.M. Arcaya, *Estudios de sociología venezolana*, Caracas, Ed. C. Acosta, 1941, p. 33. Este libro, que se imprimó por primera vez en 1928, es una versión ampliada del tomo, que reunía varios de sus trabajos publicados en revistas y periódicos: *Estudios sobre personajes y hechos de la Historia Venezolana,* Caracas, Tip. Cosmos, 1911, en donde ya des-

Gallegos entonces precisa que frente a la barbarie sólo se accede a la civilización con el concurso de hombres como Bolívar. Hay que buscar "hombres organización" que, como está demostrado, pueden ser producidos por la "raza tempestuosa del trópico":

La dificultad reside en encontrarlos y esto, con pocas excepciones, ha sido y todavía lo es, el problema dominante de nuestros pueblos.

Argentina los tuvo y la educación se llama Sarmiento y la población se llama Alberdi; pero ahora como que los ha perdido de vista, pues anda buscándolos. Chile está en lo mismo, con todo lo del espíritu de disciplina anglosajona que se venía atribuyendo. El Perú no se lo ha tropezado todavía. El Ecuador lo busca de prisa. Cuba todavía espera encontrarlo. Venezuela desespera [...] En toda parte está trabajando la piqueta en busca del ánfora sepultada[26].

En fin, su lectura de América latina expresa una toma de posición en torno a la necesidad de una rectificación del rumbo político. No es posible seguir bajo el imperio de la barbarie sin abrir el camino hacia la civilización. La ruta seguida hasta ese momento de oponer la revuelta armada al déspota de turno no garantiza la construcción de un régimen perdurable. Y este concepto lo había expresada ya en 1909 en las páginas de la "Alborada" cuando escribía:

Nuestro temperamento se aviene mal con todo aquello que exija un empeño paciente y prolongado: nuestra obra ha de ser de hoy para hoy mismo, necesitamos apreciar sus resultados, ver con nuestros propios ojos el coronamiento final, o de lo contrario no se mueven nuestras energías para el primer esfuerzo. Un remedio violento, una revolución y su consecuencia inmediata: la suplantación de un hombre por otro, ha sido la solución salvadora única posible a nuestra naturaleza[27].

Chilenos, argentinos, peruanos, cubanos... y venezolanos deben orientar su acción en el aprovechamiento de la condición individualista del latinoamericano. Ante la ausencia de un sentido "colectivo de la organización"

arrollaba de manera más clara este concepto: "Es tan poderosa la herencia psicológica criolla" – es el comentario de Arcaya – "que cuando es contrarrestada, como sucede en Argentina, por el nuevo factor que la inmigración aporta no desaparecen completamente sus efectos, sino que trasforman su apariencia resultando otros fenómenos que bien vistos tienen la misma vieja raíz hereditaria" (*ibid.*, pp. 208 y ss.).

26 R. Gallegos, *Las tierras...*, cit., pp. 138-139.

27 R. Gallegos, *El verdadero triunfo*, "La Alborada", n. 7 (1909), en R. Gallegos, *Una posición...*, cit., p. 49.

debe pensarse en la acción e iniciativas de los "hombres organización". La personalidad de Sandino, su actuación y trayectoria es otro ejemplo que puede y debe servir de referencia[28].

Sin duda la situación latinoamericana despierta en Gallegos un sentimiento que lo coloca frente a la dictadura de Juan Vicente Gómez y de parte de quienes se solidarizan con lo que significa la lucha de Sandino. El rechazo a la barbarie no es un elemento nuevo en el pensamiento del escritor: sin embargo las circunstancias lo llevan a convertir lo que para ese momento es un recurso simbólico de su narrativa en una toma de posición que se manifiesta en su distanciamiento del dictador. De la misma manera, la civilización también se vislumbra como un aspecto que forma parte de la realidad de estos países y que se concreta en la oposición a Machado, en la gesta de Sandino. Su ruptura con Gómez está motivada por una especial lectura de la circunstancia política latinoamericana que, a la luz de su lente positivista, lo coloca contra la barbarie y lo lleva a tomar partido por la civilización. El exilio de Gallegos, si bien tiene como móvil su negativa a verse involucrado de manera más estrecha con el régimen, es mucho más que el producto de una contingencia: se trata del rechazo a lo que constituye una práctica política anacrónica y cuya expresión son los dictadores de la región.

Su exilio, como actitud de carácter personal, es además coherente con la concepción individualista de la acción política que reivindica. Posteriormente, aun cuando sigue cercano a estos postulados, promoverá la búsqueda de esa transformación pero ya no a partir de la "expansión vital" del individuo sino del partido político lo que conducirá finalmente al tránsito hacia nuevas formas de participación y actuación política. Gallegos reconocerá entonces la necesidad de intervenir directamente en la vida política de su país para devolverlo a la democracia y se pondrá al servicio

[28] Las ultimas palabras son de indudable efecto y llenas de matáforas. Primero habla de la miel de las abejas y luego de la lana del borrego: "Esta es preciosa y ya vuelve el tiempo de darnos cuenta de los trabajos que pasaríamos sin ella; pero no creo que nadie se le ocurra erigir el borrego en modelo de alta jerarquía animal. Y sin embargo, ¡qué disciplinado es! ¡Qué bonito efecto hace cuando va en rebaño, mancha de nieve sobre el campo verde, detrás del pastor de pelliza, cayado y caramillo!... Pero todo el mundo se ha acostumbrado a decir: "¡Qué borregos!" En cambio el león... No cabe duda que la lana de su melena podría ser utilizable en la industria textil; pero, en todo caso, no por el león mismo, que parece ser quien más derechos tenga sobre su melena. Y de simbolismo en simbolismo y volviendo a la Biblia: aquel de la cabellera de Sansón, que cuando se la dejó cortar perdió su fuerza. Y por ahí anda Sandino sacudiendo la suya". (R. Gallegos, *Las tierras...*, pp. 143-144).

su país para devolverlo a la democracia y se pondrá al servicio de Acción Democrática, partido al que había dado vida uno de sus alumnos del 28, Rómulo Betancourt.

Un esempio epistografico del secolo XVII: lettere edificanti e curiose scritte da religiosi della Compagnia di Gesù

SILVANA SERAFIN

La lettera: mezzo di comunicazione o fenomeno letterario?

Dall'età classica ai nostri giorni, si è considerata la lettera soprattutto un mezzo per comunicare messaggi di vario tipo, più o meno urgenti ed immediati, comunque privi di velleità letterarie: importante è il contenuto della missiva, anche al di là di certa ufficialità. Se poi lo scritto svela l''anima' dello scrivente, i 'segreti' che non si possono rivelare a viva voce, ma solo alla complicità di un foglio bianco, esso è più che mai relegato al ruolo romantico di 'documento di vita' ed è considerato unicamente nell'essenza di fonte autobiografica, a cui risalire per ricostruire le tappe di una spiritualità. Documento prezioso in cui biografia ed opera si fondono in perfetta simbiosi, ma escludono altrettanto perfettamente il valore letterario della lettera, perfino in quel determinato contesto estetico che considera l'arte un'intuizione lirica.

Soltanto con la subordinazione della scrittura ai vincoli della grammatica e della retorica, si è percepita la possibilità di innalzare il livello della lettera oltre la funzione strettamente comunicativa. Se con l'Umanesimo l'epistola s'impone come nuovo mezzo di formalismo letterario che, attraverso l'uso di una tecnica raffinata, permette di instaurare un dialogo diretto con l'interlocutore, nel Rinascimento essa consolida la duplice funzione di atto ufficiale e di scritto letterario. L'epistografia dei secoli XVI e XVII trova, perciò, pieno sviluppo attraverso un proliferare di trattati teorici, contenenti le norme di una corretta composizione[1] e la pubblicazione di col-

[1] Ad esempio, Francesco Sansovino (1521-1583) divide le epistole nei seguenti generi: persuasivo, quando la lettera concilia, esorta e raccomanda; dimostrativo, quando essa

lezioni di lettere,– spesso prive di un interlocutore reale –, che si inseriscono nel mercato librario divenendo in breve prodotto alla moda.

È riduttivo leggere separatamente i trattati e le collezioni, in quanto esiste una stretta relazione tra lettera e norma retorica, come ben evidenzia il Quondam[2]. Alcuni di tali trattati, infatti, non fissano soltanto regole astratte di retorica, ma contengono composizioni epistolari che esulano da riferimenti storici o da dati personali. Allo stesso modo, le collezioni di lettere assumono la funzione di modello esemplare, di *standard* comunicativo e di grammatica generale, in grado di superare le diversità linguistiche in un periodo intenso di scambi culturali e di relazioni socio-scientifiche: la lettera si trasforma in una sorta di formulario.

Il modello a cui ispirarsi non è più identificato negli autori classici come nel XV secolo; ora, in entrambi i secoli XVI e XVII, si cercano suggerimenti negli autori moderni, in modo tale da introdurre elementi dinamici, sperimentali, nuovi: le lettere, tuttavia, rimangono fedeli al principio dell'imitazione e all'argomentazione retorica. Viene, perciò, privilegiato dalle autorità e dalla necessità di creare forme idonee alla scrittura in lingua volgare il settore dell'*elocutio*, l'unico a permettere certa autonomia in una comunicazione già ostacolata per quanto riguarda *inventio* e *dispositio*. In questo senso, il libro di lettere, più che un testo in se stesso, diviene esempio di comunicazione epistolare e la collezione costituisce il documento finale di una vita di relazione letteraria, in grado di spiegare il significato di un'opera editoriale nella sua circolazione geografica e nella funzione del destinatario-lettore.

Sottomessa a regole precise, la lettera consolida la propria identità di atto strettamente comunicativo fra un io che scrive e un tu/lei/voi che legge, ma instaura anche un ulteriore tipo di comunicazione con un pubblico più vasto e assolutamente alieno a quel particolare atto di scrittura. La collezione, inoltre, obbedisce a un criterio di selezione che permette di unificare, nei limiti della diversità, le varie lettere.

Ciò non sfugge certamente a Charles Le Gobien[3] che opera una precisa scelta fra le lettere dei gesuiti, scritte tra la seconda metà del Seicento e i

descrive persone, popoli, viaggi, ecc.; giudiziale, se la lettera contiene accuse o minacce; narrativo, se nello scritto vi sono delle avvertenze, lamentele o ringraziamenti. (Cfr. F. Sansovino, *Del Secretario*, Venezia, Valentino, 1608, p. 195).

[2] Cfr. A. Quondam, *Le "carte messaggiere"*, Roma, Bulzoni, 1981, pp. 180-188.

[3] Ch. Le Gobien, nato a Saint Maló nel 1653, entra nella Compagnia di Gesù il 25 novembre 1671. Dopo avere insegnato grammatica e scienze umane a Tours, filosofia ad Ale-

primi anni del Settecento, prima di pubblicare i due volumi delle *Lettres édifiantes et curieuses* (1755)[4]. Edite varie volte, in epoche diverse, e in lingue differenti, le lettere perdono anche di significato spazio-temporale. Infatti, nelle riproduzioni alcuni elementi costitutivi dell'antica comunicazione epistolare, come la data e il titolo, passano in secondo piano. Perfino l'autore, di cui non si conoscono preparazione culturale, ambiente sociale e intenzioni di scrittura, non ha più una funzione attiva, sostituito dal curatore che impone la propria presenza, selezionando, trascrivendo o traducendo. Allo stesso modo, variano destinatario, contesto della lettera – ovvero l'insieme delle informazioni trasmesse – circostanze reali implicite, codice di scrittura[5].

Gli autori: i gesuiti

Etimologicamente, con autore designamo colui che promuove una costruzione linguistica e garantisce la possibilità comunicativa. Un autore implicito, diverso dall'autore storico, in quanto egli vive in funzione del testo, estraneo a quegli sviluppi temporali capaci di trasformare continuamente l'autore reale. Ciò è più che mai evidente nelle lettere dei gesuiti, dove il firmatario non si rivela nelle proprie caratteristiche intrinseche, ma come appartenente a un preciso ordine sociale, i cui obiettivi primari riguardano la tutela della dignità umana, la ricerca della verità e il rispetto dei diritti del gruppo. I doveri dell'autore sono perciò numerosi e piuttosto impegnativi, dovendo egli sottostare ad una morale professionale e ad una censura ecclesiastica, vigile nel rettificare notizie sulla religione e sull'attività della Chiesa.

Legata al meccanismo della cautela e delle prescrizioni, fissate dalle *Constituciones* di Sant'Ignazio che regolamentano l'intera comunicazione

nçon ed essere stato procuratore delle missioni cinesi, muore nella Casa Professa il 5 marzo 1708 (Cfr. C. Sommervogel, *Bibliothéque de la Compagnie de Gésus*, Paris, Schepens-Picard, 1890).

[4] L'edizione da me consultata è quella italiana, attualmente conservata presso la Biblioteca Marciana (n° di catalogo 24. D. 74-75), dal titolo: *Lettere edificanti e curiose scritte da ...Religiosi della compagnia di Gesù... tradotte dall'originale francese da [Carlo Gobien] S.J.] in Venezia 1755* . D'ora in avanti le citazioni tratte dal suddetto testo pubblicato in Venezia, per l'appunto, dall'editore Piotto-Valvasense, riporteranno la raccolta di riferimento fra parentesi, all'interno del testo.

[5] Cfr. F. Brioschi-C. Di Girolamo, *Elementi di teoria letteraria*, Milano, Principato, 1984, pp. 17-23.

epistolare, la scrittura è, perciò, più che mai imbrigliata nei limiti angusti di un percorso obbligato. Inoltre, attraverso il lettore, e non solo, i gesuiti applicano un programma culturale teso al 'reclutamento' di intellettuali, di dirigenti e di aristocratici. Da qui l'assoluta mancanza di riferimenti personali ed artistici anche nell'epistografia dei padri Armand Jean Xavier Nyel, Stanislao Arlet, Francesco Maria Piccolo[6] e Charles Le Gobien nella duplice veste di autore e di editore. Non è importante colui che scrive (lo stesso Gobien interessa per la sua qualifica di editore che guida la lettura), quanto il messaggio che la lettera racchiude[7]. In detta organizzazione armonica e

[6] A.J.X. Nyel, nato il 7 maggio 1670 a Vitry-le-Francois, diviene novizio il 28 ottobre 1686. Successivamente, insegna retorica a Port-à-Mousson e nel 1703 si imbarca per la Cina dove giunge soltanto nel 1711, dopo un soggiorno di ben nove anni in Perù. Muore a Madrid il 2 settembre 1738. S. Arlet, nato l' 8 maggio 1663 a Oppeln (Silésie), dal 1679 al 1694 si trasferisce nella provincia di Boemia; quindi viene inviato in Perù, dove muore a Potosí il 15 luglio 1717. F.M. Piccolo, nato in Sicilia nel 1650, viene inviato come missionario in California. Muore nel 1729 (Cfr. C. Sommervogel, *op. cit.).*

[7] A tale fine si rende necessario aprire una breve parentesi sul sistema pedagogico dei gesuiti, la cui supremazia nel campo dell'insegnamento è prevalsa per tutto il secolo XVII a tal punto da condizionare anche gli altri ordini religiosi. Inserita nella Restaurazione cattolica, la pedagogia gesuitica si realizza nel trionfo terreno della Chiesa, intesa non tanto come comunione di tutti i fedeli, quanto gerarchia di coloro che esercitano il potere in nome dell'autorità papale. Il concetto organico della società, induce i gesuiti a considerare la gerarchia ecclesiastica un'aristocrazia dell'umanità in cui la Compagnia si trova al livello più alto. Dovendo garantire il dominio completo sull'educazione giovanile, in perfetta sintonia con le disposizioni emerse dal Concilio di Trento, l'Ordine fissa le regole per un preciso metodo didattico, basato sull'obbedienza. Quest'ultima diviene, perciò, il voto più importante per tutti coloro che desiderano entrare nella Compagnia, costretti a conformare il proprio sistema mentale con quello dei Superiori, rappresentanti in terra del volere divino. Obbedienza non come semplice automatismo, secondo l'affermazione di Geymonat, ma come precisa scelta di volontà (Cfr. L. Geymonat, *Filosofia e pedagogia*, Milano, Garzanti, 1980, pp. 145-146). Sono proprio gli *Esercizi spirituali* (1535) di Ignazio de Loyola, ad inserire ogni impulso umano in un determinato sistema psicologico, disciplinando ferreamente fantasia e razionalità, gioia e dolore. Ciò conduce a una meccanizzazione e ad una schematizzazione dell'esperienza religiosa; tuttavia, i gesuiti esaltano la forza del libero arbitrio, perché soltanto con la libertà di scelta si può arrivare al sacrificio in nome di un ideale superiore. Il loro metodo didattico, basato su due principi inalterabili: l'uno di *imitatio* e *variatio*, ossia l'imitazione di un autore studiato e nuova proposta di lettura e l'altro delle *disputationes*, ovvero l'insieme di esercizi polemici, indispensabili nelle controversie, organizza la vita dei collegiali e dei docenti, secondo un disciplinato addestramento militare, uguale in tutte le scuole europee. I programmi, uniformati dalla *Ratio Studiorum* (tre anni di grammatica, uno di umanità e uno di retorica), evidenziano l'importanza assegnata alla parola. Viene assicurato in tal modo il dominio grammaticale e sintattico che permette di avere sempre un tono perfetto, facilitando l'ingresso dei padri nella società. Inoltre, l'uso del latino, sconosciuto al volgo, costituisce il veicolo più idoneo alla circolazione di un cultura

coerente, le azioni individuali, nonostante avvengano in luoghi diversi, sono sempre mosse dal medesimo ideale, dovuto alla comune formazione degli scriventi e alle loro capacità, strettamente selezionate dai superiori[8]. In breve i padri, dalla cultura puramente formale e strumentale, si rivelano funzionari abili, ossequiosi, disinvolti ed ambiziosi, pronti ad usare, anche nelle Colonie, ogni mezzo a loro disposizione per raggiungere gli obiettivi prefissati. Parafrasando Geymonat, possiamo affermare che in loro scatta un meccanismo psicologico il quale sostituisce alla coscienza degli intenti, il compimento del programma gesuitico[9]. Ciò dà vita ad un autore implicito, identificato nella Compagnia di Gesù[10] la cui finalità pedagogica varia di

d'*élite*. Anche in ciò è evidente la supremazia della retorica, in quanto codice eletto, posseduto da chi è ammesso in uno spazio privilegiato. (Cfr. A. Battistini-E. Raimondi, *Le figure della retorica*, Torino, Einaudi, 1990, pp. 166-170). Nell'esaltazione delle lettere classiche si è preteso scorgere lo spirito di un rinnovato Umanesimo, anche se è più esatto parlare di una utilizzazione dell'aspetto formale nei riguardi di quello contenutistico, in quanto i gesuiti alle opere filosofiche e storiche preferiscono brani di poesia e di eloquenza. Se lo studio dei classici è indispensabile per il raggiungimento di uno stile perfetto, la *Bibliotheca Selecta* di Antonio Possevino (1533-1611), fin dal 1593 mette a disposizione il *corpus* di lettere sul cui modello viene scritta la corrispondenza che deve sottostare ai seguenti principi: ordine, brevità, perspicacia, semplicità e decenza. Altro testo fondamentale è costituito dal *De arte Rethorica* di Cipriano Soárez (1524-1593) sostanzialmente fedele alla retorica classica, ma con un adattamento flessibile alle finalità didattiche dei gesuiti. Il manuale viene sostituito nel 1659 dal *Candidatus rethoricae* di François Pomey (1618-1673), completamente svincolato dal legame con il mondo classico, in linea con la coscienza barocca della superiorità dei moderni sugli antichi. Invece di soffermarsi sull'*Inventio*, sulla *Dispositio* e sull'*Elocutio*, quest'ultimo autore preferisce la *Fabula* e la *Narratio* le quali, essendo poetiche, storiche e civili si adeguano perfettamente ai discorsi di edificazione morale (Cfr. G.P. Brizzi, *La "Ratio Studiorum"*, Roma, Bulzoni, 1981, pp. 43-98; A. Serrai, *Storia della Bibliografia,* a cura di M.G. Ceccarelli, Roma, Bulzoni, IV, 1993).

[8] Tra le qualità richieste ai missionari figurano:"[...] una complessione forte e robusta da reggerne all'immense fatiche, un totale distacco dalle comodità della vita, maniere dolci, e insinuanti, e finalmente un coraggio, e costanza d'animo, che stia a prova delle maggiori difficoltà, e de' maggiori pericoli, che aspettar si possono in mezzo d'un popolo affatto barbaro. Sia però feroce, e barbara, quanto si vuole, questa nazione, soggetterassi anch'essa al soave giogo della legge evangelica, perchè il zelo dei Missionarj sia appoggiato ad una soprannaturale prudenza, la quale ad altro non abbia la mira, che a Dio, a un disinteresse, il quale non cerchi che la salute dell'anima, e soprattutto ad una dolcezza, la quale prima di soggettar l'intelletto, guadagni il cuore di chi la vede e l'ascolta"[VIII Raccolta].

[9] Cfr. L. Geymonat, *op. cit.*, pp. 145-146.

[10] La Compagnia di Gesù, costituita nel 1537 ed approvata con alcune riserve nel 1540 dal papa Paolo III con la bolla *Regimini militanti Ecclesiae*, viene riconosciuta incondizionatamente nel 1543. Società di clerici regolari con doveri monacali e sacerdotali, ma senza una veste comune, essa si dedica per lo più ai doveri della predicazione e dell'assistenza:

registro secondo il destinatario del messaggio: per la classe alta, nei collegi e nelle corti, si ricorre all'intelletto, all'allusione esoterica; per il popolo e per gli indigeni si usano allegorie trasparenti ed immediate[11].

Inoltre, detti gesuiti sono accumunati da ulteriori caratteristiche: non sono spagnoli[12] e non manifestano alcuna curiosità per quanto li circonda. Tale atteggiamento è del tutto comprensibile poiché quando essi giungono in terra americana la struttura missionaria è ben consolidata[13], con una

aiutare gli ammalati, ma soprattutto educare i giovani. Importante risulta, perciò, l'impegno dei gesuiti nella fondazione di scuole e di università, che in breve assicurano alla Compagnia potere e influenza in tutta l'Europa cattolica ed aristocratica. Non solo: una volta giunti nelle Indie, i padri intessono una vasta rete di istituzioni scolastiche che, dal Nuovo Messico al Perù, selezionano tecnici e intellettuali in grado di formare l'*élite* coloniale. Inoltre, i gesuiti agiscono come intermediari tra europei ed indigeni, suscitando critiche sempre più accese per quanto riguarda l'abuso di competenze e la difesa dei "diritti degli *indios*". Sono soprattutto i coloni ad accusare la Compagnia, favorevole ai nativi contro gli spagnoli, di aspirare alla costruzione di uno stato indigeno autonomo, retto dai gesuiti. In effetti, il Paraguay godrà di certa indipendenza con la costituzione delle riduzioni, cedute da re Filippo III, in cambio di un aiuto finanziario per sanare la grave crisi economica del momento. Sono proprio le enormi ricchezze accumulate dalla Compagnia, e l'eccessiva libertà davanti al vescovo per ciò che riguarda il Patronato, oltre ad ulteriori ragioni di politica europea, a decretare nel 1767 l'espulsione dei gesuiti dalla Spagna e dall'America, con la soppressione dell'Ordine (Cfr. L. Von Ranke, *Storia dei papi*, Firenze, Sansoni, 1965; R. Konetzke, *América Central y Meridional. La colonización española*, Milano, Feltrinelli, 1968; L. Mc Alister, *Dalla scoperta alla conquista*, Bologna, Il Mulino, 1986).

[11] Cfr. A. Battistini- E. Raimondi, *op. cit.*, p. 178.

[12] Questa è, infatti la novità più importante del periodo che va chiarita, sia pure frettolosamente. Nel 1664 il Consejo de Indias, rilevato lo scarso numero di padri idonei all'evangelizzazione dei popoli, permette di inviare in Ispano-America, limitatamente alla quarta parte dei religiosi, gesuiti stranieri, purché sudditi del re di Spagna, o della Casa d'Austria o di Stati loro alleati. Ciò si rivela particolarmente utile nel periodo dell'Indipendenza, quando l'ex gesuita rioplatense Diego de Villafane, dopo l'insuccesso riguardante la mancata restaurazione delle missioni in terra araucana per scarsità di personale, richiede l'invio di missionari italiani e tedeschi poiché gli spagnoli non sarebbero stati ben accolti per ovvii motivi (Cfr. M. Battlori, *Cultura e finanza. Storia dei gesuiti da S. Ignazio al Vaticano II*, Roma, Ed. Storia e Letteratura, 1983).

[13] I gesuiti giunti in Messico nel 1566, in Perù e nell'America Meridionale nel 1568, sono tenuti sotto stretta osservazione, per volontà di Filippo II, dal vicerè del Perù Francisco de Toledo. Con il loro arrivo termina la fase dell'evangelizzazione "spontanea" mentre si afferma un apostolato, organizzato militarmente, retto da un preciso metodo, i cui principi sono stabiliti dalle *Constituciones circa misiones* (1544) di Sant'Ignacio de Loyola. Ad esempio, vengono date indicazioni per la scelta del missionario (capacità di predicazione e di confessione), per le modalità di invio (a piedi, senza denaro e senza bagaglio o con tutte le comodità; con o senza lettera di presentazione) per la selezione delle località (quelle che hanno maggiore necessità della fede cattolica). Tali disposizioni generali, definite dettaglia-

tamente nelle lettere dei padri generali e nei regolamenti delle varie Istituzioni gesuitiche, sono tuttavia soggette a variazioni a seconda dei luoghi, delle epoche storiche e delle eventuali urgenze. Il Padre Acquaviva, quinto Generale della Compagnia dal 1581 al 1615, nella sua qualità di organizzatore delle attività apostoliche, suggerisce ai Superiori di inviare nelle missioni (ogni provincia deve avere una missione permanente con almeno 12 gesuiti) solo persone altamente qualificate e moralmente ineccepibili, in grado di svolgere la loro attività con umiltà e con l'approvazione dei prelati. Ulteriori disposizioni provengono dal padre Vincenzo Carafa, generale della Compagnia dal 1646 al 1649, e riguardano sempre gli strumenti del missionario: vita irreprensibile, scienza sacra (teologia e diritto canonico), astensioni dalle attività secolari e materiali, ministeri della Compagnia (predicazioni, lezioni, esercizi spirituali, confessioni). Per realizzare detti ministeri esistono due modi, già evidenziati da Sant'Ignazio: uno stanziale, nei collegi e l'altro itinerante, forse più significativo perché si identifica nel quarto voto della Compagnia, incentrato nel viaggio di predicazione e di confessione secondo l'esempio di Cristo e degli Apostoli. Il Carafa ordina di fissare in ogni provincia un prefetto apostolico per smistare i missionari nelle diverse località da dove essi inviano notizie scritte nei minimi dettagli su quanto accade nelle missioni ed apprendono la lingua degli indigeni, per operare una successiva unificazione linguistica. Al padre Anchieta va il merito di ridurre le differenze linguistiche e di creare un idioma comune a tutto il continente: i suoi dizionari e le sue grammatiche sono consultati e studiati dai missionari dell'intero ordine. Nonostante il potere civile regga la comunità, di fatto i gesuiti controllano la vita delle missioni intervenendo, sia pure con paternalismo, negli affari personali degli indios. Per evitare il pericolo di essere trasformati in parroci (ciò contrasta con la Costituzione della Compagnia) essi creano una speciale forma di comunità: la *reducción* che dal termine latino *reduco* significa ritorno e più propriamente ritorno all'antica fede, perduta per l'intervento del diavolo. Questi centri, solitamente di forma regolare con la chiesa in posizione centrale e ai lati il cimitero, il collegio con la scuola, i magazzini, l'ospedale, accolgono indigeni nomadi, facilitano i compiti delle autorità spagnole e forniscono mano d'opera agli *encomenderos*. Naturalmente in essi intensa è l'attività educatrice, nei vari settori: oltre al catechismo si insegnano agricoltura, musica, artigianato. Soprattutto in quest'ultimo settore in cui gli indios rivelano doti speciali, viene dato libero spazio all'iniziativa individuale, con risultati eccellenti nella costruzione di edifici, di utensili e perfino di libri: in breve Lima diviene sede di un'importante tipografia. Tuttavia la *reducción*, per il timore di una stretta connivenza tra coloni ed indigeni immorali, è ridotta all'isolamento che si manifesta assoluto per il divieto di insegnare lo spagnolo. Per quanto riguarda l'economia della missione, essa si basa su di un collettivismo agrario: una parte della terra (campos de los hombres) appartiene agli indigeni, liberi di coltivare ciò che a loro aggrada, il rimanente, che è la maggioranza della proprietà (campo de Dios), è terra comune i cui prodotti devono essere coltivati secondo le disposizioni dei religiosi. Con il raccolto vengono pagati il decimo, dovuto alla Corona e le spese per il sostentamento della comunità, mentre l'eccedenza viene commerciata fra le *reducciones*, dove esiste una forma di baratto, che di fatto rende del tutto superfluo il denaro. Ai padri, dunque, la distribuzione degli alimenti e del vestiario, ma alla polizia municipale la distribuzione delle pene per i trasgressori, consistenti in castighi corporali (frustate) o nella reclusione. Mentre è abolita la pena di morte, per i casi più gravi il condannato subisce il trasferimento in una *reducción* più piccola ed isolata. Intensa è l'attivita teatrale, sempre di carattere didattico ed apostolico, ma con scenografia, danze e canti locali. La messa in scena della lotta tra il Bene e il

quantità infinita di informazioni sul Nuovo Mondo, in grado di soddisfare richieste di ogni tipo. Più delle descrizioni sono ora eloquenti i silenzi che permettono di avere vita facile ai singoli autori, e di conseguenza all'intera Compagnia.

Il destinatario

Di solito il destinatario di una lettera è conosciuto dall'autore, che modella il proprio messaggio secondo il rapporto esistente tra i due e la natura stessa della comunicazione. Il destinatario interviene, perciò attivamente, anche se del tutto inconsapevole, nella scrittura e manifesta competenza narrativa essendo in grado di comprendere perfettamente le situazioni descritte. Quando una lettera viene pubblicata, il destinatario non è unicamente colui il cui nome appare in cima al foglio, ma il lettore in senso lato. In questo caso il contenuto della lettera può essere recepito nella sua essenza – il testo si presenta, infatti, come un insieme di segni grafici dal significato denotativo e dal carattere linguistico –, o subire un'interpretazione diversa secondo la fantasia di colui che legge. Attuando la comprensione, il lettore, divenuto garante dell'azione semiotica, riattiva la funzione del segno, ovvero la capacità di indicare significati. Se la lettera pubblicata è inserita in una collezione, la sua lettura subisce, oltre all'intervento del lettore, l'influenza delle lettere restanti, ordinate con criteri comuni, imposti dal curatore.

Per quanto riguarda il destinatario delle lettere scritte dai gesuiti, pur essendo manifesto il nome (Padre de la Chaise, Padre Dez, Consejo de Guadalaxara, Padre General...), non sempre è quello reale, dato che i religiosi sanno perfettamente di rivolgersi a un pubblico più vasto. In effetti, il primo ad avere notizia dell'intenzione di scrivere una lettera è il confessore personale del probabile autore – di solito uno di padri del collegio in cui egli ha studiato – e una volta redatta la lettera, è il padre generale a legger-

Male, tra il Martire e il Re Tiranno, edifica gli spettatori con immagine dalla vivacità plastica, direttamente assimilabili, perché pregni della retorica dell'*étonnant*. Insieme al messaggio religioso, evidente è il suggerimento politico che dà all'aristocrazia la sicurezza psicologica di chi, proiettato in un mondo ideale di perfezione e di grandezza, scopre nel comando un destino naturale. Parallelamente, nella gente comune ciò incute l'ammirata obbedienza di fronte a un potere teocratico supremo. (Cfr.: R. Fulöp-Miller, *Il segreto della potenza dei gesuiti,* Verona, Mondadori, 1931; E. Gothein, *Lo stato cristiano-sociale dei gesuiti nel Paraguay*, Firenze, La Nuova Italia, 1987; A. Guidetti, *Le missioni popolari*, Milano, Rusconi, 1988; R. Konetzke, *América central y Meridional...*, cit.).

la, secondo le precise disposizioni di Sant'Ignazio. Grazie alle informazioni contenute nello scritto, il Generale è in grado di conoscere il carattere e le qualità intrinseche dei vari religiosi, in modo tale da collocare la persona giusta al posto giusto, e intervenire nei casi di denuncia per cattiva condotta anche nei confronti, in via eccezionale, dei superiori. Attraverso le lettere si soccorrono anche compagni in difficoltà, capaci di fare propria l'esperienza altrui, e si mantiene vivo l'interesse degli studenti, che nelle accademie gesuitiche europee, ricevono informazioni approfondite su temi diversi, relativi alla geografia, all'astronomia, ecc.... Il successo è assicurato, come testimoniano le numerose pubblicazioni delle *Lettere edificanti e curiose*[14], e gli altrettanto numerosi aiuti economici[15] e diplomatici, giunti da ogni parte.

Il contenuto

Le lettere edificanti e curiose costituiscono, dunque, il *corpus* dell'impresa editoriale del secolo XVII, tesa a diffondere in Europa la conoscenza dell'operato missionario in terra americana. Esse sono definite curiose perché soddisfano il diffuso interesse per i nuovi popoli, costituendo una sorta di cronaca della storia universale, ma anche – è più adeguato dire soprattutto – edificanti, dato che è proprio questo il loro obiettivo primario enunciato da Sant'Ignazio fin dall'atto costitutivo dell'Ordine (1542)[16]. Egli stesso trasmette gran parte della dottrina da lui concepita, proprio attraverso una serie di lettere che, essendo strumenti duttili ed emotivamente flessibili, trasformano la teoria, di per sé impersonale, in un insegnamento diretto. Le sue epistole, indubbiamente diverse dall'epistola rinascimentale, sono mosse da un impulso etico-pratico, che conduce il di-

[14] A questo proposito Le Gobien sottolinea l'entusiasmo con cui i fedeli europei hanno accolto le lettere per cui "fu conveniente pubblicarle più volte" (II Raccolta). La prima pubblicazione avviene nel 1755, segue l'edizione del 1780-1781 a cura del padre Querbeuf la quale costituisce la base per le successive pubblicazioni del 1819, 1829-32, 1834-44.

[15] Sempre Le Gobien ribadisce l'utilità del risparmio che "[...] può sostenere nelle missioni molti operaj evangelici in grado di lavorare per la conversione di quei popoli "(I Raccolta).

[16] Convinto che le lettere contribuiscano a rafforzare l'unione tra i confratelli sparsi nelle missioni del mondo, oltre ad avere un certo peso sulla società e sulle coscienze, S. Ignazio stabilisce delle regole a cui deve sottostare la comunicazione epistolare tra i gesuiti e il Padre Generale della Compagnia fino a ordinare, nel 1550, l'invio di lettere quadrimestrali ed annue da parte di ogni Casa (Cfr. J. De Guibert, *La spiritualité de la Compagnie de Jésus*, Roma, Ed. Arc. Histor.-S.J., 1953, p. 35).

scorso dottrinale su rigidi binari, senza lasciare spazio a spontaneità o ad audacia retorica. Reprimendo gli elementi irrazionali del nuovo ascetismo l'etica di Sant'Ignazio realizza un ideale punto d'incontro tra assoluta trascendenza e convenzioni, regolate da un'inflessibile quotidianità.

Un esempio della vasta produzione epistolare dei gesuiti viene offerto proprio dal gruppo di lettere, scritte dai citati Armand Jean Xavier Nyel, Stanislao Arlet, Francesco Maria Piccolo, Charles Le Gobien e raccolto tra il 1702-1708. I due volumi delle *Lettere edificanti e curiose* contengono dieci raccolte di lettere: le prime otto selezionate dal Le Gobien, per l'appunto, e le ultime due dal padre Halde o Dualde. Figurano, inoltre, le lettere inviate dal papa Clemente XI (1700-1721) ai re Luigi XIV di Francia e Filippo V di Spagna. Ogni collezione è introdotta da un *proemio* del curatore, nel quale egli presenta gli autori al padre generale e anticipa il contenuto epistolare riguardante, per lo più, i problemi comuni alle missioni dell'America Ispanica, (in modo particolare del Messico e del Perù), delle isole Filippine e del Giappone.

Evidente è il raffinato lavoro di cesello imposto dalle ben note regole di Sant'Ignazio e dalla disciplina della vita religiosa. L'invito alla razionalità e alla chiarezza, frutto di un intellettualismo sottile, si manifesta con uguale ed implacabile volontà nelle denunce di violenza, di superstizione, di disordine, di vanità e di miseria spirituale. Non si avverte, tuttavia, una preferenza per la scelta di problemi sociali, né una volontà di sviluppo culturale del paese, né tantomeno una presa di posizione politica, in accordo con le disposizioni del padre generale Acquaviva.

Fulcro dei racconti sono il mondo dello spirito e la cosmovisione cristiana delle virtù per l'edificazione dell'eventuale lettore identificato nel gesuita. È sufficiente leggere le cronache di altri ordini per comprendere l'enorme importanza che gli storici religiosi assegnano alle tematiche edificanti, in grado di infondere fiducia ai confratelli, rafforzando in essi, con i valori evangelici – povertà, amore verso il prossimo, Divina Provvidenza, ecc. – la fede nel Dio vero, la convinzione di vivere la vita presente in preparazione di quella futura e di contribuire al miglioramento dei costumi.

Il proselitismo religioso subordina, perciò, fortemente tutte le lettere. Ad esempio riporto parte della lettera inviata nel 1705 dal padre Armand Jean Xavier Nyel al padre Dez, rettore del collegio di Strasburgo, in cui si legge che la conquista spirituale è estremamente vantaggiosa per le missioni ed è "conforme ai doveri di fedeltà che siamo tenuti d'usare ad una vocazione si santa. Sappiamo le difficoltà, che dovremo superare, e i pericoli, che dovremo correre: ma essendo i patimenti, e le traversie uno dei più certi caratteri dell'Opere di Dio, non ci fa maraviglia di doverne in quella, ch'abbiamo intrapresa, incontrare anche noi; tanto più che ci sentiamo disposti per sua misericordia a ricevere dalla sua mano tutto ciò, che gli piacerà di mandarci, e a fargli volentieri il Sacrifizio delle nostre vite, di quant'altro abbiamo di caro al mondo per seguire la voce che ci chiama, e renderci degni di predicare Gesù Cristo, e di glorificare il suo nome fra le nazioni, a cui siamo destinati." (VIII Raccolta).

Molto forti sono dunque i valori ascetico-spirituali che hanno condotto alla costruzione di un 'ordine maraviglioso' in cui non c' è posto per il dubbio. Al contrario, – scrive ancora da Lima sempre nel 1705 il padre Nyel al Reverendo Padre de la Chaise, confessore del re –, vi è la consapevolezza di dovere "utilizzare una vocazione così santa, di predicare Dio e glorificare il suo nome, diffondendo la fe della giusticia y della verità". (VII Raccolta). Un apostolato svolto – come rileva Stanislao Arlett, nella lettera limense del 1697 destinata al padre generale –, con il medesimo fervore dei primi religiosi "perchè si possa sacrificare la nostra vita nel glorioso Ministero della predicazione evangelica e della conversione". (II Col.). Per tale motivo i gesuiti, professori universitari e letterati, si "abbassano" ad insegnare i rudimenti cristiani alla gente ignorante dei vari paesi, ottenendo consenso di molti giovani che, sempre più numerosi, chiedono di entrare nella Compagnia "per sacrificare la vita in nome di Dio". (I Raccolta).

Oltre a porsi al servizio dei diseredati in una società di casta, i gesuiti esprimono il desiderio di esternare i valori evangelici. Se ciò implica il pericolo di "fachadismo", allo stesso modo costituisce un invito all'abnegazione per le classi alte il cui risparmio è fonte di sostenimento per "diversi Operaj nelle missioni". (I Raccolta).

Il culto esteriore, molto diffuso in un'epoca in cui la liturgia è avvenimento sociale, aiuta a comprendere il desiderio di rappresentare la vita evangelica agli occhi del pubblico, per cui "non può immaginarsi contegno e maniera più edificante dell'usata in quella missione nel celebrare i divini Uffizj". (VIII Raccolta). In ogni nuova fondazione, infatti, la grande preoccupazione del missionario consiste nel costruire, in tempi brevi, una chiesa bella, spaziosa e ricca di ornamenti "che con la bellezza loro, e grandezza rapiscono gli occhi, e l'animo degl'Indiani, e fanno loro formare un altissimo concetto della nostra santa Religione". (ivi). Dette chiese, in sostanza, costituiscono il primo segno tangibile della vittoria cristiana sulla barbarie e il teatro in cui ha luogo il culto, teso, tra l'altro, ad impressionare l'immaginazione, a conquistare i cuori più semplici e ad affermare che l'ideale cristiano di vita comunitaria si realizza all'interno dello spazio concreto di un tempio. In tal modo i gesuiti mettono in pratica una delle massime di Sant'Ignazio: "la fede deve essere inculcata attraverso la vista[17].

Ulteriore preoccupazione consiste nell'immortalare le virtù di coloro che hanno operato generosamente per la diffusione della fede, primi fra tutti San Francesco Saverio e padre Cipriano Barazze il quale ricevette "la corona del Martirio il 16 Settembre del 1702" (VIII Raccolta). Un esempio per tutti è dato dal seguente brano: "Quali ammaestramenti non è capace di darci, la santa e faticosa vita di quegl'uomini Apostolici, che hanno fondata la gloriosa Missione dei Moches, popoli appartenenti alla Provincia del Perù? Quali esempj non ci presenta avanti l'eroica lor sofferenza, il totale loro distacco da tutte le comodità della vita, e'l coraggio invitto co'l quale si sono aperte strade, non mai per l'addietro praticate, e in cui non aveano potuto ancor penetrare l'armi vittoriose degli Spagnuoli; e finalmente il zelo affatto divino, accompagnato da una sopranaturale saviezza, con cui in mezzo ai Barbari, brutali al pari delle fiere, fra le quali convivono, hanno fondata una numerosa cristianità?" (ivi). Il desiderio di gloria accomuna tutti i *conquistadores*, militari o religiosi, poiché con la fama e con la gloria, essi ottengono la giusta ricompensa, che è anche affermazione di un elevato ideale eroico.

Non sempre, però, si usa la "giusta" tonalità nell'esaltare le qualità individuali che si estendono implicitamente all'intero ordine religioso. L'intonazione alta e oratoria è spesso frutto di una scolorita propensione per l'elogio, in cui si dissolve ogni persona concreta. Inoltre, la descrizione dei numerosi particolari, più che rispondere alla dinamica di un interesse verso l'oggetto, e alla volontà di un'ardente vocazione, obbedisce ad una compiaciuta lentezza e al gusto per la sovrabbondanza di linee e di colori. Il risultato presenta una lettura spesso noiosa e appesantita, in cui le azioni eroiche hanno una propria grandiosità, sebbene fredda e sterile.

Solo il riferimento alla memoria delle virtù dei fondatori delle missioni, è legato a certa storicità, anche se in tutti gli autori manca la dote fondamentale dello storico in senso stretto: sintesi di giudizio e di narrazione. Il loro sottile argomentare mira ad ottenere, con il consenso dell'intelletto molto più proficuo della suggestione fantastica e della commozione, una finalità di ordine pragmatico: utilità spirituale o edificazione dei lettori. Non

[17] Cfr. E. Gothein, *op. cit.*, p. 38.

importa che i protagonisti siano personaggi storici, condizionati da avvenimenti eccezionali e realmente accaduti; *in primis* vi è la persona, tutto il resto è in sua funzione. In tale atteggiamento è riconoscibile il legato rinascimentale centrato sull'individuo e sulla grandiosità dei fatti storici, pur adeguandosi esso alla teoria provvidenzialistica. La presenza di Dio è perciò palpabile nella quotidianità, in quanto: "Dio muove le volontà" (VIII Raccolta); rende "degni di predicare, istruire nella Fede" (VII Raccolta) e permette di "seguire la voce che chiama, eccitare lo spirito, disporre di strumenti [...]"(ivi), ma soprattutto consola: "Quale sia nella presente situazione di cose la nostra contentezza, lo può sapere chiunque ha una volta provato, quanto sia dolce il non avere altro appoggio, che Iddio, e'l riposare tranquillo nel seno dell'amabile sua Provvidenza." (VIII Raccolta). Ognuno dei verbi usati è pregno di contenuti teologici ed indica il potere enorme della fede. Tuttavia, essi hanno sempre un complemento grammaticale in persone determinate, il che esclude la mancanza di volontà teorizzante.

Per quanto concerne il fervore con cui i missionari svolgono i compiti della confessione frequente, della predicazione e dell'istruzione, evidente è lo spirito controriformista, come possiamo cogliere dalla seguente testimonianza del padre Arlett al padre generale: "Ecco, Padre mio Riverito, a chi è passato il Regno di Dio che per la giustizia, e per un terribile giudizio ha tolto a tante provincie d'Europa, datesi in preda allo spirito dello scisma, e dell'errore. Oh se la sua misericordia si compiacesse d'operar qui ancora parte di quelle meraviglie, a cui tanti cechi volontarj della nostra Germania chiudono ostinatamente gli occhi! non dubito punto, che qui ancora avremmo de' Santi." (II Raccolta). Ed ancora nella lettera del Padre Armand Xavier Nyel al Padre Dez, leggiamo: "[...] la fervorosa, e santa vita di questi Neofiti non dev'ella confondere i Cristiani de' tempi nostri, i quali in mezzo di tanti Lumi, e di tanti spirituali aiuti, desonorano la santità della Religione e la dignità del nome Cristiano" (VIII Raccolta).

Irriducibile volontà di lotta ideologica, di zelo antieretico energico; posizione intransigente sostenuta da un'ironia corrosiva, o velata da modismi cerimoniali e suadenti, o resa palese dalla foga di un impeto violento: il giudizio è sempre condizionato dalla consapevolezza della superiorità dell'Occidente cristiano. La sollecitudine morale e devota, attiva nei racconti che riaffermano i valori rigidi ed inviolabili dell'aristotelismo e della dottrina ufficiale della Chiesa, si impone, perciò, sia come soggetto argomentale, sia come necessario riferimento.

Allo stesso modo la polemica religiosa trova espressione nella reazione violenta nei confronti della società cristiana che rifiuta l'unità ecclesiastica, e nell'amabile e sorridente presa di posizione di fronte ad usi e costumi dei paesi da evangelizzare. Lontani dall'immagine del cristiano devoto e passivo, i gesuiti, veri e propri lottatori, si impegnano attivamente e con generosità, per raggiungere la finalità della Compagnia: *ad majorem Dei gloriam*[18].

L'ideale del regno di Dio in terra si rivela perciò, come osserva il Gothein[19], elemento propulsore per l'acquisizione di nuove anime. Ciò nonostante, l'autorità del padre missionario fonda il proprio successo sull'arcana consacrazione, secondo la quale sono sufficienti le parole e le mani innalzate per produrre l'effetto magico, per aprire e chiudere l'accesso a spazi dell'al di là. Una finalità – alla quale si sacrificano anche affetti puri e semplici se essi costituiscono un ostacolo – che si esprime in due momenti: azione per il trionfo della Chiesa nel mondo e visione beatifica di Dio. L'anello di congiunzione è la morte, sempre edificante e serena: "[...] ci stimeremo felici di morire alla metà di un'impresa cosí santa." (VIII Raccolta), "ardivo in fin d'offrire me stesso per un'impresa così nobile." (VII Raccolta). Di conseguenza, costante è l'allusione alla grazia divina, alla possibilità di salvezza delle persone, attraverso l'accettazione serena della realtà, di cui il trapasso costituisce il momento supremo. D'altra parte è tipico della mentalità del tempo considerare la vita come una paziente preparazione della morte, pur non rinunciando del tutto ai piaceri del vivere quotidiano. Scoprire sempre il *memento mori* e il senso profondo della dissoluzione e della disgregazione di ciascun essere, riflettere sulla necessità di cogliere dalle cose il segno della subordinazione universale alla volontà oscura e paterna di Dio, aiuta l'anima a salvarsi. Significative sono le seguenti affermazioni: "[...] essendo i patimenti, e le traversie uno dei più certi caratteri dell'opera di Dio, non ci fa maraviglia di doverne in quella, ch'abbiamo intrapresa, incontrare anche noi [...]" (VIII Raccolta), [...] "Ma Iddio con le sue consolazioni piene di dolcezze supplisce a quanto potremmo desiderare di comodità e di delizie, e in una si gran penuria di ogni cosa non si lascia di vivere contenti (II Raccolta)".

La serena accettazione degli obblighi stabiliti dall'Ordine (è attraverso la parola dei superiori che si esprime il giudizio di Dio), funge da forte le-

[18] Per notizie più approfondite: cfr. A. Asor Rosa, *Daniello Bartoli e i prosatori barocchi*, Bari, Laterza, 1975.

[19] E. Gothein, *Lo stato cristiano sociale dei gesuiti nel Paraguay*, cit., p. 38.

game tra gli autori, le cui argomentazioni poggiano sulla convinzione che tutte le cose sono in relazione fra loro: spetta alla mente allenata dall'esercizio della retorica scoprire dette analogie, anche se minime e fugaci. Se l'intellettualismo può essere considerato un limite morale, non è però d'impedimento allo scrittore che in tal modo si difende dal formalismo letterario del momento e dà alla prosa certo rigore e salda coerenza.

Lo spirito di osservazione è più che mai attento a cogliere l'essenza delle cose, a presentare la scena narrata per grandi linee; tutto ciò, naturalmente va a scapito dell'informazione che si rivela alquanto carente ed approssimativa. Da qui quel senso di distacco, tanto caratteristico delle lettere, prive di sofferta esperienza umana. Anche quando l'evento diviene più incalzante, in sintonia con il ritmo stesso dell'avventura, la prosa persiste grigia e disadorna, pur acquistando per contrasto, una forza serena e primordiale. A volte sembra quasi che lo scrittore si lasci prendere dall'emozione, dinanzi allo splendore paesaggistico, o dinanzi all'abilità degli indigeni. Il ricordo delle direttive di Sant'Ignazio impone un controllo e la narrazione viene ricondotta verso lecite curiosità. È per tale motivo che nelle pagine di Nyel, di Arlet, di Piccolo, di Laguna[20] e di Le Gobien, sono presenti le medesime descrizioni di località, di climi, di fenomeni naturali, di coltivazioni, della fondazione di missioni situate nei luoghi più fertili, delle qualità singolari di talune piante, di usi e costumi degli indigeni. Figurano, inoltre, nuove mappe da utilizzare in sostituzione delle precedenti, ormai obsolete.

Per tutti gli autori, la missione è una scoperta etnica e geografica in cui vivono infedeli[21] da convertire "[...] popoli sepulti trent'anni sono nelle più folte tenebre dell' infedeltà." (VIII Raccolta) e non eretici da punire, poiché la loro mancanza di fede è opera malefica del demonio: "L'ostacolo alla conversione è un artifizio del Demonio." (ivi).

Nello scoprire questo mondo nuovo e sconosciuto, i gesuiti stabiliscono un rapporto paritetico tra comprendere e descrivere, tra letteratura come

[20] Filippo della Laguna, nato nel 1667 a Malines, entra nella Compagnia di Gesù nel 1683. Egli muore nel 1707 nella missione cilena di Navelhuapi. La sua *Relazione dello stabilimento della Missione di Nostra Signora di Navelhuapi*, è inserita nella lettera del Padre Nyel al Padre Dez (Lima, 1705), intitolata: *Lettera del Padre Nyel, missionario della Compagnia, Rettore del collegio di Strasburgo. Intorno a due nuove missioni, fondate poch'anni avanti nell'America Meridionale.*

[21] Gli indigeni sono chiamati per lo più *barbari* secondo la decisione imposta dall'Ordine in conformità con l'interminabile polemica sulla natura umana degli *indios*, sulla loro capacità intellettuale e sul sistema sociale.

strumento di conoscenza entusiastica, cronaca di viaggio e impresa religiosa. I lunghi mesi trascorsi a peregrinare sotto la violenza di improvvise tempeste, di terremoti, la grandiosità di cieli stellati, di una natura smisurata, nel bene e nel male, temprano gli animi di quei padri le cui gesta sono magnificate in tutte le lettere. In tal senso anche la descrizione geografica più precisa, nei limiti di uno sguardo opaco e austero, può divenire il mezzo per esaltare il prestigio degli eroi della fede. Il paesaggio prende consistenza al di là delle parole, in uno spazio neutro e lontano in cui i veri protagonisti sono i missionari, pronti a superare ostacoli infiniti per portare la parola di Dio tra i pagani. Utile e dilettevole insieme, per un approfondimento morale condensano l'ottimismo religioso e cosmico degli autori: nelle pause descrittive della splendida armonia di Dio e dell'universo, vengono evidenziate le pie opere edificanti.

Lo stile usato si inserisce perfettamente all'interno di un'ideale prosa didattica che, rifiutando il preziosismo erudito di termini dotti – difficilmente intesi dalla gente qualsiasi –, e la costruzione involuta, utilizza con prudenza il linguaggio figurato. Il senso della misura gesuitica si rivela, perciò, nel suo aspetto migliore, nel piacere della conversazione educata e nell'utile correzione dello sfarzo proprio del secolo XVII.

Da qui l'inevitabile accusa di convenzionalismo, di vizio di falsità e di artificio retorico, per una prosa essenzialmente ideologica, testimonianza di una spiritualità nuova, imperniata sull'azione in nome dell'amore e della carità divini, dando una svolta significativa alla cattolicità moderna. Emerge l'ottimistica coscienza di dominare i sensi e le passioni con la sola forza della mente, la ferma volontà di lottare contro le naturali debolezze della psiche e l'intima e assoluta adesione ad un mondo dottrinario e morale, senza fratture .

In una narrazione che non muta mai né di tono né di registro, non stupisce la mancanza di incisività, di capacità evocativa in grado di suscitare suggestioni emotive. Tutto ruota intorno al concetto religioso, anche se a volte si ha l'impressione di certa superficialità e limitatezza, dovuta proprio alla frammentarietà delle descrizioni che racchiudono la medesima imperfezione di un'opera incompiuta. All'interno di una visione utilitaristica dell'arte, il testo non riesce ad acquisire autonomia propria, dominato continuamente dall'attenta sorveglianza etica. Siamo ben lontani dai migliori scrittori dell'Ordine, come Segneri, Bartoli, Tesauro e Pallavicino[22]. Tutta-

[22] Cfr. M. Scotti, *Prose scelte di Daniello Bartoli e Paolo Segneri*, Torino, UTET, 1967.

via non manca la tecnica, dovuta alla costante lettura dei classici, alla profonda conoscenza della retorica, le cui regole trovano applicazione pressocché perfetta.

Tutti gli autori dimostrano sensibilità di parola, profonda ed ampia conoscenza lessicografica, dominio della lingua, anche scientifica con le sue istanze di chiarezza e di distinzione, caratteristiche queste che oltre ad essere frutto di studio continuo, sono dovute a sicure doti personali. Ciò si verifica, con uguale forza, persino nelle traduzioni, che conservano intatta la grazia della parola, consolatrice o semplicemente ricreativa.

Acerca de *Pelayo* de Quintana

DONALD SHAW

Según Cook, *Pelayo* (1805) de Quintana figura "among the most successful attempts of the neo-classicists to introduce regular tragedy in Spain" ("entre los intentos de más éxito por parte de los neoclásicos de introducir en España la tragedia escrita siguiendo las reglas")[1]. Asimismo, Ivy McClelland la considera "the last notable tragedy" ("la última tragedia digna de atención") en el período pre-napoleónico y afirma que representa "the best that Spain had done, or possibly could ever do, within the strict limits of Gallo-Classical tragedy" ("lo mejor que había producido o posiblemente pudiera producir jamás España, dentro de las limitaciones estrechas de la tragedia clásica de inspiración francesa")[2]. Alborg está totalmente de acuerdo. Sin embargo, a pesar de tales opiniones, emitidas por críticos de los más autorizados, la obra no ha atraído suficiente atención crítica ni como artefacto dramático ni como tragedia[3]. Cook, por ejemplo, se limita a opinar que "not enough time is allowed for the logical development of the

[1] J. A. Cook, *Neo-classic drama in Spain*, Dallas, Universidad Southern Methodist, 1959, p. 296.

[2] I. McClelland, *Spanish Drama of Pathos*, Universidad de Liverpool, 1970, I, p. 260.

[3] Las observaciones de A. Dérozier en *Manuel Josef Quintana et la naissance du libéralisme en Espagne*, en *Annales Littéraires de l'Université de Besançon*, Paris, 1968, I, pp. 101-41, resultan llenas de interés, pero en la discusión de la tragedia acto por acto y la descripción de la modificación del final sólo enfocan muy indirectamente las cuestiones críticas que intentamos tratar. M.T. Cattaneo, en *Manuel Josef Quintana y Ramón del Valle-Inclán*, Milano, Cisalpino Goliardica, 1971, pp. 29-42, trata magistralmente las ideas dramáticas de Quintana y la relación de *Pelayo* con otros dramas de la época, pero no analiza la tragedia como tal. L. Fontanella, en *Pelayo and Padilla in Reformist and Revolutionary Spain*, en *Essays in Hispanic Literature in Honor of Edmund L. King* (eds. S. Molloy -L. Fernández Cifuentes) Londres, Támesis, 1983, pp. 61-72 se limita a tratar las implicaciones del uso del tema por Quintana.

action" ("no hay suficiente tiempo para permitir un desarrollo lógico del enredo", p. 300), aunque McClelland le elogia a Quintana por haber aprendido algo de Shakespeare y sostiene que ha logrado incorporar a la obra "reasoned and developed argument" ("argumentos razonables y bien desarrollados", p. 264). Alborg no aporta juicios significativos y sigue la opinión de Cook de que el impacto de la obra resulta diferente al de *Hormesinda* (1770) de Moratín padre o de *Munuza* (1792) de Jovellanos, esencialmente porque al centro del interés trágico en estas tragedias sobre el mismo tema está la hermana de Pelayo, Hormesinda[4]. Teniendo en cuenta tal escasez de juicios críticos, quizás convenga volver la mirada otra vez a esta importante obra de teatro.

El problema que enfrentaba a los varios dramaturgos que se proponían escribir una tragedia sobre el tema de Pelayo (y fueron muchos)[5] era cómo conseguir efectos auténticamente trágicos cuando la vuelta de Pelayo al norte de España fue en realidad un acontecimiento feliz, ya que con ella se inició la Reconquista. La respuesta preferida fue construir la tragedia en torno a la hermana de Pelayo y el tiránico Munuza. Pero tal táctica conllevaba el peligro de distraer la atención de Pelayo mismo. Ninguna de las obras frecuentemente mencionadas resuelve ese dilema de manera satisfactoria, pero es *Pelayo* de Quintana la que se aproxima más a una solución convincente. Los dos intentos anteriores más famosos son las tragedias de Moratín padre y de Jovellanos a que ya nos hemos referido. En el caso de *Hormesinda*, Nicolás Fernández de Moratín adopta la táctica de presentarle a Munuza como un malvado mentiroso quien logra mediante la calumnia minar la confianza de Pelayo en la virtud de su hermana. De ese modo casi consigue hacerla quemar viva como rea de fornicación. Como consecuencia el drama se convierte de tragedia en melodrama. El sentido exagerado de pundonor de Pelayo vence demasiado fácilmente todo sentimiento fraternal en el héroe, con el resultado que se le cierre toda posibilidad de sufrir una evolución trágica interna. La crítica severa de la obra que hace Gies[6] parece plenamente justificada. *Pelayo* de Jovellanos, como indica McClelland (*op. cit.*, p. 191) merece un juicio más positivo principalmente porque no se sa-

[4] J.L. Alborg, *Historia de la literatura española. Siglo XVIII*, Madrid, Gredos, 1972, III, pp. 631-33.

[5] E. Larraz, en *Théatre et politique pendent la Guerre d'Indépendence espagnole 1808-1814*, Universidad de Provenza, 1988, p. 240, menciona muchas obras de teatro sobre el tema, no siempre tragedias.

[6] D.T. Gies, *Nicolás Fernández de Moratín*, Boston, Twayne, 1979, pp. 137-40.

crifica tanto el personaje de Munuza. Pero en el fondo el problema es siempre el mismo: un conflicto entre el heroismo y la vileza, incluso cuando ésta brota del amor apasionado de Munuza hacia Hormesinda, no produce un *pathos* genuinamente trágico. Si bien la situación de Pelayo y su hermana nos parece lastimosa, y tememos una catástrofe casi hasta el final de la obra, lo que no sentimos son las sensaciones de lástima y temor que conducen a una visión más honda de las posibilidades intrínsecamente trágicas inherentes a la condición humana. Para que ocurra eso, aun si existe un defecto moral en el personaje antagónico al héroe o a la heroína, ha de hallarse, como sugiere McClelland (*ibid.*) cierto "respect for the villain as a human individual" (respeto por el malvado como ser humano) y el deseo de juzgarle imparcialmente. Precisamente de eso se dio cabal cuenta Quintana.

Merece repetirse, a este punto, que la mentalidad neo-clásica, a la vez que aceptaba que la tragedia es la forma suprema de artefacto teatral, era fundamentalmente anti-trágica. No se conciliaba con la *forma mentis* de la Ilustración, racionalista y orientada hacia la benevolencia y el optimismo, aceptar que el sufrimiento no es siempre el resultado de la pasión desenfrenada o del error moral, ni que el valor y la nobleza del individuo no contrapesan necesariamente el sentimiento trágico de la vida. Sobre todo los dramaturgos neo-clásicos desde Montiano al Duque de Rivas tendían a creer que la tragedia era una forma teatral que podía y debía utilizarse para intentar reconciliar el público con valores morales específicos. Si se aceptan estas presuposiciones, la alta tragedia, que surge de un conflicto entre fuerzas dramáticas más o menos igualmente justificadas, y que muestra un nivel de sufrimiento que normalmente está desproporcionado al error trágico inicial, resulta difícil de escribir. En su lugar, lo que encontramos son dramatizaciones de situaciones infelices o desafortunadas producidas por la falta de auto-disciplina racional o por un comportamiento deliberadamente cruel y traicionero por parte de algunos de los personajes (es el caso de *Hormesinda* de Moratín padre), contrapesados por el heroísmo y la magnanimidad por parte de otros. Lo que se evita con esmero en ese tipo de drama es cualquier alusión a una radical falta de armonía en nuestra situación existencial, independientemente del comportamiento moral o inmoral y que no tiene nada que ver con el valor o la grandeza de alma individuales. A todo eso, *Pelayo* de Quintana constituye, hasta cierto punto, una excepción.

La primera escena cumple con su función informativa habitual. Aprendemos que los habitantes de Gijón sufren pasivamente la dominación de Munuza y los moros, agradecidos a la hermana de Pelayo, Hormesinda, quien, en la ausencia del paladino cristiano, ha logrado evitar la destrucción de la ciudad. En efecto Munuza se ha enamorado de ella y están a punto de casarse. Algunos elementos de la escena merecen nuestra atención. En primer lugar, el parlamento que abre la tragedia nada tiene que ver con los personajes principales ni con su situación. Critica la docilidad vergonzosa de los españoles bajo el dominio de los moros. De ese modo desde el primer momento se transmite al público el mensaje que existe en *Pelayo* un tema más profundo que trasciende los acontecimientos del enredo. En última instancia, no se trata aquí exclusivamente de las relaciones entre Pelayo, Hormesinda y Munuza, y la importancia del primero no tiene que ver primordialmente con su reacción a la situación de su hermana. Lo que en los dramas de Moratín padre y Jovellanos sólo tenía importancia en cuanto medio para resolver el problema de ésta, aquí en los actos tercero, cuarto y quinto se convierte en el argumento central: la regeneración de un pueblo derrotado. En segundo lugar, con un instinto dramático más desarrollado que el de sus antecesores, Quintana manipula las palabras de Veremundo para sugerir al público que es poco probable que Pelayo vuelva pronto; de manera que el impacto de su llegada inesperada al final del primer acto resulta acentuado. Lo que añade significación a su vuelta es, desde luego, que la acción de la tragedia empieza el día mismo en que Hormesinda debería casarse con Munuza. Hay cierta similitud superficial entre la vuelta de Pelayo en las tres obras mencionadas y, por ejemplo, la de Macías en el drama de Larra. Pero existe una diferencia importante. El que Macías no cumpla con el plazo a tiempo para frustrar los designios de su rival simboliza la hostilidad del sino, la contrafuerza semi-escondida en varios dramas románticos bien conocidos. El papel del sino, que el hombre no puede resistir, desde *Aliatar* de Rivas (1816) hasta *Macías* y *Don Alvaro*, hace difícil categorizar a tales obras como tragedias auténticas, ya que en éstas se necesita cierto equilibrio entre las fuerzas en conflicto y la existencia de un error trágico que desencadene la acción. En el caso de *Pelayo* de Quintana, en cambio, el sino no desempeña un papel importante; al principio, el conflicto trágico es genuino y se expresa en términos humanos y no cósmicos. La víctima es Hormesinda, atormentada por la oposición entre su amor por Munuza, que, siendo reciprocado, protege a los españoles vencidos, y su sensación de traicionar los ideales de su hermano. Aquí se echa de ver la debilidad del enfoque de Martínez Tuñón[7]. No basta para identificar en esta

[7] D. Martínez Tuñón, *El alba del romanticismo español*, Sevilla, Alfar, 1993, pp. 104-109.

tragedia una obra plenamente romántica indicar que contiene un conflicto entre el amor y el deber, el tema de la lucha contra la tiranía y algunos personajes con cierto nivel de vida interior: hace falta demostrar que existe la idea de la injusticia cósmica. La llegada inesperada de Pelayo y su reacción furiosa, apenas Hormesinda sale para la ceremonia de sus bodas, aumenta nuestra comprensión del dilema de ésta.

El final del primer acto ilustra un aspecto de la tragedia que Rivas hubiera debido imitar en sus primeros dramas. No sólo está llena de pasiones encontradas la primera escena de acto, cuando Alfonso le reprocha amargamente a Hormesinda su decisión de casarse con el jefe enemigo, sino que se intensifica muchísimo el conflicto cuando Pelayo a su vez se da cuenta del propósito de su hermana y se precipita fuera de la escena para intentar impedir el matrimonio. Es decir que el primer acto termina con un momento de grandísima tensión. Ilustra el hecho de que cada acto de un drama es un drama en miniatura, en el que la acción no sólo se desarrolla sino que idealmente llega a un clímax. Así la tensión se aumenta progresivamente de acto en acto. Es precisamente lo que ocurre en *Pelayo*. En cambio Moratín padre, aunque crea suspense, no es capaz de sostenerlo hasta el final de los tres primeros actos de *Hormesinda*. Al final de cada uno de los tres primeros actos de su *Pelayo*, Jovellanos emplea amenazas sombrías por parte de Munuza, lo cual constituye un abuso del mismo efecto. Quintana, por el contrario, estructura cada acto de su tragedia como un *crescendo*.

En el primer acto todo prepara la revelación a Pelayo de lo que ya sabe el público. Al caer del telón el espectáculo de la furia de Pelayo estimula nuestra curiosidad con respecto a lo que va a suceder en el acto segundo. Detrás del conflicto ya delineado percibimos una diferencia insalvable de actitud que enseguida levanta la tragedia en términos de su concepción dramática muy por encima de los dramas de Moratín padre y Jovellanos. Acompaña la aflicción de Hormesinda en sus desastrosas circunstancias, la determinación agresiva de defenderse de los reproches de Alfonso alegando su responsabilidad para con los españoles indefensos. Desde el principio su situación es trágica porque resulta de las fuerzas contradictorias igualmente justificadas que afectan sus decisiones.

Eso es lo que privilegia Quintana al principio del segundo acto cuando Hormesinda, a pesar de haberse casado con Munuza y a pesar de amarle, no se halla capaz de aceptarle plenamente como su marido. Todo el *pathos* trágico de la obra está presente implícitamente en esta escena; si Quintana hubiera podido, o hubiera querido, sostenerlo a este nivel, la obra habría ganado inmensamente. Pero al mismo tiempo se hubiera convertido en una metáfora de la desarmonía intrínseca a la condición humana, desarmonía que impone a individuos inocentes dilemas angustiosos. Tal metáfora era inaceptable a la cosmovisión de la época; Quintana se limita a indicarla sólo indirectamente. Enseguida se vuelve a la postura típica de los neoclásicos para quienes el sufrimiento está relacionado con la crueldad o el error humanos y no con la crueldad de la vida.

En esta primera escena del segundo acto Munuza aparece como un cónyuge algo impaciente para su esposa Hormesinda quien se halla bajo una fuerte presión emocional. Sin embargo, vemos que la ama y sabemos que a sus ruegos ha perdonado la vida a los gijoneses. No extraña que Hormesinda se le dirija llamándole "noble Munuza". Pero ahora Quintana está a punto de introducir el elemento de ignominia moral que debilita el impacto trágico de *Hormesinda* de Moratín. La situación de Munuza es potencialmente tan trágica como la de Hormesinda. En Acto II, escena 2, el fanático Andalla le obliga a arrostrar su deber de imponer el mahometismo a los españoles, a pesar de su amor por Hormesinda. Si se hubiera desarrollado ese dilema en paralelo al de la hermana de Pelayo, no cabe duda que hubiera aumentado la tensión trágica. Pero en lugar de eso el resto de acto está dedicado al dolor creciente de Hormesinda, acosada por los reproches y amenazas de su hermano. La noticia de que habrá una batalla entre los españoles ya no del todo sumisos y los moros, produce por segunda vez un rápido aumento de tensión al final del acto.

A este punto conviene detenernos brevemente para examinar la situación de las fuerzas dramáticas contrapuestas. Munuza, sin lugar a dudas, ha ganado terreno: aunque Hormesinda se siente cada vez más torturada por la sospecha de haber traicionado el ideal de Pelayo, de hecho se ha casado con el jefe de los moros y se niega a dejarle para huir a las montañas antes del levantamiento de los gijoneses. En cambio, Pelayo ha desafiado a Munuza y ha reñido furiosamente a su hermana, pero todavía no ha logrado cambiar la situación. Al contrario de los otros dos, es una figura sin presiones trágicas en absoluto. No hay en él ningún conflicto interior; ni vacila ni transige. Dentro de poco vamos a ver porque: su dedicación casi inhumana a lo que parece una lucha sin esperanza, aparte de conferirle un significado simbólico a los ojos del público, hace que después del segundo acto se convierta en uno de los polos de la acción de la tragedia. Por el contrario, el otro polo, Munuza, en el cuarto acto, evoluciona de repente, concibiendo sospechas profundas en cuanto al comportamiento de Hormesinda y abandonando su política de tolerancia religiosa. Como consecuencia, los términos en los que se presentó al principio el dilema de Hormesinda, van a ser re-enunciados de modo muy diferente, perdiendo parte de su intensidad trágica.

Mientras tanto el tercer acto marca una pausa en la acción, dividiendo la tragedia en dos fases contrapuestas. McClelland elogia esta *dispositio*, sugiriendo que con él la acción gana en profundidad (p. 263). Es posible; pero la verdadera función del tercer acto es la de cambiar radicalmente la lucha de las fuerzas dramáticas tal como ha existido hasta ese momento. Lo esencial del tercer acto es que Hormesinda no aparece nunca en la escena. Eso nos indica que su lucha interna, dominante en los actos I y II, va cediendo lugar a la lucha armada entre Pelayo, Munuza y sus respectivos seguidores en los actos IV y V. Es decir, el tercer acto contiene el momento pivotal de la tragedia, en el sentido de que la acción cambia rumbo. Al final de ese tercer acto, se suprime todo lo que justificaba el casamiento de Hormesinda con Munuza: un mensajero anuncia a los españoles que Munuza va a publicar un edicto en el que se les impone la conversión al mahometismo so pena de la esclavitud. Con eso empieza a evaporarse el *pathos* trágico que hasta ahora le ha rodeado a Hormesinda.

Al llegar al cuarto acto, entonces, todo ha cambiado: en vez de desarrollar el dilema cruel que les aflige a Hormesinda y (de manera diversa) a Munuza, Quintana lo liquida bruscamente. Basta fijarse en que en toda la acción no hay ni un sólo soliloquio para reconocer que los conflictos internos que subyacen a la tragedia nunca logran expresarse plenamente. Pensemos, por ejemplo, en *Malek-Adhel* de Rivas, catorce años más tarde, que empieza audazmente con un soliloquio de la heroína, lo que introduce el debate interno que domina el resto del drama. En cambio, a Hormesinda aquí se le otorga sólo dos versos al final del segundo acto, después de que Pelayo le haya obligado implacablemente a arrostrar su situación; y Munuza, en el mismo acto sólo se permite un instante de reflexión silenciosa cuando Andalla le recuerda su deber religioso de convertir a sus nuevos súbditos. En el cuarto acto, cuando anuncia su cambio de política a Hormesinda, no hay ni el más mínimo indicio de una lucha con sus propias emociones, a pesar de la reacción horrorizada de su esposa. Cattaneo tiene razón al llamar la atención al hecho de que en la teoría dramática de Quintana: "Manca ogni concessione all'approfondimento psicologico e alla varietà nella costruzione del carattere che renda possibile l'individualizzazione dei personaggi" y cuando sugiere que en *Pelayo* "i personaggi hanno modestissimo risalto" (*op. cit.*, p. 41).

El hincapié que hace Quintana en el tercer acto sobre el plan de Pelayo y los españoles de rebelarse contra Munuza indica su intención de subordinar el dilema de Hormesinda a lo que era – para él – el tema más importante (pero no trágico) de la regeneración de los españoles y su heroísmo en el último acto. La opinión de Dérozier (*op. cit.*, p. 113) de que la unidad interna de *Pelayo* es más evidente que la de *El Duque de Viseo*, el drama anterior de Quintana, es quizás correcta, pero no quita que la unidad dramática de *Pelayo* está gravemente comprometida por el cambio de énfasis en el tercer acto. Las líneas de desarrollo de la tragedia se modifican aquí para privilegiar el tema del nacimiento de la Reconquista. Munuza, ya no "noble", emerge ahora como un tirano sanguinario, mientras los gijoneses, antes pasivos y acobardados, han redescubierto su valor. Sabemos, después de las investigaciones de Dérozier, que fue eso lo que garantizaba el éxito popular de la obra. Pero al mismo tiempo vemos que revela el defecto fundamental de casi todos los intentos neo-clásicos de escribir tragedias. En las notas añadidas a su poema juvenil *Las reglas del drama*, Quintana insiste en su convicción de que un argumento trágico que no fuera al mismo tiempo político y moral en sus implicaciones, produciría, no el *pathos* trágico, sino "una vana y estéril conmoción, desvanecida tan pronto como se desvanecen las imágenes pintadas en la fantasía"[8]. Mientras comprendemos fácilmente que el uso de personajes de alto rango como figuras trágicas puede elevar la acción, la idea de que la tragedia debe inculcar una lección moral compromete la posibilidad de alcanzar una catarsis verdadera en el público. Basta comparar el momento en el acto IV, escena 5, cuando Hormesinda se encuentra situada entre un hombre a quien ama pero que se ha convertido en un fanático ciego, y un hermano dispuesto a aceptar cualquier sacrificio para liberar a sus compatriotas, con su dilema anterior, para convencerse de que el tono de *Pelayo* se ha rebajado hasta convertirse en melodramático. De ahora en adelante, el problema de Hormesinda pierde relevancia a la acción. Cuando en el acto V, escena 3, declama:

> ¿Quién me veda
> Correr también de la batalla al campo,
> Y entre esos fieros adversarios puesta,
> Sus golpes recibir? Quizá uno y otro
> Con sólo mi morir contentos sean.

[8] M.J. Quintana, en *Obras completas*, Biblioteca de Autores Españoles, Madrid, Atlas, 1946, p. 82.

Alvida le pregunta, con razón:

¿Así qué lograrás? (B.A.E., p. 72)

El papel de Hormesinda ha dejado de ser central a la tragedia. Se limita a dejarle liberar a Pelayo para que pueda capitanear a los españoles en la lucha contra los moros. Lo que importa ahora no son los sentimientos de Hormesinda, sino la posibilidad de que los españoles venzan a sus enemigos. Que Munuza mate a Hormesinda antes de darse la muerte es algo que inspira lástima, pero lo importante al final de la tragedia es el "heroico ejemplo" dado por los gijoneses. La muerte de Hormesinda queda eclipsada por la derrota de los moros.

Para concluir: *Pelayo* merece los elogios de Cook y McClelland. Se establece el suspense desde las primeras escenas y se lo mantiene perfectamente durante toda la acción. Cada acto tiene su clímax y contribuye al final espléndidamente dramático. Pero el *pathos* generado por la situación de Hormesinda en los actos I y II, se disipa cuando Munuza declina en la escala moral, e incluso la fórmula típica de la tragedia neo-clásica – el sufrimiento producido por errores morales o por la falta de autodominio, contrapesado por la nobleza de alma y de comportamiento de otros personajes – está algo comprometida, ya que el heroísmo de Pelayo eclipsa en vez de contrapesar el conflicto inicial, mientras él va desplazando progresivamente a su hermana como el personaje central de la obra. Lo que hay que tener siempre presente, sin embargo, es que no fue sólo el propósito de Quintana de escribir un drama patriótico lo que modifica el impacto trágico en este caso, sino que la preocupación moral, común a todos dramaturgos neoclásicos, permite la intrusión de la vileza en la obra, con lo que se falsifica la presentación de la falta de armonía intrínseca a la existencia humana. Eso es lo que reduce el efecto trágico en *Pelayo*.

Considerazioni su di una possibile storia dell'utopia nella Spagna del Sei-Settecento

GIOVANNI STIFFONI

Sinora nei pochi studi dedicati alla presenza dell'utopia nella Spagna del Sei-Settecento si è sempre insistito sul fatto che il 'realismo', che caratterizzerebbe la cultura spagnola[1], avrebbe determinato l'assenza del genere utopico anche in quel secolo dei Lumi – che decolla con la seicentesca "crisi della coscienza europea" per spegnersi con la fine del 1780 – in cui l'utopia – diamo ovviamente al termine un significato molto più ampio, nel senso dell'immaginazione del dover essere – è il referente a cui implicitamente rimandano sia il progetto che la realizzazione delle riforme.

L'utopia, infatti, rappresenta da un lato il modello o, per dirla con Baczko, "l'immagine-guida di un'azione collettiva"[2] indirizzata verso quello "spazio buono che ancora non c'è", e dall'altro essa è il metro con cui si giudicano gli esiti stessi, positivi o negativi, delle riforme messe in atto nello spazio che c'è e che, essendo connotato negativamente, è sottoposto ad una 'necessaria' spinta interna verso il cambiamento.

Se volessimo utilizzare la distinzione che ripropone Trousson, riprendendola da Cioranescu, possiamo dire che una storia dell'utopia dovrebbe muoversi su due linee, quella dell'*utopia* (intesa come opera la cui struttura narrativa include il viaggio immaginario e il suo esito che è la scoperta di un mondo sconosciuto presentato come mondo ideale) e quella dell'*utopismo* (inteso come l'insieme di progetti, proposte, descrizioni di alternative possibili alla realtà e-

[1] Cfr. al proposito le osservazioni di M. Baquero Goyanes, *Réalisme et utopie dans la littérature espagnole*, in "La Table Ronde, n.° 193 (febbraio 1964), pp. 66-90.

[2] B. Baczko, *Lumière de l'utopie* (trad. it. *L'utopia. Immaginazionee sociale e rappresentazioni utopiche nell'età dell'Illuminismo*, Torino, Einaudi, 1979, p. 8).

sistente)[3]. O, se vogliamo impiegare un'altra schematizzazione, muoversi sui due fronti, quello dell'*eu*, che predilige l'aspetto didattico, la forma di un progetto politico, l'esposizione di un programma da realizzare e che è il terreno sul quale si muove l'interpretazione storica e sociologica delle utopie, e quella dell'*ou*, cioè dell'utopia narrativa e della descrizione di uno stato di cose presentato come inesistente, che è il terreno dell'analisi letteraria e psicologica dell'utopia come genere. Ben tenendo presente che le due linee molto spesso s'incrociano[4]. E per quel che riguarda il Settecento e la sua piattaforma di decollo seicentesca, pur non trovandomi d'accordo su alcune interpretazioni di Cioranescu, trovo esatta la sua proposta che "in luogo dell'inafferrabile corpus dell'utopia, bisognerebbe cercare di costituire il campo dell'utopia del secolo dei Lumi tenendo conto dei diversi "débordements" del discorso utopico"[5].

Certo se noi cerchiamo in modo specifico, dei testi che presentino le caratteristiche proprie del discorso utopico, nel senso che "seguano il discorso narrativo proposto da More"[6], dobbiamo convenire che, di fatto, la Spagna del Settecento possiede un tasso di presenza molto basso di utopie vere e proprie, il che evidentemente non può che sorprendere in un'epoca "calda" di immaginazioni utopiche com'è appunto il Settecento. Non che esse non ci siano, ma o hanno caratteristiche peculiari al limite di presentarsi come delle anti-utopie o delle utopie negative, o sono degli impasti di utopismo e riformismo che, come tali, sono solitamente collocati fuori di una storia dell'utopia propriamente detta e vengono letti come momenti di razionalizzazione interna di tale sistema.

Il viaggio dunque da compiere dovrebbe essere pertanto un'esplorazione degli scatti in avanti che il lento procedere delle riforme registra nella Spagna dei Lumi. E quando parliamo della Spagna dei Lumi, è necessario premettere un'avvertenza per fugare eventuali confusioni.

Già in altri scritti, cui rinvio[7], ho fatto presente come sia difficile operare una distinzione tra quel "periodo" che noi chiamiamo Settecento e

[3] Cfr. R. Trousson, *Voyage aux pays de nulle part. Historie littérarie de la pensée utopique*, Bruxelles, Editions de l'Université, 1972, 2a ed. 1979, p. 15 e A. Cioranescu, *Utopie: Cocagne et Age d'or*, in "Diogene", LXXVI (1971) pp. 86-123.

[4] Cfr. le osservazioni in proposito di J.-M. Racault, *L'Utopie narrative en France et en Angleterre (1675-1761)*, Oxford, The Voltaire Foundation at the Taylor Institut, 1991, pp. 7-19.

[5] A. Cioranescu, *L'avenir du passé: utopie et littérature*, Paris, 1972, p. 10.

[6] Cfr. R. Trousson, *op. cit.*, p. 9.

[7] Cfr. G. Stiffoni, *Intelectuales, Sociedad y Estado*, in *Historia de España Menéndez Pidal*, XXIX, *La época de los primeros Borbones*, II, *La Cultura española entre el Barroco y la Ilustración*, Madrid, Espasa-Calpe, 1984, pp. 1-148; Id., *Verità della storia e ragioni*

l'Illuminismo che è il referente ideologico che lo articola al suo interno. Ma questo implica già un riconoscimento, che l'orologio della Spagna del Settecento batte la stessa ora di quello europeo. Mentre non solo nella manualistica, ma anche in studi seri dedicati all'Illuminismo e al secolo delle riforme, si assiste o alla totale rimozione della Spagna da un processo che investe tutta l'Europa, quasi che essa percorra sentieri ormai obsoleti, o alla riduzione di quello che è stato un faticoso e complesso tentativo di riallineare la Spagna alle nuove problematiche della cultura e della politica riformatrice europea, ad una, alla fine poi fallimentare, importazione di modelli francesi.

È invece da precisare subito che l'età dei Lumi, nel senso ampio del termine, investe anche quello spazio che la barriera pirenaica sembrerebbe come tagliare dal resto dell'Europa. L'affermazione di Luigi XIV che, dopo l'avvento della dinastia borbonica in Spagna, non esistono più i Pirenei, presa fuori dal suo connotato polemico, indica una verità che s'andrà a mano a mano sempre più consolidando: nel senso che, dopo l'isolamento dei cosiddetti "Austrias menores", la Spagna, dopo la crisi deflazionistica degli ultimi anni del regno di Carlo II, con l'avvento della dinastia borbonica entra ormai in pieno nella dinamica politica e culturale europea, e non è una "zona oscura" dell'Europa dei Lumi, ma un momento della dinamica di trasformazione nella quale è inserito l'intero mosaico europeo.

Detto ciò, bisogna però precisare anche che la luce non va solo proiettata, come è stato affermato[8], sulla seconda metà del secolo, e in modo specifico sull'età di Carlo III (1759-1789) ma che l'intero arco delle tematiche che costituisce quell'insieme che viene chiamato *Ilustración*, rinvia, come accade per gli altri Illuminismi europei, a quella piattaforma di decollo che viene solitamente definita, prendendo a prestito il titolo del famoso libro di Paul Hazard, la già citata "crisi della coscienza europea".

Come ho già avuto modo di precisare, quando affrontiamo il Settecento in Spagna, inteso ovviamente non come tempo cronologicamente definito, ma come 'periodo' che si slabbra, sul piano dei tempi, al suo inizio e alla sua fine, si deve tener presente che esso deve essere pensato come una 'catena' di eventi

del potere nella Spagna del primo Settecento, Milano, Franco Angeli, 1989; Id., *Appunti sul problema della periodizzazione del Settecento Spagnolo*, in "Rassegna Iberistica". Omaggio a F. Meregalli, n.° 46 (marzo 1993) pp. 151-166; Id., *Un decennio di storiografia italiana sul Settecento in Spagna* (1980-90), in *Storia della Storiografia*, 1993.

[8] Cfr. le osservazioni in proposito di R. Froldi, *Sobre la historiografía española de la cultura y literatura española del siglo XVIII*, in "Nueva Revista de Filología Hispánica", México, XXIII (1984) p. 63.

politico-culturali cronologicamente aperta, nel senso che non è possibile chiudere la *Ilustración* nell'arco temporale che corrisponde all'età delle riforme di Carlo III, come alcuni vorrebbero, ma la si deve far decollare con il mutamento di congiuntura del 1680, individuarne una sua specificità, sia culturale che politica, durante i regni dei due primi Borboni, e dilatare la sua presenza ben al dilà della chiusura momentanea del 1789, determinata dal cosiddetto 'panico' di Floridablanca, facendola approdare e dissolversi in un mare che si tinge di ben altri colori, alle Cortes di Cadice del 1812. L'idea infatti di una soluzione di continuità tra la cultura spagnola del Settecento e quella della seconda metà del secolo precedente va profondamente riveduta. Da un lato il regalismo, che individua una gran parte del progetto riformatore settecentesco, riprende molte delle tematiche già presenti nel secolo XVII, dall'altro il riformismo religioso, che erroneamente verrà etichettato nel tardo Settecento di giansenismo, si riallaccia a quell''erasmismo bloccato' del secolo XVI e alle problematiche di Luis Vives, dei due Fray Luis, di Santa Teresa e di Arias Montano, riproponendo un ritorno ad un cristianesimo delle origini ed una critica del cattolicesimo superstizioso popolare, privo delle durezze del giansenismo francese e più vicino al pietismo, e che ingloba inoltre certe tematiche della cultura classica[9].

Non solo, ma in generale e soprattutto per il problema specifico che ci riguarda, quella progettualità riformatrice, al limite della stravaganza propositiva, che è l'*arbitrismo* barocco, sul quale cade ancora il giudizio modellato sull'impietosa satira che ne fece Francisco de Quevedo, non scompare con la fine della monarchia asburgica, ma continua sotterraneo un suo particolare percorso lungo tutto il Settecento. Esso infatti se ha perso quella connotazione di disperato pessimismo 'esistenziale' sui mali della Spagna che però contemporaneamente non rinuncia ad esaltare la grandezza della propria 'autenticità come differenza', riappare nel suo aspetto di 'discorso sulle riforme' e di ricerca così forte dell''alterità' ad un sistema in crisi, recuperando così quella dimensione utopica nella quale s'era di fatto imbozzolato.

Date queste premesse, risulta comprensibile come l'inizio dell'itinerario che si dovrebbe percorrere sia da spostarsi nella seconda metà del XVII secolo, nella quale si organizzano appunto le risposte che da un lato si presentano come fughe in avanti, al limite del fantastico, "quimeras de pensar arbitrios, medios y

[9] G. Stiffoni, *L'Illuminismo spagnolo*, in *Atti del Convegno su Tendenze e orientamenti della storiografia spagnola contemporanea*, Università di San Marino, 21-24 aprile 1993 (di prossima pubblicazione).

novedades"[10] e che appartengono a quella che viene chiamata letteratura *arbitrista* o *proyectista*, e dall'altra agiscono sull'immaginario collettivo creando quella riserva di speranze di cui si nutre la devozione popolare, di cui non si potrà non tener conto ma sulla quale si dovrà operare un recupero attraverso quello che Feijoo chiamerà il "disinganno degli errori comuni".

Su di un telone di fondo dove si muovono pesti, carestie, sconfitte belliche e deboli uomini politici non come spettri ma come oscure e gravose realtà, in un tempo che la storiografia tradizionale ha sempre dipinto a tinte fosche, marchiando a fuoco, dentro e fuori lo spazio ispanico, il senso dell'irreversibile esistenza della "decadenza", anche quando fatti contrari balzavano sulla scena a contraddirla, si era staccata con una chiarezza mai vista, una visione del mondo originale, unica, diversa: uno specchio dove si rifletteva l'immagine costruita del 'dover essere' a lungo cercato e finalmente incontrato. La cultura spagnola barocca non era arrancata più dietro i luminosi modelli europei del Rinascimento, ma aveva disegnato un cerchio dentro il quale s'era chiusa sprofondando nella ricerca di un'autenticità capace di trascendere uomini e cose. Aveva creato un'immagine che la autodefiniva, staccandola dall'Europa, in un'isola magica che insieme fece inorridire ed incantò gli spiriti più sottili della cultura europea del tempo.

Il giurista di Valladolid Martín González de Cellorigo parla del suo Paese come di una "repubblica di uomini incantati". Nel secolo XVII, ha scritto José Cepeda Adán, "ognuno vive in un proprio inganno che vuol far credere agli altri, e questa fantasmagoria avvolge tutti in tutte le relazioni sociali"[11]. Chiusa in sé stessa, coltivando la propria autenticità contro la "pazzia dell'Europa", la Spagna – per usare la metafora di uno dei suoi maggiori pensatori politici, Saavedra y Fajardo –, aveva lanciato la sua freccia verso il cielo, ma, toccato il punto più alto, questa aveva iniziato a scendere e l'oscurità nella quale s'era accesa la luce aveva rioccupato lo spazio diventato chiaro. Ma tale spazio si era comunque introiettato nell'*Erlebnis* collettivo, e di esso si era fatta custode una cultura impegnata a ripulirlo e a rimetterlo al passo con quell'Europa dalla quale, per costruirlo, si era sprezzantemente distanziata. Bisognava ripescarlo da quel negativo che l'aveva definito, inserirlo non come punto d'arrivo ma come punto di partenza per ritornare in quel mondo nel quale si era stati e dal quale ci

[10] Cit. in J. Vilar, *La figura satírica del arbitrista del Siglo de Oro*, Madrid, 1973, p. 36.

[11] J. Cepeda Adán, *Los españoles entre el ensueño y la realidad*, *Prólogo* in *Historia de España Menéndez Pidal*, t. XXVI, *El siglo del Quijote (1580-1680), I, Religión, Filosofía, Ciencia*, Madrid, Espasa Calpe, 1986, p. XXII.

si era ritratti. Operazione di grande difficoltà perché bisognava superare quella "crisi della speranza" da cui pareva non si potesse più uscire, anche perché tale crisi era la sua definizione.

Io credo che, dentro tale operazione, per niente coordinata, ma che ha una sua nascosta unità, va collocata la letteratura, che non esiterei a chiamare utopica, di quel gruppo d'intellettuali del secolo XVII che vengono chiamati "arbitristi", perché elaborarono degli *arbitrios* cioè dei progetti di riforma partendo da un'analisi della catastrofica situazione del Paese, e che è estremamente articolata. e non escluderei la possibilità di ripercorrere i sentieri segreti di una possibile influenza della traduzione in castigliano, ad opera di Jerónimo Antonio de Medilla y Porres, dell'*Utopia* di Thomas More apparsa, dopo aver con astuzia evitato i rigori dell'Inquisizione, a Cordoba nel 1637[12].

Juan Ignacio Gutiérrez Nieto ha proposto di scompattare questo gruppo di pensatori, di solito presi in blocco e in blocco sottoposti ad un giudizio negativo, e di suddividerli in due gruppi: arbitristi fiscali e finanziari, arbitristi economici ed arbitristi politici, arbitristi sociali, arbitristi tecnici[13].

Il primo gruppo, quello maggiormente screditato e sottoposto a violente satire anche da parte dei contemporanei, è quello di coloro che immaginano stravaganti soluzioni per ottenere nuove tasse e risolvere la crisi finanziaria dell'impero. È questo un gruppo, insieme all'ultimo dei tecnici, che non riveste per noi alcun interesse, oltre che essere cronologicamente spostato, nella maggioranza dei casi, verso la prima metà del Seicento.

Di maggior interesse, invece, sono gli altri gruppi. Il secondo perché affronta i temi relativi alla questione agraria e alla politica mercantilistica, terreno sul quale la dimensione utopica occupa un suo spazio rilevante. Il terzo, quello più stimolante e più vicino al nostro discorso, perché esso propone o "una riforma totale dello Stato" o progetti riformatori economico-sociali o, "volendo contribuire alla conservazione e alla difesa della monarchia, propongono dei mezzi singolari che riguardano le relazioni internazionali, la milizia, rami concreti dell'Amministrazione o propongono la creazione di nuovi organismi politici". Il penultimo gruppo infine perché le "loro proposte riformiste incidono in modo diretto sulla società, o propugnando un cambiamento di valori sociali oppure proponendo delle misure che significano una radicale trasformazione

[12] Cfr. in proposito F. López Estrada, *Un centenario humanístico: Tomás Moro (1478-1978)*, in *Seis lecciones sobre la España de los Siglos de Oro. Homenaje a M. Bataillon*, Universidad de Sevilla, Université de Bordeaux, III, 1981, pp. 11-38.

[13] Cfr. J.I. Gutiérrez Nieto, *El pensamiento económico político y social de los arbitristas*, cit., p. 237.

dell'ordinamento per Stati"[14]. E qui va sottolineato il fatto, che non deve essere dimenticato che, come ha scritto Pedro Álvarez de Miranda, "entre los 'arbitrios' del XVII y los 'proyectos' del XVIII, hay, ciertamente, diferencias, pero también una sustancial continuidad, especialmente clara en la primera mitad del Setecientos"[15].

Indicando tale letteratura abbiamo tenuto presente la definizione di Horkheimer di utopia. "L'utopia – scrive uno dei maggiori rappresentanti della scuola di Francoforte – ha due aspetti; da una parte rappresenta la critica dell'esistente, dall'altra, la proposta di quello che dovrebbe esistere". Per quel che riguarda la letteratura arbitrista può servire poi il rinvio a quanto dice Neusüss, cioè che "l'intenzione utopica si concreta con maggior precisione nella determinazione positiva di quello che vuole, ma nella negazione di quello che non vuole. Se la realtà esistente è la negazione di una realtà possibile migliore, l'utopia è allora la negazione della negazione", e pertanto "l'intenzione utopica può manifestarsi anche lì dove si rinuncia ad immagini future"[16].

Anche se la situazione è molto diversa da quella inglese, e come referente la Spagna non ha né una società percorsa da una serie di linee dinamiche che conducono verso l'affermarsi di gruppi sociali dalle caratteristiche già chiaramente borghesi né quella serie di rivolte dal chiaro contenuto di 'utopie in atto' che esplodono durante la rivoluzione cronwelliana, la letteratura arbitrista si avvicina, per certi aspetti, a quella inglese: penso a personaggi come al tardo Winstanley o all'utopia 'borghese' dei quaccheri. Non è questa una strada da scartare, ma tentare di percorrere, anche se con la dovuta prudenza.

Comunque non è casuale che la prima utopia come "genere" si formi in quell'ambiente dove più forte è stata la presenza del criticismo storiografico, cioè Valencia, e dove, di conseguenza, maggiormente si sono sentite le inquietudini della "crisi della coscienza europea", e nel momento in cui la Guerra di Successione si trasformava in Spagna in una violenta guerra civile. Mi riferisco al testo anonimo intitolato *Sinapia*. Varie sono state le attribuzioni e la collocazione cronologica di tale opera, che è inutile qui riassumere. Credo sia accetta-

[14] *Ibid.*, I. c.

[15] P. Álvarez de Miranda, *"Proyectos" y "proyectistas" en el siglo XVIII español*, in "Boletín de la Real Academia de Historia, LXV, cuaderno CCXXVI (Septiembre-Diciembre 1985) p. 417.

[16] Entrambe le cit. sono tratte dal volume collettivo a cura di A. Neusüss, *Utopie. Begriff und Phänomen des Utopischen,* Neuwiend und Berlin, 1968 (trad. castigliana, Barcelona, 1971) cit. in J.A. Maravall, *El pensamiento utópico y el dinamismo de la historia europea*, in "Sistema", 14 (luglio, 1976) ora raccolto in *Utopía y reformismo en la España de los Austrias*, Madrid, Siglo XXI, 1982, p. 55.

bile quella ultimamente proposta da François Lopez, che la fa gravitare nel circolo intellettuale dei catalani o valenzani, e colloca la sua composizione negli anni in cui "si fronteggiano in territorio spagnolo, devastandolo, truppe francesi e tedesche", cioè durante la Guerra di Successione spagnola[17].

Ma se noi guardiamo a quel gruppo di esiliati che si sono rifugiati a Vienna e sono rimasti fedeli alla concezione asburgica dello Stato, non è difficile scorgere anche in essi una tensione utopica che è finalizzata appunto a costruire uno Stato alternativo a quello centralista dei Borboni. E in una storia dell'utopia non è da dimenticare la presenza di quest'opposizione, che dentro di sé mantiene una tensione riformatrice anche se connotata in senso ormai lontano da quello della "politica delle riforme", e si rifà a tematiche che risalgono al pensiero politico dell'età di Carlo II, e che risulta difficile incasellare dentro una specifica denotazione di classe, almeno direttamente, e gira intorno al problema della struttura dello Stato. Le tracce di tale pensiero non sono facili da cogliere perché la relazione non è quasi mai esplicita. Fatta eccezione per l'opera inedita del conte Amor de los Ríos, *Enfermedad chronica y peligrosa de los Reyes de España y de Indias: sus causas naturales y sus remedios*, redatto a Vienna nel 1741, il rinvio è nascosto tra le pieghe di un discorso che solo apparentemente si è lasciato definitivamente alle spalle la vecchia Spagna degli Asburgo[18].

Ma per tornare nel campo riformatore, una tensione utopica è riscontrabile nelle opere inedite di Campillo. Nel 1741 egli redige il suo *Lo que hay de más y de menos en España*[19]. Campillo è da considerarsi tra i ministri "illuminati" del regno di Filippo V, eppure il quadro che egli ci dà della situazione del Paese, che lui stesso ha retto per vari anni, è al limite del catastrofico. Ma non è su quest'aspetto dell'opera che voglio qui soffermarmi, ma sull'incisiva sottolineatura che viene fatta degli eccessi e degli arbitri del governo, su certe aggettivazioni assai significative, come quella di "venali" affibbiata ai ministri o di "vili" ai commercianti. Per Campillo da un lato esiste quello che potremmo chiamare un immobilismo della società civile e dall'altro una non funzionalità dell'apparato dello Stato. È la struttura della nuova organizzazione

[17] F. Lopez, *Une autre approche de "Sinapia"*, in *Las utopías en el mundo hispánico*. Actas del Coloquio celebrado en la Casa Velázquez, Universidad Complutense, 1990, p. 14.

[18] Cfr. A. Maravall, *Las tendencias de reforma política en el siglo XVIII español*, in "Revista de Occidente", 52 (julio 1967) pp. 53-82, ora ripubblicato in A. Maravall, *Estudios de historia del pensamiento español (siglo XVIII)*, Madrid, 1991, pp. 61-81.

[19] L'opera ebbe una certa circolazione clandestina, perché sono state individuate varie copie. Cfr. l'ed. a cura di A. Elorza, Madrid, Seminario de Historia Social y Económica de la Facultad de Filosofía y Letras, 1969.

dell'amministrazione statuale, che Campillo conosceva molto bene dall'interno, che non lo convince ed ad essa oppone una visione dello Stato, di tipo liberistico con una funzionalità organica degli apparati, che in quel momento è appunto ai limiti dell'utopia.

Di interesse per una storia dell'utopia è quella stravagante opera che suscitò le violente e, dal suo punto di vista di storico-filologo, giuste critiche di Mayans, che è *La España primitiva* di Francisco Javier Huerta y Vega del 1738. "Con la sua *España primitiva* – ebbi modo già di notare – Huerta costruiva infondo la storia di una possibilità mancata, collocando in tal modo la storia delle origini nella dimensione dell'utopia. Le chimere storiografiche di Huerta non conducevano dunque verso l'evasione fantastica ma verso il *proyecto*. Era una specie, se ci è permessa questa forzatura, di ripresa del fantasticare arbitrista proiettato forzatamente all'indietro verso le origini, a cui viene tolto l'immaginario del futuro e nel quale si proietta invece tutto l'immaginario del passato mitico"[20].

Tracce di questa tensione utopica vanno, a mio avviso, rintracciate in un'opera poco nota e ancora depositata manoscritta negli archivi, che è il *Discurso anónimo sobre la decadencia de la monarquía de España*[21], che non porta data ma è con ogni probabilità della fine degli anni Quaranta, dove si insiste sul problema della necessità di uno Stato fatto da "buoni ministri".

Vi è un'altra opera che reca tracce di un "proyectismo" utopico: si tratta degli *Apuntes sobre el bien y el mal de España en que se proponen varios medios para restablecerla a su antiguo esplendor y opulencia* di Miguel Antonio de la Gándara, datati Napoli 5 luglio 1759, e che è opera commissionata dal Tanucci per consegnarla a Carlo III, diventato in quell'anno appunto re di Spagna[22]. Lo scritto di Gándara è molto articolato al suo interno e varie sono le tematiche affrontate[23], che non interessa qui esaminare, ma egli insiste soprattutto su due punti, quello della necessità di spezzare il monolitismo ideologico della società spagnola e quello d'introdurre nel Paese la totale libertà di pensiero, la cui assenza è all'origine, secondo lui, del ritardo culturale spagnolo.

[20] G. Stiffoni, *Verità della storia*, cit., pp. 237-238.

[21] Si trova nella BRAH., 9/5724.

[22] Vi sono varie copie ms. dell'opera, cito solo quelle che si trovano nella B.N. di Madrid, ms. 5863, ms. 6690, ms. 9466, ms. 10403, ms. 10854, ms. 13309, ms. 22187.

[23] Sul pensiero di Gándara cfr. Desdevides Du Dezert, *Un réformateur au XVIIIe siècle, Don Miguel Antonio de la Gándara*, in "Revista de Archivos, Bibliotecas y Museos" (1906) pp. 274-293; A. Elorza, *Mercantilismo y nacionalismo en el proyecto del abate Gándara*, in "Anuario de Historia Económica y Social", n. 1 (1968) pp. 639-42; Id., *La ideología liberal en la Ilustración española*, Madrid, 1970, pp. 38-46.

Tensioni utopiche sono rintracciabili nel pensiero e nella prassi riformatrice di Campomanes (si ricordi che il manoscritto di *Sinapia* è stato rintracciato nella biblioteca di Campomanes) e di Olavide[24].

Poi appaiono tre utopie vere e proprie, che hanno però un carattere tutto particolare, perché una, il *Tratado de la monarquía colombina*, è chiaramente una controutopia, anche se caricata del valore polisemico del termine, mentre le due utopie pubblicate nella rivista "El Censor", gli *Ayparchontes* e la *Cosmonia*[25], riflettono la resistenza del gruppo giansenista nei confronti della controffensiva tradizionalista che comincia a scatenarsi negli ultimi anni del regno di Carlo III ed hanno una tramatura complessa e spesso contraddittoria.

Quanto all'altro gruppo di utopie, mi riferisco ad opere come il terzo e il quarto tomo del *Suplemento* ai *Viajes de Enrique Wanton a las tierras incógnitas australes y al país de las Monas* (Madrid, 1778), che è opera originale di Joaquín de Guzmán y Manrique, traduttore al castigliano dei due primi volumi dei *Viaggi di Enrico Wanton* di Zaccaria Seriman[26]; il *Viaje estático al mundo planetario* (Madrid, 1793-94) di Lorenzo Hervás y Panduro[27], l'opera più significativa del genere; il *Viaje de un Filósofo a Selenópolis, corte desconocida de los habitantes de la Tierra, escrito por él mismo y publicado por D.A.M. y E.* (Madrid, 1804)[28]; le parti utopiche del romanzo *Las aventuras de Juan Luis* (cap. VIII-XII) di Diego Ventura Rejón y Lucas (Madrid, 1781)[29]; quelle presenti nei romanzi *Eusebio* (Madrid, 1786), *Antenor* (1788) e *Mirtilo, o los pastores trashumantes* (Madrid, 1795) del gesuita espulso Pedro Montengón[30] e

[24] Cfr. G. Dufour, *Utopie et Ilustración: El Evangelio en triunfo de Pablo de Olavide*, in *Las utopías en el mundo hispánico*, cit., pp. 73-78.

[25] Si tratta delle tre *Cartas*, pubblicate nei numeri LXI, LXIII e LXXV, nelle quali viene trascritto un manoscritto trovato in una libreria di Madrid nel 1781, in cui viene esposta una "descripción moral y política de las tierras australes incógnitas", nelle quali esiste una parte "que él llama los *Ayparchontes*", e alle altre *Cartas* inserite nei *Discursos* LXXXIX, XC, CI, CVI e CVII, nelle quali si parla di un'altra utopia, quella di *Cosmonia*.

[26] Cfr. in proposito D. Maxwell Withe, *Zaccaria Seriman 1709-1784 and the 'Viaggi di Enrico Wanton'*, Manchester, University Press, 1961.

[27] C. Murciano, *Hervás y Panduro y los mundos habitados*, México, Candil, 1971 e M.Z. Hafter, *op. cit.*, pp. 278-79.

[28] L'opera è stata attribuita ad Antonio Marqués y Espejo. Cfr. J.J. Ferreras, *Los orígenes de la novela decimonónica (1800-1830)*, Madrid, Taurus, 1973, pp. 115 e sgg.

[29] Cfr. A. Amorós, *Las "Aventuras de Juan Luis", novela didáctica del siglo XVIII*, in *Estudios sobre literatura y arte dedicados al profesor Emilio Orozco Díaz*, Granada, Universidad, 1979, I, pp. 51-64.

[30] Cfr. M. Fabbri, *Un aspetto dell'Illuminismo spagnolo: l'opera letteraria di Pedro Montengón*, Pisa, 1972. In esso il Fabbri abbatte "l'asserita inidoneità degli spagnoli alla creazione utopica [...] giustificata dalla congenita e marcata tendenza al realismo e

nelle due versioni del racconto *Eudamonopeia* (1796) di Joaquín Traggia, che però non venne pubblicato e di cui si è venuti a conoscenza solo pochi anni or sono[31]. Ebbene, va sottolineato il fatto che tali opere vengono alla luce solo verso la fine del secolo e slittano già fuori dei limiti dell'*Ilustración* propriamente detta (ammesso che si possa accettare una fermata cronologicamente datata fine anni Settanta), entrando a far parte di un contesto epistemologico dove i viaggi nel mondo delle relazioni tra magia e scienza si fanno meno lineari ed esprimono esigenze socio-politiche e culturali legate alla presenza di gruppi sociali più ampi nel processo della comunicazione[32]. I valori dell'Illuminismo vengono ciò nondimeno conservati anche se subiscono delle trasformazioni o sono resi più complessi, a tal punto a volte che l'impressione immediata è che da tali valori ci si sia piuttosto allontanati, tanto che non si è esitato a collocare tali utopie tra i testi della letteratura di carattere antiilluminista.

Spero che queste rapide considerazioni, dettate dalla contingenza di un 'omaggio', e queste indicazioni, evidentemente discutibili, su percorsi sinora trascurati per una storia dell'utopia nella Spagna del Sei-Settecento, possano servire a stimolare nuove riflessioni e sollecitare ad ulteriori approfondimenti.

dall'intolleranza censoria". (M. Fabbri, *op. cit.*, p. 49) e propone una Spagna settecentesca partecipe di quelle "ossessioni e rivolte", di cui parla Baczko, "anche se la sua produzione utopica, nelle forme narrative più tradizionali, è meno abbondante e variata di quella inglese e francese" (*ibid.*, p. 50).

[31] Fu scoperto a Saragoza, nel 1976, da Annick Emieux, ma non mi risulta che la promessa sua edizione sia stata effettuata.

[32] Cfr. al proposito le stimolanti osservazioni di V. Ferrone, *I profeti dell'Illuminismo. Le metamorfosi della ragione nel tardo Settecento italiano*, Bari, Laterza, 1989.

Leandro Fernández de Moratín compra unos libros italianos en la librería Fayolle de París (BNM ms. 18665-70)

Belén Tejerina

Entre los papeles de Leandro Fernández de Moratín (1760-1828) conservados actualmente en la Biblioteca Nacional de Madrid (BNM) hay un folio autógrafo, inédito, que contiene una lista de títulos de libros italianos con sus respectivos precios. Está catalogado con el número ms. 18665-70 (olim PV. Fol. C. 28, N° 70) y el título es *Lista de los títulos, fechas y precios de algunos libros interesantes*.

Este folio (mm 250 X 200) está escrito en tinta en el recto y verso, y conserva todavía dos marcas de haber sido doblado horizontalmente en tres partes y después a la mitad formando un cuadrado (mm 100 X 95); además tiene tres pliegues verticales que han servido de guía para respetar los márgenes y no torcerse al escribir los precios. En el verso plegado hay un pequeño borrón y escrito en tinta: "83". La nota final: "Se han pedido a París los artículos que no tienen raya al margen" está escrita con una tinta de color diferente que la del texto, lo que demuestra que ha sido redactada en otro momento.

Hemos logrado descubrir que estos apuntes moratinianos proceden del *Catálogo* que la librería de Louis Fayolle publicaba para anunciar los libros que tenía a la venta en 1817[1], situada en la época, como el mismo don Leandro escribe en su nota, en París en la rue Saint-Honoré, n.° 284; su especialización era la venta de libros italianos pero ofrecía también obras españolas, portuguesas e

[1] *Catalogue des livres anciens et moderns qui se trouvent chez Louis Fayolle, libraire*, rue Saint-Honoré, n.° 284, près l'église Saint-Roch a Paris, Parigi, P.N. Rougeron, maggio 1817.

inglesas[2]. Fayolle era además editor, entre sus ediciones figuran algunas comedias de Goldoni en lengua original[3].

El *Catálogo* que a nosotros nos interesa por ser el que ha utilizado Moratín, vio la luz en mayo de 1817, está redactado en francés al igual que los de 1823[4], 1826[5] y 1837[6]; los *Catálogos* de 1810[7] y de 1812[8] están en italiano. Este *Catálogo* de 1817 tiene 102 páginas y está formado por 1650 obras italianas, presentadas en orden alfabético de autores, posee tres apéndices – sin numerar – en donde aparecen anunciadas las ediciones de L. Fayolle, libros portugueses y españoles dedicados a la juventud y obras depositadas por los autores o editores en esta librería para la venta; en el apéndice de los libros españoles del *Catálogo* de 1823 figura, entre los treinta y siete que se anuncian, la edición de Baudry de 1820 de las comedias de Moratín[9].

Las excelentes y bellas ediciones italianas que Fayolle ofrece a sus clientes provienen casi todas de Italia. El librero francés manifiesta que mantenía correspondencia no sólo con librerías de Venecia, centro, como es sabido, de gran

[2] Hemos consultado los catálogos de L. Fayolle conservados en la Biblioteca Nacional de París: Librairie Fayoll 1810-1837 Q 10 B.

[3] *Scelta di alcune commedie del Goldoni per uso de'dilettanti della lingua italiana. Nuova edizione corretta da L. Pio*, Parigi, L. Fayolle, (s. a.) in 12. Contiene las siguientes comedias: *Pamela*, *Il vero amico*, *L'avventuriere onorato*, *La villeggiatura*, *L'osteria delle poste*. Fayolle publicó varias ediciones: 1813, 1818, 1825, 1827, 1831, 1835 pero no siempre contienen las mismas comedias.

[4] *Catalogue des livres italiens anciens et modernes qui se trouvent chez Ls Fayolle, libraire*, Rue Saint-Honoré, n.° 284 a Paris, Nancy, Imprimerie D'Haener, mars 1823, 61 pp.

[5] *Librairie Italienne de Louis Fayolle. Catalogue d'assortiment*, Paris, Rue du Rempart Saint-Honoré, n.° 9, 1826, imprime Moreau, rue Montmartre, n. ° 39. Prix 60 centimes, 52 pp. Los libros aparecen clasificados por materias, lleva un índice de nombres de autores.

[6] *Libraire Italienne de Fayolle et Cie*, Rue du Bouloi n.° 25, Hôtel des Domaines, Paris, imprimerie de L.B. Thomassin et comp., 1837.

[7] *Catalogo de' libri italiani, spagnoli, e inglesi che si trovano vendibili da Luigi Fayolle*, librajo Strada Saint Honore, n.° 284. Si vende 50 cent. Parigi, Stamperia di Fain, novembre 1810. Además de libros italianos posee un suplemento en orden alfabético sin numerar de libros de devoción, portugueses, españoles e ingleses, hay además en este catálogo "Descrizione di alcune opere elementari convenevoli allo studio della lingua italiana".

[8] *Catalogo de' libri italiani che si trovano attualmente vendibili presso Luigi Fayolle, librajo* Strada Saint Honore, n.° 284. Si vende 5° cent. Parigi, Stamperia di Fain, novembre 1810. Además de libros italianos posee un suplemento en orden alfabético sin numerar de libros de devoción, portugueses, españoles e ingleses, hay además en este catálogo "Descrizione di alcune opere elementari convenevoli allo studio della lingua italiana".

[9] "N.° 24, Moratín, *Comedias publicadas con el nombre de Inarco Celenio*, París, 1820".

actividad tipográfica, sino también con establecimientos de Nápoles, Florencia y Milán. Uno de los fines del librero, según escribe en el *Catálogo*, es el de enriquecer con bellas y raras ediciones italianas las bibliotecas de sus clientes. No hace falta subrayar que la librería Fayolle era conocida en las esferas intelectuales francesas e internacionales[10]. Como es de suponer sus *Catálogos* circulaban y no es extraño que Moratín los conociese y los consultara con atención, como documenta esta lista de libros. Presumimos que durante sus estancias en París más de una vez iría a esta librería aunque sólo fuera para curiosear.

Sabemos por el *Epistolario* de Moratín[11] que a finales de agosto de 1817 sale de Barcelona camino de Montpellier, en esta ciudad permanecerá hasta el 13 de marzo de 1818, fecha en que emprenderá viaje a París. En 1817 prefiere quedarse en el Sur de Francia que ir a la Capital en donde vivían sus amigos Juan Antonio Melón (1759-1843) y Vicente González Arnao (1766-1845)[12] porque, según manifiesta en sus cartas, el invierno en Montpellier es menos riguroso y la vida cuesta menos. Aquí nuestro dramaturgo por ciento cuarenta y dos francos mensuales puede tener un abono al teatro, "atiborrarse" con una comida de "tres platos y un gran tazón" – seguramente de chocolate – que le servía monsieur Guyot y disfrutar de una habitación "con sus buenos muebles, su chimenea, su cama matrimonial"[13]. Los meses que estuvo en Montpellier, como sabemos, los aprovecha para empezar a preparar la edición de las *Obras póstumas de don Nicolás*[14], que aparecerán en Barcelona en 1821[15].

No es difícil imaginar que en Montpellier cayera en sus manos el recién publicado *Catálogo* de Fayolle, aunque no hay que descartar que Melón se lo pudiera haber enviado desde París a Barcelona o a Montpellier. A pesar de no

[10] Quizá por estar especializado Fayolle en libros extranjeros su nombre no parece en ninguno de los cuatro volúmenes que forman la mágnifica *Histoire de l'édition française*, Paris, Jouve, 1984-1986.

[11] *Epistolario de Leandro Fernández de Moratín*. Edición, introducción y notas de René Andioc, Madrid, Castalia, 1973, las cartas que Moratín escribió desde Montpellier comprenden las pp. 374-395, 709-713.

[12] R. Andioc en un reciente artículo entre los numerosos datos inéditos publica las fechas de nacimiento y muerte de Melón, el primer testamento de Leandro Moratín y el último de Juan Antonio Melón en *De místicos y mágicos, clásicos y románticos. Homenaje a Ermanno Caldera*, Messina, Armando Siciliano editore, 1993, pp. 47-67.

[13] *Epistolario*, carta a Melón del 28 de septiembre de 1817, pp. 377-378.

[14] Cfr. B. Tejerina, *La obra de Nicolás F. de Moratín revisada por su hijo Leandro: El autógrafo de las Obras Póstumas conservado en la Biblioteca madrileña de Bartolomé March* en "Anales de Literatura Española, Universidad de Alicante", 9 (1993) pp. 155-180.

[15] *Obras Póstumas de D. Nicolás Fernández de Moratín. Entre los Árcades de Roma: Flumisbo Thermodonciaco*, Barcelona, Imprenta de la Viuda de Roca, 1821.

conocer actualmente ninguna carta moratiniana en la que se nombre al librero francés el *Epistolario* nos suministra abundantes noticias de como Melón en esta época – y también en otras – le tenía al corriente de las rarezas bibliográficas que se vendían en París o en otros lugares y los *Catálogos* parisinos, como acabamos de decir, poseen una pequeña sección de libros españoles.

En estos años, más de una vez Moratín encarga a Melón en sus cartas que en París le busque y compre libros difíciles de encontrar en España:

> Y ¿por qué, no había de hallarse por ahí algún *Amadís de Gaula* (es español se entiende), alguna *Celestina*, algún *Lazarillo de Tormes* sin castración, algún *Romancero general*, algún *Cancionero general*, impreso en Amberes, algún *Siglo de oro* de Valbuena, y en suma, alguno de los muchos libros que ya no aparecen por acá?[16].

Merece la pena citar también otro fragmento en el que Leandro recuerda a su amigo Melón "No te olvides de ver esa *Celestina*, con la traducción francesa, y en quanto la darán"[17]. En 1817 Moratín se siente muy orgulloso, a juzgar por las veces que lo menciona, de haber logrado adquirir en París, tramite Melón, la rara edición de *La Thebayda*, *La Tolomea* y *La Serafina*, impresa en Valencia en 1521 y que utilizará en parte en los *Orígenes del teatro*[18].

La lista moratiniana que está examinado está formada por dieciocho títulos de obras de literatura italiana, excepto en un caso [9], que comentaremos más adelante, sigue el orden alfabético del *Catálogo* y el mismo método de redacción, las diferencias son tan irrelevantes que no merece la pena comentarlas. Conserva el precio en francos y con el fin de poder sumar al final el importe total de los libros, añade delante de las unidades dos ceros y de las decenas uno. Las obras seleccionadas están publicadas en Génova, Milán, Módena, Nápoles, Padua, París, Pisa, Roma y Venecia. La edición más antigua de la lista es la *Storia del Concilio tridentino* de P. Sarpi de 1629 [17] y la más moderna las *Opere* de Metastasio, 1811 [11]. La nota que aparece al final de la lista: "Se

[16] *Epistolario,* carta desde Barcelona del 13 de julio de 1817, p. 372; se lo vuelve a recordar en la carta del 10 de septiembre, p. 376.

[17] *Epistolario*, carta desde Montpellier del 5.11.1817, p. 383.

[18] Escribe a Mariquita desde Barcelona (6.9.1817): "Ha parecido en Lutecia un librote, que me enviarán sin falta; y quando venga, no trueco mi opulencia por la de Midas, el de las aures asininas. Es nada menos que las tres citadas, y vueltas a citar y nunca vistas, Comedias de *La Thebayda*, *La Tolomea* y *La Serafina*, impresas en Valencia, en el año de 1521 [...] Con esta nueva adquisición tengo ya material para unos ocho tomos de piezas dramáticas del primer siglo del teatro español, empezando en Juan de la Encina y acabando por Juan de la Cueva", Epistolario, p. 370, cfr. también pp. 369, 371, 374, 376.

han pedido a París los artículos que no tienen raya al margen", nos indica que Moratín intenta comprar por correo en esta ocasión las obras de A. Caro [3], M. Cesarotti [4], Lucrecio [10], G. Parini [12], Plauto [15] y P. Sarpi [17], cuyo precio total ascendía a 177 francos.

¿Compró efectivamente Moratín estas obras? Nos inclinamos a creer que no logró adquirir estos seis libros porque si los hubiera comprado es probable que aparecieran en un *Inventario* de sus libros redactado de su puño y letra alrededor de 1826 que hoy se conserva en la BNM (ms. 18666-3). Este inventario de uso personal está formado por ciento noventa y cinco títulos entre los que hay algunos manuscritos; Moratín registra en primer lugar el número de volúmenes y a continuación el título que suele ser aproximativo, sólo en contadas ocasiones da la fecha de la edición[19] y el nombre del autor; aquí aparecen registradas *La Thebayda, La Tolomea y La Serafina*[20] adquiridas en esta época, como acabamos de decir. ¿Había comprado anteriormente otras obras de esta lista? O ¿las comprará al llegar a París? Lo cierto es que siete de los libros que contiene la lista sacada del *Catálogo* y están sin marcar se encuentran también en el *Inventario*[21]. Obras de Ariosto, Frugoni y Goldoni aparecen registradas tanto en la lista como en el *Inventario* pero se trata de ediciones diferentes[22]; no hay que descartar que quizás pudo comprar también en esta ocasión en la librería Fayolle pues en el *Catálogo* aparecen estas mismas ediciones.

Moratín en Montpellier, según cuenta a Melón, espera la llegada de doce cajones de libros que dejó en Barcelona[23], su intención antes de enviarlos a París era el deshacerse "de una porción de los tales libros, y muchos de ellos para adquirirlos de mejores ediciones, si es que el erario lo permite"[24]. En efecto en Montpellier vende algunos libros pues a París llegaron solamente once cajones

[19] Próximamente publicaremos este *Inventario* que plantea tantos problemas de identificación de los textos.

[20] "1. *Comedias Thebayda Hipolita y Serafina*".

[21] [1] "2. *Argonautica* di Apolonio Rhodio", [5] "3. *Rime* del Chiabrera", [8] "1. Il perché", [11] "17. *Opere* di Metastasio", [14] "1. Pindaro volgarizato sul Adimari", [16] "1. *La Tebayde* di Statio", [18] "1. Tassoni, *Secchia rapita*".

[22] Las *Poesie* de Frugoni [6] en el Catálogo de Fayolle tienen 4 vols. y en el *Inventario* de Moratín, 2; las obras completas de Ariosto [2] en el *Catálogo* tienen 2 vols. y en el *Inventario* en cambio aparece un *Orlando Furioso* de 5 vols; la edición de las obras de Goldoni [7] en el *Catálogo* están formadas por 44 vols. y en el Inventario de Moratín por 30 vols. las Comedias más 3 de las *Mémoires*.

[23] *Epistolario*, carta desde Montpellier del 28 de septiembre de 1817, p. 378.

[24] *Epistolario*, carta del 5 de diciembre de 1817, p. 386

de los doce enviados desde Barcelona[25]. Era un momento propicio para que Moratín escogiese las magníficas ediciones que le interesaban del *Catálogo* Fayolle, pagándolas, aunque fuera en parte, con el dinero de la venta de los libros.

Al estar formado el *Catálogo* por 1650 libros Inarco en su elección refleja indudablemente sus intereses y gustos; si exceptuamos las obras que llevan los números 5, 8, 14, 15, 16 que son ejemplares únicos, en los demás casos ha tenido que elegir entre un vasto número de ediciones; de Ariosto [2] ha preferido las *Opere complete* a una de las diecisiete ediciones que aparecen en el *Catálogo* (n.os 106-122) del *Orlando Furioso*; de Annibal Caro [3] ha seleccionado la traducción más bella de Virgilio que existía en la época, es la edición más antigua y lujosa de *L'Eneide* que aparece en el *Catálogo*, costaba 36 francos, está publicada en París en 1760 por la Viuda de Quilland cuando podía haber comprado una edición de las *Opere complete* (n.º 372) (n.º 374) aparecidas en Milán en 1807 por 20 francos, también en el *Catálogo* aparece una edición de la *Eneide*, *Bucoliche* y *Georgiche* publicada en Venecia en 1809 (n.º 375) que costaba sólo 3 francos; de Frugoni [6] ha preferido la edición del Padre Soave de las *Poesie* publicadas en Venecia a las *Opere complete* (n.º 706) publicadas por Bodoni en 1799 quizás por el elevado precio: 50 francos; de Lucrecio [10] ha seleccionado una traducción en versos toscanos, es la edición más costosa cuando había podido elegir una aparecida en París en 1761 (n.º 940) de 2 tomos que costaba sólo 7 francos o la de 1768 de Londres (n.º 942) de 6 francos; de *Le opere* de Metastasio (n.os 1043-1051) no ha apuntado, quizás por ser demasiado costosa, la edición de las obras del Abate Pezzana de 12 volúmenes publicada en París en 1780-1782 por la viuda Hérissant, cuyo precio era de 200 francos, pero no ha dudado en comprar, a pesar del elevado precio: 100 francos, la conocida edición del Seminario de Padua [11] aunque hubiera ediciones a precios mucho más convenientes[26]; de Sarpi [17] ha optado por la magnífica edición de la *Historia del Concilio Tridentino* dejando las *Opere varie contra el Papa Paolo V e in favore della repubblica veneta*, publicada en Venecia en 1673; de las

[25] Véase la carta a Francisca Muñoz (París, 14.5.1818), *Epistolario*, p. 395. Merece la pena citar también un fragmento de una carta a Melón (5.12.1817) en la que Moratín explica los motivos por los que no vendió los libros en Barcelona: "me desengañaron, diciéndome que sacaría poco más de lo que valieran al peso, porque allí, nisi utile est quod facimus, stulta est gloria. Física, matemáticas, geografía, botánica, medicina, economía, política, artes y oficios, de eso entienden, y eso estudian; y dígote, acá para entre los dos, que no van muy descaminados", *ibidem*, p. 386.

[26] Autor, recordemos, que gozaba de su admiración y que alaba en su *Viage a Italia*: cfr. L. Fernández de Moratín, *Viage a Italia*. Edición crítica de Belén Tejerina, Madrid, Espasa Calpe, 1991, pp. 291 y 433.

las diez ediciones que Fayolle ofrece (n.os 1518-1527) de *La secchia rapita* de Tassoni [18] Moratín escoge, exceptuando la publicada en Oxford en 1737, cuyo precio es de 10 francos, la más antigua y lujosa y por lo tanto más cara: 24 francos.

El que los precios del *Catálogo* de 1817 coincidan con los que aparecen en la lista nos confirma que ésta ha sido la fuente moratiniana, algunas de las ediciones escogidas por don Leandro se encuentran también en otros *Catálogos* de Fayolle pero tienen siempre precios diferentes de los que aparecen en la lista. A pesar de estas coincidencias hay una obra de las dieciocho que forman la lista: [9] "*La P. errante*, dialogo, in 12"[27] que no figura en el *Catálogo* de 1817, ni en ninguno de los otros, y que no hemos logrado identificar; los datos que nos da Moratín son escasos pero quizás en la época era tan conocida que no se necesitaban más indicaciones. Nos preguntamos si esta obra estaría añadida a mano en el *Catálogo* que manejó Moratín o es una información epistolar de Melón, el que Moratín dé el precio (4 francos) demuestra que no se la ha sacado de la manga y que estaba en venta en la librería Fayolle. Es sospechoso que éste sea el único libro que además de no aparecer en el *Catálogo* no está colocado en orden alfabético y vaya después de un libro pornográfico, *Il Libro del Perché*, que Moratín seguramente había leído, pues aparece registrado en su *Inventario*: "1. Il Perché": estas coincidencias nos hacen pensar que podía tratarse también de un libro pornográfico.

Los *Catálogos* de Fayolle contribuyen en la Francia del siglo XIX a la difusión del libro italiano y en menor medida a la del español, portugués e inglés; sería necesario estudiar todo este rico material para saber en nuestro caso los libros españoles que cruzaban la frontera.

Esta lista moratiniana nos ayuda a comprender mejor su producción literaria, sus gustos y preferencias intelectuales y confirma una vez más que la literatura italiana le era familiar al dramaturgo español. Demuestra su interés por los escritores del siglo XVIII, sus contemporáneos; en ella hay una vasta gama de poetas líricos italianos incluidas las obras completas de Parini, poeta, queremos recordar, al que conoce personalmente en Italia. Hay que destacar la ausencia de Alfieri, al que profesaba gran admiración, quizás debida a que poseía ya una edición en seis volúmenes de sus tragedias[28]. Autores clásicos, tan amados por Moratín como Ariosto y Petrarca no podían faltar; el que Petrarca aparezca con los comentarios de Tassoni refleja que Moratín sabe la importancia que han te-

[27] Esta obra no aparece registrada en ninguno de los *Catálogos* de Fayolle ni en el *Inventario autógrafo* de Moratín.

[28] Aparecen registradas así en su *Inventario*: "6. Alfieri, tragedie".

nido las investigaciones eruditas del Setecientos; se destaca la presencia de Chiabrera, el cual, aunque un poco precedente, es considerado modelo en el siglo XVIII porque ha reformado la lírica por la variedad de los metros y de los géneros que emplea; hay que subrayar la presencia de Plauto en vulgar que desde el siglo XV es modelo teatral y ofrece un material temático que está en la base de muchos argumentos de las comedias goldonianas; así mismo Tassoni representa el elemento heroico-cómico que añadía a la tradición elementos realísticos locales y regionales.

Como es sabido y en tantas ocasiones lo ha demostrado, Moratín aprecia las bellas ediciones de libros italianos que tanto pondera en el *Epistolario* y en el *Viage a Italia* y no quiere desperdiciar la ocasión que le brindaba el *Catálogo* Fayolle aunque sus finanzas no fueran muy prósperas. Esta lista es un buen testimonio del amor que profesaba a los libros y de la importancia que tienen en su vida. A este propósito recordemos un fragmento de la carta que escribió a Melón a raíz de la venta de algunos libros durante su estancia en Montpellier:

> Los demás [libros] que conserve me harán buena compañía; han sido mis amigos desde que aprendí a leer, y no sé apartarme de ellos. La mayor parte son españoles, y los hay entre ellos tales, que por ningún dinero se encuentran en España[29].

No podemos terminar estas notas sin comentar los problemas que plantean algunos datos de dos ediciones de las anunciadas por Fayolle en el *Catálogo* de 1817 y que Moratín reproduce. Actualmente no se conoce ninguna edición de *La Thebayda* de Estacio publicada en Roma en 1789, posiblemente la fecha esté equivocada; suponemos que podría tratarse de la célebre edición príncipe que el Cardenal Cornelio Bentivoglio D'Aragona dio a la imprenta tres años antes de su muerte[30]. Ésta tiene el texto en cursiva, unas magnificas viñetas de Girolamo Rosso aparecen al principio y al final de cada canto; el precio es alto: 15 francos, que es lo que le costaba a Moratín en esta época el chocolate de todo el mes. Un libro de estas características, tan lujoso y perfecto, tuvo que agradar tanto al dramaturgo que aparece, como dijimos, en el *Inventario* autógrafo: "1. La Tebayde di Statio".

Es necesario señalar también que actualmente no se conoce ninguna edición de las obras completas de Goldoni, formada por 44 volúmenes, publicada en Venecia en 1804; probablemente se trate de una reimpresión no autorizada

[29] *Epistolario*, 5 de diciembre de 1817, p. 386.

[30] Cfr. Cornelio Bentivoglio, *La Tebaide di Stazio*, introduzione e note di Carlo Calcaterra, 2 vols, Torino, Utet, 1928 (col. Classici italiani, X), I, pp. LXXVI-LXXXII.

en pocos ejemplares de la conocida edición de Antonio Zatta, la más completa de todo el s. XVIII, formada igualmente por 44 volúmenes en octavo, publicada en Venecia entre 1788 y 1795[31], pero en los 44 volúmenes no estaban comprendidos los tres volúmenes de la traducción de las *Mémoires* cuya primera edición es de 1787[32]. Excluimos que pueda tratarse de la edición de Giacchetti[33] porque consta de cincuenta volúmenes publicados en Prato entre 1819 y 1827. No nos parece probable que 1804 sea un error tipográfico porque esta misma edición aparece ya anunciada en el *Catálogo* de Fayolle de 1812[34], mientras que en el de 1810 aunque no aparezca nombrado Antonio Zatta se refieren a ella[35].

ADVERTENCIA

En la publicación crítica de la lista de obras italianas sacadas del *Catálogo* de la librería de Fayolle, cada obra está formada por tres secciones:

1. Contiene todos los datos bibliográficos de la obra tal y como aparecen en la lista moratiniana; por motivos prácticos los precios de los libros van a continuación de la ficha bibliográfica y no alineados en el margen derecho; para mayor claridad he asignado un número de orden a cada obra, que va entre corchetes. He puesto un asterisco en negrita a la izquierda del número entre los corchetes de las obras, que según la nota final ha pedido a París y en el autógrafo van sin raya en el margen izquierdo.

2. En primer lugar va el numero del *Catálogo* de la librería Fayolle, a continuación el nombre del autor y los datos bibliográficos, según aparecen en el *Catálogo* de donde Moratín ha tomado sus apuntes; entre corchetes van los datos que faltaban en la ficha y que nosotros hemos completado.

[31] *Opere teatrali del signor avvocato Carlo Goldoni veneziano: con rami allusivi*, Venezia, 1788-1795, dalle stampe di Antonio Zatta e figli, 44 tomi, in 8 °.

[32] *Mémoires de M. Goldoni, pour servir à l'histoire de sa vie, et à celle de son théâtre*, 3 t., Paris, Chez la Veuve Duchesne, 1787.

[33] *Opere complete di C. Goldoni*, 50 vols., Prato, Giacchetti, 1819-1827.

[34] "N.° 419 Goldoni (Carlo). *Raccolta di tutte le sue opere teatrali fra le quali molte fin ora inedite, di più le sue memorie*, Venezia, 1804, 44 vol. in 8, Gro 100 fr."

[35] "Goldoni (Carlo). *Raccolta di tutte le sue opere teatrali fra le quali molte fin ora inedite*, Venezia, 1788, seguite delle memorie, 47 vol. 100 fr.".

3. La ficha bibliográfica completa de la obra y las bibliotecas que poseen el ejemplar citado[36].

"Fayolle, Libraire, rue St Honor, num^{o} 284"

[1] Apollonio Rodio L'Argonautica tradotta ed illustrata da Flangini. Roma 1791. 2. vol. in 4$^{o.}$ parch., 027.

94 Apollonio Rodio. L'Argonautica tradotta ed illustrata da Flangini. Roma 1791, 2 vol. in 4 parch. 27 fr.

L'Argonautica di Apollonio Rodio. Tradotta ed illustrata [dal Cardinale Lodovico Flangini]. Tomo Primo, in Roma, a spese di Venanzio Monaldini e Paolo Giunchi, 1791, XL + 434 pp., 29 X 21 cm

Vol. II, Roma 1794, XXVIII + 531 pp.

BCPD F.1-2.180-M578; BSDPD Y 3 (Nero).

[2] Ariosto. Le opere complete con annotazioni. Venezia. 1730. 2. vol. fol. fig., 030.

105 Ariosto (Lodovico). Le opere complete con annotazioni. Venezia 1730. 2 vol. in fol. fig. 30 fr.

Opere di Messer Lodovico Ariosto nuovamente raccolte: di scelte e vaghe giunte ad esse spettanti in questa impressione adornate. Date in luce sotto gli auspicj di S.E. il Sig. Marchese Francesco Maria Baldassini Castelli di Goze. Tomo Primo, in Venezia, per Stefano Orlandini Professore, 1731.

Contiene: *Orlando Furioso di M. Lodovico Ariosto delle annotazioni de' più celebri autori che sopra esso hanno scritto e di altre utili, e vaghe giunte in questa impressione adornato come nell'Indice seguente la Prefazione si vede,* In Venezia, nella Stamperia di Stefano Orlandini, 1730, 576 pp., 41 X 28 cm.

Colofón: Il Fine de' Vocaboli e di tutta l'Opera, stampata e ridotta al suo essere da Stefano Orlandini Professore.

Vol. II: *Opere di M. Lodovico Ariosto. In questa impressione esattamente raccolte e scelte.* Annotazioni adornate. Tomo Secondo che contiene: I cinque canti, che seguono la materia del Furioso; Le Osservazioni del Lavezzuola sopra il detto; I luoghi comuni

[36] Hemos utilizados las siguientes siglas: BAV: Biblioteca Apostólica Vaticana; BCPD: Biblioteca Civica, Padua; BGVZ: Biblioteca Casa Goldoni, Venecia; BMVZ: Biblioteca Marciana, Venecia; BSBPD: Biblioteca San Biagio, Padua; BSDPD: Biblioteca del Seminario Diocesano, Padua.

del Furioso scelti dal Toscanella; L'Indice di tutte le Stanze del detto raccolte dal Rota; Le due commedie scritte in prosa; Le cinque commedie scritte in verso; Una lettera a M. Pietro Bembo; Le Rime; L'Erbolato; Le satire e le poesie latine, 400 pp.

Colofon: Il Fine del Secondo tomo delle Opere di M. Lodovico Ariosto, raccolte, stampate, e con diligenza corrette da Stefano Orlandini Stampator Veneto.

El vol. II no tiene fecha porque generalmente está encuadernado junto con el primero.

BCPD A.584; BSBPD 54.a.36-37; BSDPD Col. DD-EE-1-1.

[3]* Caro (Anibal) L'Eneide di Virgilio tradotta in versi sciolti. Parigi. Vedova Quilland. 1760. 2. vol. 8° leg. in vitela, 036.

373 Detto [Caro (Anibal)]. Eneide di Virgilio, tradotta in versi sciolti. Parigi, ved. Quilland, 1760. 2 vol. in 8. carta d'Olanda, leg. in vit. d. 36 fr.

L'Eneide di Virgilio del Commendatore Annibal Caro, Tomo primo, In Parigi, presso la Vedova Quilau, 1760, 4 + 314 pp., 23,5 x 15,5 cm.

El vol. II contiene los libros VII- XII.

BSDPD T=2x (Nero).

[4]* Cesarotti. *Iliade o la morte di Ettore*, poema omerico in versi italiani 4. vol. 8^{0}, 020.

428 [Cesarotti (Abate Melchior)], *Illiade, o la Morte di Ettore*, poema omerico in versi italiani, 4. vol. in 8. 20 fr.

L'Iliade ossia La morte di Ettore, Poema omerico ridotto in verso italiano dall'Abbate Melchior Cesarotti. Edizione corretta ed accresciuta dall'autore, tomo I, in Venezia, presso Giustino Pasquali Mario, 1803, 358 pp., 20 x 14 cm.

El 2° vol. tiene 336 pp.; el 3° (1804), 302 pp.; el 4° (1804), 304 pp.

BSDPD 35C.94-97.

[5] Chiabrera. *Tutte le rime*, Milano, 1807. 3. vol. 8°, 018.

437 *Tutte le rime di Chiabrera*, Milano, 1807, 3 vol. in 8. Edizione dei classici italiani. 18 fr.

Rime di Gabriello Chiabrera. Volume primo contenente le canzoni eroiche, le lugubri, le sagre e le morali, Milano, Dalla Società Tipografica de' classici italiani, contrada di S. Margherita, n° 1118, 1807, XLVIII + 423 pp., 21 X 13 cm.

El vol. 2º contiene: *Canzonette amorose, e morali, scherzi, sonetti, epitaffj, vendemmeie, egloghe e sermoni*, 393 pp.; el vol. 3º es del 1808 y contiene: *poemetti profani e sacri*, 317 pp.

BSDPD 131.a.77-79.

[6] Frugoni. *Poesie scelte* Venezia 1793. 4. vol., 008.

708 [Frugoni (Abbate Carlo Innocenzo)]. *Poesie scelte*, edizione pubblicata dal Padre Soave, Venezia, 1793, 4 vol. in 12. 8 fr.

Poesie scelte dell'Abate Carlo Innocenzo Frugoni, fra gli arcadi Comante Eginetico, colla vita dell'autore ed un discorso intorno alle medesime del P.D. Francesco Soave C. R. S., Tomo III, in Venezia, nella Stamperia di Giacomo Storti, 1793, 264 pp., 18 X 11 cm.

BSBPD 17.b.211 (solo el 3º vol).; BMVZ 92, C. 215.218.

[7] Goldoni. Raccolta di tutte le sue opere teatrali etc e le sue memorie. Venezia 1804. 44. vol. in 8§, 100.

780 Goldoni (avvocato Carlo). *Raccolte di tutte le sue opere teatrali, fra le quali molte fin ora inedite e le sue memorie*, Venezia, 1804, 44 vol. in 8. br. 100 fr.

[8] *Il libro del Perché, la Pastorella etc*. Parigi. Molini in 12, 005.

866 *Il libro del Perché, la Pastorella* del Marino ect. Parigi, Molini, in 12. 5 fr.

Il libro del Perché, colla Pastorella del Cav. Marino e la novella dell'Angelo Gabriello. Prima edizione, a cura di L. Conti, in Pelusio [París, Grang,] 3514 [1757].

Contiene: "Perché, non si trovino cazzi molto grossi, ne potte molto strette, con molti altri perché", pp. 2-33; "Perché, gli uomini e le donne si sforzino di chiavare anco di la dal loro potere e Perché, vi si ajutino e vi si eccitino gli un gli altri. Novella cavata dal libro del Perché, del grand'Aristotele", pp. 34-59; "La pastorella del Cavalier Marino", pp. 63-76; "Novella dell'Angelo Gabriello", pp. 77-91.

BAV Ferraioli VI.455.

[9] La P. errante dialogo in 12, 004.

[10]* Lucrezio. Parigi 1754. 2. tom. 8º fig., 030.

941 [Lucrezio (Caro)]. Lo stesso poema [Della natura delle cose, poema tradotto in versi toscani da Alessandro Marchetti] altra edizione. Parigi 1754, 2 tomi in 8 gr. fig. carta sopra fina leg. in mar. rosso dor. 30 fr.

Titi Lucretii Cari de Rerum Natura. Libri sex Accedunt Selecta Lectiones dilucidano Poëmati apposita, Lutetiae Parisiorum, Typis Josephi Barbou, 1754, XXXVI + 288, pp. 18 x 10,5 cm.
BSDPD T5 (N).

[11] Metastasio, *Opere*, Padova, 1811, 17 vol. 8°. gr., 100.

1047 [Metastasio (Pietro)], *Opere*, nuova edizione pubblicata a Padova nel Seminario, 1811. 17 vol. in 8 gr. fig. carta fina. 100 fr.

Opere di Pietro Metastasio, Tomo I, Padova, nel Seminario a spese di Giannandrea Foglierini, 1810, 223 pp. 22 X 14 cm.
El último vol. está publicado en 1812, 440 pp.
BCPD E 2297; BSDPD DD=5.

[12]* Parini. *Opere complete*, Milano, 1803, 6. vol, 036.

1153 Parini (Giuseppe), *Opere complete*, Milano, 1803, 6 vol. in 8 br. 36 fr.

Opere di Giuseppe Parini, pubblicate ed illustrate da Francesco Reina. Volume Primo, Milano, presso la Stamperia del Genio Tipografico, I. Vendemmiatore anno X, 1801, LXVIII + 240 pp., 24 X 14,5 cm.
Vol. II 1802, anno I della Repubblica Italiana, VIII + 262 pp.; vol. III, VI + 320 pp.; vol IV, 1803, anno II della Repubblica Italiana, 8 + 248 pp.; vol. V, 6 + 252 pp.; vol. VI, 1804, anno III della Repubblica Italiana, 8 + 251+ 4 pp.
BCPD A.1-6 1080.

[13] Petrarca con le considerazioni del Tassoni e Muratori. Venezia 1759 in 4°, 015.

1190 [Petrarca] Le stesse [Le rime] con le considerazioni del Tassoni e Muratori. Venezia, 1759. in 4 °, 15 fr.

Le Rime di Francesco Petrarca. Riscontrate coi testi a penna della Libreria Estense e coi fragmenti dell'originale d'esso Poeta. S'aggiungono le considerazioni rivedute e ampliate d'Alessandro Tassoni, le annotazioni di Girolamo Muzio e le osservazioni di Lodovico Antonio Muratori, Bibliotecario del Serenissimo Sig. Duca di Modena.

All'illustrissimo ed eccellentissimo Sig. Antonio Rambaldo [...]. Terza edizione. Accresciuta nel fine d'una giunta d'alcune composizioni del medesimo Petrarca, e d'altri autori, in Venezia, presso Bonifacio Viezzeri, a spese di Domenico Occhi, 1759, XXIV + 728 pp., 23 X 16,5 cm.
BSBPD 53.c.60.

[14] Pindaro tradotto da Alessandro Adimari. Pisa 1631. fol, 036.

1213 Pindaro, poeta greco, tradotto in versi toscani da Alessandro Adimari, con osservaz. e con fronti e tavole copiose. Pisa, 1631. in fol. parch. 36 fr.

Ode di Pindaro antichissimo Poeta e principe de' Greci lirici, cioè Olimpie. Nemee, Pithie, Istmie, tradotte in parafrasi, in rima toscana da Alessandro Adimari e dichiarante dal medesimo con osservazioni, e confronti d'alcuni luoghi immitati o tocchi da Orazio Flacco, con tavole copiosissime, e distinte, tanto delle cose notabili, quanto de' proverbi, aforismi, et altre, e con argomenti, e dimostrazioni dell'arte rettorica contenuta in esse. Opera, per l'autorità del greco Autore e per lo stile e gravità delle sentenze, non meno utile, e dilettevole a' professori di poesia, che ad ogni altro studioso di belle lettere, e d'antica erudizione, e moralità. All'eminentissimo et Reverendissimo il Sig. Cardinale Francesco Barberini, nipote di N. S. Papa Urbano VIII, in Pisa, nella Stamperia di Francesco Tanagli, 1631, 18 + 748 + 64 pp. 26 X 20 cm.
BSDPD 61-a.7.

[15]* Plauto, *Commmedie* volgarizate da Niccolò Angelio, Napoli, 1783, 10. vol, 040.

1228 Plauto, *Commedie* volgarizzate da Niccolò Angelio, col testo latino a dirimpetto, Napoli, 1783. 10 vol. in 8. 40 fr.

Le Commedie di M. Accio Plauto volgarizzate da Niccolo Eugenio Angelio col testo latino a dirimpetto, tomo I, Napoli, presso Vincenzio Mazzola-Vocola, 1783, 303 pp. 19 X 12 cm.
El vol. 10 es de 1784.
BSDPD T.3.x.
[16] Porpora (Selvaggio) *La Thebaide* di Stazio, Roma,1789. in 4°. gr., 015.

1255 Porpora (Selvaggio). *La Thebaide* di Stazio, Roma, 1789 in 4 gr. parch. 15 fr.

La Tebaide di Stazio di Selvaggio Porpora. In Roma appresso Giovanni Maria Salvioni nell'Archiginnasio della Sapienza, 1729, 4 + 501 pp. 28,5 X 21 cm.

BSBPD 73.b.76; BCPD A942-F6981.

[17]* Sarpi, *Storia del Concilio Tridentino*, Genova, 1629. in 4°., 015.

1395 [Sarpi (Paolo)], *Istoria del concilio tridentino*, Genova, 1629, in 4 parch. 15 fr.

Historia del Concilio Tridentino di Pietro Soave, Polano. Seconda Editione, riveduta e corretta dall'Autore, Gênes, Iaques Chouët, 1629, 842 + 12 pp. 22 X 17 cm.
BCPD F.10500= N.4419.

[18] Tassoni. *La secchia rapita con le annotazioni del Salvini e di Muratori*, Modena 1744, 024.

1519 [Tassoni (Alessandro)] *La Secchia rapita, con le annotazioni del Salvini e di Ant. Muratori*, Modena, 1744. in 4. adornato di fig. e leg. in perg. 24 fr.

La secchia rapita, poema eroicocomico di Alessandro Tassoni, patrizio modenese, colle dichiarazioni di Gaspare Salviani, romano s'aggiungono la prefazione, e le annotazioni di Giannandrea Barotti, Ferrarese, le varie lezioni de' testi a penna, e di molti edizioni e la vita del poeta composta da Lodovico Antonio Muratori, bibliotecario del serenissimo Signor Duca di Modena, in Modena, per Bartolommeo Soliani Stampatore Ducale, 1744, LX + 490 pp., 27 X 20 cm.
BCPD A.921-E.2253-J.2517.

[Importe total de los libros 559 francos]

"Se han pedido a París los artículos que no tienen raya al margen".

Hemos consultados los catálogos de L. Fayolle conservados en la Biblioteca Nacional de Paris: Librairie Fayolle 1810-1837 Q 10 B.

Camas de batallas gongorinas*

LORE TERRACINI

1. En el caudal inmenso de la crítica gongorina, voy a tomar como punto de partida páginas imprescindibles de A. Vilanova[1]. Aquí el verso del *Polifemo* XXXII, 7 "cama de campo y campo de batalla" recibe un largo comentario, rico de referencias y citas relativas a pasajes afines, tanto del mismo Góngora, como de otros escritores. Voy ante todo a desarticular esas páginas para recoger dos series, la de los pasajes gongorinos y la de las fuentes y repercusiones.

2. En orden cronológico el corpus gongorino consiste en cinco pasajes:

Salid al campo, señor,
bañen mis ojos la cama
que ella me será también,
sin vos, campo de batalla.
(rom. *Servía en Orán al Rey*, 1587[2])

Coronad el deseo
de gloria, en recordando;
sea el lecho de batalla campo blando.
(canc. *¡Qué de invidiosos montes levantados*, 1600[3])

* Caro Rinaldo, con molto piacere partecipo al tuo "Homenaje". Ti offro delle pagine non sul tuo Settecento ma sul mio Góngora. È un lavoro che avevo letto tempo fa a Toulouse al congresso di AISO e che finora (luglio 1994) è inedito. Te lo dedico con vecchia amicizia, e con molti auguri affettuosi di una lunga e felice attività.

[1] Vilanova, II, pp. 200-206.
[2] Millé, N. 23, p. 86.
[3] *Ibid*, N. 388, pp. 575

aquel vestido tronco
[...]
campo fue de batalla,
y tálamo fue luego.
(canc. *Vuelas, oh tortolilla*, 1602[4])

y, tímida en la umbría
cama de campo y campo de batalla
fingiendo sueño al cauto garzón halla.
(*Pol.*, 1613[5])

bien previno la hija de la espuma
a batallas de amor campo de pluma.
(*Sol. I*, 1613[6])

3. Alrededor de estos pasajes, el mismo Vilanova proporciona abundantes indicaciones de antecedentes, ampliando los datos de Pellicer. En el fondo, desde luego, está el tópico clásico del encuentro erótico como guerra y batalla, en sus matices ya sea positivos (Ovidio,Tibulo, Catulo, Apuleyo), ya sea negativos (Juvenal). Al lado de esta serie clásica[7] (y mezclado con las otras fuentes por el mismo Pellicer[8]), hay un famoso verso de Petrarca que, como observa justamente Vilanova, "no alude en modo alguno a la batalla amorosa": se trata del son. CCXXVI, v. 8 "e duro campo di battaglia il letto"[9]. En la poesía petrarquista italiana y española, se alternan pues las dos vetas: la cama de a dos (feliz, o tempestuosa) y la triste cama del solitario (no olvidemos que el soneto de Petrarca empieza con "Passer mai solitario in alcun tetto").

Dentro de esta oposición se mezclan los semas "blando" (o "dulce") y "duro". Por un lado la relación opositiva es de gran claridad entre el verso

[4] *Ibid.*, N. 389, pp. 575-576.

[5] *Ibid.* N. 416, v. 255, p. 626.

[6] *Ibid.* N. 418, v. 1091, p. 663.

[7] A la cual hay que añadir por lo menos a Propercio; tomo la cita en Poggi (1980), p. 120, n.5.

[8] P. 228.

[9] Para la cama que fue feliz compartida entre dos y queda triste para el solitario, véanse también las *Heroidas* de Ovidio, que tengo presente en la versión moderna castellana de A. Alatorre: "Me tiendo en ese lecho mojado con mis lágrimas inagotables, y grito: "¡Dos nos hemos acostado en ti: devuelve al que falta!". (p. 75).

de Petrarca y el de Tasso ("E dolce campo di battaglia il letto"). En la estela literal de Petrarca ("y duro campo de batalla el lecho"[10], siempre en la posición del verso 8[11]) se mueven en España Garcilaso (son. XVII) y Quevedo (son. 358)[12]. Este último empieza con la traducción literal también del primer verso "Más solitario pájaro ¿en cuál techo"[13]; para Garcilaso, Herrera en sus *Anotaciones* se remonta a Petrarca, y cita a Boscán y dos pasajes de Diego Hurtado de Mendoza. En los dos casos cervantinos citados por Vilanova, la oposición "duro"-"blando" aparece formalizada de manera sumamente clara. Entre guerra y nostalgia de amor, cama feliz o desdichada, oscilan las otras citas que trae Vilanova: tanto las italianas de Ariosto y Marino como las españolas de Boscán, Cetina, Barahona de Soto, Valdivielso (1607, que, como indica Vilanova, resulta ser la fuente literal del pasaje del *Polifemo*), Luis Martín, Antonio de Solís, hasta la versión cristianizada de Fray Diego de Hojeda. Después de Góngora, Vilanova encuentra ecos en Pérez de Montalbán, 1624, Villamediana, 1629, y Soto de Rojas, 1652[14].

4. Tenemos pues, bien individualizados gracias a Vilanova, un tópico conceptual y formal, una cadena de apariciones en la *langue* poética anterior y posterior a Góngora, y una serie precisa de utilizaciones en el idiolecto gongorino. Saliendo del plano paradigmático, lo que me interesa ahora es intentar un análisis de la funcionalidad poética que eso que podemos llamar motivo, imagen, metáfora posee concretamente, en el plano sintagmático, en el tejido real y formal de cada uno de los textos poéticos gongorinos, siguiendo lo que se ha llamado "las quimeras del significante". Dejo aquí de lado todo análisis del tópico de la "militia amoris" en Góngora[15].

[10] Que J. Cortines, en su versión moderna, mantiene idéntico.

[11] Para observaciones importantes sobre la posición central de la expresión, como gozne entre cuartetos y tercetos, véase Caravaggi, p. 95.

[12] Ed. J.M.Blecua (p. 378); Blecua observa que se trata de "imitación libre" de Petrarca.

[13] Obsérvese además que el mai del italiano se vuelve más en español, con fidelidad fónica y no semántica.

[14] Para el material italiano y español relativo al amor como guerra, puede verse ahora también Manero Sorolla, pp. 77 y sigs.

[15] Para las "quimeras del significante" tengo presente a Poggi (1983, b), p. 220. Para la "militia amoris" véanse varias páginas en Poggi (1980), desde el dístico "Armados hombres queremos, / armados, pero desnudos" del romance *Diez años vivió Belerma* (p. 122), a nuestro romance de 1587, hasta *En un pastoral albergue* (p. 125 y sigs.). Sobre nuestras

Se trata, como sabemos, de cinco casos: un romance, dos canciones, dos poemas, que se eslabonan a lo largo de decenios. Métricamente se alternan el octosílabo del romance, los heptasílabos de una canción y los endecasílabos de la otra canción y de los dos poemas.

Empecemos sobreponiendo estos últimos tres:

sea el lecho de batalla campo blando (canción de 1600)

cama de campo y campo de batalla (*Polifemo*)

en batallas de amor campo de pluma (*Soledad*)

En cada uno de los tres endecasílabos hay una simetría bilateral sumamente evidente, con los paralelismos internos entre la pareja de sustantivos ("lecho - campo", "cama - campo", "batallas - campo") y los complementos que respectivamente los acompañan. Hay también en los tres versos una preponderancia de vocales A tónicas: absoluta en el caso del *Polifemo* ("cAma de cAmpo y cAmpo de batAlla"), y matizada en la Canción de 1600 por el término interior "lEcho" y en la *Soledad* por la palabra aguda "amOr" en posición interior, y la final "plUma". La aliteración en C es muy fuerte en el *Polifemo* ("Cama de Campo y Campo..."); mientras en la *Soledad* (como lo observó Molho[16]) hay una "asonancia inversa" en ambas vertientes de la cesura, "AmOr - cAmpOs", "que finge la antítesis de las dos batallas: la guerrera y la amorosa".

A su vez, el romance desarticula el tópico, diseminando "campo" (en sus dos sentidos de batalla real y de encuentro erótico), "cama" y "batalla", en cuatro versos, con "cAmA" y "batAllA" en asonancia final y "cAmpo", repetido dos veces, en asonancia interna. Por lo que atañe al dístico de la canción de 1602, aparentemente constituye un caso sencillo, con su yuxtaposición de "campo de batalla" y "tálamo" y con su serie fónica de A tónicas ("cAmpo... batAlla... tAlamo") sólo interrumpida por la final "lUEgo".

Después de estas observaciones preliminares en el plano del significante, veamos ahora la funcionalidad poética del tópico en cada uno de los cinco textos.

expresiones, véase *ibid*, pp. 124-125 para el romance de 1587 y p. 127 para el verso del *Polifemo*.

[16] Molho, p. 12 del original.

5. El romance, que está muy estudiado y ha dado lugar también a un baile[17], constituye un caso aparte, por lo menos por dos motivos: uno, que se trata, como sabemos, de la cama, lugar de sufrimiento del solitario; otro, que hay formas explícitas ("también", "sin vos") que construyen no una metáfora sino una comparación, al introducir la analogía entre encuentro amoroso y guerra real. Esta analogía a su vez se injerta en una duplicidad, conceptual y formal, que empapa todo el texto[18].

Abundan las fórmulas dobles, en las que el binarismo consiste a veces en equivalencias, a veces en oposiciones. Las primeras marcan toda la primera parte, en donde es doble el destinatario del servicio del español (el rey y la africana), son dobles los medios tanto del servicio real ("con dos lanzas") como del servicio amoroso ("con el alma y la vida"), es doble la calidad de la mujer ("tan noble como fermosa") y su relación con el hombre ("tan amante como amada"); es doble el estruendo militar ("de las trompas y las cajas"). El binarismo opositivo, a su vez, rige toda la segunda mitad del texto, construido por una serie de contrastes semánticos, que se fundan a veces en paralelismos fónicos y sintácticos ("espuElas de honOR le Pican / y frEno de amOR le Para" "yo os hago a vos mucha sobra / y vos a él mucha falta"), a veces en quiasmos sintácticos ("no salir es cobardía, / ingratitud es dejalla"), a veces en contraposiciones semánticas desparramadas ("Vestíos [...] / bien podéis salir desnudo"). A su vez un verso, en la zona final, retoma el esquema de los versos iniciales con su doble adjetivación sinonímica ("tan noble como fermosa, / tan amante como amada") para volcarlo en una yuxtaposición antitética: "tan dulce como enojada".

Casi en el centro de esta letanía binaria, caen, como gozne, los cuatro versos que nos interesan. En ellos, los dos primeros están en paralelismo sintáctico-rítmico, con los dos imperativos ("salid" - "bañen") introduciendo el contraste ya sea entre los dos sujetos, vos ("señor") y yo ("mis ojos"), ya sea entre los dos complementos "al campo", "la cama". Justamente éstos, en los dos versos siguientes, entran en una relación en donde la perspectiva opositiva (el hombre que va al campo y la mujer que se queda en la

[17] Para el romance, sus variantes y el baile, tengo presente a D. Alonso (1961) I, p. 283, Carreño, pp. 180-183, Chaffee-Sorace (1982, y 1988, pp. 6-14), Goldberg, Jammes, pp. 376 y sigs., Leselbaum, Millé, notas al texto, pp. 1105-1106, Pérez-Lasheras-Micó, pp. 33-34, Rodríguez-Moñino, Romanos, p. 111.

[18] Para el cual no me detengo en el plano fónico, en donde, desde el comienzo, habría que observar que el término inicial "servía" da lugar por lo menos a dos relaciones, una en quiasmo ("SErvía" - "ESpañol"), otra en reiteración ("serVIA" - "VIdA").

cama) pasa al nivel de la equivalencia ("ella me será también, / sin vos, campo de batalla").

6. Los otros cuatro casos se diferencian del romance no sólo por lo triste o alegre de la cama, no sólo porque no existe una guerra real con su batalla, sino también por motivos más formales. No hay un "yo" yaciendo en la cama y expresándose directamente, sino que se trata o de un sujeto que (con una explícita contraposición entre un "yo" hablante" e interlocutores de segunda persona, "vos, "vosotros", "dormid", etc.) se dirige a otros de forma alocutiva, como en las dos canciones, o bien de un narrador, como en los dos poemas.

Los cuatro casos, típicos de la poesía epitalámica, se distinguen pues en dos tipos: en las dos canciones la pareja que realiza el encuentro de amor resulta claramente una pareja ajena, que el narrador describe con envidia. Una envidia apenas aludida en la canción de 1602 ("mi invidia ciento a ciento / contó [...] vuestros besos süaves"); sumamente explícita en la canción de 1600, ya desde el verso inicial ("Qué de invidiosos montes levantados") y mantenida a lo largo de todo el texto ("ni emprenderá hazaña / tu esposo cuando lidie, /que no la registre él y yo no invidie", "tarde batiste la invidiosa pluma"), mientras abundan las expresiones de quejas del excluído ("en las cadenas / desta rabiosa ausencia", "yo, desterrado [...] "con mis lágrimas [...]", "al desdichado que camina").

En la canción de 1600[19], la cama es una cama verdadera, y ya aparece en forma descriptiva en el centro de la canción ("bordada tela / un lecho abriga y mil dulzuras cela"). Al final del texto, antes de la despedida de la canción con "el desdichado" que se va, aparece otra vez la cama, en forma de buen auspicio: "sea el lecho de batalla campo blando", precedida por otras exhortaciones directas, "dormid... dormid... coronad".

Los términos "dulce, tierno, blando, dulzura", que ya son frecuentes en la canción de 1600 ("tus dulces ojos bellos, mil dulzuras") impregnan toda la canción de 1602[20] ("al tierno esposo [...] lasciva tú, si él blando [...] algún dulce gemido [...] vuestros besos suäves [...] un tierno amante"), cul-

[19] Poggi, 1983 b, con amplias referencias a las fuentes de Petrarca y Tasso indicadas por D. Alonso, y con detenidos análisis de los niveles temáticos y fónicos de la canción. Véanse también Calcraft, Jammes, pp. 425-426, 545, Micó, 1990 a pp. 60 y sigs., con amplios análisis de la poesía epitalámica, y 1990 b, pp. 84 y sigs., Orozco, pp. 156-157, Pérez Lasheras-Micó, pp. 37-38, Poggi, 1983 a.

[20] Véanse Micó, 1990 b, pp. 92-94, Pérez Lasheras-Micó, p. 165.

minando en el verso 9, que es determinante en el plano temático: "dulces guerras de Amor y dulces paces"[21]. Los versos "campo fue de batalla / y tálamo fue luego" expresan el encuentro erótico, con su contraste entre conflicto y fusión ("guerras", "paces) que embebe toda la segunda estrofa, también con los dos quiasmos, uno morfosintáctico ("de algún arrullo ronco [...] de algún dulce gemido"), otro del todo literal ("aquel vestido tronco [...] aquel tronco vestido").

Por lo que se refiere al *Polifemo*, de otras páginas de Vilanova[22] se desprende un triple juego de palabras. No sólo el que concierne a los dos términos del encuentro amoroso, "cama" y "batalla", sino otro más, que se basa en la anfibología de la misma expresión "cama de campo" entre cierto tipo de camas amplias y espaciosas y el césped. Lo que me interesa, frente al texto, además de la serie fónica en C y A que ya vimos al comienzo dentro del verso, es destacar cómo el verso mismo dentro de la estrofa se injerta en la serie fónica de las A tónicas (el comienzo, "LlamArale", las rimas de los versos impares "sAbe, süAve, grAve", el final "hAlla"), mientras, después del sexto verso, todo fundado en I tónica ("fIa su intento; y, tImida, en la umbrIa", estando a su vez en relación con las rimas de los versos pares, "querrIa, fantasIa), la palabra "CAuto"[23] en el verso final vuelve a responder a la doble serie fónica de la C y la A tónica. En este complejo mecanismo fónico, nuestro verso, con sus significantes tan entrelazados, adquiere pues una funcionalidad que lo pone en la mayor evidencia.

Si en la octava del *Polifemo* nuestra expresión con sus aliteraciones ocupa fónicamente una posición central pese a su ubicación periférica, en la *Soledad Primera* está en la posición final no sólo de estrofa sino de todo el texto. Ya vimos el comentario fónico de Molho. En "a batallas de amor campos de pluma", verso famosísimo sobre el cual ya discutían Verlaine y Rubén Darío[24], la cama ha desaparecido y sólo aparece por perífrasis, pero está adelantada en un verso poco anterior ("casta Venus - que el lecho ha prevenido"), así como están adelantadas las plumas ("de las plumas que baten más süaves"). Es explícita la contraposición "dulce - duro" ("plumas [...] süaves - [...] dura no estacada"), así como es explícita la repetición de

[21] Para el cual Alonso, 1973, p. 23, encontraba un claro antecedente en Tasso.

[22] II, pp. 197 y sigs. ("cama de campo").

[23] Sobre "cauto" véase Vilanova, II, pp. 206-208, y la cita de Díaz de Ribas en Alonso, 1961, II, p. 178.

[24] Poggi, 1983 a, p. 22.

la intervención de la diosa de amor ("casta Venus - que el lecho ha prevenido [...] bien previno la hija de la espuma").

La rima "espuma- pluma", muy frecuente en la poesía de Góngora[25], pone en relación el mundo del mar (la diosa nacida del agua) con el mundo del cielo (la pluma de las aves; como además resulta claro en la mención de Amor, "deidad alada"). Se trata de una perspectiva cósmica en donde ha desaparecido toda guerra real, como la que había en el romance, y todo matiz de despecho de un amante excluído, como en las canciones. Hay sin duda un recuerdo de la canción de 1602 ("Amor [...] al fin es Dios alado, / y plumas no son malas / para lisonjear a un dios con alas"). Pero justamente la relación entre los dos pasajes puede servir para destacar el acrisolamiento que se ha realizado en el verso de la *Soledad*, en donde el prosaísmo irónico de la canción ha desaparecido dando lugar a una pura expresión poética.

7. Para terminar, una breve conclusión en el plano teórico. La imitación del verso de Petrarca en Garcilaso y Quevedo es claramente un fenómeno de intertextualidad. Nuestras expresiones entran en cambio en el terreno de lo interdicursivo, siendo metáforas que desde antaño han ingresado en la lengua áurea. Se trata no tanto de 'tema' o 'idea' sino de figura, un elemento formal que existe en la memoria poética de Góngora. De éste, en cada utilización, lo que interesa es ver la red de relaciones léxicas y fónicas que establece con su contexto, adquiriendo así en cada caso un diferente significado poético.

BIBLIOGRAFIA UTILIZADA

Alatorre, Antonio, *Ovidio, "Heroidas"* (Prólogo, traducción y notas), México, Secretaría de Educación Pública, 1987.

[25] Véase Poggi, 1983 b, p. 201, nota 13, con amplia exposición del motivo de la batalla amorosa en Góngora y un breve análisis de la rima "pluma" / "espuma" en su poesía; y sobre todo Bravo Vega. Es sugestiva la interpretación de Beverley, p. 120, que en nuestro verso de la *Soledad* lee en "campo de pluma" también una alusión al campo de la escritura, la página; la equivalencia resulta clara también en el soneto "No entre las flores, no, señor don Diego" de 1615.

Alonso, Dámaso, *Góngora y el "Polifemo"* , Madrid, Gredos, IV edición, 1961, 2 vols.

Alonso, Dámaso, "Il debito di Góngora verso la poesia italiana", en *Atti del Convegno internazionale su premarinismo e gongorismo* (Roma, aprile 1971), Roma, Accademia Nazionale dei Lincei, CCCLXX,1973, Quaderno 180, pp. 9-33.

Bravo Vega, Julián, "Fortuna de una rima áurea: "pluma(s) -espuma(s)", *Cuadernos de investigación filológica,* (XVII) 1 y 2, 1991, pp. 35-87.

Calcraft, R.P., "The Lover as Icarus: Góngora's Qué de invidiosos montes levantados", en *What's Past is Prologue. A Collection of Essays in Honour of L. J. Woodward*, Edinburgh, Scottish Academis Press, 1984, pp. 10-16.

Caravaggi, Giovanni, "Alle origini del petrarchismo in Spagna", en *Miscellanea di studi ispanici,* 24, Università di Pisa, 1971-73, pp. 7-101.

Chaffee, Diana, "The endings of Góngora's 'Servía en Orán al Rey", en *Bulletin of Hispanic Studies*, LIX (1982), pp. 15-20.

Chaffee-Sorace, Diana, *Góngora's Poetic Textual Tradition. An analysis of selected variants, versions and imitations of his shorter poems,* London, Támesis, 1988, particularmente pp. 6-14.

Goldberg, Rita, "Romances de Góngora y de Lope de Vega en Bailes del Siglo de Oro", en *Bulletin Hispanique*, LXXII (1970), pp. 56 y sigs.

Góngora Luis de, *Obras completas*; (recopilación, prólogo y notas de J. e I Millé y Giménez), Madrid, Aguilar, 1967[6].

Góngora Luis de, *Soledades* (John Beverley ed.), Madrid, Cátedra, 1982[3].

Góngora, Luis de, *Romances* (A. Carreño ed.), Madrid, Cátedra, 1982.

Góngora, Luis de, *Selección poética*, (estudio preliminar y notas de M. Romanos), Buenos Aires, Kapelusz, 1983.

Góngora, Luis de, *Canciones y otros poemas en arte mayor* (edición crítica de J.M. Micó), Madrid, Espasa-Calpe, 1990 (b).

Góngora, Luis de, *Poesía selecta,* (A. Pérez Lasheras, J.M. Micó eds.), Madrid, Clásicos Taurus, 1991.

Jammes, Robert, *Etudes sur l'oeuvre poétique de don L. de Góngora y Argote*, Bordeaux, Institut d'études ibériques et ibéro-américaines de l'Université, 1967.

Leselbaum, Charles, "Edition du 'Baile de Servía en Orán al Rey'", en *Iberica*, III (1981), pp. 273-287.

Manero Sorolla, M. Pilar, *Imágenes petrarquistas en la lírica española del Renacimiento. Repertorio*, Barcelona, PPU, 1990.

Micó, José María, *La fragua de las Soledades. Ensayos sobre Góngora*, Barcelona, Sirmio, 1990 (a).

Molho, Maurice, "Para una lingüística del significante" (en prensa en *Actas del XI Congreso de la Asociación Internacional de Hispanistas*, Irvine, agosto 1992. La amabilidad del autor me ha proporcionado el original, del cual cito).

Orozco, Emilio, *Introducción a Góngora*, Barcelona, Crítica, 1984.

Pellicer de Salas y Tovar, José, *Lecciones solemnes a las obras de d. Luis de Góngora y Argote*, cito de la edición facsímil del Istituto di Lingua e Letteratura Spagnola e Ispano-americana dell'Università di Pisa, Hildesheim-New York, Georg Olms, 1971.

Petrarca Francesco, "Cancionero", edición bilingüe de J. Cortines, Madrid, Cátedra, 1989, 2 vols.

Poggi, Giulia, "Fedeltà e infedeltà al modello letterario nella battaglia amorosa gongorina", en *Codici della trasgressività in area ispanica.* Atti del Convegno di Verona, Università degli Studi di Padova-Verona,1980, pp. 117-128.

Poggi, Giulia, "Amare Góngora", en *In forma di parole, Manuale Secondo*, Reggio Emilia, Elitropia, 1983 (a), pp. 22-30, precedido por la traducción italiana "Quanti invidiosi monti si levano", y una Nota de traducción.

Poggi, Giulia "Exclusus amator" e "poeta ausente": alcune note ad una canzone gongorina", en *Linguistica e Letteratura",* VIII, 1-2, (1983) (b), pp. 189-222.

Quevedo, Francisco de, *Obras Completas, I, Poesía original* (edición, introducción, bibliografía y notas de José Manuel Blecua), Barcelona, Planeta, 1963.

Rodríguez-Moñino, Antonio *La transmisión de la poesía española en los siglos de oro* (prólogo y edición al cuidado de E.M. Wilson), Barcelona-Caracas-México, Ariel, 1976; el capítulo "El romance de Góngora 'Servía en Orán al Rey'. (Textos y notas para su estudio)", pp. 17-28.

Vilanova, Antonio, *Las fuentes y los temas del 'Polifemo' de Góngora*, Madrid, CSIC, 1957, 2 vols. (Hay reimpresión, sin cambios, en 1991).

Un documento del año 1783 sobre la jubilación de actores conservado en el Archivo Histórico de Madrid

MARÍA LUISA TOBAR

El Archivo Histórico Nacional de Madrid ofrece al investigador una interesante, variada y rica documentación teatral, en gran parte manuscrita que, debidamente estudiada, podría contribuir a reconstruir algunas facetas menos conocidas de la historia del teatro español. El Catálogo de Natividad Moreno Garbayo[1] da prueba de la riqueza del fondo teatral de la Sección de Consejos. Dicho fondo se refiere no sólo a la vida teatral de Madrid sino también a la de provincias y abarca amplia gama de aspectos. que van desde la aprobación de obras hasta el planteamiento de conflictos laborales entre las diferentes partes que componen el complejo mundo del teatro.

Hace tiempo nos propusimos la no fácil tarea de examinar el contenido de los legajos que, de una forma o de otra, están relacionados con el mundo de la escena. Vista la gran cantidad de documentos impresos y manuscritos, lo heterogéneo de su contenido, la amplitud espacial y temporal que abarcan, era necesario seleccionar temas y limitar campos de investigación. Así pues, hemos empezado a recoger todos los legajos relacionados con la actividad teatral de Burgos[2] de la cual existe una rica documentación, bastante completa y sistemática por lo que se refiere a la primera mitad del siglo XIX, puesto que Madrid ejercía un rígido control sobre todos los teatros de provincia. Sin embargo, hay otros aspectos relativos a actores, empresarios,

[1] *Catálogo de los documentos referentes a diversiones públicas conservados en el Archivo Histórico Nacional*, Madrid, Dirección General de Archivos, Bibliotecas y Museos, Diana Artes Gráficas, 1957.

[2] Hemos publicado un primer trabajo que recoge la documentación relativa al expediente de prohibición del sainete *Pancho y Mendrugo* en: "*Pancho y Mendrugo*": *Un caso ejemplar de censura teatral en Burgos*, Messina, A. Siciliano, 1992.

censores, representaciones, normas, disposiciones, decretos de vario tipo sobre los que vale la pena investigar y de los que también nos ocuparemos.

Entre los fondos ya examinados hemos encontrado un documento del año 1783 que ofrece un cuadro de la situación económica de los actores jubilados hasta esa fecha, pertenecientes a la cofradía de Nuestra Señora de la Novena. El legajo[3], cuyo título es *Estado de los jubilados antiguos de las compañías*, consta de ocho folios manuscritos y dos folios impresos. La parte manuscrita comprende dos secciones: la primera (fol. lv-fol.3v) contiene una relación sobre el *Estado de los Jubilados de las compañías cómicas de Madrid* y la segunda (fol. 4r-fol. 8v) otra sobre *Jubilados con Monte Pio de la Escritura de Concordia*. La parte impresa contiene un *Manifiesto* en el que Juan Ponce, tesorero de la Congregación de la Novena, hace una circunstanciada relación de la situación económica dirigida a los demás autores y cofrades. Avalan la cuenta, además del tesorero, los mayordomos y contadores de la congregación. Al final del *Manifiesto* se añaden los *Privilegios* que varios papas han concedido a la capilla.

Las diferentes partes del documento se completan y en su conjunto presentan una detallada relación sobre la gestión y distribución del fondo para la previdencia social de los jubilados, viudas y huérfanos pertenecientes a dichas Cofradías, que aportan nuevos datos para la historia del teatro español desde un punto de vista tan específico como interesante, es decir, la relación entre el trabajo y la situación económico-previdencial de los cómicos; y además contiene noticias sobre la actividad escénica de algunos actores famosos y otros menos conocidos del siglo XVIII, sin duda útiles para trazar su biografía. La publicación del documento quiere ser un modesto homenaje a Rinaldo Froldi, que ha dedicado una gran parte de su trabajo de investigador al estudio de ese siglo.

Al hacer la transcripción del texto se ha conservado la ortografía, tanto de la parte manuscrita como de la impresa, con las siguientes modificaciones: se han solucionado las abreviaturas; se ha seguido el criterio moderno por lo que se refiere al uso de las mayúsculas y minúsculas, la acentuación y la puntuación; se han corregido los errores fruto de evidentes descuidos del amanuense; se escriben en cursiva los títulos de las obras. Todo lo demás, incluso los nombres propios, se transcribe siempre tal como se encuentra en el texto original.

[3] Se conserva en la Sección de Consejos (leg. 11.407, n° 53 del AHN de Madrid).

ESTADO DE LOS JUBILADOS ANTIGUOS DE LAS COMPAÑÍAS

ESTADO DE LOS JUBILADOS ANTIGUOS DE LAS COMPAÑÍAS CÓMICAS DE MADRID	Reales de vellón
FRANCISCO RUBERT vino a Madrid por los años de 1737, sirvió al público, primero de segundo y, después de gracioso, en cuya parte hizo los particulares al Señor Fernando VI y, en el Real Coliseo del Retiro la función real del *Triunfo mayor de Alcides*, que se representó por las compañías en honor de Madrid, y honraron con su presencia Real SS. MM. Don Carlos III y Doña María Amalia en su proclamación. Se le jubiló con la media Parte de su partido.	12
MARIA HIDALGO LA MAYOR vino por el año de 37, sirvió muchos de quarta dama; concurrió a dichas funciones reales y en las de las bodas de los Serenísimos Príncipes de Asturias y los Archiduques, Grandes Duques de Toscana, las tuvo a su cargo como autora más antigua. Se la jubiló con la media parte de quarta dama.	10
CATHALINA MIGUEL PACHECO vino por el año de 37, trabajó muchos de quarta, graciosa y segunda dama y en los referidos particulares sirvió de graciosa, y se le concedió la media parte de segunda.	12
MARIA HIDALGO LA CHICA vino el año de 45, entró de sexta dama; pasó a quinta y después a quarta. Siguió en esta parte bastantes años, hizo los mencionados particulares y se la jubiló con la media parte de quarta.	10
ANTONIA OROZCO entró por los mismos años de la antecedente y continuó muchos de parte de por medio y se la jubiló con su media parte.	9
JOSEPH GARCÍA DE HUALTE le mandó venir de Plasencia el año de 45 el Illmo. Señor Don Balthasar de Henao Consejero Camarista y Protector General de Cómicos para las partes de tercero galán y sobresaliente de la compañía del cargo de Joseph de Parra, que sirvió. Pidió después permiso para correr las capitales exercitándose en la de primero, que le fue concedido por su superior. Mandósele venir segunda vez para exercer la de primer galán en la Corte, en el de 55, de donde no volvió a salir, sirviendo en ambas compañías ambos caudales en su parte, y fomentando la traducción del extrangero en las óperas y buen gusto de la música en el italiano, y ajustada severidad del francés, con nuevo trabajo, pues le fue preciso desechar más de doscientas piezas que ya sabía, de comedias de Escritura y Santos, Autos Sacramentales y piezas Sagradas, que había representado en ambas compañías y anotó prudentemente en las Listas Generales, en cumplimiento de la orden de privación que se le hizo saber estan-	

do para representar y ofrecido al público el auto de *La nave del mercader*. Concurrió igualmente con su compañero Nicolás de la Calle a todas las funciones reales, que se representaron en el Real Coliseo del Buen Retiro. Enfermó de un escorbuto mortal, si no se hubiera acudido a la pausa del descanso, en que se le derribaron todos los dientes y muelas de la mandíbula inferior, extrahiéndole de la misma siete huesos careados como certificaron los cirujanos, que le asistieron. Por todo lo dicho, se le jubiló año de 69, con la media parte del galán, que siempre hizo.	15
TOMÁS MANUEL CARRETERO vino la primera vez, el año de 46, a Madrid de quarto galán donde estuvo aquel año. Volvió segunda vez el de 54 de tercero, pasó a sobresaliente, cuya parte y segundo barba sirvió bastantes años. Fue también de los que disfrutaron el honor de las dichas funciones reales, y, finalmente, se le jubiló con la media parte de sobresaliente.	10
ANTONIO DE LA CALLE vino el año de 50, sirvió algunos años de quarto galán, asistió igualmente a las funciones reales y se le jubiló de dicha parte.	9
CASIMIRA BLANCO vino el año de 57, hizo bastantes años quinta dama entre las otras partes, que obtuvo, disfrutó del mismo honor de las funciones reales y se la jubiló con la media parte de quinta dama.	9
MARIA GUZNIAN salió el año de 57 de sexta dama, hizo quinta, quarta, graciosa un año y los demás segunda. Enfermó de tal modo que aún hoy continúa en la enfermería de los cómicos, al parecer inincurable manteniéndose de su jubilación. Asistió a todas las funciones reales y se la jubiló con la media parte de segunda.	12
MARIANA ALCÁZAR salió en Madrid el año de 57 de sexta dama hizo de supernumeraria uno y al otro paso a segunda dama. De aquí la promovieron a graciosa, en cuya parte estuvo algunos años, de la qual hizo las más funciones reales. Volvió después a ser segunda y, últimamente, los quatro últimos de sobresaliente de damas. Se la jubiló el año pasado de 82 a titulo de la que ya le había concedido el Conde Presidente y también Madrid, en vista de una representación que hizo a S. E. y poseyó un año, volviéndola a dexar hasta el referido de 82 que la reclamó. Y se la jubiló con la media parte de segunda dama, sin que se la haya devuelto lo que ha contribuido al Monte Pío de la Escritura de Concordia como lo manda la Real Orden, o se la agregue al goze, que tienen los otros del quarterón.	12
Importa la Media Parte diaria de los jubilados antiguos en el día de representación.	120
Que duplicados por trescientas representaciones sufren las compañías y el propio de Madrid la carga (pues para las viudas, e hijos huér-	

fanos se saca de la masa común tres ducados a cada compañía, y por eso no se forma estado) treinta y seis mil ciento y cinquenta reales de vellón.	36.150

JUBILADOS CON MONTE PÍO DE LA ESCRITURA DE CONCORDÍA	Jubilación	Monte Pío
JUAN PONCE pretendió entrar el año 54 en las compañías, y estuvo de parte de por medio aquel, en la del cargo de Joseph de Parra. Pasó al immediato a tercero galán (por haberse retirado diez y nueve partes del theatro), en la que siguió muchos años. Sirvió en las funciones reales del Coliseo del Buen Retiro y, por muerte de Nicolás de la Calle, se ofreció a servir de valde la vacante de su autoría de aquel año, con lo que le recayó la propiedad en los succesivos en que Madrid le colocó. Pero así que vio que por la representación hecha por Mariana Alcázar y Casimira Blanco se volvieron a habilitar las jubilaciones, que el Excelentísimo Señor Conde Presidente tenía suspensas, quando hizo cesar en la autoría, y se le permitió (después de haberle impedido el Consejo de Indias que pasase a México con compañía que había ajustado) el ir a Cádiz de autor y sobresaliente. Teniendo después el favor de volverse a entroncar en Madrid él, y su muger, solicitó que las compañías, que entonces eran, hiciesen una Escritura de Concordia entre sí y, para lo venidero, sacando dos partidos de galán anuales con adealas y sobras de las tres particiones, hasta el finiquito de cuentas, menoscabando éstas con este gravamen exquisito, pues Madrid no quiso concurrir con la tercera parte Con que atiende a jubilados, viudas, inválidos e hijos huérfanos, por lo que se recargó el fondo de sobras de dichas particiones, que las compañías llaman montón; y haciendo el cómputo, que su valor asciende a 22 mil reales o algo más,		

suplicó a S. M. como thesorero de la Novena, acompañado de una fórmula de capítulos que hizo y la escritura que presentó, que lo aprobase y, por su Real Orden, adquirió la aprobación con nota de dos capítulos, que se restringieron por la segunda parte del Real Decreto; por cuyo servicio a las dichas compañías (que los viejos o próximos a jubilarse abrigaron y no contradixeron las partes nuevas como poco versadas), se le jubiló (no habiendo hecho nunca la parte de segundo galán o barba, pues no pasó de tercero) con la media parte de segundo año 78, el quarterón a parte, dispensándole dos años de los cinco que debía esperar por autoridad de las compañías en ese segundo Monte Pío.	12	6
SEBASTIANA PEREYRA entró en la compañía del cargo de Joseph Parra de primera dama, el año de 55; continuó en su parte trabajando muchos años, y en la misma hizo todas las funciones reales; y en el año de 78 se la jubiló con la media parte de dama, y el quarterón de Monte Pío, que llaman.	15	7 1/2
MARIA ORDÓÑEZ MAYOR vino de Cádiz a la compañía del cargo de su marido Juan Ponce de sexta dama, año de 68; pasó el otro Monte Pío a sobresalienta de música, en cuya parte continuó tres, o quatro años. Después que volvió con su marido de Cádiz se colocó en la compañía, del cargo de Manuel Martínez, de graciosa de música. Y por haber enfermado se le concedió la media parte de graciosa el año 79 con el quarterón del Monte Pío, que se empezó a dar en el mismo año.	12	6
JUAN ESTEVAN entró en la compañía del cargo de Joseph Parra el año de 56, en parte de por medio; sirvió en esta muchos años, e hizo todas las funciones reales y se jubiló en el de 79 con la media parte de las compañías, y el quarterón de Monte Pío.	8 1/2	4 1/4

NICOLÁS LÓPEZ vino a Madrid de parte de por medio, el año de 45, a la compañía del cargo de Petromía Xibaxa; fuese después a las capitales; y el de 55 le truxo Madrid de segundo barba en cuya parte y la de primero siguió muchos años. Hizo las funciones reales y en el de 40[4] se le jubiló con la media parte de barba y quarterón de Monte Pío.	2	6
JOACHINA MORO entró en la compañía del cargo de Joseph de Parra, el año de 52, de parte de por medio, ascendió y sirvió muchos años la de quarta dama izo igualmente todas las funciones reales del Coliseo del Buen Retiro y se la jubiló el de 79[5] con la media parte de quarta y el quarterón de Monte Pío.	10	5
JOSEPH MARTINEZ HUERTA estuvo el año 61 y el de 71. Volvió de parte de por medio en que estuvo cinco en la comapañía de Ribera; pasó otro año en la de Manuel Martínez, que son siete y se jubiló con media parte de segundo barba y el quarterón de Monte Pío.	9	4 1/2
ANTONIO RIVAS entró de segundo apuntador en la compañía de Manuel Martínez, el año 73, estuvo seis años y el de setenta y nueve se le jubiló con la media parte de apuntador, y quarterón de Monte Pío.	8	4
MANUEL PEREYRA entró en la compañía del cargo de Joseph de Parra por los años de 42 a 43 de primer músico y guitarrista. Sirvió muchos años su parte. Hizo todas las funciones reales y se le jubiló en el de 81, con la media parte de músico y quarterón de Monte Pío, de que fue fundador.	10 1/2	5 1/4
PEDRO ÁLVAREZ GAIVÁN por haberse despachado Orden a Cádiz (a causa, que se		

[4] En el texto 79 ha sido corregido en 40, correción inexplicable visto que llega a Madrid el año 45. Así pues transcribimos la fecha original (79) que además respeta el orden cronológico que sigue el documento.

[5] Vid. nota precedente.

retiró del exercicio Christóval Palomino, y se lo concedió Madrid a mitad del año) vino a la compañia, del cargo de Maria Hidalgo, el año de 55, para la parte de segundo barba. Hizo de parte de por medio todas las funciones reales y se le jubiló en el de 81 con la media parte de segundo barba, que siempre hizo, y el quarterón de Monte Pío, de que fue fundador.	9	4 1/2
MARIA LA CHICA vino de Cádiz, el año de 55, al cargo de la compañía de Joseph de Parra en la parte de quinta dama. Sirvió en esta siete años, pasó a la de quarta, uno, a la compañía de María Hidalgo y luego a la de graciosa, a la del cargo de Maria Labenant, en cuyo cargo, en una y otra compañía y también en las funciones reales, después de algunos años, se la dispensó, siendo ya autor Manuel Martínez, la fatiga de tonadillas y cantar, siguiendo sólo de graciosa de representado. Jubilóse en el de 82 con la media parte de primera dama y quarterón de Monte Pío, que fundó.		
ENRIQUE SANTOS vino de Cádiz el año de 55, al cargo de la compañía de Joseph de Parra, para la parte de vegete en la qual hizo las funciones reales del Coliseo del Buen Retiro y en la que continuó siempre. Se le jubiló año de 83 con su media parte y quarterón de Monte Pío, de que fue fundador.	9	4 1/2
AMBROSIO DE FUENTES entró en la compañía del cargo de María Hidalgo, de parte de por medio, año de 62. Hizo quintos y quartos galanes y de primeros y segundos bufos en las zarzuelas y ayudó en todo lo tocante a cantado y tonadillas. Se le jubiló este presente año de 83 (habiendo hecho también las funciones reales) con la media parte de quarto galán y quarterón de Monte Pío.	9	4 1/2
JUAN ANTONIO ÁLBAREZ fue cobrador de la luneta siendo su tío autor Manuel de San Miguel, que le proporcionó este utensi-		

lio a Manuel Guerrero su primero galán; y muriendo este último de autor, y galán le concedió Madrid a su viuda María Hidalgo dicha autoría y luneta; y en la succesión del cargo de su autoría le pasó ésta al partido de primero cobrador, en cuyo cargo ha servido muchos años, por lo qual se le ha jubilado, en el presente de 83, con la media parte de primer cobrador de las compañías y quarterón de Monte Pío.	6	3
Importa la media parte en cada representación de los jubilados modernos (sin Monte Pío) ciento y cinquenta y un real de vellón.	151	75 1/2
Que duplicados por trescientas representaciones poco más o menos al año, sufren las compañías, y el propio de Madrid en la tercera parte, que contribuye, la carga de quarenta y cinco mil y trescientos reales de vellón.	45.300	
Importa el quarterón de los jubilados con Monte Pío en cada representación setenta y cinco reales y medio de vellón.		75 1/2
Que duplicados por el orden de los jubilados en las trescientas representaciones referidas ascienden (sin la nómina de viudas e hijos huérfanos que no hayan tomado oficio o estado) a veinte y dos mil seiscientos y cinquenta reales de vellón.	22.650	

Y forman setenta y cinco partes más al año los jubilados con Monte Pío de la Escritura de Concordia de los jubilados antiguos de las compañías cómicas de Madrid, que juntas con las ciento y cincuenta partes en que se regulan y guardan uniformidad e igualdad, y el propio de Madrid concurre con la tercera parte, reciben todos los años doscientas v veinte y cinco partes las jubiladas de Monte Pío, quando las compañías, que lo están sudando, en el año pasado de 82, en 314 representaciones no les tocó más que 274 partes y tres quarterones, por el finiquito de cuentas, como consta por el Manifiesto impreso que Juan Ponce, como tesorero, dio a la Congregación de la Novena en Junta General, que acompaña este Estado.	
Con que añadido a esto los dos partidos de galán que se sacan íntegros del montón de las compañías con adealas o raciones que ascienden a veinte y dos mil reales.	22.000
Las dos terceras partes de los jubilados antiguos que componen veinte y quatro mil y cien reales de vellón.	24.100
Y las otras dos terceras partes de los jubilados modernos de Monte Pío, que también ascienden a treinta mil y doscientos.	30.200
Y a más de trece mil y doscientos de las trescientas representaciones que por las dos partes corresponde a las compañías de los tres ducados que se sacan para viudas de la masa común con Madrid.	13.200
Por cuyo ramo sufren dichas compañías la carga de ochenta y nueve mil y quinientos reales de vellón.	89.500
A todo lo qual Madrid concurre con doce mil y cinquenta de los unos jubilados; quince mil y ciento de los otros; v seis mil seiscientos de las viudas, que todo compone la carga de treinta y tres mil setecientos y cinquenta reales de vellón.	33.750

NOTA

Débese advertir, por fin de este Estado, que quando a las compañías se le suministra la media parte del quarto del Monte Pío de paradas en las Quaresmas igualmente lo perciben unos y otros, pero con la particularidad de que los del Monte Pío de la Escritura de Concordia se añaden el quarterón a su media parte, de su fondo particular; con que añadido a las doscientas y veinte y cinco partes del año, veinte y tres de la media de la quaresma y once y media del quarterón, componen doscientas cinquenta y nueve partes y media.

MANIFIESTO

QUE YO JUAN PONCE, TESORERO QUE SOY de la Congregación de Nuestra Señora de la NOVENA, que se venera en su capilla (propia de los representantes de España) sita en la iglesia parroquial de San Sebastián de esta Corte, hago a todos los autores, y demás compañeros y hermanos, así presentes como ausentes, de los maravedises que han entrado en mi poder desde primero de abril del año pasado de 1782 hasta fin de marzo del presente de 1783; cuya cuenta de cargo y data se me ha tomado, y aprobado por los oficiales, y contadores de dicha Congregación abaxo firmados; y sus partidas se hallan por menor en los libros de Cuentas, a que me remito.

CARGO PARTICULAR		
Primeramente es cargo dos mil novecientos treinta y nueve reales y un maravedí de vellón, que me entregó la Junta General sobrante del año pasado.	02.939.1	
Idem de las multas que en el año pasado se exijieron a los hermanos que faltaron a la procesión del Jueves Santo.	00.374	03.913.1
Idem de los efectos de villa. por el segundo medio año de 68 y primero de 69.	00.600	
Importa	03.913.1	

COMPAÑÍA DI MANUEL MARTÍNEZ		
De 274 partes y tres quarterones que ganó esta compañía en todo el año.	02.747.16	

Ración de Misa, y Salve		
De 314 representaciones que ha hecho esta Compañía a razón de 6 reales y 18 maravedíes cada una.	02.046.26	
Contradanzas y adealas de esta compañía.	00.072.	06.462.8
Demanda de puerta de mugeres en los 314 día.	00.104.	
De la comedia que hizo esta compañía quedó líquido.	01.432.	
Misas de aguinaldo de esta compañía.	00.060.	
Total producto de esta compañía.	06.462.8	
	02.760.	

COMPAÑÍA DE JUAN PONCE		
De 276 partes que ha ganado esta compañía.		

Ración de Misa, y Salve		
De 314 representaciones a 6 reales y 18 maravedíes cada una.	02.046.26	
Contradanzas y adealas de esta compañía.	00.162.	
Demanda de puertas de mugeres.	00.090.	06.103.
De la comedia que hizo esta compañía.	00.984.8	
Misas de aguinaldo de esta compañía.	00.060.	
Total producto de esta compañía	06.103.	

LIMOSNAS PARTICULARES Y DE VOLATINES

De Francisco Casanova, por mano de Manuel Martínez.	00.120.	
De Antonio Ortega.	00.120.	
De Ramon Traver.	00.120.	
De Jacinto Galdón.	00.120.	
De Juan Domínguez Navarro, por los dos años de 80 y 81.	00.240.	
De Nicolás Lami, y por el año pasado		

de 81 y la comedia.	00.1 80.	
De Francisco Fersi.	00.120.	
De Juan Antonio Márquez, por el año pasado de 81.	00.120.	
De Jeronymo Pérez.	00.120.	
De Nicolás Dámaso, por mano de Damaso Madrid año.	00.120.	
De Jacinto Galdón, por el año que viene.	00.120.	
De Christóbal Franco.	00.120.	
De Nicolás Lami, y la comedia.	00.180.	
De 10 estrados en el oratorio.	00.040.	
De la demanda de volatines, y caxa de la capilla.	00.014.12	
Importa	01.974.12	

LO QUE SE HA COBRADO DE DEUDAS ATRASADAS

De Leon Callejo por el todo de su deuda del año pasado de 81.	00.238.24	
De Don Miguel de Morales, a cuenta de su deuda.	00.248.	
Del mismo a cuenta de ella, por mano de Lucia Callejo.	00.400.	
De Antonio Prado por el todo de su deuda del año pasado de 81.	00.349.	
De una parte que se cobró atrasada en la compañía de Juan Ponce.	00.010	
De Fernando Utiel, por el todo de lo que le tocó en las cuentas que se ajustaron en Mahón en el año pasado.	00.267.24	
De mismo, y por mano de Manuel Calderón. pagó 22 partes y media y medio quarterón que ganó el año pasado de 80	00.226.8	
De Juan Ladvenant, ya cuenta de su deuda, pagó.	00.300.	06.161.12
De Don Joseph Arenas, arrendador del teatro de Cádiz, y por el año pasado de 81 por su ajuste pagó.	00.700.	
Del mismo, y por la comedia de dicho año, sacó Luis Monzin, su autor, y pa-	00.725.	

gó.		
De Francisco López, por mano de Manuel Martínez, pagó el todo de su deuda, que fue.	00.610.	
De Mariano de la Rosa, por mano de Manuel Martínez, pagó Josepha Figueras 747 reales que había percibido para entregarlos por cuenta de Joseph Navarro.	00.747.	
Asimismo se pagó por la misma mano, por lo que debía Juan Martínez.	00.100.	
De Francisco Rodrigo, por lo que debía del año pasado, por mano de Manuel Martínez.	00.240.	
Importa	06.161.12	

NOTICIA DE LO QUE HAN GANADO Y PAGADO LAS COMPAÑÍAS DE FUERA		
La de Cádiz, su arrendador Don Joseph Arenas, por su ajuste, pagó.	01.700.	
De la comedia sacó y pagó su autor Luis Monzín.	00.422.	
La de Carlos Vallés, en Barcelona, por su ajuste y por mano de Ildefonso Coque, pagó.	00.900	
De la comedia sacó y pagó.	00.164.	
La de Juan Solís en San Roque ganó 244 partes quarterón y me dio, que pagó por mano de Manuel Martínez.	02.443.24	
De la comedía sacó y pagó por la misma mano.	00.485.24	
La de Pedro Fuertes ganó 39 partes y media que pagó.	00.395.	
De la comedia sacó y pagó.	00.050.	
La de Antonio Collar ganó 39 partes que pagó.	00.390.	
De la comedia sacó y pagó.	00.075	
La de Joseph Gilabert ganó 54 partes y	00.547.16	

3 quarterones, que pagó.		
De la comedia sacó y pagó.	00.060.	
La de Manuel Balladar en Cartagena ganó 86 partes, que pagó por mano de Luis Orbea.	00.860.	
De la comedia sacó y pagó.	00.150.	12.175.2
La de Francisco Rodrigo ganó 42 partes, que pagó.	00.420.	
De la comedia sacó y pagó.	00.050.	
La de Antonio Prado en Reus, ganó 37 partes y quarterón, que pagó.	00.372.16	
De la comedia sacó y pagó.	00.050.	
La de Juan Francisco Buzano, ganó 56 partes y 3 quarterones y medio, que pagó.	00.568.24	
De la comedia sacó y pagó.	00.060.	
La de María Monteis ganó 56 partes y media, y medio quarterón, que pago.	00.566.8	
De la comedia sacó y pagó.	00.040.	
La de Ignacio Hernández, ganó 99 y quarterón, que pagó.	00.992.16	
De la comedia sacó y pagó.	00.063.	
La de Francisco Conde ganó 46 partes y quarterón, que no pagó.	00.000	
Juan de Ocaña, con una corta compañía, avisa de haber puesto en poder de Ildefonso Coque 129 reales, que no ha remitido.	00.000	
Importa	1.111.11	

Lo que se ha cobrado de los hermanos mancebos y supernumerarios.	00.294.	

MAYORDOMÍAS

De Vicente Ramos.	00.300.	
De María Pulpillo.	00.300.	
De Pedro Ruano.	00.300	01.260
De Juan Aldovera.	00.300.	
De María Ventura Torné, de mancebos.	00.030.	
De Saturia Gil de la Torre, de mance-		

bos.		
Importa	01.260.	

Limosnas que han remitido los autores de las compañías de fuera, para la misa diaria que tienen obligación.	05.942	05.942
Total de cargo	44.036.7	

DATA

Primeramente es data de diferentes partidas que por menos constan en el libro de ella a que me remito.	02.811.
Misas locales y de las fundaciones.	00.306.10
Misas cantadas votivas.	00.192.
De 52 salves cantadas a 6 reales de vellón.	00.312.
De 365 días de ayuda de costa al capellán, a 3 reales cada uno.	01.095.
Misa diaria del capellán, a 4 reales.	01.468.
De 123 misas que ha celebrado el capellán de las 9, a 4 reales de vellón.	00.492.
De 330 misas que ha celebrado el capellán de las 10, a 5 reales de vellón.	01.650.
De 349 misas que ha celebrado el capellán de las 11, a 6 reales de vellón.	02.094.
Misas y derechos parroquiales, que ha pagado la Congregación por los hermanos difuntos.	02.720.30
Hábitos y cruces.	00.466
Pobres del Ave María que han asistido a los entierros y derechos de mullidor, mozo y sepultureros.	00.360.
Aceyte, vino y agua de todo el año.	01.306.
De 365 días de salário al mullidor, a 4 reales.	01.460.
Cera de todo el año.	03.005.
Sueldo del tesorero.	03.300.
De 1981 misas que se han celebrado por las almas de los hermanos difuntos de los caudales, que han remitido los autores de fuera, a 3 reales de limosna cada una.	05.943.
Total de la data	29.980.16
Total del cargo	44.036.7
Alcance que se hace al tesorero	14.055.25

Y se encarga a todos los autores y compañeros encarecidamente contribuyan con las limosnas de las misas, a fin de que se celebren en nuestra capilla, para que con este motivo se aumente el culto, y devoción de nuestra Madre Y Señora.

Y dichos oficiales y contadores, habiendo visto estas cuentas las aprobaron y firmaron en Madrid a 27 de Abril de 1782.

Mayordomos	Tesorero	Contadores
Vicente Ramos	Juan Ponce	Manuel Martínez
Pedro Ruano		Manuel de León
María Pulpillo		Eusebio Ribera
Juan Aldobera		Joseph Espejo

PRIVILEGIOS QUE GOZA LA CAPILLA

Por el Señor Urbano VIII, de feliz memoria, gozan los hermanos de Jubileo Plenísimo en todas las festividades de Nuestra Señora. Por el Señor Benedicto XHI de feliz memoria, gozan de Jubileo Plenísimo todos los fieles de uno v otro sexo en el día de la Natividad de nuestra Señora, y en el que se celebran las honras por los hermanos difuntos. Así mismo por dicho Señor goza de altar de alma perpetuo. Por el Señor Benedicto XIV, de gloriosa memoria, tenemos desde al año de 1741, misa rezada los Sábados Santos, con bula perpetua. Así mismo goza el Jubileo de las Quarenta Horas.

Breve comentario sobre una oración inédita de Luzán

M. DOLORES TORTOSA LINDE

Luzán cuenta con pocas obras dedicadas expresamente a temas religiosos, entre ellas se encuentra este salmo[1]:

Paráfrasis del Salmo Miserere

Tened piedad, Dios mío,
suma bondad eterna,
de mí, según la grande
misericordia vuestra.

Según la muchedumbre
de tus piedades tiernas,
borra, Señor, mis culpas
del Libro de la cuenta.

Lávame aún más el alma
de mi iniquidad fea
y de todo pecado
límpiame la conciencia.

Porque ya bien conozco
lo que mi culpa pesa,
culpa que a todas horas

[1] Esta composición, que lleva por título *Paráphrasis del Salmo miserere etc.*, está inédita. No es autógrafa de Luzán sino de su amanuense habitual. Está compuesta en versos heptasílabos. Su hijo Juan Ignacio la menciona en las *Memorias*. Se encuentra en la B.N. de Madrid, ms. 18.476, que recoge las Actas de la Academia del Buen Gusto. Carpeta 23, Academia del 25 de marzo de 1751.

contra mí se rebela.

¡Ay! que contra ti sólo
pequé, bondad inmensa,
y cometí maldades
osado en tu presencia.

Para mostrarte justo
en todo lo que ordenas
y para que en el juicio
a toda excusa venzas.

Porque entre iniquidades
nací, y mi madre mesma
me concibió en pecado
por la fatal herencia.

Tú la verdad amaste
y de tu ciencia inmensa,
me enseñaste las cosas
escondidas e inciertas.

Rociada con tu gracia
quedará el alma bella,
y vencerá los campos
de las nevadas sierras.

Darás gozo a mi oído
y alegría sincera,
y los humildes huesos
darán festivas muestras.

Aparta de mis culpas
la cara; no las veas;
y todas mis maldades
borre tu gran clemencia.

Un corazón me forma
que puro y limpio sea,
y en mis entrañas recto
espíritu renueva.

No me arrojes, Dios mío,
de tu amable presencia,
ni de tu Santo Espíritu
me quites la presea.

Vuélveme la alegría
de aquel que es fuente de ella
y en tu principal gracia
confirma mi flaqueza.

Enseñaré a los malos
tus admirables sendas
y así de los impíos
se logrará la enmienda.

Líbrame de crueldades,
Dios, por quien vida eterna
espero, y tu justicia
celebrará mi lengua.

Abrirasme los labios,
Señor, para que veas
cómo mi boca anuncia
loores de tu esencia.

Porque si tú quisieses
sacrificios y ofrendas,
diéralas yo rendido
pero no te deleitan.

Para ti es sacrificio
de un alma la tristeza,
y un corazón contrito
y humilde es lo que aprecias.

Mira, Señor, y trata
a Sión con clemencia
para que así sus muros
edificados vea.

Entonces por más justos
admitirás de nuestra
mano los sacrificios,
holocaustos y ofrendas.

Entonces, al impulso
de devoción sincera,
pondrán sobre tus aras
las becerrillas tiernas.

Es difícil partir de entrada de un Luzán que pueda encajar dentro del grupo de autores que se acostumbra a considerar como ilustrados; tanto, como partir de un Luzán no ilustrado, o a caballo entre dos épocas históricas distintas. Sin embargo sus ideas ilustradas están por todas partes en toda su obra.

Toda esta problemática se nos presenta agudizada, si cabe, al estudiar este salmo. Nos encontramos con un poeta del setecientos que además es creyente, y esto nos conduce inevitablemente a preguntarnos si pueden ser compatibles, o si son excluyentes entre sí, las ideas ilustradas con las creencias religiosas.

Tal vez estas cuestiones se puedan despejar en cierto sentido si tenemos en cuenta que Luzán comienza el título del poema con el término "paráfrasis". No es una traducción – a las que por otra parte era tan aficionado – del salmo, sino que él mismo nos deja ver desde el título que de algún modo se va a desvincular de la oración que ha tomado como modelo. El salmo, el modelo religioso del que parte, obliga a Luzán a seguir el tema del pecador que se dirige a Dios reconociendo sus culpas. Pero las ideas que Luzán incluye, la forma distinta en que las presenta, son las que hacen que el poema sea diferente de como lo podría haber escrito cualquier otro autor.

Partiendo de esto, he tratado de estudiar el poema teniendo en cuenta en lo posible el tratamiento que hace Luzán de un tema tan específico de la religión.

A primera vista no da la impresión de ser muy diferente de otros salmos de este tipo; pero poco a poco se pueden ir observando sus concepciones religiosas.

Luzán dirige su oración a un Dios que resume unas cualidades que en su mayoría han sido usadas y aceptadas dentro del dogma católico durante siglos. De este modo nos encontramos con la piedad, la suma bondad, la misericordia, la justicia, la clemencia, etc. Por otra parte, las acciones que Luzán atribuye a Dios, como el amor a la verdad, o el perdón de las culpas, tampoco parecen apartarse de la concepción religiosa común. Y en cuanto al poeta, se considera a sí mismo como pecador y confía en la bondad, la piedad y el perdón divino. Pero esto no es más que el tema que Luzán está parafraseando.

Luzán podía haber elegido entre muchas cualidades las del Dios que él concibe. Sin embargo, los calificativos que usa pertenecen tanto al ámbito de lo sublime como al ámbito de la razón que había establecido Kant, de manera que resultan equilibrados. Además, elige entre ellas las que se hubieran aceptado en esa época histórica como características de un padre ideal ilustrado, y están dentro de las concepciones de sociedad feliz que se pretendía construir. De este modo aparece la bondad, la piedad, pero también la justicia.

El Dios del que habla Luzán es un Dios que pretende ser justo, que juzga, y que usa su juicio o su razón para sopesar con exactitud, equilibrio y capacidad crítica, las culpas del poeta. Es un Dios que ama la verdad; y que posee la sabiduría, a la que Luzán no llama sabiduría sino ciencia. Dios enseña al hombre; y por su gracia, el alma queda blanca, limpia y luminosa. El efecto de la intervención de Dios sobre el alma del hombre está descrita como gozo y alegría sincera; apareciendo equilibrados la alegría y el gozo, más pasionales, con la sinceridad; es decir, con la verdad a la que se llega por medio de la razón.

Al hablar de las culpas o pecados, y al aceptar incluso el dogma del pecado original, se está refiriendo a la culpa como predominio de las pasiones sobre la razón: "culpa que a todas horas/ contra mí se rebela", y al pecado original como destino: "fatal".

Identifica a Dios con la suprema razón; y el dogma de la omnipotencia divina queda transformado por Luzán en el poder divino de ayudar al hombre a equilibrar las pasiones mediante su suprema razón y bondad, ya que el hombre solo no puede equilibrarlas. Ese es el motivo por el que el poeta pide a Dios que le forme un corazón puro, limpio, y un espíritu recto; le pide más juicio o más razón para dominar sus pasiones.

A cambio, Luzán, promete a Dios ofrecerse como modelo ilustrado para otros hombres: "enseñar a los malos / tus admirables sendas". La misma candidez, o dulzura, del adjetivo sustantivado "malos" para calificar a los hombres como niños que se equivocan por falta de enseñanza apropiada, nos remite a la idea de sociedad feliz por medio de la pedagogía. Se está ofreciendo, pues, como modelo ilustrado; y su promesa es educar en la moral a los que considera niños por no poder dominar las pasiones mediante la razón. Espera en la justicia divina, y promete alabar la esencia de Dios, que parece estar conectada con la idea cartesiana de sustancia. Se aparta de la concepción medieval de agradar a Dios y aspirar al perdón por medio de sacrificios y ofrendas rituales, porque piensa que lo que le deleita a Dios es la fe personal y el contacto personal y sincero entre Dios y el hombre, con lo que deja fuera la jerarquía o intermediarios entre ambos.

Piensa en un Dios que pesa las culpas, y que equilibra entre las pasiones que el hombre ha dominado y las que no ha dominado mediante su razón, para impartir justicia.

En resumen, Dios aparece como un padre ilustrado modélico preocupado por sus hijos, en el que las virtudes morales ilustradas se encontrarían expresadas en un grado máximo.

Los hombres, con respecto a Dios, serían como niños a los que el destino obliga a luchar contra sus pasiones mediante la razón. El hombre como hijo espera que su padre Dios le enseñe la verdad, la ciencia, para desarrollar su razón y dominar con ella las pasiones o culpas. Por último, el hombre que ha recibido de Dios esta gracia, verdad y enseñanza, promete ofrecerse como modelo ilustrado para ayudar a otros a dominar o equilibrar las pasiones por medio de la razón.

No acepta los rituales, ni la jerarquía, porque defiende que al hombre le basta su fe sincera en Dios para hablar con él directamente y para salvarse; y no acepta tampoco los sacrificios externos sino los internos y sinceros.

Habría que investigar estas cuestiones más a fondo, pero Sebold[2] señala la relación entre las ideas de Luzán y las de Port-Royal. Tal vez por ese conducto Luzán pudo estar en contacto con ideas jansenistas. Joël Saugnieux[3] señala algunas de las ideas que aparecen en el poema como propias del jansenismo; y aunque se dieran en España de una forma más amplia en la segunda mitad del siglo XVIII, Luzán, pudo haberlas conocido en sus viajes por el extranjero. El mismo Luzán en las *Memorias literarias de Pa-*

[2] R.P. Sebold, prólogo crítico a la edición de *La Poética* de Luzán, Barcelona, Labor, 1977.

[3] J. Saugnieux, *Magisterio y predicación en el siglo XVIII. El afán renovador de los jansenistas y sus límites*, en *II Simposio sobre el Padre Feijoo y su siglo*, Oviedo, 1983, pp. 283-292.

rís, en el capítulo dedicado a la teología y a la oratoria sagrada[4] hace algunos comentarios, aunque breves, que podrían enlazarse con el jansenismo.

En este estudio no se trata de demostrar que Luzán sea un ilustrado cristiano, ni siquiera de aceptar o no el hecho de que hubiera una Ilustración cristiana, sino de dejar constancia de algo: que Luzán ha hecho algo extraño al parafrasear el salmo. No ha seguido las concepciones religiosas medievales, sino que ha enfrentado de una forma crítica las ideas religiosas medievales sobre el pecado, la concepción de Dios, etc., contra su propia razón de una forma ilustrada, de la misma forma en que se hacía en la filosofía desde Kant.

En su *Poética* Luzán deja claro que él no separa filosofía y poesía, y que lo que las une es el mismo fin de búsqueda de la verdad mediante la razón.

En la concepción de poesía actual no cabe la investigación filosófica, pero sí cabe en la de Luzán. ¿Cómo debemos entender este poema?, hay varias posibilidades. Se puede entender como la expresión de la creencia religiosa de Luzán en un sentido subjetivo, en cuyo caso estaría más claro su deslizamiento con respecto a la Ilustración, entonces clasificaríamos a Luzán a caballo entre las viejas y las nuevas concepciones. También podría verse en este poema un ligero apartamiento de lo antiguo y un acercamiento a lo moderno, entonces Luzán podría encasillarse en la pre-Ilustración. Pero también podríamos partir de su propia concepción ilustrada de poesía y entender este poema como una investigación personal no separada de la filosofía, y Luzán nos parecería un ilustrado que se cuestiona los dogmas religiosos y los cambia por concepciones ilustradas.

Todo esto nos lleva de nuevo al principio, a la necesidad de definir los términos que estamos manejando, porque si aceptamos la última opción no podemos encuadrar simplemente a Luzán dentro de una Ilustración cristiana. Si aceptamos la penúltima hipótesis ¿a quiénes habría que incluir en la pre-Ilustración? Y si partimos de la primera opción, tal vez estaríamos aplicando en concreto a este poema la concepción actual de poesía.

El término Ilustración engloba demasiadas cosas, y quizás por ello, los autores españoles que tenían ciertamente ideas ilustradas se estén resintiendo si intentamos que se ajusten a un modelo de Ilustración ambiguo que intenta a la vez ser específico y amplio.

[4] I. de Luzán, *Memorias literarias de París. Actual estado y método de sus estudios...*, Ramón Ramírez, Madrid, 1751, Capítulo XVIII, pp. 174-177.

Dos hombres para un *Diario*: Jovellanos y Lasaúca. Un caso atípico de escritura autobiográfica

IMMACULADA URZAINQUI

"[...] y lo que nos ocurre se escribe"

En uno de los meses más amargos de su existencia, Jovellanos hubo de compartir estrechamente su vida con un hombre del que apenas la historia nos ha entregado unos pocos datos: Andrés Lasaúca y Collantes. Fue desde el 13 de marzo hasta el 13 de abril de 1801. Llegada la orden de apresamiento y destierro él, como Regente de Asturias, fue el encargado de llevarla a cabo, y luego de acompañarle hasta Barcelona para entregarlo a las autoridades militares. En los meses precedentes, a partir de la Orden del 19 de noviembre de 1800 que, en nombre del Rey, le fue comunicada por el ministro Caballero, fue también el encargado de informar sobre diversos extremos de su vida, pensamiento y actuaciones en el proceso secreto que se le abrió.

El registro que Jovellanos estaba llevando de su apretada existencia asturiana a través de su *Diario*, empieza a consignar las jornadas del camino el sábado 28 de marzo, tras pasar diez días en León, en el convento de San Froilán, en plena Semana de Pasión, esperando las órdenes de la corte para su destino futuro. La anotación anterior, del día 20 de enero, se había limitado a un escueto "Poco sueño; nubes; frío", que en su simplicidad y desnudez tiene algo de premonitorio. Al retomar la pluma, como si nada hubiera pasado, reanuda lo que inicialmente pudiera intepretarse como uno más de los relatos de sus viajes anteriores. Tan sólo la alusión a la existencia de una escolta, deja ver que la situación dista bastante de ser la habitual: "Salimos de dicha ciudad [León] el sábado, 28 de marzo, a las seis de la mañana [...] escoltados por cuatro soldados de la caballería de Montesa, y su cabo, Manuel Bellota»[1]. Los restantes detalles del recorrido se anotan, no obstante, en parecidos términos a los de viajes precedentes: situación del tiempo, lugares por los que pasan, estado de las carreteras y de las posadas, gentes con las que encuentran, cultivos, etc.

El punto de vista cristaliza ahora lingüísticamente en un plural enunciativo que, en principio al menos, no resulta demasiado llamativo, ya que Jovellanos también lo empleaba a veces en sus recorridos anteriores, al estar habitualmente acompañado por una más o menos pequeña comitiva. Sólo avanzado el relato se empezarán a deslizar otras expresiones ya de carácter estrictamente personal – "a mi ver", "y aquí me parece que vimos...", "no sé como irá de provisiones [...]" – que enlazan con el discurso habitual de los cuadernos anteriores. Los hitos del camino, por el antiguo reino de León y por Palencia, se van anotando con el mismo cuidado de los viajes precedentes: Mansilla, Reliegos, Burgo, Bercianos, Sahagún, Grajal, Villada, Cisneros,Villaumbrosa, Paredes de Nava... De pronto, ya avanzado el circunstanciado relato de los cuatro días siguientes, al llegar a la anotación del martes 31, en Villarreal de Buniel, por tierras de Burgos, el lector del *Diario* se topa con una anotación extraña: la referencia a un compañero que sufre las resultas de una pequeña insolación: "mi compañero se desazonó a efectos del sol picante que tomamos esta mañana" (p. 43). Muy poco después volverá a repetirse la mención así como en los días sucesivos, al compás del progreso de su enfermedad: "Mi compañero se siente peor; se harta de agua y se pone en cama. La noche parece que fue molesta", "el compa-

[1] G.M. de Jovellanos, *Obras*. Ed. y estudio preliminar de Don Miguel Artola, Madrid, ATLAS, IV, 1956 (Biblioteca de Autores Españoles, nº 86), p. 37. La primera edición de este cuaderno la hizo J. Somoza en el tomo IV de la antología *Biblioteca Clásica Española,* donde también publicó los cuadernos 11, 13 y 14 (*Escritos inéditos de Jovellanos dispuestos para la impresión por D. Julio Somoza y Montsoriú,* Barcelona, Establecimientos Tipográficos Artes y Letras, 1891). Procede de la copia que poseían los herederos de Fuertes Acevedo, de letra de D. Henrique Roger de Caux. De ella hizo otra copia para la impresión el propio Somoza (Cfr. J. Somoza de Montsoriú, *Inventario de un jovellanista,* Madrid, Est. tip. Sucesores de Rivadeneyra, 1901, p. 118 (ord. 205). Roger de Caux era uno de los oficiales del Regimiento de Borbón que custodiaban a Jovellanos en Bellver. El hecho de que se lo diese a leer y lo copiara es indicio de las buenas relaciones existentes entre ambos, conocidas también a través de su correspondencia y del propio *Diario*. En el momento de redactar estas páginas prepara José M. Caso González la edición crítica del *Diario,* cuyo primer tomo (VI de las *Obras completas*, Oviedo, Instituto Feijoo de Estudios del Siglo XVIII), con los cuatro primeros cuadernos y parte del quinto, está previsto para el otoño de 1994. El trabajo diario compartido con él en el IFES. XVIII, me ha permitido contrastar mis opiniones y beneficiarme de su profundo conocimiento de la obra jovellanista. Quede constancia aquí de mi sincera gratitud.

ñero entró y salió varias veces; tiene una especie de disentería con algo de sangre y se cura con agua. Nada más tomó desde ayer a mediodía", "el enfermo pasó buena noche, habiendo cenado una ensalada de lechuga, y se levantó más reparado", "el compañero comió sopa de gato, lechuga y granos de granada, porque su mal continúa". Luego, tras la enfermedad, seguirá la referencia aludiendo a aspectos diferentes del viaje: "mi compañero la reconoció en 1795 [la fábrica de sillas finas de Pancorbo] en muy buen estado", "mi compañero que viajó otra vez por aquí, reconoció entonces el citado monasterio [...]", etc.

A la vista de tales expresiones y de los datos que se consignan, el lector comprende que ese compañero no es otro que Jovellanos, y que su voz narrativa se ha desplazado en este nuevo cuaderno de su *Diario* hacia la de otra persona con la que tiene una estrecha relación, y que en el viaje adquiere un marcado sello de protagonista. Avanzado el relato, se prodigan referencias que desdoblan claramente lo que se refiere a Jovellanos y lo que se refiere al propio relator: "Colación: mi compañero con lechuga cocida y yo con bróculi y ligeros postres" (p. 50). Se ve que van juntos a todas partes, a las posadas y los lugares artísticos, que todo lo observan juntos, que preguntan juntos, que reflexionan juntos. El relato, que sigue siendo un espejo textual de un existir viajero, ha cambiado de rumbo y de estrategia expositiva. El acto *auto*-biográfico se ha convertido en *alter*-biográfico: revela la experiencia de dos, aunque descanse en la voz de un solo relator. El territorio actancial se ha ampliado y enriquecido con dos perspectivas distintas y al mismo tiempo complementarias. ¿A quién corresponde esa voz infiltrada? Sin duda, al carcelero-acompañante de Jovellanos, Lasaúca. Al finalizar el viaje, el lunes 13 de abril, la presunción se confirma cuando el relator estampa:

> La hora de nuestra separación se acerca. ¿Qué hado siniestro la ordena? Pero mi compañero, seguro de su inocencia, se entrega en los brazos de la Providencia divina, y ambos concluimos este *Diario*, que en tan largo y molesto viaje nos ha ofrecido su honesto e inocente entretenimiento.

Una apostilla, conmovedora y harto significativa de la situación de ánimo en la que se hizo esta redacción conjunta, cierra el cuaderno y el relato de estos intensos días camino del destierro:

> ¡Denos el cielo algún día el placer de repasarle juntos con la misma buena unión con que le escribimos.

Por primera vez después de muchos años (los cuadernos conservados del *Diario* empiezan en 1790), Jovellanos ha pasado a ser tan sólo co-redactor de sus apuntaciones íntimas. Tiempo después, la situación volverá de algún modo a repetirse en su estancia mallorquina, en coyuntura similar, si no más dura, privado de sus papeles y de toda posibilidad de escribir, cuando sea su paje y secretario, Manuel Martínez Marina, quien, en los fragmentos que han quedado de su destierro en Bellver, entre el 20 de febrero de 1806 y el 24 de enero de 1807, se encargue de redactarlo (desde luego, la copia conservada es de letra suya). Ahora Jovellanos no será aludido como el compañero sino como el amo. El plural redaccional parece indicar también una labor de colaboración, aunque nada se diga de que lo hagan entre los dos. Razonablemente hay que suponer que Jovellanos inspiraba el trabajo que luego materializaba Martínez Marina. Sólo cuando levantada la orden de arresto emprenda el camino hacia la Península – el viaje a Jadraque, anotado entre el 5 de abril y el 23 de junio de 1808 – aparecerán ambos alternando la redacción, Martínez Marina, que ahora aludirá al amo como "S.E." [Su Excelencia], y el propio Jovellanos, que al tomar de nuevo la pluma para estampar directamente sus impresiones y observaciones, volverá a imprimir al *Diario* su sello característico de sensibilidad ante el arte y el paisaje, humanidad, y capacidad analítica, como cuando registra la muerte de su admirada y querida amiga la condesa de Montijo:

> ¡Ay! Una carta anuncia en oscuro la muerte de la incomparable condesa de Montijo. ¡Qué pérdida para su familia, para sus amigos, para todos los afligidos e infelices de quien lo era y aun madre protectora y consoladora! Murió la mejor mujer que conocí en España, la amiga de veinte años, por la mayor parte en ausencia, y siempre activa y constante en sus oficios! (p. 145).

El breve cuaderno que recoge el viaje desde la bahía de Cádiz hasta Muros de Noya (febrero-marzo de 1810) con el que cierra su *Diario*, meses antes de su muerte, volverá a ser obra exclusiva del propio Jovellanos.

El acto autobiográfico ha ido pasando así por cuatro fases diferentes de composición: la inicial, estrictamente autobiográfica; la segunda, con Lasaúca, de co-redacción; la tercera, con Marina como compositor (aunque estuviera, como es lo más probable, dictada o inspirada por el propio Jovellanos); y la cuarta, de redacción alternante entre él y Martínez Marina. Algo inaudito en un escrito de este género[2], para el que se viene proponiendo como elemento constitutivo básico la composición personal, o cuando menos, con un soporte único como sujeto autobiográfico en el que se reúnen autor, narrador y personaje principal biografiado[3].

Pero volvamos a Lasaúca. Por el propio Jovellanos, que así lo consigna en su *Diario* del viernes 3 de noviembre de 1800, sabemos de su nombramiento como Regente de la Audiencia de Oviedo apenas cuatro meses antes de la orden de destierro:

Está nombrado La Sauca fiscal de Oviedo, digo regente, donde fue fiscal. (p. 32)

No hay más comentarios. Ocho años después, el lunes 18 de abril de 1808, su nombre vuelve a aparecer al registrar su reciente nombramiento para formar la causa de Viguri. La mención, aunque escueta también, deja entrever, con el posesivo *nuestro*, la relación afectiva que sin duda alguna se había anudado en el intenso mes de compañía forzosa:

El Conde del Pinar, nombrado con Inguanzo, para formar la causa a D. Diego Gardoqui, y nuestro La Saúca para la del bribón Viguri, noticia segura que envió nuestro amigo Salas. (p. 139)

Todo hace pensar a través de las páginas del *Diario* que para Lasaúca, detener y acompañar a Jovellanos habia sido un deber ingrato, sólo cumplido por fuerza de la orden recibida; que, ganado por su inteligencia, fortaleza de ánimo y hombría de bien, alumbró en su alma un vivo sentimiento de afecto que no pudo por menos de abocar en profunda tristeza cuando llegó el momento de la separación. Poco dado, como Jovellanos, a la expresión de su intimidad afectiva, lo deja entrever cuando el lunes 13 de abril lo primero que le viene a la pluma es decir: "Cumple justamente el mes de nuestra unión y raya el día de separarnos" (p. 65) y sobre todo con las palabras que hemos citado más arriba sobre la confección amistosamente conjunta del *Diario*. Desde luego, nada ni de lejos permite sospechar cualquier

[2] Nada similar hay, desde luego, en los diarios españoles contemporáneos de Malaspina, Moratín o Llorente. Sobre las concomitancias y diferencias entre ellos vid.: A. Cano Calderón, *Los Diarios de Jovellanos entre los de su época*, en "Caligrama" (Palma de Mallorca), n.º 3 (1987), pp. 73-79, aunque esta cuestión se pasa por alto.

[3] Vid. P. Lejeune, *El pacto autobiográfico* y E. Bruss, *Actos literarios*, en *La autobiografía y sus problemas teóricos. Estudios e investigación documental*, en "Anthropos" (Suplemento, 29), Diciembre 1991, pp. 47-61 y 62-79.

tipo de reticencia hacia la persona del reo. Antes bien, la sintonía es evidente; el plan del viaje, aunque determinado por las circunstancias, en sus detalles diarios de visitas, paseos, etc. se ofrece como resultado de un proyecto común («estando escogida esta mansión [la posada de Montalvo] y no teniendo certidumbre de otra tan buena que fuese proporcionada, resolvimos quedarnos" (p. 46), en modo alguno como una relación de sumisión u obediencia por parte del ilustre detenido. Como si ambos se empeñaran en sobreponerse a la situación y quisieran vivir el tiempo que les toca pasar juntos en estrecha y amistosa compañía. Nada más lejos de la indiferencia ni del distanciamiento. Lasaúca, sin duda, está *con* Jovellanos, y ve las cosas y las personas desde la perspectiva con la que él las ve, v.gr. "No es de olvidar lo que nos causó tanta admiración en el camino nuevo que corrimos esta mañana", "notemos aquí que este cultivo de habas es muy usado en todo el terreno que anduvimos desde Burgos aquí y aun nos dicen que lo es también en otros puntos de La Rioja". Preguntan juntos («al salir preguntamos por los precios de los comestibles»); miden juntos terrenos («habiendo contado la distancia entre el puente hasta la entrada de la primera heredad que hay a la izquierda y es menos de la mitad, hallamos tener 1.500 pies de largo»); reflexionan en común («vimos al salir, como ayer al entrar, las obras de la nueva famosa fortaleza, de que daremos poca razón, porque ni lo entendemos, ni están acabadas»), leen juntos («después de comer, breve reposo, lectura en la *Gaceta*, en nuestra biblioteca de coche, hablar y escribir»); se rien juntos con el gracejo del andaluz que forma parte de la escolta cuando, cerca ya de su destino, y por lo malo del terreno, dan por tierra dos veces con el carruaje, y hasta hacen también oración juntos («entramos en ella [iglesia de Montalvo] a hacer oración»). La misma insistencia en consignar el proceso de la enfermedad de Jovellanos, revela una preocupación real por el estado de su salud, que va resolviéndose a medida que observa la mejoría:

> Llegamos a las once y media. El compañero viene más reparado. Lo más de la noche fue buena, lo menos algo incómoda; trae sólo tres vasos de agua en el cuerpo y luego se embocó el cuarto con unas gotas de vino. Al chocolate renunció desde Villodrigo acá y a toda comida sólida. Hoy empezará a probar sus fuerzas. (p. 48)

Comparten dudas y perplejidades:

nos pareció por aquí descubrir indicios de la antigua vía militar romana; pero no viendo ningún trozo conservado, suspendemos nuestro juicio aunque le indicamos. (p. 53)

Con gusto, Lasaúca se pliega a los deseos de Jovellanos por visitar tal o cual lugar:

No dormiremos en Tudela sino allí [la Casa del Canal], por ver algo de sus obras, de que está ansioso el compañero (p. 50)

Le complace cantándole la "vulgar cantilena", que refiere y enlaza con otros lugares de su paso por Aragón:

Gustóle a mi compañero y quiso que se pusiese aquí; lo hago por complacerle y dice así: Perdiguera, Leriñena, San Mateo y Peñaflor, / Alfajarín y La Puebla, Pastriz y Villa Mayor, / Nuez, Villafranca, Osera y Aguilar, / Pina, Quinto y Xelsa, Belchite y Montalván. (p. 58)

Copla a la que añade otras dos más, con las que entretienen el viaje hasta el ventarrón de Santa Lucía.

En este arco temporal, el recorrido hacia Barcelona aporta algunos otros datos de Lasaúca que permiten dar mayor relieve a su persona. Era aragonés y su madre, una mujer fina, cordial y sensible, habitaba en la tierra que probablemente le vio nacer: Zaragoza. La página del encuentro familiar en la posada zaragozana no puede ser en su sencillez ni más bella ni más conmovedora:

[...]Llegamos, sin ser percibidos, al mesón de los Reyes, donde nos reunimos con nuestro carruaje y escolta, que estaba allí desde las nueve. Pero hallamos también a mi buena madre, cuya bella figura, fino trato y agradables maneras, llenaron el gusto de mi compañero. Acompañábala mi hermana Rita y con ella venía mi Germanita, tan medrada, tan robusta y preciosa. Esta visita, que nunca pudiera parecer larga, fue brevísima para nuestro deseo, aunque llena de gusto para mi después de tan larga ausencia y de consuelo para mi compañero en tan triste situación. Para colmar el beneficio, esta señora desplegó con nosotros su generosidad, pues no contenta con las prevenciones que yo le encargara, agregó a ellas, de pastas, dulces y frutas, cuanto se puede pensar de más exquisito. Comimos, ¡ya se ve! muy regaladamente y volvimos a partir a las tres y media. (p. 57)

No cabe duda que para ambos viajeros, este paréntesis familiar resultó el momento más grato de su largo y penoso viaje. La urbe aragonesa, y la cálida acogida de la familia Lasaúca, embargaron de admiración y nostalgia el corazón de Jovino, que en la barcaza abandonó la ciudad prendidos sus ojos de la vista que se alejaba. También para el Regente fueron momentos de intensa emoción, aunque apenas las palabras pudieran o quisieran traducir lo que pasó por el corazón de ambos:

> De la magnífica vista de Zaragoza que observamos desde el Canal, desde el monte, a la entrada y a la salida, y de que mi compañero no podía separar los ojos, nada diremos. El objeto para mi es demasiado familiar y conocido, y para él grande y nuevo, para que podamos pasar a un *Diario*, escrito a trozos, de priesa, a malas horas y entre las molestias de la posada, cuanto concebimos y sentimos de él. (p. 57)

Debía de tener vinculaciones con personas de Logroño, pues en la mañana del 3 de abril, entreteniendo el tiempo mientras el mayoral arreglaba una rueda del carruaje antes de partir para Ausejo, se dedicó a "responder por mi a ofertas y cumplidos de amigos comunes". (p. 49)

En la populosa Fraga, ya entrando por tierras catalanas, tuvo lugar un suceso que pudo dar con sus huesos en la cárcel. El impulsivo y vehemente corregidor de la villa, sabedor de que una persona de tal nombre pasaba por ella, interpretó sin más averiguaciones que debía de tratarse de un impostor pues, en lo que entendía, el verdadero Lasaúca estaba en Asturias. Por fortuna, su escribano le conocía personalmente, y al atestiguarlo pudo solventar el problema sin que la cosa pasara a mayores. Con este motivo, el redactor del *Diario* se identifica claramente ofreciendo un documento precioso de su identidad y autoría:

> Visita del corregidor, que se nos echó encima de súbito; ¡qué visita y qué hombre! Juró, votó y amenazó primero; después, convidó, ofreció y disparató como hombre alelado, accidentado y con sus puntas de atolondrado. Nótese que venía a arrestarnos; porque a la noticia de mi nombre, que se le dio de la posada, y suponiéndome en Asturias, creyó que algún Saavedra le había usurpado y venía a dar en él de recio. Gracias al escribano que trajo consigo y me conocía y dio fe y testimonio de ser real y verdaderamente don Andrés Lasaúca. (p. 61)

Su pluma no oculta un deje de antipatía hacia sus vecinos catalanes. Aunque admira – sin duda, con Jovellanos – su laboriosidad y el magnífico desarrollo de sus cultivos, sus habitantes parecen no ser de su agrado. No le gustan ni sus modales ni sus vestidos. Tras pasar la noche en el mesón de Mollerusa escribe:

> En pie a las cuatro y media. La posada puerca, como de catalanes, y mal asistida según costumbre. (p. 63)

En otra posada, aunque mejor que la anterior, ampliará sus impresiones con mayor saña :

> La posada promete: parece limpia y se sirve con celo. Pero estas catalanas de mis pecados, siempre zafias, siempre pequeñas y rechonchudas, siempre llenas de sayas y con la ropa a la rodilla, siempre remendadas y no limpias y con un guirigay que el diablo que las entienda, agradan siempre muy poco, por más que hacia aquí, el interés y el trato las haga serviciales. De los hombres nada diremos. ¡Qué figuras las de los labradores con su capa parda y el gorro colorado! Este es aquí el cubierto varonil; hasta clérigos hemos visto llevarle dentro de casa. (p. 65)

Los demás elementos del relato – observaciones, descripciones, etc. – convergen en su persona en tanto que relator, pero no se ofrece al lector ningún otro dato personal, a no ser sus gustos vegetarianos y su conocimiento de tres jesuítas que encuentran en los últimos tramos del camino.

La historia, y ya no contada por Jovellanos ni registrada en el *Diario* nos dirá que, en efecto, él fue quien, por orden del ministro Caballero, se encargó de realizar la investigación privada sobre su persona, y luego, en la madrugada del 13 de marzo de 1800, de detenerle y conducirle desde Gijón hasta Barcelona para embarcarlo allí hacia la isla de Mallorca donde debía cumplir su destierro. Ceán, que relató admirablemente el atropello cometido con Jovellanos, lo describió como un funcionario honesto que hizo su labor con rigor pero con disgusto, a instancias de las autoridades superiores, y también, que llegó a sentir una gran admiración por el prisionero:

> Encargaron la prisión al regente de la audiencia de Oviedo don Andrés de Lasaúca, ministro de probidad y de buenos sentimientos, pero los términos en que estaba concebida la orden, le obligaron a executarla con rigor. Sorprendido el señor don Gaspar en su cama antes de salir el sol, le hicieron vestirse, y que entregase todos sus papeles [...] Se le prohibió el trato con sus amigos y parientes [...] Fue conducido con escándalo y escolta de tropa, sin entrar en Oviedo, hasta León, y le depositaron en el convento de los religiosos recoletos de san Francisco sin comunicación, ni aun de los parientes que allí tenía, por espacio de diez días, esperando nuevas órdenes de la corte. Al cabo de ellos le condujeron por Burgos, Zaragoza y otros pueblos a Barcelona, sin permitir que nadie le

hablase en el camino [...] Le hospedaron en el convento de la Merced con el mismo rigor y privación de trato; y allí se despidió con lágrimas de Lasaúca, que le había acompañado en el coche, admirado de la grandeza de ánimo con que había sufrido unas vejaciones que no había podido evitar; y después le embarcaron en el bergantín correo de Mallorca[4].

A través de los informes secretos enviados al ministro Caballero, que publicó Somoza en 1885, se reconoce, en efecto, esa probidad, así como su prudencia e independencia de juicio[5]. Sin ceder a la fácil actitud de sospecha auspiciada por quienes urdían la trama contra Jovellanos, en ellos supo adoptar una actitud imparcial, propicia incluso (dentro de lo que podían permitir escritos de esta índole), y de hacerse eco de toda suerte de opiniones, distinguiendo con exquisito cuidado lo averiguado por él y lo que decían unos y otros, especificando quién era el que lo decía y cuál su actitud respecto de su persona y del Instituto. Observó que no le constaba que en el centro se enseñara máxima alguna perniciosa; que en sus averiguaciones sobre su comportamiento y modo de pensar no le había llegado nada censurable; que no eran ciertas las acusaciones de haber adoptado las actitudes de arrogante protagonismo que se le imputaban; que no había irregularidades en la situación económica del centro, y que su vida era la de un hombre sobrio y laborioso; incluso manifiesta su extrañeza por la ausencia de ostentación, que hubiera sido razonable esperar en alguien de su posición. Los únicos aspectos negativos de su persona, y expresados con muchas cautelas, se refieren a su, llamémosle, gijonismo – su vehemente cariño a la patria chica que le hacía concebir para ella unas expectativas superiores a lo que cabía esperar – y a su pretensión de ocupar en celebraciones públicas lugares de mayor dignidad que las que le correspondían. Por lo demás, nada deja entrever acerca de si durante ese tiempo o antes mantuvo alguna relación personal con Jovellanos. Sí es cierto, con todo, que siendo Fiscal de la Audiencia, en 1792, informó desfavorablemente del Instituto, cuando se

[4] J.A. Ceán Bermúdez, *Memorias para la vida del Excmo. Señor D. Gaspar Melchor de Jove Llanos, y noticias analíticas de sus obras*. Prólogo de J. Barón Thaidigsmann, Oviedo, Silverio Cañada Editor, 1989 (Biblioteca Histórica Asturiana), pp. 81-82. El texto, escrito en 1812, se publicó por primera vez en 1820. El subrayado es mío; lo mismo en los pasajes precedentes y en lo sucesivo.

[5] J. Somoza, *Jovellanos. Nuevos datos para su biografía*, Madrid, Librería de Fernando Fe, 1885, pp. 163-169.

gestionaba su fundación, por considerarlo innecesario[6]. En cualquier caso, el proceso tuvo el resultado indicado, y se produjo la orden de apresamiento y destierro que le hizo vincularse estrechamente con Jovellanos.

¿Cómo y por qué surgió la idea de redactar en forma conjunta el *Diario*? ¿En qué términos se realizó? La cuestión, muy compleja, comporta problemas históricos, psicológicos y literarios a los que no es dado responder sino con hipótesis y aproximaciones, puesto que es muy poco lo que se dice de ello en el escrito, y para los que sería necesario aplicar estrategias analíticas de muy diversa índole. Aquí trataré de hacer una primera aproximación, a sabiendas de que desde otros ángulos de consideración podrían aportarse matizaciones más precisas.

Es razonable suponer, al menos como conjetura verosímil, que la iniciativa debió de partir del propio Jovellanos. En situación tan crítica no quiso prescindir del consuelo y placer que le proporcionaba el registro diario de su intensa vida personal y de sus viajes, máxime cuando se trataba de un recorrido nuevo en su mayor parte para él, pues nunca había atravesado Aragón y Cataluña. Privado de la posibilidad de escribir – según se desprende de la afirmación de González Posada en este sentido[7], aunque es extremo que no está documentado, pues no se conserva el texto de la Orden de destierro –, pensó que nada mejor que proponérselo a su *carcelero*, cuya consideración hacia su persona no podía pasarle inadvertida y a la que correspondió sin duda con afecto y agradecimiento. Es obvio que entre ambos, ya desde el primer momento y quizá especialmente en los diez días pasados en León, se estableció una cordial relación de respeto y afecto mutuos. Si la prohibición de escribir no existió, hacerlo con Lasaúca resultaba, obviamente, mucho menos comprometido. Y él, que sin duda era hombre culto y sensible, debió de aceptar gustoso este *menage à deux* como también las sugerencias del compañero para realizar la tarea, pues nada especialmente significativo diferencia los cuadernos anteriores de los de éste en cuanto a la estructura y carácter de la redacción. Las observaciones econó-

[6] Cfr. J.M. Caso González, *Vida y obra de Jovellanos*, Gijón, Caja de Asturias y "El Comercio", II, (1993), pp. 373-375.

[7] "El preso, con su serenidad genial, ya que no podía, como siempre en sus viajes, llevar recado de escribir, pudo coger un lapicero, y sin más viático que el Kempis y el Virgilio se entró en el coche con el regente [...]" (*Memorias para [la] vida del Sr. Jovellanos*). Cito por la reciente ed. de J.M. Caso González, "*Una biografía inédita de Jovellanos: las* Memorias *de González de Posada*», en *De Ilustración y de ilustrados*, Oviedo, Instituto Feijoo de Estudios del Siglo XVIII, 1988, p. 189. Sí se conserva la prohibición expresa de escribir que se le impuso en Bellver (AHN. Consejos, leg. 49.657).

micas, paisajísticas y artísticas continúan; continúa también la referencia al tiempo y climatología; siguen apareciendo retratos de condensada precisión de personas con las que se van encontrando, algunas frases latinas y citas eruditas, notas de humor... El mismo diario es aludido, como se había hecho hasta ahora, unas veces como *Diario* y otras simplemente como "aquí".

Lasaúca, embarcado en el trabajo, llegó a identificarse tanto con él que se apropia del texto como si fuera algo suyo y personal. Así, en la extensa narración que recoge lo sucedido el día 4 de abril, Sábado Santo, viajando en barco por tierras aragonesas, escribe:

> El viaje hubiera sido completamente agradable y cómodo si el movimiento del barco, la vista de las tierras y el ruido que andaba sobre nosotros no me hubiese mareado [...] Pero sobre todo, me empeñé en continuar mi *Diario* y esto acabó de volvérmela [la cabeza]. (p. 35)

Y es innegable que ese mí se refiere a sí mismo, puesto que fue él quien verdaderamente sufrió las consecuencias del mareo.

Pero era, por lo que se desprende del relato, un trabajo compartido. En la anotación de la bulliciosa noche pasada en la posada de Villafranca del Ebro, junto a otros viajeros de diferente pelaje y condición, se lee:

> Había también en la posada varios carromatos; y ya se ve, que tanta campanilla, tanta mula, tanto carruajero, tanto huésped y tanto criado, causaría una bulla de barrabás; pero en medio de ella, escribimos, cenamos, nos acostamos, y gracias a Dios dormimos como unos priores. (p. 58)

Así era de ordinario: una tarea hecha en condiciones muy poco favorables para la escritura reposada y meditada; hecha sin sosiego – "a trozos, de priesa, a malas horas y entre las molestias de la posada" (p. 57) –, rescatando con dificultad espacios de tiempo que otros con menos sentido de la observación y de la historia, y con menos gusto por la escritura, hubieran dedicado al descanso o al cotilleo que tan propicio hacían las ventas de la época. Por más que gozosamente asumido, hubo de suponerles un gran esfuerzo de voluntad. Habitualmente lo escriben al acabar el día y en la posada que los acoge, aunque también a veces a otras horas («ahora que son las tres dadas [...]", (p. 39).

El escrito parece surgir en el grato ambiente de una conversación salpicada de anécdotas y recuerdos:

> Mi compañero, que viajó otra vez por aquí [San Asensio], reconoció entonces el citado monasterio, que es de jerónimos, y en cuya iglesia hay muy buenos cuadros de Juan Fernández Navarrete, llamado *el Mudo*, natural de Logroño y que tomó aquí las primeras lecciones de pintura de un monje llamado fray Vicente, de quien son unos frescos que hay en el claustro. Con este motivo, me contó algunas anécdotas recogidas en este monasterio, que no pondré aquí porque las hallará el que quiera saberlas en el nuevo *Diccionario de los Artistas Españoles,* artículo Fernández Navarrete. (p. 46)

El texto les proporciona la oportunidad de enveredar reflexiones sobre su ilusión compartida por una España más próspera. Así, al pasar por tierras riojanas, sueñan con lo que podría ser un futuro prometedor si se pusiera en marcha un adecuado plan de regadío; y concluyen con una frase que es la más expresiva síntesis de su modo de trabajar, directo y libre de convencionalismos:

> No se si deliramos; pero esto se nos ocurre y lo que nos ocurre se escribe. (p. 50)

Con notable sentido de justicia intelectual, consigna que la fuente de ciertos datos u observaciones proceden de Jovellanos: "Tampoco faltan huertas de frutales; pero según las noticias del compañero, en esto vencen las famosas riberas del Nalda y Albelda, riquísima en frutos y frutas" (p. 48); ("tiene [la posada de Alfaro] un buen común que supo apreciar mi compañero" (p. 53).

Esta amistosa relación, que el *Diario* evidencia, nos es conocida por otros conductos autorizados. Ya me he referido a Ceán Bermúdez. Otro gran amigo y profundo conocedor de todas sus cosas, el canónigo candasín Carlos González de Posada, en sus breves y sazonadas *Memorias para [la] biografía del señor Jovellanos*, escritas en 1812 e inéditas hasta hace poco, ofrece de ella una percepción muy plástica que merece citarse por extenso. La desazón y tristeza del Regente resaltan vívamente, si bien, respecto de la redacción del *Diario*, la da como de exclusiva paternidad del biografiado:

> [...] Dada cuenta por el regente de Asturias del depósito encomendado, se le mandó conducirlo con guarda de caballos hasta Barcelona y entregarlo a aquel Capitán general. Todo el largo camino de este penoso viaje en ruedas por fuera y lejos de la carretera real, que el señor Jovellanos llamaba 'camino de forzados', lo pasó observando sus lugares, agricultura y producciones, informándose de la población, industria, comercio, escuelas, etc., que tomaba de memoria, y en el silencio de la noche por medio de su lapicero lo fijaba en un papel. Cuantos vieron esta procesión (justamente les cogió la semana

santa en muchas jornadas) sino (sic) fuera por el informe de los soldados y familia, creerían que el preso era el regente Lasaúca y Jovellanos el conductor. Así me lo dijo el gobernador de Lérida, que por su autoridad se metió en el mesón y no le pudo estorbar el regente la entrevista y conversación con su paisano: 'Si yo no le conociera, decía, apostaría que el reo era Lasaúca y Jovellanos el regente; tal era la alegría del uno y la tristeza del otro'. El corazón del regente y sus consideraciones por el inocente preso luchaban con la idea terrible de desagradar a Godoy [...] sabía descontentar en nada al señor Jovellanos, confuso en la fidelidad y lealtad de su alma grande, y al mismo tiempo temblaba de que se supiese algo de esto el sultán Godoy. He aquí, en buena conjetura, la tristeza de Lasaúca[8].

Las palabras de González Posada referidas a la redacción personal del *Diario*, tan taxativas, – "en el silencio de la noche por medio de su lapicero lo fijaba en un papel" – parecen desmentir cuanto llevamos dicho o, cuando menos, invitan a dudar de la co-responsabilidad del mismo. Según el mismo González Posada, en el momento de la detención, Jovellanos, que no pudo llevar "recado de escribir", sí "pudo coger un lapicero", por lo que su afirmación tiene en principio todos los visos de ser cierta. Sin embargo, el carácter del escrito, los múltiples elementos personales referidos a Lasaúca y las precisas indicaciones contenidas al respecto, no permiten otorgar crédito a su afirmación. La redacción tuvo que ser sin duda una redacción conjunta, con trozos dictados directamente por Jovellanos o inspirados por él y otros de la propia cosecha de Lasaúca, supervisados también seguramente por Jovellanos, aunque es probable que nunca podamos deslindar qué es de uno y qué del otro. Al menos en la totalidad del escrito. El gran jovellanista Julio Somoza, al registrar la copia de este cuaderno, afirma, sin entrar en más averiguaciones, que "fue escrito por Jove Llanos y Don Andrés de La Saúca»[9]. Para Manuel Fernández Alvarez, autor de unas hermosas páginas sobre la relación entre ambos hombres, la escritura es de los dos, aunque inspirada por Jovellanos, que sería el autor principal de las observaciones, aunque luego las pondría por escrito Lasaúca[10]. Para José M. Caso González, aunque aparentemente el redactor del cuaderno sea Lasaúca y aluda al reo como el compañero, "este precioso cuaderno no puede ser más que obra de Jovellanos", aunque luego matice: "Me imagino que Jovellanos dicta y

[8] *Memorias*, cit., p. 190. Los puntos suspensivos que aparecen entre corchetes corresponden a un texto ilegible por la humedad del manuscrito.

[9] *Inventario de un jovellanista*, p. 118 (ord. 205).

[10] M. Fernández Alvarez, *Jovellanos. Un hombre de nuestro tiempo*, Madrid, Espasa-Calpe, 1988, p. 166.

Lasaúca hace de secretario o amanuense, con acaso alguna intervención personal»[11]. Gómez de la Serna, en sentido contrario, y a tenor de las referencias personales del mismo, afirma que no fue escrito propiamente por Jovellanos sino por Lasaúca, "como podrá ver cualquiera que lo leyere con mínima atención»[12]. Desde luego, la mano del Regente es incuestionable... pero la de Jovellanos también, y todo el cuaderno lleva impreso su sello, aun cuando nunca hable con voz propia. Por eso el *Diario* es de los dos, de Jovellanos y de Lasaúca, tal como como lo expresaba Somoza, y como el propio cuaderno precisa. La afirmación de González Posada, que no debía de tenerlo a la vista cuando escribía sobre ello, ha de interpretarse, por tanto, como un defecto de información.

A partir, pues, de esa redacción conjunta desintegrada internamente, aunque no explícitamente, en un *yo* bifronte, cabe plantearse cómo se articuló literariamente este esfuerzo común de dos individualidades para formar un sólo discurso autobiográfico y qué correspondió a cada uno en la conformación del mismo.

Por lo pronto, se trata sin duda de un trabajo de colaboración hecho a partir de un pacto previo. Jovellanos, desde luego, no estaba en condiciones de imponerlo; todo lo más de sugerirlo. Y a Lasaúca correspondía aceptarlo o no. El hecho de que lo hiciera, y de que lo hiciera con gusto, como se desprende de sus manifestaciones, evidencian la plena aceptación de tal pacto. Pero, ¿de qué modo eran autores uno y otro? La cuestión ofrece especial interés, sobre todo a partir de los recientes trabajos que han cuestionado la ontología tradicional del autor literario (Foucault, Derrida, Thibaudeau, etc.). Desde el punto de vista gramatical, la voz expositiva la lleva Lasaúca, alternando el yo personal con el nosotros que traduce el acontecer suyo y de su compañero . En modo alguno se diluye en la de un mero amanuense, que se limita a transcribir lo que otro le dicta. Su voz interfiere en el texto con todos los pronunciamientos; lo presenta como cosa propia («mi *Diario*») e incluso lo autentifica en el pasaje citado en que se menciona a sí mismo con su verdadero nombre y apellido. Es un pasaje de singular importancia, que viene a representar la exigencia de firma para que se haga patente el yo textual del que escribe. El Regente adquiere con ello, al menos literalmente, un rango de estatura cultural superior a la de mero amanuense:

[11] G.M. de Jovellanos, *Diario (Antología)*. Ed., introducción y notas de J.M. Caso González, Barcelona, Planeta, 1992, p. 405.

[12] G. Gómez de la Serna, *Jovellanos, el español perdido*, Madrid, Sala, 1975, II, p. 138.

el de autor. Sin embargo, en los términos en que lo indica y en la forma en que utiliza el nosotros, se advierte que con ello no esté reclamando ese estatuto específico. Señala que es él quien escribe, pero nada más.

Jovellanos, por su parte, nunca habla con voz propia, aunque sin duda ejerce su soberanía de autor haciendo que el texto se organice de acuerdo con sus criterios y planteamientos formales, por más que se haya roto la estructura profunda del *Diario*. Ha perdido su poder legal para narrar su existencia pero no su poder real para que ella se escriba. Y para que se escriba sin que su personalidad quede solapada, sin que deje de seguir siendo verdadero sujeto autobiográfico. La interferencia de otra voz, no le ha impedido asegurar la suya propia, aun cuando no la emita nunca en primera persona, sino asociada a la de su carcelero-acompañante. Que Jovellanos está en el *Diario* se deduce de la misma forma en que está escrito. Como hemos indicado, comparado con los cuadernos precedentes, no presenta diferencias apreciables, salvo las referencias estrictamente personales del Regente. La poética, el diseño y ejecución de este nuevo cuaderno no varía sustancialmente con lo practicado en los precedentes que daban cuenta de sus correrías de aquí para allá, y que aparece enunciado en sus ya lejanas *Cartas del viaje de Asturias*: "¿Hay por ventura un medio más seguro de conocer bien los pueblos y provincias de un reino, que el de ir a los lugares mismos, y aplicar la observación a los objetos notables que se presentan?»[13]. Es fundamentalmente la relación de un viaje practicado con este criterio. Conocer pensando en el progreso, aunque en el horizonte del reo no se aviste el papel que pueda cumplirle a él. Las anotaciones siguen alternando el estilo conciso, telegráfico incluso, con las descripciones extensas y pormenorizadas. Todo lo que antes interesaba a Jovino interesa ahora a Lasaúca: la economía, los precios, las gentes, el paisaje, el estado de las posadas, los cultivos, la educación, el arte... El *nosotros* que recoge sus observaciones los presenta, como antes a Jovellanos, como personas cultas, sensibles, ilustradas, de exquisito gusto. Aprecian y disfrutan de las cosas hermosas – objetos y lugares artísticos, paisaje, vajillas, decoración... –; captan con perspicacia detalles curiosos de lugares y posadas; se ilusionan con el progreso, viendo las posibilidades de desarrollo agrícola, lo que podría contribuir a mejorar las vías de comunicación y la industria. Disfrutan con los buenos cultivos, con las obras y trabajos bien hechos. La redacción del *Diario* sigue concibiéndose como un escrito preciso, contenido en sus límites justos

[13] G.M de Jovellanos, *Cartas del viaje de Asturias (Cartas a Ponz)*. Ed., prólogo y notas de J.M. Caso González, Salinas (Asturias), Ayalga Ediciones, 1981, I, p. 56.

de una relación de viaje, sin excesos descriptivos ni consideraciones inútiles. La sintonía entre ambos es absoluta, sin fracturas que permitan separar los discursos de uno y otro.

Por todo ello Jovellanos es también autor del texto. Y que lo considera suyo se muestra en el hecho mismo de conservarlo entre sus papeles y de darlo a copiar a Roger de Caux. Hay, pues, una co-autoría libremente asumida por ambas partes que se expresa mediante el predominio absoluto de la primera persona del plural (Lasaúca sólo habla en catorce ocasiones en forma personal); una co-autoría que se justifica y explica, no sólo por los mismos condicionamientos políticos que determinaron esta relación conjunta, sino también por el propio planteamiento del *Diario*. Su propuesta de colaboración con Lasaúca difícilmente se habría dado si él no hubiera practicado también antes en el propio *Diario* una cierta configuración abierta. O, dicho de otro modo, si no lo hubiera concebido como algo más que un territorio íntimo y de exclusiva responsabilidad personal. La lectura de los cuadernos anteriores manifiesta con claridad su gran capacidad para acoger materiales ajenos y para ceder la pluma a quien pudiera aportar algo de interés; particularmente en los cuadernos de viaje. Su amanuense Acevedo colabora con él copiando y extractando documentos, y otros compañeros más o menos coyunturales le facilitan igualmente materiales y relaciones que aprovecha, y que él mismo confiesa con cierta frecuencia. V.gr.: en el viaje de Salamanca a Oviedo "las particularidades del camino desde Salamanca a Zamora quedan a cargo de Zurro" (p. 67); "infórmome de un práctico y dibujo con él el mapa que irá con este *Diario*" (p. 123); "el P. Bujanda me da algunos extractos de libros de cuentas, Acevedo extracta, Liaño copia: todos al caso" (p. 274); "Liaño escribe" (p. 276), "me ofrece [el archivero Fr. Benito Salido] otros apuntamientos que le pediré para completar mi viaje" (p. 290), "si quiere Aleson escribiremos algo sobre el cultivo de viñas" (p. 270), etc. El carácter peculiar del *Diario,* sobre todo el de viajes, concebido como agenda y registro de noticias y apuntamientos para su uso propio y también para el de amigos como Ceán o Ponz, a cuyas obras podría concurrir con informaciones nuevas, antes que como memorias íntimas, favorecía también la colaboración ajena. Que ahora cediera la pluma al Regente, aunque motivado por circunstancias muy especiales, no era por tanto algo enteramente anómalo.

Ahora bien, también la mano del Regente está actuando. Y no sólo por que hable con su voz propia. Un examen detenido del cuaderno muestra que también su autoría afectó en parte al carácter y estilo del *Diario*, sobre todo si se le compara con el cuaderno precedente. Algunas diferencias son, desde luego, imputables a los dos, o más bien, a las circunstancias en las que se redacta. Hay menos descripciones artísticas y son también menos detalladas, como hechas más aprisa. Hay una casi total ausencia de referencias a lecturas. Obviamente la situación, siempre de viaje, y de viaje apremiante, no era la más propicia. Tan sólo al comienzo del mismo, el 28 de marzo, se alude a la lectura en Kempis, Cicerón y Ovidio. Un día piden la "Gaceta" pero les dicen que nada hay interesante; otro que leen la "Gaceta" y libros de la biblioteca del coche. Por otra parte, la ordenada y sistemática andadura propicia que las anotaciones puedan hacerse diariamente, de modo que una vez empezadas, corran seguidas sin los saltos y largos paréntesis que se producen tras el regreso a Gijón después del ministerio (1798)[14]. De hecho, desde el 1 de noviembre de 1798 hasta el 20 de enero de 1801, la extensión del *Diario* se reduce a doce páginas apenas de la edición de la BAE. Por el contrario, los 17 días redactados con Lasaúca ocupan 29. Tampoco hay, claro está, cartas – sólo en una ocasión consigna Lasaúca haber escrito "carta a mi casa" – (p. 60), anotaciones de cuentas, de paseos con amigos, visitas, tertulias, juegos y de todas las demás actividades que llenaban su apacible vida gijonesa. Viaje y sólo viaje, con algunos recorridos por lugares muy próximos al camino. Tampoco hay concesiones a la expresión de sentimientos. Bien es verdad que no eran hasta entonces excesiva-

[14] Ya el mes anterior, octubre, falta por completo. Empieza veinte días después de su salida de Madrid, el 1º de noviembre, por cierto, con el propósito de redactarlo de manera continuada, y en él resume los aspectos más importantes acaecidos en ese mes de octubre. Pese a sus buenos propósitos, lo reanuda el 12 de abril de 1799, en el que anota: "Otra embestida a ver si puedo restablecer mi *Diario*. ¡Cuántas lagunas y de qué tiempos tan tristes y tan interesantes! Pero no hubo remedio. Mi salud en su tono antiguo; mi mano, no buena aun del todo, pero sirve" (p. 26). Continúa seguido hasta el 16; nuevo parón; lo reanuda el 22; otro paréntesis; vuelve el 28; otra laguna; reaparece el lunes 6 de mayo "¡cuanto ha que no escribo! Pero pocas cosas notables lo exigían" (p. 29). Desde entonces se abre otro nuevo paréntesis que se cierra con un *Octubre*, en el que resume brevemente algunos sucesos acaecidos hasta entonces; sigue la anotación del 21 del mismo mes, en la que incorpora sucesos de algunos días siguientes, y vuelve a reanudarlo el 1º de enero de 1800: "Otra embestida, por si puedo continuar seguidamente este *Diario*" (p. 30). Los quince días siguientes es fiel a su propósito. Viene luego un resumen de sucesos de febrero, y lo reanuda el 1º de marzo, sigue el 3, y otra larga laguna hasta el 20 de noviembre, que es justamente con la que cierra ese año de 1800. La siguiente anotación es ya del 1 de enero de 1801, a la que suceden las de los días sucesivos hasta el 20 del mismo mes en que lo cierra definitivamente.

mente abundantes, como ha observado Julián Marías[15], aun cuando brotaran con cierta frecuencia efusiones sentimentales, rasgos afectivos, acentos íntimos. Las amarguras de Jovellanos de que da cuenta en el cuaderno anterior, cuando las cosas del Instituto empiezan a ir mal, cuando siente la ausencia de su hermano, cuando advierte el rechazo y las insidias de no pocos, las esperanzas también de que todo pueda mejorar, su atracción por Ramona Villadangos, su ternura con los muchachos del Instituto... faltan aquí por completo. La única impresión profunda de que dan cuenta es cuando en Paredes se duelen de las precarias contrucciones de los pueblos por los que cruzan: "Desde León aquí todos los edificios, salvo alguno considerable, son de tapias de barro o de adobes con lanilla de lo mismo por fuera: circunstancia que hace las poblaciones muy tristes y desaliñadas" (p. 38). Nada que tenga que ver con la penosa situación en la que Jovellanos se halla inmerso. Ni él se queja, ni su acompañante tampoco. En todo caso, se compadece, aunque tangencialmente y como sin querer decirlo. Pero nada más. Se diría que se limitan a ver y observar, como si nada especialmente doloroso estuviera ocurriendo. El único dolor, la única amargura, es la de las incomodidades derivadas del viaje. Las circunstancias, obviamente, no permitían otra cosa.

Otras diferencias en cambio, de orden estilístico, deben interpretarse como singular impronta de Lasaúca. La expresión, aunque correcta, resulta menos ágil y cuidada, como ya observó Somoza cuando lo publicó por primera vez[16]. La adjetivación es ahora más sobria e incolora, menos matizada. Ningún sublime, ningún delicioso, ningún pingüe (referido a tierras feraces), ningún hórrido por feo. Las cosas, los paisajes o los lugares artísticos tienden a ser bellos o feos, buenos o malos sin muchas más especificaciones. Hay, sí, cosas graciosas , pero no con la abundancia con que empleaba este calificativo Jovellanos. La ponderación suele resolverse habitualmente con un harto, mucho más frecuente ahora que con Jovellanos... Pero, por lo demás, no hay diferencias llamativas que permitan individualizar este cuaderno como entidad singular e independiente.

Estamos, pues, ante un caso atípico de escritura autobiográfica. Un caso que, aunque determinado por las circunstancias igualmente atípicas en las que se gesta, ilustra también la situación en la que se halla la literatura, o cierta parte de ella, antes de que el mundo romántico imponga el exaspe-

[15] Los *Diarios* "no son íntimos, ni dramáticos, ni apasionantes», G.M. de Jovellanos, *Diarios*. (Selección, prólogo y notas de J. Marías), Madrid, Alianza Editorial, 1967, p. 12.

[16] *Escritos inéditos de Jovellanos*, p. VIII.

rado concepto de autor soberano que ha presidido la literatura posterior. La frase "y lo que nos ocurre se escribe", así, con sujeto impersonal, resume nítidamente, tanto la forma en que sus autores la realizan, como la despreocupación de ambos por asegurarse un especial reconocimiento de autoría.

Y esta despreocupación explica que la ruptura de la estructura profunda del *Diario*, materializada en la supersposición de un yo que no es el de Jovellanos, no afecte sustancialmente a su carácter propio.

Y ello es más significativo si se tiene en cuenta que había un propósito – obviamente inconcreto y lejano – de publicación del cuaderno o, cuando menos, de puesta en circulación, según se desprende de un pasaje del mismo en el que se alude al "curioso lector»[17] y de otro anterior en que Lasaúca plamaba cómo Jovellanos le había contado diversas anécdotas referidas al monasterio jerónimo de S. Asensio que no las ponía en el *Diario* porque las hallará "el que quiera saberlas" en el *Nuevo Diccionario de Artistas españoles*. Ambas declaraciones, únicas en el *Diario*, dejan ver que en el horizonte de quien escribe se perfila un lector múltiple que nada tiene que ver con lo que Jovellanos practicaba de vez en cuando: comentar cosas del mismo en su tertulia gijonesa[18]. Que el *Diario* es, si, un registro de noticias para su uso propio y de sus amigos pero también un conjunto de materiales que quizá algún día podrían ir a la imprenta. Una carta a González Posada, escrita en Valladolid el 4 de setiembre de 1791 dándole cuenta de su viaje hasta la frontera con Francia, da una clave bastante precisa de este posible destino ulterior al decir que todas las cosas que vio "están en mi diario y las verá usted algún día, y acaso el público, si Dios me diere ocio y serenidad"[19]. Es razonable suponer, como señala Marcelino C. Peñuelas, que Jovellanos iba recopilando datos sobre las misiones que le fue encargando el gobierno y sobre todo lo que como buen ilustrado le interesaba – la indus-

[17] Cuando, ya por tierras catalanas, el relato describe las dificultades del carruaje, estropeado por el mal estado del camino, y da cuenta del humorístico augurio del andaluz de la escolta diciendo que si Dios no lo remediaba por la noche tendrían que hacer penitencia llevando el coche a cuestas, escribe el diarista: "Y casi adivinaba, por lo que verá el curioso lector", aludiendo a que, efectivamente, al poco rato de camino, la clavija del cuadro delantero de las ruedas se rompió y dió con el carruaje en tierra, teniendo que ultimar el trayecto hasta la posada a pie y en medio de la noche.

[18] Según se desprende de su anotación: "Conversación con los diarios de tertulia", reflejada el 27 de octubre de 1796 (p. 394).

[19] G.M. de Jovellanos, *Correspondencia*, en *Obras completas*, por J.M. Caso González, Oviedo, CES XVIII, 1985, II (1°), p. 482.

tria, el arte, el comercio, etc. – con el fin de publicarlo algún día[20]. De haberse hecho esto con el cuaderno décimo, ¿bajo qué nombre habría aparecido? Parece lógico suponer que de Jovellanos, sujeto y responsable último del escrito, aun cuando hubiera contado con la colaboración de otras personas; de Lasaúca en este caso. Pese a ello, insistimos, ni en uno ni en otro se advierte particular interés por garantizarse un reconocimiento especial de autoría captan con perspicacia detalles curiosos de lugares y posadas («notamos la singularidad de las lámparas, que son dos bellísimas copas de cristal, colocadas en dos nichos en la pared, a los lados del altar mayor [...]" (p. 54)).

La redacción del *Diario* está concebida como un escrito preciso, contenido en sus límites justos de una relación de viaje, al igual que lo hacía antes Jovellanos, sin excesos descriptivos ni consideraciones inútiles («No nos cansaremos en describir las obras de este canal [de Aragón], que andan ya en planos y libros impresos" (p. 54); "¿cómo es que está abandonada una carretera de las más principales de España, entre dos provincias tan opulentas [Aragón y Cataluña] y cuyo suelo, intransitable en el invierno, clama por un buen camino? Pero esto no nos toca, y pase por observación de viajeros" (p. 62)).

Arte:

- día 28: monasterio de benedictinos de Sahagún, expresión de su riqueza (sin dar detalles); casa-fuerte de Grajal y palacio de los condes de Grajal (sin descripción);
- día 29, domingo de Ramos: iglesia de los de los Descalzaos de Grajal (breve descripción); Paredes de Nava, alusión a ser patria de Berruguete "de cuya vida y obras se hallará razón en el *Diccionario de artistas españoles* de don Juan Ceán" (p. 38);
- día 31: en Villanueva de las carretas van a ver, tras el almuerzo, la iglesia (descripción, p. 42); más adelante, en Villarreal de Buniel, la iglesia (descripción). Se ve que preguntaron al campanero por la renta pero no se lo quiso decir;
- jueves, 2 de abril: fuente de Ameyugo en tierras riojanas, iglesia de Montalvo;

[20] M.C. Peñuelas, "Los *Diarios* de Jovellanos, ¿memorias íntimas?», en "Ínsula", núms. 224-225 (julio-agosto 1965), p 12.

- martes de pascua, 7 de abril: una iglesia en Zaragoza, en el Torrero, con tres cuadros de Goya;

- miércoles, 8: iglesita de San Antón en las cercanías de Bujaraloz;

- sábado, 11: fachada de la Universidad de Cervera;

Situación económica del lugar: Grajal y lugares subsiguientes del camino por tierras de Palencia.

Noticias singulares:

En Paredes:

La asistencia en la posada, como de ordinario, y porque no falte alguna singularidad, hay la de que los platos de loza entrefina estaban casi todos quebrados y empalmados por corchetes de alambres de hierro, muy diestramente: prueba de la rareza de este género. (p. 38)

En Villarreal de Buniel: descripción muy pormenorizada del tocado de las mujeres (p. 42)

Expresión de sentimientos:

Retratos: son escasos, pero precisos y matizados. Los más abundantes son los de las posaderas.

La patrona de la casa en la que se alojan en Logroño

es joven, linda, aseada y con un aire tan agraciado y noble que podía recordar a la **bella locandiera** de Goldoni. (p. 50)

La de Ausejo, donde se alojan la noche siguiente, es justamente todo lo contrario:

Es una mujer mediana, gruesa, barriguda, de cara hombruna, aire suelto y ordinario, y sin grandes señales de limpieza ¡Qué buen contraste si se las pintara en dos cuadros a ésta con la **locandiera** de Logroño, en esta colección de vejestorios. (p. 52)

La de Zaragoza con la que bromean sus criados:

francesa feísima, pero fresca y rechonchuda, hija de la gordísima madama posadera, a quienes se debe hacer el honor de habernos servido con mucho celo y limpieza. (p. 56).

Las de Fraga:

> [...] nueve mujeres asquerosísimas entraban y salían, una madre y ocho hijas; pero tan zafias, tan feas y tan molestas con su guirigay catalán, que recomendaron muy mal el hospedaje. (p. 60)

La del parlanchín jesuita don Juan de Arguedas, con el que se topan en la posada de Zaragoza:

> Hombre bueno, sencillo y franco, hasta más de lo que el carácter jesuítico permite, pero... habla, habla, habla de sus viajes, de sus conexiones, de las riñas con sus parientes, de sus pleitos con ellos, de siete provisiones y tres sobrecartas ganadas en el Consejo de Navarra, y de un escribano y un abogado que lo engañaron, y de las gentes de Tudela, que son del partido de su cuñada, y del testamento que tiene hecho, y de la devoción de las tres horas del Viernes Santo, etc., que es una bendición de Dios. (p. 56)

Cânone e anticânone: o romance simbolista de Rocha Pombo

ROBERTO VECCHI

Se as generalidades nos satisfizessem, poderíamos começar logo dizendo que as relações entre cânone e exclusão, entre razão e desrazão, entre romance e loucura redundam até ao ponto que bem se poderia tentar uma abordagem de conjunto: isso sobretudo se pudéssemos nos eximir de considerar o elemento do *corpus* ou dos *corpora* que de algum modo os correlacionam ainda que no plano abstrato. Poder-se-ia nesse exórdio de foco descentrado dizer que em primeiro lugar é uma relação obscura, mas constitutiva, de-finitória, isto é, que institui um dentro e um fora, um interno e um externo, um vazio e um pleno, que forja tanto a coisa literária como o lugar da loucura: o que funda esta relação é um espaço que se poderia chamar o espaço da repressão[1]. É claro que cânone, ordem, razão, texto, criam essa corrente semântica aparentemente homóloga sobretudo em virtude de um elo comum e indiferenciado (neste momento) a que também poderíamos dar um nome genérico que é de princípio de autoridade.

Mas a homologia, neste nível, também poderia logo se prestar para uma súbita, brusca inversão, tornando-se diferença: é assim que nós nos apercebemos que estamos manuseando aproximativamente objetos sem corpos que, nesses termos, tão gerais, não produzem nenhum conhecimento, fazendo deslizar de forma incontrolável a instância negativa em instância de negatividade, virando a tese em antítese sem nenhuma mediação viável. O que, francamente, impossibilitaria a reposição de qualquer linha estável de fronteira, dilacerando uma orla em si muito precária, impedindo portanto aquela demarcação do objeto a que damos o nome triunfante de epistemologia.

[1] S. Felman, *La folie et la chose littéraire*, Paris, Seuil, 1978, p. 16.

É verdade – e é Foucalt que nos explica – que a história da nossa cultura, incluíndo nela o cânone e a razão, é a história de uma repressão, mas ao mesmo tempo é verdade também que há outras formas de refazer a história que permitem resgatar a desordem que está incorporada na ordem, o pensamento que está incorporado na loucura, a exclusão que está incorporada no cânone (e a esta forma sempre Foucalt, diga-se só tangencialmente, retomando a lição de Nietzsche, dá o nome de genealogia[2]). É por essa razão abstrata que decorre dessa lâmina de dois gumes que é ao mesmo tempo homologia e diferença que é preciso não se deixar cair na armadilha das generalidades que a própria fragmentação e enfraquecimento finissecular de algum modo secundariam.

De fato, o meu objeto é outro, só aparentemente o Outro. É um romance de Rocha Pombo, *No hospício*, de 1905 que funciona como uma instância inabafável de problematização ou como um conjunto labiríntico de contradições sem garantia de saída, se quisermos ficar ainda no plano anterior das generalidades. O tema em questão, do cânone e da exclusão, se encontra aqui perigosamente (em termos exegéticos) misturado. Veja-se bem: temos um romance que se funda sobre uma metáfora de exclusão por uma razão canónica (uma experiência estética dentro de um padrão codificado, o da prosa simbolista) que na circunstância histórica da sua publicação é excluído do cânone.

Ou seja, há uma assimetria tão marcada que se torna quase um simulacro de ordem, como um quiasmo, recompondo assim um sentido de superfície que apareceria inexoravelmente desfibrado. Indo logo para uma tese em que talvez a hipótese de partida não se consiga traduzir, a minha idéia é que aqui, como em inúmeros outros casos da literatura chamada, por assim dizer, de "pré-modernista", na verdade ligada àquela decisiva crise que Sérgio Buarque de Holanda define "a nossa revolução" (ainda inconclusa em 36)[3] é que vale o paradigma crítico (porque disso se trata, a meu ver) que Lúcia Miguel Pereira aplicou à leitura de Raul Pompéia: isto é, que do "conjunto das contradições, que poderiam ser consideradas indícios de fra-

[2] M. Foucault, "Nietzsche, la généalogie, l'histoire", in *Hommage à Jean Hyppolite*, Paris, 1971, pp. 145-172 citado da edição italiana in *Microfisica del potere. Interventi politici*, Torino, Einaudi, 1977[3], pp. 29-54. A pertinência, a meu ver sancionada também no caso em objeto, do paradigma genealógico vem de uma discussão teórica sobre historiografia literária no Brasil com Ettore Finazzi Agrò, a quem agradeço.

[3] Cfr. S. Buarque de Holanda, *Raízes do Brasil*, Rio de Janeiro, José Olympio, 1984[18], p. 135.

queza, saia entretanto uma quase obra-prima»[4]. Esse romance quase romance obra-prima merece ser encarado um pouco mais de perto para compreender que a falha que funda sua diferença (mais uma vez a negação que se torna negatividade, ironicamente poderíamos notar) decorre sobretudo não já de vetores ideológicos, de signos temáticos (embora a nível aparente ocorra justamente o contrário) mas bem mais da sua armadura, através da função decisiva que exerce nele a composição.

E para estudar este aspecto talvez seja oportuno partir dos modos com que o romance, depois da marginalização na conjuntura da sua saída foi, em época bem mais recente, relido e incluído no cânone, aliás como exemplo logrado quase único de prosa simbolista no Brasil. Este exercício nos serve não tanto para relativizar o constante processo de desarticulação e rearticulação canônica que parece sincronizar-se na diástole e sístole das axiologias estéticas do sistema cultural, mas para mostrar como um resgate desses na verdade preserva e não resolve os principais nós exegéticos da obra, removendo uma leitura equivocada a partir de outra leitura que apesar de actualizada, continua equívoca. E talvez, diria de passagem, valha a pena observar que a distorsão de leitura que dobra com graus diferentes a elasticidade da obra representa a principal instância canonizadora.

Essa reafirmação, no que diz respeito a *No hospício*, associa-se basicamente à republicação em 1970 por Afrânio Coutinho do romance. Poderíamos compendiá-la assim: da trilogia romanesco-simbolista principal (*Mocidade morta*, 1899; *Amigos*, 1900 e *No hospício*, 1905) no problemático enraízamento de uma estética como a simbolista num pano de fundo ainda fortemente preso na moldura realista que justifica a sua substancial marginalização crítica, o livro de Rocha Pombo é o que realiza melhor as virtualidades simbolistas; adota dos dois romances que o precedem recursos da escrita estética, cacos do repertório temático, a vertente introspectiva e psicológica, a componente metafísica.

Digamos que a substancial dimensão sincrónica dessa trilogia maior (de 1897, ano da composição de *Mocidade Morta*, a 1901 ano, de composição de *No hospício*) não impede que o texto de Rocha Pombo funcione como uma tentativa de canonizar o novismo simbolista procurando fixar em texto os seus marcos fundadores, ao ponto que na consagração póstuma e reparadora (Andrade Muricy, Sônia Brayner, Massaud Moisés, Wilson

[4] L. Miguel Pereira, *Prosa de ficção (de 1870 a 1920)*, Belo Horizonte-São Paulo, Itatiaia-EDUSP, 1988, p. 108.

Martins, etc) ficou assente que representaria "o exemplar mais acabado de romance simbolista, desde o estilo até o conteúdo»[5].

Quais os traços deste microcanône que a história literária só tardiamente vingará, em termos aliás que as presentes considerações de algum modo problematizam? Em repertório sinótico, Sônia Brayner resenha: "Mantendo-se por um fio de enredo tênue, serve-se dele apenas como apoio para a atmosfera simbolista das discussões filosóficas e espiritualistas entre o narrador e o personagem central»; na oscilação entre a síntese do inconsciente e da suprema consciência, nas problematizações das questões metafísicas, na hipersensibilidade do protagonista, a narrativa "na primeira pessoa, utiliza-se de uma constante fragmentação textual ao inserir os escritos de Fileto como um enriquecimento teórico e filosófico de sua própria construção artística»[6].

Sobre este tear por núcleos simbolistas, se poderia acrescentar uma outra definição que foi se juntando à operação de recuperação canônica de Rocha Pombo e que se deve a Andrade Muricy, a de "romance ensaio" fundada em uma teoria simbolista da arte[7].

Assim é que se deu o resgate por parte do cânone, ou seja, que se tentou regularizar as contradições de uma obra tão esdrúxula e díspar como a de Rocha Pombo que põe antes de mais nada uma solicitação básica: como colocar de forma periodologicamente não perturbadora a questão de um simbolismo que ficou no fundo alheio à instância canonizadora? Temos de fato no caso do nosso romance uma circunstância de problematização que não contribui a esclarecer as relações históricas entre textos e contexto, mas pelo contrário a aprofundar as contradições aparentes.

De fato, *No hospício* toma um rumo outro em relação à obra hétero-simbolista sincrônica que marcará a época, ou seja, *Canaã* de Graça Aranha (1902) cujas analogias são efetivamente evidentes e são tanto de ordem formal (a centralidade do dialogismo, o descritivismo extraído da enciclopédia simbolista, certos arranjos metafísicos e a tensão com uma realidade e uma tentação realista sempre próximas), quanto de ordem temática –-uma dialética que se dá através de "uma filosofia ficcionalizada e uma ficção fi-

[5] M. Moisés, *História da literatura brasileira. IV: Simbolismo*, São Paulo, Cultrix, 1988², p. 158.

[6] S. Brayner, "Os limites da subjetividade, filosofia, poesia e ficção" in *Labirinto do espaço romanesco*, Rio de Janeiro, Civilização Brasileira, 1979, p. 246.

[7] M. Moisés, *op.cit.*, p. 161.

losofante»[8], a conjugação do pensamento estético com um pensamento "político", ou seja, histórico[9]. Nesses termos de questionamento pela própria história literária, o uso crítico da justaposição de *No hospício* com o romance seminal de Graça Aranha, nos faz aperceber como a obra que ficou por fora pode ser vista, como dizíamos, como uma "quase obra-prima" pelas suas contradições, pelo seu fragmentarismo bem mais do que pelas qualidades plenas, reconhecidas ou recalcadas. Mais ainda, poderíamos acrescentar que a problemática do canône em um contexto periférico de formação modernista impõe aquela que nos termos do jargão filosófico, se chama, com um verdadeiro gosto do paradoxo, de "hermenêutica da reticência", onde o que não se diz é tão relevante – ou até mais – do que é dito.

Mas então o que é que Rocha Pombo faz diante da solicitação canônica? Configura uma resposta que lhe parece ser o limite extremo de negociação entre três instâncias básicas: o canône local, a influência externa, uma contra-tradição em estado embrional adotada como vetor dinâmico (podemos apreciar na tríade a dialética particularismo e cosmopolitismo[10], ampliada porém por um *tertium* que poderíamos definir um "instinto de modernidade"). A mescla histórica desta combinação gera um produto estético que, ainda que excluído do corpo canônico, incapaz de regularizar as suas contradições, representa para nós um importante objeto de questionamento histórico-literário. Uma espécie de nem tanto voluntária carnavalização da história efectiva do cânone que remete de novo para uma visão genealógica mais do que histórica (a referência é sempre a Foucault).

Tentemos deslindar pelo menos algumas das suas ambigüidades historicamente necessárias. Temos, de fato, um jogo aparente com que contracena um movimento mais complexo, o que determina um princípio estruturador do texto e envolve tanto o nível temático quanto o nível formal. Mas procedamos por graus.

A loucura por exemplo é aparentemente o fio principal de uma trama exígua, assim como imporia o padrão da prosa simbolista. Na verdade, ela já se apresenta complexamente, isto é, com um duplo signo. O dominante (e

[8] O quiasmo pertence à leitura crítica de *Canaã* proposta por Roberto Schwarz, "A estrutura de *Chanaan*", in *A sereia e o desconfiado*, Rio de Janeiro, Paz e Terra, 1981^2, p. 31.

[9] Cfr. S. Buarque de Holanda, *Um homem essencial*, in "Estética", I (1924) agora em S. Buarque de Holanda, *O espírito e a letra*, org. por. A. Anoni Prado, São Paulo, Companhia das Letras, 1966, v. I, p. 184.

[10] Refiro-me aqui, claramente, ao príncipio estruturador da *Formação* de Antonio Candido.

note-se de passagem, o mais superficial) é a montanha encantada do hospício. É a loucura metafórica da fuga do mundo e da história, o desencanto do primado da razão e da técnica. À matriz machadiana que pela metáfora desmetaforiza os fetiches da pseudo-razão dominante, se sobrepõe um condicionamento de outra procedência (e aparentemente muito forte): o nietzschiano. Um efeito, esse, secundado pelo proprio debate interno de idéias onde Nietzesche desempenha um papel relevante embora não imune de ressalvas. Trata-se da mitologização da doença que proporciona através de tudo o que a razão excluiu e que Nietzsche resume no conceito de corpo – como emblema máximo do *andersdenken*, do pensamento outro[11]- um excesso de experiência que se traduz em saber, em gaia ciência. Figura fundadora, se poderia pensar, do repertório antagonista simbolista-decadente, mas também figura que logo desvenda, pelo menos sempre em Nietzsche, a sua imediata fragilidade: a mitologização na verdade nega o que na superfície parece afirmar, o corpo e sua pluralidade, representado mais um dos disfarce da razão, do pensamento. Quem conhece um pouco a filosofia de Nietzsche, mesmo por "uso tópico" (isto é, crítico-literário) sabe bem que a complexidade decorre da estratigrafia freqüente e internamente assistemática de um pensamento que é uma constelação em expansão teorético-artística. Por isso que o tratamento pseudo-analítico que é conferido no romance à obra nietzschiana soa de imediato uma concessão a um gosto do tempo mais do que uma adesão crítica como pretende aparentar. De resto – é Brito Broca que o confirma – a leitura do filósofo alemão é apenas incipiente na época da composição da obra, isto é, logo no começo do século[12].

E não faltam os índices na explicação nietezschiana de que a apropriação ocorreu por uma leitura muito sumária, uma má leitura, circunstância esta que não só não reduz o valor histórico do romance mas pelo contrário o aumenta como é através do estudo das más-leituras (ou das boas, por oposto) que as idéias – é esta a minha opinião – encontram o seu lugar. O fundo nietzschiano do texto – que existe e é apreciável – decorre – estou sempre mais convencido disso – da influência indirecta de outras fontes que hipo ou intertextualmente se tinham cruzado com a fonte primária do filósofo alemão. A idéia do tempo como algo que se deshierarquizou e se tornou portanto algo por perder ou preencher (as duas figuras do dandy e do

[11] Veja-se, a esse respeito, F. Rella, *Miti e figure del moderno*, Milano, Feltrinelli, 1993, p. 43.

[12] Cfr. B. Broca, *A vida literária no Brasil-1900*, Rio de Janeiro, José Olympio, 1975^3, pp. 112-116.

operário representando os dois polos) vem do outro Nietzsche sobrevivente do fracasso da tentativa mítica de redimir o tempo de *Assim falou Zaratustra*, a exasperação do problema da decadência que vem da recusa da história da "Segunda consideração inatual" que reflete criticamente sobre a doença histórica do homem moderno incapacitado de encontrar uma verdadeira novidade e tornando assim sinónimos modernidade e decadência.

Esses tópicos presentes no discurso de Rocha Pombo bem mais do que uma derivação direta decorrem do fluxo sincrético finissecular de figuras – que é um elemento da modernidade: a escrita esteticista encontra e fisga as tópicas decadentes já configuradas em autores enciclopédicos (do ponto de vista do repertório de figuras que apresentam) que exercem uma importante função seminal (D'Annunzio, por exemplo, mas também visões paródicas como a da primeira parte de *A cidade e as serras* de Eça, só para citar um outro caso).

Mas em *No hospício*, o tempo da cura, da experiência cognitiva pelo corpo, pela doença, que procurava suspender o tempo do moderno em uma impressão apaziguante de eternidade, recriada pelo viés literário, não tarda a mostrar sua inautenticidade, seu caráter ilusório, onde reemerge o corpo e a sua irreprímivel força que não deixa margem à mitologização da desrazão como forma outra e desagregadora da razão, como antirazão, crítica do progresso. É a outra loucura desmetaforizada, estridentemente real em sua representação, que se entrelaça ao longo do livro com a loucura idealizada do narrador e do protagonista e opera como um polo dialético que acaba por desarranjar a primeira, por destruir o seu sentido figurado: uma evidência, essa, que justamente no desfecho reativa o seu sentido próprio, a montanha encantada da cura das doenças do moderno perde qualquer aura no contato e no choque com a realidade mesquinha e prosaica do mundo (das relações fetichizadas pelo dinheiro). É nesse momento que o hospício se desidealiza e recupera seu aspeto tenebroso, de "subterrâneo", de prisão. Agora, atrás da tensão aparente do tratamento duplo da loucura há outros fios temáticos que conferem uma consistência relevante ao enredo, tomando porém um rumo não propriamente simbolista.

Um indício disso vem do pretexto temático da advertência na edição *princeps* de 1905, inexplicavelmente expungida da segunda edição organizada por Afrânio Coutinho de 1970 e que introduz o topos, no fundo romântico, do manuscrito reencontrado[13], alterando assim no plano narrato-

[13] "Há alguns meses, falecia nesta capital, obscuro e quase na miséria, um homem, cujo nome nunca se pêde saber. Entre os papéis que deixou, encontrou-se uma farta coleção

lógico o sistema de relações entre a obra e seu contexto referencial com a introdução de uma outra instância diegética, o editor. Não escapou a Andrade Muricy a anomalia desta opção quando observa que a "trovata" "na época, já era inaceitável e pueril»[14], não pensando que por volta da edição de *No hospício*, Lima Barreto iria aproveitar a fórmula para o seu genial *Vida e morte de M.J. Gonzaga de Sá*. Mas o artíficio que desempenha uma clara função tática quanto à narrativa (o afastamento da possibilidade de identificação histórica do narrador com o autor; a ficção do romance e seu contexto referencial são como encaixados noutra ficção – a do achamento do manuscrito que resulta ser, espacial e cronologicamente, definido com precisão; a nota filológica do editor – qualidade do manuscrito, problemas de transcrição etc. – cumpre a tarefa também de justificar através da alusão à técnica da montagem, possíveis descontinuidades, elipses, lacunas do texto) permite um outro lance decisivo da composição narrativa chamada a recompor também as múltiplas contradições da obra.

A nível profundo da composição, na relação narrador / personagem / editor, a novela se desenvole criando uma espécie de ilusão biográfica, isto é, emulando um gênero permeável como o da biografia: ou seja, o romance, na aparência quase desprovido de enredo como se convém à estética em que pretende se inscrever, a simbolista, pode ser lido como o relato da construção de uma biogafia, uma espécie de metabiografia do personagem, Fileto, que se realiza através da narração e da explicação das relações entre biografado e biógrafo[15]. Ao longo de quase todo o romance há um impulso constante de identificação/união narcisista do narrador com Fileto que, de acordo com Freud, reproduz a atitude do biógrafo para com o biografado, ou seja, a tendência do autor de biografias para a identificação narcisista com o biografado (idealizado) que remete para uma relação de idealização

de manuscritos inéditos, sendo o que segue, sob o título de *No hospício*, um dos mais interessantes. Traz na última folha a data de 1900; mais, pela cor das primeiras tiras, bem se vê que é obra em que o autor levou algum tempo a trabalhar. A letra é só legível à custa de muito esforço e paciência, e há muitas palavras que nos foi impossível decifrar, e até períodos inteiros que tivemos de suprimir por ininteligíveis. /Rio, junho 1901», R. Pombo, *No hospício*, Paris-Rio de Janeiro, Garnier, 1905, p. 1.

[14] A. Muricy, "Presença do simbolismo", in A. Coutinho (dir), *A literatura no Brasil*, Rio de Janeiro, José Olympio-UFF, 1986[3], v. IV, p. 471.

[15] Desenvolvi essa perspectiva em outro ensaio dedicado ao gênero biográfico, "Estilhaços de ausências: vida como texto em *Olga* de Fernando Morais e *No hospício* de Rocha Pombo", in Edgar Salvadori De Decca-Ria Lemaire (eds.), *Pelas margens. Outros caminhos da história e da literatura*, Campinas-Porto Alegre, Editora da UNICAMP e da UFRGS, 2000, pp. 191-209, de que retomo algumas linhas nas presentes considerações.

do tipo infantil em relação ao pai[16]. Aliás, há claros indícios apontando para esta hipótese: um que desvenda explicitamente a impossibilidade de adesão global da biografia ao *bios*, à vida, por parte do narrador[17]; ainda, a confirmação da presença de um palimpsesto biográfico é fornecida pela presença de um subgênero próprio das biografias, ou seja, a transcrição de textos do Fileto que remete para a atitude narcisista entre sujeito e objeto da biografia, como dessa vez Fileto evidencia a propósito das transcrições de sermões[18].

Nesta perspectiva, temos portanto um recurso da tradição usado para modernizar, em direção simbolista, o cânone. Neste sentido, é importante ressaltar um outro caráter de conteúdo do texto, digamos as suas modalidades ideológicas dominantes, as que mais deveriam remeter para a elaboração filosófica que sustenta o simbolismo. Atrás, de fato, da aparência metafísica, idealista, do romance, que se cria através do diálogo e da dialética (como em *Canaã*) de dois pontos de vista que progressivamente se aproximam e confundem, a modernidade é enfocada por um outro ponto de observação de algum modo supreendente.

É justamente o movimento dominante conjuntivo do romance, isto é, o transvasamento ideológico do narrador para o personagem, que aponta para significados ideológicos profundos, inscritos em um determinado contexto espacio-temporal (que a advertência inicial de algum modo historicamente define) recolocando também a questão e a problematização do ideário romanesco aparente: na tensão entre sujeito e objeto da narração (o narrador e Fileto) que procura uma aproximação máxima (a moldura biográfica), se insinua uma crítica incisiva à mitologia moderna da diferença. De fato, vale

[16] Cfr. a propósito da "ilusão biográfica" Sarah Kofman, *L'enfance de l'art. Une interprétation de l'esthétique freudienne*, Paris, Payot, 1970, pp. 31-34.

[17] Cfr. trechos como: "Mas quando se começa a reunir os dados, a apanhar o nexo de tudo aquilo e a formar juízo, supondo haver compreendido aquele espírito –tão anormal e tão grande- eis que ele nos supreende com uma nova manifestação e que se contradiz por uma face ainda desconhecida, paradoxal e estranha, mas cada vez parecendomais incompreensivel», R. Pombo, *No hospício*, Rio de Janeiro, INL, 1970^2, p. 220. A aporia que remete para a ilusão biográfica é reforçada inclusive pelas palavras do próprio Fileto acerca da exegese de documentos biográficos: "Os que me julgarem pelo qu escrevo me julgarão mal. Quisera que me conhecessem e julgassem por tudo que não posso dizer. É por isso que eu não quis nunca escrever: porque as almas não se revelam senão às almas, e por um sentido que só as almas exercem», *Ibidem*, pp. 220-221.

[18] "Transcrevi esses dois sermões só por ter o gozo inefável de, ao menos uma vez na vida, escrever com minha própria mão, trémula de assombro, as Palavras eternas de Jesus», *Ibidem*, p. 254.

a pena lembrar que é na modernidade com o primato da razão, aprofundando-se em particular na época romântica, que se destrói a idéia unitária, de matriz clássica, de humanidade: essa idéia se baseava num quadro de representações onde as relações si/outro e sujeito/objeto eram especulares, ou seja, vigorava o princípio de tradutibilidade e da transitabilidade do eu nos outros opostas agora à incomensurabilidade da razão moderna[19]. Era por isso, na mitologia pré-moderna da igualdade, que o autoconhecimento socrático do si era a base do conhecimento do outro. Essa unitariedade, essa homogeneidade do conhecimento, se fragmenta sistematica e irredutivelmente e se torna a condição exemplar da modernidade formando os pressupostos das ideías de indivíduo e de comunidade com vínculo na terra, no sangue, na língua, etc que se afirma na transição romântica.

Rocha Pombo problematiza justamente esta condição, o que explica a tendência para o universalismo humanista, a crítica da razão e do moderno ao perseguir a tentativa de restaurar entre sujeito e objeto da enunciação a unidade perdida: desde o começo, de fato, ao narrador está claro que "é preciso não perder de vista aquele espírito. Não poderei mais deixar de lhe ir ao encontro, de inquiri-lo com instância, até que se me revele todo»[20] e quando a unidade dos dois se perfila na condição da loucura simulada eesa busca explicita todo o seu significado: "estavam definitivamente conciliadas na vida as nossas almas. (...) Duas criaturas que coincidiram no pressentimento de uma beleza desconhecida se alegram, se exaltam, deliram...»[21].

Nesse quadro de representações críticas em relação ao mito fundador da modernidade, ou seja, a diferença, se compreende melhor porque desde o I capítulo até ao momento da realização identidária no que se refere a planos, ideiais, anseios entre narrador e Fileto – depois regularizado pelo desfecho que restabelece as diferenças entre razão e desrazão, realidade e idealismo, história e utopia – a loucura (como emblema da palavra do outro) é como absorvida no discurso do mesmo, retirada do espaço multíplice da alteridade e recentralizada, ironicamente, num hospício. Assim como a utopia comunitária afagada pelo narrador antes e depois assumida também pelo protagonista não pode fixar-se

[19] Sobre essa mudança moderna de grelhas interpretativas na história cultural, cf. a conferência de 1967 de Michel Foucault, "Nietzsche, Freud, Marx", in *Archivio Foucault. 1.1961-1979: follia, scrittura, discorso*, a cura di Judith Revel, tr. it de G. Costa, Milano, Feltrinelli, 1996, pp. 137-146.

[20] R. Pombo, *op.cit.*, p. 25.

[21] *Ibidem*, pp. 272-273.

num espaço/tempo definido que demarcaria sua diferença, mas em virtude do ideal identidário e etimologicamente "político", se universaliza buscando suas raízes antimodernas que encontrariam no código simbolista sua mais coerente formalização estética. Isso explica porque a recentralização do caráter social das especulações travadas pelo narrador e por Fileto acabam – paradoxalmente, se diria mais uma vez – por afastar-se na aparência do referente real no momento em que encontram seu apego máximo na crítica aos processos de modernização em curso no plano da realidade histórica local.

Agora o aspeto que vale a pena ressaltar é o seguinte: a este fundo de valores ideólogicos críticos do paradigma diferencial romântico, Rocha Pombo deveria conferir uma base de sustentação filosófica adequada. Mas assim não é. Numa modesta *quellenforschung* das outras matrizes ideológicas, podemos depreender algumas observações interessantes que recolocam a questão de *No hospício* como romance metafísico-simbolista. Se bem repararmos, de fato, o debate das idéias que o romance encena exibe um repertório filosófico que só o caráter sintético do simbolismo (portanto de uma estética cujo padrão canônico é de fato muito dútil) poderia proporcionar.

É central deste ponto de vista o ensaio do protagonista, Fileto (a voz que, na economia da obra, representa o polo metafísico-simbolista) *A psicologia das visões* que, pelo pretexto da transcrição fragmentária, é parcialmente reproduzido na obra. A linha geral do discurso parece substancialmente híbrida, em época onde o primado da razão positiva está fora de discussão, baseada nos resquícios de um racionalismo digamos assim crítico ou até cético que tenta sintetizar polos antitéticos. Mas lendo bem esses "Fragmentos" se torna mais patente o uso de fontes adaptadas como por exemplo o texto pré-crítico de Kant de 1766, *Sonhos de um visionário, ampliados por sonhos da metafísica*[22]. O que corrobora, aliás, o amplo aproveitamento, formal e temático, da obra de Novalis[23], o romântico que devia parecer a Rocha Pombo o depositário dos principais elementos já articulados da sua procura: a relação analógica entre sujeito e mundo, a mediação

[22] De I. Kant, *Die träume eines geistersehers erläutert durch die träume der metaphysik* de 1766 consultei a edição italiana de M. Venturini (Milano, BUR, 1982). Para algumas considerações contrastivas entre os dois textos, vejam-se em particular as pp.117-118 dessa edição e, de forma mais geral, L. Costa Lima, "Uma questão da modernidade: o lugar do imaginário", in *Pensando nos trópicos*, Rio de Janeiro, Rocco, 1991, pp. 65-66.

[23] A. Muricy assinala este aspecto observando que o livro poderia ter sido escrito um século e meio antes na Alemanha do romantismo de Jena. Fábio Luz apontou a identificação de R. Pombo com a alma de Novalis ("Presença do simbolismo" cit., p. 471)

entre romantismo e cristianismo, o elo entre imaginação e intelecto (isto é, a analogia entre natureza e espírito que encontra no plano da estética uma relação originária-sensível entre sujeito e mundo).

Para resumir, podemos dizer que a contradição central, exibida pelo romance, se consome principalmente no plano ideológico: um ideal simbolista (a crítica da modernidade e da diferença, que o romantismo assentara) apoia seus alicerces numa teoria fundamentalmente romântica, operação artificiosa ou abstracta, se quisermos (que decorre de uma indiferenciação entre romantismo e simbolismo, ou de um simbolismo reduzido a neoromantismo), mas a que, no entanto, o autor consegue dar aquela homogeneidade ou harmonização que concebe como escrita simbolista, investindo justamente nos próprios recursos da narrativa

Note-se também que Rocha Pombo se mostra, na questão das idéias, consciente da totalidade e da exigência, na época da crise, de representar múltiplos valores históricos-ideológicos-estéticos. Prova disto é a presença ao lado da vertente metafísica e simbolista, desprendida do real, do polo engajado, utópico-anarquista do narrador que com o projeto da Cidade futura da Reforma emenda o álgido afastamento de Fileto (e dos simbolistas) das questões sociais, uma busca de totalidade que acaba por afetar a maior parte das representações do romance, não última as duas faces da representação da loucura, metafórica e realista.

As considerações que se podem fazer deste ponto de vista são interessantes. *No hosipício* representa uma espécie de ponto máximo de tentativa de inscrever no cânone uma idéia moderna de prosa como a simbolista. Diante da crise do paradigma realista-racionalista, Rocha Pombo encontra no simbolismo, nas suas virtualidades e efeitos (mistérios, almas, transcedência) na sua tentada reconciliação entre natureza e sujeito, o possível ponto de fuga. Mas para ultrapassar o impasse, evitar as armadilhas do artificialismo, resolve procurar atrás, vasculhar na tradição. O que lhe parece adequar-se bem ao seu projeto é uma certa vertente do romantismo, mas não o local que se virava para outras questões, mas o romantismo à Novalis, mistura de prosa e poesia, de filosofia e literatura, de fichtianismo e cristianismo, da descoberta da estrutura analógica do universo, onde do finito se pode alcançar o infinito romantizando o mundo e o sentimento associado à fé não é fuga da realidade mas meio para chegar de qualquer modo ao plano do conhecimento, na crise incipiente do idealismo[24].

O que lhe possibilita esta articulação, que o cânone contemporâneo não tinha condições de compreender, de decifrar (achando-o, nas palavras de José Veríssimo, excessivamente "monótono e prolixo"[25]), no seu esforço de mediação entre particular (a representação da loucura não seria nunca mais igual depois do tratamento que lhe dera Machado de Assis) e o universal (figuras da escrita estética, recuperações românticas, citações filosóficas modernas etc.) é a opção por uma configuração estética que encontra no fragmentário, no palimpsesto (biográfico), em suma num inter-dito (ou não dito) um elemento estruturador que costura a desordem filosófica e filológica, recompõe uma dispersão de outra forma inexorável tentando uma síntese de uma totalidade impossível (que é, no fundo, o seu limite estético).

Mais do que uma obra simbolista, ou como posteriormente foi considerado, o exemplar acabado do romance simbolista brasileiro, *No hospício*, representa em seus estilhaços que se recompõem em discurso como numa alegoria de vazios e plenos, de silêncios e palavras, de obscuridades e figuras, não a consciência mas o desejo de ter um romance simbolista que historicamente ficou como um objeto paradoxal, obra excluída que tem como tema a exclusão. O que é, como se sabe, um elemento típico de uma formação literária que corresponde antes de tudo a um desejo de ter uma literatura. Corpo outro de alteridades representadas que fica excluído de uma historiografia fundada sobre uma genêtica impossível, sobre uma evolução falsamente linear, e que talvez só um esforço genealógico, ou seja, capaz de fazer o caminho às avessas, possa recompor toda a sua dispersão, reabilitar o que ficou excluso, repensar numa formação onde lacunas e falhas conservem gravados cacos decisivos de uma memória que se derrotou.

Essa contrahistória literária de corpos fragmentados, de desejos sufocados, de objetos excluídos ou reincorporados, de vencedores e de vencidos que parece ser um bom correlativo da História (com aga maiúscolo) e que nos induz a não parar de olhar para atrás, para um passado que escoou, é o que nos aponta, hoje, a releitura de Rocha Pombo.

[24] A obra de Novalis, nesse sentido, se põe justamente na encruzilhada entre Kant e Fichte, cfr., esse respeito, G. Moretti, *L'estetica di Novalis. Analogia e principio poetico nella profezia romantica*, Torino, Rosenberg & Sellier, 1991, pp. 23 e 30-31.

[25] J. Veríssimo, "Livros e autores de 1903 a 1905" in *Estudos de literatura brasileira 6ªsérie*, Belo-Horizonte-São Paulo, Itatiaia-EDUSP, 1977, p. 123.

La voz narrativa en *Las hazañas del Cid*

JOHN G. WEIGER

Acaso parezca extraño hablar de una "voz narrativa" al discutir una obra teatral. Si bien es verdad que la figura del Prólogo (a veces el Epílogo) o el coro de los clásicos – por no mencionar las figuras alegóricas que encontramos en Cervantes y otros muchos de la edad que nos concierne – pudiera a veces desempeñar el papel de narrador, generalmente no solemos atribuir a personajes de una comedia la función de voz narrativa. Desde luego, cualquier personaje se convierte en una especie de narrador al ponerse a contar. Mas en estos casos se trata sólo de narrar la prehistoria, como si dijésemos, para que el público se entere de acontecimientos no representados en escena. Por otra parte, lo que nos interesa examinar en el presente ensayo es el uso del personaje dramático para narrar lo que está pasando actualmente. La voz del personaje, por lo tanto, lleva implícita la voz del dramaturgo. No se nos cuenta: se nos describe e interpreta. Vale notar aquí que este recurso lo usó Guillén de Castro no sólo en la obra que comentamos aquí – *Las hazañas del Cid* – sino también en la obra que a veces se considera como la primera parte de ella, o sea, *Las mocedades del Cid*. La mayor parte de las intervenciones de Ximena en el acto primero de *Las mocedades* son, efectivamente, nada más que acotaciones. Las palabras de Ximena, si bien expresan lo que ella ve, piensa y siente, sirven para comunicar al oyente otra dimensión de la acción del drama, dimensión ésta que el poeta dramático no presenta en el tablado.

El lector de estas líneas habrá notado que hemos usado la palabra "oyente" y no "espectador" para referirnos al público de la comedia. Si bien es verdad que hace tiempo que hemos venido insistiendo que la comedia española del Siglo de Oro es un género auditivo, cabe poner de relieve aquí que los aludidos parlamentos de Ximena en *Las mocedades*, así como los que estudiaremos a continuación en *Las hazañas del Cid*, sirven precisamente para comunicar mediante nada más que palabras lo que el espectador no ve.

Puede haber, por consiguiente, un narrador interno. Esta voz narrativa, no identificada como tal en el reparto, se hace presente para extender los límites del teatro. El público, al oír las palabras del personaje en cuestión, viene a "ver" aspectos, facetas e incluso acciones que al sentido de la vista le están vedados. Cuando, por ejemplo, Ximena dice: "A la puerta de Palacio / llega mi padre, y, Señora, algo viene alborotado" (*Mocedades*, vv. 612-613)[1], el público no puede ver ni la acción ni el gesto. No obstante, nadie deja de imaginar la agitada llegada del Conde Lozano. Examinemos, pues, el fenómeno en *Las hazañas del Cid*. Comienza la obra con un rápido y breve dialogo entre el Rey don Sancho y un capitán suyo, después del cual aparecen Rodrigo de Vivar y don Diego Ordóñez. Dice el Cid:

> Tarde llegamos, don Diego,
> don Diego Ordóñez de Lara;
> tan cruel como dudosa
> comenzóse la batalla.
> De nube le sirve al sol
> el polvo que se levanta;
> todo es ya confusas voces,
> y todo atrevidas armas.
> "Santiago", dicen todos,
> y todos, "España, España".
> Todo es valor español
> y todo sangre cristiana;
> todo es sangre, todo es fuego;
> aquí mueren y allí matan;
> el peso oprime a la tierra,
> y al cielo ofende la causa. (vv. 7-22)[2]

Este parlamento de dieciséis versos romances consta de dos partes. Los dos primeros versos inician, al parecer, un diálogo. Los dos siguientes se distinguen por el uso del pretérito, ya que Rodrigo habla de lo que ya ocurrió: el comienzo de la batalla. Los demás versos del parlamento, sin em-

[1] Citamos por la edición de L. García Lorenzo, Madrid, Cátedra, 1978.

[2] Citamos por nuestra edición, Barcelona, Puvill, 1980. Conste que esta edición lleva una foto del que escribe estas líneas sacada por Rinaldo Froldi durante nuestra primera visita a Bologna en junio del año 1978.

bargo, se destacan por otros rasgos. En primer lugar, el Cid emplea el presente porque, a diferencia de la típica narración que sirve para ponernos al tanto de circunstancias prehistóricas – digámoslo así –, no está contando lo que ya pasó. El Cid está narrando lo que va ocurriendo ahora.

Los dos versos iniciales sugieren un diálogo que no llega a realizarse. Los dos siguientes sirven de puente entre el aparente diálogo y el resto del parlamento. De ahí el pretérito para ligar lo que ya pasó a lo que está pasando. Se puede argüir que el verbo del primer verso – llegamos – también es pretérito. Esto no afectaría para nada lo que intentamos decir: el parlamento empieza como diálogo pero a partir del quinto verso se transforma en narrativa. Dicha narrativa nos comunica lo que está ocurriendo, pero ¡no está ocurriendo en el tablado!

A pesar de encontrarse en un teatro, el público no llega a ver la batalla que Rodrigo va describiendo. Nadie ve el polvo que "de nube le sirve al sol". Aparte de unos efectos sonoros, la acción – lo que se supone es la esencia del teatro – no se deja ver. Lo que se pasa a la imaginación del público es la típica acción en verso. Es más, la iteración de la palabra "todo" y el uso de la tercera persona para aludir a "ellos" hacen destacar la distinción entre éstos (actores-participantes) y Rodrigo (observador-narrador). Dicho con otras palabras: el parlamento de Rodrigo proyecta una voz narrativa a los llamados espectadores de la obra teatral.

Síguese un rápido y brevísimo diálogo:

> D. Diego: Acometamos.
> Rodrigo: Espera.
> D. Diego: Muero por sacar la espada.
> Rodrigo: Reconozcamos primero,
> y por la parte más flaca
> acometa nuestra gente.

Acto seguido, comenta Rodrigo:

> Mas, de la hueste contraria,
> de gente un tropel confuso
> se sale de la batalla.
> ¡Válgame Dios! ¡Preso llevan!
> ¡El Rey don Sancho es sin falta! (vv. 23-32)

Como se aprecia, de nuevo narra Rodrigo la "acción" del drama. Algo parecido ocurre cuando don Diego narra la llegada de Bellido de Olfos (vv. 727-746). Si quitamos las intervenciones de don Sancho, observamos que los versos pronunciados por don Diego equivalen a una narración de lo que se supone es la acción fuera del escenario:

Descompuesto un caballero
huye, pica, corre, vuela...
Revientan [los que le siguen] por alcanzallo,
mas pienso que no podrán.
La gente de tu real
le ha recogido y le ampara.
"Qué a espacio vuelven la cara
al peligro, aunque es mortal,
los contrarios! ...
¡Con qué congoja
de su caballo se arroja! ...
Ya una tropa de soldados
le traen, caminando, aquí.

Sólo ahora dice el texto: "Salen Bellido de Olfos, y soldados que le traen".

Una variante de este tipo de narración la encontramos en el acto segundo. Es un diálogo entre Urraca y Arias Gonzalo, pero en realidad se trata de dos voces narrativas que nos cuentan lo que ocurre, mejor dicho, lo que no ocurre sino en la imaginación:

Urraca: "¿Qué has oído en el real
de don Sancho?
Arias: Grande estruendo.
Y un hombre viene huyendo.
Urraca: Y volando viene. ¿Hay tal ?
Arias: El que le sigue a caballo,
si es que alcanzallo desea,
"¿cómo se apea ?
Urraca: ¿Se apea ?
Arias: Y a pie procura alcanzallo.
¡Bellido es el que huye allí!
Urraca: ¡Ay el que le sigue es Rodrigo!
Arias: Ya se encamina al postigo

nunca cerrado. (vv. 1139-1149)

Si es posible narrar lo que físicamente no ocurre en el tablado, también se puede aprovechar la voz narrativa para pormenorizar lo que sí tiene lugar delante del público, si bien queda entendido que no todos los detalles pueden verse. Durante las ceremonias fúnebres del Rey don Sancho, Arias Gonzalo pronuncia un largo parlamento en el que describe el cortejo:

Todo por los aires dice
la muerte del Rey don Sancho.
Su entierro debe de ser; ...
Mira en orden las hileras
que vienen de cuatro en cuatro;
así a Zamora se acercan,
cubiertos de lutos largos.
Los mejores de Castilla
llevan las andas en alto,
donde viene muerto el Rey.
Mira a sus pies su corona,
su cuerpo en sangre bañado,
y por el heroico pecho,
mira el agudo venablo,
y con funesto silencio
los leales castellanos,
que hasta el sol visten de luto
con el polvo que arrastrando
levantan tantas banderas;
y mira, ¡prodigio extraño!
que sólo muestran desnudas
las espadas en las manos.
¡Cómo afligen, cómo lloran,
a venganza amenazando!
¡Oh, cuánto callan sintiendo!
¡Oh, cuánto dicen callando! (vv. 1512-1541)

La repetición del mandato "mira" refuerza el papel de narrador que desempeña aquí Arias Gonzalo. Conste que la narración no se limita a contar: Arias no sólo nos describe el cortejo sino que nos da su sentido. Es preciso publicar el delito para poder vengarse. De ahí que sea necesario explicarnos el patetismo del silencio de los leales castellanos: un silencio funesto que no obstante amenaza, ya que dicen tanto callando. Pero hace falta que una voz narrativa nos lo explique.

Momentos después oímos otra narración de Arias, comentando la llegada de don Diego:

> Allí viene un caballero;
> ya con la vista le alcanzo,
> ya le conozco en el brío,
> y es sin duda, no me engaño,
> don Diego Ordóñez de Lara, ...
> todo cubierto de luto
> hasta los pies del caballo.
> Debajo del luto lleva
> un arnés muy bien tranzado,
> una mortaja en el hombro
> y un crucifijo en la mano.
> Hacia el crucifijo mira,
> y con él viene hablando.
> Aquí llega, y hablar quiere;
> atento quiero escuchallo. (vv. 1550-1565)

Si dos personajes pueden hacer el papel de narrador, no faltan situaciones en las que la voz narrativa es múltiple. Sin reproducir aquí los muchos versos utilizados para ello, remitimos al acto tercero, versos 2086-2132. Los interlocutores son seis: dos soldados, el Conde Nuño, el Conde García, Arias Gonzalo y doña Urraca. Se trata de la llegada de don Diego y los preparativos para la lucha entre éste y los hijos de Arias Gonzalo. Y algo parecido ocurre para la descripción de los encuentros de batalla. Huelga decir que habría sido casi imposible presentar las luchas en el tablado, ya que los caballos tendrían un papel imprescindible. (Conviene recordar que las acotaciones exigen la intervención de un caballo en una escena anterior [v. 1151], pero no se le pide al animal una participación tan activa). Lo que queremos destacar aquí es que una vez más Guillén de Castro aprovecha la voz de personajes para narrar una de las escenas más dramáticas del teatro de la época.

De un orden algo diverso son los versos que constituyen la narración de la repartición de los dominios del Rey Fernando (acción que tampoco vemos en esta comedia). Es un parlamento de 68 versos (vv. 83-150), la mayor parte de los cuales sirven para recordar las circunstancias de la división de los reinos del viejo rey. Hasta cierto punto se puede decir que este parlamento ayuda al publicó a recordar lo discutido en la comedia primera. Mas la narración del Cid también obedece a una necesidad intrínseca a la comedia segunda: es importante recordar a don Sancho que sus planes violan el mandato del difunto rey y que al no cumplir con su palabra Sancho invita que se realice la maldición de su padre. Nadie mejor que el Cid para ser la voz que aconseja a Sancho. En esta narración, pues, vemos otro uso de la voz narrativa: no para extender la acción más allá de los límites del teatro ni para narrar lo que seria físicamente difícil de presentar en el tablado sino para recordar el pasado (tanto al público como al personaje de la pieza) y eslabonar así las dos comedias cidianas.

De los varios usos de la voz narrativa en *Las hazañas del Cid*, acaso ninguno sea mejor muestra de patetismo que el momento en que Rodrigo anuncia la muerte del joven Rodrigo Arias. Leamos la escena:

> Rodrigo Arias: ¡Yo muero! Padre, ¿he vencido?
> Don Diego Ordóñez de Lara,
> ¡espera!
> Arias: ¡A Dios te encomienda,
> hijo, hijo!
> Rodrigo: Ya no habla
> el padre, con el dolor;
> y el hijo...
> Rodrigo Arias: ¡Jesús! (Muere)
> Rodrigo: acaba
> de expirar en este punto. (vv. 2572-2578)

Como se aprecia, las palabras del Cid sirven de acotación. En una sola frase – interrumpida únicamente por la última palabra del moribundo joven – Rodrigo explica el silencio de Arias Gonzalo y anuncia la muerte de Rodrigo Arias. La función narrativa del Cid queda subrayada por el uso de la tercera persona: no le habla directamente a Arias sino que habla de "el padre" y "el hijo".

Por último, no dejemos de notar que es precisamente el Cid quien, al igual que en la comedia primera, pronuncia el típico ultílogo: "Y aquí, pidiendo perdón, / fin a la comedia damos" (vv. 2863-2864).

Habrá quien quisiera objetar que casi todo lo apuntado en el presente ensayo lo debemos atribuir no a Guillén sino al Romancero. Semejante juicio, empero, tendría que ser inadmisible, pues la lógica conclusión de tal parecer sería desechar la comedia (y otras muchas) del valenciano y sustituir la lectura de los romances y las crónicas. Recordemos las palabras de Casalduero: "Guillén de Castro es tan España... que se incorpora en su esencia el espíritu del Romancero"[3]. O lo que es lo mismo: Guillén no copió ciegamente lo que hallara en los romances. Aprovechó los elementos de la tradición y los fundió con la "comedia nueva", recurriendo no al coro de los clásicos sino a personajes íntimamente ligados a la acción que expresan lo que va pasando desde una perspectiva interna. Los personajes que comentan la acción, pues, no constituyen meramente otro "yo" del autor sino la voz de la propia comedia[4].

[3] J. Casalduero, *Estudios sobre el teatro español*, Madrid, Gredos, 1962, p. 48.

[4] Se trata del "espacio diegético, el espacio fuera de escena, el espacio no-visto donde tienen lugar los acontecimientos relatados por un personaje", según lo describe J.M. Regueiro, *Semántica espacial en el teatro español*, Kassel, Reichenberger, 1996. Mas como hemos notado, también es posible narrar el "espacio mimético, el espacio contenido en escena, el espacio visto". Ver también M. Issacharoff, *Discourse As Performance*, Stanford University Press, 1989, pp. 58-67.

Finito di stampare nel marzo 2004
da M.S./Litografia in Torino
per conto delle Edizioni dell'Orso